わが国の予防接種	1
ワクチン概論	2
ワクチン，免疫グロブリン製剤，抗毒素製剤	3
ワクチン別の解説	4
海外渡航時の予防接種	5

予防接種の手びき

2020-21 年度版

岡部信彦

岡田賢司　齋藤昭彦　多屋馨子

中野貴司　中山哲夫　細矢光亮　編著

付録

近代出版

編著者一覧

（＊は編集委員長）

岡部　信彦*（おかべ　のぶひこ）
川崎市健康安全研究所 所長

岡田　賢司（おかだ　けんじ）
福岡看護大学 基礎・基礎看護部門 基礎・専門基礎分野 教授
福岡歯科大学医科歯科総合病院 予防接種センター長

齋藤　昭彦（さいとう　あきひこ）
新潟大学大学院医歯学総合研究科 小児科学分野 教授

多屋　馨子（たや　けいこ）
国立感染症研究所 感染症疫学センター 第三室 室長

中野　貴司（なかの　たかし）
川崎医科大学 小児科学 教授

中山　哲夫（なかやま　てつお）
北里大学 北里生命科学研究所 名誉教授

細矢　光亮（ほそや　みつあき）
福島県立医科大学医学部 小児科学講座 教授

〈2020-21年度版〉の発刊にあたって

　赤い表紙の『予防接種の手びき』は，1975(昭和50)年の初版から故・木村三生夫先生，平山宗宏先生，そして1995(平成7)年から参加された堺春美先生らによって版を重ね，2014(平成26)年の第14版までの約40年間，文字通り「予防接種の手びき」として広く利用されてきました。しかし，現在の予防接種・ワクチンを取り巻く状況は，大きく，早く変化をしており，新たな手びき書が必要であると考え，2018年『予防接種の手びき〈2018-19年度版〉』の発刊に至りました。新たな書でありながら，赤い表紙の「手びき」そのままの表題を使わせていただいたのは，原稿は新たに構成する複数のメンバーで書き起こしながらも，かつこれまでの「手びき」の良いところはできるだけ残しておこうという編著者グループの意図によるものです。また〈2018-19年度版〉としたのは，少なくとも2020年には新たな版を発行する必要性があろうという，編著者グループおよび出版社のあらかじめの決意を示したものでした。

　2018年発行から2年間，やはり予防接種の実施にあたっては多くの変化がみられました。そこで当初の決意通り，これらの変化をできるだけ反映するようにして，今回〈2020-21年度版〉を発刊することになりました。

　主な改訂，追加の内容は以下の通りです。
- ・風しんの追加的対策(第5期接種)
- ・「麻しんに関する特定感染症予防指針」の改正
- ・高齢者の肺炎球菌感染症の対象者に関する再経過措置
- ・ロタウイルスワクチン定期接種化に向けた動き(2020年10月より定期接種化予定)
- ・新しいワクチンとして，帯状疱疹ワクチン(シングリックス)，乾燥組織培養不活化狂犬病ワクチン(ラビピュール筋注用)の概説
- ・新しいコラムとして，WHOが進めている予防接種戦略，医療関係者に求められる予防接種(日本環境感染学会による改訂「医療関係者のためのワクチンガイドライン」に沿った最新の情報)など
- ・予防接種制度，統計などを最新のものへ変更

　本書『予防接種の手びき〈2020-21年度版〉』が，予防接種を行う医療機関，保健所あるいは行政担当者，研究機関等の予防接種にかかわる皆様方に，最新で確実な情報としてお役に立つことを，編著者一同，心から願っております。

　令和2年1月

編著者代表　岡　部　信　彦

第一版の序

　予防接種の問題が社会的な注目を浴びるようになって以来，多くの解説書が出されてきたが，接種を行う医師や，予防接種担当者向けの手びきのようなものはほとんどなく，それに対する要望もかなり強いものであった。

　厚生省医療助成研究「予防接種後の副反応の予防および治療に関する研究」班および予防接種リサーチセンターにおいては，医師その他の予防接種にたずさわる人々に対する手びきの作成を計画し，検討を加えてきたが，その結果をこの3月に報告した。

　これを機会に，作成の世話をさせていただいた立場から，その内容を中心として，最近の三種混合ワクチンに関する改訂資料を加え，その他の補足を行って，とりあえず本冊子を出すこととした。

　わが国の予防接種のあり方については，このところ検討が加えられつつあり，大きく変わろうとしている。本冊子の内容も，それに応じて変更しなければならない点があれば直ちに改訂を重ねる予定である。現時点での手びきとしてご利用になることをお願いし，ご意見があれば，今後の改訂の参考として是非いただきたい。

　本手びきの作成に関して予防接種副反応研究班班長として故中村文弥教授，種痘研究班班長として故高津忠夫教授のご指導をいただいたことを感謝し，ここに謹んで，本書をご墓前にささげたい。

　また予防接種リサーチセンター山口正義理事長をはじめ，厚生省担当官各位の絶大なご援助をいただいた点を併せ，厚く御礼申し上げる次第である。

　　昭和50年7月

　　　　　　　　　　　　　　　　　　　　　　　木　村　三生夫
　　　　　　　　　　　　　　　　　　　　　　　平　山　宗　宏

本文目次

1 わが国の予防接種   1

予防接種総論（岡部信彦） ——————————— 2
- I 予防接種の定義 *2*
- II 予防接種・ワクチンに求められる安全性 *2*
- III 健康被害に対する救済制度 *4*
  - 予防接種健康被害救済制度 接種年次別認定者数〈新制度分〉 6
  - 予防接種健康被害救済制度 給付区分別認定者数〈新制度分〉 8

予防接種の歴史（岡部信彦） ——————————— 9
- I 予防接種・ワクチンの黎明 *9*
- II わが国における予防接種の歴史と流れ *13*
- III 痘瘡根絶宣言（1980年）に至るまで *14*
- IV 感染症法の成立と結核予防法の廃止 *15*
- V 最近の予防接種の動向 *18*
- コラム WHOが進めている予防接種戦略 32

予防接種の制度と実施（岡部信彦） ——————————— 34
- I 予防接種の制度 *34*
- II 予防接種の接種間隔と同時接種 *38*
- III 定期接種 *39*
- IV 予防接種の実施（概要） *43*
- V 予防接種不適当者，予防接種要注意者 *48*
- コラム 予防接種法における接種年齢について 37／医療関係者に求められる予防接種 56

予防接種の評価に関する情報（多屋馨子） ——————————— 60
- I 感染症発生動向調査・病原微生物検出情報 *60*
- II 感染症流行予測調査事業 *62*
- III 予防接種実施状況調査 *68*

iv 本文目次

2 ワクチン概論（中山哲夫） 79

ワクチンの種類と作用 ———— 80
Ⅰ 生ワクチンと不活化ワクチン *80*
Ⅱ ワクチンの作用（自然免疫と獲得免疫） *82*
用語解説 *86*

ワクチンの成分と添加物 ———— 88
Ⅰ ワクチンの製造工程 *88*
Ⅱ 添加物の種類とその役割 *88*
Ⅲ チメロサールの問題点 *90*
Ⅳ アジュバント *92*

ワクチンの保存，有効期間，注意点 ———— 95
Ⅰ ワクチン製剤の安定性 *95*
Ⅱ ワクチンの保管方法 *97*
コラム 期限切れワクチンの接種事故／ワクチン保存のポイント *97*

ワクチンの接種方法と有効性・安全性 ———— 98
Ⅰ ワクチンの接種方法 *98*
Ⅱ ワクチンによる主反応（免疫能の誘導）と副反応 *103*

抗体の測定法 ———— 107
Ⅰ 抗体測定法 *107*
Ⅱ 細胞性免疫能の測定法 *109*
コラム これからの新規ワクチン開発 *110*／国内での新規ワクチンの開発・申請
状況 *111*

現行の予防接種まとめ ———— 112

3 ワクチン，免疫グロブリン製剤，抗毒素製剤 119

ワクチンの概要と添加物含有量 ———— 120

ワクチンのゼラチン，人血清アルブミン，チメロサール，その他の防腐剤含有量の推移 ———— 134

免疫グロブリン製剤，抗毒素製剤（中山哲夫） ———— 138
Ⅰ 免疫グロブリン製剤 *138*

Ⅱ　抗毒素製剤　*150*

ワクチン，人免疫グロブリン製剤，抗毒素製剤 製造元・販売元一覧　154

4　ワクチン別の解説　　157

DPT-IPV（百日咳，ジフテリア，破傷風，ポリオ）（岡田賢司）── 158

百日咳　*158*
　　1．疾患の概要　158　　　2．わが国における発生状況　158

ジフテリア　*160*
　　1．疾患の概要　160　　　2．わが国における発生状況　161

破傷風　*161*
　　1．疾患の概要　161　　　2．わが国における発生状況　161
　　3．予防接種の意義　162

ポリオ（急性灰白髄炎）　*163*
　　1．疾患の概要　163　　　2．わが国における発生状況　163
　　3．予防接種の意義　163

ワクチンの効果と安全性　*163*
　　1．ワクチンの概要　163　　　2．免疫効果　166

副反応　*170*
　　1．沈降精製百日咳ジフテリア破傷風不活化ポリオ混合ワクチン（DPT-IPV）　170
　　2．単独不活化ポリオワクチン（IPV）　172
　　3．沈降ジフテリア破傷風混合トキソイド（DT）　172
　　4．沈降破傷風トキソイド（沈降T）　172

接種方法の実際　*172*
　　1．沈降精製百日咳ジフテリア破傷風不活化ポリオ混合ワクチン（DPT-IPV）　172
　　2．沈降ジフテリア破傷風混合トキソイド（DT）　174
　　3．沈降破傷風トキソイド（沈降T）　174
　　4．Tdap（思春期・成人用百日咳ワクチン）およびDTaP　175
　　5．単独不活化ポリオワクチン（IPV）　177

BCG（岡田賢司）── 179

結核　*179*
　　1．疾患の概要　179　　　2．わが国における発生状況　179
　　3．予防接種の意義　180

ワクチンの効果と安全性　*181*
　　1．ワクチンの概要　181　　　2．免疫効果　182　　　3．副反応　182
　　4．接種不適当者および接種要注意者　188

接種方法の実際　*188*
　　1．接種方法の変遷　188　　　2．接種方法　188
　　コラム　ヒトの結核菌に対する特異性が高い結核感染診断法：IGRA　　191

vi　本文目次

日本脳炎ワクチン(多屋馨子) ━━━━━━━━━━━━━━━━━ 192

日本脳炎　*192*
1．疾患の概要　192　　2．わが国における発生状況　193
3．予防接種の意義　196

ワクチンの効果と安全性　*196*
1．ワクチンの概要　196　　2．免疫効果　197　　3．副反応　198
4．接種不適当者および接種要注意者　201

接種方法の実際　*201*
1．接種方法　201　　2．注意　202

インフルエンザワクチン(齋藤昭彦) ━━━━━━━━━━━━ 203

インフルエンザ　*203*
1．疾患の概要　203　　2．わが国における発生状況　206
3．予防接種の意義　206

ワクチンの効果と安全性　*207*
1．ワクチンの概要　207　　2．免疫効果　211　　3．副反応　212
4．接種不適当者および接種要注意者　213

接種方法の実際　*214*
1．接種方法　214　　2．注意　215

> コラム　海外における多彩なインフルエンザワクチン／高齢者用の高容量ワクチン
> ／レコンビナントワクチン／細胞培養ワクチン／経鼻生ワクチン／皮内ワ
> クチン／貼るワクチン　215

麻疹ワクチン(多屋馨子) ━━━━━━━━━━━━━━━━━━ 218

麻疹　*218*
1．疾患の概要　218　　2．わが国における発生状況　219
3．予防接種の意義　222

ワクチンの効果と安全性　*225*
1．ワクチンの概要　225　　2．免疫効果　226　　3．副反応　228
4．接種不適当者および接種要注意者　230

接種方法の実際　*230*
1．接種方法　230　　2．注意　231

風疹ワクチン(多屋馨子) ━━━━━━━━━━━━━━━━━━ 232

風疹　*232*
1．疾患の概要　232　　2．わが国における発生状況　232
3．予防接種の意義　235

ワクチンの効果と安全性　*236*
1．ワクチンの概要　236　　2．免疫効果　238　　3．副反応　242
4．接種不適当者および接種要注意者　244

接種方法の実際　*244*
　　1．接種方法　244　　2．注意　245

麻疹風疹混合ワクチン（多屋馨子）――――――― 246
ワクチンの効果と安全性　*246*
　　1．ワクチンの概要　246　　2．免疫効果　246　　3．副反応　246
　　4．接種不適当者および接種要注意者　248
接種方法の実際　*248*
　　1．接種方法　248　　2．注意　249

インフルエンザ菌b型結合型ワクチン（ヒブワクチン）（岡田賢司）― 250
インフルエンザ菌 b 型感染症（ヒブ感染症）　*250*
　　1．疾患の概要　250　　2．わが国における発生状況　250
　　3．予防接種の意義　250
ワクチンの効果と安全性　*250*
　　1．ワクチンの概要　250　　2．免疫効果　252　　3．副反応　255
　　4．接種不適当者および接種要注意者　257
接種方法の実際　*258*
　　1．接種方法　258　　2．注意　258

肺炎球菌ワクチン（岡田賢司）―――――――――― 260
肺炎球菌感染症　*260*
　　1．疾患の概要　260　　2．わが国における発生状況　260
　　3．予防接種の意義　260
ワクチンの効果と安全性　*261*
　　1．ワクチンの概要　261　　2．免疫効果　261　　3．副反応　269
　　4．接種不適当者および接種要注意者　271
接種方法の実際　*272*
　　1．接種方法　272　　2．注意　273

ヒトパピローマウイルスワクチン（齋藤昭彦）――――― 275
子宮頸癌，尖圭コンジローマ　*275*
　　1．疾患の概要　275　　2．わが国における発生状況　276
　　3．予防接種の意義　276
ワクチンの効果と安全性　*277*
　　1．ワクチンの概要　277　　2．免疫効果　277　　3．副反応　279
　　4．接種不適当者および接種要注意者　279
接種方法の実際　*280*
　　1．接種方法　280　　2．注意　280
　　コラム　HPVワクチンの積極的接種推奨の中止について　281

水痘ワクチン（帯状疱疹ワクチン）（細矢光亮） ─────── 282

水痘・帯状疱疹　*282*
　　1．疾患の概要　282　　2．わが国における発生状況　283
　　3．予防接種の意義　284
ワクチンの効果と安全性　*285*
　　1．ワクチンの概要　285　　2．免疫効果　287　　3．副反応　288
　　4．接種不適当者および接種要注意者　289
接種方法の実際　*289*
　　1．乾燥弱毒生水痘ワクチン　289　　2．乾燥組換え帯状疱疹ワクチン　290
　　コラム　TORCH症候群　283

B型肝炎ワクチン（細矢光亮） ───────────────── 291

B型肝炎　*291*
　　1．疾患の概要　291　　2．わが国における発生状況　293
　　3．予防接種の意義　295
ワクチンの効果と安全性　*296*
　　1．ワクチンの概要　296　　2．免疫効果　296　　3．副反応　297
　　4．接種不適当者および接種要注意者　297
接種方法の実際　*298*
　　1．接種方法　298　　2．注意　298
　　コラム　遺伝子型AのB型肝炎ウイルス／*de novo* B型肝炎　293

おたふくかぜワクチン（細矢光亮） ──────────────── 299

おたふくかぜ　*299*
　　1．疾患の概要　299　　2．わが国における発生状況　300
　　3．予防接種の意義　300
ワクチンの効果と安全性　*301*
　　1．ワクチンの概要　301　　2．免疫効果　302　　3．副反応　303
　　4．接種不適当者および接種要注意者　305
接種方法の実際　*306*
　　1．接種方法　306　　2．注意　306
　　コラム　ムンプス難聴　306

ロタウイルスワクチン（細矢光亮） ──────────────── 307

ロタウイルス感染症　*307*
　　1．疾患の概要　307　　2．わが国における発生状況　307
　　3．予防接種の意義　308
ワクチンの効果と安全性　*308*
　　1．ワクチンの概要　308　　2．免疫効果　310　　3．副反応　311
　　4．接種不適当者および接種要注意者　312

接種方法の実際　*312*
　　1．接種方法　312　　2．注意　313

A型肝炎ワクチン（中野貴司）——————————————————— 314
A型肝炎　*314*
　　1．疾患の概要　314　　2．わが国における発生状況　315
　　3．予防接種の意義　316
ワクチンの効果と安全性　*317*
　　1．ワクチンの概要　317　　2．免疫効果　318　　3．副反応　318
　　4．接種不適当者および接種要注意者　318
接種方法の実際　*318*
　　1．接種方法　318　　2．注意　318
　　コラム　海外で使用されるA型肝炎ワクチン　　319

狂犬病ワクチン（中野貴司）——————————————————— 320
狂犬病　*320*
　　1．疾患の概要　320　　2．わが国における発生状況　321
　　3．予防接種の意義　321
ワクチンの効果と安全性　*322*
　　1．ワクチンの概要　322　　2．免疫効果　323　　3．副反応　323
　　4．接種不適当者および接種要注意者　323
接種方法の実際　*324*
　　コラム　狂犬病が疑われる動物に咬まれたら……　　325

黄熱ワクチン（中野貴司）——————————————————— 326
黄熱　*326*
　　1．疾患の概要　326　　2．わが国における発生状況　328
　　3．予防接種の意義　328
ワクチンの効果と安全性　*330*
　　1．ワクチンの概要　330　　2．免疫効果　331　　3．副反応　331
　　4．接種不適当者および接種要注意者　332
接種方法の実際　*333*
　　1．接種方法　333　　2．注意　333
　　コラム　授乳婦と黄熱ワクチン　　331／海外渡航と予防接種　　333

髄膜炎菌ワクチン（中野貴司）——————————————————— 334
髄膜炎菌性髄膜炎　*334*
　　1．疾患の概要　334　　2．わが国における発生状況　335
　　3．予防接種の意義　336
ワクチンの効果と安全性　*338*

1．ワクチンの概要　338　　2．免疫効果　338　　3．副反応　338
4．接種不適当者および接種要注意者　339

接種方法の実際　*339*
1．接種方法　339　　2．注意　339

> コラム　髄膜炎菌ワクチンにも及んでいたワクチンギャップ／髄膜炎菌ワクチンの
> 歴史と世界で使用されているワクチン　339

痘瘡ワクチン（中野貴司）——————————————————— 341

痘瘡　*341*
1．疾患の概要　341　　2．わが国における発生状況　342
3．予防接種の意義　342

ワクチンの効果と安全性　*343*
1．ワクチンの概要　343　　2．免疫効果　343　　3．副反応　343
4．接種不適当者および接種要注意者　344

接種方法の実際　*345*
1．接種方法　345　　2．注意　345

> コラム　痘瘡ワクチン接種後の「善感」とは？／痘瘡ワクチンによる発病予防機序／
> 米国で痘瘡ワクチン再開後に問題となった副反応　346

5　海外渡航時の予防接種（中野貴司）　347

海外渡航時の予防接種 ——————————————————————— 348
Ⅰ　海外渡航と感染症　*348*
Ⅱ　渡航先と必要なワクチン　*352*
Ⅲ　予防接種に関する英文証明書　*353*
Ⅳ　各種のトラベラーズワクチン　*355*

> コラム　マラリアワクチン　362

索　引　589

付録目次　xi

付録目次

予防接種法
予防接種法（昭和23年6月30日法律第68号：平成25年12月13日第103号）･･････････････････ 付録 *2*
予防接種法施行令（昭和23年7月31日政令第197号：令和元年9月27日第116号）･････････････ 付録*13*
予防接種法施行規則（昭和23年8月10日厚生省令第36号：令和元年9月27日第53号）･･･････ 付録*30*
予防接種実施規則（昭和33年9月17日厚生省令第27号：平成31年2月1日第9号）･････････ 付録*46*

定期接種実施要領
定期接種実施要領（平成31年3月20日健発0320第1号厚生労働省健康局長通知）･･･････････ 付録*64*

特定感染症予防指針
麻しんに関する特定感染症予防指針（抄）
　　（平成19年12月28日厚生労働省告示第442号：
　　　　改正　平成31年4月19日厚生労働省告示第237号）･･････････････････････････････ 付録*84*
風しんに関する特定感染症予防指針（抄）
　　（平成26年3月28日厚生労働省告示第122号：改正　平成29年12月21日健発1221第1号）･･･････ 付録*90*
結核に関する特定感染症予防指針（抄）
　　（平成19年3月30日厚生労働省告示第72号：改正　平成28年11月25日健発1125第2号）･･･････ 付録*96*
インフルエンザに関する特定感染症予防指針（抄）
　　（平成11年12月21日厚生省告示第247号：改正　平成27年3月31日厚生労働省告示第193号）･････ 付録*98*

予防接種法改正および予防接種実施関連通知
平成31年（令和元年）の改正について
　　予防接種法施行規則の一部を改正する省令の公布について
　　　（令和元年9月27日健発0927第2号厚生労働省健康局長通知）･････････････････････ 付録*102*
　　予防接種法施行令の一部を改正する政令等の施行等について
　　　（平成31年3月20日健発0320第1号厚生労働省健康局長通知）･･･････････････････ 付録*102*
　　予防接種法施行令の一部を改正する政令等の施行等について
　　　（平成31年2月1日健発0201第2号厚生労働省健康局長通知）･･･････････････････ 付録*103*
平成28年の改正について
　　予防接種法施行令の一部を改正する政令及び予防接種法施行規則及び
　　　予防接種実施規則の一部を改正する省令の公布について
　　　（平成28年6月22日健発0622第1号厚生労働省健康局長通知）･･･････････････････ 付録*105*
　　予防接種実施規則の一部を改正する省令の施行について
　　　（平成28年3月31日健発0331第6号厚生労働省健康局長通知）･･･････････････････ 付録*107*
平成26年の改正について
　　予防接種法施行規則の一部を改正する省令の施行について
　　　（平成26年11月25日健発1125第5号厚生労働省健康局長通知）･･･････････････････ 付録*108*
　　予防接種法施行令の一部を改正する政令並びに予防接種法施行規則及び
　　　予防接種実施規則の一部を改正する省令の施行について
　　　（平成26年7月16日健発0716第24号厚生労働省健康局長通知）･･･････････････････ 付録*108*

xii 付録目次

予防接種実施規則の一部を改正する省令の施行等について
　　　　（平成26年3月24日健発0324第11号厚生労働省健康局長通知）‥‥‥‥‥‥‥‥ 付録*111*
平成6年の改正について
　予防接種法及び結核予防法の一部を改正する法律等の施行について
　　　　厚生事務次官通知（平成6年8月25日厚生省発健医第213号）‥‥‥‥‥‥‥‥ 付録*112*
　　　　厚生省保健医療局長通知（平成6年8月25日健医発第961号）‥‥‥‥‥‥‥‥ 付録*113*
　今後の予防接種制度の在り方について（平成5年12月14日公衆衛生審議会答申書）‥‥‥ 付録*116*
昭和51年の改正について
　予防接種の対象疾病及び健康被害に対する救済について
　　　　（昭和51年3月22日伝染病予防調査会答申書）‥‥‥‥‥‥‥‥‥‥‥‥‥‥ 付録*120*
　〈別紙1〉予防接種の対象疾患等について（昭和50年12月17日予防接種部会）‥‥‥‥ 付録*120*
　〈別紙2〉予防接種の今後のあり方及び予防接種による健康被害に対する
　　　　　救済について（昭和51年3月11日制度改正特別部会）‥‥‥‥‥‥‥‥‥‥ 付録*122*

感染症法
感染症の予防及び感染症の患者に対する医療に関する法律
　　　　（平成10年10月2日法律第114号：令和元年6月14日第37号）‥‥‥‥‥‥‥‥ 付録*126*
感染症の予防及び感染症の患者に対する医療に関する法律施行令
　　　　（平成10年12月28日政令第420号：令和元年6月14日第27号）‥‥‥‥‥‥‥‥ 付録*150*
感染症の予防及び感染症の患者に対する医療に関する法律施行規則
　　　　（平成10年12月28日厚生省令第99号：令和元年9月13日第46号）‥‥‥‥‥‥ 付録*155*

予防接種法による救済制度
A類（一類）疾病に係る救済制度について
　予防接種法及び結核予防法の一部を改正する法律の一部等の施行について
　　　　（昭和52年3月7日衛発第186号厚生省公衆衛生局長通知：
　　　　　平成6年8月25日健医発第961号）‥‥‥‥‥‥‥‥‥‥‥‥‥‥‥‥‥‥ 付録*168*
B類（二類）疾病に係る救済制度について
　予防接種法の一部を改正する法律等の施行について
　　　　（平成13年11月7日健発第1058号厚生労働省健康局長通知：
　　　　　改正　平成17年6月16日健感発第0616002号）‥‥‥‥‥‥‥‥‥‥‥‥ 付録*189*

予防接種関連統計
予防接種法による健康被害救済金額の推移（昭和57年～令和元年）‥‥‥‥‥‥‥‥ 付録*204*
1994年予防接種法改正後　予防接種実施率の推移（平成7年～平成29年）‥‥‥‥‥‥ 付録*206*
1994年予防接種法改正前　予防接種実施率の推移（昭和42年～平成6年）‥‥‥‥‥‥ 付録*212*
感染症発生動向調査定点把握感染症報告数（平成11年～平成29年）‥‥‥‥‥‥‥‥ 付録*215*
感染症発生動向調査全数把握感染症報告数・死亡数（平成11年～平成29年）‥‥‥‥‥ 付録*216*
伝染病（法定・指定）　患者数および死者数の推移（昭和21年～平成10年）‥‥‥‥‥‥ 付録*221*
伝染病（届出）　患者数および死者数の推移（昭和21年～平成10年）‥‥‥‥‥‥‥‥ 付録*223*

1

わが国の予防接種

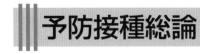

I 予防接種の意義

予防接種とワクチンはほぼ同じ意味に使われるが,予防接種とは薬物などで生体に免疫をつけることであり,ワクチンとはその免疫をつける薬物を指す。したがって「ワクチンを使って予防接種を行う」ことになる。

予防接種は,個人が病気に罹らない,つまりそれぞれの健康を守ることが最も重要な目的で,目に見えない大きな効果が生じる。個人を守ることによって次の世代の健康をも守ろうとするものもある。風疹は,ほとんどが熱と発疹程度の軽い感染症であるが,免疫を持たない妊娠早期の女性が風疹ウイルスの感染を受けると胎児に影響が及び,心臓・眼・聴力・発育などに障害が生じる先天性風疹症候群(congenital rubella syndrome：CRS)が高率に生ずる。これを防ぐために風疹のワクチン接種が行われている。多くの人が風疹のワクチン接種を受けることによって風疹の発生数を減らし,男性から女性に感染する危険性も防ぐために,男女の区別なく風疹ワクチンの接種は行われる。

多くの人が免疫を持つとその感染症の発生は少なくなってくるので,予防接種を受けていなかった少数の人にも感染の危険性が少なくなり,守られることになる。つまり,予防接種を受けられない人,受け損ねていた人,受けたくなかった人も,予防接種を受けた人によって守られていることになる。予防接種は,自分だけではなく見知らぬ人もいつの間にか守る優しさを持っているといえる。

さらに,予防接種によって,やがてその病気を地球上から追放しようとするねらいを持つものもある。人々が長い間悩まされてきた天然痘(痘瘡)は,人類が初めて手にした天然痘ワクチン〔種痘：vaccination(ワクチン：vaccineの語源)〕によって,世界中からの根絶を達成している。実現までもう一歩のポリオの根絶計画(polio eradication),麻疹や風疹の排除計画(measles elimination, rubella elimination)に,ワクチンは欠かせないツールである。

これまでのワクチンは,急性感染症とその合併症の予防に主眼が置かれてきたが,慢性感染症あるいは感染症の延長としての癌の発症予防もワクチンで可能となってきた。B型肝炎ウイルス(hepatitis B virus：HBV)ワクチンは,急性B型肝炎の予防はもちろんであるが,その重要な役割はHBVが持続感染することによる慢性肝炎・肝硬変・肝癌の予防である。ヒトパピローマウイルス(human papilloma virus：HPV)ワクチンは,HPV感染による子宮頸癌およびその他のHPV関連癌の予防を目的として開発実用化されたものである。

II 予防接種・ワクチンに求められる安全性

予防接種は,人々を感染症から守る最も重要な予防法であり,抗菌薬や抗ウイル

ス薬が使える現代でも，予防接種の重要性は変わらない．病気に罹るより，罹らない方がよりリスクは少なくなるという，大きなメリットがあるからである．医療は通常病気になった人に行うが，予防接種は多くの場合は健康な人に行う医療行為になるので，効果が高く，確実に安全であることが求められる．予防しようとする病気が目の前にあるときには，多くの人は予防接種を求めて殺到するが，その病気が目の前からなくなってきたときには，病気に罹るのではないかという不安は低くなり，ワクチンによる万が一の異常反応の不安の方が高くなり，ワクチン接種を避けるという現象が現れることがある．

　人間の体は誰一人同じものはない複雑な構造で，生体に異物（ワクチン）を投与する，つまり予防接種をすることによって，正常な生体の反応を超えた，予期できないあるいは極めてまれな異常反応が出現し，重大な健康被害が生じることが残念ながらゼロではない．ワクチンの種類によって異なるが，数10万〜数100万回接種に1回ほどの割合で入院を要する異常反応が出現することがあり，数100万〜1,000万回接種の単位で考えると，中には生命にかかわることがあるのも事実である．これを上回るリスクのあるワクチンは通常は使用ができない．あるいは使用されているものであれば一時中止をしてその原因の解明を行い，ワクチンを使用しないことによる疾病負担の再現あるいは増大とのリスクバランスなどを考慮して，ワクチンの再開あるは新たなワクチンの登場まで使用中止などを図る必要がある．そのため，わが国の予防接種は，ワクチンの承認制度や国家検定，予防接種の実際の方法の規定などにより被害を最小限にするための努力が続けられている．

　100.0％の効果，100.0％の安全性が担保されているものではないが，100％の効果と

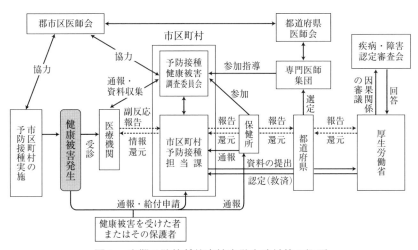

図1　定期予防接種健康被害発生時対策の概要

4　わが国の予防接種

安全性へ少しでも近づける努力を続けながら，現在の感染症の持つリスクを軽減さ
せるツールがワクチンであり，予防接種を行う意義であることを，広く人々に理解
していただく必要があり，これに対する丁寧な説明が常に求められる。

Ⅲ　健康被害に対する救済制度

　最大限の努力と注意を払うことが安全な予防接種の大前提であるが，残念ながら
予期することのできない健康被害（重篤な副反応の発生）が極めてまれではあるが起
こり得る。このような万一の健康被害に対して，予防接種法に規定された予防接種
（定期接種）に関連したと思われる健康被害の場合には，治療費（自己負担分）・医療
を受けるために要した費用・障害が残った場合には障害児養育年金（18歳以上であ
れば障害年金）・死亡に対しては葬祭料および一時金が支給される予防接種健康被
害救済制度がある。予防接種による健康被害を受けたと思われる場合に，本人ある
いはその保護者などから定期予防接種を行った市区町村（市区町村などの自治体の

表1　予防接種に係る健康被害に対する給付額の比較

	臨時接種および A類疾病の定期接種		B類疾病の定期接種	(参考)医薬品副作用被害救済制度 生物由来製品感染等被害救済制度
医療費	健康保険等による給付の額を除いた自己負担分 （入院相当に限定しない）		A類疾病の額に準ずる （入院相当）	健康保険等による給付の額を除いた自己負担分（入院相当）
医療手当	通院3日未満(月額) 通院3日以上(月額) 入院8日未満(月額) 入院8日以上(月額) 同一月入通院(月額)	34,800円 36,800円 34,800円 36,800円 36,800円	A類疾病の額に準ずる	通院3日未満(月額)　34,800円 通院3日以上(月額)　36,800円 入院8日未満(月額)　34,800円 入院8日以上(月額)　36,800円 同一月入通院(月額)　36,800円 （通院は入院相当に限定）
障害児 養育年金	1級(年額) 2級(年額)	1,572,000円 1,258,800円		1級(年額)　873,600円 2級(年額)　699,600円
障害年金	1級(年額) 2級(年額) 3級(年額)	5,032,800円 4,026,000円 3,019,200円	1級(年額)　2,796,000円 2級(年額)　2,236,000円	1級(年額)　2,796,000円 2級(年額)　2,236,800円
死亡した 場合の 補償	死亡一時金	44,000,000円	・生計維持者でない場合 遺族一時金　7,333,200円 ・生計維持者である場合 遺族年金(年額)　2,444,400円 （10年を限度）	・生計維持者でない場合 遺族一時金　7,333,200円 ・生計維持者である場合 遺族年金(年額)　2,444,400円 （10年を限度）
葬祭料		209,000円	A類疾病の額に準ずる	209,000円
介護加算	1級(年額) 2級(年額)	843,600円 562,400円		

単価は2020年1月現在。具体的な給付額については，政令で規定。B類疾病の定期接種に係る救済額について
は，医薬品副作用被害救済制度の給付額を参酌して定めることとされている。介護加算は，施設入所または入
院していない場合に，障害児養育年金または障害年金に加算するもの。新臨時接種(接種の勧奨は行うものの，
接種の努力義務のかからない接種)については，給付の内容はA類疾病の定期接種と同様ではあるものの，給付
水準はA類疾病の定期接種とB類疾病の定期接種の中間的な水準としている。

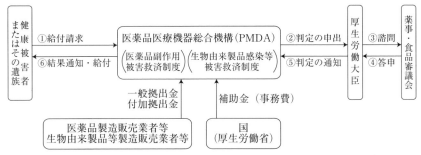

図2　救済給付までの仕組み

予防接種担当課)に申請を行う。**図1**に健康被害発生時の対策の概要を示す。

　市区町村に設置されている予防接種健康被害調査委員会において救済を必要とすると思われた事例については，都道府県を経て厚生労働省に対して報告が行われ，国に設置された外部委員会(疾病障害認定審査会)で審査が行われる。そこで認定相当との意見が出されれば厚生労働大臣が認定し，救済のための支給が行われる(国が1/2，都道府県・市区町村が各1/4の補助率)。

　「救済」という意味は，予防接種が過誤などなく行われた場合であっても予測不可能に副反応が生ずることがあり，また実際にそのような場合がほとんどであるところから，副反応に対しては過失に対する保障や賠償ではなく，接種を勧めた国としてこれを救済する，という形になっている。

　なお，通常起こり得る一過性の発熱や腫脹などは救済の対象とならず，常軌を逸脱した副反応の場合(目安として入院に相当する程度の疾病や障害)が妥当であるとされている。なお申請にあたっては，予防接種が行われたという事実を証明するもの(母子手帳など)，および予防接種を受けた前後および健康被害の状況が記載された診療録などの証拠書類が必要となる。

　予防接種法に規定された対象疾患以外のワクチン(任意接種)の場合には，医薬品医療機器総合機構に申請することにより機構で審議され，そこで救済のための支給の可否が決定されるが，救済の金額は定期接種より健康被害に対する救済額を下回る(**表1**)。

　給付の内容と支給決定までの流れを**図2**に示す。

(岡部信彦)

予防接種健康被害救済制度　接種年次別認定者数〈新制度分〉

(2016年末現在)

疾病／年次	痘瘡	D	P	DT	DP	DPT	ポリオ	2次ポリオ	麻疹	MMR	風疹	MR	インフルエンザ 定期	インフルエンザ 臨時	新型インフルエンザ	日本脳炎	ワイル病	腸チフス パラチフス	BCG	Hib	PCV	DPT-IPV	PPSV	HPV	IPV	水痘	合計
1947	11	-	-	-	-	-	-	-	-	-	-	-	-	-	-	-	-	-	-	-	-	-	-	-	-	-	11
1948	4	-	-	-	-	-	-	-	-	-	-	-	-	-	-	-	-	-	-	-	-	-	-	-	-	-	4
1949	1	-	-	-	-	-	-	-	-	-	-	-	-	-	-	-	-	-	-	-	-	-	-	-	-	-	1
1950	4	-	-	-	-	-	-	-	-	-	-	-	-	-	-	-	-	-	-	-	-	-	-	-	-	-	4
1951	3	1	-	-	-	-	-	-	-	-	-	-	-	-	-	-	-	-	-	-	-	-	-	-	-	-	4
1952	2	-	1	-	-	-	-	-	-	-	-	-	-	-	-	-	-	-	-	-	-	-	-	-	-	-	3
1953	1	-	1	-	-	-	-	-	-	-	-	-	-	-	-	-	-	-	-	-	-	-	-	-	-	-	2
1954	6	-	1	-	-	-	-	-	-	-	-	-	-	-	-	-	-	-	-	-	-	-	-	-	-	-	8
1955	1	-	-	-	-	-	-	-	-	-	-	-	-	-	-	-	-	-	-	-	-	-	-	-	-	-	2
1956	4	-	-	-	2	-	-	-	-	-	-	-	-	-	-	-	-	-	-	-	-	-	-	-	-	-	6
1957	6	-	-	-	-	-	-	-	-	-	-	-	-	-	-	-	-	-	-	-	-	-	-	-	-	-	6
1958	5	-	-	-	-	-	-	-	-	-	-	-	-	-	-	-	-	-	-	-	-	-	-	-	-	-	5
1959	1	-	1	-	1	-	-	-	-	-	-	-	-	-	-	-	-	-	-	-	-	-	-	-	-	-	10
1960	8	-	-	-	-	-	-	-	-	-	-	-	-	-	-	1	-	-	-	-	-	-	-	-	-	-	8
1961	11	-	-	-	1	-	7	-	-	-	-	-	-	-	-	-	-	-	-	-	-	-	-	-	-	-	20
1962	10	-	-	-	7	-	1	-	-	-	-	-	-	1	-	1	-	-	2	-	-	-	-	-	-	-	21
1963	12	-	-	-	2	-	5	-	-	-	-	-	-	1	-	1	-	-	-	-	-	-	-	-	-	-	22
1964	10	-	-	-	1	-	8	-	-	-	-	-	-	1	-	1	-	-	-	-	-	-	-	-	-	-	21
1965	11	-	-	-	4	3	5	-	-	-	-	-	-	2	-	-	-	-	-	-	-	-	-	-	-	-	25
1966	16	-	-	-	4	3	4	-	-	-	-	-	-	2	-	-	-	-	1	-	-	-	-	-	-	-	30
1967	11	-	-	-	5	5	11	-	-	-	-	-	-	3	-	-	-	-	-	-	-	-	-	-	-	-	30
1968	14	-	-	-	5	6	11	-	-	-	-	-	-	-	-	3	-	-	-	-	-	-	-	-	-	-	39
1969	13	-	-	-	1	3	13	-	-	-	-	-	-	3	-	1	-	-	-	-	-	-	-	-	-	-	37
1970	8	-	-	-	1	4	4	-	-	-	-	-	-	-	-	3	-	-	1	-	-	-	-	-	-	-	20
1971	27	-	-	-	2	3	4	-	-	-	-	-	-	-	-	1	-	-	1	-	-	-	-	-	-	-	39
1972	15	-	-	-	-	3	1	-	-	-	-	-	-	1	-	2	-	-	-	-	-	-	-	-	-	-	21
1973	16	-	-	-	-	6	1	-	-	-	-	-	-	-	-	1	-	-	-	-	-	-	-	-	-	-	22
1974	16	-	-	-	-	-	-	-	-	-	-	-	-	1	-	-	-	-	-	-	-	-	-	-	-	-	23
1975	19	-	-	-	-	-	1	-	-	-	-	-	-	1	-	-	-	-	-	-	-	-	-	-	-	-	21
1976	-	-	-	-	-	1	1	-	1	-	-	-	-	-	-	4	-	-	3	-	-	-	-	-	-	-	5
1977	-	-	-	2	2	6	3	-	-	-	-	-	-	7	-	3	-	-	2	-	-	-	-	-	-	-	22
1978	-	-	-	3	3	7	1	-	17	-	-	-	-	18	-	3	-	-	2	-	-	-	-	-	-	-	37
1979	-	-	-	4	4	7	-	-	7	-	-	-	-	13	-	-	-	-	8	-	-	-	-	-	-	-	53
1980	-	-	-	5	5	9	-	-	-	-	-	-	-	9	-	8	-	-	2	-	-	-	-	-	-	-	41
1981	-	-	-	-	-	14	8	-	5	-	-	-	-	10	-	4	-	-	9	-	-	-	-	-	-	-	51
1982	-	-	-	2	2	8	3	-	8	-	-	-	-	11	-	3	-	-	5	-	-	-	-	-	-	-	36
1983	-	-	-	-	-	5	-	-	5	-	1	-	-	3	-	2	-	-	10	-	-	-	-	-	-	-	33
1984	-	-	-	-	2	2	-	-	1	-	-	-	-	-	-	1	-	-	8	-	-	-	-	-	-	-	16
1985	-	-	-	2	-	4	1	-	3	-	-	-	-	5	-	-	-	-	4	-	-	-	-	-	-	-	20

年	合計
1986	22
1987	35
1988	25
1989	191
1990	308
1991	405
1992	184
1993	68
1994	34
1995	63
1996	62
1997	90
1998	69
1999	55
2000	55
2001	47
2002	41
2003	39
2004	32
2005	25
2006	32
2007	10
2008	61
2009	42
2010	37
2011	77
2012	77
2013	82
2014	71
2015	91
2016	62
合計	3,270

(注) 1. 死亡一時金・葬祭料に係る死亡を認定した者であり、かつ、他の給付区分に係る疾病・障害を認定した者は、死亡一時金・葬祭料欄にのみ計上。
2. 障害年金に係る障害の認定をした生存者であり、かつ、他の給付区分に係る疾病・障害を認定した者は、障害年金欄にのみ計上。
3. 障害児養育年金に係る障害を認定した18歳未満の生存者であり、かつ、医療費・医療手当に係る疾病を認定した者は、障害児養育年金欄にのみ計上。

予防接種健康被害救済制度　給付区分別認定者数　〈新制度分〉

(2019年末現在)

ワクチン	医療費・医療手当			障害児養育年金			障害年金			死亡一時金・遺族年金・遺族一時金・葬祭料			総数		
年度	2017	2018	2019	2017	2018	2019	2017	2018	2019	2017	2018	2019	2017	2018	2019
痘そう	43	43	43	0	0	0	202	202	202	40	41	42	285	286	287
D	1	1	1	0	0	0	1	1	1	0	0	0	2	2	2
P	0	0	0	0	0	0	3	3	1	1	1	1	4	4	4
DT	41	44	45	0	0	0	0	0	0	1	1	1	42	45	46
DP	3	3	3	0	0	0	24	24	24	7	7	7	34	34	34
DPT	169	169	169	11	10	10	41	41	41	18	20	20	239	240	240
DPT-IPV	8	18	20	3	0	0	0	0	0	1	1	1	12	19	21
IPV（不活化ポリオ）	3	3	3	0	0	0	0	0	0	0	0	0	3	3	3
ポリオ（経口生ポリオ）	44	44	45	22	22	22	102	102	103	11	11	12	179	179	182
麻しん	104	104	104	5	5	5	18	19	20	14	14	14	141	142	143
風しん	62	62	63	2	2	2	2	2	3	3	3	3	69	69	71
MMR	1,030	1,030	1,030	2	2	2	6	6	6	3	3	3	1,041	1,041	1,041
インフルエンザ（臨時）	94	94	94	0	0	0	20	20	20	18	18	18	132	132	132
インフルエンザ（定期）	28	31	38	0	0	0	3	3	3	1	2	4	32	36	45
肺炎球菌（小児）	13	20	26	0	0	0	0	0	0	2	1	2	16	22	28
肺炎球菌（高齢者）	27	43	61	0	0	0	0	0	0	0	1	2	28	44	63
日本脳炎	157	164	169	13	13	14	32	32	33	11	11	11	213	220	227
腸チフス・パラチフス	0	0	0	0	0	0	0	0	0	1	1	1	1	1	1
BCG	651	679	712	2	1	1	3	3	3	2	2	2	658	685	718
Hib	10	18	23	2	0	0	1	1	2	2	1	2	13	19	24
MR	49	51	52	7	6	7	1	2	2	2	2	2	59	61	63
HPV	21	27	26	2	0	1	0	1	2	0	1	0	21	28	28
水痘	6	7	7	2	0	0	0	0	0	0	1	0	9	9	9
B型肝炎	0	0	7	0	0	0	0	0	0	0	0	0	0	0	7
合計	2,564	2,655	2,741	73	61	64	458	461	466	138	143	148	3,233	3,321	3,419

（注）
1. 死亡一時金・葬祭料に係る死亡を認定した者であり、かつ、他の給付区分に係る疾病・障害を認定した者は、死亡一時金・葬祭料欄にのみ計上。
2. 障害年金に係る障害の認定を認定した生存者であり、かつ、他の給付区分に係る疾病・障害を認定した者は、障害年金欄にのみ計上。
3. 障害児養育年金に係る障害を認定した18歳未満の生存者であり、かつ、医療費・医療手当に係る疾病を認定した者は、障害児養育年金欄にのみ計上。

予防接種の歴史

図1に予防接種対象疾病の発生状況，図2に予防接種実施状況を示す．

I　予防接種・ワクチンの黎明

1．種痘の発明と普及

　WHOがサーベイランスの強化とワクチンの徹底を両輪として根絶（eradication）をした痘瘡（天然痘）は，死に至ることが多く，また回復した場合でも顔面の発疹のあとが「あばた（痘痕）」として醜く残るところから，世界中で不治の病，悪魔の病気と恐れられてきた．しかし一方，一度罹患し回復した人は二度罹患しないことが経験的に知られており，7世紀頃からインド，中国，アラビアなどで，患児の肌着を未罹患児に着せたり，痘の膿汁や痂皮を鼻腔に挿入するなどの「人痘接種法」が行われていた．もちろん発症や流行源になってしまったことも多くあったと思われるが，病への恐れから18世紀にはヨーロッパでも普及したといわれており，わが国でも江戸時代に福岡藩で人痘接種が行われたことがあるとの記録がある．

　1976年，英国の医師Edward Jennerは，牛痘に罹った乳搾りの女性Sarah Nelmesの手の痘疱から膿をとり，これを8歳の健康な少年James Phipps（Jennerの息子と伝えられることが多いが，その事実はないとされている）の皮膚に植え付け，少年は軽い発熱だけで元気に軽快，その1カ月半後，天然痘患者からとった膿を両腕に植え付けたところ，アレルギー反応と思われる症状が現れたもののさしたる異常はなく，さらに数カ月後に同様に天然痘患者膿を接種しても事なきを得た，ということが予防接種の始まりとされている．Jennerはこれを牛痘接種法として論文にまとめたものの，少数例の経験であったためリジェクトされた．さらに多数例（23例）の経験を加えて1978年自費出版したところ，医学会から賛否両論の激しい議論が起こったが，やがて多くの人の支持が得られるようになったといわれている．

　Jennerの発表前には，英国の畜産家Benjamin Jestyが，それまでの伝聞や経験から家族に牛痘を接種し，天然痘の感染を防いだという記録もあるが，Jennerはそれらについて科学的な実験と検証を行い論文として公表した（Jenner E. An inquiry into the causes and effects of the Variolae Vaccinae. Sampson Low 1798）ことによって，種痘法の発明者すなわちワクチン開発の祖であるとされている．ワクチン（vaccine）とはもともとは牛痘による天然痘予防法である種痘を意味する言葉であったが（ラテン語の「Vacca（雌牛）」からきている），その後，予防接種に用いる薬液全般が「ワクチン」と称されるようになった．

　わが国に本格的に牛痘法がもたらされたのは，1849（嘉永2）年に佐賀藩の医師・楢林宗健と長崎のオランダ人医師Otto Gottlieb Johann Mohnikeが初めて種痘を実施してからといわれている．その後，日本各地に種痘は広まり，1858（安政5）年には私設

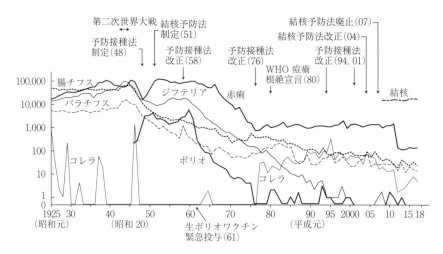
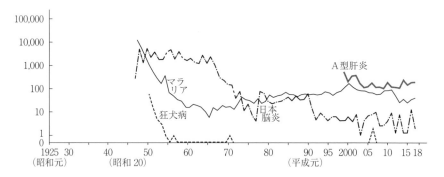
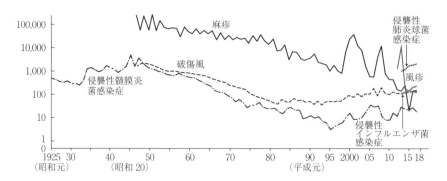

図1　予防接種の歴史と感染症発生状況

注　上：二, 三類感染症, 中：四類感染症, 下：五類感染症

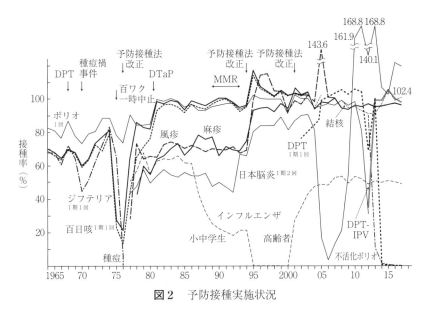

図2 予防接種実施状況

種痘所としてお玉が池の種痘所(東京大学医学部発祥の地)が設けられるなどしている。

なお，Jennerが行った牛痘接種は，「牛痘(cow pox)ウイルス」であると信じられていたが，種痘の原材料として用いられているウイルス株(vaccinia virus)は，牛痘ウイルスとは似て非なるもので，牛痘ウイルスや天然痘ウイルスとは類似したDNA配列ではあるがオルソポックスウイルスの中の異なるウイルス種であることが明らかにされている．Vaccinia virusは，天然痘ウイルスの変異したものではなく，牛痘ウイルスと他のオルソポックスウイルスとハイブリッドした，あるいは継代培養を繰り返すうちにウイルスが変化した，などが可能性としてあげられているが，真相は不明である．

2．その後に続くワクチンの研究開発

牛痘接種による種痘は，生ワクチンの代表的なものといえるが，病原体を弱毒化してワクチンの原材料にするという考え方は，1870年代，フランスのLouis Pasteurから始まったと考えられている．Pasteurは，鶏コレラの研究中に，病原体を培養することによって病原性の弱い株が得られ，種痘のように類似した病原体ではなく病原体そのものによって免疫反応が生じることを見出し，1880年に発表している(Pasteur L. C R Acad Sci Paris 1880; 91: 673-680)．

翌1881年に，Pasteurは，中枢神経系が狂犬病の病原体の増殖の場であることを確立した後，狂犬病の病原体をウサギの髄腔内に継代し脊髄を乾燥させることによっ

12　わが国の予防接種

て，病原性を著しく弱めることに成功した。1885年，狂犬病の犬に全身を噛まれた9歳の少年Joseph Meisterが，このワクチンを受けた第1例となった。彼は10日間で14回のワクチン接種を受け，発症から逃れている。その後，曝露後免疫の症例が集積され，1888年にパスツール研究所が設立され，狂犬病ワクチンは世界に供給されるようになった。なお，Joseph少年はその後パスツール研究所の管理人となり64歳で自らその命を絶つまでパスツール研究所を守ったといわれている（第二次世界大戦時，ナチス・ドイツ軍のパリ侵攻に落胆して自らの命を絶ったともいわれている）。

　Pasteurによる，病原体を自然感染とは異なった感染経路や様々な組織に継代培養を続けて弱毒化する方法は，その後の弱毒ワクチンを作製する標準的な方法となり，1938年，米国Max Theilerによる黄熱病原体をマウス脳内接種によって弱毒ウイルスワクチン（17D）に結び付けたことにつながっていく。また1927年には，Albert CalmetteとCamille Guérinによるウシから得られた*Mycobacterium bovis*（当初はヒト結核の原因菌とも考えられた）を230代継代して得られた生ワクチンであるBCG（Bacille de Calmette et Guérin，カルメット・ゲランの桿菌）が初めてヒトに接種されている。

　細菌については，1876年にドイツでRobert Kochが炭疽菌を発見し，1880年にはPasteurが弱毒炭疽生ワクチンを開発している。炭疽菌の発見後，細菌学は急速な進歩を遂げ，新たな病原体や毒素の発見が相次ぎ，1884年にFriedrich Loefflerがジフテリア菌の純培養に成功した後，Emile RouxとAlexandre Yersinがジフテリア菌の産生する毒素による麻痺が起きることを証明し，さらに1980年，Emil von Behringと北里柴三郎が破傷風菌あるいはジフテリア菌接種後の動物に抗毒素抗体が出現することを証明している。そして，これらがジフテリア，破傷風の治療に用いられるようになり，さらに毒素の化学的処理による無毒化の研究が進んだ。1923年に，Alexander GlennyとBarbara Hopkinsによるジフテリア毒素をホルマリンで処理したトキソイドがワクチンとして利用されるようになり，現在のコンポーネントワクチンに結び付いている。

　1926年には，Gaston RamonとChristian Zoellerらによって，破傷風トキソイドが開発されており，一方，菌対外毒素が発見されないコレラ菌や腸チフス菌などでは，全菌体をホルマリンなどで処理した死菌ワクチンが開発されるようになった。なお，最初の混合ワクチンが実用化されたのは1948年の百日咳ジフテリア破傷風混合ワクチン（DPT）である。

　ウイルスに関しては，ウイルスそのものを人工的に得ることが困難であったが，これを可能にしたのはJohn Endersらによるヒト胎児組織培養細胞を利用したポリオウイルスの分離であった（Enders JF, et al. Science 1949; 109: 85-87）。その後，様々な動物細胞を利用したガラス器内培養法の開発が進み，これによって大量のウイルスが生きた動物を使用することなく得られるようになった。培養されたウイルスはそのままホルマリンなどで処理精製されてワクチンとして利用される不活化ワク

チン，継代培養を重ねる間に弱毒化ウイルスが得られ，生ワクチンとして使用する方法などが進み，不活化ポリオワクチン（ソークワクチン），生ポリオワクチン（セービンワクチン），日本脳炎，麻疹，おたふくかぜ，風疹，B型肝炎，水痘などのワクチンに発展した。

II　わが国における予防接種の歴史と流れ

1. 種痘（天然痘・痘瘡ワクチン）の定着

　わが国に天然痘の予防のための種痘がもたらされたのは，前述のように今から160年以上前の1849年といわれており，Jennerの発表から約50年後になる。1858（安政5）年には私設種痘所としてお玉が池の種痘所が設けられるなどした後，1885（明治18）年に内務省告示として種痘施術心得書が出され，これが予防接種に関する具体的な指示が行われた最初のものであろうといわれている。これは1880（明治13）年に公布された伝染病予防心得書の附録として追加されたものである。さらに1909（明治42）年，種痘法が制定され，翌年から施行された。これにより種痘が国民に完全に定着し，第二次世界大戦後の予防接種法制定までに至った。

2. 第二次世界大戦終了後の予防接種法，結核予防法の制定

　わが国で制度としての予防接種が確立されたのは，1948（昭和23）年の予防接種法制定で，種痘，ジフテリア，腸チフス，パラチフス，発疹チフス，コレラなどの予防接種が国民の義務として行われるようになり，1950（昭和25）年には百日咳が加えられた。また1951（昭和26）年には結核予防法が制定され，BCGが行われるようになった。予防接種法制定当時〔1948（昭和23）年〕は，年間の痘瘡患者18,000人・死者3,000人，ジフテリア患者50,000人・死者4,000人という数字が示すように，各種伝染病（感染症）が日本全体に流行している状態であった。伝染病対策としての予防接種は，疾病による社会的，国家的損失を防止する有効な手段としてとらえられ，高い予防接種率の確保が求められたが，一方で当時の人々の健康意識や予防接種に関する関心は低く，かつ予防接種制度そのものが未熟であった。そこで，強力な社会防衛という観点から予防接種は国民への義務づけとなり，個人の費用負担はないが予防接種の会場を設定して集団接種を行い，違反者には罰則を課すという強制のもとでの接種（強制接種）として予防接種法はスタートしている。

　ワクチンの品質管理についても国家的基準（生物学的製剤検定規則）が制定されるようになり，1949（昭和24）年に百日咳ワクチンの基準が定められている。これらのワクチンに関する基準は研究の進歩によって逐次改正が行われ，今日に至っている。わが国のワクチンは，現在定期接種・任意接種にかかわらず，すべてこの基準に従って製造され，「医薬品，医療機器等の品質，有効性及び安全性の確保等に関する法律（医薬品医療機器等法，旧薬事法）」による検定に合格したものでなければ広く使用することはできない。なお，緊急にある疾病が増加した時（あるいは増加しそうな時）など，ワクチンの緊急輸入の必要性がある場合には，一定の条件に基づいた特別

14 わが国の予防接種

審査により，国家検定などを経ない場合もある。

Ⅲ　痘瘡根絶宣言(1980年)に至るまで

1．1958年，予防接種法改正

　1958年の予防接種法改正で，百日咳ジフテリア混合ワクチン(DT)が定期接種として使用されるようになった。DPTワクチンは1964年に市販され，1968年から定期接種に使用されるようになった。

　1962年に，インフルエンザは特別対策(勧奨接種)になった。これは，流行増幅の場となる保育所，幼稚園，小中学校の子どもたちに免疫をつけることを目的としたものである。

　日本脳炎ワクチンは，1965年よりマウス脳で培養され高度に精製された不活化ウイルスワクチンが使用されるようになった。

　1960年に，ポリオは不活化(セービン型)ワクチンの勧奨接種が行われ，1961年には流行に対して旧ソ連・カナダなどから緊急輸入された生(ソーク型)ワクチンの一斉投与が行われた。その結果，患者発生はほぼなくなり，野生株も検出されなくなった。さらに，1964年の法改正で国産生ポリオワクチンが定期接種として行われるようになった。

　1960年代後半，予防接種事故が問題となり，1967年にインフルエンザワクチンによる死亡例がマスコミに取り上げられた。腸チフス・パラチフス混合ワクチンは，患者の減少，副反応が強いという訴えなどによって，1970年に中止された。

2．1976年，予防接種法改正までの動向

　天然痘(痘瘡)は，人類が長い間苦しめられてきた感染症であるが，ワクチン(種痘)の導入とともに激減し，WHOは天然痘の根絶を目指した。一方，予防接種のうちでも特に種痘は急性脳炎をはじめとする副反応が強いため，しばしば問題とされていた。1970年に，国が定期接種として行っていた種痘による種痘後遺症被害者が，わが国の行政機関に対して損害賠償請求の訴訟を起こし，マスコミにも大きく取り上げられた。いわゆる種痘禍事件である。これがきっかけとなり，予防接種事故の補償や救済が求められるようになった。1976年，わが国では，それまで使用されていたリスター株を改良したLC16m8株が開発され(千葉県血清研究所・橋爪壮ら)，弱毒痘苗として採用されたが，同年わが国では定期接種としての種痘を事実上中止したため，実用には至らなかった。さらに，WHOによる天然痘根絶宣言により，1980(昭和55)年には法律的にも種痘は廃止され，現在に至っている。

　1976年の予防接種法改正の趣旨は，予防接種健康被害救済制度の確立にあった。予防接種によって健康被害が生じた場合，医療費や後遺症に対する年金を給付することなどを明らかにした。同時に，予防接種の当事者は市町村長であり，担当医療関係者の責任は問わないことを明確にした。1976年の改正にかかわる伝染病予防調査会の答申を付録120頁に示す。

この改正で，①対象疾患から腸チフス・パラチフス・発疹チフス・ペストなどの削除，麻疹・風疹・日本脳炎の定期接種化，実質的な種痘の廃止（緊急的臨時接種のみとした）などの対象疾患の見直し，②義務規定は残したままではあるが罰則規定を削除（旧規定では建て前として接種を受けなかった者すべてが罰則の対象であったが，改正によって不測の事態が予測される緊急的臨時接種を除いて罰則はなくなった），③予防接種の実施者は市町村長または都道府県知事であり，医師・医師会の協力のもとに行われること，④費用負担は都道府県および国であること，⑤予防接種による健康被害について法による救済制度の法制化，などが実施された。

Ⅳ　感染症法の成立と結核予防法の廃止

1．1994年，予防接種法改正までの動向

百日咳ワクチンの一時中止：ワクチン開始前の百日咳患者数は年間10万例以上，その約10%が死亡していたが，ワクチンの普及とともに患者の報告数は減少し，1971年には206例，1972年には269例で，いずれも死亡者なく，わが国は世界で最も罹患率の低い国の１つとなった。しかし，その頃からDPTワクチンの百日咳ワクチン（全菌体ワクチン）によるとされる脳症などの重篤な副反応発生が問題となり，1975年DPT接種後に死亡した２例をきっかけに，百日咳ワクチンを含む予防接種は一時中止となった。３カ月後に接種開始年齢を引き上げるなどして再開されたが，接種率の低下は著しく，1979年には年間の届け出数が約13,000例，死亡者数は約20〜30例に増加した。

その後，わが国において百日咳ワクチンの改良研究が急いで進められ，それまでの全菌体ワクチン（whole cell vaccine）から無細胞ワクチン（acellular vaccine）が開発され，1981年から無細胞百日咳ワクチン（aP）を含むDPT三種混合ワクチン（DTaP）が導入され，再びDPTの接種率は向上し百日咳は減少した。DTaPは発熱率等副反応が少ないワクチンとして，世界中で受け入れられたが，近年はその免疫持続性が低く学童から成人年齢での百日咳の増加が新たな問題となっている。

学童へのインフルエンザ集団接種廃止：1962年よりインフルエンザの流行を阻止するため，すべての学童にインフルエンザワクチンの集団接種が行われるようになり，1972年にはエーテル処理によるウイルス脂質成分の除去法が導入されて，発熱率が低い（しかし，免疫誘導率としては低くなる）現在のワクチンが実用化された。しかし，学童の集団接種方式に関しては，「学童全員にワクチン接種を強制するのは人権問題である」「学童だけに接種しても流行状況は変わらない」など様々な批判がある中，急性脳症などの重篤な副作用を疑われる症例が発生したところから，はっきりと因果関係が調査されないまま，インフルエンザワクチンは人々から信頼を失い国内ではほぼ撤退することになった。

一方，インフルエンザワクチンは海外で高齢者の感染予防として重視されはじめていた。また，国内でのインフルエンザワクチンの生産開発がほぼゼロになっている中，新型インフルエンザ発生に際して対応が全くできないという問題があった。

つまり，高齢者福祉および新興・再興感染症対策の両面からインフルエンザワクチンは再び見直され，2001年に定期接種第二類（現在のB類疾病）として復活し，現在に至っている。

MMRワクチン中止：麻疹（M），風疹ワクチン（R）は1960年代から，おたふくかぜワクチン（M）は1970年代頃から開発が進められ，1980年代よりほぼ出揃い，海外ではすでに実用化されていたMMRワクチンの国産品開発が望まれていたが，パテントの関係でわが国のMMRは出遅れていた。1989年に麻疹（AIK-C株・北里研究所），風疹（TO336株・武田薬品），おたふくかぜ（占部株・阪大微研）の３社ウイルスを混合したMMR（統一株）が実用化されたが，おたふくかぜワクチンウイルスによる一部重症例も含む無菌性髄膜炎の多発が問題となった。当時の調査方法には現在の疫学的手法からは問題があるが，1981年の予防接種研究班の報告によれば多い地域では1/347例，少ない地域では1/2,596例，平均1/1,045例であり，1993年にMMRワクチンは中止された。その後，2006年に麻疹・風疹対策の必要性からMRワクチンが定期接種に導入され，国内の麻疹排除（measles elimination），風疹患者の著減に大きく貢献しているが，おたふくかぜワクチンは単独・任意接種のままとなっており，接種率の低い中おたふくかぜの流行，それに伴う難聴の発生が最近の問題となっている。

種痘禍やMMRワクチンによる無菌性髄膜炎発症事例は，被害者団体による国を相手とした裁判となり，国は相次いで敗訴し，1994年の予防接種法改正に結びついた。

1993年の公衆衛生審議会の「今後の予防接種制度の在り方について」の答申（付録116頁）を受け，1994年６月，予防接種法と結核予防法が改正された。改正の要点は以下のとおりである。

①予防接種対象疾患の変化

予防接種の対象疾患を「予防接種を中止すれば再び流行の起こるおそれの大きい疾患（百日咳，ジフテリア，ポリオ，日本脳炎，結核）」「重症合併症のある疾患（麻疹）」「常時感染の機会のある疾患で，災害時の社会防衛上必要なもの（破傷風）」「先天異常の原因となる疾患（風疹）」とした。定期接種に破傷風が加わり，百日咳，ジフテリア，破傷風，ポリオ，麻疹，風疹，日本脳炎，結核（BCG）の８疾患となった。

また，インフルエンザとワイル病が任意接種となり，一般的な臨時予防接種はなくなった。緊急時の臨時予防接種については特定の病名を示さず，必要が生じたときに対処することになった。

②法による強制・義務接種から国民の努力義務となる

法律による強制接種から，必要な予防接種を国が勧め，国民はそれを受ける努力をするという勧奨接種に変わった。勧奨接種とは「受けなければならない」という表現から，「受けるように努めなければならない」という表現の変化であり，強制・義務ではなく，個人の意志の反映が可能で，接種に対してNoといえる権利の確保がなされたといえる。

③健康被害救済制度は強化しながら存続

　1976年に成立した健康被害救済制度は「国が法律で予防接種を強制しているため，健康被害が生じた場合，国が責任をとる」という考え方によるものであった。しかし，今回の改正によって法による強制がなくなったため，「国民が積極的に接種を受け，そのために対象疾患の流行がなくなれば国全体の利益となり，社会防衛につながる」という考え方で救済制度を存続させた。

　また，年金の増額，介護加算の新設により救済を手厚くすることになった。

④情報提供（インフォームドコンセント）の徹底

　医療関係者へ十分に情報を提供するとともに，被接種者や保護者へ向け，予防接種の必要性，起こりうる健康被害の症状や頻度などを説明し，同意を得ることとなった。医療関係者向けには「予防接種ガイドライン」「インフルエンザ予防接種ガイドライン」，保護者向けには「予防接種と子どもの健康」というパンフレットを作成し，配布することとなった。

⑤集団接種から個別接種へ

　免疫の壁で地域を守る集団防衛から，事故予防にも有利な「かかりつけ医」による個別接種に変わり，接種前の予診の徹底などが示された。

2．2001年，予防接種法改正

　高齢者のインフルエンザ予防接種が定期予防接種になり，従来の小児の予防接種（百日咳，ジフテリア，破傷風，ポリオ，麻疹，風疹，日本脳炎）が一類（現A類）疾病，インフルエンザが二類（現B類）疾病となった。一類疾病は主に小児の予防接種で，集団予防，重篤な疾患の予防に重点を置き，本人（保護者）に努力義務があり，国は接種を積極的に勧奨している。二類疾病は主に個人予防に重点を置き，本人に努力義務はなく，国は積極的な接種の勧奨はしていない。

3．2006年，予防接種法改正までの動向

　2004年6月に結核予防法が，同年10月に同施行令と同施行規則が改正され，ツ反を廃止し，BCG定期接種は生後0日以上6カ月未満の期間となった（いずれも2005年4月1日から施行）。

　2005年5月，予防接種後の健康被害に関する認定審査会は，日本脳炎ワクチン接種後に発症が見られた重症ADEM（急性散在性脳脊髄炎）例について，「予防接種と疾病との因果関係について肯定する明確な根拠はないが通常の医学的見地によれば肯定する論拠がある」ので認定が妥当であるとの答申を出し，厚生労働大臣はこの事例について因果関係の認定をし，これを受け厚生労働省は，これらはいずれも厳格な科学的証明ではないとしながらも，「よりリスクの低いことが期待されるワクチンに切り替えるべきであり，現在のワクチンについては，より慎重を期するため，積極的な接種勧奨を差し控えるべきと判断する」として，日本脳炎ワクチン接種の

積極的勧奨の一時中止を決定した。接種希望者には定期接種として行える制度は残したものの，事実上は定期接種の中止であった。

この背景には，それまでのマウス脳由来の日本脳炎ワクチンから，より理論的安全性が高いと考えられるVero細胞由来ワクチンへの切り替えが前提にあったが，このワクチンの承認が遅れ，Vero細胞由来の新たな日本脳炎ワクチンによる定期接種再開は2011年となった。

また，日本脳炎第3期予防接種は14歳以上16歳未満の者を対象としていたが，接種率が低く，定期予防接種としての実効性が確保されているとはいいがたいことから廃止された。

2005年7月，予防接種法施行令が改正され，2006年4月，麻疹および風疹対策の強化として麻疹および風疹の2回接種が導入された。麻疹および風疹の定期接種の対象者は，第1期が生後12カ月以上24カ月未満，第2期が5歳以上7歳未満の者であって小学校就学の始期に達する1年前の日から当該始期に達する日の前日までの間にある者となった。

2006年12月，感染症法の改正により結核予防法が廃止された。それに伴い，結核（BCG）の予防接種は予防接種法に移された。

V　最近の予防接種の動向

1．2008年，予防接種法施行令改正までの動向

2008年2月，WHOの麻疹排除運動(measles elimination)を受け，国内における麻疹対策のさらなる強化および風疹対策強化も含めて中学1年生および高校3年生に相当する年齢の者を対象に，麻疹および風疹の3期，4期の接種が5年間行われることになった。

2008年4月，予防接種実施規則，定期の予防接種実施要領が改正された。主な改正点は，以下のとおりである。
・麻疹または風疹に罹患歴のある者にもMRワクチンの接種が可能になった。なお，生後12カ月未満の時点でMRワクチンの接種を受けた者にも，定期接種の対象者として接種できるとの結核感染症課長通知が出されている。
・百日咳，ジフテリア，破傷風の第1期(初回，追加とも)定期接種において，百日咳，ジフテリア，破傷風のいずれかに罹患歴のある者に対しても，DPTワクチンまたは沈降DTトキソイドの使用が可能になった。
・百日咳，ジフテリア，破傷風の第1期初回接種，日本脳炎第1期初回接種において，医学的要件等で「実施規則」で規定する接種間隔で接種できなかった場合でも，当該要件が消滅した時点で速やかに接種を受けた場合は定期予防接種の対象者とみなすと規定された。ただし，施行令で定める期間を超えない期間内である

予防接種の歴史　19

必要がある。

2．2010年，予防接種実施規則改正までの動向

　2008年12月，インフルエンザ菌b型（ヒブ）ワクチンの販売が開始され，2009年2月には乾燥細胞培養日本脳炎ワクチン製造販売が承認された。

　2009年6月，予防接種実施規則が改正された。乾燥細胞培養日本脳炎ワクチンを定期の第1期予防接種に使用するワクチンとして位置づけた。乾燥細胞培養日本脳炎ワクチン，日本脳炎ワクチン（マウス脳を用いた旧ワクチン）ともに接種における積極的な勧奨は差し控えることとした。

　2009年9月に2価ヒトパピローマウイルス（HPV）ワクチン，2009年10月に小児用7価肺炎球菌ワクチン（PCV7）の製造販売が承認された。

　2010年4月，日本脳炎第1期の標準的な接種期間（3歳）に該当する者に対する接種の勧奨を再開した。

　2010年8月，予防接種実施規則が改正された。主な改正点は，以下のとおりである。
・「乾燥細胞培養日本脳炎ワクチン」が定期の第2期に使用可能になった。
・積極的勧奨差し控えによって接種が完了していない者は，残りの回数を第1期または第2期の年齢で定期接種として受けることが可能（合計3回）になった。
・2010年3月31日までに日本脳炎の第1期のうち3回の接種を受けていない者（接種を全く受けていない者を除く）で，予防接種法施行令で定める対象年齢（6カ月から7歳6カ月の者および9歳以上13歳未満）の者が6日以上の間隔をおいて残りの接種を受けたときは第1期を受けたものとみなす。
・2010年3月31日までに日本脳炎の第1期のうち3回の接種を全く受けていない者で，予防接種法施行令で定める対象年齢（9歳以上13歳未満）に該当するものが第15条の令によって接種を受けたときは，第1期予防接種を受けたものとみなす。

3．2011年の動向

　2011年3月，PCV7およびヒブワクチンについては，接種後3日以内の死亡が4例報告された。因果関係の評価を実施するまでの間，念のため，接種を一時的に見合わせた。同月，両ワクチンの重要な基本的注意の項に「本剤と他のワクチンを同時に同一の被接種者に対して接種する場合は，それぞれ単独接種することができる旨の説明を行うこと。特に，被接種者が重篤な基礎疾患に罹患している場合は，単独接種も考慮しつつ，被接種者の状態を確認して慎重に接種すること」が追記された。4月1日からPCV7およびヒブワクチンの接種が再開された。

20　わが国の予防接種

2011年3月，日本脳炎の定期の予防接種が一部改正され，「定期(一類疾病)の予防接種実施要領」に基づく第1期(初回接種および追加接種)の標準的な接種期間に該当する者に積極的な勧奨を行うこととなった。

2011年5月，予防接種施行令と実施要領の一部が改正された。
・2011年5月20日から2012年3月31日までの間，麻疹および風疹の定期の予防接種の対象者に高校2年生相当の年齢の者を追加した。
・日本脳炎の予防接種について2005～2009年度にかけての日本脳炎の予防接種の積極的勧奨の差し控えにより，接種を受ける機会を逸した者(1995年6月1日から2007年4月1日までの間に生まれた者)について，日本脳炎の定期の予防接種として特例措置を設けた。
・東日本大震災の発生によるやむを得ない事情により，定期の予防接種の対象年齢を過ぎた者について，2011年8月31日までの間は定期の予防接種の対象者とした。

2011年7月，「予防接種法及び新型インフルエンザ予防接種による健康被害の救済等に関する特別措置法の一部を改正する法律」が公布，一部施行された。2009年に発生した新型インフルエンザ(A/H1N1)と同程度の感染力や病状を呈する新型インフルエンザが発生した場合，厚生労働大臣は，二類(現B類)疾病のうち当該疾病にかかった場合の病状の程度を考慮して，対象者，期日・期間を指定して，都道府県知事を通じて市町村長に対して臨時に予防接種を行うよう指示することができることになった。

2011年7月，1価経口弱毒生ヒトロタウイルスワクチン，4価HPVワクチンの製造販売が承認された。

2011年8月，インフルエンザワクチンの小児用量の変更が承認された。

4．2012年の動向

2012年1月，5価経口弱毒生ロタウイルスワクチンの製造販売が承認された。

2012年4月，不活化ポリオワクチンの製造販売が承認された。

2012年9月，予防接種実施規則，定期の予防接種実施要領が改正された。単独不活化ポリオワクチン初回接種(1～3回目)を定期予防接種に導入(10月より4回目の追加接種が定期接種として導入)。一斉切り替え方式を導入したため，生ポリオワクチンは定期接種には使用しないこととされた。

2012年11月，予防接種実施規則，定期の予防接種実施要領が改正された。ジフテ

リア，百日咳，ポリオ，破傷風の定期の予防接種に沈降精製百日咳・ジフテリア・破傷風・不活化ポリオ混合ワクチン（4種混合ワクチン，DPT-IPV）が導入された。

2012年12月，「麻しんに関する特定感染症予防指針」が改正された。5年間の時限措置として2008年から実施してきた第3期，第4期予防接種を予定通り終了した。

5．2013年の動向
2013年2月，A型肝炎ワクチンの16歳未満への適応拡大が承認された。接種量0.5mLで皮下接種（成人では皮下または筋肉内接種）となる。

2013年2月，予防接種法施行令が改正された。改正点は，以下の通りである。
・結核の定期の予防接種の対象者を「生後6カ月に至るまでの間にある者」から「生後1歳に至るまでの間にある者」に拡大。生後5カ月に達したときから生後8カ月に達するまでの期間を標準的な接種期間とする。
・2005年5月30日〜2010年3月31日の積極的勧奨差し控えにより日本脳炎の定期の予防接種を受ける機会を逸した2005年6月1日〜2007年4月1日に生まれた者については，4歳以上20歳未満の者を定期の予防接種の対象者とする規定があったが，その対象に1995年4月2日〜5月31日に生まれた者を追加した。

2013年3月，「予防接種法の一部を改正する法律」「予防接種法施行令及び厚生科学審議会令の一部を改正する政令」「予防接種法施行規則の一部を改正する省令」が公布され，2013年4月に実施された予防接種法改正は大きい変化であった。ここでは，先進諸国と比べて公的に接種するワクチンの種類が少ない，いわゆるワクチンギャップ問題の解消や，予防接種施策を総合的かつ継続的に評価・検討する仕組みの構築等のため予防接種制度について幅広い見直しを行う必要があること，そしてこれらの議論から2012年5月厚生科学審議会感染症分科会予防接種部会で取りまとめた「予防接種制度の見直しについて（第二次提言）」を踏まえ，行われたものである。
第二次提言の目的は以下の通りである。
①子どもの予防接種は，次代を担う子どもたちを感染症から守り，健やかな育ちを支える役割を果たす。
②ワクチンギャップに対応し，予防接種施策を中長期的な観点から総合的に評価・検討する仕組みを導入する。

主な改正点は以下の通りである。
①予防接種の総合的な推進を図るための計画（予防接種基本計画）を策定し，少なくとも5年に一度の見直しを行うこと。
②定期接種の対象疾病の追加すなわちヒブワクチン・小児用肺炎球菌ワクチン・HPVワクチンの定期接種化，一類・二類疾病という呼称からA類・B類疾病への

呼称の変更，B類疾病については新たなワクチンの開発や感染症の蔓延に柔軟に対応できるよう，政令で対象疾病を追加できるようにした。なお，2014年10月より水痘ワクチンが定期接種A類に，成人用肺炎球菌ワクチンが定期接種B類となり，また2016年10月よりB型肝炎ワクチンが定期接種A類となった。

③副反応報告制度・評価制度の強化およびそれに伴う副反応報告を法定化し（医療機関・医師による報告の義務化），サーベイランスの強化を図るとした。また，副反応報告と薬事法上の副作用等報告を一元化し，医薬品医療機器総合機構（PMDA）を活用することも規定された。

④定期的・中長期的展望に立った予防接種に関する評価・検討組織の設立し，「厚生労働大臣は，予防接種施策の立案に当たり，専門的な知見を要する事項について，評価・検討組織（厚生科学審議会に予防接種・ワクチン分科会を設置）に意見を聴かなければならない」とした。なお分科会のもとに専門部会として「予防接種基本方針部会」「研究開発及び生産流通部会」「副反応検討部会」が設立されている。

2013年4月，「感染症の予防及び感染症の患者に対する医療に関する法律第13条第1項の規定に基づく届出の基準について」の一部が改正され，H7N9型鳥インフルエンザが指定感染症に定められた。

2013年4月，細胞培養技術を用いた新型インフルエンザワクチン「細胞培養インフルエンザワクチン（プロトタイプ）」の製造販売が承認された。

2013年6月，「子宮頸がんワクチン定期接種の積極的な勧奨差し控え」が公布された。ワクチンとの因果関係が否定できない持続的な疼痛がHPVワクチン接種後に特異的にみられることに対する措置であり，定期接種を中止するものではない（詳細は281頁を参照）。

2013年6月，「風しんの任意の予防接種の取扱について（協力依頼）」が通知された。厚生労働省は，風疹の任意の予防接種について，妊婦の周囲の者，妊娠希望者または妊娠する可能性の高い者で，抗体価が十分であると確認できた者以外の者が優先して接種を受けられるよう指示した。

6．2014年の動向

2014年3月，「予防接種実施規則の一部を改正する省令」が公布された。改正点は，以下の通りである。

・ジフテリア，破傷風，百日咳，急性灰白髄炎の第1期の予防接種，日本脳炎の第1期の予防接種の初回接種，ヒブ感染症，HPV感染症の予防接種について，接種間隔の上限を撤廃した。

・日本脳炎の第1期の予防接種の追加接種について，初回接種終了後おおむね1年

を経過した時期に1回実施するとされているが，接種間隔の明確化の観点から6カ月以上に変更した。
・小児の肺炎球菌感染症の予防接種について，初回接種開始時が生後2〜12カ月までの場合，初回接種を期限内に終了せずに追加接種を行うと免疫が不十分となる可能性があるため，当該期限について，生後12カ月ないし13カ月までを生後24カ月までに延長する。また，初回接種開始時が生後2〜7月までの場合，過剰接種を防止するため，初回接種の2回目の注射が生後12カ月を超えた場合には，3回目の注射は実施しないこととした。

　これまでの予防接種行政はどちらかというと現状の改善に対応することが中心で，中長期的計画を立てて実現していく，あるいはその計画を見直していく，というものではなかった。その結果，ワクチンギャップからの脱却がなかなか行われず，また新たなワクチンの研究開発が遅れたとの反省に立ち，今後の予防接種に関する中長期的なビジョンを示す，いわば予防接種・ワクチンのこれからについて旗印を掲げるという意味で，2014年4月「予防接種基本計画」の策定が行われた。
　また，ここには，わが国の予防接種施策の基本的な理念は「予防接種・ワクチンで防げる疾病は予防すること」とある。予防接種施策の推進に当たっては「ワクチンの有効性，安全性および費用対効果に関するデータなどの科学的知見に基づき，厚生科学審議会予防接種・ワクチン分科会などの意見を聴いた上で，予防接種施策に関する評価・検討を行うこと」とある。

　2014年7月，HPVワクチンに関する厚生労働省の専門部会はHPVワクチン接種後に生じたのではないかとされる副反応について医学的に解析中とし，接種の積極的勧奨の差し控えを継続することを決定した。

　2014年7月，「予防接種法施行令の一部を改正する政令」「予防接種法施行規則及び予防接種実施規則の一部を改正する省令」が公布された。定期の予防接種の対象疾病として，水痘をA類疾病に，高齢者の肺炎球菌感染症をB類疾病に，それぞれ追加した。

　2014年11月，「予防接種法施行規則の一部を改正する省令」が公布された。
　厚生労働大臣が医薬品医療機器総合機構（PMDA）に副反応報告に係る情報の整理を行わせる場合において，PMDAがワクチン製造販売業者に対し副反応報告に関する調査のため必要な協力を求めるとき，PMDAは，副反応報告に関する調査を行う際に必要な限度において，ワクチン製造販売業者に対し，副反応報告に係る情報を提供できることとした。

24　わが国の予防接種

7．2015年の動向

　2015年5月，4価髄膜炎菌ワクチンの製造販売が承認された。

　2015年12月，沈降精製百日せきジフテリア破傷風不活化ポリオ（ソークワクチン）混合ワクチンの製造販売が承認された。

8．2016年の動向

　2016年3月，「予防接種実施規則の一部を改正する省令」が公布された。改正点は，以下の通りである。

・被接種者の保護者の同意を確認できないとき，保護者に代わって，里親，児童福祉施設の長，児童相談所長が同意することができることとなった。

・日本脳炎の予防接種に係る特例の対象者を，2007年4月2日から2009年10月1日までに生まれた者であって，2010年3月31日までに日本脳炎の第1期の予防接種を受けていない者とした。また，9歳以上13歳未満の者が日本脳炎の第1期の接種を受け終え，次に第Ⅱ期の接種を受ける場合の接種間隔を6日以上とした。

　2016年6月，「予防接種法施行令の一部を改正する政令」「予防接種法施行規則及び予防接種実施規則の一部を改正する省令」が公布された。主な改正点は，以下の通りである。

・定期の予防接種の対象疾病について，B型肝炎をA類疾病に追加した。

・定期の予防接種の対象者を，1歳に至るまでの間にある者（ただし，2016年4月1日以後に生まれた者に限る）とした。

・B型肝炎の定期の予防接種については，HBs抗原陽性の者の胎内または産道において B型肝炎ウイルスに感染したおそれのある者であって，抗HBs人免疫グロブリンの投与に併せて組換え沈降B型肝炎ワクチンの投与を受けたことのある者を対象者から除くこととした。

・B型肝炎の定期の予防接種は，組換え沈降B型肝炎ワクチンを27日以上の間隔を置いて2回皮下に注射した後，第1回目の注射から139日以上の間隔を置いて1回皮下に注射するものとし，接種量は毎回0.25mLとすることとした。

9．2017年の動向

　2017年には大きな予防接種法の改正はなかったが，予防接種・ワクチンに関連が深いものとして，感染症法に基づく風疹および百日咳の届け出基準の変更，急性弛緩性麻痺（acute flaccid paralysis：AFP）を届け出疾患とすることなどが議論された。

　風疹については，風疹の排除実現に向けて，①風疹を診断した医師の届け出は，従来の「診断後7日以内」から「診断後直ちに」変更，②感染経路の把握等の積極的疫学調査を，従来の「地域で風疹の流行がない状態において，風疹患者が同一施設で集団発生した場合等」から「風疹の患者が一例でも発生した場合」に変更，③風疹ウイルスの検査について，従来は「都道府県は，医師から検体が提出された場

合には，地方衛生研究所において可能な限りウイルス遺伝子検査を実施」から，「原則として全例にウイルス遺伝子検査を実施」に変更することが検討された。

百日咳については，従来は小児科定点からの届け出だったが，思春期・成人での発生状況の把握ひいてはこの年齢層へのワクチンの必要性の検討の基本資料とするために，検査診断に基づいた五類全数把握疾患とすることが検討された。

10. 2018年の動向

2017年12月，以上の2点については，「感染症の予防及び感染症の患者に対する医療に関する法律施行規則の一部を改正する省令」の公布により，2018年1月から実施となった。

同月，ポリオ根絶が目前となってきたことから，ポリオ様のAFPを生ずる疾患を正確に把握し，ポリオおよびポリオウイルス関連疾患の発生がないことを確認するため，15歳未満のAFP症例を五類全数把握疾患とするとの方針が厚生科学審議会感染症部会で確認され，2018年5月より実施された。

11. 2019年の動向

2019年2月，「予防接種法施行令の一部を改正する政令」「予防接種法施行規則及び予防接種実施規則の一部を改正する省令」が公布された。風疹の追加的対策（第5期接種）が，2019年2月1日から2022年3月31日までの間に限り，1962年4月2日から1979年4月1日までの間に生まれた男性（対象世代の男性）が風疹の定期接種の対象者として追加された。目標として，2020年7月までに，対象世代の男性の抗体保有率を85％に引き上げ，2021年度末までに対象世代の男性の抗体保有率を90％に引き上げることが掲げられている。特に抗体保有率が低い上記の対象世代の男性に対する追加的対策のポイントは以下の通りである。

・予防接種法に基づく定期接種の対象とし，3年間，全国で原則無料で定期接種を実施する。
・ワクチンの効率的な活用のため，まずは抗体検査を行い，抗体価が基準値を下回る者に対して，定期接種（第5期）として全国で原則無料で実施する。
・事業所健診の機会に抗体検査を受けられるようにすることや，夜間・休日の抗体検査・予防接種の実施に向け，体制を整備する。

2019年4月，「麻しんに関する特定感染症予防指針」が改正された。医療機関，児童福祉施設等および学校等の職員等は，乳幼児，児童，体力の弱い者等の麻疹に罹患すると重症化しやすい者と接する機会が多く，本人が麻疹を発症すると，集団発生または患者の重症化等の問題を引き起こす可能性が高いことから，麻疹に未罹患または麻疹の罹患歴が不明であり，かつ，麻疹の予防接種を必要回数である2回受けていないまたは麻疹の予防接種歴が不明である者に対しては，当該予防接種を受けることを強く推奨する必要があることが明記された。

26　わが国の予防接種

　2019年4月，「予防接種法施行令の一部を改正する政令」が公布された。高齢者の肺炎球菌感染症の対象者に関する再経過措置が2019年4月1日より実施された。2014年からの5年間に引き続き，再度，2019～2023年度までの5年間については経過措置として，65歳，70歳，75歳，80歳，85歳，90歳，95歳，100歳になる日の属する年度の初日から当該年度の末日までの間にある者も定期種として接種可能となったものである（2019年度については，2019年3月31日において100歳以上の者を含む）。なお，これまでに，23価肺炎球菌莢膜ポリサッカライドワクチンを1回以上接種した者は，当該予防接種を定期接種として受けることはできない。

　2019年10月，厚生労働省は，2020年10月1日からロタウイルスワクチンを定期接種の対象とすることを決定した。使用の詳細については2020年1月現在，整備中である。

　表1に予防接種に関する主な歴史，図3にわが国の予防接種の経過をまとめた。

表1　予防接種に関する主な歴史

年	内容	年	内容
1798年 （寛政元）	E. Jenner 天然痘予防のため牛痘種痘法を発表	1965年	日本脳炎ワクチン精製化
1849年 （嘉永2）	長崎のオランダ医 O.G.J.Mohnikeに痘苗到着。日本の種痘が始まる	1966年	麻疹不活化 K, 生ワク L 併用接種法
1876年 （明治9）	天然痘予防規則	1967年	BCG　管針法に接種切り替え 麻疹不活化ワクチン接種後の異型麻疹
1880年	伝染病予防心得書		インフルエンザワクチン乳児接種における副反応
1885年	種痘施術心得書	1968年	DPT ワクチン定期接種
1909年	同上 改正		インフルエンザ A 香港型登場
1910年 （明治43）	種痘法 施行	1969年	麻疹弱毒 FL 生ワクチン単独接種
1947年 （昭和22）	生物学的製剤製造物検定規則施行	1970年 6月	種痘禍事件 腸チフス・パラチフス混合ワクチン定期接種中止
1948年7月 （昭和23）	**予防接種法施行**（制定6月） 対象疾病は12疾病：痘瘡，ジフテリア，腸チフス，パラチフス，百日せき，結核，発疹チフス，ペスト，コレラ，しょう紅熱，インフルエンザ，ワイル病	**7月** 11月	**閣議了解による予防接種事故救済措置** 予防接種問診票の活用等について，種痘以外にも問診票の様式例を活用する等一連の措置を推進
1948年	薬事法（法律第197号）施行	1971年	生物学的製剤基準告示
1951年4月	**結核予防法施行**（制定3月）	1972年	インフルエンザ HA ワクチンに切替
1954年	日本脳炎ワクチン特別対策（勧奨接種）	1975年1月 2月 4月	DPT ワクチンの事故 百日咳を含むワクチンの一時中止 DPT集団接種を24カ月以降として再開
1957年	インフルエンザ（アジアかぜ）流行		
1958年4月 （昭和33）	**予防接種法改正**（即日施行） 対象疾病から，しょう紅熱を削除 DP 二混ワクチン	**1976年6月** （昭和51）	**予防接種法改正**（即日施行） 予防接種による健康被害について法的救済制度創設
9月	**予防接種実施規則制定**		定期の接種：種痘，ジフテリア，百日咳，ポリオの4疾病
1960年	ポリオ　不活化ワクチン勧奨接種		インフルエンザ，日本脳炎およびワイル病一般的の臨時接種へ
8月 （昭和35）	**薬事法**（法律第145号）**制定**（施行1961年2月1日） 旧法（1948年法律第197号）は廃止		対象疾病から腸チフス，パラチフス，発疹チフス，ペストを除外 種痘定期接種実施の中止
1961年	ポリオ　生ワクチン緊急投与	1977年	インフルエンザ A ソ連型登場
1962年	インフルエンザ特別対策（勧奨接種）	**2月**	**予防接種法による健康被害救済制度の実施**
1964年	ポリオ　生ワクチン定期接種 百日咳ジフテリア破傷風混合ワクチン市販		

予防接種の歴史　27

	8月	風疹　定期接種(中学生女子)の開始
1978年10月		麻疹　定期接種(原則として個別接種)の開始
1980年1月		ポリオ　生ワクチン投与方法の変更(ドロッパー)
	5月	WHO 痘瘡根絶宣言
	8月	種痘定期接種の廃止
	8月	組織培養不活化狂犬病ワクチン市販
1981年2月		おたふくかぜ生ワクチン市販
	8月	沈降精製 DPT ワクチン(DTaP)へ切り替え
1982年4月		BCG 中学2年を中学1年の接種に変更
1985年11月		B型肝炎ワクチン市販
1986年1月		B型肝炎母子感染防止事業による接種の開始
	9月	水痘生ワクチン認可
1987年3月		水痘生ワクチン市販
	8月	インフルエンザ　問診票に保護者の意向記入
1988年3月		組換え沈降 B型肝炎ワクチン認可 23価肺炎球菌多糖体ワクチン認可
	12月	日本脳炎北京株ワクチン認可 1回接種量 0.5 mL に変更 DPT 個別接種を基本とし,低年齢から使用できる
1989年4月 (平成元年)		MMR ワクチン　接種開始(統一株)
	9月	MMR ワクチン　接種後の無菌性髄膜炎の問題
	12月	MMR ワクチン　保護者の希望により接種
1991年6月		MMR ワクチン　問診票に保護者の意向を記入
	10月	MMR ワクチン(自社株)市販
1993年4月		MMR ワクチン　実施見合せ
	9月	北里研究所が麻疹,風疹,おたふくかぜワクチンの安定剤を2%ポリゼリンに変更
	12月	今後の予防接種制度の在り方について公衆衛生審議会から答申
1994年4月 (平成6)		麻疹生ワクチンのアナフィラキシー例発生。この後,生ワクチンのゼラチンアレルギーが問題となる
	10月	**改正予防接種法施行**(改正6月) 健康被害救済の充実,集団義務接種から勧奨個別接種へ,予診の強化 破傷風と日本脳炎が定期予防接種に 風疹　幼児(12〜36カ月)に接種 対象疾病から,痘瘡,コレラ,インフルエンザ,ワイル病を除外(コレラ,インフルエンザ,ワイル病任意接種へ)
1995年7月		A型肝炎ワクチン市販 DPT ワクチンの製造工程中にゼラチンを入れている製品があることが判明
1996〜97年 シーズン		特養,老健施設におけるインフルエンザの流行が社会問題化 生ワクチンのゼラチンアレルギーが問題に
1999年2月		「予防接種法の一部を改正する法律案」閣議決定
1999年4月		**感染症法施行**(制定98年10月) 伝染病予防法,性病予防法およびエイズ予防法　廃止

2001年11月		予防接種法改正(即日施行) 高齢者のインフルエンザ定期予防接種へ 予防接種対象疾病が一類(百日咳,ジフテリア,破傷風,ポリオ,麻疹,風疹,日本脳炎)と二類(インフルエンザ)に類型化
2002年9月		北里研究所がプリオネクスを除去し,すべての麻疹ワクチン,風疹ワクチン,おたふくかぜワクチンがゼラチンフリーへ
2003年4月		小学校1年と中学1年のツ反廃止(結核予防法施行令改正02年11月)
2003年9月		風疹　予防接種経過措置終了
2003年11月		**改正感染症法施行**(公布同年10月)
2004年1月		麻疹ワクチンの標準接種年齢が生後12カ月以上15カ月未満に変更
	4月	**ポリオ生ワクチン二次感染対策事業開始** ポリオ生ワクチンの定期の接種を受けた者への接触によりポリオウイルスに二次感染した者へ法による健康被害救済制度を適用
2005年4月		**ツ反すべて廃止,BCG直接種へ**(結核予防法改正2004年6月) 経皮接種の実施要領については3月31日をもって廃止 BCGの定期接種年齢が生後0日以上6カ月未満へ(同施行令改正2004年10月)
	5月	**日本脳炎の定期の予防接種の積極的勧奨の差し控え勧告**
	6月	定期のインフルエンザ予防接種「予防接種で接種後2日以内に発熱のみられた者及び全身性発疹等のアレルギーを疑う症状を呈したことがある者,過去に免疫不全の診断がなされているもの」は予防接種不適当者へ
	7月	**日本脳炎の定期の予防接種第Ⅲ期廃止**(予防接種法施行令改正)
	7月	ジフテリア,百日せき,破傷風の第Ⅰ期予防接種の初回および追加接種には沈降DPTを,ジフテリア,破傷風の第Ⅱ期予防接種には沈降DTを用いる(予防接種実施規則改正)
2006年4月		MRワクチン2回接種開始
	6月	麻疹および風疹の定期予防接種の際,1期,2期とも単味麻疹ワクチン,単味風疹ワクチンも接種可に 沈降インフルエンザワクチン(H5N1)が希少疾病用医薬品に指定(2006年6月9日,薬食審査発第0609001号)
	12月	**感染症法・予防接種法改正**(施行2007年4月1日)
2007年3月		ヒブワクチンの製造販売承認(サノフィパスツール)
2007年4月		定期のインフルエンザ予防接種「過去に免疫不全の診断がなされた者」が接種不適当者から除外
	4月	**改正予防接種法施行** 結核が予防接種法の一類疾病に。**結核予防法は廃止**
2007年春		10代,20代に麻疹流行

2007年10月	沈降新型インフルエンザワクチン（H5N1株）製造承認
2008年1月	麻疹および風疹が1月1日から全数把握疾患へ（2007年12月28日感染症法施行規則改正）
2月	**予防接種法施行令改正**（施行2月27日）
	2008年4月1日から5年間，麻疹および風疹の定期予防接種として，第3期（中学1年生に当たる者），第4期（高校3年生に当たる者）を追加
3月	**予防接種実施規則改正**（施行08年4月1日）
	・ジフテリア，百日咳，破傷風の第1期の定期予防接種（初回，追加とも）において，百日咳，ジフテリア，破傷風のいずれかに罹患歴のある者に対しても，DPTワクチンの使用が可に
	・麻疹または風疹のいずれかに罹患歴のある者にも麻疹風疹（MR）混合ワクチンの接種が可に
2009年2月	乾燥細胞培養日本脳炎ワクチンが製造販売承認
6月	**予防接種実施規則改正**（施行6月2日）
	乾燥細胞培養日本脳炎ワクチンを定期の第1期予防接種に
9月	HPVワクチン（GSK社　サーバリックス）が製造販売承認
10月	小児用7価肺炎球菌ワクチン（PCV7）「プレベナー水性懸濁皮下注」製造承認
2010年4月	**予防接種法施行規則改正**（施行4月1日）
	予防接種法施行令改正（施行4月1日）
	日本脳炎の定期の予防接種第Ⅰ期の標準的な接種期間（3歳）に該当する者に対する接種の勧奨を再開
8月	**予防接種実施規則改正**（施行8月27日）
	・乾燥細胞培養日本脳炎ワクチンを定期の第2期に
	・積極的勧奨差し控えによって接種が完了していない者は，残りの回数を第1期又は第2期年齢で定期接種として受けることが可能（合計3回）
2011年3月	小児用7価肺炎球菌ワクチンおよびヒブワクチン接種を一時的に見合わせ
3月	日本脳炎の定期の予防接種第1期（初回接種および追加接種）の標準的な接種期間に該当する者に積極的な勧奨を行うこと
2011年4月	小児用7価肺炎球菌ワクチンおよびヒブワクチン接種再開
5月	**予防接種施行令と実施要領改正**
	・2011年5月20日～2012年3月31日までの間，麻疹・風疹の定期の予防接種の対象者に高校2年生相当の年齢の者を追加
	・日本脳炎の定期の予防接種について積極的勧奨差し控えにより，

	接種を受ける機会を逸した者（1995年6月1日～2007年4月1日に生まれた者）について特例措置を設けた
	・東日本大震災により定期の予防接種の対象年齢を過ぎた者について2011年8月31日まで定期の予防接種の対象者とした
7月	「予防接種法及び新型インフルエンザ予防接種による健康被害の救済等に関する特別措置法の一部を改正する法律」公布，一部施行
	2009年に発生した新型インフルエンザ（A/H1N1）と同程度の新型インフルエンザが発生した場合，厚生労働大臣は，対象者，期日・期間を指定し，都道府県知事を通じて市町村長に対して臨時に予防接種を行うよう指示できることになった
7月	ロタウイルス胃腸炎予防ワクチン「ロタリックス内用液」製造販売承認
7月	4価HPVワクチン「ガーダシル」製造販売承認
8月	インフルエンザワクチンの小児用量の変更承認
2012年1月	5価経口弱毒生ロタウイルスワクチン「ロタテック内用液」が製造販売承認
4月	不活化ポリオワクチン「イモバックスポリオ」が製造販売承認
7月	**予防接種実施規則改正**（施行9月1日）。「定期（一類疾病）の予防接種実施要領」の一部改正
9月	単独不活化ポリオワクチン（「イモバックスポリオ」）初回接種（1～3回目）が定期予防接種に導入
9月	**予防接種実施規則改正**（施行11月1日）
	ジフテリア，百日せき，ポリオおよび破傷風の定期の予防接種に沈降精製百日せきジフテリア破傷風不活化ポリオ混合ワクチンの導入
10月	単独不活化ポリオワクチン4回目の追加接種が定期接種に導入
12月	麻疹の第3期・第4期の予防接種の終了（「麻疹に関する特定感染症予防指針の改正」12月14日公布）
2013年2月	**予防接種法施行令改正**（施行4月1日）
	結核の定期の予防接種の対象者を「生後6月に至るまでの間にある者」から「生後1歳に至るまでの間にある者」に拡大，生後5月に達した時から生後8月に達するまでの期間が標準的な接種期間日本脳炎の定期の予防接種積極的勧奨の実施
2月	A型肝炎ワクチン16歳未満への適応拡大承認，接種量は0.5mL皮下接種
3月	**予防接種法施行令，厚生科学審議令，予防接種法施行規則改正**（施行4月1日）

一類疾病をA類疾病とし，ジフテリア，百日咳，急性灰白髄炎，麻疹，風疹，日本脳炎，破傷風，結核に，ヒブ感染症，小児の肺炎球菌感染症およびヒトパピローマウイルス感染症を追加。二類疾病（インフルエンザ）をB類疾病に

3月 定期の予防接種等による副反応の報告等の取扱いについて
「予防接種法の一部を改正する法律」により，病院もしくは診療所の開設者または医師に対し，定期の予防接種または臨時の予防接種を受けた者が，厚生労働大臣が定める症状を呈していることを知ったときは，厚生労働大臣に報告することを義務付け

3月 全国子宮頸がんワクチン被害者連絡会が発足，国に副反応の公表・追跡調査，被害者救済制度の充実を求めた

4月 H7N9型鳥インフルエンザが指定感染症に

4月 細胞培養技術を用いた新型インフルエンザワクチン「細胞培養インフルエンザワクチン（プロトタイプ）」が製造販売承認

6月 子宮頸がんワクチン定期接種の積極的な勧奨差し控え

6月 課長通知によって厚生労働省は風疹の任意の予防接種について，妊婦の周囲の方，妊娠希望または妊娠する可能性の高い方で，抗体価が十分であると確認できた方以外の方が優先して接種を受けられるよう指示

2014年3月 **予防接種実施規則改正**（施行4月1日）
・ジフテリア，破傷風，百日咳，急性灰白髄炎の第1期の予防接種，日本脳炎の第1期の予防接種の初回接種，ヒブ感染症，HPV感染症の予防接種の接種間隔上限を撤廃
・日本脳炎の第1期の追加接種を初回接種終了後6カ月以上に変更
・小児肺炎球菌感染症の予防接種について，初回接種期限を生後24カ月までに延長。また，初回接種開始時が生後2～7カ月での場合，初回接種の2回目の注射が生後12カ月を超えた場合には，3回目の注射は実施しない

3月 「予防接種に関する基本的な計画」公布（施行4月1日）
予防接種に関する施策の総合的かつ計画的な推進を図るための基本的な計画として，今後の予防接種に関する中長期的なビジョンが示された

7月 **予防接種法施行令，予防接種法施行規則，予防接種実施規則改正**（施行10月1日）
定期の予防接種の対象疾病として，水痘をA類疾病に，高齢者の肺炎球菌感染症をB類疾病に，それぞれ追加した

11月 **予防接種法施行規則改正**（施行11月25日）
厚生労働大臣が医薬品医療機器総合機構を通してワクチン製造販売業者に対し副反応報告に関する調査協力を求めるとき，機構はワクチン製造販売業者に対し，副反応報告に係る情報を提供できることとした

2015年5月 4価髄膜炎菌ワクチン「メナクトラ」が製造販売承認

12月 沈降精製百日せきジフテリア破傷風不活化ポリオ（ソークワクチン）混合ワクチン「スクエアキッズ皮下注シリンジ」が製造販売承認

2016年3月 **予防接種実施規則改正**（施行4月1日）
・被接種者の保護者の同意を確認できないとき，代わりに里親，児童福祉施設の長，児童相談所長が同意できることとなった
・日本脳炎の予防接種の特例対象者を，2007年4月2日から2009年10月1日までに生まれた者であって，2010年3月31日までに第Ⅰ期の予防接種を受けていない者とした。また，9歳以上13歳未満の者が第1期の接種を終え，第2期の接種を受ける場合の接種間隔を6日以上とした

6月 **予防接種法施行令，予防接種法施行規則，予防接種実施規則改正**（施行10月1日）
・定期の予防接種の対象疾病について，B型肝炎をA類疾病に追加
・対象者は1歳に至るまでの間にある者（ただし，2016年4月1日以後に生まれた者に限る）

2018年1月 百日咳が1月1日から全数把握疾患へ（2017年12月15日感染症法施行規則改正）

3月 帯状疱疹ワクチン「シングリックス筋注用」が製造販売承認

5月 15歳未満の「急性弛緩性麻痺」が五類全数届出対象疾患に

2019年2月 **予防接種法施行令，予防接種法施行規則，予防接種実施規則改正**（施行2月1日）
風疹の追加的対策（第5期接種）を，2019年2月1日から2022年3月31日までの間に限り，1962年4月2日から1979年4月1日までの間に生まれた男性（対象世代の男性）を風疹の定期接種の対象者として開始

4月 「麻しんに関する特定感染症予防指針」改正

4月 **予防接種法施行令改正**（施行4月1日）
高齢者の肺炎球菌感染症の対象者に関する再経過措置を2019～2023年度まで実施

10月 2020年10月1日からロタウイルスワクチンを定期接種の対象とすることを決定した。

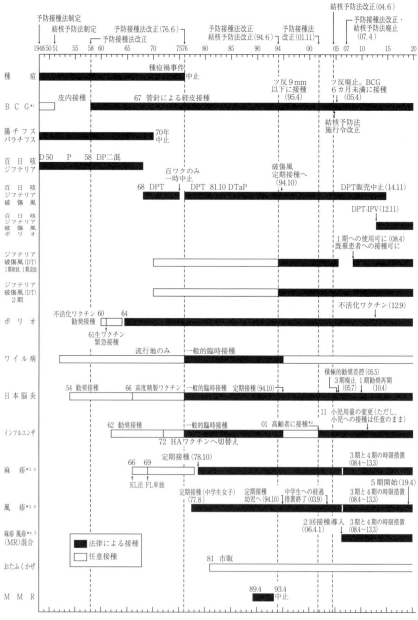

図3 わが国の予防接種の経過

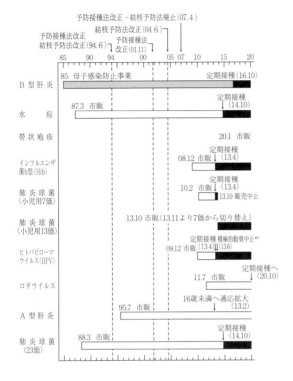

D：ジフテリアトキソイド
P：百日咳ワクチン
DP：百日咳ジフテリア混合ワクチン
DT：ジフテリア破傷風混合トキソイド（2005年7月から沈降DT。液状DTは1998年に製造中止）
DPT：百日咳ジフテリア破傷風混合ワクチン
DTaP：沈降精製DPTワクチン
DPT-IPV：百日咳ジフテリア破傷風不活化ポリオ混合ワクチン

＊1 2007年4月から予防接種法による接種
＊2 インフルエンザの定期接種：65歳以上，60～65歳未満の高度ハイリスク者
＊3 単味麻疹ワクチン，単味風疹ワクチンの定期接種は2006年6月2日から可能に
＊4 第3期（中学1年生に当たる者）および第4期（高校3年生に当たる者）の定期接種は2008年4月1日から2013年3月31日までの5年間
＊5 麻疹または風疹のいずれかに罹患歴のある者にも接種可
＊6 積極的勧奨差し控えの継続に関しては審議継続中

（岡部信彦）

★WHOが進めている予防接種戦略

WHOは，予防接種(immunization)は，公衆衛生における最も効果的に介入する方法の１つとして重要であり，世界の健康のために予防接種へのアクセスは重要なステップとなることを強調している。またWHOは，世界ワクチン接種行動計画(The Global Vaccine Action Plan：GVAP)によって2011～2020年のロードマップを発表し(https://www.who.int/immunization/global_vaccine_action_plan/GVAP_doc_2011_2020/en/)，GVAPの目標を達成するために，各国の予防接種プログラムの管理能力と指導力を強化し，国際協力を強化するよう各国に要請している。

その中で，戦略的目標は以下の通りである。

1．すべての国が予防接種が優先的事項であることを確約する。
2．個人および地域社会は，予防接種の価値を理解し，予防接種は権利であり責任であることを求める。
3．予防接種の利益は，すべての人々に公平に与えられる。
4．強固な予防接種システムは，よく機能する健康システムの不可欠な部分である。
5．予防接種プログラムは，予測可能な資金調達，質の高い供給，革新的な技術に持続的にアクセスする可能性を有する。
6．国，地域，グローバルレベルの研究開発イノベーションは，予防接種の利益を最大化する。

また，具体的な目標は以下の通りである。

1．2018年内にポリオを根絶する。
2．母体・新生児破傷風を2015年までに排除する。
3．麻疹について，2020年までにWHO６地域のうち５地域で排除を達成する。
4．風疹について，2020年までにWHO６地域のうち５地域で排除を達成する。
5．すべての国のワクチンプログラムにあるワクチンについて，そのカバー率を国レベルで90％以上，すべての地域で80％とする。
6．すべての低～中所得国において新規あるいは利用されていないワクチンを１つ以上導入する。
7．小児死亡率を減少させる。

これに対して2019年現在での状況は以下の通りである。

1．ポリオについては，野生株２型は根絶宣言，３型は根絶状態にあるが未宣言(2019年10月根絶宣言)，１型はまだ発生がみられ，ワクチン由来ウイルスによる麻痺例がいまだ持続している。
2．母体・新生児破傷風の排除を達成している国は増加しているが，全世界レベルにはまだ達していない。
3．麻疹は，排除宣言をした国は増加しているが，2017～2019各地域で再流行がみられている。
4．風疹は，南北米地域のみが排除を達成した。
5．３回のDTP接種を受けている小児は85％，DTP３回接種につき国レベルで90％以上・地域レベルで80％以上のカバー率を達成しているのは30％以下，１回の麻疹接種率が50％以下である国が10カ国ある。
6．すべての低～中所得国で達成した。
7．５歳以下の小児死亡は，1,000出生当たり2011年49.1～39.1，同じく乳児死亡は35.8～29.4と達成した(UNICEF)。

予防接種の歴史　33

1～5については達成不十分であることが2019年のWHO総会で発表された。2021～2030年のGVAPについて現在，議論が進められている。

なお，WHOは「世界における10の健康における脅威2019」を発表しているが，その中にvaccine hesitancy（ワクチンへのためらい，躊躇）をあげている（https://www.who.int/emergencies/ten-threats-to-global-health-in-2019）。

（岡部信彦）

1

わが国の予防接種

予防接種の制度と実施

I 予防接種の制度

　予防接種は世界各地，至るところで使用されている。全く利用していないという国はないであろう。その実施にあたっては，共通点も多いが，その国の感染症の発生状況，医療・公衆衛生のレベル，文化的・宗教的背景，予算規模（特に低所得国では海外から援助），などによって異なるところもまた多い。

　わが国では，予防接種は，予防接種法に基づいて行われる予防接種（定期接種）と，法律では決まっていないが感染症予防の観点から自主的に受けた方がよい予防接種（任意接種）とがある。定期接種は法律で接種が決められているため，基本的には公費による負担で行われる。

　米国では，連邦政府による予防接種法はなく，米国疾病予防管理センター（Centers for Disease Control and Prevention：CDC）の推奨に従って，各州ごとに定められている予防接種法および学校法によってワクチン接種が実施されている。英国では，もともと「法」は成文化された「法律」のことでなく，判例が第一次的な法源とされる不文法・慣習法のことであるところから，予防接種法というものが存在しない。フィンランドでは，予防接種はいわゆる任意の接種制度だが，国民によく理解を求めることによって高い接種率を維持している。中国では，予防接種法があり，予防接種は国民の義務としている。

　わが国の予防接種法（法律）は，昭和23年に制定され，多くの改正を経て現在に至っている。さらに，予防接種法の下に予防接種法施行令，予防接種施行規則，予防接種実施規則などで詳細が決められ，簡易なものについては厚生労働省が発する通知によって運用されている〔表1，その動きは「わが国における予防接種の歴史と

表1　予防接種関連法令とその内容

	法　令	内　容
法律	予防接種法	法大綱，市区町村長が実施 対象疾病など
政令	予防接種法施行令	接種年齢 救済の内容など
省令	予防接種法施行規則	医師の協力 救済の請求方法など
	予防接種実施規則	医師の協力 接種方式（接種間隔，接種回数，接種量など）
通知	事務次官通知 局長通知 課長通知	予防接種法の一部を改正する法律の施行について 予防接種の実施について予防接種実施要領 具体的な接種方法，注意事項

予防接種の制度と実施　35

表2　定期接種対象疾病

A類疾病	B類疾病
①ジフテリア　②百日咳　③急性灰白髄炎(ポリオ)　④麻疹　⑤風疹　⑥日本脳炎　⑦破傷風　⑧結核　⑨Hib感染症　⑩肺炎球菌感染症(小児がかかるものに限る)　⑪ヒトパピローマウイルス感染症(2020年1月現在積極的勧奨差し控えのまま)　⑫水痘　⑬B型肝炎　⑬上記の疾患のほか,人から人に伝染することによるその発生及びまん延を予防するため,またはかかった場合の症状の程度が重篤になり,もしくは重篤になるおそれがあることから,その発生及び,まん延を予防するために特に予防接種を行う必要があると,認められる疾患として政令で定める疾患(注:現在は「痘瘡」が規定)	①インフルエンザ　②肺炎球菌(23価)　③上記の疾病のほか,個人の発病またはその重症化を予防し,併せてこれにより,そのまん延の予防に資するため特に予防接種を行う必要があると認められる疾患として政令で定める疾患。

流れ」(13頁)を参照〕。なお法律の改正には,国会の承認を必要とする。

　わが国における予防接種には,予防接種法に基づき実施される「定期接種」および「臨時接種」,病原性の低い新型インフルエンザが発生したときなどに実施される可能性のある「新臨時接種」,予防接種法に基づかない「任意接種」がある。

1．定期接種

　表2に定期接種対象疾患,図1に定期接種スケジュールを示す。

2．臨時接種

　都道府県知事は,A類疾病およびB類疾病のうち厚生労働大臣が定めるものの蔓延予防上,緊急の必要があると認めるときは,その対象者およびその期日または期間を指定して,臨時に予防接種を行い,または市町村長に行うよう指示することができる。

　厚生労働大臣は,予防接種法第6条第1項に規定する疾病の蔓延予防上緊急の必要があると認めるときは,政令の定めるところにより,同項の予防接種を都道府県知事に行うよう指示することができる。

3．新臨時接種

　厚生労働大臣は,同法6条第3項の定めにより,B類疾病のうち当該疾病にかかった場合の病状の程度を考慮して厚生労働大臣が定めるものの蔓延予防上緊急の必要があると認めるときは,その対象者およびその期日または期間を指定して,政令の定めるところにより,都道府県知事を通じて市町村長に対し,臨時に予防接種を行うよう指示することができる。この場合において,都道府県知事は,当該都道府県の区域内で円滑に当該予防接種が行われるよう,当該市町村長に対し必要な協力をする。

　新型インフルエンザ等発生により,緊急事態宣言が出されたときの全国民に対す

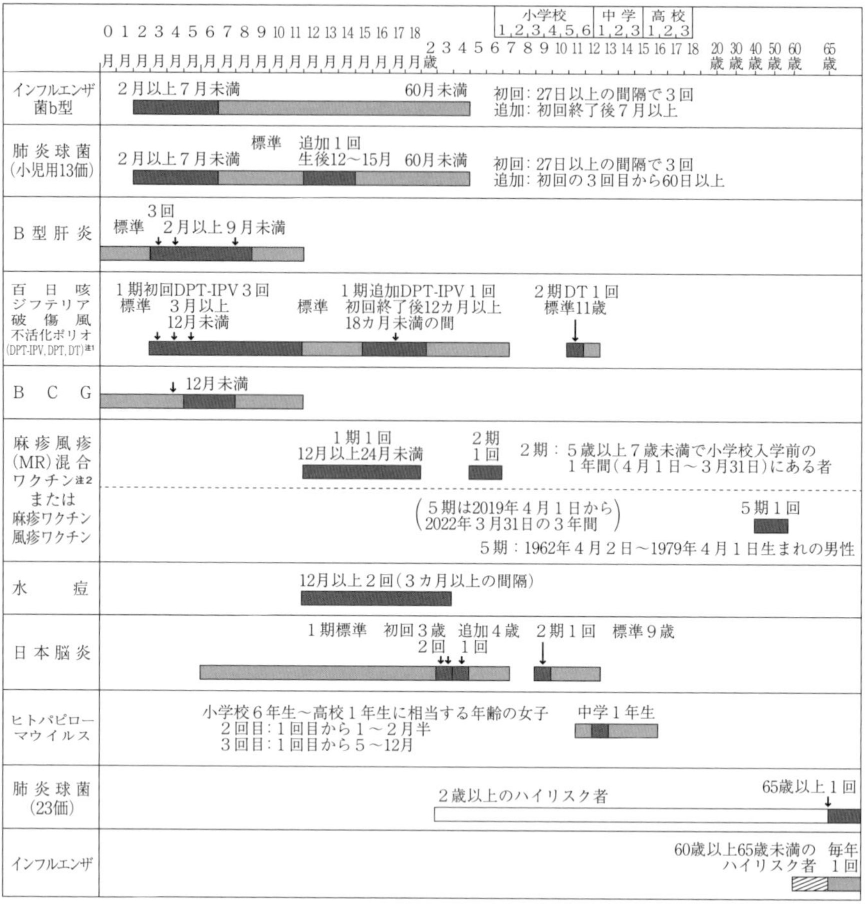

	0 1 2 3 4 5 6 7 8 9 10 11 12 13 14 15 16 17 18 月月月月月月月月月月月月月月月月月月月歳	小学校 1,2,3,4,5,6	中学 1,2,3	高校 1,2,3	
		2 3 4 5 6 7 8 9 10 11 12 13 14 15 16 17 18 歳歳歳歳歳歳歳歳歳歳歳歳歳歳歳歳歳		20 30 40 50 60　65 歳歳歳歳歳　歳	
インフルエンザ 菌b型	2月以上7月未満　　　　　　　　　60月未満	初回：27日以上の間隔で3回 追加：初回終了後7月以上			
肺炎球菌 (小児用13価)	標準　　追加1回 2月以上7月未満　生後12〜15月　60月未満	初回：27日以上の間隔で3回 追加：初回の3回目から60日以上			
B 型 肝 炎	3回 標準↓2月以上9月未満				
百 日 咳 ジフテリア 破 傷 風 不活化ポリオ (DPT-IPV,DPT,DT)注1	1期初回DPT-IPV 3回　　　　　1期追加DPT-IPV 1回　　2期DT 1回 標準　3月以上　　　　　標準　初回終了後12月以上　　標準11歳 　　　12月未満　　　　　　　18カ月未満の間				
B C G	↓12月未満				
麻疹風疹 (MR)混合 ワクチン注2 または 麻疹ワクチン 風疹ワクチン	1期1回　　　　　2期　2期：5歳以上7歳未満で小学校入学前の 12月以上24月未満　　1回　　　1年間(4月1日〜3月31日)にある者	（5期は2019年4月1日から 2022年3月31日の3年間）　5期1回 5期：1962年4月2日〜1979年4月1日生まれの男性			
水 痘	12月以上2回(3カ月以上の間隔)				
日 本 脳 炎	1期標準　初回3歳　追加4歳　2期1回　標準9歳 2回　1回				
ヒトパピロー マウイルス	小学校6年生〜高校1年生に相当する年齢の女子　中学1年生 2回目：1回目から1〜2月半 3回目：1回目から5〜12月				
肺炎球菌 (23価)	2歳以上のハイリスク者　　　　　65歳以上1回				
インフルエンザ	60歳以上65歳未満の　毎年 ハイリスク者　　1回				

■は予防接種法施行令で定める対象者(接種年齢)　　□は任意接種
■は定期接種実施要領(通知：技術的助言)で定める標準的な接種期間(通常, 接種が行われている年齢)
　麻疹と風疹は, 施行令で定める接種年齢と定期接種実施要領で定める接種年齢は同じ。

DPT-IPV：沈降精製百日咳ジフテリア破傷風不活化ポリオ混合ワクチン
DPT：沈降精製百日咳ジフテリア破傷風混合ワクチン　　　DT：沈降ジフテリア破傷風混合トキソイド
注1　百日咳, ジフテリア, 破傷風, 不活化ポリオのⅠ期定期接種
注2　麻疹または風疹の定期接種
・1期, 2期とも麻疹, 風疹の予防接種を同時に行う場合はMR混合ワクチンを接種
　(麻疹または風疹の罹患歴のある者にも接種可)。
・同じ「期内」で, 麻疹生ワクチンまたは風疹生ワクチンのどちらか一方を受けた者, あるいは特に
　単味ワクチンを希望する者には単味ワクチンを接種。

図1　定期予防接種スケジュール(2020年1月1日現在)

る予防接種は「臨時接種」として行われるが，緊急事態宣言が出されていない場合は「新臨時接種」として行われる。

4．任意接種

予防接種法には基づいていない，任意予防接種対象疾患には，おたふくかぜ，A型肝炎，ロタウイルス感染症（2020年10月より定期接種予定），狂犬病，黄熱，髄膜炎菌感染症，定期接種対象疾患であるが対象年齢の枠外に行うもの（例：高齢者以外のインフルエンザ，定期接種外年齢で受傷時の破傷風ワクチンなど）があげられる。

5．ワクチンの使用にあたって

前述の疾病に対するワクチンは，国内においては「医薬品，医療機器等の品質，有効性および安全性の確保等に関する法律（旧薬事法；以下，医薬品医療機器等法）」において承認されたものであることが前提であり，使用に当たっては任意接種であ

★予防接種法における接種年齢について

予防接種法によって規定された当該予防接種の接種年齢にある者への接種により生じた健康被害には健康被害救済制度が適用される。

2014年3月に厚生労働省より「定期の予防接種における対象者の解釈について」（事務連絡）が出された。表にその内容をまとめた。予防接種法上はこの解釈に則って年齢が解釈される。

表 定期の予防接種における対象者の解釈について（厚生労働省 2014年3月）

	解　釈
〜歳に達したとき	誕生日の前日24時
〜歳に至るまで	誕生日の前日まで
〜歳に達するまで	誕生日の前日まで（至るまでと同じ解釈）
〜歳以上[*1]	誕生日の前日から
〜歳未満[*2]	誕生日の前日まで
〜歳に至った日	誕生日の前日
〜歳に至るまでの間	誕生日の前日までの間
〜歳に至った日の翌日	誕生日
生後1月に至るまで	翌月の同日の前日まで（翌月に同日となる日が存在しない場合は翌月の最後の日まで）
生後3月から生後6月に至るまでの間にある者	4月1日生まれの人の場合，7月1日の前日（6月30日）から10月1日の前日（9月30日）までの期間内にある者

[*1]：厳密には前日24時に1歳年をとるので，前日の0時から24時に至るまでは加齢されないが，24時に接種を受けることは通常想定されないため，前日丸一日接種を受けられるように配慮した解釈となっている。

[*2]：厳密に前日24時に1歳年をとると考え，前日丸一日接種を受けられるように配慮した解釈となっている。

生ワクチンを接種した日の翌日から起算して，別の種類の接種を行う日までの間隔は，27日以上おく．

＊：2020年10月より定期接種予定

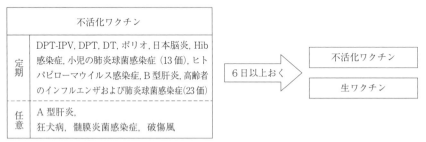

不活化ワクチンを接種した日の翌日から起算して，別の種類の接種を行う日までの間隔は，6日以上おく．

図2　予防接種の接種間隔

っても医薬品医療機器等法に基づいて発行される公文書である添付文書に従う必要がある．海外渡航前に予防接種が必要な特殊な疾患として，腸チフス，ダニ媒介脳炎，コレラなどがあげられるが，これらは医薬品医療機器等法の承認は得られておらず，「医師の個人輸入」といった形で行われる．

　ワクチンの接種に当たっては，医師の裁量で行うことは可能であるが，定期接種として行う場合には予防接種法および関連の法令に従って行う必要があり，任意接種であっても添付文書に従うことが基本となる．

II　予防接種の接種間隔と同時接種

1．ワクチンの種類別の接種間隔（図2）

　生ワクチンは，接種した日から別の種類の予防接種を行うまでの間隔を27日以上おく．不活化ワクチンは，接種した日から別の種類の予防接種を行うまでの間隔を6日以上おく．

　なお，同じ種類のワクチンを複数回接種する場合はそれぞれのワクチンに定められた接種間隔を守る．

２．同時接種についての考え方

　同時接種（混合ワクチンを使用する場合を除く）は，医師が特に必要と認めた場合には，他のワクチン（生ワクチン，不活化ワクチンの両方）と同時に接種することができる。

　日本小児科学会から予防接種の同時接種に対する考え方として，「日本国内においては，２種類以上の予防接種を同時に同一の接種対象者に対して行う同時接種は，医師が特に必要と認めた場合に行うことができるとされている。一方で，諸外国においては同時接種は一般的に行われている医療行為である。現在，日本においても多くの予防接種を行う必要があることから，同時接種をより一般的な医療行為として行っていく必要がある（要約）」と発表している（http://www.jpeds.or.jp/uploads/files/saisin_1101182.pdf）。

　なお，同時接種を行う際，以下の点について留意する必要がある。

①複数のワクチンを１つの注射器に混ぜて接種しない。

②皮下接種部位の候補場所として，上腕外側ならびに大腿前外側があげられる。

③上腕ならびに大腿の同側の近い部位に接種する際，接種部位の局所反応が出た場合に重ならないように，少なくとも2.5cm以上あける。

　同時接種は予防接種のための通院回数を減らし，子ども本人や保護者の負担を軽減することにもつながる。

　2011年３月に沈降７価肺炎球菌結合型ワクチン，インフルエンザ菌ｂ型（Hib）ワクチンを含む複数のワクチンの同時接種後に乳幼児の死亡例が複数報告されたことから，同年３月４日，沈降７価肺炎球菌結合型ワクチン，Hibワクチンの接種を一時的に見合わせるという事例があった。この問題について，薬事・食品衛生審議会医薬品等安全対策部会安全対策調査会および子宮頸がん等ワクチン予防接種後副反応検討会で様々な検討が行われた結果，両ワクチンの接種と死亡との間に，直接的な明確な因果関係は認められないと考えられるとされ，また，同時接種に関する情報などからは，安全性上の懸念はないと考えられるとされた。

Ⅲ　定期接種

　定期接種は予防接種法で定められているが，これは法律による強制的な接種ではない。必要な予防接種を国が勧め，国民はそれを受ける努力をするという「勧奨接種」である。勧奨接種とは，受けなければならない，という表現から，受けるように努めなければならないという表現の変化であり，強制・義務ではなく，個人の意志の反映が可能で接種に対してNoといえる権利の確保がなされたといえるものである。すなわち，何らかの事情で予防接種が受けられない，あるいは受けないという考えは尊重される。定期接種A類（旧一類）は主に小児の予防接種で，集団予防，重篤な疾患の予防に重点を置き，本人（保護者）に努力義務があり，国は接種を積極的に勧奨している。B類疾病（旧二類）は主に個人予防に重点を置き，本人に努力義務はなく，国は積極的な接種の勧奨はしていない。いずれにしても，接種を行う側

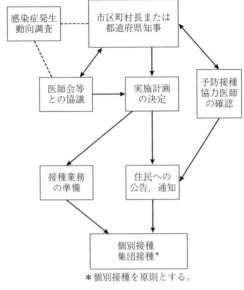

図3　予防接種のシステム

(国・自治体・接種を行う医師など)には，予防接種に対して効果だけではなく，まれであっても副反応の可能性も含めた丁寧な説明を行うことが求められる。

　定期接種と決められている期間内であれば，接種費用の負担がなく(あるいは少なく)，また万一の副反応による事故のときには，国の責任による医療費の救済などが定められている。

1．定期接種の実施主体

　図3に予防接種のシステムの概要を示した。

　定期接種およびその実施方法は国によって決められているが，実施の主体は市区町村長によって行われる(臨時接種は都道府県知事)。

　定期接種を行う医師は市区町村の依頼を受けた補助者(予防接種業務中は臨時の地方公務員)の立場であるので，万一健康被害が発生しても当事者は市区町村長であり，対応も市区町村長，知事，国が行う。つまり医師やその介助者の個人的な責任は問わないことが通知(1994年8月25日健医発第961号保厚生省保健医療局長通知第5)の中に明記されている。ただし，故意に健康被害を起こせば傷害罪となり，接種方法に個人的な重大な過失のあった場合には，当該医師個人が責任を問われることはあり得る。

　被接種者が市区町村長と契約のない医師による(住所地外など)定期の予防接種を

希望する場合も，当該医師宛に依頼書を発行するなど円滑に接種が受けられるよう配慮することが市区町村に求められている。つまり，かかりつけ医や主治医が他の市区町村にいるときなどは，保護者から申し出があれば接種依頼票を発行するなどして定期接種が円滑に行われるよう便宜を図ることが市区町村に求められている。

2．予防接種実施主体（市区村長）の役割

1）予防接種台帳の作成

市町村長は，定期接種の対象者について，あらかじめ住民基本台帳その他の法令に基づく適法な居住の事実を証する資料等に基づき様式第一の予防接種台帳を参考に作成し，予防接種法施行令（以下，政令）第6条の2や文書管理規程などに従い，少なくとも5年間は適正に管理・保存する。

また，予防接種台帳を，未接種者の把握や市町村間での情報連携等に有効活用するため，電子的な管理を行うことが望ましい。

なお，戸籍または住民票に記載のない児童においても，親権を行う者および予防接種実施主体である当該市町村に居住していることが明らかな場合であれば，当該者の同意を得た上で定期接種とすることは差し支えない。

2）戸籍および住民票に記載のない児童への予防接種，外国人の予防接種

戸籍・住民票に記載がない児童への予防接種については，「予防接種法においては，市町村の区域内に居住する者を予防接種の対象と規定していることから，戸籍または住民票に記載のない児童においても，親権を行う者および予防接種実施主体である当該市町村に居住していることが明らかな場合であれば，当該者の同意を得た上で定期予防接種の対象とすることは差し支えないものとすること」（2007年6月20日　厚生労働省結核感染症課事務連絡　戸籍および住民票に記載のない児童への定期の予防接種の実施取扱いについて）とされている。

外国人への予防接種は，公衆衛生局防疫課長通知（1952年1月24日衛発第58号の2）によって予防接種法に基づいて実施されている（予防接種法には国籍に関する記載はない）。外国人登録法に基づく台帳に登録済でかつ当該市町村区域内で日常生活を営むために居住をしている外国人については，予防接種法に基づく予防接種の対象となり，健康被害救済の対象ともなる。

3）接種対象者への周知

市町村長は，予防接種制度の概要，予防接種の有効性・安全性および副反応その他接種に関する注意事項等について，十分な周知を図る。

①定期接種の対象者またはその保護者に対して，あらかじめ，予防接種の種類，予防接種を受ける期日または期間および場所，予防接種を受けるに当たって注意すべき事項，予防接種を受けることが適当でない者，接種に協力する医師その他必要な事項を十分周知する。その周知方法については，やむを得ない事情がある場合を除き，個別通知とし，確実な周知に努める。

②予防接種の対象者またはその保護者に対する周知を行う際は，必要に応じて，母

子健康手帳の持参，費用なども併せて周知する。なお，母子健康手帳の持参は必ずしも求めるものではないが（予診では，乳幼児に対して定期接種を行う場合は，保護者に対し，接種前に母子健康手帳の提示を求められる），接種を受けた記録を本人が確認できるような措置を講じる（筆者注：母子健康手帳で記録を確認することは，実施上多くの有用な情報が得られるので，できるだけ母子健康手帳で予防接種歴を確認する。また予防接種を行った場合には，そのことについて母子健康手帳にきちんと記録を残すようにしていただきたい）。

③近年，定期接種の対象者に外国籍の者が増えていることから，英文等による周知等に努める。

4）保護者の同伴要件

定期接種については，原則，保護者の同伴が必要である。

ただし，政令第1条の3第2項の規定による対象者に対して行う予防接種，政令附則第2項による日本脳炎の定期接種およびヒトパピローマウイルス感染症の定期接種（いずれも13歳以上の者に接種する場合に限る）において，あらかじめ，接種することの保護者の同意を予診票上の保護者自署欄にて確認できた者については，保護者の同伴を要しないものとする。

また，接種の実施に当たっては，被接種者本人が予防接種不適当者または予防接種要注意者か否かを確認するために，予診票に記載されている質問事項に対する回答内容に関する本人への問診を通じ，診察等を実施した上で，必要に応じて保護者に連絡するなどして接種への不適当要件の事実関係等を確認するための予診に努める。

なお，被接種者が既婚者である場合は，この限りではない。

5）予防接種実施状況の把握

①既接種者および未接種者の確認

予防接種台帳等の活用により，接種時期に応じた既接種者および未接種者の数を早期のうちに確認し，管内における予防接種の実施状況について的確に把握する。

②未接種者への再度の接種勧奨

A類疾病の定期接種の対象者について，定期接種実施要領における標準的な実施時期を過ぎてもなお，接種を行っていない未接種者については，疾病罹患予防の重要性，当該予防接種の有効性，発生しうる副反応および接種対象である期間について改めて周知した上で，本人およびその保護者への個別通知等を活用して，引き続き接種勧奨を行う。

③定期的な健診の機会を利用した接種状況の確認

母子保健法（昭和40年法律第141号）に規定する健康診査（1歳6カ月児健康診査および3歳児健康診査）および学校保健安全法（昭和33年法律第56号）に規定する健康診断（就学時の健康診断）の機会を捉え，市町村長は，定期接種の対象となっている乳幼児の接種状況について，保健所または教育委員会と積極的に連携することにより，その状況を把握し，未接種者に対しては，引き続き接種勧奨を行う。

Ⅳ　予防接種の実施(概要)

1．予防接種の実施計画

実施計画の策定に当たっては，地域医師会等の医療関係団体と十分協議し，個々の予防接種が時間的余裕をもって行われるよう計画する。

接種医療機関においては，予防接種の対象者が他の患者から感染を受けることのないよう，十分配慮する。

予防接種を行うことができるか否か疑義がある場合は，予防接種に関する相談に応じ，専門性の高い医療機関を紹介する等，一般的な対処方法等について，あらかじめ決定しておく。

予防接種を行う医師に対しては，実施計画の概要，予防接種の種類，接種対象者等について説明する。

接種医療機関および接種施設には，予防接種直後の即時性全身反応等の発生に対応するために必要な薬品および用具等を備え，または携行する(**表3**)。

2．対象者の確認

接種前に，予防接種の通知書その他本人確認書類の提示を求めるなどの方法により，接種の対象者であることを慎重に確認する。

なお，接種回数を決定するに当たっては，次のことに留意する。

①「子宮頸がん等ワクチン接種緊急促進事業の実施について」(平成22年11月26日厚生労働省健康局長，医薬食品局長連名通知)に基づき過去に一部接種した回数については，すでに接種した回数分の定期接種を受けたものとしてみなす。

②海外等で受けた予防接種については，医師の判断と保護者の同意に基づき，すでに接種した回数分の定期接種を受けたものとしてみなすことができる。

3．接種液(ワクチン液)

接種液の使用に当たっては，標示された接種液の種類，有効期限内であること，および異常な混濁，着色，異物の混入その他の異常がない旨を確認する。

接種液の貯蔵は，生物学的製剤基準の定めるところによるほか，所定の温度が保たれていることを温度計によって確認できる冷蔵庫等を使用する方法による。また，凍結させないことなど，ワクチンによって留意事項があるので，それぞれ添付文書を確認の上，適切に貯蔵する(保存条件と有効期間については96頁参照)。

4．A類疾病の定期接種を集団接種で実施する際の注意事項

実施計画の策定：予防接種を受けることが適当でない者を確実に把握するため，特に十分な予診の時間を確保できるよう留意する。

接種会場：①冷蔵庫等の接種液の貯蔵設備を有するか，または接種液の貯蔵場所から短時間で搬入できる位置にあること。また，②2種類以上の予防接種を同時に行う場合は，それぞれの予防接種の場所が明確に区別され，適正な実施が確保される

44 わが国の予防接種

表3 救急処置物品例

1 血圧計(☆)
2 静脈路確保用品
3 輸液
4 エピネフリン(☆)・抗ヒスタミン剤・抗けいれん剤・副腎皮質ステロイド剤などの薬液
5 喉頭鏡
6 気管内チューブ
7 蘇生バッグ(☆)など

この物品例は1例である。このようなものを準備することが望ましい。
アナフィラキシーの発生時の診断および治療上,必要なものとして☆印のものを準備する。

よう配慮する。

接種用具等の整備:接種用具等,特に注射針,体温計等多数必要とするものは,市町村が準備しておく。注射器は,1 mL以下のものを使用する。接種用具等を滅菌する場合は,煮沸以外の方法による。

予防接種の実施に従事する者:予診を行う医師1名および接種を行う医師1名を中心とし,これに看護師,保健師等の補助者2名以上および事務従事者若干名を配して班を編制し,各班員が行う業務の範囲を明確に定めておく。班の中心となる医師は,あらかじめ班員の分担する業務について必要な指示および注意を行い,各班員はこれを遵守する。

安全基準の遵守:医療機関以外の場所での予防接種の実施においては,被接種者に副反応が起こった際に応急対応が可能なように安全基準を確実に遵守する。

①経過観察措置:予防接種が終了した後,短時間のうちに被接種者の体調に異変が起きても,その場で応急治療等の迅速な対応ができるよう,接種を受けた者の身体を落ち着かせ,接種した医師,接種に関わった医療従事者または実施市町村の職員等が接種を受けた者の身体の症状を観察できるように,接種後ある程度の時間は接種会場に止まらせる。

②応急治療措置:医療機関以外の場所においても,予防接種後,被接種者にアナフィラキシーやけいれん等の重篤な副反応がみられたとしても,応急治療ができるよう救急処置物品(表3)を準備する。

③救急搬送措置:被接種者に重篤な副反応がみられた場合,速やかに医療機関における適切な治療が受けられるよう,医療機関への搬送手段を確保するため,市町村にて保有する車両を活用すること,または事前に緊急車両を保有する消防署および近隣医療機関等と接種実施日等に関して,情報共有し連携を図る。

5. 予防接種に関する記録および予防接種済証の交付

①予防接種を行った際は,施行規則に定める様式による予防接種済証を交付する。

②予防接種を行った際,母子健康手帳に係る乳児または幼児については,①に代えて,母子健康手帳に予防接種の種類,接種年月日その他の証明すべき事項を記載

する。
③2012年に改正された母子健康手帳では，乳幼児のみならず，学童，中学校，高等
学校相当の年齢の者に接種する予防接種についても記載欄が設けられていること
から，母子健康手帳に予防接種の種類，接種年月日その他の証明すべき事項を記
載することにより，①に代えることができる。

6．予防接種の実施の報告
市町村長は，定期接種を行ったときは，政令第7条の規定による報告を「地域保
健・健康増進事業報告」(厚生労働省大臣官房統計情報部作成)の作成要領に従って
行う。

7．都道府県の麻疹および風疹対策の会議への報告
都道府県知事は，管内市町村長と連携し，管内における麻疹および風疹の予防接
種実施状況等を適宜把握し，都道府県を単位として設置される麻疹および風疹対策
の会議に速やかに報告する。

8．予診票
予診票は，それぞれの様式を参考に作成する(「定期接種実施要領」付録57頁参照)。
なお，予診票については，予防接種の種類により異なる紙色のものを使用するこ
となどにより予防接種の実施に際して混同をきたさないよう配慮する。
予診票の紙色については，使用するワクチンの間違いを防止するためワクチンの
バイアルキャップ，シリンジ，ラベルの色と統一することが望ましい，とされてい
る。また，使用に当たっては，ワクチンの名称と有効期間などを確認する。
作成した予診票については，あらかじめ保護者に配布し，各項目について記入す
るよう求める。
市町村長は，接種後に予診票を回収し，文書管理規程等に従い，少なくとも5年
間は適正に管理・保存する。

9．予診票の各項目の目的と確認方法
予診票の各項目の確認方法については以下の通りである。
1）体温
体温は医療機関(施設)の体温計で適切に測定し，37.5℃(腋窩温またはこれに相当
するもの)以上の者は明らかな発熱者として接種を中止する。
2）予防接種の効果や副反応などについての事前確認
保護者が当日受ける予防接種の効果および副反応ならびに必要性を理解している
かを確認するためのものである。「いいえ」の場合には，医療機関(施設)で，予防接
種の説明書等を読んでもらう。

3）発育歴

　低出生体重児としての出生，分娩異常による障害発生の可能性，その後の発育状態について健診での指摘があるかどうかを知るものである。紛れ込み事例（予防接種後に異常な副反応を疑う症状が出現したものの，予防接種が原因ではなく偶発的に同時期に発症した他の感染症などが原因である事例のこと）を最小限にするためにも「あった」または「ある」の場合には，その内容を聞き参考にする。

4）今日の体の具合

　どのように具合が悪いかを記入してもらう。病気の種類により，医師が接種の可否を判断する。

5）最近1カ月以内の病気

　小児期は急性疾患にかかりやすく免疫学的に回復不十分であることも考えられる。罹患した疾病の種類によって，免疫機能の低下や続発疾患の可能性が考えられる場合には治癒後2～4週間（麻疹の場合は4週間）を一応の目安として間隔をおく。

6）家族や遊び仲間の病気

　身近な人から感染し潜伏期間にあるかどうかを調査し，ワクチンの副反応と誤らないようにするためのもので，疾病の種類によって接種時期を設定する。

7）結核患者との接触歴（BCG接種の場合）

　生後，家族や親族などに結核患者が発生し，その患者に本人が接触した場合には，すでに結核菌に感染した可能性があるので慎重に対応する。最初に，患者発生に際して検診を受けたか否かを尋ねる。それに対して「受診し，異常がなかった」と申告した者には接種が可能である。「受診していない」と申告した者については，市町村等は適切な医療機関で精密検査を受けるよう指導する。精密検査を受け，その結果に異常がない場合に限って，次の機会にBCG接種を受けることができる。

8）1カ月以内の予防接種

　予防接種の種類を確認し，生ワクチンを接種した日の翌日から起算して，別の種類の予防接種を行うまでの間隔は27日以上おく。また，不活化ワクチンまたはトキソイドを接種した日の翌日から起算して，別の種類の予防接種を行うまでの間隔は6日以上おく。同じ種類のワクチンを複数回接種する場合は，ワクチンごとの接種間隔に注意する。

9）生まれてから今までにかかった病気

　病気の種類を知り，接種についての対応を決めるものである。継続して治療を受けている場合には，原則としてその疾患に主治医から当該予防接種の実施に対する意見書または診断書をもらってくるように指導する必要がある。病状が安定しており，主治医が接種可能と判断していれば，接種医の判断で接種を行う。病気の内容によっては予防接種に関する専門医または予防接種センターなどを紹介する。

　予防接種の対象疾病に，今までにかかったことがあるか否かを確認する。

10）ひきつけ（けいれん）

　けいれんの原因診断がついている場合には，9）と同様にその疾患の主治医と相

談の上，予防接種の実施について検討する。

11）薬や食品による蕁麻疹や体調の変化

ワクチンに含まれる成分と関係ないものは心配ない。「はい」の場合には医師記入欄に具体的内容を記載する。

12）ラテックス過敏症（B型肝炎ワクチン接種の場合）

ラテックス製の手袋を使用時にアレルギー反応がみられた場合，ラテックスと交差反応のある果物など（バナナ，栗，キウイフルーツ，アボカド，メロンなど）にアレルギーがある場合には，注意を要する。

13）子どもの先天性免疫不全

免疫不全は生ワクチンによる重篤な副反応発症のおそれがあり，また遺伝性の場合も少なくないので，被接種者および近親者につき，過去の指摘の有無を記載させる。

14）予防接種による副反応

以前に予防接種による副反応の既往があれば，その使用ワクチンの成分（添加物を含む）と実施しようとするワクチンの成分について共通性の確認も必要である。

15）家族に予防接種を受けて具合の悪くなった者がいるか

体質が似ていることが多いので，その状況を知り注意する。

16）過去の輸血，ガンマグロブリン製剤の投与

過去の輸血またはガンマグロブリン製剤の投与などは，BCGあるいはロタウイルスワクチンを除き生ワクチンの効果を減衰させる可能性があるため，注意を要する。

17）母子感染予防として，出生後にB型肝炎ワクチンの接種を受けたことがあるか

HBs抗原陽性の者の胎内または産道においてB型肝炎ウイルスに感染したおそれのある者であって，抗HBs人免疫グロブリンの投与に併せて組換え沈降B型肝炎ワクチンの投与を受けたことのある者については，定期接種の対象者から除く。

18）医師記入欄

医師は予診票を確認し，必要に応じて追加質問し，さらに診察した上で，接種の可否に関する診断をし，保護者に説明する。署名は医師の直筆で行う。ゴム印などで記名した場合は医師の押印を行う。

19）使用ワクチン名，接種量，実施場所等の欄

副反応が出た場合などに備え，ワクチン名とロット番号（これでワクチンメーカー名は確認できる）を記入する。接種量は年齢によって異なることがあるので記入する。実施場所，医師名などの欄はゴム印でもよい。

10．予診

接種医療機関および接種施設において，問診，検温，視診，聴診などの診察を接種前に行い（予診），予防接種を受けることが適当でない者または予防接種の判断を行うに際して注意を要する者に該当するか否かを調べる。

1）予防接種後副反応等に関する説明および同意

予診の際は，予防接種の有効性・安全性，予防接種後の通常起こり得る副反応およびまれに生じる重い副反応ならびに予防接種健康被害救済制度について，定期接種の対象者またはその保護者がその内容を理解し得るよう適切な説明を行い，予防接種の実施に関して文書により同意を得た場合に限り接種を行うものとする。

2）予防接種不適当者，予防接種要注意者

予防接種不適当者：予診の結果，異常が認められ，予防接種実施規則第6条に規定する者に該当する疑いのある者と判断される者に対しては，当日は接種を行わず，必要があるときは，精密検査を受けるよう指示する。

予防接種要注意者：被接種者の健康状態および体質を勘案し，慎重に予防接種の適否を判断するとともに，説明に基づく同意を確実に得ることが求められる。

V　予防接種不適当者，予防接種要注意者

1．予防接種不適当者

1）当該予防接種に相当する予防接種を受けたことのある者で当該予防接種を行う必要がないと認められる者

2）明らかな発熱を呈している者

明らかな発熱とは，通常37.5℃以上を指す。検温は，接種を行う医療機関（施設）で行い，接種前の対象者の健康状態を把握することが必要である。

3）重篤な急性疾患にかかっていることが明らかな者

重篤な急性疾患に罹患している場合には，病気の進行状況が不明であり，このような状態において予防接種を行うことはできない。接種を受けることができない者は，「重篤な」急性疾患にかかっている者であるため，急性疾患であっても，軽症と判断できる場合には接種を行うことができる。

4）当該疾病に係る予防接種の接種液の成分によって，アナフィラキシーを呈したことが明らかな者

繰り返し接種を予定している予防接種により，アナフィラキシーを呈した場合には，同じワクチンの接種を行わない。また，鶏卵，鶏肉，カナマイシン，エリスロマイシン，ゼラチンなどでアナフィラキシーを起こした既往歴のある者は，これらを含有するワクチンの接種は行わない（ワクチン添付文書参照）。

この定めは，予防接種の接種液の成分により，アナフィラキシーを呈した場合には，接種を行ってはならないことを規定したものである。

5）麻疹，風疹，水痘，おたふくかぜ（任意接種）等に係る予防接種の対象者にあっては，妊娠していることが明らかな者

一般に生ワクチンは，胎児への影響を考慮して，全妊娠期間で接種は行わない。風疹ワクチン接種後2カ月間は避妊が求められている。麻疹および風疹予防接種では，接種を受けた者から周囲の感受性者にワクチンウイルスが感染することはないと考えられるので，妊婦のいる家庭の小児に接種しても心配はない。

なお，不活化ワクチン，トキソイドの接種が胎児に影響を与える確証はないため，これらは予防接種を受けることが適当でない者の範囲には含められていない。

6）BCG接種の対象者にあっては，外傷等によるケロイドの認められる者

7）B型肝炎に係る予防接種の対象者にあっては，HBs抗原陽性の者の胎内または産道においてB型肝炎ウイルスに感染したおそれのある者であって，抗HBs人免疫グロブリンの投与に併せて組換え沈降B型肝炎ワクチンの投与を受けたことのある者

8）肺炎球菌感染症（高齢者がかかるものに限る）に係る予防接種の対象者にあっては，当該疾病に係る法第5条第1項の規定による予防接種を受けたことのある者

9）その他，予防接種を行うことが不適当な状態にある者

2）～9）までに掲げる者以外の予防接種を行うことが不適当な状態にある者について，個別に接種医により判断することになる。

また，「長期に亘り療養を必要とする疾病や厚生労働省令で定める特別の事情により予防接種を受けることができなかった者」「日本脳炎の予防接種における特例対象者」「HPV感染症の定期接種」のうち，13歳以上の女性への接種に当たっては，妊娠中もしくは妊娠している可能性がある場合には原則接種しないこととし，不活化ワクチンについては予防接種の有益性が危険性を上回ると判断した場合のみ接種できることとなっている。このため，接種医は，入念な予診が尽くされるよう，予診票に記載された内容だけで判断せず，必ず被接種者本人に，口頭で記載事実の確認を行い，その際，被接種者本人が事実を話しやすいような環境づくりに努めるとともに，本人のプライバシーの保護に十分配慮することとなっている。

2．予防接種要注意者の考え方

以下に，定期接種実施要領に規定する「接種要注意者」について，関連各学会の見解を受け，予防接種リサーチセンターに設置された予防接種ガイドライン等検討委員会によってまとめられた，考え方を合わせて示す。

1）心臓血管系疾患，腎臓疾患，肝臓疾患，血液疾患および発育障害等の基礎疾患を有することが明らかな者

ア　心臓血管系疾患を有する者

日本小児循環器学会の見解（2018年12月）によれば，原則的には，予防接種を行うべきである。ただし，次に述べる状況，病態においては，接種前，接種後に十分な観察を行い，注意を払う。

(1)重篤な心不全がある者

(2)低酸素発作を有する者。痛みによる発作の誘発に注意すること。

(3)心筋炎，心膜炎，川崎病，心内膜炎，リウマチ熱の急性期にある者

(4)川崎病罹患後は，9-16)(47頁)を参照

(5)無脾症候群：肺炎球菌ワクチンの適応である。

(6)慢性の心疾患を有する小児では，インフルエンザによるリスクが高い故，イン

フルエンザワクチンの接種が望ましい。

イ　腎臓疾患を有する者

日本小児腎臓病学会の見解(2018年12月)によれば，感染症に罹患しやすく重症化しやすいことが多いため原則的には積極的に予防接種は行うべきである。ただし，下記の状況では接種を控える。

(1)プレドニゾロン 2 mg/kg/日以上内服中のワクチン接種(生ワクチン・不活化ワクチンとも)

(2)プレドニゾロンまたは免疫抑制薬内服中の生ワクチン接種[1,2]。

(3)急性期のワクチン接種。

(4)その他，医師が不適当と判断した時。

＊ 1 ：生ワクチンのうち水痘ワクチンについては，「免疫抑制薬を使用せず」プレドニゾロン連日投与 1 mg/kg/日(20mg/日)未満，または隔日投与 2 mg/kg/日(40mg/日)未満であれば接種は可能。

＊ 2 ：周囲の感染状況などに応じて医師の判断により接種可能。

その他の注意点

・移植予定者は抗体価獲得まで複数回の生ワクチン接種が必要である。

・ステロイドや免疫抑制薬内服中の不活化ワクチン接種は，その後の抗体価をモニターし必要に応じて追加接種が必要である。

・通常術前 1 カ月前のワクチン接種は控えられている。腎臓疾患を有する者は腎尿路系や移植などの手術を受けることが多いため留意を要する。

ウ　悪性腫瘍の患者

日本小児血液・がん学会の見解(2018年 9 月)によれば，原則として，完全寛解期に入って，細胞性免疫能が回復した時点で接種を行う。維持療法中の生ワクチン接種は推奨しないが，必要性が高い場合は，免疫能チェックを実施し，時期をみて接種を行うことが可能である。

エ　HIV感染者

日本小児感染症学会の見解(2018年11月)によれば，HIV感染者およびエイズ患者に対しては，BCGの予防接種を行ってはならないが，Hibワクチン，小児用肺炎球菌ワクチン，B型肝炎，DPT-IPV，日本脳炎，インフルエンザワクチンなど不活化ワクチンの接種を行うことはできる。麻疹，風疹，水痘ワクチンなどBCGワクチン以外の生ワクチンについては，CD 4 細胞数などにより個体の免疫能を評価し，リスク/ベネフィットを勘案して接種を検討する。

オ　重症心身障害児(者)

日本小児神経学会の推薦する予防接種基準は以下の通りである。

重症心身障害児(者)は，発育障害，けいれんなどがあるため予防接種を受けていない例が多い。しかし，デイケアや施設入所などの際に感染症に罹患する機会が多く，また，感染症に罹患した際に重症化が予測されるため，予防接種を行うことが望ましい。

予防接種を行うに当たり，主治医（接種医）は保護者に対して，個々の予防接種の必要性，副反応，有用性について十分な説明を行い，同意を得ることが必要である。さらに発熱，けいれん，状態の変化などが起きた場合の十分な指導をしておく。

原則として主治医または予防接種担当医が個別に接種する。

・発育障害が明らかであっても，全身状態が落ち着いており，接種の有用性が大であれば，現行の予防接種は接種して差し支えない。

・接種対象年齢を過ぎていても，接種の有用性が大であれば，接種して差し支えない。

・てんかん発作が認められても，その発作状況が安定していることが確認されていれば，主治医（接種医）の判断で接種して差し支えない（「てんかんの既往のある者」53頁参照）。

・乳幼児期の障害児で，原疾患が特定されていない例では，接種後，けいれんの出現や症状の増悪を認めた場合，予防接種との因果関係をめぐって，混乱を生じる可能性があるので，事前に保護者への十分な説明と予診票で同意を確認することが必要である。

カ　低出生体重児

日本新生児成育医学会の見解（2018年8月）によれば，明らかな先天性免疫不全など接種不適当者に該当しない限り，以下の要領で接種を行う。

・予防接種の原則は，一般乳児と同様に適用する。

・例外は出生体重2kg未満児へのB型肝炎母子感染予防策であり，小児科学会の推奨に従い，生後2カ月での接種を加えた4回接種を推奨する。

・NICU・GCU入院中の有無にかかわらず，ワクチンの投与時期は暦月齢に従い，ワクチン接種量は添付文書通りに行う。

・NICU・GCU入院中の超早産児などへワクチン接種を行う場合は，副反応の観察を行う。

キ　その他基礎疾患がある者

日本小児感染症学会によれば（2015年11月），上記（ア〜カ）以外の基礎疾患のある者および臓器・骨髄移植患者においては，以下の事項を基本条件として，その疾患の主治医と接種医が可能と認めれば接種する。その判断に際しては，『小児の臓器移植および免疫不全状態における予防接種ガイドライン2014』（日本小児感染症学会監修，2014年）などが参考となる。

・基礎疾患の診断がついていること

・液性・細胞性免疫機能に異常が考えられないこと

・基礎疾患が疾病として安定期にあること

ク　リウマチ・膠原病疾患の患者

日本小児リウマチ学会の見解（2018年11月）によれば，生物学的製剤治療中における不活化ワクチン接種は抗体獲得が低下するとの報告もあるがおおよそ正常で，副反応の発現も健者に比して増加しない。また，基礎疾患の増悪はワクチン接種群

と非接種群に有意差はないと考えられる。したがって，不活化ワクチン接種は通常のスケジュールに従って接種することが推奨される。ただし，リツキシマブ使用中の抗体獲得は低下することがあり，可能であれば投与1週間以上前に接種することが望ましい。生物学的製剤使用者における生ワクチン初回接種の有効性・安全性は検討されておらず，ワクチン株による発症が否定できないため行わない。

　少量のステロイドもしくは免疫抑制薬使用下の生ワクチン追加接種については，海外においてMMRワクチンおよび水痘ワクチンの使用例が報告されているが，わが国における添付文書などの現状を鑑み，特に必要と考えられる症例に対しては倫理委員会の承認の下に十分な注意を持って行う。

2）過去にけいれんの既往のある者
ア　熱性けいれんの既往のある者

　日本小児神経学会の見解（2018年10月）によれば，熱性けいれんを持つ小児への予防接種基準は以下の通りとされている（『熱性けいれん診療ガイドライン2015』を参照）。

　(1)予防接種の実施の際の基本的事項

　　現行の予防接種はすべて行って差し支えない。ただし，接種する場合には次のことを行う必要がある。

・保護者に対し，個々の予防接種の有用性，副反応（発熱の時期やその頻度他），などについての十分な説明と同意に加え，具体的な発熱等の対策（けいれん予防を中心に）や，万一けいれんが出現したときの対策を指導する。

　(2)接種基準

・当日の体調に留意すればすべての予防接種を速やかに接種してよい。初回の熱性けいれん後のワクチン接種までの経過観察期間には明らかなエビデンスはない。長くとも2〜3カ月程度に留めておく。

・ワクチンによる発熱で熱性けいれんが誘発される可能性がある場合の予防基準は，発熱時の熱性けいれん予防に準じて行う。すなわち，熱性けいれんの既往のある小児において，以下の基準AまたはBを満たす場合にジアゼパムを投与する。

　A　遷延性発作（持続時間15分以上）

　B　次のi〜viのうち2つ以上を満たした熱性けいれんが2回以上反復した場合

　　i　焦点性発作（部分発作）または24時間以内に反復する

　　ii　熱性けいれん出現前より存在する神経学的異常，発達遅滞

　　iii　熱性けいれんまたはてんかんの家族歴

　　iv　12カ月未満

　　v　発熱後1時間未満での発作

　　vi　38℃未満での発作

　(3)けいれん予防策

　　『熱性けいれん診療ガイドライン2015』に準ずる。麻疹ワクチン（麻疹を含む混

合ワクチン)の第1回目接種後に最も発熱が多い。従来，DPTワクチン(DPTを含む混合ワクチン)が多いとされてきたが，わが国では現在，麻疹ワクチンに次いで，小児用肺炎球菌ワクチン(PCV13)の発熱率が高く，HibワクチンやDPTワクチンはより低率である。麻疹(麻疹を含む混合ワクチン)は接種後2週間以内(特に7〜10日)が多く，PCV，Hibワクチン，DPTワクチン(DPTを含む混合ワクチン)などは1週間以内(特に0〜2日)がほとんどである。

坐薬：ジアゼパム坐剤(製品：ダイアップ坐剤4mg，6mg，10mg)
用量：0.4〜0.5mg/kg/回(最大10mg/回)
用法：37.5℃以上の発熱を目安に，速やかに直腸内に挿入する。初回投与後8
　　　時間経過後もなお発熱が持続するときは，同量を追加する。

・解熱剤の併用：ジアゼパム坐剤と解熱剤の坐剤を併用する場合にはジアゼパム坐剤投与後少なくとも30分以上間隔をあける(解熱剤の坐剤の成分がジアゼパムの吸収を阻害する可能性があるため)。経口投与をする解熱剤は同時に併用してもよい。
・ジアゼパム投与で，眠気，ふらつき，ごくまれに興奮などがみられることがある。
・最終発作から1〜2年，もしくは4〜5歳までの投与がよいと考えられるが，明確なエビデンスはない。

イ　てんかんの既往のある者

日本小児神経学会の見解(2018年10月)によれば，てんかんを持つ小児は様々な伝染性疾患に自然罹患することにより，発熱などによるけいれん発作再燃や発作重積症などのリスクを持っている場合が多い。

また，けいれん発作などがあるために予防接種の機会を逸することが多く，患児が集団生活を行う上で支障をきたすことがある。

この基準はてんかんを持つ小児を伝染性疾患から防御して，良好な日常生活を送るため，安全に予防接種が受けられることを配慮したものである。

(1) コントロールが良好なてんかんを持つ小児では最終発作から2〜3カ月程度経過し，体調が安定していれば現行のすべてのワクチンを接種して差し支えない。また乳幼児期の無熱性けいれんで観察期間が短い場合でも，良性乳児けいれんや軽症胃腸炎に伴うけいれんに属するものは上記に準じた基準で接種してよい。

(2) (1)以外のてんかんを持つ小児でもその発作状況がよく確認されており，病状と体調が安定していれば主治医(接種医)が適切と判断した時期にすべての予防接種をして差し支えない。

(3) 発熱によってけいれん発作が誘発されやすいてんかん患児(特に乳児重症ミオクローニーてんかんなど)では，発熱が生じた場合の発作予防策と万一発作時の対策(自宅での抗けいれん剤の使用法，救急病院との連携や重積症時の治療内容など)を個別に設定・指導しておく[3]。

(4) ACTH（副腎皮質刺激ホルモン）療法後の予防接種は 6 カ月以上おいて接種する*4。

(5) 免疫グロブリン製剤大量静注療法後（総投与量が約 1 ～ 2 g/kg）の生ワクチン（風疹，麻疹，水痘，おたふくかぜなど）は 6 カ月以上，それ以下の量では 3 カ月以上おいて接種する。ただし，接種効果に影響がないその他のワクチン（ポリオ，BCG，DPT，インフルエンザなど）はその限りではない。

(6) なお，いずれの場合も事前に保護者への十分な説明と同意が必要である。

＊3：特に麻疹含有ワクチン接種後 2 週間程度は発熱に注意し，早めに対処する。また，家庭での発作予防と治療のためのジアゼパム製剤などの適切な用法・用量を個別に十分検討しておくこと（同剤の注腸使用もあるが，適応外使用のため保護者に同意を得ておく必要がある）。発作コントロール不良の患者では入院管理下でのワクチン接種も考慮する。

＊4：ACTH療法後の免疫抑制状態における，生ワクチン接種による罹患と抗体獲得不全のリスクは，ACTH投与量，投与方法で差があるので，主治医（接種医）の判断でこの期間は変更可能である。

3）過去に免疫不全の診断がなされている者

日本小児感染症学会の見解（2018年11月）による予防接種基準は以下の通りとされている。

ア　免疫不全をきたすおそれのある疾病を有する者

白血病や悪性リンパ腫等に対しての生ワクチン接種はワクチン株のウイルスや細菌による発症や，感染が持続する可能性があるので，避けた方がよい。ただし，疾患罹患のおそれが大きいときは，免疫抑制の程度を考慮しながら，積極的に接種を検討する。その判断に際しては，『小児の臓器移植および免疫不全状態における予防接種ガイドライン2014』などが参考となる。

イ　免疫不全をきたすおそれのある治療を受けている患者

・放射線治療を受けている患者および免疫抑制性の抗腫瘍薬等を使用中の患者の場合は，日本小児血液・がん学会の見解を参照する。

・造血細胞移植を受けた患者に対する接種は日本造血細胞移植学会の『造血細胞移植ガイドライン 予防接種 第 3 版』（2018年 4 月）を参照する。

ACTH療法を受けている患児は免疫不全状態となりうる。国内では確立されていないが，米国小児科学会では「体重10kg以上の児に対してプレドニゾロン換算 2 mg/kg/日以上あるいは 1 日総量20mg以上の投与量で，14日間以上の治療期間となった場合は生ワクチン接種の際の安全性に懸念が生じる可能性がある」としている。生ワクチン接種の際には患児の状況に応じて，ワクチン接種による有益性および危険性についての十分な検討が必要である。「通常のステロイド外用薬の限られた部位への塗布，吸入による気道への投与，点眼，あるいは関節腔内などへの注射は通常ワクチン接種の禁忌となるほどの免疫抑制を起こさない」とされている。

ウ　先天性免疫不全が判明している患者

重症なＴ細胞機能不全をきたす免疫不全患者には，生ワクチン接種を行ってはならない。慢性肉芽腫症におけるBCGワクチンは，接種不適当者に該当する。ただし，

これらの疾患はすでに診断が下されている場合を除いては，これを接種時に除外することは実際上，不可能である。

その他，最近では自己炎症性症候群など予防接種の効果と安全性について，十分検討されていない疾患もわかってきており，発熱を繰り返す患者などの予防接種には専門家との十分な相談が必要と考える。その判断に際しては，『小児の臓器移植および免疫不全状態における予防接種ガイドライン2014』などが参考となる。

4）接種しようとする接種液の成分に対してアレルギーを呈するおそれのある者

日本小児アレルギー学会の見解（2018年10月）は，以下の通りである。

接種液の成分によってアナフィラキシーを呈したことが明らかである者は接種不適当者である。気管支喘息，アトピー性皮膚炎，アレルギー性鼻炎，蕁麻疹，アレルギー体質などだけでは，接種不適当者にはならない。接種後に全身性発疹などのアレルギーを疑う症状を呈したことがある者，接種液の成分に対してアレルギーを呈するおそれがある者が接種要注意者である。

ワクチンによる副反応歴，ワクチンに含まれている成分に対するアレルギー歴とこの成分と交差反応する物質に対するアレルギー歴を問診することによって接種要注意者かどうか判定する。

接種液成分でアレルギーと関連した報告があるのは，ワクチン主成分，安定剤のゼラチン，防腐剤のチメロサールおよび培養成分である培養液，鶏卵成分，抗菌薬である。

同じ種類のワクチンでもメーカーによって成分量やその比率が異なるため，ワクチン添付文書でその内容を確認することが望まれる。

要注意者は健康状態や体質を勘案し，診察および接種適否の判断を慎重に行い，ワクチンの必要性，副反応，有用性について十分な説明を行い，同意を確実に得た上で，注意して接種する。過敏症状を起こし得るので，接種後約30分の院内観察や緊急時薬の準備など，発症時に速やかに対応できる体制を整えておくことが推奨される。

ワクチン接種による即時型アレルギー症状誘発を予知する確実な手段はない。保護者や接種医が強い不安を抱く場合には，要注意者への対応に準じ，慎重な観察と緊急時の体制を整える。接種の可否判定に困る際は，専門施設へ紹介する。

ア　鶏卵由来成分

卵成分が関連するワクチンは麻疹風疹混合，麻疹，おたふくかぜ，インフルエンザ，狂犬病および黄熱病である。

麻疹風疹混合，麻疹ワクチンはニワトリ胚培養細胞（風疹はウズラ胚またはウサギ腎臓培養細胞）を用いた組織培養に由来したものであり，卵白蛋白質と交差反応性を示す蛋白質は製造企業により多少の差はあるが，いずれも極めて少ないことから，鶏卵アレルギー患者であっても接種可能である。おたふくかぜワクチンの製法も麻疹風疹混合，麻疹ワクチンとほぼ同様であり，麻疹風疹混合ワクチンと同様の対応を行う。

国内の現行インフルエンザワクチンは，有精卵（孵化鶏卵）から作られ，卵白アルブミンの混入が懸念されているが，その量は数ng/mLと極めて微量でWHO基準よりはるかに少ない。

　添付文書には，本剤の成分または鶏卵，鶏肉，その他鶏由来のものに対して，アレルギーを呈するおそれのある者は接種要注意者，本剤の成分によってアナフィラキシーを呈したことが明らかな者は接種不適当者と記載されている。卵白特異的IgE抗体が陽性でも，卵加工食品を食べても無症状である児では，接種後の鶏卵アレルギーによる重篤な副反応の報告はない。

　卵アレルギーに限らず接種可否の判断が困難な症例の場合は専門施設へ紹介する。

イ　乳由来成分

　予防接種中の牛乳アレルギー成分としては麻疹風疹混合ワクチンなどに安定剤として含まれる乳糖がある。皮下注射であり接種量も少ないことから牛乳アレルギー患者であっても接種可能である。

ウ　その他の成分

　黄熱と狂犬病の予防接種には現在でも安定剤としてゼラチンが添加されている。

　抗菌薬としては，一部のワクチンにエリスロマイシンやカナマイシンが添加されている。接種に当たっては，接種しようとするワクチンの添付文書を確認する。

　これまで，定期接種として接種されてきた，BCG，DPT-IPV，日本脳炎ワクチン，Hibワクチン，小児用肺炎球菌ワクチン，水痘ワクチンなどは，アレルギー疾患児に特有の副反応は認められていない。ヒトパピローマウイルスに対するワクチンがわが国でも導入されたが，アレルギー疾患児への接種については現時点で格別の留意点はない。

文献
1）岡部信彦ほか編．予防接種必携2017．予防接種リサーチセンター 2019．
2）岡部信彦，多屋馨子．予防接種に関するQ&A集 2019．日本ワクチン産業協会 2019．

（岡部信彦）

★医療関係者に求められる予防接種

1．医療関係者に対する予防接種の考え方と国内の指針

　医療機関の患者は宿主免疫能が低下した者も多く，感染症罹患は大きな健康被害につながり，時に法的問題にまで発展する。したがって，医療機関においては感染症伝播のリスクを最小限に抑えるように努めることが不可欠であり，予防接種を有効に活用することが推奨される。

　ただし，免疫低下者は生ワクチンの接種不適当者である場合が多く，不活化ワクチンの効果は十分に期待できないことがしばしばある。以上より，医療機関における感

染対策プログラムとしての予防接種は，医療関係者に対するワクチンの接種が主な手段となる。

日本環境感染学会は2009年5月に「院内感染対策としてのワクチンガイドライン」を公表し，2014年9月にその改訂版である「医療関係者のためのワクチンガイドライン」を発刊した。その内容は，日本環境感染学会のウェブサイトで全文が公開されている。

本ガイドラインは，個人個人への厳格な予防（individual protection）を目的として定めたものではなく，医療機関という集団での免疫度を高めること（mass protection）を基本的な概念として作成されている。すなわち，ごく少数に起こり得る個々の課題の解決を求めたものではなく，その場合は個別の対応が必要であるとしている。また，唯一絶対の方法を示したものではなく，あくまで標準的な方法を提示するものであり，できるだけガイドラインに沿って実施されることが望まれるが，それぞれの考え方による別の方法を排除するものではないとしている。

2. 医療関係者に予防接種が推奨される理由と対象者

医療関係者に予防接種が推奨される理由は，大きく3つに分けて考えることができる（表1）。1つ目の理由は，自らが感染症に罹患することを防止するためである。医療関係者は，感染症患者と接触の機会が多く，職業感染のリスクが高い職種である。2つ目の理由は，自らが感染源となることを防止するためである。患者の多くは健康弱者であり，感染症に罹患すれば多大な健康被害につながり，時に法的問題にも発展する。3つ目の理由は，医療機関の機能を維持するためである。多数のスタッフが感染症に罹って欠勤すれば，診療機能が維持できなくなる恐れがある。

医師，看護師，薬剤師，臨床検査技師，放射線技師，リハビリテーション技師などはもちろん，事務職，実習学生，ボランティア，清掃などの業務に従事する委託業者を含め，患者や患者の体液と接触する可能性のあるすべての者が，接種の対象者に含まれる。各病原体や職種の差異によって，感染源に曝露されるリスクは異なるが，基本的にはすべての医療関係者をワクチン接種の対象として，予防に努めることが大切である。新規採用者は就業開始前に必要な予防接種を済ませておくことが望ましく，学生や実習生の受け入れに際しては，あらかじめワクチンの接種を勧奨しておく。

表1　医療関係者に予防接種が推奨される理由

1. 自らの罹患を防ぐ。
   医療関係者は日常的に感染症患者と接触があり，職業上，罹患のリスクが高い。
2. 自らが感染源となることを防ぐ。
   患者の多くは健康弱者であり，感染を伝播させれば多大な健康被害につながる。
3. 医療提供機関としての機能を維持する。
   多数の医療関係者が感染症罹患により欠勤すれば，患者を診療する機能に支障をきたす。

3. 説明と同意

医療関係者に対しては積極的な接種を推奨したいが，一方で，強制力を伴うものであってはならない。あくまで各個人が，ワクチンの必要性と重要性を理解した上で，自らの意思決定によって接種を選択することが基本である。

また，特に成人への接種に際しては，予診時に妊娠の有無チェックを忘れてはならない。妊婦は生ワクチンの「接種不適当者」であり，生ワクチン接種後2カ月間は避

妊を指導することが必要である。

「接種要注意者」については，接種の可否判断に際しての十分な注意は必要であるが，適切な判断により，可能であれば接種を勧めたい。例えば鶏卵アレルギーの者に対して，通常，MR（麻疹・風疹混合）ワクチンは接種可能である。麻疹ワクチンはニワトリ胚培養細胞，風疹ワクチンはウズラ胚またはウサギ腎臓培養細胞を用いた組織培養によりウイルスを増殖させて製造するが，卵白蛋白質と交差反応性を示す蛋白質含量は極めて少ないことから，鶏卵アレルギー患者であっても接種可能と考えられている。起こり得る副反応の頻度や程度を勘案した上で，リスクよりも麻疹や風疹を予防できるメリットの方が大きいとされる。

医療関係者に対する接種は，予防接種法に基づく定期接種ではなく，ワクチンは一般の医薬品と同様の扱いとなる。万が一，副反応が発生した場合は医薬品医療機器総合機構における審査制度に基づいた健康被害救済が適応される。

4．麻疹・風疹・水痘・おたふくかぜ
1）1歳以上で2回の予防接種歴が最も大切
生ワクチンで予防する麻疹，風疹，水痘，おたふくかぜの4疾患については，1歳以上で予防接種歴が2回あることが最も大切である。日本環境感染学会の「医療関係者のためのワクチンガイドライン」でも，それを最優先と記載されている。

麻疹と風疹の予防には，一般にMRワクチンが広く用いられる。麻疹と風疹いずれかのワクチンの接種歴が2回，もう一方のワクチンの接種歴が1回の者に対して，MRワクチンを追加接種して差し支えない。

ワクチンの接種歴が不明であれば，1カ月以上の間隔をあけて2回の接種を行う。明らかな罹患既往のある者以外は，2回の接種でこれら4疾患の予防に努めることを原則とする。また，罹患既往のある者にワクチンを接種しても支障はない。
2）2回の接種が必要とされる理由（表2）
生ワクチンを複数回接種する理由は2つで，一次性ワクチン効果不全（primary vaccine failure：PVF）対策と二次性ワクチン効果不全（secondary vaccine failure：SVF）対策である。

複数回接種を推奨すると，「2回の接種間隔は何年あけることが適切か？」とSVF対策を想定しての質問をしばしば受けるが，適切な間隔は確定していない。周囲の患者発生状況，すなわち野外流行株による自然のブースターの有無によっても免疫減衰は影響を受ける。

また，例えば抗体獲得率95％のワクチンは非常に有効率の高いワクチンと考えられるが，そのワクチンを100万人に接種した場合，5万人の抗体未獲得者が初回接種後には存在する。確実な予防のためには複数回の接種が大切であり，PVF対策も同様に重要であることを強調しておきたい。
3）抗体検査は必須ではない
日本環境感染学会の「医療関係者のためのワクチンガイドライン」にも記載されているが，抗体検査は必須ではなく，抗体価測定を行わずに1カ月以上の間隔で2回の生ワクチン接種を行うことでも支障ない。

数値で示される抗体価は，感染防御能を反映する絶対的な指標と考えられがちだが，決してそうではない。一定レベル以上の抗体価を持っていても，当該感染症にかかる場合もある。一方で，抗体価は低くても当該病原体に対する個体としての総合的な免疫力（細胞性免疫や自然免疫などを含む）が強固であれば，疾患には罹患しない。血中抗体価の数値は，個体の免疫力を反映する1つの代替指標・代用物（surrogate）である。

予防接種の制度と実施　59

表2　生ワクチンの複数回接種が必要とされる理由

1．一次性ワクチン効果不全(primary vaccine failure：PVF)対策
　　→初回接種で免疫が獲得されなかった者に対して，2回目の接種で免疫付与を
　　　期待する。
　　＊抗体獲得率95％のワクチンを100万人に接種した場合でも，5万人の抗体未獲
　　　得者が初回接種後には存在する。

2．二次性ワクチン効果不全(secondary vaccine failure：SVF)対策
　　→初回接種で獲得された免疫が経時的に減衰し防御閾値を下回った者に対し，
　　　免疫の再上昇を期待する。
　　＊初回接種何年後に2回目の接種を行うことが最も効果的かはわかっていない。
　　　また，ワクチンの種類や個体による差異がある。
　　＊周囲の患者発生状況，すなわち野外流行株による自然のブースターの有無に
　　　よっても免疫減衰は影響を受ける。

5．B型肝炎

　血液や体液中に存在するB型肝炎ウイルスは，体外で物品などに付着し乾燥しても
すぐには感染力を失わず，少なくとも1週間は感染性を保つと考えられている。劇症
肝炎や肝硬変，肝癌の原因となるB型肝炎ウイルスの感染予防は，医療関係者にとっ
て大切である。

　接種スケジュールは，初回接種に引き続き，1カ月後，6カ月後の計3回接種で1
シリーズである。3回目の接種から1〜2カ月後にHBs抗体検査を行い，10mIU/mL
以上の抗体価が獲得されていれば防御免疫が付与されたと考える。1シリーズ接種後
に抗体獲得が達成されなかった場合は，追加接種を計画する。一度10mIU/mL以上の
抗体価が確認されれば，原則としてその後の抗体検査やワクチンの追加接種は不要と
する指針が多い。

6．インフルエンザ

　インフルエンザは流行期に多数の患者が発生する疾患であり，自らの罹患予防，感
染源とならないこと，欠勤防止のいずれの観点からも，積極的なワクチン接種が推奨
される。

　インフルエンザワクチンは，製造の過程で鶏卵を使用するため，ごく微量の鶏卵成
分が含有される可能性はあるが，卵アレルギーにより本ワクチンが接種できない者は，
鶏卵成分によるアナフィラキシー既往者などごく少数の者である。

　また，ウイルスの病原性をなくした不活化ワクチンであり，胎児に影響を与えると
は考えられておらず妊婦は接種不適当者に含まれていない。インフルエンザへの曝露
機会が多い医療関係者は，妊婦または妊娠している可能性のある女性であっても，ワ
クチン接種によって得られる利益が不明の危険性を上回ると考えられ，日本環境感染
学会のガイドラインでも接種が推奨されている。ただし，元々自然流産が起こりやす
い妊娠初期の特性や，妊婦に薬剤であるワクチンを使用するということの説明を行い，
被接種者の十分な理解を得た上で接種することが大切である。

（中野貴司）

予防接種の評価に関する情報

I 感染症発生動向調査・病原微生物検出情報

　感染症発生動向調査は，1981年から開始され，1999年4月1日から感染症の予防及び感染症の患者に対する医療に関する法律(以下，感染症法)に基づいて実施されている調査である。「感染症の発生情報の正確な把握と分析，その結果の国民や医療関係者への迅速な提供・公開により，感染症に対する有効かつ的確な予防・診断・治療に係る対策を図り，多様な感染症の発生及びまん延を防止するとともに，病原体情報を収集，分析することで，流行している病原体の検出状況及び特性を確認し，適切な感染症対策を立案すること」を目的として実施されている。

　届出の対象は，全数把握対象疾患と定点把握対象疾患に分けられ，全数把握対象疾患は，「周囲への感染拡大防止を図ることが必要な場合，及び発生数が稀少なため，定点方式での正確な傾向把握が不可能な場合」として定められており，一類感染症から五類感染症，指定感染症に分類される(**表1**)。疾患ごとに定義，臨床的特徴，届出基準が定められており，この基準に該当する患者について，医師が管轄の保健所に届け出る(**図1**)。

　定点把握疾患は，「発生動向の把握が必要なもののうち，患者数が多数で，全数を把握する必要はない場合」として定められており，都道府県により選定された医療機関(定点)の管理者が，患者の発生について月ごとあるいは週ごとに届出を行う感染症である。患者定点には，小児科定点，インフルエンザ定点，眼科定点，性感染症定点，基幹定点，疑似症定点がある。全数把握対象疾患と同様に届出基準が定められており，定点ごとに定められた報告様式に基づいて性・年齢群などの情報が報告されている(**表1**，**図1**，**2**)。また，患者の検体および当該感染症の病原体を収集するため，病原体定点として都道府県に選定された医療機関からは，一定の基準に基づき保健所を通して地方衛生研究所に臨床検体が届けられ，検査・解析が実施される(**図3**)。

　医師等から報告された情報は，保健所等でNational Epidemiological Surveillance of Infectious Diseases(NESID)システムに入力され，集計・解析された結果は，各自治体(地方感染症情報センター，地方衛生研究所等)のホームページに掲載されている。全国の結果については，国立感染症研究所感染症疫学センター等で集計・解析が実施され，ホームページ(https://www.niid.go.jp/niid/ja/idwr.html)に公表されるとともに，感染症週報(IDWR)(https://www.niid.go.jp/niid/ja/idwr-dl/2019.html)あるいは病原微生物検出情報(IASR)(https://www.niid.go.jp/niid/ja/iasr.html)として情報が還元されている。結核については，結核予防会結核研究所で集計・解析が実施され，ホームページ(http://www.jata.or.jp/)に情報が還元されている。

予防接種の評価に関する情報　61

表1　感染症発生動向調査事業　対象感染症　(2019年4月1日施行)

下線は，わが国でワクチンが使われている感染症

分類	医師の届出など (法第12条, 第14条, 施行規則第6条)	対象感染症 (法第6条2〜6, 施行令第1条, 施行規則第1条)
一類 感染症	直ちに	エボラ出血熱，クリミア・コンゴ出血熱，痘瘡，南米出血熱，ペスト，マールブルグ病，ラッサ熱
二類 感染症		<u>急性灰白髄炎(ポリオ)</u>，<u>結核</u>，<u>ジフテリア</u>，重症急性呼吸器症候群(病原体がベータコロナウイルス属SARSコロナウイルスであるものに限る)，中東呼吸器症候群(病原体がベータコロナウイルス属MERSコロナウイルスであるものに限る)，鳥インフルエンザ(H5N1)，鳥インフルエンザ(H7N9)
三類 感染症		コレラ，細菌性赤痢，腸管出血性大腸菌感染症，腸チフス，パラチフス
四類 感染症		E型肝炎，ウエストナイル熱(ウエストナイル脳炎を含む)，<u>A型肝炎</u>，エキノコックス症，<u>黄熱</u>，オウム病，オムスク出血熱，回帰熱，キャサヌル森林病，Q熱，<u>狂犬病</u>，コクシジオイデス症，サル痘，ジカウイルス感染症，重症熱性血小板減少症候群(病原体がフレボウイルス属SFTSウイルスであるものに限る)，腎症候性出血熱，西部ウマ脳炎，ダニ媒介脳炎，炭疽，チクングニア熱，つつが虫病，デング熱，東部ウマ脳炎，鳥インフルエンザ(H5N1及びH7N9を除く)，ニパウイルス感染症，日本紅斑熱，日本脳炎，ハンタウイルス肺症候群，Bウイルス病，鼻疽，ブルセラ症，ベネズエラウマ脳炎，ヘンドラウイルス感染症，発疹チフス，ボツリヌス症，マラリア，野兎病，ライム病，リッサウイルス感染症，リフトバレー熱，類鼻疽，レジオネラ症，レプトスピラ症，ロッキー山紅斑熱
全数把握 五類 感染症	7日以内	アメーバ赤痢，ウイルス性肝炎(E型肝炎及びA型肝炎を除く)，カルバペネム耐性腸内細菌科細菌感染症，急性弛緩性麻痺(急性灰白髄炎を除く)，急性脳炎(ウエストナイル脳炎，西部ウマ脳炎，ダニ媒介脳炎，東部ウマ脳炎，日本脳炎，ベネズエラウマ脳炎及びリフトバレー熱を除く)，クリプトスポリジウム症，クロイツフェルト・ヤコブ病，劇症型溶血性レンサ球菌感染症，後天性免疫不全症候群，ジアルジア症，<u>侵襲性インフルエンザ菌感染症</u>，<u>侵襲性髄膜炎菌感染症</u>，<u>侵襲性肺炎球菌感染症</u>，<u>水痘(患者が入院を要すると認められるものに限る)</u>，<u>先天性風疹症候群</u>，梅毒，播種性クリプトコックス症，破傷風，バンコマイシン耐性黄色ブドウ球菌感染症，バンコマイシン耐性腸球菌感染症，<u>百日咳</u>，<u>風疹</u>，<u>麻疹</u>，薬剤耐性アシネトバクター感染症

注　医師の届出：すでに届出がなされている場合は除く。

　　一類感染症：患者(疑似症患者及び無症状病原体保有者も患者と見なす)について届け出る。

　　二類〜四類感染症：患者および無症状病原体保有者(結核については結核医療を必要としないと認められる場合は除く)について届け出る。ただし，二類感染症の結核，重症急性呼吸器症候群および鳥インフルエンザ(H5N1)については疑似症患者も届け出る。

　　五類感染症：患者(後天性免疫不全症候群と梅毒は無症状病原体保有者も含む)について届け出る。

　　疑似症患者：感染症の疑似症を呈している者をいう。

　　無症状病原体保有者：感染症の病原体を保有している者であって当該感染症の症状を呈していない者をいう。

62 わが国の予防接種

表1 感染症発生動向調査事業 対象感染症（続き）

<table>
<tr><td rowspan="7">定点把握（指定届出機関からの届出）</td><td rowspan="7">五類感染症</td><td>小児科定点
（週報）</td><td>RSウイルス感染症，咽頭結膜熱，A群溶血性レンサ球菌咽頭炎，感染性胃腸炎，<u>水痘</u>，手足口病，伝染性紅斑，突発性発疹，ヘルパンギーナ，<u>流行性耳下腺炎（おたふくかぜ）</u></td></tr>
<tr><td>インフルエンザ定点
（週報）</td><td>インフルエンザ（鳥インフルエンザおよび新型インフルエンザ等感染症を除く）</td></tr>
<tr><td>眼科定点（週報）</td><td>急性出血性結膜炎，流行性角結膜炎</td></tr>
<tr><td>STD定点
（月報）</td><td>性器クラミジア感染症，性器ヘルペスウイルス感染症，<u>尖圭コンジローマ</u>，淋菌感染症</td></tr>
<tr><td rowspan="2">基幹定点
（週報，月報）</td><td><u>感染性胃腸炎（病原体がロタウイルスであるものに限る）</u>，クラミジア肺炎（オウム病を除く），細菌性髄膜炎（インフルエンザ菌，髄膜炎菌，肺炎球菌を原因として同定された場合を除く），マイコプラズマ肺炎，無菌性髄膜炎 （週報）</td></tr>
<tr><td>ペニシリン耐性肺炎球菌感染症，メチシリン耐性黄色ブドウ球菌感染症，薬剤耐性緑膿菌感染症 （月報）</td></tr>
<tr><td>疑似症定点</td><td>法第14条第1項に規定する厚生労働省令で定める疑似症は，発熱，呼吸器症状，発疹，消化器症状または神経症状その他感染症を疑わせるような症状のうち，医師が一般に認められている医学的知見に基づき，集中治療その他これに準ずるものが必要であり，かつ，直ちに特定の感染症と診断することができないと判断したもの。
当該症状が
ア 感染症法に規定する感染症によるものでないことが明らかである場合には，本届出の対象とはならない。
イ 感染症法に規定する感染症によるものであることが明らかであり，かつ，いずれの感染症であるかが特定可能な場合には，当該感染症の届出基準に基づき届出を行うこととなるため，本届出の対象とはならない。</td></tr>
</table>

II 感染症流行予測調査事業

　感染症流行予測調査は，1962年に伝染病流行予測調査として開始され，1999年4月の感染症法改正に伴い，感染症流行予測調査に名称変更となった。当初は厚生労働省の予算事業であったが，2013年の予防接種法の一部を改正する法律の施行に伴い，法律（予防接種法）「国は，予防接種による免疫の獲得の状況に関する調査，予防接種による健康被害の発生状況に関する調査その他予防接種の有効性及び安全性の向上を図るために必要な調査及び研究を行うものとする」（第23条の4）に基づく調査事業になった。

　事業の実施主体は厚生労働省健康局結核感染症課であり，都道府県，都道府県衛生研究所，国立感染症研究所が事業に協力して毎年度実施されている（**図4**）。調査は，予防接種法に基づく定期接種対象疾病について「集団免疫の現況把握（感受性調査）および病原体検索（感染源調査）などの調査を行い，各種の疫学資料と合わせて検討し，予防接種事業の効果的な運用を図り，さらに長期的視野に立ち総合的に疾病の流行を予測すること」を目的としている。

図1 感染症発生動向調査(患者情報)

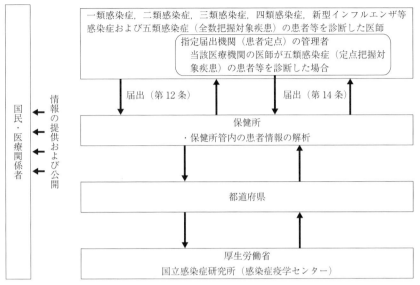

厚生労働省. http://www.mhlw.go.jp/stf/seisakunitsuite/bunya/kenkou_iryo/kenkou/index.html

図2 定点報告疾患報告様式

(図2 続き)

別記様式6-2

感染症発生動向調査（インフルエンザ定点） [週報]

調査期間　令和　　年　　月　　日 ～ 　　年　　月　　日　　　　　　　　　　　医療機関名

		0～5カ月	6～11カ月	1歳	2	3	4	5	6	7	8	9	10～14	15～19	20～29	30～39	40～49	50～59	60～69	70～79	80歳以上	合計
インフルエンザ（鳥インフルエンザ及び新型インフルエンザ等感染症を除く）	男																					
	女																					

別記様式6-2(2)

感染症発生動向調査（基幹定点） [週報]
（インフルエンザによる入院患者の報告）

<u>インフルエンザによる入院患者がいない場合でも、0報告であげてください。</u>

調査期間　令和　　年　　月　　日 ～ 　　年　　月　　日　　　　　　　　　医療機関名

	ID番号	性別	年齢（0歳は月齢）	入院時の対応						備考
				ICU入室	人工呼吸器の利用	頭部CT検査（予定含む）	頭部MRI検査（予定含む）	脳波検査（予定含む）	いずれにも該当せず	
1		男・女								
2		男・女								
3		男・女								
4		男・女								
5		男・女								
6		男・女								
7		男・女								
8		男・女								
9		男・女								
10		男・女								
11		男・女								
12		男・女								
13		男・女								
14		男・女								
15		男・女								

＜記載上の留意＞
○ インフルエンザに罹患し、入院した患者（院内感染を含む）を報告してください
○ 入院時の患者対応については、該当する項目欄の全てに○を記入してください

別記様式6-3

感染症発生動向調査（眼科定点） [週報]

調査期間　令和　　年　　月　　日 ～ 　　年　　月　　日　　　　　　　　　　　医療機関名

		0～5カ月	6～11カ月	1歳	2	3	4	5	6	7	8	9	10～14	15～19	20～29	30～39	40～49	50～59	60～69	70歳以上	合計
急性出血性結膜炎	男																				
	女																				
流行性角結膜炎	男																				
	女																				

　調査結果は、各都道府県・都道府県衛生研究所、国立感染症研究所感染症疫学センターで集計され、全国の調査結果については、年度末に速報として国立感染症研究所感染症疫学センターのホームページ（https://www.niid.go.jp/niid/ja/y-graphs/667-yosoku-graph.html）で情報還元されている。

　感受性調査としては、定期接種対象疾患（ポリオ、インフルエンザ、日本脳炎、麻疹、風疹、百日咳、ジフテリア、破傷風、水痘、ヒトパピローマウイルス16型、B型肝炎）に対する国民の抗体保有状況が予防接種歴とともに調査されている。感染

予防接種の評価に関する情報　65

（図2　続き）

別記様式6−4

感染症発生動向調査（STD定点）

月報

調査期間　令和　　年　　月　　日 ～ 　　年　　月　　日　　　　　　　　　　　　　医療機関名：＿＿＿＿＿＿＿＿＿

		0歳	1～4	5～9	10～14	15～19	20～24	25～29	30～34	35～39	40～44	45～49	50～54	55～59	60～64	65～69	70歳以上	合計
性器クラミジア感染症	男																	
	女																	
性器ヘルペスウイルス感染症	男																	
	女																	
尖圭コンジローマ	男																	
	女																	
淋菌感染症	男																	
	女																	

別記様式6−5

感染症発生動向調査（基幹定点）

週報

調査期間　令和　　年　　月　　日 ～ 　　年　　月　　日　　　　　　　　　　　　　医療機関名：＿＿＿＿＿＿＿＿＿

	ID番号	性	年齢（1歳は月齢）	疾病名＊	病原体名称（検査結果）	病原体検査 左記の結果を得た病原体検査方法＊＊	検体名
1				1 2 3 4 5		1 2 3 4 5 6 7	
2				1 2 3 4 5		1 2 3 4 5 6 7	
3				1 2 3 4 5		1 2 3 4 5 6 7	
4				1 2 3 4 5		1 2 3 4 5 6 7	
5				1 2 3 4 5		1 2 3 4 5 6 7	
6				1 2 3 4 5		1 2 3 4 5 6 7	
7				1 2 3 4 5		1 2 3 4 5 6 7	
8				1 2 3 4 5		1 2 3 4 5 6 7	
9				1 2 3 4 5		1 2 3 4 5 6 7	
10				1 2 3 4 5		1 2 3 4 5 6 7	

＊疾病名
1：細菌性髄膜炎（髄膜炎菌、肺炎球菌、インフルエンザ菌を原因として同定された場合を除く。）
2：無菌性髄膜炎（真菌、結核菌、マイコプラズマ、リケッチア、クラミジア、原虫を含む）
3：マイコプラズマ肺炎
4：クラミジア肺炎（全数届出疾患のオウム病を除く）
5：感染性胃腸炎（病原体がロタウイルスであるものに限る。）

＊＊病原体検査方法
1：分離・同定　　　2：抗原検出　　　3：核酸検出（PCR・LAMP等）
4：塗抹検鏡　　　5：電顕　　　6：抗体検出
7：その他

〈記載上の注意〉
・細菌性髄膜炎および無菌性髄膜炎：病原体が判明している場合は、その病原体名（複数検出された場合は、主要なもの一種のみ記載）、その結果を得た病原体検査方法（複数の場合は、最も根拠となった方法一つを選択）及びその検体名を記載。病原体が判明していない場合は、病原体名称欄に"検出せず"と記載してください（病原体検査欄の記載は不要）。
・マイコプラズマ肺炎：病原体検査診断が必須。病原体名称欄に M. pneumoniae と記載の上、病原体検査方法（1、2、3、6、7のいずれか。複数の場合は主要な一つを選択）及びその検体名を記載してください。
・クラミジア肺炎：病原体検査診断が必須。病原体名称欄に C. pneumoniae、C. trachomatis を記載の上、病原体検査方法（1、2、3、6、7のいずれか。複数の場合は主要な一つを選択）及びその検体名を記載してください。
・感染性胃腸炎（病原体がロタウイルスであるものに限る。）：病原体検査診断が必須。病原体名称欄にロタウイルスと記載の上、病原体検査方法（1、2、3、7のいずれか。複数の場合は主要な一つを選択）及びその検体名を記載して下さい。　※基幹定点として指定されている医療機関が小児科定点として指定されている場合、感染性胃腸炎の届出も行うこと。

源調査としては，ポリオウイルスの早期探知を目的とした環境水におけるウイルス分離，侵襲性インフルエンザ菌感染症と侵襲性肺炎球菌感染症患者から分離された菌の型別が実施されている。また，日本脳炎ウイルスの国内侵淫状況を調査する目的で，ブタの日本脳炎ウイルスに対する抗体保有状況が調査されており，新型インフルエンザの発生を探知することを目的にブタの呼吸器由来検体からインフルエン

66 わが国の予防接種

（図2 続き）

別記様式6-6

感染症発生動向調査（基幹定点）

月報

調査期間 令和　年　月　日 〜　年　月　日　　　　　　　　　　医療機関名：＿＿＿＿＿＿＿＿＿＿＿＿

	ID番号	性	年齢 （0歳は月齢）	疾　病　名＊	検体採取部位＊＊
1				1　　2　　3	
2				1　　2　　3	
3				1　　2　　3	
4				1　　2　　3	
5				1　　2　　3	
6				1　　2　　3	
7				1　　2　　3	
8				1　　2　　3	
9				1　　2　　3	
10				1　　2　　3	

＊　疾病名　（番号を〇で囲む）
1：メチシリン耐性黄色ブドウ球菌感染症
2：ペニシリン耐性肺炎球菌感染症
3：薬剤耐性緑膿菌感染症

＊＊　検体採取部位
複数部位から検出された場合は、
最も重要と考えられる1か所のみを記載。

別記様式6-7　　この届出は疑似症と判断した際直ちに行ってください

感染症発生動向調査（疑似症定点）

報告日 令和　年　月　日
医療機関名：＿＿＿＿＿＿＿　　担当医師：＿＿＿＿＿＿＿＿
連絡先：＿＿＿＿＿＿＿＿＿＿
以下の項目1〜3をすべて満たすものとする。

項　　目	1	感染症を疑わせるような症状 （該当するものに〇、その他は具体的に記載） （1）発　　熱 （2）呼吸器症状 （3）発　し　ん （4）消化器症状 （5）神 経 症 状 （6）その他（　　　　　　　　）
	2	医師が一般に認められている医学的知見に基づき 集中治療その他これに準ずるものが必要と判断 ・特記事項 （　　　　　　　　　　　　　　　）
	3	医師が一般に認められている医学的知見に基づき 直ちに特定の感染症と診断することができないと判断 ・特記事項 （　　　　　　　　　　　　　　　）
備考		
年齢		歳　　　　　ヶ月
性別		男　　　　　　女

ザウイルスの分離が行われている。

　ブタの日本脳炎ウイルス抗体保有状況と，ヒトのインフルエンザウイルス抗体保有状況は地域の感染症・予防接種対策に迅速に活用されることを目的に，速報として年度途中に情報を還元している（https://www.niid.go.jp/niid/ja/yosoku-index.ht

図3 感染症発生動向調査（病原体情報）

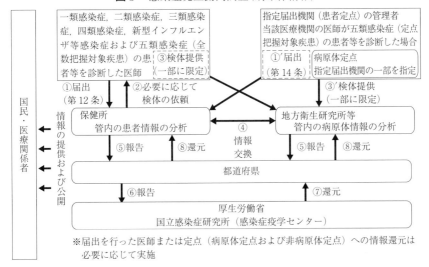

厚生労働省. http://www.mhlw.go.jp/stf/seisakunitsuite/kenkou_iryo/kenkou/index.html

図4 感染症流行予測調査

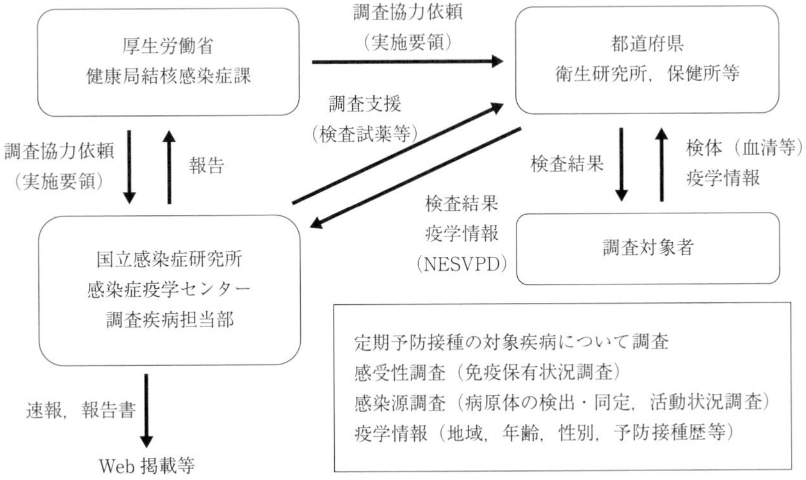

NESVPD：National Epidemiological Surveillance of Vaccine-Preventable Diseases

68　わが国の予防接種

ml）。

　全体の集計結果については，国立感染症研究所の病原体担当部とともに解析し，年度報告書としてまとめられ，厚生労働省から全国の自治体，地方衛生研究所，国立感染症研究所等に冊子が送付されている。また，PDF版として国立感染症研究所感染症疫学センターのホームページ（https://www.niid.go.jp/niid/ja/y-reports/669-yosoku-report.html）に公表されている。

Ⅲ　予防接種実施状況調査

1．麻疹および風疹の予防接種率調査

　「麻しんに関する特定感染症予防指針」が2007年12月28日に厚生労働省から告示され（2016年2月3日，2019年4月19日に一部改正），2回の麻疹含有ワクチンの接種率をそれぞれ95％以上に上げることを目的として，年度内に2〜3回の接種率調査が実施されている。調査結果は，厚生労働省（http://www.mhlw.go.jp/bunya/kenkou/kekkaku-kansenshou21/hashika.html）ならびに国立感染症研究所感染症疫学センター（https://www.niid.go.jp/niid/ja/diseases/ma/measles/221-infectious-diseases/disease-based/ma/measles/550-mesles-vac.html）のホームページに公表されている。2006年度から麻疹と風疹の予防接種は2回接種が原則となり，使用するワクチンは原則，麻疹風疹混合ワクチンとなった。2006年度からは第1期（1歳児）と第2期（小学校入学前1年間）の2回接種，2008〜2012年度の5年間に限っては，第1期と第2期に加えて，第3期（中学1年生）と第4期（高校3年生相当年齢の者）に2回目の接種が実施されるようになり，使用するワクチンは麻疹風疹混合ワクチンが原則となった。そのため，麻疹含有ワクチンの接種率調査は，同時に風疹含有ワクチンの接種率調査にもつながっている。

　接種率を調査することで，自治体ごとに接種率を把握し，接種率が低かった場合には，接種率向上につなげるための接種勧奨強化が実施される。また，日本はそれまでの麻疹に関する様々な対策が功を奏し，2015年3月に世界保健機関（WHO）西太平洋地域事務局から麻疹の排除状態にあることが認定されたが，その状態が維持されていることを報告するために，様々な疫学情報を報告書として提出しており，接種率調査もその1つである。麻疹排除の維持には，2回の予防接種率を95％以上にすることが必要であり，第1期の接種率は連続して95％以上を達成しているが，第2期の接種率は目標の95％以上をまだ一度も達成できていない（2018年度現在）。

　麻疹含有ワクチンの接種率調査は，すべての市区町村で実施可能な方法でなければならない。そのためには接種率の計算方式も統一したものである必要がある。第1期の接種率は，当該年度の10月1日現在の1歳児人口を分母とし，第2〜4期の接種率は当該年度の4月1日現在の対象者を分母とし，当該年度内に接種を受けた人数を分子として計算が行われている。市区町村ごとの接種率は人口移動のために時に100％を超える数字が出る場合があるが，全国の接種率は市区町村の平均ではなく，それぞれ10月1日あるいは4月1日現在の人口を合計し，当該年度内に接種

予防接種の評価に関する情報　69

を受けた全国での人数を分子として計算している。

2．麻疹および風疹以外の予防接種率調査

　定期接種対象ワクチンのうち，BCG以外については，予防接種法に基づく感染症流行予測調査事業でサンプル調査が実施されている。結果は，国立感染症研究所のホームページ（https://www.niid.go.jp/niid/ja/y-graphs/667-yosoku-graph.html）に「予防接種状況」として掲載しているので参照して欲しい。

3．定期の予防接種実施者数調査

　厚生労働省では，1994年の予防接種法改正以降の定期接種実施者数をホームページ上に公表している（http://www.mhlw.go.jp/topics/bcg/other/5.html）。1996年までは保健所運営報告，1997年以降は地域保健事業報告の「定期の予防接種被接種者数」により計上し，実施率として集計されている。

　実施率の計算方法は，上記ホームページに示されているが，分母（対象人口：インフルエンザ以外）は，標準的な接種年齢期間の総人口を総務庁統計局推計人口（各年10月 1 日現在）から求め，これを12カ月相当人口に推計して用いられている（直近の数値は速報値）。

　分子（実施人員；2001年のインフルエンザ，2008年の麻疹風疹以外）は，1996年までは保健所運営報告，1997年以降は地域保健事業報告の「定期の予防接種被接種者数」により計上されている。また，1997年からは年度で計算されている。

　インフルエンザの分母（対象人口）は，「65歳以上の者」については総務省統計局推計人口（各年10月 1 日現在）から求め，「60歳以上65歳未満の者であって，心臓，じん臓若しくは呼吸器の機能又はヒト免疫不全ウイルスによる免疫の機能に障害を有する者として厚生労働省令で定める者」については，2001年については「予防接種法に基づくインフルエンザ予防接種の接種対象者数及び被接種者数調査結果について」（2002年 9 月12日事務連絡）により，2002年については保健所運営報告・地域保健事業報告の「定期の予防接種対象者数」により求められている。

4．予防接種後健康状況調査

　1994年の予防接種法改正以降，毎年度実施されている調査である。実施主体は厚生労働省健康局健康課予防接種室（健康課発足までは結核感染症課）で，都道府県，市町村，日本医師会，各地域の医師会および予防接種実施医療機関等が実施に協力している。調査対象は，定期接種対象のワクチンすべてであり，調査時期は，生ポリオは半期ごとに接種後35日間，BCGは半期ごとに接種後 4 カ月，インフルエンザは各年度の11〜12月に接種後28日間，それ以外のワクチンは四半期ごとに接種後28日間である。対象数はワクチンごとに定められており，インフルエンザを除いて概ね毎年度 1 万人を対象として実施されている。

　実施方法としては，医療機関から被接種者または保護者に予防接種後健康状況調

70　わが国の予防接種

査の往復葉書が渡される。被接種者または保護者は，それぞれ上記に記載した期間に認められた症状等を記載して，接種医療機関に郵送する。接種医療機関では，ワクチンごとに性別，年齢，期別，接種したワクチンの製造メーカー，ロット番号，それぞれの症状の発現日，程度，医療機関受診の有無，入院の有無等について表にまとめ，各都道府県担当部局に送付する。各都道府県担当部局は，それらを集計して厚生労働省健康局健康課予防接種室に送付する。厚生労働省では，ワクチンごとに様々な観点から集計，作図され，まとめの文章とともに厚生労働省のホームページに公表されるとともに，報告書は全国の自治体等に送付されている。また，この調査で得られた結果は，予防接種リサーチセンター発行の「予防接種ガイドライン」「予防接種と子どもの健康」に紹介され，接種医療機関，被接種者(保護者)に情報還元されている。

5. 予防接種後副反応疑い報告
1）医療機関報告

医療機関報告は，1994年の予防接種法改正に伴い，定期接種実施要領に基づいて医師または市町村が予防接種後に健康被害が認められた場合に，厚生労働省に報告していた。これとは別に，医薬品医療機器等法(旧薬事法)に基づく副作用報告義務もあった。これらの報告方法は煩雑であったことから，2013年4月1日から，予防接種法の改正に伴い，これらの報告が一元化され，予防接種後副反応疑い報告(当時は副反応報告)として，医師等(接種医のみならず，副反応疑い症状を診察した医師等)に義務づけられた(**図5**)。届出には，紙媒体での報告様式の別紙様式1(**図6**)と，電子媒体での報告様式の別紙様式2(**図7**)があり，電子媒体での報告は，国立感染症研究所のホームページからダウンロード可能である(http://www.niid.go.jp/niid/ja/vaccine-j/6366-vaers-app.html)(**図8**)。なお，この報告は予防接種との因果関係や，予防接種健康被害救済申請と直接に結びつくものではない。一方，任意接種についても，定期接種と同じ別紙様式1あるいは別紙様式2で報告できるが，薬局開設者，病院もしくは診療所の開設者または医師，歯科医師，薬剤師その他医薬関係者が，保健衛生上の危害の発生または拡大を防止する観点から報告の必要があると認める場合に報告対象となる。

報告先は医薬品医療機器総合機構(PMDA)である。報告様式1の2頁目には，定期接種対象疾患と，接種後報告対象の症状，接種からの期間が記載されている。算用数字を付している症状(「その他の反応」を除く)については，それぞれ定められている時間までに発症した場合は，因果関係の有無を問わず，PMDAに報告することが義務づけられている。いわゆる有害事象報告である。一方，「その他の反応」については，入院，死亡または永続的な機能不全に陥るまたは陥るおそれがある場合であって，それが予防接種を受けたことによるものと疑われる症状について報告することが求められており，いわゆる副反応報告である。発生までの時間を超えて発生した場合は，予防接種を受けたことによるものと疑われる症状については，「その他

図5　予防接種後副反応疑い報告

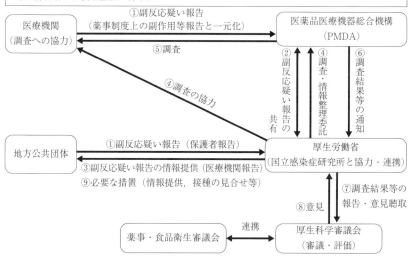

の反応」として報告する，いわゆる副反応報告である。

2）企業報告

　製造販売業者(以下，企業)等が医薬品医療機器等法(旧薬事法)に基づいて行う，副作用等報告もあり，これらもPMDAに報告が一元化されている。企業等が，副作用が疑われる症例等を知ったときは，医薬品医療機器等法に基づき，厚生労働省に報告することが義務づけられている。2004年4月から報告先がPMDAになり，現在に至る。報告様式はPMDAのホームページからダウンロード可能であるが，ワクチンに限った報告様式ではなく，医薬品全体で共通である。

3）予防接種後副反応疑い報告に関する集計，分析

　国立感染症研究所では，厚生労働省，PMDAと共同で，予防接種後副反応疑い報告(医療機関等)あるいは，副作用報告(企業等)として報告された内容を集計，解析し，異常な集積がないかについて，毎週集計し，情報を共有している(図9)。もし，

72 わが国の予防接種

図6 予防接種後副反応疑い報告書(1)

［定期の予防接種等による副反応疑いの報告等の取り扱いについて
（改正 2019年9月27日 健発0927第3号，薬生発0927第2号，適用 2019年9月27日） **別紙様式1**］

予防接種法上の定期接種・任意接種の別			□ 定期接種		□ 任意接種	
患 者 （被接種者）	氏名又は イニシャル	（定期の場合は氏名，任意の場合はイニシャルを記載）		性別 1 男 2 女	接種時 年 齢 歳 月	
	住 所	都道 府県 区市 町村		生年月日 TH SR	年 月 日生	
報 告 者	氏 名	1 接種者 2 主治医 3 その他( )				
	医療機関名			電話番号		
	住 所					
接種場所	医療機関名					
	住 所					

ワクチン	ワクチンの種類 （②〜④は，同時接種したものを記載）	ロット番号	製造販売業者名	接種回数
	①			① 第 期(回目)
	②			② 第 期(回目)
	③			③ 第 期(回目)
	④			④ 第 期(回目)

接種の状況	接 種 日	平成・令和 年 月 日 午前・午後 時 分	出生体重	グラム （患者が乳幼児の場合に記載）
	接種前の体温 度 分 家族歴			
	予診票での留意点（基礎疾患，アレルギー，最近1カ月以内のワクチン接種や病気，服薬中の薬，過去の副作用歴，発育状況等）			
	1 有 2 無			

症状の概要	症 状	定期接種の場合で次頁の報告基準に該当する場合は，ワクチンごとに該当する症状に○をしてください。 報告基準にない症状の場合又は任意接種の場合（症状名: ）		
	発生日時	平成・令和 年 月 日 午前・午後 時 分		
	本剤との 因果関係	1 関連あり 2 関連なし 3 評価不能	他要因（他の 疾患等）の可 能性の有無	1 有 2 無
	概要（症状・徴候・臨床経過・診断・検査等）			
	○製造販売業者への情報提供 ： 1 有 2 無			

症状の程度	1 重い→	1 死亡 2 障害 3 死亡につながるおそれ 4 障害につながるおそれ 5 入院（病院名: 医師名: 平成・令和 年 月 日入院／平成・令和 年 月 日退院） 6 上記1〜5に準じて重い 7 後世代における先天性の疾病又は異常
	2 重くない	

症状の転帰	転帰日	平成・令和 年 月 日
	1 回復 2 軽快 3 未回復 4 後遺症（症状: ） 5 死亡 6 不明	

報告者意見	
報告回数	1 第1報 2 第2報 3 第3報以後

［別紙様式1 続き］

	対象疾病		症　状	発生までの時　間	左記の「その他の反応」を選択した場合の症状
報告基準（該当するものの番号に「○」を記入）	ジフテリア 百日せき 急性灰白髄炎 破傷風	1 2 3 4 5	アナフィラキシー 脳炎・脳症 けいれん 血小板減少性紫斑病 その他の反応	4時間 28日 7日 28日 －	左記の「その他の反応」を選択した場合 a　無呼吸 b　気管支けいれん c　急性散在性脳脊髄炎（ADEM） d　多発性硬化症 e　脳炎・脳症 f　脊髄炎 g　けいれん h　ギラン・バレ症候群 i　視神経炎 j　顔面神経麻痺 k　末梢神経障害 l　知覚異常 m　血小板減少性紫斑病 n　血管炎 o　肝機能障害 p　ネフローゼ症候群 q　喘息発作 r　間質性肺炎 s　皮膚粘膜眼症候群 t　ぶどう膜炎 u　関節炎 v　蜂巣炎 w　血管迷走神経反射 x　a～w以外の場合は前頁の「症状名」に記載
	麻しん 風しん	1 2 3 4 5 6	アナフィラキシー 急性散在性脳脊髄炎（ADEM） 脳炎・脳症 けいれん 血小板減少性紫斑病 その他の反応	4時間 28日 28日 21日 28日 －	
	日本脳炎	1 2 3 4 5 6	アナフィラキシー 急性散在性脳脊髄炎（ADEM） 脳炎・脳症 けいれん 血小板減少性紫斑病 その他の反応	4時間 28日 28日 7日 28日 －	
	結核（BCG）	1 2 3 4 5 6	アナフィラキシー 全身播種性BCG感染症 BCG骨炎（骨髄炎，骨膜炎） 皮膚結核様病変 化膿性リンパ節炎 その他の反応	4時間 1年 2年 3カ月 4カ月 －	
	Hib感染症 小児の肺炎球菌感染症	1 2 3 4	アナフィラキシー けいれん 血小板減少性紫斑病 その他の反応	4時間 7日 28日 －	
	ヒトパピローマウイルス感染症	1 2 3 4 5 6 7	アナフィラキシー 急性散在性脳脊髄炎（ADEM） ギラン・バレ症候群 血小板減少性紫斑病 血管迷走神経反射（失神を伴うもの） 疼痛または運動障害を中心とする多様な症状 その他の反応	4時間 28日 28日 28日 30分 － －	
	水痘	1 2 3 4	アナフィラキシー 血小板減少性紫斑病 無菌性髄膜炎（帯状疱疹を伴うもの） その他の反応	4時間 28日 － －	
	B型肝炎	1 2 3 4 5 6 7 8	アナフィラキシー 急性散在性脳脊髄炎（ADEM） 多発性硬化症 脊髄炎 ギラン・バレ症候群 視神経炎 末梢神経障害 その他の反応	4時間 28日 28日 28日 28日 28日 28日 －	
	インフルエンザ	1 2 3 4 5 6 7 8 9 10 11 12 13 14 15 16	アナフィラキシー 急性散在性脳脊髄炎（ADEM） 脳炎・脳症 けいれん 脊髄炎 ギラン・バレ症候群 視神経炎 血小板減少性紫斑病 血管炎 肝機能障害 ネフローゼ症候群 喘息発作 間質性肺炎 皮膚粘膜眼症候群 急性汎発性発疹性膿疱症 その他の反応	4時間 28日 28日 7日 28日 28日 28日 28日 28日 28日 28日 24時間 28日 28日 28日 －	
	高齢者の肺炎球菌感染症	1 2 3 4 5 6	アナフィラキシー ギラン・バレ症候群 血小板減少性紫斑病 注射部位壊死または注射部位潰瘍 蜂巣炎（これに類する症状であって，上腕から前腕に及ぶものを含む） その他の反応	4時間 28日 28日 28日 7日 －	

わが国の予防接種

74　わが国の予防接種

図7　予防接種後副反応疑い報告書(2)

[定期の予防接種等による副反応疑いの報告等の取り扱いについて
（改正　2019年9月27日 健発0927第3号，薬生発0927第2号，適用 2019年9月27日）　**別紙様式2**]

※厚生労働省/PMDA記載欄

予防接種法上の定期接種・任意接種の別	

患者 (被接種者)	フリガナ			性別	接種時年齢	週齢(0歳児)
	氏名又は イニシャル	（定期の場合は氏名，任意の場合はイニシャルを記載）				
	住所			生年 月日		

報告者	氏　名			
	医療機関名		電話 番号	
	住　所			

接種場所	医療機関名	
	住所	

ワクチン ②〜⑩は 同時接種 したもの を記載		接種 種別	ワクチン の種類	ロット 番号	製造販売業者名	接種回数	接種日
	①						
	②						
	③						
	④						
	⑤						
	⑥						
	⑦						
	⑧						
	⑨						
	⑩						

接種の 状況	出生 体重 患者が乳幼児の場合に記載	グラム	接種前 の体温 度　分	家族歴	
	予診票での留意点(基礎疾患，アレルギー，最近1か月以内のワクチン接種や病気，服薬中の薬， 過去の副作用歴，発育状況等)				

医療機関名　　　　　　　　　　　年齢(　歳)　性別　印刷日時：　20XX/XX/XX　XX:XX

予防接種の評価に関する情報　75

1

わが国の予防接種

症状の概要	症状	定期接種の場合で報告基準に該当する場合に○がついています。ご確認ください。			
	発生日時		発生までの日数	本剤との因果関係	
	他要因(他の疾患等)の可能性の有無				
	概要(症状・徴候・臨床経過・診断・検査等)		製造販売業者への情報提供		

症状の程度	程度		入院の場合	病院名	
	1．死亡			医師名	
	2．障害				
	3．死亡につながるおそれ			入院日	
	4．障害につながるおそれ				
	5．入院				
	6．上記1～5に準じて重い			退院日	
	7．後世代における先天性の疾病又は異常				

症状の転帰	転帰日		後遺症(症状)	
	1．回復			
	2．軽快			
	3．未回復			
	4．後遺症			
	5．死亡			
	6．不明			

報告者意見	
報告回数	

医療機関名　　　　　　　　　　　　年齢(　歳)　性別　印刷日時：　20XX/XX/XX　XX:XX

図8 予防接種後副反応疑い報告書作成アプリ

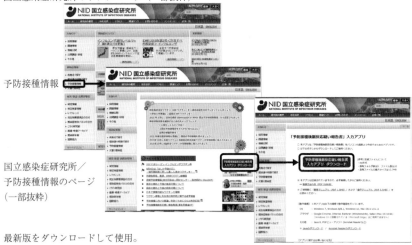

国立感染症研究所のトップページ（一部抜粋）

予防接種情報

国立感染症研究所／
予防接種情報のページ
（一部抜粋）

最新版をダウンロードして使用。

予防接種後副反応疑い報告書入力アプリのダウンロードページ
（http://www.nih.go.jp/niid/ja/vaccine-j/6366-vaers-app.html）

異常な集積が認められた場合は，ロットごと，期間ごと，ワクチンごと，症状ごとに分析し，緊急な対応が必要かどうかについて検討を行っている。

PMDAに報告された内容は，厚生科学審議会予防接種・ワクチン分科会副反応検討部会と薬事・食品衛生審議会医薬品等安全対策部会安全対策調査会の合同開催で公表され，その内容は，厚生労働省のホームページ（http://www.mhlw.go.jp/stf/shingi/shingi-kousei.html?tid=284075）で公表されている。

合同部会は約2カ月に1回開催され，主に同時接種されるワクチン，主に単独接種されるワクチンに分けて，医療機関への納入数を分母として報告頻度が計算される。また，報告された症例はラインリストとして公表されている。特に，アナフィラキシー，ADEM，ギラン・バレー症候群と報告された症例については，専門家のコメントとともに報告される。

6．学校感染症情報

学校，保育所等で発生した感染症について，欠席者の情報を元にサーベイランスが実施されている。詳細は，学校欠席者情報収集システムのホームページ（http://www.syndromic-surveillance.com/gakko/index.html#h3_001）で詳しく紹介されている。

この中でも，毎年大規模に流行するインフルエンザについては，保育所，幼稚園，

図9 予防接種副反応分析事業概要

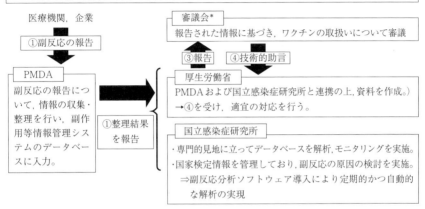

＊：厚生科学審議会予防接種・ワクチン分科会副反応検討部会，薬事・食品衛生審議会医薬品等安全対策部会安全対策調査会等

小学校，中学校，高等学校において休校，学年閉鎖，学級閉鎖があった場合に，その施設数を計上するとともに，当該措置を取る直前の学校，学年，学級における在籍者数，患者数，欠席者数を計上するものとして，インフルエンザ様疾患発生報告（学校欠席者数）として，まとめられており，国立感染症研究所のホームページ（https://www.niid.go.jp/niid/ja/flu-flulike.html）で毎週報告されている。

これ以外に，麻疹についても，学校での発生があった場合の迅速な対応に資するために，同様の調査が実施されており，2015年度から国立感染症研究所のホームページ（http://www.niid.go.jp/niid/ja/hassei/5339-measles-school-rireki.html）に四半期ごとに報告されているが，2015年3月27日に麻疹が排除されて以降，毎週報告数は0が続いたが，2018年度第4週，第15週，2019年度第9週にそれぞれ1校ずつ報告があった。

7．人口動態統計

1898年「戸籍法」が制定された後，1899年から人口動態統計制度が確立され，1947

年6月に「統計法」に基づき指定され，所掌事務は1947年9月1日に総理庁から厚生省に移管された。2009年4月から，新「統計法」(2007年法律第53号)に基づく基幹統計調査となり現在に至っている。

人口動態統計の目的は，「我が国の人口動態事象を把握し，人口及び厚生労働行政施策の基礎資料を得ること」であり，「戸籍法」および「死産の届出に関する規程」により届け出られた出生，死亡，婚姻，離婚および死産の全数が対象である。調査期間は当該年の1月1日～12月31日までであり，次の5種類に基づいて調査が実施されている。

①出生票：出生の年月日，場所，体重，父母の氏名および年齢等出生届に基づく事項
②死亡票：死亡者の生年月日，住所，死亡の年月日等死亡届に基づく事項
③死産票：死産の年月日，場所，父母の年齢等死産届に基づく事項
④婚姻票：夫妻の生年月，夫の住所，初婚・再婚の別等婚姻届に基づく事項
⑤離婚票：夫妻の生年月，住所，離婚の種類等離婚届に基づく事項

市区町村長は，上記5種類の届出を受けた場合，内容に基づいて人口動態調査票を作成し，当該保健所長に送付する。保健所長は，市区町村長から提出された調査票を取りまとめ，毎月，都道府県知事に送付する(保健所を設置する市の保健所長は，当該市の市長を経由)。都道府県知事は，保健所長から提出された調査票の内容を審査し，厚生労働大臣に送付し，集計は，厚生労働省政策統括官(統計・情報政策担当)が実施している。詳細な情報は，厚生労働省のホームページ(http://www.mhlw.go.jp/toukei/list/81-1 b.html#01)を参照のこと。

(多屋馨子)

2

ワクチン概論

ワクチンの種類と作用

I　生ワクチンと不活化ワクチン

1. 生ワクチン

　生ワクチンの始まりは，Jennerの種痘(牛痘)に由来する。牛痘ウイルスは，ヒト天然痘ウイルスと近縁のウイルスで，ヒトに病原性の低い弱毒生ワクチンによる交差免疫の誘導と理解される。種痘ウイルスは，牛に感染していた馬のグリース(馬痘)を種痘ウイルスとして使用したものである。種痘は，多くの誤解を生んできたが，その有効性は明白であり世界中に普及し，1980年に天然痘は撲滅された。

2. 不活化ワクチン

　ヒトに対する不活化ワクチンは，Pasteurの狂犬病ワクチンに由来する。狂犬病に罹患したウサギの脊髄を，病原性が低下し免疫原性を維持できるレベルまで空気中に晒すことで固定化し，動物のワクチンとしての使用が考えられていた。その安全性が確保されていない時期であったが，狂犬に咬まれた少年の治療には他に為す術もないことから，このウサギの脊髄不活化ワクチンが使用され，幸い発症から免れたことが不活化ワクチンによる曝露後免疫に相当する。

　19世紀末に北里柴三郎は，破傷風菌の純粋培養に成功した。破傷風菌は，創傷部位にしか存在せず濾過した無菌の破傷風菌培養液を接種しても破傷風を発症することから毒素が原因と考えられた。その毒素を不活化し，あらかじめウサギに投与しておくと，強毒の毒素を接種しても発症しないことがわかった。このウサギの血清中には破傷風毒素を無毒化する物質が産生され，抗毒素(抗体)の存在を発見した。この抗毒素抗体は，他の個体に移しても同様の効果を認め，血清療法(受動免疫)の基礎を確立した。

3. 生ワクチンと不活化ワクチンとの比較

　現在，使用されているワクチンを生ワクチンと不活化ワクチンに分けてその特徴を**表1**に示した。生ワクチンは生体で増殖し，軽く感染することで基本的には1回の接種で強い免疫応答を誘導する特徴がある。不活化ワクチンは，感染防御抗原を接種することで特異的な抗体を誘導する。精製蛋白では抗体産生能が弱いため，複数回の接種が必要である。また，免疫応答を高めるためにアジュバントを添加した製剤がある。アジュバントは，抗原とともに接種されることで免疫応答を高める物質で，アルミニウムアジュバントなどが用いられている。

　ポリオウイルスワクチンには，生ワクチンと不活化ワクチンの2種類の剤型がある。野生株が蔓延している時期には感染を予防し流行を制圧するために生ワクチンが有効であるが，野生株の流行がなくなると生ワクチンの副反応として数百万接種

表1　生ワクチンと不活化ワクチン

	生ワクチン	不活化ワクチン
種類	BCG, 麻疹, 風疹, 麻疹風疹混合(MR), おたふくかぜ, 水痘, 帯状疱疹, 黄熱, ロタウイルス, (MMRV, コレラ, インフルエンザ, 腸チフス)	DPT-IPV, DPT, DT, ポリオ, 日本脳炎, インフルエンザ, 狂犬病, A型肝炎, B型肝炎, 髄膜炎菌, ヒブ, 肺炎球菌(PCV13, PPSV23), ヒトパピローマウイルス, 帯状疱疹
特徴	弱毒生ウイルス 弱毒生菌 生体内で増殖	不活化したウイルス, 細菌の成分, 感染防御抗原 生体内で増殖しない
免疫応答	細胞性免疫・液性免疫	基本的には液性免疫
持続時間	長期間	短期間
接種回数	原則1回接種。MR, 水痘は有効率を上げるため2回接種	複数回
費用	安価	高価
臨床反応	軽い感染症状 増殖期に副反応	全身反応は少ない 局所反応

に1例の出現頻度であっても副反応(vaccine-associated paralytic poliomyelitis：VAPP)が社会問題となり, 2012年から不活化ポリオワクチンが導入された。不活化ポリオワクチンは, 血中に抗体を誘導することで感染しても発症を抑えることができる。インフルエンザワクチンは, わが国では不活化ワクチンのみであるが, 海外では経鼻生ワクチンも利用されている。

　生ワクチンは, 生体内で増殖することで, 自然感染と同様に細胞性免疫, 液性免疫の両方を誘導する。生ワクチンは弱毒化されているが, 親株の性状を引き継いでおり, 頻度は低いものの野生株の自然感染による合併症を副反応として起こす可能性がある。生ワクチンは, ヒト以外の動物のウイルスを用いたり(BCG, ロタテックはウシ由来), 動物の初代培養細胞に継代すること, 32℃の低温増殖株をクローニングすることでヒトの生体内で増殖し難い株をワクチン株として樹立した。

　一方, 不活化ワクチンは主として抗体を誘導することで感染防御能を誘導する。抗原に対する抗体産生のメカニズムを模式的に図1に示した。B細胞を直接刺激する経路とT細胞に認識されて抗体産生を誘導する系が存在する。細菌の莢膜多糖類などは抗原提示されることはなく, T細胞非依存型でB細胞に認識される抗原部位(B cell epitope)はB細胞受容体(B cell receptor：BCR)を直接刺激することで抗体を産生させる。B細胞依存性・T細胞非依存性の抗体産生能は弱く, インフルエンザ菌b型(*Haemophilus influenzae* type b：Hib, ヒブ), 肺炎球菌の莢膜多糖類を用いた不活化ワクチンは抗体産生能が低いので, 破傷風トキソイド, ジフテリアトキソイド, 髄膜炎菌の外膜蛋白の一部と結合させてT細胞に認識されやすくした結合型(conjugated)ワクチンが開発された。

82 ワクチン概論

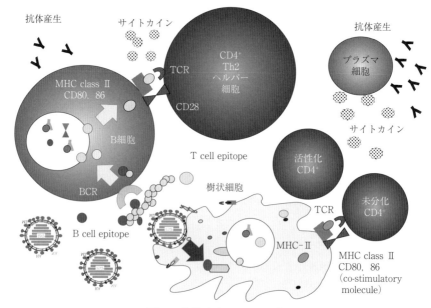

図1 抗体産生のメカニズム

B細胞受容体（BCR）は抗原のB細胞抗原決定基（B cell epitope）を認識して細胞内に取り込み抗体を産生するが産生能は弱い。ワクチン抗原，不活化抗原蛋白は樹状細胞に取り込まれ分解され，樹状細胞表面にMHC（86頁参照）class II分子ポケットに抗原ペプチドを提示する。co-stimulatory molecule（CD80, 86）とともに樹状細胞表面に提示され，T細胞受容体（T cell receptor）を介して結合し抗体産生に関しては提示された抗原を未分化CD4細胞が認識して活性化CD4ヘルパー細胞となる。このB-T interactionがB細胞の活性化，サイトカイン産生によりB細胞の分化，成熟を誘導しプラズマ細胞から抗体産生を行う。

II ワクチンの作用（自然免疫と獲得免疫）

　ヒトは，病原微生物の侵入に対して3層のバリアを持っており，皮膚・粘膜は物理的に病原体の侵入を遮る最初のバリアとなる。侵入してきた病原体に対して非特異的に排除する好中球，ナチュラルキラー（natural killer：NK）細胞（86頁参照），マクロファージといった自然免疫にかかわる細胞が病原体を貪食し，インターフェロン（interferon：IFN）（86頁参照）を産生し抗ウイルス状態を惹起する。次に，病原体に特異的な抗体や細胞性免疫能が誘導され，抗体は感染性を中和し感染・発症を予防する。細胞性免疫能は感染した細胞を排除するように働き，ワクチンの働きは生体の免疫応答を利用することで特異的な感染防御能を誘導することである。

　免疫能の誘導には自然免疫の果たす役割が注目されている。自然免疫の役割は，侵入してきた微生物をパターン認識するパターン認識受容体（pattern-recognition receptor：PRR）の機能で，微生物の構成成分に対応してサイトカインを産生し獲得

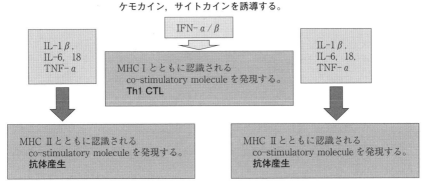

図2 自然免疫系の抗原認識能
侵入してきた病原微生物の分子を認識するPAMPと細胞にとって危険なシグナルを認識するDAMPがあり，炎症性サイトカイン，IFN-α/βを産生する．

免疫の誘導を調整する重要な機能がある．PRRには病原体分子をパターン認識する病原体関連分子パターン(pathogen-associated molecular pattern：PAMP)と細胞にとって危険なシグナルを認識する損傷関連分子パターン(damage-associated molecular pattern：DAMP)が存在する(**図2**)．

PRRとしてToll様受容体(Toll-like receptor：TLR)，レチノイン酸誘導遺伝子-I (retinoic acid inducible gene I：RIG-I)，NOD様受容体(nucleotide oligomerization domain like receptor：NLRP)などが存在する(**図3**，86頁参照)．TLR4は，ヒブ，肺炎球菌の細菌膜成分や，HPVのサーバリックスのアジュバントとして使用されているサルモネラ菌の細胞膜由来のmonophosphoryl lipid A (MPL)のアジュバントの作用起点となる．TLR4には，2系統のシグナル伝達経路が存在し，炎症性サイトカインを誘導する系とI型IFNを産生する系が存在する．細胞内にはRNAセンサーとしてTLR3，7，8，9が存在し，二本鎖RNAはRIG-I，MDA5に認識される．

こうした特異的な受容体以外に，細胞にとって危険な因子を認識するシステムとしてNLRPが存在し，アルミニウムアジュバント，尿酸などの細胞毒性物質がNLRPを刺激しカスパーゼ(caspase)を動員して前駆体のpro IL-1βをIL-1βに変換し，IL-6，TNF-αの炎症性サイトカインを誘導する[1,2]．

生ワクチンウイルスは自然感染と同じように感染し，例えば麻疹ウイルス感染で

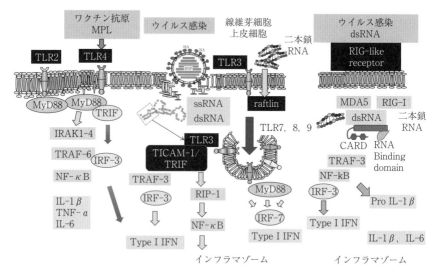

図3 自然免疫応答の受容体

細胞膜表面には細菌の細胞膜成分などを認識するTLR 2, 4が存在し病原微生物の表面に存在する抗原蛋白を認識する．細胞内の細胞質にはTLR 3, 7, 8, 9が存在しウイルス遺伝子の一本鎖RNA，二本鎖RNAを認識するRNAセンサーとして機能する．Ⅰ型IFNを誘導し免疫応答を増強する．ウイルス感染によりその増殖の途中で生じる二本鎖RNAがRIG-I, MDA5を刺激，また，ワクチンに添加されているアジュバントの中には細胞内センサーのNOD様受容体を活性化して炎症性サイトカインを誘導する．
文献2)より

はHA蛋白がTLR2を刺激し，感染後ウイルス粒子内の遺伝子は細胞内に入り一本鎖ゲノムRNAはTLR7を刺激し，一部二本鎖RNAはTLR3，転写・複製過程で生じる二本鎖RNAがMDA，RIG-Iを刺激する．現在使用されている有効なワクチンは，すべてどこかの自然免疫を刺激することで免疫応答を誘導する[3]．自然感染では，増殖するウイルス量も多く，こうした自然免疫系に刺激が多く入ることで免疫系の活性化がワクチン株よりも強いと考えられる．自然感染で，抗体レベルがワクチンで獲得した抗体レベルよりも高く，強固な細胞性免疫を誘導し終生免疫であるのは，こうした自然免疫系への最初の刺激が強いことで説明される．

生ワクチンは，感染し所属リンパ節に運ばれ，病原体は所属リンパ節で増殖することで自然免疫系を刺激し，サイトカイン産生を介して獲得免疫を誘導する．サイトカイン産生と獲得免疫を誘導する細胞への分化を**図4**に示した．

一方，不活化ワクチンの抗原は，樹状細胞，マクロファージの抗原提示細胞に貪食されペプチドに分解されMHC class Ⅱ分子内に提示されco-stimulatory moleculeとともに未分化CD4 T cellに認識される．未分化CD4細胞は，さらにTh1, Th2系のヘルパー細胞へと分化し，IL-12によりTh1 CD4$^+$ヘルパー細胞を誘導しIFN-γを産生しCD8$^+$CTL細胞を活性化する．**図1**に示したように，CD4$^+$Th2ヘルパー細胞

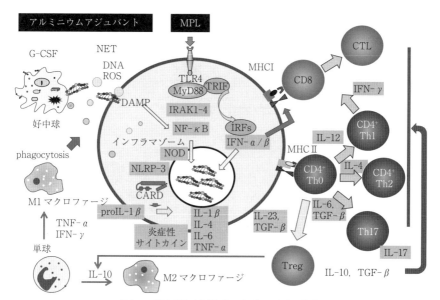

図4 抗原提示細胞とT細胞の分化誘導

樹状細胞に取り込まれた抗原はMHC class Iに提示されCD8+CTL細胞に認識され，その一部が免疫記憶細胞として残る．MHC class IIに提示された抗原はCD4細胞に認識されCD4細胞はCD4+Th1細胞とCD4+Th2細胞に分化する．MHCに抗原提示される時にco-stimulatory moleculeとともにT細胞が認識する．サイトカインはco-stimulatory moleculeの発現に刺激を入れることで獲得免疫能の誘導を調節する．同時に産生されたサイトカインによりCD4細胞はTh1，Th2，Th17細胞へと分化する．

文献2)より

は，Bリンパ球を刺激しプラズマ細胞に分化させ，強固な抗体産生を誘導する．

自然免疫は，侵入した微生物抗原の性状をパターン認識してI型IFN，IL-12，炎症性サイトカインのIL-1β，IL-6，TNF-αを産生し獲得免疫誘導の橋渡しをする．また，アルミニウムアジュバントや新たに開発されたオイルアジュバントは，インフラマゾーム(inflammasome)を刺激することでIL-1β，IL-6，TNF-αを誘導する．I型IFNは，MHC class Iとともに認識されるco-stimulatory moleculeの発現を誘導することで細胞性免疫能を誘導する．一方，炎症性サイトカインはMHC class IIとともに認識されるco-stimulatory moleculeを活性化し，抗体産生のTh1，Th2への分化誘導に関与する．

文献
1) Siegrist CA. "Vaccine immunology". Vaccines 6th ed. Plotkin SA, et al., eds. Elsevier Saunders 2013; p.14-32.
2) Nakayama T. Vaccine 2016; 34: 5815-5818.
3) 熊谷雄太郎ほか．日本臨牀 2011; 69: 1541-1546.

（中山哲夫）

86　ワクチン概論

⬤用⬤語⬤解⬤説⬤

主要組織適合遺伝子複合体(major histocompatibility complex：MHC)

　MHCは，細胞膜に存在する糖蛋白で，抗原提示細胞に貪食された病原体の蛋白がペプチドに分解されMHC分子の表面に結合して提示されT細胞に認識され免疫応答を誘導する。MHC class I 分子とMHC class II の２種類が存在する。自己の抗原に対しては反応せずに外来ペプチドを提示したMHC class I はCD8に認識され，MHC class II に提示されて抗原ペプチドはCD4細胞に認識される。

ナチュラルキラー(natural killer：NK)細胞

　NK細胞は自然免疫を担う重要な細胞で，早期の感染細胞，癌細胞を攻撃し，CD16，CD56を発現している。MHC I 抗原の発現が低下している細胞を認識して攻撃し細胞内に存在するパーフォリンを放出し，感染細胞，癌細胞に穴をあけ細胞を排除する。また細胞内に存在するグランザイムによりアポトーシスを誘導する。T細胞による細胞傷害(CTL)とは異なりウイルス特異的な免疫応答とは異なり特異性はない。

インターフェロン(interferon：IFN)

　ウイルス感染などにより種々の細胞から産生される蛋白で線維芽細胞からはIFN-β，リンパ球系細胞からはIFN-α が産生される。免疫応答により産生されるのがIFN-γである。1954年に長野泰一，小島保彦は，ウサギの皮膚にワクシニアウイルスを接種した後ワクチンを接種しても発痘を認めないことから，ワクシニアウイルスを接種した皮膚にウイルスの増殖を抑制する物質が存在することがわかり「ウイルス干渉因子」として報告した。その後，アイザックスによりインターフェロンと命名された。ウイルス感染により細胞内にできる二本鎖RNAなどがTLR3，TLR7，TLR8，TLR9，RIGI，MDA5を刺激することで誘導される。抗ウイルス状態を惹起するだけでなく免疫応答を調節する重要な働きがある。

Toll様受容体(Toll-like receptor：TLR)

　Toll遺伝子はショウジョウバエの正常な発生に必要な遺伝子として発見された。その後，脊椎動物，哺乳類にも同様の遺伝子群がみつかり，TLRは特定の分子を認識するのではなく病原体の成分をパターン認識し細胞内シグナル伝達を介して転写活性をあげ，免疫応答，炎症反応を誘導することが明らかとなった。

レチノイン酸誘導遺伝子-I様受容体〔retinoic acid inducible gene(RIG)-I-like receptor：RLR〕

　RLRsといった受容体が自然免疫応答の受容体として免疫担当細胞，樹状細胞の細胞質内に発現しており，ウイルス感染細胞内での一本鎖，二本鎖RNAを認識しIFNを誘導していることが発見された。同じ構造を持つmelanoma differentiation associated gene 5(MDA5)があり，ウイルスの種類によりRIG-I，MDAに結合性の差がみられる。C末端にはhelicase domainの機能ドメインでRNAの二次構造や二本鎖RNAをほどく作用がありRNAが結合することでN末端に存在する２カ所のcaspase recruitment domain(CARD)が機能するようになりIRF-3，NF-κBを誘導しシグナル伝達経路を刺激しIFNを産生する。「リグ・アイ」という。

NOD様受容体〔nucleotide oligomerization domain(NOD)like receptor：NLRP〕

　RIG-Iと同様に，細胞内に存在しN末端に存在する２カ所のcaspase recruitment

domain（CARD）を持っている。NLRファミリーとして20種類近くの活性蛋白が存在する。細菌RNA，尿酸血症，シリカ，アルミ，その他，細胞にとって毒性を有する物質を認識しcaspase（蛋白分解酵素の一種）を動員してpro IL-1βをIL-1βに変換し炎症性サイトカインを産生する。

monophosphoryl lipid A（MPL）

　ヒトパピローマウイルスワクチンのサーバリックスに使用されている複合アジュバントのAS04に用いられている。サルモネラ菌のリポ多糖（lipopolysaccharide：LPS）を熱処理，化学処理により無毒化したものでTLR4のリガンドとして作用する。

（中山哲夫）

ワクチンの成分と添加物

　ワクチンが感染症制御に果たしてきた役割は大きく，健康小児を対象に接種されることから，治療薬よりも高い安全性が要求される。ワクチンの主たる薬効成分は弱毒生ウイルス，不活化ウイルス抗原，不活化細菌菌体成分，トキソイドであるが，保存期間内でのワクチンの有効性を保持するために安定剤や，製品の安全性保持のために防腐剤が添加されてきた。また，免疫原性を高めるために不活化ワクチンの一部にはアジュバントが添加されている。これらの物質は以前から使用され，特に問題はないように考えられてきた。

　しかし，生ワクチン接種後のアナフィラキシー反応はゼラチンアレルギーであることが判明した。DPTワクチンの中に微量に混入していたゼラチンは，アルミニウムアジュバントとともに接種することでIgE抗体の産生が増強され感作を進めていたことが明らかとなり，現在国産ワクチンではゼラチンは除去されている。

　アジュバントは，ワクチン成分とともに投与され自然免疫系を刺激してサイトカインを産生し獲得免疫を誘導する。一方，強い免疫応答を誘導することから自己免疫応答に起因する副反応との関連性が疑われたり，防腐剤として添加してきたチメロサールに含まれる水銀の蓄積が自閉症の原因であるなどの誤解を生んできた。ワクチン製造工程から人為的に最終製品に加えた保存剤，添加剤の役割について解説する。

I　ワクチンの製造工程

　生ワクチンは，ワクチン製造のためのシード株を，それぞれ使用について認可されている細胞に接種する。生ワクチンウイルスは，動物初代培養細胞などで増殖させるためにウシ胎児血清などを培養液中に含んでいるが，細胞変性効果の出現する前に培養細胞洗浄後，血清を含まない培養液に換えることから，ウシ胎児血清成分が混入することはない。細胞培養には，細胞をバラバラにするためにトリプシンなどの動物由来製品を使用するが，最終製品に混入する量は検出限界以下である。細胞培養液を採取し遠心後細胞成分を除去し，ワクチン原液とする。

　不活化ワクチンとしてのインフルエンザワクチンの製造工程は，孵化鶏卵にウイルスを接種し漿尿液を採取し，ショ糖密度勾配超遠心法によりウイルスを精製し，エーテル処理後HA分画を採取し，ホルマリンを添加して不活化する。細菌由来の不活化ワクチンでは細菌培養液から毒素や抗原を精製する。

II　添加物の種類とその役割

　ワクチンに使用されている添加物をその役割別にまとめて**表1**に示した。

ワクチンの成分と添加物　89

表1　ワクチンに含まれる成分

---

1. 主成分
　　生ワクチン：弱毒ウイルス，弱毒細菌
　　不活化ワクチン：ウイルス全粒子不活化抗原，ウイルス構成蛋白，ウイルス様粒子，莢膜多
　　　　　　糖類抗原，細菌の成分
　　トキソイド：ホルマリンで不活化した毒素
2. 安定剤：ゼラチン，乳糖，精製白糖，D-ソルビトール，L-グルタミン酸
3. 防腐剤：チメロサール，2-フェノキシエタノール
4. 不活化剤：残留ホルムアルデヒド，β-プロピオラクトン
5. 結合蛋白（carrier protein，conjugated protein）
6. アジュバント
7. 抗原蛋白分散剤：抗原凝集を抑制　Tween 80
8. 細胞培養：菌の培養成分の残留物質
　　抗菌薬：エリスロマイシン，カナマイシン，ネオマイシン
　　アミノ酸
　　胎児牛血清（初代動物細胞の培養）
　　細胞成分（ウイルス増殖用の卵，発育鶏卵胎児胚細胞，ウサギ腎細胞，その他）：蛋白発現用
　　　の昆虫細胞，酵母など
　　細胞，血清，トリプシンなどの動物由来成分の迷入ウイルス

1．成分の安定剤

　安定剤としては，従来からゼラチン，ヒト血清アルブミンが使用されてきた。1994年に，生ワクチン接種後のアレルギー反応がゼラチンに対するアレルギーであることが明らかとなった。DPTワクチンの中に微量に混入していたゼラチンがアジュバントとともに複数回接種を受けることからゼラチンに対する感作を増強したことがゼラチンアレルギーの原因であることがわかった。無細胞型の百日咳の抗原を効率よく回収するためにゼラチンを使用し，最終製品まで微量に残留していたことが原因であった。無細胞型DPTを導入した米国で，生ワクチン接種後のアナフィラキシー反応の増加が懸念された。外国で使用されているゼラチンは，分子量約10万のコラーゲンから加水分解して1,000～3,000と切り込まれたゼラチンであり，免疫原性，アレルゲン性も低いとしているが，アジュバントとともに接種されることになるため免疫原性は低いとはいっても無駄な感作は避けるべきである。

2．凍結乾燥の過程の安定化，抗原蛋白の安定剤

　生ワクチンや日本脳炎ワクチンは凍結乾燥製剤で，ワクチン原液を分注後に凍結乾燥する。凍結乾燥の過程においてウイルスが失活するために，各種の糖質やアミノ酸を組み合わせて使用している。

3．保存剤

　不活化ワクチンの防腐剤としてチメロサールが使用されてきた。数人分の量が入ったワクチンバイアルは針を刺して何回も使用するため，細菌・真菌の混入を防ぐためにチメロサールが使用されてきた。チメロサールが，自閉症の発症に関連する

90 ワクチン概論

といった誤解による流言が問題となったが，疫学的には関連性が否定されている。

4．不活化剤

　不活化ワクチン，トキソイドにはホルマリンが使用されている。ウイルスや毒素蛋白を変性固定化し，受容体と結合しないようにすることで，毒性を発揮できないようにする。不活化は，ホルマリンを入れて一定温度で一定期間反応させ，最終製品にホルマリンが残留して認められる。

5．結合蛋白

　肺炎球菌，インフルエンザ菌b型（ヒブ），髄膜炎菌の感染防御抗原は，莢膜多糖類でありB細胞依存性抗原で，乳幼児では免疫原性が低いことから，T細胞に認識されやすいように，破傷風，ジフテリアトキソイドの一部の蛋白を結合させた結合型ワクチンとして製造されている。

6．アジュバント

　DPT，DPT-IPV，B型肝炎ワクチン，ヒトパピローマウイルス（HPV）ワクチン，肺炎球菌ワクチン（pneumococcal conjugate vaccine：PCV）の不活化ワクチンには，免疫原性を高めるために水酸化アルミニウム，MPLがアジュバントとして添加されている。トキソイドをはじめ，遺伝子操作により精製された蛋白であるB型肝炎ウイルス抗原や，HPVの中空ウイルス粒子（virus like particle：VLP）の精製蛋白は免疫原性が低い。PT，FHA，69Kなどの蛋白を精製した無細胞型の百日咳ワクチンにはアジュバントが使用されている。

7．その他

　生ワクチンには，培養液成分としてアミノ酸，抗生剤などが含まれる。培養液にはpH指示薬としてフェノールレッドが含まれている。また，不活化ワクチンの中には抗原が凝集しないように界面活性剤が抗原蛋白分散剤として含まれている。

Ⅲ　チメロサールの問題点

1．チメロサールの歴史

　チメロサールに関する歴史を表2に示した。1928年に，ジフテリア予防接種液10mLバイアルに黄色ブドウ球菌が混入し，針刺しでワクチン液をとり接種した児から死亡例が報告された。1930年代から，何回か針を刺して使用するmultidose containerには防腐剤としてチメロサールを使用するようになった。1976年には，ガンマグロブリン製剤の補充療法以外のワクチンなどに含まれるチメロサールは，生涯接種を受ける量は微量であり危険なものではないとFDAが報告している。

ワクチンの成分と添加物　91

表2　チメロサールに関する歴史

1916年	腸チフスワクチンに黄色ブドウ球菌の混入。
1928年	diphtheria toxin-antitoxin mixtureにブドウ球菌が混入。
1930年代	multidose containerには防腐剤を入れるようになった。
1976年	FDA： グロブリン補充療法以外の生物製剤からの水銀は生涯危険な量ではない。 グロブリン製剤からチメロサールを除く。
1999年	米国の勧奨予防接種スケジュール（DTaP 3×，Hib 3×，HBV 3×）で6カ月までに最大で187.5μgとなりEPAの基準を超えることになる。 米国小児科学会（American Academy of Pediatrics：AAP）勧告： 　・ワクチンに含まれるチメロサールを減量，除去。 　・HBsAg（＋）の妊婦からの出生児はB型肝炎ワクチン接種。 　　HBsAg（－）の妊婦からの出生児はB型肝炎ワクチン接種を生後2～6カ月待つ。 チメロサールに対する誤解 　・すべての新生児にB型肝炎ワクチンを接種しない。 　・ワクチンに含まれるチメロサールが神経障害を起こす。
2001年	チメロサールと自閉症の因果関係を示唆する報告はない。 ワクチンに含まれるチメロサールを減量，除去に務め，代換製品がないときワクチンスケジュールを変更する必要はない。

2

ワクチン概論

2．チメロサールと水銀濃度

　チメロサールはエチル水銀で，水俣病で問題となった有機水銀はメチル水銀である。エチル水銀に関して，健康被害を起こす可能性を示唆する環境濃度の基準はなかった。水俣病をはじめ環境汚染物質として，メチル水銀がヒトに健康被害を起こす曝露許容量は0.1μg/kg/日で生後26週までの平均的な乳児は65～106μgまでが曝露許容量となる。この数値を超えた場合にメチル水銀の汚染を再評価するための基準である。DPT，ヒブ，B型肝炎ワクチンをすべてチメロサール含有ワクチンで接種すると187.5μgとなるが，米国小児科学会（American Academy of Pediatrics：AAP）よりワクチンに含まれるチメロサールの減量・除去とB型肝炎に関してはHBs抗体，抗原を検査してワクチン接種を考える方針が提言された。

3．チメロサールと自閉症の誤解

　しかし，「すべての新生児にB型肝炎ワクチンを接種しない」「チメロサールは神経障害を起こす」と誤解，流言が広がった。チメロサール（エチル水銀）に関する中枢神経毒性については定説がなく，自閉症と水銀中毒症の症状は全く異なるものである。両者ともに中枢神経系の障害に起因するものであるが，病変部位，病態において，水銀中毒症は末梢神経系を含め他の器官にも障害があり，自閉症には水銀中毒に特徴的な視野障害がなく，自閉症とは神経病理学的に明らかに異なるものである。水銀中毒による精神障害は少なく，自閉症の増加とチメロサールを含んだワクチン接種との関係に関しては，大規模な疫学調査の結果では因果関係は低いと考えられる。デンマークでは，1971～2000年に自閉症と診断された2～10歳の患者のワ

92 ワクチン概論

表3 アジュバントの作用機序と候補物質

分類(製造元)	作用機序	成分	使用されるワクチン
重金属塩	デポー効果, Th2反応, NALP3	水酸化アルミニウム, リン酸アルミニウム	DPT, HPV, PCV13, B型肝炎
oil-in-water	エマルジョン化		
MF59(ノバルティス)	DCへの取り込み↑	Squalene/Span85/Tween 80	インフルエンザ
AS03(グラクソ・スミスクライン)	MHCⅡ発現↑, CCR7	Squalene/トコフェノール/Tween 80	インフルエンザ(H5N1)
Lipid A由来複合型	MPLはTLR4を刺激		
RC-529		合成MPL	B型肝炎(AgB/RC-210-04)
AS04(グラクソ・スミスクライン)		MPL/アルミニウム塩	B型肝炎, HPV(サーバリックス)
AS01(グラクソ・スミスクライン)	QS21：Th1活性化	MPL/QS21/oil in water	マラリア, 帯状疱疹ワクチン
植物由来/サポニン			
ISCOM	CTLの誘導, Th1	QS21	
リポソーム	粒子形成, CTL活性化	合成脂質二重膜成分	インフルエンザ
鞭毛成分	TLR5	Fragellin	
核酸			
CpG	TLR3：dsRNA	合成oligo, short DNA	B型肝炎, インフルエンザ, マラリア
7909(ノバルティス)	TLR7, 8：ssRNA	peptide + oligoDNA	B型肝炎, インフルエンザ
ISI, IC31	TLR9：CpG	peptide + oligoDNA	結核, 癌

既に市販されているアジュバントは重金属(アルミニウム), MF59, AS03, RC-529, AS04, AS01
までである。

クチン接種歴を調査したところ，1992年からチメロサールを含んだワクチンの使用
を中止しているにもかかわらず，同年以降に自閉症児が増加しており，関連性は否
定されている。

Ⅳ アジュバント

　ワクチンの働きは抗原特異的な獲得免疫を誘導することで，抗体誘導能が低い抗
原に対しては免疫誘導を増強する物質としてアジュバントが用いられる。開発状況
を**表3**に示した。アジュバントは英語で「help」を意味するラテン語「adjuvare」に
由来し，抗原と一緒に投与することで抗体産生，細胞性免疫能を高める働きがある。
不活化ワクチンの感染防御抗原を絞り込み，サブユニット，ペプチドを抗原として
ワクチン化を考える際に，免疫原性を上げるためには，どうしてもアジュバントが
必要となる。
　結核菌を先に感染させた後で免疫すると，抗体産生能が高まり結核菌にアジュバ

ワクチンの成分と添加物　93

表4　ワクチン成分とアジュバントによる自然免疫系への刺激

ワクチン	アジュバント(0.5mL中)	自然免疫
生ワクチン		
BCG	細胞膜	TLR2/4
	ssRNA, cpG DNA	TLR7/8, TLR9
	ポリサッカライド	C型レクチン
MMRV	ssRNA, dsRNA	TLR3/7/8, MDA, RIG I
不活化ワクチン(細菌性)		
DPT	アルミニウム(0.150mg)	インフラマゾーム
ヒブ	ポリサッカライド	C型レクチン
PCV13	アルミニウム(0.125mg)	NLRP3
	ポリサッカライド	C型レクチン
不活化ワクチン(ウイルス性)		
A型肝炎	ssRNA	TLR3/7/8
狂犬病	ssRNA	TLR3/7/8
日本脳炎	ssRNA	TLR3/7/8
ポリオ	ssRNA	TLR3/7/8
B型肝炎	アルミニウム(0.25mg)	インフラマゾーム
HPV　サーバリックス	MPL 50μg+アルミニウム0.5mg	TLR4, インフラマゾーム
ガーダシル	アルミニウム0.225mg	インフラマゾーム

ssRNA：single strand RNA(一本鎖RNA)，dsRNA：double strand RNA(二本鎖RNA)

ント活性があることがわかり，1937年に，結核菌の外膜蛋白の一部をオイルに懸濁したFreundアジュバントが開発され，oil-in-waterアジュバントの草分けとなった。しかし，副反応が強く，その後60年間はアジュバント不毛の時代が続き，ヒトの臨床治験にまで進んだ物質はアルミニウムアジュバントのみであった。

　新規アジュバントの道を開いたのはノバルティス社で，oil-in-waterエマルジョンとしてMF59を開発し，高齢者用のインフルエンザワクチンに使用した。次いで，グラクソ・スミスクライン社が一連のASシリーズの複合アジュバントを開発し，B型肝炎，インフルエンザ(H5N1)，HPVワクチンに使用している。HPVワクチンに使用されているAS04は，サルモネラ菌の細胞膜成分から精製したmonophosphoryl lipid A(MPL)とアルミニウムを加えた複合アジュバントである。MPLは自然免疫系のTLR4のリガンドとして作用し，I型IFNを誘導することでTh1応答も誘導する。

　HPVワクチン接種後の慢性疼痛から身体症状としての全身の筋痛，倦怠感，認知障害などの機能障害を認める例が報告され，積極的勧奨接種が中止となっている。しかし，多くの疫学調査の結果からもHPVワクチンとの因果関係は否定的であることが報告されている。アジュバントは，炎症反応を惹起することで，好中球が遊走，自己融解して放出されたDNAが自然免疫系を刺激し，炎症性サイトカインを誘導することでCD4細胞に認識されやすくなり，抗体産生を増強する。HPVに使用されているMPLは，自然免疫系を刺激しサイトカインを誘導することから自己免疫性脳炎/脳症が懸念されるといった仮説も提言されている。生体は，こうした免疫応答が

暴走しないように制御するT細胞制御機能を持っており，1カ月後には炎症反応は終息に向かうため，慢性疼痛とワクチン接種の因果関係はないと考えられる。

表4に，各ワクチンの成分と自然免疫系への作用点を示した。麻疹，風疹，おたふくかぜ，水痘の生ワクチンは細胞に感染することでゲノムRNA，増殖過程に生じる一部二本鎖RNAはRNAセンサーのTLR3/7/8への刺激と，MDA，RIG-Iには二本鎖RNAの刺激が入る。細菌性不活化ワクチンのヒブワクチン，PCV13は，C型レクチンに刺激が入る。ウイルス不活化ワクチンの中のA型肝炎ワクチン，狂犬病ワクチン，日本脳炎ワクチン，ポリオワクチンは，全粒子不活化ワクチンで粒子内のゲノムRNAが刺激を入れる。一方，B型肝炎ワクチン，HPVワクチンは，精製蛋白で免疫原性が低いことからアジュバントが添加されている。

ワクチンの製造工程から多くの物質が使用されているが，その特性，作用機序を考え，常に最終製品としての安全性を考慮し製造されている。現在，科学的知見では問題がないと考えられていても，ゼラチンアレルギーのように安全性に問題点がみつかることもあり，ワクチン接種後の副反応の集積には注意が必要である。

（中山哲夫）

ワクチンの保存，有効期間，注意点

ワクチンの保存条件は，生物学的製剤基準により規定されており（**表1**），その基準を満たすことができない事情が生じた場合にはワクチンの有効性，安全性は保証されない。ワクチン製剤の種類により成分の安定性が異なるため，適正温度条件下で保管することが肝要である。

I　ワクチン製剤の安定性

ワクチン製剤は，生ワクチンと不活化ワクチンの2種類に大別され，ワクチンの保管もワクチンの種類により考慮する必要がある。生物学的製剤基準により定められた場合を除き一般に5±3℃で特に液状製剤においては凍結しないように保管する必要がある。DPTワクチンにはアジュバントが含まれており，凍結後再融解することで水酸化アルミニウムアジュバントと結合している蛋白が凝集変性を起こす可能性がある。

不活化ワクチンは感染性のない感染防御にかかわる蛋白を精製したもので，その有効期間は一般的に2年間が担保されている。代表的な不活化ワクチンのDPTワクチンにおいて，安定性の基準である5℃条件下で2年間保存後の免疫原性を調べると，2年間免疫原性が維持されていることがわかる。DPTワクチンの安定性は，規定されている温度での長期安定性だけでなく，加速変性試験での25℃で6カ月間の安定性，苛酷試験での37℃で4週間の安定性の検査を行っており，その期間のDPT各抗原の免疫原性は維持されている。

生ワクチンは弱毒化した病原体であるため，免疫原性を維持するには感染性を保持する必要がある。BCG，麻疹，風疹，おたふくかぜ，水痘ワクチンは，凍結乾燥製剤で，紫外線による不活化を避けるために遮光し，5℃以下で保存する必要がある。生ワクチンの中でも麻疹ワクチンは，高温で活性が低下するため，厳しい温度管理が求められる。ワクチン原液に安定剤などを加えて分注し凍結乾燥した最終小分け製品は，$10^{4.6}$ TCID$_{50}$/0.5mLの力価を持っている[注]。国家検定の結果を待って出荷され，最終製品として作製し，通常は3カ月後ぐらいから市場に出る。5℃の保存条件では6カ月まで低下し12カ月で$10^{3.77}$ TCID$_{50}$/0.5mL，有効保存期間を超えて18カ月の保存でも同等の力価を維持している。−15℃の保存条件では12カ月の保存で力価の低下は$10^{-0.3}$であるが，24℃，30℃の条件で加速度的に力価は低下してくる。このデータは，凍結乾燥製剤の安定性でワクチンを溶解後では当日は有効であるが，水痘ワクチンは溶解後30分以内，麻疹ワクチンやMRワクチンでは8時間以内で，以降はほとんど有効力価を保持できないため，速やかに接種することが必要

96　ワクチン概論

表1　現行ワクチンの保存条件と有効期間

(生物学的製剤基準, 厚生労働省薬務局, 2018年8月)

	製 剤 名	保 存 条 件	有効期間[*3]
不活化ワクチン	インフルエンザHAワクチン	遮光し凍結を避けて10℃以下	1年[*4]
	成人用沈降ジフテリアトキソイド		製造日から15カ月[*4]
	沈降ジフテリア破傷風混合トキソイド		3年
	沈降破傷風トキソイド		2年
			2年
	組換え沈降B型肝炎ワクチン	遮光し凍結を避けて10℃以下[*4]／遮光し凍結を避けて2～8℃[*4]	2年[*4]／製造日から24カ月[*4]
	沈降精製百日せきジフテリア破傷風不活化ポリオ(セービン株)混合ワクチン	遮光し凍結を避けて10℃以下	製造日から2年・27カ月[*4]
	沈降精製百日せきジフテリア破傷風不活化ポリオ(ソークワクチン)混合ワクチン		製造日から30カ月
	沈降精製百日せきジフテリア破傷風混合ワクチン		2年
	組換え沈降2価ヒトパピローマウイルス様粒子ワクチン	遮光し, 凍結を避けて2～8℃	製造日から4年
	組換え沈降4価ヒトパピローマウイルス様粒子ワクチン		製造日から3年
	不活化ポリオワクチン(ソークワクチン)		製造日から3年
	4価髄膜炎菌ワクチン(ジフテリアトキソイド結合体)		製造日から2年
	肺炎球菌ワクチン(23価多糖体)	遮光し,凍結を避けて8℃以下	製造日から2年
	乾燥ヘモフィルスb型ワクチン	遮光して2～8℃	製造日から3年
	乾燥細胞培養日本脳炎ワクチン	遮光して10℃以下	製造日から3年
	乾燥組織培養不活化狂犬病ワクチン		3年
	乾燥組織培養不活化A型肝炎ワクチン		3年
	沈降13価肺炎球菌結合型ワクチン	凍結を避け2～8℃	製造日から3年
生ワクチン	乾燥弱毒生おたふくかぜワクチン	遮光して5℃以下	1年・18カ月[*4]
	乾燥弱毒生水痘ワクチン		2年
	乾燥弱毒生風疹ワクチン		2年
	乾燥弱毒生麻疹ワクチン		1年
	乾燥弱毒生麻疹風疹混合ワクチン		1年・製造日から18カ月[*4]
	黄熱ワクチン[*1]	遮光して2～8℃	24カ月
	経口弱毒性ヒトロタウイルスワクチン	遮光し, 凍結を避けて2～8℃	製造日から3年
	5価経口弱毒生ロタウイルスワクチン		製造日から2年
	乾燥BCGワクチン	10℃以下	2年
抗毒素	乾燥ガスえそウマ抗毒素[*2]	遮光して10℃以下	10年
	乾燥ジフテリアウマ抗毒素[*2]		10年
	乾燥はぶウマ抗毒素		10年
	乾燥ボツリヌスウマ抗毒素[*2]		10年
	乾燥まむしウマ抗毒素		10年
診断薬	水痘抗原	遮光し,凍結を避けて10℃以下	2年
	精製ツベルクリン	10℃以下	3年

＊1　検疫所および公益財団法人　日本検疫衛生協会診療所のみで接種可能。

＊2　国有のワクチン・抗毒素

＊3　有効期間で○年表記しているものは，国家検定合格日からの期間を表す。製剤ラベルの最終有効年月日を確認すること。

＊4　メーカーによって異なるため，使用に際しては添付文書を確認すること。

である。風疹，おたふくかぜワクチンは麻疹ワクチンと，比較すると温度による変化は少ない。

注　TCID$_{50}$とPFU：感染性のウイルス量を示す。ワクチン溶液を10倍階段希釈し，各希釈を感受性細胞に接種しウイルスが増殖することで細胞を壊す変性効果〔細胞変性効果（cytopathic effect：CPE）〕を目安にしてTCID$_{50}$は50％の培養細胞のウェルにCPEを起こすウイルス量を算出する。PFUは培養細胞にウイルスを接種し寒天を重層してウイルスが増殖した部位でCPEによる細胞が剥がれ落ちることで検体中の感染性ウイルスの数を計算，理論的には感染性ウイルス粒子が1 PFUで，1.0 PFUが1.6 TCID$_{50}$となる。

II　ワクチンの保管方法

　販売会社から納入したワクチンは，温度管理が正確に行われていたかを確認し，冷蔵庫に保管する。自己温度記録計のついた薬品用の冷蔵庫が理想的だが，家庭用冷蔵庫では扉の開閉を必要最小限にして迅速に行うことに注意する必要がある。家庭用の冷蔵庫にワクチンとともに飲食物を保管しておくと，開閉の度に温度変化を起こし，特に夏は温度変化が激しくなる。また，自動霜取り機能も温度変化を起こしやすい。不活化ワクチンは比較的温度変化には安定しているが，生ワクチンは温度変化に弱いため，冷蔵庫の奥の方に保管するか，注射用蒸留水と凍結乾燥ワクチン製剤とに分けて，凍結乾燥製剤は−15℃以下の冷凍庫に，注射用蒸留水は4℃で保管する。家庭用の冷凍室は−15℃に保持することは困難で−10℃前後の中途半端な温度となるため，−10℃前後で温度変化の大きい場合はむしろ普通の冷蔵庫で5℃の方が安定している。

（中山哲夫）

★期限切れワクチンの接種事故
　ワクチン接種に関連する事故で最も相談件数の多い事例は期限切れワクチンの接種である。ワクチン製剤の安定性の項で述べたように不活化ワクチン，生ワクチンも規定された保存期間を超えても，有効性に関しては保管期間の保管条件に影響されるが，安全性については問題ない。予防接種外来が終わって週1回，ワクチンの在庫管理の時に有効期限をチェックするようにする。各ワクチンの種類ごとに保管場所を決め有効期限の早いワクチンは手前の方に置くようにする。

★ワクチン保存のポイント
　保冷剤，氷のパックを冷蔵庫の中に数個入れておくことで，突発の停電などの事故に対して短時間は温度の上昇を最小限にとどめることができる。また，ワクチン外来の間は当日使用数量のワクチンは発泡スチロールの箱に保冷剤を入れてワクチンは保冷剤の上に置き温度変化を最小限にとどめる。

（中山哲夫）

ワクチンの接種方法と
有効性・安全性

Ⅰ　ワクチンの接種方法

1．これまでの経緯

　2008年にはヒブワクチンが導入され，2010年にはPCV7，HPVワクチン，ロタウイルスワクチンが相次いで認可された。生後4カ月から髄膜炎，菌血症の発症が認められるため，生後2カ月を過ぎてから早期にワクチン接種を開始することが望まれる。以前から開発が進められていた国産の四種混合ワクチン（DPT-IPV）が2012年に認可され，さらに2014年には水痘ワクチンの2回接種が定期接種に加えられた。ヒブワクチン，PCV，DPT-IPVが定期勧奨接種のワクチンとして2～3カ月児に接種されるようになり，さらに2016年には，B型肝炎ワクチンが，水平感染の可能性もあることから諸外国に足並みを揃えユニバーサルワクチン（全出生児への接種）として定期接種のワクチンに加えられた。ロタウイルス，おたふくかぜワクチンは，任意接種のワクチンとなっているが，2～6カ月の乳児期のワクチン接種スケジュールが過密となってくる（36頁参照）。

2．同時接種の背景

　乳幼児期に接種するワクチンの種類が増え，効率よく予防接種を進めるために同時接種が勧められ海外でも広く行われている。MMRと水痘ワクチン，DPTとIPVは同時接種でも抗体陽転率，副反応出現率には差が認められないが，その他いくつかの定期接種のワクチンについては同時接種のデータは限られている。一般的によく使われているワクチンの同時接種の効果や安全性への影響は知られていないため，被接種者の年齢やこれまでのワクチン歴に応じて同時接種が推奨されているとRed Book（米国小児科学会発行の小児感染症の書）には記載されている。

　2010年から1年間の予定で，暫定的予算処置によりヒブワクチン，PCV7の接種が無料化となり同時接種が普及した。しかし，2011年3月にはヒブワクチン，PCV7，DPT，BCGなどを含む同時接種後1週以内の死亡例が6例報告されヒブワクチン，PCV7が一次接種中止となった。1例がさかのぼって報告され，計7例につき1カ月の審議の末，再開された。ヒブワクチン，PCV7の外国での重篤な副反応は，疫学的にヒブワクチンで0.02～1例/10万接種，PCV7でも0.1～1例/10万接種と，わが国の出現率も外国の頻度と同等であると考えられた。

　また，乳幼児突然死症候群（sudden infant death syndrome：SIDS）は，毎年150例前後が報告されており，紛れ込み事故の可能性が高いとされた。その後も年間に数例の報告は続いている。基礎疾患として心疾患を持つ例だけでなく，全く基礎疾患

ワクチンの接種方法と有効性・安全性　99

を持っていない児も含まれており，ワクチン接種後子ども達の身体の中で何が起こっているかを考える必要がある。

　PCV7はPCV13へと変更されたが，発熱の頻度は同等で，同時接種では発熱の頻度が高くなっている。何種類のワクチンを接種しても問題がないようにいわれているが，その根拠は明確にされてない。市販後調査に報告される重篤な副反応の中には本当に5～7種類ものワクチンを同時接種する必要があるのかと思われる例が報告されており，節度ある同時接種が望まれる。

3．接種部位と方法（筋肉注射と皮下注射）

　1960年代頃から大腿四頭筋短縮症，筋拘縮症の報告が増加し，抗菌薬と鎮痛解熱剤の混注が筋拘縮症の原因であることが明らかとなり，1975年に整形外科学会から「大腿四頭筋拘縮症および類似疾患の発症が注射によることが多いと考えられるので注射を必要とする場合には十分な配慮を行うこと」の要望書が出された。翌年の1976年に，小児科学会筋拘縮症委員会からは以下の提言が出された。
①筋肉注射に安全な部位はない。
②筋肉注射に安全な年齢はない。
③筋肉注射の適応は通常の場合において極めて少ない。

　以降，国内では筋肉注射（筋注）という医療行為は封印され，正当化されていない現状でワクチンは皮下注射（皮下注）が通常の投与法となっている。筋拘縮症委員会の報告書の中で，ヒトの筋拘縮症の病理組織所見は動物で再現できることから，筋注製剤は実験動物を用いて検証することと提言されている。しかし，こうした検討が行われることなく，なし崩し的に筋注が行われている。

　わが国で使用されているワクチンをアルミニウムアジュバント含有と非含有のワクチンに分けてマウスに接種し組織学的所見を検討した結果を**図1**に示した。ヒブ，日本脳炎，インフルエンザワクチンはアルミニウムアジュバントを含有していないが，DPTワクチン（アルミニウムとして150μg/dose），PCV7（125μg/dose），HPVワクチンのガーダシル（225μg/dose）とサーバリックス（500μg/dose＋MPL 50μg/dose）にはアジュバントが含まれている。アジュバント含有ワクチン接種後の所見は共通しており，接種後数時間で好中球の浸潤を認めその後マクロファージが浸潤し炎症反応を限局化させ炎症性結節を形成している。DPTワクチンで筋注，皮下注後の炎症性結節を比較すると筋注の方が早期に吸収されるものの6～12カ月は残っていることがわかった。しかしながら，急性期を過ぎると炎症反応の存在は認めず急性期の1週間以内において接種局所に炎症性サイトカインが検出されるのみでHPVワクチン接種後の慢性の疼痛との関連性を示唆する所見は認めなかった。

　まとめると，
①現在使用されているワクチンは，筋注しても筋拘縮症にみられた広範な筋細胞の変性，壊死，萎縮は認められない。
②アルミニウムを含んでいないワクチンは何も反応がないか，注射による物理的な

1回接種1カ月後

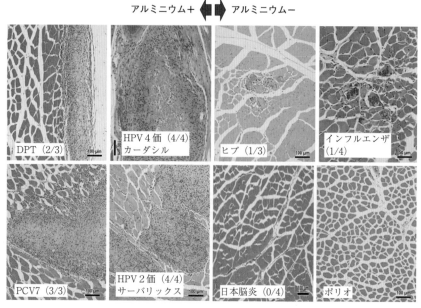

図1 市販ワクチン接種後の筋組織のHE染色

各市販ワクチン0.1mLをマウスの大腿に接種し1カ月後に筋組織を採取しHE染色した。アルミニウムを含有しないヒブ，インフルエンザ，日本脳炎ウイルスワクチンは軽度の炎症反応のみ，もしくは何も所見が認められない。一方，アルミニウムアジュバントを含んだワクチン接種後では周辺に炎症性細胞の浸潤を伴った炎症性肉芽腫を形成している。

Kashiwagi Y, et al. Vaccine 2014; 32: 3393-3401より改変

刺激による損傷からの修復過程と思われる軽度の炎症反応が認められる。
③アルミニウムアジュバントを含有したワクチンを筋注すると，接種した直後の3時間後くらいから早期には好中球を主体とした炎症細胞が浸潤し，その1カ月後にはアルミニウムを貪食したマクロファージが炎症性肉芽腫を形成してくる。組織所見は筋注も皮下注も同じ所見で6カ月から縮小傾向を認め，筋注の方が早く吸収される傾向にある。

筋注に推奨されている場所を**図2**に示した。大腿外側中央，上腕三角筋の中央部が推奨されており，上腕外側下1/3の部位の筋肉組織は少ないため筋注には適さない。使用する針の長さとしては，乳幼児の上記の場所の皮膚表面からのエコーの検査では皮膚表面から筋膜を越えて骨膜に当たらない長さを検討すると5/8ゲージ（16mm）となる。

皮下注と筋注後の免疫応答を検討してみると，有意差はないが筋注後の抗体応答が高い傾向はある。

　　　大腿外側中央部　　　　　上腕三角筋中央部　　　　上腕外側した1/3
　　　　　　　　　　　　　　　　　　　　　　　　　　　　　筋注には不適

図2　ワクチン接種の推奨部位

針の長さは，皮膚表面に垂直に接種すると，どの部位でも5/8ゲージ（16mm）で安全に筋注ができる．

4．ワクチンの接種間隔

　不活化ワクチン接種後の他種のワクチン接種は1週間後（6日以上おく），生ワクチン接種後では1カ月後（27日以上おく）と予防接種法で決められている．予防接種に関連する規約は，経験則から決められており，科学的な根拠に欠けている部分が多かった．不活化ワクチン接種後の局所の免疫応答や血清中のサイトカインは，接種後約3時間から免疫応答が始まりワクチンの種類により異なるが自然免疫応答は2～5日がピークで1週以降には接種前の状態に回復する．生ウイルスワクチン接種後では，生体内でワクチンウイルスが増殖し，そのピークは5～7日後で末梢リンパ球のサイトカイン産生能は3週後には接種前の状態に戻る．経験的に決められていた不活化ワクチン接種後1週，生ワクチン接種後1カ月という接種間隔は科学的にも根拠があるものである．同じ種類の不活化ワクチンは3～4週間隔である．初回接種から追加接種までの間隔は6～12カ月である．初期免疫ができている場合のブースター反応は3カ月以上空けることが望ましい．

5．ワクチンの投与ルート

　古典的ワクチン開発の対象は，ジフテリア，破傷風など，毒素により発症する疾患，麻疹，風疹，おたふくかぜのようにウイルス血症を起こす疾患である．それぞれ血中に抗毒素，中和抗体を誘導すれば発症を抑えることができる．麻疹，風疹，水痘，ムンプス，ポリオなどはウイルス血症を起こすことから血中に抗体を誘導するために筋注（皮下注）のワクチンとして開発されてきた．インフルエンザは，抗体が存在すれば肺炎などの重症化を予防できるが，感染を抑えることはできない．ポリオは，血中に抗体があれば脊髄前核細胞に感染することはなく，麻痺の発症は予防できる．インフルエンザやポリオは，上気道，腸管の粘膜組織に感染するウイルス感染症で，感染を予防するには上気道，腸管の粘膜免疫を誘導する必要がある．粘膜免疫が感染局所に分泌型IgA抗体を誘導するために自然感染経路と同じ経鼻，経口ワクチンが開発された．インフルエンザ経鼻生ワクチンは，米国で開発され，わ

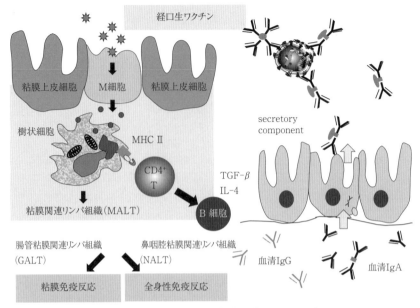

図3　経口生ワクチンの免疫応答のメカニズム

腸管パイエル板に感染するか，M細胞を介して粘膜下組織に到達し樹状細胞に貪食され所属リンパ節に運ばれ抗原を刺激することで自然免疫系を介して獲得免疫を誘導する．血液中にIgG，IgA抗体を産生し上皮細胞の粘膜下から細胞内に入りsecretory component(SC)が付着することで分泌型IgA抗体として2量体，多量体として内腔に分泌される．腸管粘膜関連リンパ組織と鼻咽頭粘膜関連リンパ組織は共通する粘膜免疫機構を形成している．

が国でも導入しようと開発が進められている．しかしながら，米国においてはH1N1pdm09に対する有効性が認められなかったことから，2016/17シーズンから推奨されないことになったが，上気道でよく増える株に変更したことで2018/19シーズンには復活した．経口生ポリオワクチンは，2型野生ウイルスの根絶により現在は1型，3型の2価生ワクチンが使用され，世界中で一部またはすべてのポリオワクチンについて注射用の不活化ワクチン(IPV)に変換している．国内でのポリオワクチンはすべてIPVに切り替えられている．ポリオウイルスと同じく腸管感染症であるロタウイルスワクチンは経口生ワクチンとして使用されており，その免疫機序を**図3**に示した．

　他の投与ルートとしては皮内注射がある．B型肝炎ワクチンの抗原を節約するために，少量の皮内注射が行われ高い免疫応答を示したことから，インフルエンザワクチンにも応用が試みられている(**図4**)．

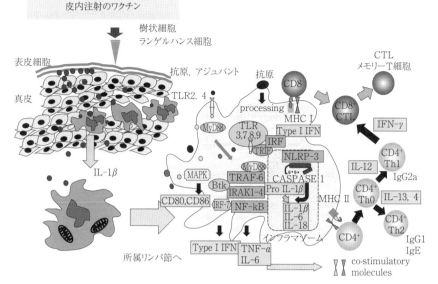

図4 皮内注射のワクチン

皮内には抗原提示細胞として樹状細胞，ランゲルハンス細胞が多く存在し，皮内に投与された抗原を貪食し所属リンパ節に運び103頁図4に示した免疫応答を誘導する．多くの皮内注射用のデバイスが開発されているが，現在のところ確実に抗原を投与できるのはmicroneedle typeのデバイスである．その他，針状突起の表面に抗原を固相したワクチンや可溶性物質に抗原を溶解して針状にしたワクチンなどが開発されている．

II ワクチンによる主反応（免疫能の誘導）と副反応

ワクチンは，生体の持つ免疫応答を利用して感染・発症予防効果を発揮する．免疫とは，生体の持つ防御反応で，感染症，異物，毒素など，生体を脅かすものに対して特異的な抗体，細胞性免疫能を誘導する．生体に接種されたワクチン抗原が，樹状細胞に取り込まれCD4，CD8陽性T細胞に認識され獲得免疫を誘導する．近年，感染初期の感染防御における自然免疫の働きが注目され，多くの知見が蓄積されてきた．ワクチン接種による自然免疫へのシグナルが，どのように抗体産生，細胞性免疫を誘導するかを図5に示した．

ワクチンのメリットは特異的な免疫能を誘導することであり，デメリットは副反応の発生である．免疫原性（主反応）と副反応は別の現象として捉えられてきたが，ワクチンが自然免疫系に刺激を加えサイトカインを誘導し獲得免疫を調節する（immunogenicity）ことと，局所反応，発熱などの副反応（immunotoxicity）はワクチン接種後の自然免疫応答によるサイトカインの反応を異なる視点からみているものであると考えられる．

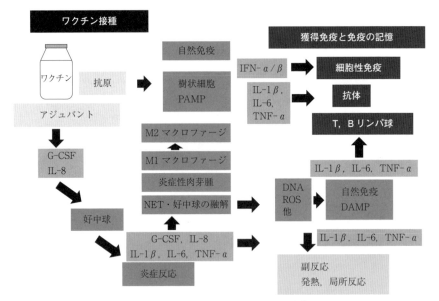

図5 ワクチン接種による獲得免疫能の誘導と副反応

ワクチンの成分，アジュバントの最初の免疫応答は局所にG-CSF，IL-8が産生され好中球を呼び込み炎症反応を惹起することである．集まってきた好中球は異物を認識し自己融解(neutrophil extra-cellular trap：NET)を起こし自己DNAや活性酸素(reactive oxygen series：ROS)を放出することでDAMPを刺激する．産生される炎症性サイトカインは獲得免疫の誘導とともに視点を変えると局所反応，発熱などの副反応に関与している．接種された抗原は樹状細胞に認識されるとともにPAMPにシグナルを入れることでIFN-α/β，炎症性サイトカインを産生する．

Nakayama T. Vaccine 2016; 34: 5815-5818.

本来，ワクチン接種後の副反応とは，ワクチン接種後に発生した望ましくない反応が，ワクチンに関連して起きるものと科学的に想定できる事象のことである．一方，有害事象は，ワクチン接種後に発生した望ましくない反応で，かつその原因が科学的にワクチンと関連して起きるかどうかが不明な事象であり，副反応とは区別されている(**表1**)．種痘後脳炎を含めたワクチン接種後の副反応の集団訴訟における二審の東京高等裁判所の判決で予防接種との因果関係について「科学的に確固たる証拠がなくても時間的に高度の蓋然性があれば因果関係あり」とみなす考え方を示している．有害事象を副反応とみなしていることから，ワクチン接種後の副反応の出現機序を科学的に解明していく必要がある．

ワクチン接種後の副反応の発症機序をまとめて**表2**に示した．

ワクチンの接種方法と有効性・安全性　105

表1　ワクチンの主反応と副反応と有害事象

ワクチンの主反応（有効成分）

　ワクチン接種後に特異的な免疫応答を誘導し感染を防御，重症化を予防する。

ワクチンの副反応（有効成分，添加物）

　ワクチン接種後に発生した望ましくない反応が，科学的にワクチンに関連して起きるものと想定できる事象。

有害事象

　ワクチン接種後に発生した望ましくない反応でその原因が科学的にワクチンと関連して起きるかどうか不明である事象。

表2　ワクチンの副反応：なぜ起きるのか？

ワクチン接種後に発生した望ましくない反応が，科学的にワクチンに関連して起きるものと想定できる事象

・弱毒生ワクチン（BCG，麻疹，風疹，おたふくかぜ，水痘，ロタウイルス）接種後
　親株の野生株の性状を引き継いでいる。生体内で増殖するときに自然感染後に起きる合併症は弱毒生ワクチンでも起きる可能性がある。
・不活化ワクチン
　生体内で増殖しないので自然感染の症状，合併症は起こさない。
　自然免疫への刺激：炎症反応が副反応に関与する。
・ワクチン主成分，添加剤に対するアレルギー反応。
・免疫応答の自己の細胞成分との交差反応。
　自己免疫応答による疾患が副反応として起きる可能性がある。

1．弱毒生ワクチン接種後

　おたふくかぜワクチン接種後の無菌性髄膜炎のように，弱毒生ワクチンは親株の性状を引き継いでおり，自然感染の合併症として起きる症状は弱毒生ワクチンでも起きる可能性がある。生ワクチン接種後の副反応は，生体内でのウイルス増殖のピーク時に生じる。

2．不活化ワクチン接種後

　図9に示したように，ワクチンの主反応として，獲得免疫の誘導には自然免疫系への刺激が必須である。産生される炎症性サイトカインは局所反応に関連し，血清中にもサイトカインが検出され，発熱などの全身的な症状に関連していると思われる。

3．ワクチンの主成分，添加物に対するアレルギー反応

　インフルエンザワクチン接種後のアナフィラキシー反応は，インフルエンザワクチンの製造には鶏卵が使用されていることから永年「卵アレルギー」と考えられてきたが，アナフィラキシー反応を起こした患者からインフルエンザウイルスに対す

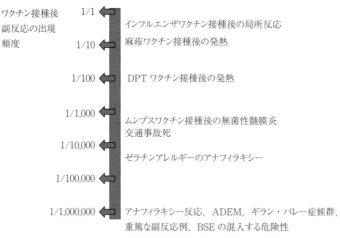

図6 ワクチン接種後副反応の出現頻度の考え方

Myers MG, et al. Do Vaccines Cause That ?! : A Guide for Evaluating Vaccine Safety Concerns. Immunizations for Public Health 2008より改変

るIgE抗体が検出され，ワクチン接種が感作を進めていたと考えられる．これは，現在のスプリットワクチンが，理論的には自然免疫系に刺激は入らずTh2応答に偏った免疫応答しか起こさないことに起因すると思われる（Nakayama T, et al. Vaccine 2015; 33: 6099-6105）．ゼラチンアレルギーを始め従来は免疫原性が低いと思われているものに対しても慎重に考慮する必要がある．

4．その他

ワクチン接種後の副反応の頻度の考え方を図6に示した．ありふれた副反応としてインフルエンザワクチン接種後の局所反応は10〜30％前後、麻疹ワクチン接種後の発熱は10〜15％，DPTワクチン接種後の発熱は数％，ムンプスワクチン接種後の無菌性髄膜炎は数千人に1人の頻度である．

まれな副反応として，ゼラチンアレルギーは5〜6万接種に1例で，因果関係は不明ではあるが，ADEM，ギラン・バレー症候群は数百万接種に1例の頻度である．

ワクチンは，生体の免疫応答を利用して免疫応答を誘導するものであるが，ワクチン抗原の中には生体成分と交差反応をする可能性があり自己免疫応答を起こす．直接の因果関係が明らかになることはないが因果関係は否定できないことになる．

（中山哲夫）

抗体の測定法

　ワクチン効果の有効性の判定は，対象とする疾患の感染防御，発症阻止効果を指標とするtrue endpointを評価することになる．対象とする疾患がある程度の頻度で流行している場合には，接種対象を増やすことでその効果をみることが可能である．古くは米国において不活化ポリオワクチンが40万人規模で，東欧，ソビエト連邦において弱毒生ポリオワクチンが1億人規模で臨床試験が実施された．最近では，ロタウイルスワクチンが世界中で7万人規模の臨床試験が行われ，感染予防効果が証明された．ロタウイルスワクチンは，有効性だけでなく腸重積の副反応という安全性の問題から多くの症例数による確認が必要とされた．しかしながら，発症頻度は少ないが感染すると重症化する疾患については，感染防止効果を直接的に評価することは困難である．ワクチンで誘導される獲得免疫として，抗体，細胞性免疫能を感染防御レベルとして設定し，代替指標（surrogate marker）を指標とする方法がとられる．細胞性免疫の測定は，大量に検体を処理できないことから，抗体測定が用いられる．抗体検査法をまとめて図1に示した．

I　抗体測定法

1．補体結合法（complement fixation：CF）

　補体結合性抗体測定法は，感度が低く抗体の持続期間も比較的短いことから臨床的に利用されることは少なく，特にワクチン効果の判定には不向きである．2倍の階段希釈系列にCF抗原を加え，感作赤血球を添加すると，CF抗体が存在する場合は溶血を示さないが，CF抗体が存在しなければ感作赤血球に補体が結合し溶血を示す．

2．赤血球凝集抑制反応（hemagglutination inhibition：HI）

　ウイルス粒子外殻蛋白の中に，動物の赤血球を凝集する蛋白質のヘマグルチニン（hemagglutinin：HA）が存在する．インフルエンザウイルスは，ニワトリ血球，シチメンチョウ血球を凝集，麻疹ウイルスはミドリザル血球，おたふくかぜウイルスはモルモット血球，風疹ウイルスはガチョウ血球を凝集する．

　血清中には，こうした動物血球に対する非特異凝集素が存在するため，吸収試験を行い2倍階段希釈系列を作る．4単位のHA抗原を加え，血球を添加し凝集を抑制する最大希釈の逆数をHI抗体価とする．HI抗体は，近縁のウイルスと交差反応を示す例もある．ワクチン効果としては，風疹ウイルス，インフルエンザウイルスの抗体測定にはHI抗体測定法が利用されている．

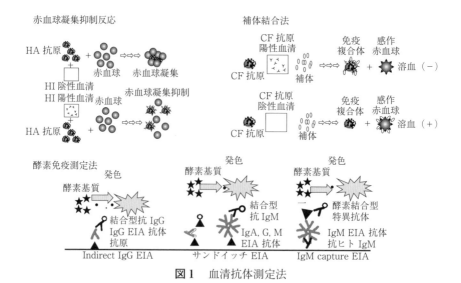

図1　血清抗体測定法

3．中和抗体測定法(neutralization test：NT)

　NTはウイルスの感染性を中和する抗体で，感染防御能と相関し特異性の高い抗体測定法である。NTには，ウイルス力価を50％ tissue culture infective dose (TCID$_{50}$)で測定し，組織培養への感染を100％抑える測定法と，感染した細胞から遠隔地に感染が飛ばないように寒天を重層し感染フォーカスを算定し50％ plaque数を減少させる抗体を算出する方法がある。被験血清を2倍もしくは4倍に階段希釈し，約100 PFU(plaque forming unit)のウイルスと中和反応を行い，感受性細胞に接種する。ウイルスに対する感受性細胞を維持する必要があり，判定までに1週間と時間がかかる。麻疹，おたふくかぜ，インフルエンザに利用されている。

4．酵素免疫測定法(enzyme immunoassay：EIA)

　EIAには，いくつかの測定法が存在する。Indirect EIA法は，96穴プレートに感染防御抗原を固相化し，一定に希釈した単一血清を反応させペルオキシダーゼをラベルした抗ヒトIgG抗体を加え，発色基質を加えて吸光度を測定することで抗体価を測定する。一度に大量の検体を測定することができる利点があり，麻疹，風疹，おたふくかぜ，水痘，百日咳，ヒブ，肺炎球菌など多方面に利用されている。IgM capture EIA法は，抗ヒトIgM抗体を固相化してヒトIgMを捕捉し，抗原を結合させ酵素結合させた抗体を加え発色基質を加えて吸光度を測定する。抗ヒトIgA抗体を用いることで，IgA抗体も測定できる。

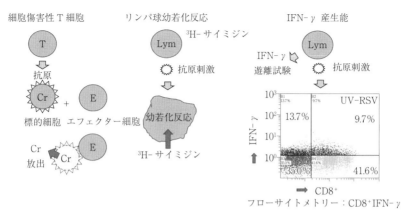

図2 細胞性免疫能の測定法

細胞傷害性T細胞，リンパ球幼若化反応，フローサイトメトリーによるCD8⁺IFN-γ＋細胞の測定

II 細胞性免疫能の測定法

　液性免疫の抗体は感染を予防し，細胞傷害性T細胞（cytotoxic T lymphocyte：CTL）は，ウイルス感染や細胞内寄生細菌では感染の拡大を抑える働きがある．細胞性免疫能の測定は，新鮮なリンパ球を使用する必要があることから，治験レベルでは細胞性免疫能を測定することはなく，研究レベルの検査である．代表的な細胞性免疫能の検査法を図2に示した．

1．細胞傷害性T細胞（CTL）　Cr releasing assay

　主要組織適合遺伝子複合体（major histocompatibility complex：MHC）を合わせるために，まずリンパ球にウイルスを感染させて⁵¹Crをラベルした標的細胞を作製し，再度採血し分離したリンパ球をエフェクター細胞として混合培養し，CTL活性を獲得していれば標的細胞が壊され⁵¹Crは培養液中に放出される．

2．リンパ球幼若化反応

　感作リンパ球が存在すれば，抗原刺激により幼若化し，培養の最後に³H-サイミジンを添加する．幼若化するとDNA合成が高まることで，その前駆体のサイミジンを細胞内に取り込んでくる．非刺激のコントロール培養と比較してstimulation indexとして測定する．ウイルス抗原，蛋白，ペプチドで刺激する．

3．インターフェロン（IFN）-γ産生能

　リンパ球を分離して，抗原刺激培養しブレフェルジン（brefeldin）Aを添加する．IFN-γが細胞外に漏出しないように固定し，細胞内のIFN-γと細胞膜のCD8陽性細胞をフローサイトメトリーで算定する．その比率を調べることで，抗原に反応す

るCTL細胞の増加率により細胞性免疫能を評価する。

　リンパ球を分離するのは手間暇がかかるため，全血培養を抗原刺激して培養液中に産生されるIFN-γを測定する簡便法も利用されている。結核に対する細胞性免疫能を評価するために，クオンティフェロン，Ｔスポット法が検査センターで実施されている。Ｔスポット法は，リンパ球を分離して結核菌特異抗原ペプチドで刺激してIFN-γを産生する細胞数を算出する方法である。

（中山哲夫）

コラム

★これからの新規ワクチン開発

　新規ワクチン開発の方向性をまとめてみると，①不活化サブユニット＋アジュバント，②既存ワクチンをベースとした組換え生ワクチン，が開発の基盤と考えられる。

　開発のターゲットはRSウイルス（respiratory syncytial virus：RSV），デングウイルス，ノロウイルスなどが考えられている。

　従来の不活化ワクチンは，感染防御抗原が決まり抗原を精製しワクチン化してきた。新規不活化ワクチンを開発する方向性として，病原体の遺伝子解析を行い蛋白発現する2,000〜3,000の遺伝子から蛋白を発現させ，100〜200の抗原候補の中から回復期ヒト血清に反応する蛋白を絞り込んで動物実験で免疫原性を検討するreverse vaccinologyの考え方が提案され，髄膜炎ワクチンに応用されている。次世代シークエンサーにより遺伝子解析は容易になり，網羅的蛋白発現により感染防御抗原の予測が可能である。現在，広く使われているアルミニウムは，Th2応答に偏った免疫応答でIgE感作を進めているためアレルギー反応を誘発することから，Th1/Th2のバランスのとれたアジュバントの開発が必須である。

　生ワクチンは，生体内で増殖し強い免疫応答を誘導できるが，増殖に伴う副反応が問題となる。新規生ワクチンを開発するには，安全性の課題から多くの症例数の臨床試験が必要となる。近年，遺伝子操作の技術の進歩は目覚ましく，既存の生ワクチンを基盤に外来遺伝子を挿入し組換えウイルスを作製する技術が確立されている。黄熱ワクチンウイルスを基盤として，日本脳炎ウイルス，デング熱ウイルスのprM-E遺伝子に組み換えたキメラワクチンも開発され，生ワクチンウイルスをベクターとして利用する技術も確立されている。黄熱ワクチン以外にも，ワクシニアウイルス，麻疹ワクチンウイルス，水痘ワクチンウイルスがワクチンウイルスベクターとして開発されており，すでに多くの子どもたちに接種されてきた生ワクチンを基盤とした組換えウイルスワクチンは，理論的に有効で安全なものと考えられる。

（中山哲夫）

抗体の測定法　111

コ ラ ム

★国内での新規ワクチンの開発・申請状況

フェーズ	品名	ワクチン／接種法
申請中	V503	HPVワクチン(9価)/注射
申請中	KM-248	MMRワクチン/注射
申請中	VN-0107	季節性インフルエンザワクチン(弱毒生)/経鼻
申請準備中	typhimVi	腸チフスワクチン/注射
フェーズ3	SP0204 DTaP-cIPV-Hib	5種混合ワクチン/注射
フェーズ3	BK1310 DTaP-cIPV-Hib	5種混合ワクチン/注射
フェーズ3	TAK-003	4価デング熱ワクチン/注射
フェーズ3	PF-06425090	50歳以上の成人へのクロストリジウム・ディフィシルワクチン
フェーズ3	PF-05208760	(適応追加) PCV13/注射
フェーズ3	V501	健康成人男性(9～15歳)へのHPVワクチン(4価)/注射
フェーズ2b	TAK-214	ノロウイルスワクチン/注射
フェーズ2	KD-370	DTaP-sIPV-Hib 5種混合ワクチン/注射
フェーズ2	BK1304	季節性インフルエンザワクチン(不活化)/経鼻
フェーズ2	VN-0102/VC-001	MMRワクチン/注射
フェーズ2	TAK-850	季節性インフルエンザワクチン(不活化)/注射(細胞培養)成人
フェーズ1/2	SP0178	季節性インフルエンザワクチン(不活化)/注射(高用量)高齢者
フェーズ1	TAK-426	ジカウイルスワクチン/注射
フェーズ1	V114	PCV15/注射(乳幼児)
フェーズ1	V160	ヒトサイトメガロウイルスワクチン

HPV：ヒトパピローマウイルス，MMR：乾燥弱毒生麻しんおたふくかぜ風しん混合ワクチン，DTaP-cIPV-Hib：百日せき，ジフテリア，破傷風，不活化ポリオ (Salk 株)，Hib 5 種混合ワクチン，DTaP-sIPV-Hib：百日せき，ジフテリア，破傷風，不活化ポリオ (Sabin 株)，Hib 5 種混合ワクチン，PCV：肺炎球菌結合型ワクチン
ClinicalTrials.gov. https://clinicaltrials.gov/，医学情報・医療情報 UMIN. https://upload.umin.ac.jp/cgi-open-bin/ctr/index.cgi?function=02，各社の HP の開発サイトから作成 (2019 年 6 月時点)　　　　　　　(岡田賢司)

112　ワクチン概論

現行の予防接種まとめ

現行の予防接種（1）　　　　　　　　　（2020年1月1日）

区分	ワクチン	接種対象	接種方法	備　　考
定期予防接種	沈降精製百日咳ジフテリア破傷風不活化ポリオ混合ワクチン（DPT-IPV）	第1期定期接種：生後3カ月以上90カ月未満 初回接種：標準は生後3カ月以上12カ月未満に行う. 追加接種：初回接種完了後6カ月以上の間隔をおいて接種. 標準として初回接種終了後12カ月以上18カ月未満の間に行う.	初回接種：20日以上の間隔をおいて0.5mLずつ3回皮下 追加接種：0.5mL 1回皮下 接種間隔が所定の期間よりあいた場合でも, そのまま接種を続け, 所定の回数を接種するよう努める.	
	沈降ジフテリア破傷風混合トキソイド(沈降DT)	第2期定期接種：11歳以上13歳未満 標準的接種期間：11歳以上12歳未満. 標準は11歳に行う.	沈降DT 0.1mLを皮下	副反応はほとんどない.
		第1期接種に用いる場合	初回接種：20日以上の間隔をおいて0.5mLずつ2回皮下 追加接種：0.5mL 1回皮下	
	不活化ポリオワクチン	生後3カ月から90カ月までの間 初回接種：標準的接種期間：3カ月以上12カ月未満 追加接種：初回接種完了後6カ月以上（標準は12カ月から18カ月までの間）の間隔をおいて接種	初回接種：20日以上の間隔をおいて0.5mLずつ3回皮下 追加接種：0.5mL 1回皮下	接種方法への追加事項：2種類以上の予防接種を同時に同一の接種対象者に対して行う同時接種は, 医師が特に必要と認めた場合に行うことができる＜通知＞
	乾燥細胞培養日本脳炎ワクチン	1期：生後6カ月以上90カ月未満 初回接種：標準的接種期間：3カ月以上4歳未満(標準は3歳) 追加接種：初回接種完了後1年あけて接種 標準的接種期間：4歳以上5歳未満(標準は4歳) 2期：9歳以上13歳未満 標準的接種期間：9歳以上10歳未満(標準は9歳)	初回接種：6日以上の間隔をおいて0.5mLずつ2回皮下 追加接種：0.5mL 1回皮下 0.5mL 1回皮下	

現行の予防接種まとめ　113

現行の予防接種（2）　　　　　　　（2020年1月1日）

区分	ワクチン	接種対象	接種方法	備　考
定期予防接種	乾燥ヘモフィルスb型ワクチン（破傷風トキソイド結合体）	接種開始時月齢（年齢）：生後2月から生後7月に至るまでの間にある者	初回接種：27日以上の間隔をおいて0.5mLずつ3回皮下，ただし医師が必要と認めた場合には20日間間隔で接種可） 追加接種：初回接種後7月以上の間隔をおいて0.5mL 1回皮下	接種方法への追加事項： 　他のワクチン製剤との接種間隔：生ワクチンの接種を受けた者は，通常，27日以上，また他の不活化ワクチンの接種を受けた者は，通常，6日以上間隔をおいて接種可．ただし，医師が必要と認めた場合には，他のワクチンと同時接種可．他のワクチンとの混合接種は不可．
		接種開始時月齢（年齢）：生後7月に至った日の翌日から生後12月に至るまでの間にある者	初回接種：27日以上の間隔で0.5mLずつ2回皮下，ただし医師が必要と認めた場合には20日間間隔で接種可） 追加接種：初回接種後7月以上の間隔をおいて0.5mL 1回皮下	
		接種開始時月齢（年齢）：生後12月に至った日の翌日から生後60月に至るまでの間にある者	0.5mL 1回皮下	
	沈降13価肺炎球菌結合型ワクチン（無毒素性変異ジフテリア毒素結合体）	初回接種開始：生後2月（出生日に応答する日の前日）から生後7月に至るまで（出生日に応答する日の前日まで）の間にある者 追加：初回接種開始時に生後2月（出生日に応答する日の前日）から生後12月に至るまで（出生日に応答する日の前日まで）の間にあった者に対し，初回接種に係る最後の注射終了後60日以上の間隔をおいた後であって，生後12月に至った日（出生日に応答する日の前日）以降	初回接種：いずれも27日以上の間隔で0.5mLずつ3回皮下，3回目接種は生後24月に至るまでに接種し，それを超えた場合は行えない（追加接種は可能） 追加接種：初回接種終了後60日以上の間隔をおいて0.5mL 1回皮下	接種方法への追加事項： 　他のワクチン製剤との接種間隔：生ワクチンの接種を受けた者は，通常，27日以上，また他の不活化ワクチンの接種を受けた者は，通常，6日以上間隔をおいて接種可．ただし，医師が必要と認めた場合には，他のワクチンと同時接種可．他のワクチンとの混合接種は不可．
		初回接種開始：生後7月に至った日（出生日に応答する日の前日）の翌日（出生日に応答する日）から生後12月に至るまで（出生日に応答する日の前日まで）の間にある者	初回接種：27日以上の間隔で0.5mLずつ2回皮下，初回2回目の接種は，生後24月に至るまでの間に接種し，それを超えた場合は行えない（追加接種は可能） 追加接種：生後12カ月齢以上に初回接種終了後60日以上の間隔をおいて0.5mL 1回皮下	
		初回接種開始時に生後12月に至った日（出生日に応答する日の前日）の翌日（出生日に応答する日）から生後24月に至るまで（出生日に応答する日の前日まで）の間にある者	60日以上の間隔で0.5mLずつ2回皮下	
		初回接種開始時に生後24月に至った日（出生日に応答する日の前日）の翌日（出生日に応答する日）から生後60月に至るまで（出生日に応答する日の前日まで）の間にある者	0.5mL 1回皮下	

2

ワクチン概論

114　ワクチン概論

現行の予防接種 (3)　　　　（2020年1月1日）

区分	ワクチン	接種対象	接種方法	備　考
定期予防接種	23価肺炎球菌多糖体ワクチン	成人ハイリスク者 　65歳および60歳以上で心血管系，呼吸器系，糖尿病などの慢性疾患を有する者 　脾臓摘出者，ホジキン病，リンパ腫，臓器移植など，免疫不全を伴う者 小児ハイリスク者 　2歳以上の脾臓摘出患者 　ネフローゼ症候群など，免疫不全を伴う者	成人，小児とも0.5mL 1回皮下または筋肉内に接種 追加接種すると局所反応が強くなるので，通常，1回だけ接種される．必要な場合は追加接種も行える． 2歳未満の乳幼児には免疫効果が悪く，安全性も確立していないので投与しない．	10歳以下の小児では，脾臓摘出患者，ネフローゼ症候群などは3～5年後に追加接種が考慮される．
	インフルエンザHAワクチン	①65歳以上，②60歳以上65歳未満で心臓，腎臓または呼吸器の機能に自己の身辺の日常生活が極度に制限される程度の障害を有する者およびヒト免疫不全ウイルスにより免疫の機能に日常生活がほとんど不可能な程度の障害を有する者	毎年1回接種	接種方法への追加事項： 　本人が接種を希望する場合のみ接種する．本人の書面による同意を得る． 　本人の意思確認が困難な場合は家族またはかかりつけ医の協力による意思確認でもよい．
	ヒトパピローマウイルスワクチン（2価）	12歳となる日の属する年度の初日から16歳となる日の属する年度の末日までの間にある女子	初回接種：1月以上の間隔をおいて2回筋注 追加接種：初回1回目の接種から5月以上かつ2回目の注射から2月半以上の間隔をおいて1回筋注	接種方法への追加事項：2価ヒトパピローマウイルス様ワクチンと4価ヒトパピローマウイルス様ワクチンの互換性に関する安全性，免疫原性，有効性に関するデータはない．同一の者に両ワクチンを使用せず，同一のワクチンを使用すること．
	ヒトパピローマウイルスワクチン（4価）	12歳となる日の属する年度の初日から16歳となる日の属する年度の末日までの間にある女子	初回接種：1月以上の間隔をおいて2回筋注 追加接種：初回2回目の接種から3月以上の間隔をおいて1回筋注	接種方法への追加事項：ヒトパピローマウイルス感染症予防接種後に血管迷走神経反射として失神があらわれることがある．失神による転倒等を防止するため，注射後の移動の際には，保護者又は医療従事者が腕を持つなどしてつきそうようにし，接種後30分程度，体重を預けられるようあ場所で座らせるなどした上で，なるべく立ちあがらないように指導し，被接種者の状態を観察する必要がある．
	乾燥弱毒生麻疹ワクチン	第1期定期接種：生後12カ月以上24カ月未満． 第2期定期接種：5歳以上7歳未満で小学校入学前1年間の間にある者	1期，2期とも，使用時に溶解し，0.5mL 1回皮下 同じ期のうちで風疹生ワクチンの定期接種を受けた者，あるいは特に単味麻疹生ワクチンの接種を希望する者が対象	接種後3～12日ごろに約20%に37.5℃以上，うち数%に38.5℃以上の発熱を1～3日間認め，軽度の発疹を伴うことがある． 発熱に際して，熱性けいれんを起こすことがあるので，けいれん既往に留意する．

現行の予防接種まとめ　115

現行の予防接種（4）

（2020年1月1日）

区分	ワクチン	接種対象	接種方法	備　考
定期予防接種	乾燥弱毒生風疹ワクチン	第1期定期接種：生後12カ月以上24カ月未満. 第2期定期接種：5歳以上7歳未満で小学校入学前1年間の間にある者 風疹第5期定期接種（2019年4月1日より3年計画）：1962年4月2日〜1979年4月1日生まれの男性で，積極的に風疹抗体検査を受け，不十分の場合には抗体ワクチンを接種する.	1期，2期とも，使用時に溶解し，0.5mL 1回皮下 同じ期のうちで麻疹生ワクチンの定期接種を受けた者，あるいは特に単味風疹生ワクチンの接種を希望する者が対象	ほとんど副反応はない. 被接種者からワクチンウイルスが周囲の感受性者に感染することは認められていない. まれに急性血小板減少性紫斑病
	乾燥弱毒生麻疹風疹混合ワクチン （MR混合ワクチン）	2016年4月1日以後に生まれた，生後1歳に至るまでの間にある者. 標準的な接種期間は，生後2月に至った時から生後9月に至るまで	使用時に溶解し，0.5mL 1回皮下 できるだけMRワクチンを使用する	
	水痘ワクチン	生後12カ月から36カ月に至るまでの間にある者	3カ月以上の間隔をおいて0.5mLずつ2回皮下	
	B型肝炎ワクチン	2016年4月1日以後に生まれた，生後1歳に至るまでの間にある者. 標準的な接種期間は，生後2月に至った時から生後9月に至るまで	27日以上の間隔をおいて0.5mLずつ2回，さらに1回目接種後139日以上の間隔をおいて0.5mLを1回皮下または筋肉内に接種	
	結核（BCG）	生後1歳に至るまでの間にある者，標準的な接種期間は生後5月に達した時から生後8月に達するまで	BCGは管針法（スタンプ式）により，2カ所に圧するように接種する. 管針の円跡は相互に接するようにする.	管針の針あとに一致して小水庖ができ，かさぶたとなる. ときに腋窩リンパ節の腫脹をみる. まれに骨炎・骨髄炎，全身性BCG感染症 ケロイドのある者，結核既往のある者はBCG接種を行わない. コッホ現象を認めたら市区町村予防接種担当課に届け出る.
任意予防接種	インフルエンザHAワクチン	インフルエンザに罹ると重症になりやすいハイリスク者（慢性の病気をもっている者）に勧められる.	6カ月以上3歳未満：2〜4週間の間隔で2回，0.25mL/回 皮下 3歳以上13歳未満：2〜4週間の間隔で2回，0.5mL/回 皮下 13歳以上：1回または1〜4週間の間隔で2回，0.5mL/回 皮下	発熱などの副反応は少ない.
	成人用沈降ジフテリアトキソイド（成人用d）	10歳以上の接種に用いられる.	初回接種：1回 0.5mL 以下ずつ，3〜8週間の間隔で2回皮下 追加接種：初回接種後12カ月〜18カ月の間に0.5mL以下1回皮下	
	沈降破傷風トキソイド（沈降T） 注2	破傷風の予防接種を受けたことのない希望者 成人での初回または追加接種	初回接種：3〜8週間の間隔で0.5mLずつ2回皮下 追加接種：初回接種後6カ月以上の間隔をおいて（標準は12カ月から18カ月までの間に），0.5mL 1回皮下 その後約10年ごとの追加接種が勧められる. 0.5mL1回皮下	頻回の接種を行うと高度の局所反応（腕全体の浮腫状腫脹）が出ることがある. 初回の接種で局所反応が強かった者には接種量を適宜減量する.

注2　乳幼児期の予防接種に破傷風を含むワクチン（DPT）が定期的に使われるようになったのは1968年からなので，それより前に生まれた人はDPTの予防接種を受けていない人が多い.

116　ワクチン概論

現行の予防接種 (5)　　　　　（2020年1月1日）

区分	ワクチン	接種対象	接種方法	備　考
任意予防接種	B型肝炎ワクチン	**母子感染防止事業** 妊娠中に母親のHBs抗原検査を行い（公費負担），HBs抗原陽性（HBe抗原陽性，陰性の両方とも）の母親からの出生児を対象とする（健康保険適用）． 一般的な接種 　ハイリスク者 　　HBs抗原陽性者，特にHBe抗原陽性者の家族，特に乳幼児，配偶者または婚約者． 　血液製剤を頻回に使用する患者 　医療関係者 　海外長期滞在者 注射針などによる感染事故	・出生後できるだけ早期（生後5日以内．なお12時間以内が望ましい）に抗HBs人免疫グロブリン（HBIG）を通常1.0 mL筋注． ・生後12時間以内，1，6カ月にB型肝炎ワクチンを0.25 mLずつ計3回皮下注 1カ月の間隔で2回，さらにその6カ月後に1回，計3回 　成人では0.5 mLずつ筋注または皮下注 　10歳未満の小児は1回量0.25 mL皮下注 直ちに（48時間以内）HBIG 5 mL筋注． 汚染血がHBe抗原陽性の場合は，B型肝炎ワクチンを0，1，3〜6カ月後の3回筋注または皮下注を加える．	生後9〜12カ月ごろにHBs抗体価の検査を行い，低値の場合には追加接種（任意接種）を行うことが望ましい． 接種完了後採血し，HBs抗体の産生を確かめておくことが望まれる．低値の場合は，追加接種も考慮する． 副反応はほとんどない．
	水痘ワクチン	生後12カ月以上の者 50歳以上の者に対する帯状疱疹の予防	0.5 mL　1回皮下	
	帯状疱疹ワクチン	50歳以上の成人	2カ月の間隔をおいて0.5 mLを2回筋肉内に接種	アジュバント添加糖蛋白（gE）不活化ワクチン
	乾燥組織培養不活化A型肝炎ワクチン	年齢規定なし	初回接種：2〜4週間の間隔で2回，筋肉内または皮下に接種（免疫賦与を急ぐ場合には2週間隔で2回） 追加接種：初回接種後24週を経過した後に0.5 mLを追加接種	
	乾燥弱毒生風疹ワクチン	定期接種外対象者 　免疫の有無は抗体価を測定する． 　急ぐ場合は，抗体検査を行わないで接種できる．	使用時に溶解し，0.5 mL　1回皮下 成人女子では接種時，妊娠していないことを確認し（生理中可），接種後2カ月間の避妊を指導．	成人女子では接種後2〜3週間に関節痛，ときに発熱，発疹，リンパ節腫脹を一過性に認めることがある．
	乾燥弱毒生おたふくかぜワクチン	通常，1歳以上のおたふくかぜ未罹患の希望者．	使用時に溶解し，0.5 mL　1回皮下	ときに接種後3週ごろに一過性の耳下腺腫脹あるいはまれには無菌性髄膜炎を起こすことのあることを接種時によく説明し，保護者の理解を求める． 接種後の抗体価の検査値は低いが，90％以上に免疫が得られる．
	経口弱毒生ヒトロタウイルスワクチン（1価）	生後6〜24週までの間にある者	4週以上の間隔をおいて1.5 mLを2回経口	腸重積症の発症に注意 2020年10月1日から定期接種予定

現行の予防接種まとめ　117

現行の予防接種（6）　　　　　　　　　　（2020年1月1日）

区分	ワクチン	接種対象		接種方法	備　考
任意予防接種	経口弱毒生ロタウイルスワクチン（5価）	生後6〜32週までの間にある者		4週以上の間隔をおいて2.0mLを3回経口	腸重積症の発症に注意 2020年10月1日から定期接種
	髄膜炎菌ワクチン（4価）	国内の臨床試験は2歳以上55歳以下を対象として実施された.		0.5mL　1回筋注	2歳未満，高齢者（56歳以上）に対する有効性と安全性は確立していない. 血清型A，C，Y，W-135を含む.
	黄熱生ワクチン	出国先の国（主としてアフリカ，中南米）で接種証明書を要求される場合，生後9カ月以上が対象		0.5mL　1回皮下 特定の検疫所や医療施設でしか受けられない．曜日も決まっているので（354頁参照）注意が必要.	接種証明書（イエローカード）の有効期間：接種後10日から生涯 接種数日後に軽度の発熱，頭痛，筋肉痛，倦怠感などの全身症状が10〜30％の頻度で認められる. 卵アレルギーの強い人，ゼラチンアレルギーの人は接種に注意が必要である. 年齢特異的な副反応発現のリスクがあり，生後9カ月未満の乳児は接種不適当者. 妊娠期または妊娠の可能性のある女性は原則推奨されない また，高齢者では重篤な副反応の発現リスクが高まるとされている.
	乾燥組織培養不活化狂犬病ワクチン	曝露前免疫	狂犬病流行地に旅行する者，感染のおそれのある者に対して自己防衛の目的で行われる.	KMバイオロジクス 　4週間隔で1.0mLずつ2回皮下，その6〜12カ月後に1.0mL　1回皮下 グラクソ・スミスクライン 　第1回目を0日として，以降7，21または7，28日の計3回筋肉内に接種	曝露前免疫・曝露後免疫とも，国内と海外では元々推奨スケジュールが異なるため注意が必要. 咬傷を受けた場合は，WHOの推奨に基づいて対処する（325頁参照）．ハイリスクの曝露の際は，直ちにワクチンを投与し，併せて可能な限り早期に抗狂犬病免疫グロブリンを投与する（ワクチン投与から7日以内）. 注　抗狂犬病免疫グロブリンは国内では承認製剤は入手できない.
		曝露後免疫	狂犬病の可能性のある犬などに咬まれたり，唾液に接触した場合に行う.	KMバイオロジクス 　第1回目を0日として，以降3，7，14，30および90日の計6回皮下（1回量1.0mL） グラクソ・スミスクライン 　4回接種：第1回目を0日として（接種部位を変えて2カ所に1回ずつ計2回），以降7，21日 　5回接種：第1回目を0日として，以降3，7，14，28日 　6回接種：第1回目を0日として，以降3，7，14，30，90日 ※詳しくは324頁を参照のこと.	

2　ワクチン概論

3

ワクチン，
免疫グロブリン製剤，
抗毒素製剤

ワクチンの概要と添加物含有量

（2020年1月1日現在）

乾燥弱毒生麻しん風しん混合ワクチン

製造元	概　　　要							安定剤
	使用株		培養に用いる細胞	製剤色	溶解色	培地/培養液	感染価[注]	D-ソルビトール（mg）
武田薬品	弱毒生麻しんウイルス	シュワルツFF-8	ニワトリ胚初代培養	微赤白色	帯赤色澄明	TCM-199	5,000 FFU以上	7.5
	弱毒生風しんウイルス	TO-336	ウサギ腎初代培養				1,000 FFU以上	
阪大微研	弱毒生麻しんウイルス	田辺	ニワトリ胚培養	微赤白色	帯赤色澄明	TCM-199	5,000 PFU以上	5.4
	弱毒生風しんウイルス	松浦	ウズラ胚培養				1,000 PFU以上	
第一三共	弱毒生麻しんウイルス	AIK-C	ニワトリ胚初代培養	乳白色	無色澄明	M-199	5,000 FFU以上	1.8(W/V%)（9mg）
	弱毒生風しんウイルス	高橋	ウサギ腎初代培養				1,000 FFU以上	

注　FFU：focus forming unit（フォーカス形成単位）

乾燥弱毒生麻しんワクチン

製造元	概　　　要						安定剤	
	使用株	培養に用いる細胞	製剤色	溶解色	培地/培養液	感染価[注]	D-ソルビトール（mg）	乳糖水和物（mg）
武田薬品	シュワルツFF-8	ニワトリ胚初代培養	微赤白色	帯赤色	TCM-199	5,000 CCID$_{50}$以上	7.5	25
阪大微研	田辺	ニワトリ胚培養	微赤白色	帯赤色澄明	TCM-199	5,000 PFU以上	5.4	18
第一三共*	AIK-C	ニワトリ胚初代培養	乳白色	無色澄明	M-199	5,000 CCID$_{50}$以上	1.8(W/V%)（9mg）	5.0(W/V%)（25mg）

注　PFU：plaque forming unit（プラック形成単位）
　　CCID$_{50}$：50% cell culture infective dose（細胞培養感染量）
＊　2018年10月販売中止

注：本書においては，添加物の成分をワクチンの製造・保存等，その使用目的によって分類した。したがって，承認書に記載されている用語とは必ずしも一致しない。製造元より申し出のあった場合においては承認書に記載されている用語を含有量の下に示した。
成分含有量は1投与当たり mg 含有量で統一したが，w/v%表示を記載した場合もある。この場合も，その下に1投与当たりの mg 含有量を示した。

（添付の溶剤 0.7mLで溶解したときの液剤 0.5mL中含有量）

安定剤			緩衝剤			抗生物質（培地中）		着色剤	希釈剤	
乳糖水和物 (mg)	L-グルタミン酸ナトリウム (mg)	L-グルタミン酸カリウム (mg)	リン酸水素ナトリウム水和物 (mg)	リン酸二水素ナトリウム (mg)	リン酸二水素カリウム (mg)	カナマイシン硫酸塩〔μg(力価)〕	エリスロマイシンラクトビオン酸塩〔μg(力価)〕	フェノールレッド	TCM-199	M-199
25	0	0.24	0.3125	0	0.13	12.5以下 / 11以下（抗生物質）	7.5以下	0.005 mg	適量	0
18	1.8	0	0.7	0.07	0	36以下 / （抗菌剤）	11以下	1.8μg以下	残量	0
5.0(W/V%)(25mg)	0.4(W/V%)(2mg)	0	0	0	0	12.5以下 / （抗生物質）	12.5以下	0	0	残量

（添付の溶剤 0.7mLで溶解したときの液剤 0.5mL中含有量）

安定剤		緩衝剤			抗生物質（培地中）		着色剤	希釈剤	
L-グルタミン酸ナトリウム (mg)	L-グルタミン酸カリウム (mg)	リン酸水素ナトリウム水和物 (mg)	リン酸二水素ナトリウム (mg)	リン酸二水素カリウム (mg)	カナマイシン硫酸塩〔μg(力価)〕	エリスロマイシンラクトビオン酸塩〔μg(力価)〕	フェノールレッド	TCM-199	M-199
0	0.24	0.3125	0	0.13	2.5以下	0	0.005mg	適量	0
1.8	0	0.7	0.07	0	36以下（抗菌剤）	11以下	7μg以下	残量	0
0.4(W/V%)(2mg)	0	0	0	0	10以下（抗生物質）	10以下	0	0	残量

3 ワクチン，免疫グロブリン製剤，抗毒素製剤

122 ワクチン，免疫グロブリン製剤，抗毒素製剤

乾燥弱毒生風しんワクチン

| 製造元 | 概要 | | | | | | 安定剤 | |
	使用株	培養に用いる細胞	製剤色	溶解色	培地/培養液	感染価	乳糖水和物(mg)	L-グルタミン酸ナトリウム(mg)
武田薬品	TO-336	ウサギ腎初代培養	微赤白色	帯赤色	TCM-199	1,000 PFU 以上	25	0
阪大微研	松浦	ウズラ胚培養	微赤白色	帯赤色澄明	TCM-199	1,000 PFU 以上	18	1.8
第一三共*	高橋	ウサギ腎初代培養	乳白色	無色澄明	M-199	1,000 FFU 以上	5.0(W/V%)(25mg)	0.1(W/V%)(0.5mg)

＊　2019年3月販売中止

乾燥弱毒生おたふくかぜワクチン

| 製造元 | 概要 | | | | | | 安定剤 | |
	使用株	培養に用いる細胞	製剤色	溶解色	培地/培養液	感染価	D-ソルビトール(mg)	乳糖水和物(mg)
武田薬品	鳥居	ニワトリ胚初代培養	微赤白色	帯赤色	TCM-199	5,000 CCID$_{50}$ 以上	0	25
第一三共	星野		乳白色	無色澄明	M-199		1.8(W/V%)(9mg)	5.0(W/V%)(25mg)

インフルエンザHAワクチン

| 製造元 | 液剤色 | 不活化剤 | 保存剤 | |
		ホルマリン[注1](ホルムアルデヒド換算)	チメロサール(mg)	フェノキシエタノール(mL)
阪大微研[注2]		0.1mg以下	0.008	0
		0.05mg以下	0	0
第一三共[注3]	澄明またはわずかに白濁	0.1μL以下(安定剤)	0.005	0
		0.05μL以下(安定剤)	0	0
		0.03μL以下(安定剤)	0	0
KMバイオロジクス		0.01w/v%以下	0.005	0
デンカ生研		0.0026 w/v%以下	0.004	0

注1　ホルマリンは，製造所ワクチンにより不活化剤，安定剤，保存剤あるいは添加物として承認を受けている。
注2　1バイアル1mL(上段)と，0.5mLバイアルおよびシリンジ(下段)の3包装あり。下段は液剤0.5mL中の
注3　1バイアル1mL(上段)と，0.5mLバイアルおよびシリンジ(中段)，0.25mLシリンジ(下段)の4包装あり。
　　　およびシリンジ)，0.25mL包装品にて市販。ただし，0.5mLバイアルは10年9月をもって販売中止。

(添付の溶剤 0.7mLで溶解したときの液剤 0.5mL中含有量)

安定剤	緩衝剤			抗生物質(培地中)		着色剤	希釈剤	
L-グルタミン酸カリウム(mg)	リン酸水素ナトリウム水和物(mg)	リン酸二水素ナトリウム(mg)	リン酸二水素カリウム(mg)	カナマイシン硫酸塩〔μg(力価)〕	エリスロマイシンラクトビオン酸塩〔μg(力価)〕	フェノールレッド	TCM-199	M-199
0.24	0.3125	0	0.13	12.5以下	7.5以下	0.005mg	適量	0
0	0.7	0.07	0	36以下(抗菌剤)	11以下(抗菌剤)	1.79μg以下	残量	0
0	0	0	0	10以下(抗生物質)	10以下(抗生物質)	0	0	残量

(添付の溶剤 0.7mLで溶解したときの液剤 0.5mL中含有量)

安定剤		緩衝剤			抗生物質(培地中)		着色剤	希釈剤	
L-グルタミン酸ナトリウム(mg)	L-グルタミン酸カリウム(mg)	リン酸水素ナトリウム水和物(mg)	リン酸二水素ナトリウム(mg)	リン酸二水素カリウム(mg)	カナマイシン硫酸塩〔μg(力価)〕	エリスロマイシンラクトビオン酸塩〔μg(力価)〕	フェノールレッド(mg)	TCM-199	M-199
0	0.24	0.3125	0	0.13	12.5以下	7.5以下	0.005	適量	0
0.2(W/V%)(1mg)	0	0	0	0	10以下(抗生物質)	10以下(抗生物質)	0	0	残量

(液剤 1mL中含有量)

分散剤	緩衝剤			等張化剤
ポリソルベート80(μL)	リン酸水素ナトリウム水和物(mg)	リン酸二水素ナトリウム(mg)	リン酸二水素カリウム(mg)	塩化ナトリウム(mg)
0	3.53	0.54	0	8.50
0	1.765	0.27	0	4.25
0.1以下	2.51	0	0.408	8.3以下(緩衝剤)
0.05以下	1.255	0	0.204	4.15以下(緩衝剤)
0.03以下	0.63	0	0.10	2.08以下(緩衝剤)
0	2.5	0	0.4	8.2
0	1.725	0	0.25	8.5

以下の表でも同じ。
含有量を示す。チメロサール含有0は0.5mL包装製品(バイアルおよびシリンジ)にて市販。
中段は液剤 0.5mL中，下段は液剤0.25mL中の含有量を示す。チメロサール含有0は0.5mL包装製品(バイアル

124　ワクチン，免疫グロブリン製剤，抗毒素製剤

沈降インフルエンザワクチン(H5N1株)[注]

製造元	有効成分	HA含量 (相当値)	液剤色	免疫補助剤またはアジュバント 水酸化アルミニウムゲル (アルミニウム換算)
阪大微研	不活化インフルエンザ ウイルス	30μg		0.3mg(免疫補助剤)
第一三共	不活化インフルエンザ ウイルス	30μg	振り混ぜる とき均等に 白濁	0.3mg(アジュバント)
KMバイオロジクス	不活化インフルエンザ ウイルス	30μg		0.3mg(アジュバント)
デンカ生研	不活化インフルエンザ ウイルス	30μg		0.3mg(免疫補助剤)

注　沈降新型インフルエンザワクチン(H5N1株)の代替新規申請により，一般的名称および有効成分の名称が変
＊　製造株は国の通知に基づき随時変更される。

不活化ポリオワクチン

製造元	商品名	有効成分			概要	
		不活化ポリオ ウイルス1型 (DU)	不活化ポリオ ウイルス2型 (DU)	不活化ポリオ ウイルス3型 (DU)	培養に用 いる細胞	液剤色
サノフィ	イモバックス ポリオ皮下注	40	8	32	サル腎 細胞由来	無色 澄明

沈降精製百日せきジフテリア破傷風不活化ポリオ(セービン株)混合ワクチン

製造元	商品名	有効成分					
		百日せき菌 の防御抗原 (単位)	ジフテリア トキソイド (Lf)	破傷風 トキソイド (Lf)	不活化ポリオ ウイルス1型 (Sabin株)(DU)	不活化ポリオ ウイルス2型 (Sabin株)(DU)	不活化ポリオ ウイルス3型 (Sabin株)(DU)
阪大微研	テトラビック 皮下注シリンジ	4以上	15以下 (14国際単位以上)	2.5以下 (9国際単位以上)	1.5	50	50
KMバイオロジクス	クアトロバック 皮下注シリンジ	4以上	16.7以下	6.7以下	1.5	50	50

沈降精製百日せきジフテリア破傷風不活化ポリオ(ソークワクチン)混合ワクチン

製造元	商品名	有効成分					
		百日せき菌 の防御抗原 (単位)	ジフテリア トキソイド (Lf)	破傷風 トキソイド (Lf)	不活化ポリオ ウイルス1型 (DU)	不活化ポリオ ウイルス2型 (DU)	不活化ポリオ ウイルス3型 (DU)
第一三共	スクエアキッズ 皮下注シリンジ	4以上	15以下 (14国際単位以上)	2.5以下 (9国際単位以上)	40	8	32

（液剤1 mL中含有量）

緩衝剤			安定剤	保存剤
リン酸水素ナトリウム水和物	リン酸二水素カリウム	塩化ナトリウム	ホルマリン（ホルムアルデヒド換算）	チメロサール
2.5mg	0.4mg	8.0mg（等張化剤）	0.0138mg以下	0.008mg
2.5mg	0.4mg	8.1mg	0.0025w/v%以下	0.001w/v%
2.1mg	0.3mg	8.3mg	0.0025w/v%以下	0.001w/v%
2.2mg	0.4mg	8.2mg	0.0028w/v%以下	0.01mg

更された(09年7月)。

（液剤0.5mL中含有量）

保存剤			pH調節剤	希釈剤	
ホルマリン（ホルムアルデヒド換算）（μg）	フェノキシエタノール（μL）	無水エタノール（μL）		ポリソルベート80（μg）	M-199ハンクス（mL）
12.5	2.5	2.5	適量	21以下	0.40以下

（液剤0.5mL中含有量）

安定剤		緩衝剤		等張化剤	免疫増強剤		pH調節剤	希釈剤
ホルマリン（ホルムアルデヒド換算）（mg）	エデト酸ナトリウム水和物（mg）	リン酸水素ナトリウム水和物（mg）	リン酸二水素ナトリウム（mg）	塩化ナトリウム（mg）	アルミニウム塩（アルミニウム換算）（mg）			M-199（mL）
0.025	0.0175	1.10	0.56	4.25	塩化アルミニウム(Ⅲ)六水和物 0.08	水酸化アルミニウムゲル 0.02	適量	0.5
0.05以下	0.035	0.16	0.16	2.9	塩化アルミニウム 1.5以下	水酸化ナトリウム 0.6以下	適量	0.9

（液剤0.5mL中含有量）

安定剤		緩衝剤		等張化剤	免疫増強剤			pH調整剤	希釈剤
ホルマリン（ホルムアルデヒド換算）（W/V%）	エデト酸ナトリウム水和物（mg）	リン酸水素ナトリウム水和物（mg）	リン酸二水素ナトリウム（mg）	塩化ナトリウム（mg）	アルミニウム塩（アルミニウム換算）（mg）				M-199（mL）
0.004以下	0	0.70	0.32	3.40	塩化アルミニウム 0.90	水酸化ナトリウム 0.21	リン酸三ナトリウム 0.81	0	0

126　ワクチン，免疫グロブリン製剤，抗毒素製剤

沈降精製百日せきジフテリア破傷風混合ワクチン(DTaP)

製造元	有効成分			不活化剤	保存剤		安定剤
	百日せき菌の防御抗原(単位)	ジフテリアトキソイド(Lf)注	破傷風トキソイド(Lf)	ホルマリン(ホルムアルデヒド換算)(mg)	チメロサール(mg)	フェノキシエタノール(mL)	ブドウ糖(mg)
阪 大 微 研	4以上	15以下(14国際単位以上)	2.5以下(9国際単位以上)	0.025(安定剤)	0	0	0

注　Lf：limit of flocculation（限界フロキュレーション）

沈降ジフテリア破傷風混合トキソイド(沈降DT)

製造元	有効成分		不活化剤	保存剤		安定剤	
	ジフテリアトキソイド(Lf)	破傷風トキソイド(Lf)	ホルマリン(ホルムアルデヒド換算)(mg)	チメロサール(mg)	フェノキシエタノール(mL)	ブドウ糖(mg)	L-リシン塩酸塩(mg)
武 田 薬 品	約50	約10	0.01(W/V%)以下	0	0.005	0	0
阪大微研注1	50以下(70国際単位以上)	10以下(40国際単位以上)	0.037(安定剤)	0	0	0	0
第一三共注2	25以下(35国際単位以上)	5 以下(20国際単位以上)	0.005(W/V%)以下	0.0005	0	0	0
KMバイオロジクス	約50以下	20以下	0.1以下	0.01	0	1.0	0.1以下

注1　1バイアル 0.1mL包装。　注2　1バイアル 0.5mL包装。上記は液剤0.5mL中の含有量を示す。

沈降破傷風トキソイド

製造元	有効成分	不活化剤	保存剤		安定剤	緩衝剤
	破傷風トキソイド(Lf)	ホルマリン(ホルムアルデヒド換算)(mg)	チメロサール(mg)	フェノキシエタノール(mL)	ブドウ糖(mg)	リン酸水素ナトリウム水和物(mg)
武 田 薬 品	約 5	0.01(W/V%)以下	0	0.0025	0	0.5365
阪 大 微 研	5 以下(20国際単位以上)	0.0185(安定剤)	0	0	0	0.79
第 一 三 共	5 以下(20国際単位以上)	0.01(W/V%)以下	0	0	0	0.875
KMバイオロジクス	10以下	0.05以下	0.005	0	0.5	0.35
デンカ生研	5以下	0.05以下	0.002	0	0	0.863

成人用沈降ジフテリアトキソイド(成人用d)

製造元	有効成分	安定剤	緩衝剤		等張化剤
	ジフテリアトキソイド(Lf)	ホルマリン(ホルムアルデヒド換算)(mg)	リン酸水素ナトリウム水和物(mg)	リン酸二水素ナトリウム(mg)	塩化ナトリウム(mg)
阪 大 微 研	2.5以下(7.5国際単位以上)	0.0185	1.745	0.28	4.25

（液剤 0.5mL中含有量）

安定剤	緩衝剤			等張化剤	免疫増強剤
L-リシン塩酸塩(mg)	リン酸水素ナトリウム水和物(mg)	リン酸二水素ナトリウム(mg)	リン酸二水素カリウム(mg)	塩化ナトリウム(mg)	アルミニウム塩(アルミニウム換算)
0	1.19	0.52	0	4.25	塩化アルミニウム(Ⅲ)六水和物 0.08（免疫補助剤）

（液剤 1mL中含有量）

緩衝剤			等張化剤	免疫増強剤	pH調節剤	
リン酸水素ナトリウム水和物(mg)	リン酸二水素ナトリウム(mg)	リン酸二水素カリウム(mg)	塩化ナトリウム(mg)	アルミニウム塩(アルミニウム換算)(mg)	塩酸	水酸化ナトリウム
1.073	0	0.136	8.5	0.5	0	
3.58	0.52	0	9.5	塩化アルミニウム(Ⅲ)六水和物 0.2（免疫補助剤）	適量	
0.88	0.40	0	4.25（緩衝剤）	塩化アルミニウム 0.90　水酸化ナトリウム 0.42	0	
0.69	0.39	0	7.0	塩化アルミニウム 3.0以下　水酸化ナトリウム 1.2以下	適量	

（液剤 0.5mL中含有量）

緩衝剤		等張化剤	免疫増強剤
リン酸二水素ナトリウム(mg)	リン酸二水素カリウム(mg)	塩化ナトリウム(mg)	アルミニウム塩(アルミニウム換算)(mg)
0	0.068	4.25	0.1
0.695	0	4.35	硫酸アルミニウムカリウム水和物 0.08（免疫補助剤）
0.398	0	4.25（緩衝剤）	塩化アルミニウム 0.895　水酸化ナトリウム 0.42
0.2	0	3.5	塩化アルミニウム 1.5以下　水酸化ナトリウム 0.6以下
0	0.125	4.25	1.12

（液剤 0.5mL中含有量）

免疫補助剤	pH調節剤
アルミニウム塩(アルミニウム換算)(mg)	塩酸，水酸化ナトリウム
塩化アルミニウム(Ⅲ)六水和物 0.1	適量

乾燥細胞培養日本脳炎ワクチン

製造元	商品名	有効成分	概要			安定剤			
		不活化日本脳炎ウイルス(北京株)	製剤色	溶解色	乳糖水和物 (mg)	ホルマリン(ホルムアルデヒド換算) (mg)	L-グルタミン酸ナトリウム (mg)	ポリソルベート80 (mg)
阪大微研	ジェービックV	参照品(力価)と同等以上	白色	無色の澄明またはわずかに白濁	17.86	0.01	3.57	0
KMバイオロジクス	エンセバック皮下注用		白色	無色の澄明またはわずかに白濁	25	0	0	0.025

精製ツベルクリン(1人用)

(注射量 0.1mL中含有量)

製造元	有効成分	賦形剤	溶解液				
	精製ツベルクリン (PPD) (標準品相当量)	乳糖水和物 (mg)	リン酸水素ナトリウム水和物 (mg)	リン酸二水素カリウム (mg)	塩化ナトリウム (mg)	フェノール (mg)	注射用水
日本BCG	0.05μg相当量	0.5	1.528	0.145	0.48	0.5	適量

乾燥弱毒生水痘ワクチン

(添付の溶剤 0.7mLで溶解したときの液剤)

製造元	概要						安定剤		抗菌剤
	使用株	培養に用いる細胞	製剤色	溶解色	感染価 (PFU)	培地	精製白糖 (mg)	L-グルタミン酸ナトリウム (mg)	カナマイシン硫酸塩〔μg(力価)〕
阪大微研	岡	ヒト二倍体細胞	白色	無色の澄明または微白色	1,000以上	BME	25.0	0.36	7以下

乾燥組換え帯状疱疹ワクチン

製造元	有効成分	安定剤			
	水痘帯状疱疹ウイルスgE抗原 (μg)	精製白糖 (mg)	ポリソルベート80 (mg)	ジオレオイルホスファチジルコリン (mg)	コレステロール (mg)
グラクソ・スミスクライン	50	20	0.08	1	0.08

乾燥組織培養不活化A型肝炎ワクチン

製造元	商品名	有効成分	培養に用いる細胞	安定剤		
		不活化A型肝炎ウイルス抗原(HAV抗原)(μg)		乳糖水和物 (mg)	D-ソルビトール (mg)	L-グルタミン酸ナトリウム(mg)
KMバイオロジクス	エイムゲン	0.5	アフリカミドリザル腎臓由来細胞(GL37細胞)	25.0	5.0	0.5

（添付の溶剤 0.7mLで溶解した液剤 0.5mL中含有量）

安定剤	等張化剤		緩衝剤			希釈剤
グリシン (mg)	塩化ナトリウム (mg)	塩化カリウム (mg)	リン酸二水素カリウム (mg)	リン酸水素ナトリウム水和物 (mg)	リン酸二水素ナトリウム (mg)	TCM-199 (mL)
0	0.83以下	0.02以下	0.02以下	0.30以下	0	0.11
1.0	2.73	0	0	1.56	0.10	0

乾燥BCGワクチン（経皮用・1人用）

製造元	有効成分	概要			安定剤
	生きたBCG(含水量70%の湿菌として)(mg)	使用株	製剤色	溶解色	グルタミン酸ナトリウム(mg)
日本BCG	12	東京172	白色ないし淡黄色	白色ないし淡黄色の混濁	7.5

0.5 mL中含有量）

(培地中)	緩衝剤			
エリスロマイシンラクトビオン酸塩〔μg(力価)〕	塩化カリウム(mg)	リン酸二水素カリウム(mg)	リン酸水素ナトリウム水和物(mg)	塩化ナトリウム(mg)
2以下	0.03	0.29	3.14	1.14

水痘抗原（皮内テスト用） （0.1mL中）

概要		抗生物質(細胞培養時)	
使用株	培養に用いる細胞	カナマイシン硫酸塩〔μg(力価)〕	エリスロマイシンラクトビオン酸塩〔μg(力価)〕
岡	ヒト二倍体細胞	5	1.5

（液剤 0.5mL中含有量）

緩衝剤				等張化剤	免疫増強剤	
リン酸二水素ナトリウム水和物 (mg)	リン酸二カリウム (mg)	無水リン酸一水素ナトリウム (mg)	リン酸二水素カリウム (mg)	塩化ナトリウム (mg)	MPL (μg)	QS-21 (μg)
0.208	0.116	0.15	0.54	4.385	50	50

（添付の溶剤 0.65mLで溶解した液剤 0.5mL中含有量）

安定剤		緩衝剤				pH調節剤
L-アルギニン塩酸塩(mg)	ポリソルベート80 (mg)	リン酸水素ナトリウム水和物(mg)	リン酸二水素カリウム(mg)	塩化カリウム (mg)	塩化ナトリウム (mg)	
0.5	0.01	1.45	0.1	0.1	4.0	適量

3

ワクチン，免疫グロブリン製剤，抗毒素製剤

130 ワクチン，免疫グロブリン製剤，抗毒素製剤

組換え沈降B型肝炎ワクチン

製造元・販売元	商品名	由来	S蛋白亜型	保存剤 チメロサール (mg)	不活化剤 ホルマリン （ホルムアルデヒド換算） (W/V%)
KMバイオロジクス	ビームゲン注	酵母	adr	0.005	0.01以下
MSD	ヘプタバックスII ヘプタバックスII 水性懸濁注シリンジ	酵母	adw	0	0

注 1バイアル 0.5mLと，1バイアル 0.25mLの2包装あり

23価肺炎球菌多糖体ワクチン

製造元	商品名	液剤色	有効成分
MSD	ニューモバックスNP	無色澄明	肺炎球菌莢膜ポリサッカライド

沈降13価肺炎球菌結合型ワクチン（無毒性変異ジフテリア毒素結合体）

製造元	商品名	液剤色	有効成分
ファイザー	プレベナー13水性懸濁注	振り混ぜるとき均等に白濁	肺炎球菌莢膜ポリサッカライド-CRM$_{197}$ 結合体

乾燥組織培養不活化狂犬病ワクチン

製造元	有効成分 不活化 狂犬病 ウイルス	概要 使用株	概要 培養に用 いる細胞	概要 製剤色	概要 溶解色	安定剤 ゼラチン (mg)
KMバイオロジクス	参照品と 同等以上	HEP-Flury	ニワトリ胚 初代培養細胞	白色または 微黄白色	無色または淡黄赤色の 澄明またはわずかに白濁	0.2
グラクソ・スミスクライン						0

乾燥ヘモフィルスb型ワクチン（破傷風トキソイド結合体）

製造元	商品名	製剤色	溶解色	有効成分 破傷風トキソイド結合イン フルエンザ菌b型多糖(μg)
サノフィ	アクトヒブ	白色	無色澄明	10(多糖の量として)

（液剤0.5mL中含有量）

免疫補助剤または増強剤		緩衝剤			
水酸化アルミニウム（mg）	アルミニウムヒドロキシホスフェイト硫酸塩（mg）	リン酸水素ナトリウム水和物（mg）	リン酸二水素ナトリウム（mg）	ホウ砂（mg）	塩化ナトリウム（mg）
アルミニウムとして0.22	0	1.29	0.22	0	4.09
0	アルミニウムとして0.25	0	0	0.035	4.5

（液剤0.5mL中含有量）

保存剤	等張化剤
フェノール（mg）	塩化ナトリウム（mg）
1.25	4.5

（液剤0.5mL中含有量）

安定剤	緩衝剤	等張化剤	免疫増強剤	pH調整剤
ポリソルベート80（mg）	コハク酸（mg）	塩化ナトリウム（mg）	リン酸アルミニウム（アルミニウム換算）（mg）	
0.1	0.295	4.25	0.125	適量

（液剤1mL中含有量）

安定剤					緩衝剤			等張化剤	pH調節剤
ポリゼリン（mg）	乳糖水和物（mg）	L-グルタミン酸ナトリウム（mg）	L-グルタミン酸カリウム水和物（mg）	エデト酸ナトリウム水和物（mg）	リン酸水素ナトリウム水和物（mg）	リン酸二水素カリウム（mg）	トロメタモール（mg）	塩化ナトリウム（mg）	
0	75	1.0	0	0	2.5	0.4	0	8.1	0
9.0〜12.0	0	0	0.8〜1.0	0.2〜0.3	0	0	3.0〜4.0	4.0〜5.0	適量

（添付溶剤 0.5mLで溶解したときの液剤 0.5mL中含有量）

緩衝剤		pH調節剤	添付溶剤
トロメタモール（mg）	精製白糖（mg）		0.4%塩化ナトリウム液（mL）
0.6	42.5	適量	0.5

4価髄膜炎菌ワクチン（ジフテリアトキソイド結合体）

製造元	商品名	液剤色	有効成分		
			髄膜炎菌 （血清型A） 多糖体ジフテリア トキソイド結合体 （μg）	髄膜炎菌 （血清型C） 多糖体ジフテリア トキソイド結合体 （μg）	髄膜炎菌 （血清型Y） 多糖体ジフテリア トキソイド結合体 （μg）
サノフィ	メナクトラ筋注	澄明または わずかに混濁	4	4	4

経口弱毒生ヒトロタウイルスワクチン

製造元	商品名	有効成分	概要	
		弱毒生ヒトロタウイルス （RIX4414株）	培養に用いる細胞	液剤色
グラクソ・ スミスクライン	ロタリックス内用液	$6.0\log_{10}$ CCID$_{50}$ 以上	アフリカミドリザル 腎臓由来細胞	無色の澄明

5価経口弱毒生ロタウイルスワクチン

製造元	商品名	有効成分				
		G1型 ロタウイルス （WI79-9株）	G2型 ロタウイルス （SC2-9株）	G3型 ロタウイルス （WI78-8株）	G4型 ロタウイルス （BrB-9株）	P1A[8]型 ロタウイルス （WI79-4株）
MSD	ロタテック 内用液	2.2×10^6 感染単位以上	2.8×10^6 感染単位以上	2.2×10^6 感染単位以上	2.0×10^6 感染単位以上	2.3×10^6 感染単位以上

組換え沈降2価ヒトパピローマウイルス様粒子ワクチン

製造元	商品名	由来	有効成分	
			ヒトパピローマウイルス16型 L1 たん白質ウイルス様粒子（μg）	ヒトパピローマウイルス18型 L1 たん白質ウイルス様粒子（μg）
グラクソ・ スミスクライン	サーバリックス	イラクサギン ウワバ細胞	20	20

組換え沈降4価ヒトパピローマウイルス様粒子ワクチン

製造元	商品名	由来	有効成分		
			ヒトパピローマウイ ルス6 型L1たん白質 ウイルス様粒子（μg）	ヒトパピローマウイ ルス11型L1たん白質 ウイルス様粒子（μg）	ヒトパピローマウイ ルス16型 L1たん白質 ウイルス様粒子（μg）
MSD	ガーダシル水性懸濁 筋注シリンジ	酵母	20	40	40

（液剤0.5mL中含有量）

有効成分	添加物		
髄膜炎菌 （血清型W-135） 多糖体ジフテリア トキソイド結合体 （μg）	無水リン酸一水素 ナトリウム （mg）	リン酸二水素 ナトリウム一水和物 （mg）	塩化ナトリウム （mg）
4	0.348	0.352	4.35

（液剤1.5mL中含有量）

安定剤	緩衝剤		希釈剤
精製白糖 （g）	水酸化ナトリウム （mg）	アジピン酸 （mg）	ダルベッコ変法 イーグル培地（mg）
1.073	54.76	100.75	2.033

（液剤2mL中含有量）

概要		安定剤			緩衝剤	希釈剤	pH調節剤
培養に用いる 細胞	液剤色	精製白糖 （mg）	リン酸二水素ナト リウム一水和物 （mg）	ポリソル ベート80 （mg）	クエン酸ナト リウム水和物 （mg）	Ham's F12と Medium 199 混合溶液	水酸化 ナトリウム （mg）
アフリカミドリザル 腎臓由来細胞	微黄色～微帯赤黄色 の澄明	1,080	29.8	0.17～0.86	127	適量	2.75

（液剤0.5mL中含有量）

緩衝剤	等張化剤	免疫増強剤		pH調節剤
リン酸二水素 ナトリウム(mg)	塩化ナトリウム （mg）	水酸化アルミニウム懸濁液 （アルミニウム換算）（μg）	3-脱アシル化-4′-モノホス ホリルリピッドA(MPL)（μg）	塩酸水酸化 ナトリウム
0.624	4.4	500	50	適量

（液剤0.5mL中含有量）

有効成分	安定剤		緩衝剤		免疫増強剤
ヒトパピローマウイ ルス18型 L1たん白質 ウイルス様粒子（μg）	塩化ナトリウム （mg）	ポリソルベート 80 （μg）	L-ヒスチジン 塩酸塩水和物 （mg）	ホウ砂 （μg）	アルミニウムヒドロキ シホスフェイト硫酸塩 （アルミニウムとして）（μg）
20	9.56	50	1.05	35	225

ワクチンのゼラチン，人血清アルブミン，チメロサール，その他の防腐剤含有量の推移

(2020年1月1日現在)

乾燥弱毒生麻しんワクチン

製造元	ゼラチン 含有量(W/V%)	改良時期とロット		人血清アルブミン 含有量(W/V%)	改良時期とロット	
武田薬品	0 (0.3)	96.12	H322	0 (0.25)	00.4	H701
阪大微研	0 (0.36)	98.11	ME-07	0 (0.14)	00.10	ME015
第一三共[*2]	0 (0.2[*1])	02.8	M21-1	0	発売時より無添加	
千葉血清[*3]	0 (0.2)	98.6	C4-1	0	発売時より無添加	

注 ( )内は改良以前の含有量
[*1] 1998年7月(ロットM19-1)より低アレルギー性ゼラチン「プリオネクス」使用
[*2] 2018年10月販売中止　[*3] 千葉血清：2002年9月閉鎖(以下同)

乾燥弱毒生風しんワクチン

製造元	ゼラチン 含有量(W/V%)	改良時期とロット		人血清アルブミン 含有量(W/V%)	改良時期とロット	
武田薬品	0	発売時より無添加		0 (0.25)	00.4	H101
阪大微研	0 (0.36)	97.10	RU-01	0 (0.14)	01.4	RU018
第一三共[*1]	0 (0.2)	99.6	987-1	0	発売時より無添加	
化血研[*2]	0	発売時より無添加		0.5	−	
千葉血清	0 (0.2)	98.4	C7-1	0	発売時より無添加	

注 ( )内は改良以前の含有量
[*1] 2019年3月販売中止　[*2] 2006年6月販売休止

乾燥弱毒生おたふくかぜワクチン

製造元	ゼラチン 含有量(W/V%)	改良時期とロット		人血清アルブミン 含有量(W/V%)	改良時期とロット	
武田薬品	0	発売時より無添加		0 (0.25)	00.4	H601
第一三共	0 (0.2[*1])	02.5	KO5-1	0	発売時より無添加	
化血研[*2]	0	発売時より無添加		0.5	−	
阪大微研	0 (0.36)	94年製造中止		0 (0.14)	94年製造中止	
千葉血清	0.2	96年製造中止		0	96年製造中止	

注 ( )内は改良以前の含有量
[*1] 1999年1月(ロットNo.KO3-17)より低アレルギー性ゼラチン「プリオネクス」使用
[*2] 2006年12月販売休止

沈降精製百日せきジフテリア破傷風混合ワクチン(DTaP)

製造元	ゼラチン		チメロサール		フェノキシエタノール
	含有量(W/V%)	改良時期とロット	含有量(W/V%)	改良時期とロット	添加時期とロット
武田薬品	0 (0.0067以下*)	99.2　HJ088A	0 (0.0009)	03.9　Q018A	03.9　Q018A 14年販売中止
阪大微研	0 (0.0048以下*)	98.8　3AA08	0 (0.0005)	06.7　3E01A	
第一三共	0 / 0	発売時より無添加	0 (0.01) / 0	04.1　AC001A(バイアル) / 07.2　AM001A(シリンジ)	
化血研	0 (0.02)	97.12　01A	0.0004(0.001) / 0 (0.0004)	03.5　26A(バイアル) / 12.6　K001(シリンジ)	14年販売中止 / 13年販売中止
デンカ生研	0 (0.0067以下*)	97.11　37	0.0004(0.01)	06.8　59	09年販売中止
千葉血清	0	発売時より無添加	0.01	96年製造中止	

注　（　）内は改良以前の含有量
＊　原液由来

沈降ジフテリア破傷風混合トキソイド(沈降DT)

製造元	ゼラチン		チメロサール		フェノキシエタノール
	含有量(W/V%)	改良時期とロット	含有量(W/V%)	改良時期とロット	添加時期とロット
武田薬品	0 (0.0016以下*)	98.12　HJ039A	0 (0.0002)	04.2　N048A	04.2　N048
阪大微研	0 (0.0009以下*)	01.8　2S005	0 (0.01)	06.12　2E001	
第一三共	0	発売時より無添加	0.0001(0.01)	07.10　BB001	
KMバイオロジクス	0 (0.02)	97.12　15	0.001(0.01)	97.12　15	
デンカ生研	0	発売時より無添加	0.0004(0.01)	05.9　21	10年販売中止
千葉血清	0	発売時より無添加	0.01	96年製造中止	

注　（　）内は改良以前の含有量
＊　原液由来

沈降破傷風トキソイド

製造元	ゼラチン		チメロサール		フェノキシエタノール
	含有量(W/V%)	改良時期とロット	含有量(W/V%)	改良時期とロット	改良時期とロット
武田薬品	0 (0.0005以下*)	98.12　HJ130A	0 (0.0002)	03.10　U004A	03.10　U004A
阪大微研	0	発売時より無添加	0 (0.01)	06.11　TE001	
第一三共	0	発売時より無添加	0 / 0 (0.01)	06.8　TM001(シリンジ) / 06.7　TC001(バイアル)	10年販売中止
KMバイオロジクス	0 (0.02)	98.2　55	0.001(0.01)	98.2　55	
デンカ生研	0	発売時より無添加	0.0004(0.01)	05.5　30	
千葉血清	0	発売時より無添加	0.01	96年製造中止	

注　（　）内は改良以前の含有量
＊　原液由来

成人用沈降ジフテリアトキソイド

製造元	チメロサール	
	含有量 (W/V%)	改良時期とロット
阪 大 微 研	0 (0.01)	08.2　　DE002

乾燥細胞培養日本脳炎ワクチン

製造元	ゼラチン		チメロサール	
	含有量 (W/V%)	改良時期とロット	含有量 (W/V%)	改良時期とロット
阪 大 微 研	0	発売時より無添加	0	発売時より無添加
KMバイオロジクス	0	発売時より無添加	0	発売時より無添加

沈降Ｂ型肝炎ワクチン，組換え沈降Ｂ型肝炎ワクチン

製造元	ゼラチン		チメロサール	
	含有量 (W/V%)	改良時期とロット	含有量 (W/V%)	改良時期とロット
明 治 乳 業	0	発売時より無添加	0.0005	09年1月販売中止
KMバイオロジクス	0	発売時より無添加	0.001 (0.01)	95.3　　Y22A
Ｍ　Ｓ　Ｄ	0	発売時より無添加	0 (0.005)	05.8　　9KF01R
阪 大 微 研	0.02	02年3月販売中止	0.01	02年3月販売中止
塩 野 義 製 薬	0	発売時より無添加	0.005	04年3月販売中止

注　（　）内は改良前の含有量

インフルエンザ HA ワクチン

製造元	ゼラチン		チメロサール	
	含有量(W/V%)	改良時期とロット	含有量(W/V%)	改良時期とロット
阪大微研	0 (0.02)	99.10　HAA06	(1バイアル1mL) 0.0008(0.01)　02.9　HA024A (1バイアル0.5mL) 0　05.9　HE01A (1シリンジ0.5mL) 0　08.12　HK01A	
第一三共	0 (0.02)	00.10　228	(1バイアル1mL) 0.0005(0.01)　03.9　256-1 (1バイアル0.5mL) 0　10年9月販売中止 (1シリンジ0.5mL) 0　発売時より無添加 (1シリンジ0.25mL) 0　発売時より無添加	
KMバイオロジクス	0 (0.02)	99.10　192A	0.0005(0)	12.9　330A
デンカ生研	0 (0.02)	00.4　215-A	0.0004(0.01)	02.9　235-A
武田薬品	0.05	94年3月製造中止	0.01	94年3月製造中止
千葉血清	0 (0.02)	00.9　C193	0.01	95年製造中止
細菌化学	0.02	94年製造中止	0.01	94年製造中止

注　(　)内は改良前の含有量

乾燥弱毒生水痘ワクチン

製造元	ゼラチン		ゼラチン加水分解物	
	含有量(W/V%)	改良時期とロット	含有量(W/V%)	改良時期とロット
阪大微研	0 (0.14)	00.1　VZ-11	0 (1.8)	00.1　VZ-11

注　(　)内は改良前の含有量

乾燥組織培養不活化狂犬病ワクチン

製造元	ゼラチン	
	含有量(W/V%)	改良時期とロット
KMバイオロジクス	0.02	－
グラクソ・スミスクライン	ポリゼリン*として 0.9〜1.2	

＊　ゼラチンの分解物を重合させたゼラチン由来物質

免疫グロブリン製剤，抗毒素製剤

I 免疫グロブリン製剤

抗体とは，抗原と特異的に結合する免疫グロブリンで，IgG，IgM，IgA，IgE，IgDのアイソタイプが存在し，それぞれ異なる作用を持っている。免疫グロブリン製剤には，1,000人以上の健康成人供血者のプール血漿を濃縮した人免疫グロブリン製剤と，特定の病原体に対する高い抗体価を有する血漿から精製した高度免疫人ガンマグロブリン製剤がある。

わが国で販売されている人免疫グロブリン製剤を**表1**に示す

1．人免疫グロブリン製剤
1）抗体の構造

免疫グロブリンは蛋白質で，その構造を模式的に**図1**に示した。4本のペプチドから構成され，長い2本の重鎖(heavy chain)と短い2本の軽鎖(light chain)が，それぞれ折れ曲がりの部位(ヒンジ)近傍でジスルフィド結合(S-S結合)によりつながり，Y字の構造をとっている。抗原と結合する部位はFab (antigen binding fragment)である。その半分から末端までの領域は可変部(variable region)で，抗原と結合する特異性を規定している。この後に定常部位(constant region)があり，アミノ酸配列があまり変わらない領域である。この部分は2本の重鎖からなるFc (crystalizable fragment)を構成し，好中球，マクロファージなどの貪食細胞の表面に表出したFc受容体に結合し，貪食されるオプソニン活性を有する。また，Fabに抗原が結合するとヒンジの構造変化が起こり，Fc部分(CH2)に補体が結合し，補体成分が逐次結合する。細菌の細胞膜に穴をあけ溶菌させ，細胞結合部位ができ補体が活性化される。

自然界に存在する多種多様の抗原に対して抗体が作られるが，その多様性は可変部のアミノ酸配列によるもので重鎖の遺伝子領域には51のV_H遺伝子，27のD_H遺伝子，6のJ_H遺伝子が並んでおり，軽鎖の遺伝子領域には40のV_K遺伝子，5のJ_K遺伝子が並んでいる。それぞれの部位に無作為に1種類ずつが選択されると，重鎖で$51 \times 27 \times 6 = 8,262$，軽鎖で$40 \times 5 = 200$で，個体レベルの変異を含めると合計約$10^7$の組み合わせができ，それ以外にアミノ酸の挿入なども起こるため，多様な抗体を作り出すことが可能なクローンを持っていることになる。

2）人免疫グロブリン製剤の種類
a 筋注用人免疫グロブリン製剤

筋注用人免疫グロブリン製剤は，150mg/mLの濃度で3mL，10mL製剤がある。低ガンマグロブリン血症の補充療法では100〜300mg/kgを1カ月に1回投与する。

免疫グロブリン製剤，抗毒素製剤　139

表1　人免疫グロブリン製剤　（2020年1月1日現在）

製剤名 　商品名	製造元 – 販売元
筋　注	
人免疫グロブリン（筋注）	
ガンマグロブリン筋注 450mg/3mL「ニチヤク」	日本製薬–武田薬品工業
ガンマグロブリン筋注 1500mg/10mL「ニチヤク」	日本製薬–武田薬品工業
グロブリン筋注 450mg/3mL「JB」	日本血液製剤機構
グロブリン筋注 1500mg/10mL「JB」	日本血液製剤機構
静　注（点滴静注，または直接静注）	
酵素処理　乾燥ペプシン処理人免疫グロブリン	
献血グロブリン注射用 2500mg「KMB」	KMバイオロジクス–アルフレッサファーマ
スルホ化完全分子型　乾燥スルホ化人免疫グロブリン	
献血ベニロン–I 静注用 500mg	KMバイオロジクス–帝人ファーマ
献血ベニロン–I 静注用 1000mg	KMバイオロジクス–帝人ファーマ
献血ベニロン–I 静注用 2500mg	KMバイオロジクス–帝人ファーマ
献血ベニロン–I 静注用 5000mg	KMバイオロジクス–帝人ファーマ
非装飾完全分子型　pH4処理酸性人免疫グロブリン	
ピリヴィジェン10%点滴静注 5g/50mL	CSLベーリング*
ピリヴィジェン10%点滴静注 10g/100mL	CSLベーリング*
ピリヴィジェン10%点滴静注 20g/200mL	CSLベーリング*
献血ポリグロビンN5%静注 0.5g/10mL	日本血液製剤機構
献血ポリグロビンN5%静注 2.5g/50mL	日本血液製剤機構
献血ポリグロビンN5%静注 5g/100mL	日本血液製剤機構
献血ポリグロビンN10%静注 2.5g/25mL	日本血液製剤機構
献血ポリグロビンN10%静注 5g/50mL	日本血液製剤機構
献血ポリグロビンN10%静注 10g/100mL	日本血液製剤機構
ポリエチレングリコール処理人免疫グロブリン	
献血ヴェノグロブリン IH5%静注 0.5g/10mL	日本血液製剤機構
献血ヴェノグロブリン IH5%静注 1g/20mL	日本血液製剤機構
献血ヴェノグロブリン IH5%静注 2.5g/50mL	日本血液製剤機構
献血ヴェノグロブリン IH5%静注 5g/100mL	日本血液製剤機構
献血ヴェノグロブリン IH5%静注 10g/200mL	日本血液製剤機構
献血ヴェノグロブリン IH10%静注 0.5g/5mL	日本血液製剤機構
献血ヴェノグロブリン IH10%静注 2.5g/25mL	日本血液製剤機構
献血ヴェノグロブリン IH10%静注 5g/50mL	日本血液製剤機構
献血ヴェノグロブリン IH10%静注 10g/100mL	日本血液製剤機構
献血ヴェノグロブリン IH10%静注 20g/200mL	日本血液製剤機構
乾燥ポリエチレングリコール処理人免疫グロブリン	
献血グロベニン–I 静注用 500mg	日本製薬–武田薬品工業
献血グロベニン–I 静注用 2500mg	日本製薬–武田薬品工業
献血グロベニン–I 静注用 5000mg	日本製薬–武田薬品工業
乾燥イオン交換樹脂処理人免疫グロブリン	
ガンマガード 静注用 2.5g	シャイアー・ジャパン*
ガンマガード 静注用 5g	シャイアー・ジャパン*
皮下注	
pH4処理酸性人免疫グロブリン	
ハイゼントラ20%皮下注 1g/5mL	CSLベーリング*
ハイゼントラ20%皮下注 2g/10mL	CSLベーリング*
ハイゼントラ20%皮下注 4g/20mL	CSLベーリング*

＊：輸入販売

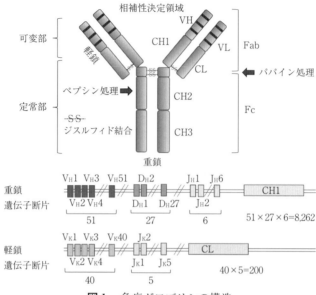

図1　免疫グロブリンの構造

免疫グロブリンは，4本の蛋白からなり，重鎖2本と軽鎖2本が折れ曲がりのヒンジ部で各々がジスルフィド結合(S-S結合)により1分子を形成している．可変部は抗原に結合する多様性を持つ領域である．重鎖VHの遺伝子領域の$V_H1\sim51$，$D_H1\sim27$，$J_H1\sim6$で8,262種類の組み合わせが可能である．軽鎖VLの遺伝子領域の$V_K1\sim40$，$J_K1\sim5$で200種類の組み合わせができ，重鎖と軽鎖の組み合わせから抗原認識の多様性が説明できる．抗原と結合することで抗体のCH2領域に補体結合部位ができる．

麻疹患者との接触後3日以内であれば発症予防が期待できるが，4日以降では軽症化が期待できる程度である．通常15～50mg/kgを筋注する．痛みの強いことに注意する．

b　静注用人免疫グロブリン製剤

　健康成人のプール血漿から製造される人免疫グロブリン製剤は，その製造工程で差が出てくる．最初に作られたのは低温エタノール分画製剤であったが，アナフィラキシー反応の発現から，静注用の製剤ではパパイン，ペプシン処理が行われた．パパイン，ペプシン処理では，Fabが残り分子量が小さくなるため組織への移行は早いが，Fcを欠くためオプソニン活性，補体活性がない．スルホン化製剤は，ジスルフィド結合を切り離してIgGの凝集を抑えているが，生体内では24時間以内には非修飾型(インタクト製剤)に戻る．オプソニン活性は，非修飾型(インタクト製剤)よりも劣る．ポリエチレン処理，イオン交換樹脂処理，pH4は，修飾を受けず血清中のIgG抗体と同等に感染症予防，治療に有効と考えられる．

免疫グロブリン製剤，抗毒素製剤　141

c　皮下注用人免疫グロブリン製剤

　皮下注用人免疫グロブリン製剤は，200mg/mL（20％）の高濃度で5mL，10mL，20mL製剤が存在する。静脈投与が困難な患者，特に小児および高齢者へも皮下投与が可能となる。在宅自己投与も持続皮下投与により利便性が向上してきた。

3）人免疫グロブリン製剤の適用

　人免疫グロブリン製剤の適用，用法・用量を**表2**にまとめた。製剤によって保険適用が異なっている。

4）免疫グロブリン大量静注療法

　特発性血小板減少性紫斑病，川崎病の治療経験から，400mg/kg/日を5日間，もしくは総量2,000mg/kgが目安と考えられている。大量静注療法が保険適用となっている疾患は，ギラン・バレー症候群，フィッシャー症候群，慢性炎症性脱髄性多発根ニューロパチー，重症筋無力症，多巣性運動ニューロパチーなどの免疫性神経疾患である。Fabの持つ作用としては，免疫系細胞の増殖抑制，アポトーシスの抑制などがいわれており，Fcを介する抗体依存性細胞傷害活性，貪食作用の抑制などが考えられているが，その作用機序に関しては十分に解明されていない。

5）高度免疫人免疫グロブリン製剤

　感染症に罹患すると，病原体に対する免疫応答として抗体が産生される。高度免疫人免疫グロブリンは，供血者の中で特定の疾患に対する抗体が高い血漿から精製したものである。

a　抗破傷風人免疫グロブリン（TIG）

　ヒトの血漿由来で破傷風抗毒素を高力価に含有し，破傷風の潜伏期間に静注で投与する。

b　抗HBs人免疫グロブリン（HBIG）

　HBIGは，B型肝炎の母子感染予防，針刺し事故の治療薬として用いられている。

　HBVキャリアからの出生による母子感染予防のために，出生後12時間以内を目安にHBIG（0.5〜1.0mL）とB型肝炎ワクチンを接種する。

　針刺し事故の場合は，事故者のHBs抗原，HBs抗体を確認し，以下のように対応する。

・事故者のHBs抗体が陰性で，汚染検体がHBs抗原陽性なら事故発症後24時間以内（遅くとも48時間）にHBIG，B型肝炎ワクチン（事故時，1カ月後，4〜5カ月後）の接種を行う。
・事故者のHBs抗体が陰性で汚染検体がHBs抗原陰性なら，今後の感染予防のためにB型肝炎ワクチンの接種を受けることが望ましい。
・事故者のHBs抗体が陽性で汚染検体がHBs抗原陰性なら，経過観察。
・事故者のHBs抗体が陽性で汚染検体がHBs抗原陽性なら，事故者のHBs抗体が最

142　ワクチン，免疫グロブリン製剤，抗毒素製剤

表2　人免疫グロブリン製剤の適用，用法・用量

筋注用人免疫グロブリン製剤

・**無または低ガンマグロブリン血症の補充療法**：免疫グロブリンGとして，通常100〜300mg/kg体重を毎月1回筋注する。
・**麻疹，A型肝炎およびポリオの予防と症状の軽減**：免疫グロブリンGとして通常15〜50mg/kg体重（注射用量0.1〜0.33mL/kg）を筋注する。

麻疹発症防止または症状の軽減化：感染曝露後6日以内に投与する。感染曝露後3日以内であれば，発症防止も可能であるが，4日以後では軽症化を期待する程度である。このような措置は1歳未満の乳児が対象である。

A型肝炎の予防：感染機会があった後，14日以内に免疫グロブリンを投与すれば，発症を防止できるとされている。

・免疫グロブリンによる予防効果は一時的なので，その後に，ワクチン接種によって長期の免疫をつける。その際は，残存する免疫グロブリンによる影響を避けるため，非経口用生ワクチンの場合は免疫グロブリン注射後3カ月以上の間隔をあける。

適用上の注意

・筋注用製剤の副反応として，注射部位に，疼痛，腫脹，硬結が現れることがある。反復使用すると増強するので，成人でも1カ所に5mL，小児では1〜3mL，総量も成人で1回20mLを超えないようにという注意が出されている。
・筋注用製剤は，IgG凝集物を含むため，静注すると補体系を非特異的に活性化してしまう。決して，静脈内に注射しないこと。この反応にはIgGのFc部が関与している。

静注用人免疫グロブリン製剤（乾燥ペプシン処理人免疫グロブリン以外）

・**低または無ガンマグロブリン血症**：通常，1回人免疫グロブリンGとして200〜600mg（4〜12mL)/kg体重を3〜4週間隔で点滴静注または直接静注する。
　・患者の状態に応じて適宜増減する。
・**重症感染症における抗生物質との併用に用いる場合**：通常，成人に対しては1回人免疫グロブリンGとして2,500〜5,000mg（50〜100mL）を，小児に対しては1回人免疫グロブリンGとして50〜150mg（1〜3mL)/kg体重を点滴静注，または直接静注する。
　・症状，年齢に応じて適宜増量する。
・**特発性血小板減少性紫斑病に用いる場合**：他剤が無効で著明な出血傾向があり，外科的処置または出産等一時的止血管理を必要とする場合に，1日に200〜400mg（4〜8mL)/kg体重を投与する。
　・5日間使用しても症状に改善が認められない場合は，以降の投与を中止する。
　・年齢および症状に応じて適宜増減する。
・**川崎病の急性期**：重症で，冠動脈障害発生抑制のために，発病後7日以内に投与を開始する。
　・通常，1日に人免疫グロブリンGとして200mg（4mL）または400mg（8mL)/kg体重を5日間点滴静注または直接静注，もしくは2,000mg（40mL)/kg体重を1回点滴静注する。
　・年齢と症状に応じて，5日間投与の場合は適宜増減，1回投与の場合は適宜減量する。

皮下注用人免疫グロブリン製剤

・**無または低ガンマグロブリン血症**：通常，1回人免疫グロブリンGとして50〜200mg（0.25〜1mL)/kg体重を週1回皮下投与する。
　・患者の状態に応じて適宜増減する。

　小防御抗体価未満の場合は事故後48時間以内にHBIG投与。事故者のHBs抗体が最小防御抗体価以上の場合は経過観察。
　ワクチン接種歴があって抗体陽転が確認されずHBs抗体が陰性なら，HBIG投与とB型肝炎ワクチンを追加接種する。
　ワクチン接種後，抗体陽転が確認された後にHBs抗体が陰性化しているときにはワクチン接種の必要はないが，HBIG投与することが望ましい。

免疫グロブリン製剤，抗毒素製剤　143

c　抗Rh(D)免疫グロブリン

　Rh(−)の血液型を持つ頻度は，日本人では1％以下であるが，Rh(−)の女性が Rh(＋)の児を出産したときには胎児の赤血球が母親側に移行し母親に抗RhD抗体 を産生する。次子を妊娠したときには，抗RhD抗体はIgG抗体で胎児に移行して溶 血を起こし流産の原因となる。出産後72時間以内に母体に抗Rh(D)免疫グロブリン 製剤を投与し，母体が抗RhD抗体を産生しないように予防する。出産に限らず妊娠 末期の28週前後では，切迫流産，腹部打撲，胎盤早期剥離などにより胎児のRh(＋) 血球による感作の可能性があるため母体に予防投与を行う。

6) 免疫グロブリン投与後のワクチン接種

　静注用免疫グロブリンは，健康成人のプール血漿から製造されており，製剤中に は各種のウイルス抗体が含まれている。麻疹，風疹，おたふくかぜ，水痘に対して 高い抗体価を持っているものが多い。生ワクチンは，生体で増殖することで免疫応 答を誘導する。ワクチン接種前に高い抗体価を持っていたり，生ワクチン接種後5 ～10日以内に免疫グロブリンを使用すると，ワクチンに含まれるウイルスが中和さ れてワクチンとしての効果が認められないことがある。免疫グロブリンの半減期は 約20日前後と考えられており，投与後生ワクチン接種には3カ月はあける必要があ る。川崎病や特発性血小板減少性紫斑病で免疫グロブリン大量静注療法をした後で は，生ワクチン接種は6カ月以上あけるとされている。

2．人免疫グロブリン製剤の副反応

　人免疫グロブリン製剤の原材料となる血液は，HBs抗原，抗HCV抗体，抗HIV-1, 抗HIV-2抗体が陰性であることが確認されている。さらに，プールした血漿につい ては核酸増幅法で適合性を確認している。しかしながら，検出限界以下のレベルで の混入の可能性は常に残されている。低温エタノール分画，ポリエチレングリコー ル，DEAEセファデックス処理で濃縮精製する。60℃，10時間の加熱処理とウイル ス除去膜によるウイルス不活化，除去の過程を経ている。こうした処理でも不活化 されないヒトパルボウイルスB19などがあり，投与後にこれらの感染に対する注意 が必要である。これまでその報告はないが，変異型クロイツフェルト・ヤコブ病の 異常プリオンを完全には排除できない。

　現在行われている感染性因子の除去については**表3〜6**にまとめた。

　人免疫グロブリン製剤に共通する副反応として，発熱，悪寒，戦慄，チアノーゼ, 発疹，頭痛，嘔吐が認められている。こうした症状は一過性で自然回復するが，症 状の程度に応じて抗ヒスタミン薬，ステロイド薬が投与される。まれではあるが, 重大な副反応としてアナフィラキシー反応が出現する。血圧の低下，ショック，喘 鳴，呼吸困難，チアノーゼが出現したら，投与を中止し適切な処置を行う。

144　ワクチン，免疫グロブリン製剤，抗毒素製剤

表3　筋注用人免疫グロブリン製剤の半減期，原料およびウイルス除去法

(2020年1月1日現在)

商品名	半減期	有効成分・原料	ウイルス除去法，添加物など
ガンマグロブリン筋注 450mg／3mL「ニチヤク」 ガンマグロブリン筋注 1500mg/10mL「ニチヤク」	約24日	人免疫グロブリンG含量150mg/mL 国内献血由来 HBs抗原，抗HCV抗体，抗HIV-1抗体，抗HIV-2抗体および抗HTLV-1抗体陰性で，かつALT(GPT)値でスクリーニングしている。さらにHIV，HBVおよびHCVについての核酸増幅検査を実施し，適合した献血者の血漿	Cohnの低温エタノール分画 ウイルス除去膜濾過処理 有機溶剤／界面活性剤処理(TNBP/TritonX-100処理) グリシン(22.5mg/mL)
グロブリン筋注 450mg／3mL「JB」 グロブリン筋注 1500mg/10mL「JB」	約23日	人免疫グロブリンG含量150mg/mL 国内献血由来 HBs抗原，抗HCV抗体，抗HIV-1抗体，抗HIV-2抗体および抗HTLV-1抗体陰性で，かつALT(GPT)値でスクリーニングし，さらにHIV，HBVおよびHCVについての核酸増幅検査を実施し，適合した献血者の血漿	Cohnの低温エタノール分画 ポリエチレングリコール処理 液状加熱処理(60℃ 10時間) ウイルス除去膜濾過処理(平均孔径19nm) 陰イオン交換体処理 グリシン(22.0mg/mL)　他

表4　静注用人免疫グロブリン製剤の適用，半減期，原料およびウイルス除去法

(2020年1月1日現在)

製剤名	商品名	有効成分・適用	半減期	原料	ウイルス除去法，添加物など
乾燥ペプシン処理人免疫グロブリン	献血グロブリン注射用2500mg「KMB」 (KMバイオロジクス-アルフレッサファーマ)	ペプシン処理人免疫グロブリンG分屑　50mg/mL 凍結乾燥製剤 無または低ガンマグロブリン血症 重症感染症における抗生物質との併用	1〜9日	国内献血由来 HBs抗原，抗HCV抗体，抗HIV-1抗体，抗HIV-2抗体，抗HTLV-Ⅰ陰性で，かつALT(GPT)値でスクリーニングし，HBV，HCVおよびHIVについては個別の試験血漿で，HAVおよびヒトパルボウイルスB19についてはプールした試験血漿で核酸増幅検査(NAT)を行った健康な献血者の血漿	Cohnの低温エタノール分画 ペプシン処理 ウイルス除去膜処理(孔径19nm)
乾燥人免疫スルホ化グロブリン	献血ベニロン-Ⅰ静注用 　　500mg 　　1000mg 　　2500mg 　　5000mg (KMバイオロジクス-帝人ファーマ)	スルホ化人免疫グロブリンG 50mg/mL　　凍結乾燥製剤 低または無ガンマグロブリン血症 重症感染症における抗生物質との併用 特発性血小板減少性紫斑病*1 川崎病の急性期*2 ギラン・バレー症候群 好酸球性多発血管炎性肉芽腫症における神経障害の改善(ステロイド剤が効果不十分な場合に限る) 慢性炎症性脱髄性多発根神経炎(多巣性運動ニューロパチーを含む)の筋力低下の改善	約25日	国内献血由来 HBs抗原，抗HCV抗体，抗HIV-1抗体，抗HIV-2抗体，抗HTLV-Ⅰ抗体陰性で，かつALT(GPT)値でスクリーニングし，HBV，HCVおよびHIVについては個別の試験血漿で，HAVおよびヒトパルボウイルスB19についてはプールした試験血漿で核酸増幅検査(NAT)を行った健康な献血者の血漿	Cohnの低温エタノール分画 スルホ化処理 ウイルス除去膜処理(孔径19nm)

免疫グロブリン製剤，抗毒素製剤　145

表4　静注用人免疫グロブリン製剤の適用，半減期，原料およびウイルス除去法(続き)

製剤名	商品名	有効成分・適用	半減期	原料	ウイルス除去法，添加物など
pH4処理人免疫グロブリン酸性	献血ポリグロビンN 5％静注 0.5g/10mL 2.5g/50mL 5 g/100mL 献血ポリグロビンN 10％静注 2.5g/25mL 5 g/50mL 10g/100mL (日本血液製剤機構)	pH 4 処理酸性人免疫グロブリンG 　50mg/mL(5 ％)液剤 　100mg/mL(10％)液剤 低または無ガンマグロブリン血症 重症感染症における抗生物質との併用 特発性血小板減少性紫斑病[*1] 川崎病の急性期[*2]	平均28・6日	国内献血由来の血液 問診等の検診により健康状態を確認した国内の献血者から採血し，梅毒トレポネーマ，B型肝炎ウイルス(HBV)，C型肝炎ウイルス(HCV)，ヒト免疫不全ウイルス(HIV-1およびHIV-2)，ヒトTリンパ球向性ウイルス1型(HTLV-1)およびヒトパルボウイルスB19についての血清学的検査および肝機能(ALT(GPT))検査に適合したもので，さらに，HBV-DNA，HCV-RNAおよびHIV-RNAについて核酸増幅検査を実施し，適合した血漿を用いている。	Cohnの低温エタノール分画デプスフィルトレーション処理 S/D［有機溶媒(TNBP)/界面活性剤(コール酸Na)］処理 pH4液状インキュベーション処理
ポリエチレングリコール処理人免疫グロブリン	献血ヴェノグロブリンIH 5 ％静注 0.5g/10mL 1 g/20mL 2.5g/50mL 5 g/100mL 10g/200mL 献血ヴェノグロブリンIH10％静注 0.5g/ 5 mL 2.5g/25mL 5 g/50mL 10g/100mL 20g/200mL (日本血液製剤機構)	PEG処理人免疫グロブリンG 　50mg/mL(5 ％)液剤 　100mg/mL(10％)液剤 低並びに無ガンマグロブリン血症 重症感染症における抗生物質との併用 特発性血小板減少性紫斑病[*1] 川崎病の急性期[*2] 多発性筋炎・皮膚筋炎における筋力低下の改善(ステロイド剤が効果不十分な場合に限る) 慢性炎症性脱髄性多発根神経炎(多巣性運動ニューロパチーを含む)の筋力低下の改善 慢性炎症性脱髄性多発根神経炎(多巣性運動ニューロパチーを含む)の運動機能低下の進行抑制(筋力低下の改善が認められた場合) 全身型重症筋無力症(ステロイド剤またはステロイド剤以外の免疫抑制剤が十分に奏効しない場合に限る) 天疱瘡(ステロイド剤の効果不十分の場合) 血清IgG2値の低下を伴う，肺炎球菌またはインフルエンザ菌を起炎菌とする急性中耳炎，急性気管支炎または肺炎の発症抑制[*3] 水疱性類天疱瘡(ステロイド剤の効果不十分な場合) ギラン・バレー症候群(急性増悪期で歩行困難な重症例)	約27日	国内献血由来 HBs抗原，抗HCV抗体，抗HIV-1抗体，抗HIV-2抗体および抗HTLV-Ⅰ抗体陰性で，かつALT(GPT)値でスクリーニングし，さらにHIV-1，HBVおよびHCVについての核酸増幅検査を実施し，適合した献血者の血漿	Cohnの低温エタノール分画ポリエチレングリコール処理液状加熱処理(60℃ 10時間)ウイルス除去膜濾過処理(平均孔径 19nm)低pH液状インキュベーション処理陰イオン交換体処理

146　ワクチン，免疫グロブリン製剤，抗毒素製剤

表4　静注用人免疫グロブリン製剤の適用，半減期，原料およびウイルス除去法(続き)

製剤名	商品名	有効成分・適用	半減期	原料	ウイルス除去法，添加物など
乾燥ポリエチレングリコール処理人免疫グロブリン	献血グロベニン-I静注用（日本製薬-武田薬品工業）	PEG処理人免疫グロブリンG 50mg/mL　凍結乾燥製剤 無または低ガンマグロブリン血症 重症感染症における抗生物質との 特発性血小板減少性紫斑病*1 川崎病の急性期*2 慢性炎症性脱髄性多発根神経炎（多巣性運動ニューロパチーを含む）の筋力低下の改善 慢性炎症性脱髄性多発根神経炎（多巣性運動ニューロパチーを含む）の運動機能低下の進行抑制（筋力低下の改善が認められた場合） 天疱瘡（ステロイド剤の効果不十分な場合） スティーブンス・ジョンソン症候群および中毒性表皮壊死症（ステロイド剤の効果不十分な場合） 水疱性類天疱瘡（ステロイド剤の効果不十分な場合） ギラン・バレー症候群（急性増悪期で歩行困難な重症例）	平均17・7日	国内献血由来 HBs抗原，抗HCV抗体，抗HIV-1抗体，抗HIV-2抗体，抗HTLV-1抗体陰性で，かつALT（GPT）値でスクリーニングし，さらにHIV，HBVおよびHCVについての核酸増幅検査を実施し，適合した献血者の血漿	Cohnの低温エタノール分画 ウイルス除去膜濾過処理（孔径19nm） イオン交換体処理 ポリエチレングリコール処理
乾燥イオン交換樹脂処理人免疫グロブリン	ガンマガード静注用 2.5g 5g（シャイアー・ジャパン）	イオン交換樹脂処理人免疫グロブリンG　50mg/mL　凍結乾燥製剤 IgA含量が非常に低い 低ならびに無ガンマグロブリン血症 重症感染症における抗生物質との併用	平均25・3日	供血者ごとの血漿についてHBs抗原，抗HCV抗体，抗HIV-1抗体，抗HIV-2抗体陰性の確認。プール血漿でHBV，HCV，HIV-1，HIV-2，ヒトパルボウイルスB19およびHAVについて核酸増幅検査(NAT)を実施し，適合した健康な供血者の血漿	Cohnの低温エタノール分画 Solvent(TNBP)/Detergent（TritonX-100，Tween80)処理

＊1：他剤が無効で，著明な出血傾向があり，外科的処置または出産等一時的止血管理を必要とする場合

＊2：重症であり，冠動脈障害の発生の危険がある場合

＊3：ワクチン接種による予防および他の適切な治療を行っても十分な効果が得られず発症を繰り返す場合に限る（10g/200mL（5％）規格を除く）

免疫グロブリン製剤，抗毒素製剤　147

表5　皮下注用人免疫グロブリン製剤の適用，原料およびウイルス除去法

(2020年1月1日現在)

製剤名	商品名	有効成分・適用	原料	ウイルス除去法，添加物など
pH4処理酸性人免疫グロブリン	ハイゼントラ20%皮下注1g/5mL2g/10mL4g/20mL(CSLベーリング)	pH4処理酸性人免疫グロブリンG　200mg/mL　液剤無または低ガンマグロブリン血症	HBs抗原，抗HCV抗体，抗HIV-1抗体およびHIV-2抗体が陰性で，さらに，プールした試験血漿でHIV，HBV，HCV，HAVおよびヒトパルボウイルスB19について核酸増幅検査を実施し，適合した人血漿	デプスフィルトレーション処理pH4処理ナノフィルトレーション処理

表6　高度免疫人免疫グロブリン　(2020年1月1日現在)

	製剤名	商品名	製造元・販売元	有効成分(有効期間)	原料，ウイルス除去法など
HBIG	抗HBs人免疫グロブリン	抗HBs人免疫グロブリン筋注 200単位/1mL「JB」抗HBs人免疫グロブリン筋注 1000単位/5mL「JB」	日本血液製剤機構	筋注抗HBs人免疫グロブリン200単位(1mL)1瓶1,000単位(5mL)1瓶液剤(2年)	国内献血由来の抗HBs抗体陽性の血液問診等の検証により健康状態を確認した国内の献血者から採血し，梅毒トレポネーマ，B型肝炎ウイルス(HBV)，C型肝炎ウイルス(HCV)，ヒト免疫不全ウイルス(HIV-1およびHIV-2)，ヒトTリンパ球向性ウイルス1型(HTLV-1)およびヒトパルボウイルスB19についての血清学的検査および肝機能(ALT(GPT)検査に適合したもので，さらに，HBV-DNA，HCV-RNAおよびHIV-RNAについて核酸増幅検査に適合した血漿を用いている。Cohnの低温エタノール分画ウイルス除去膜(孔径35nm)による濾過処理
	乾燥抗HBs人免疫グロブリン	乾燥HBグロブリン筋注用200単位「ニチヤク」乾燥HBグロブリン筋注用1000単位「ニチヤク」	日本製薬・武田薬品工業	筋注抗HBs抗体200単位/mL200単位(1mL)1瓶1,000単位(5mL)1瓶(5年)	HBs抗原，抗HCV抗体，抗HIV-1抗体，抗HIV-2抗体陰性であることを確認している。さらにプールした試験血漿でHIV-1，HBVおよびHCVについての核酸増幅検査を実施し適合した抗HBs抗体を含む人血漿Cohnの低温エタノール分画ウイルス除去膜濾過処理
		ヘブスブリン筋注用200単位ヘブスブリン筋注用1000単位	日本血液製剤機構	筋注抗HBs抗体200単位(1mL)1瓶1,000単位(5mL)1瓶(2年)	HBs抗原，抗HCV抗体，抗HIV-1抗体，抗HIV-2抗体陰性であることを確認している。さらにプールした試験血漿でHIV-1，HBVおよびHCVについての核酸増幅検査を実施し，適合した高力価の抗HBs抗体を含有する人血漿Cohnの低温エタノール分画ポリエチレングリコール処理液状加熱処理(60℃ 10時間)ウイルス除去膜濾過処理(平均孔径 19nm)陰イオン交換体処理

3

ワクチン，免疫グロブリン製剤，抗毒素製剤

148 ワクチン，免疫グロブリン製剤，抗毒素製剤

表6 高度免疫人免疫グロブリン（続き）

	製剤名	商品名	製造元・販売元	有効成分 （有効期間）	原料，ウイルス除去法など
HBIG	抗HBs人免疫グロブリン　ポリエチレングリコール処理	ヘプスブリンIH静注1000単位	日本血液製剤機構	点滴又は直接静注 抗HBs抗体 1,000単位（5mL）1瓶 液剤 （3年）	HBs抗原，抗HCV抗体，抗HIV-1抗体，抗HIV-2抗体陰性であることを確認している。さらにプールした試験血漿でHIV-1，HBVおよびHCVについての核酸増幅検査を実施し，適合した高力価の抗HBs抗体を含有する人血漿 Cohnの低温エタノール分画 ポリエチレングリコール処理 液状加熱処理（60℃ 10時間） ウイルス除去膜濾過処理（平均孔径 19nm） 陰イオン交換体処理
TIG	抗破傷風人免疫グロブリン	テタガムP （輸入品）	CSLベーリング	筋注 破傷風抗毒素 250IU/mL 1mL バイアル （2年）	HBs抗原，抗HCV抗体，抗HIV-1抗体，抗HIV-2抗体の血清学的検査が陰性で，さらにプールした試験血漿において，HIV，HBV，HCV，HAVおよびパルボウイルスB19についての核酸増幅検査（NAT）を実施し，適合した健康な供血者の血漿 60℃，10時間液状加熱処理 Cohnの低温エタノール分画
	乾燥抗破傷風人免疫グロブリン	テタノブリン筋注用250単位	日本血液製剤機構	筋注 破傷風抗毒素 250IU（2.5mL）1瓶 （5年）	HBs抗原，抗HCV抗体，抗HIV-1抗体，抗HIV-2抗体陰性であることを確認している。さらにプールした試験血漿でHIV-1，HBVおよびHCVについての核酸増幅検査を実施し，適合した人血漿 Cohnの低温エタノール分画 ポリエチレングリコール処理 液状加熱処理（60℃ 10時間） ウイルス除去膜濾過処理（平均孔径 19nm） 陰イオン交換体処理
		破傷風グロブリン筋注用250単位「ニチヤク」	日本製薬・武田薬品工業	筋注 破傷風抗毒素 125IU/mL 250IU（2mL）1瓶 （5年）	HBs抗原，抗HCV抗体，抗HIV-1抗体，抗HIV-2抗体陰性であることを確認している。さらにプールした試験血漿でHIV-1，HBVおよびHCVについての核酸増幅検査を実施し，適合した人血漿 Cohnの低温エタノール分画 ウイルス除去膜濾過処理
	抗破傷風人免疫グロブリン　ポリエチレングリコール処理	テタノブリンIH静注250単位 テタノブリンIH静注1500単位	日本血液製剤機構	点滴または直接静注 破傷風抗毒素 250IU（3.4mL）1瓶 1,500IU（20mL）1瓶 液剤 （2年）	HBs抗原，抗HCV抗体，抗HIV-1抗体，抗HIV-2抗体陰性であることを確認している。さらにプールした試験血漿でHIV-1，HBVおよびHCVについての核酸増幅検査を実施し，適合した人血漿 Cohnの低温エタノール分画 ポリエチレングリコール処理 液状加熱処理（60℃ 10時間） ウイルス除去膜濾過処理（平均孔径 19nm） 陰イオン交換体処理
RIG	抗狂犬病免疫グロブリン		外国で使用		

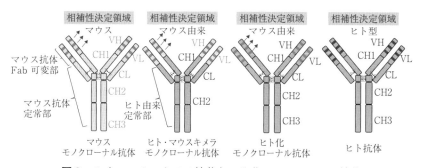

図2 ヒト・マウスキメラ抗体とヒト化モノクローナル抗体

マウスに免疫後の脾臓の抗体産生細胞で抗体を持続的に産生するマウスミエローマ細胞とハイブリドーマ細胞を作製し，特異的抗体を持続的に産生するマウスモノクローナル抗体を作製する細胞を樹立する技術が確立された。

遺伝子操作の技術革新により，ヒト免疫グロブリンの抗原決定領域(Fab可変部)をマウスモノクローナル抗体に組み換えた抗体がヒト・マウスキメラ抗体で，マウスの可変部の抗原を認識する超可変域の相補性決定領域のうち遺伝子領域のみをマウス型にしたモノクローナル抗体がヒト化モノクローナル抗体である。

RSウイルスのF蛋白に対するヒト化モノクローナル抗体は，市販されている。過剰な免疫応答が疾患の病態に関連しているリウマチ性疾患で，IL-6受容体に対するヒト単クローン抗体が使用されている。

3．抗体医薬製剤

　マウスに抗原を接種すると抗体を産生するが，抗体はポリクローナル抗体で抗原の種々の成分や特定の領域に対する抗体の集合体である。抗体産生細胞はBリンパ球が分化し，プラズマ細胞となって1クローンが1種類の抗体を産生する。マウスの骨髄腫由来のミエローマ細胞は増殖可能な細胞で，免疫後のマウスの脾臓細胞と細胞融合させハイブリドーマを作製する。これが抗原に特異的な抗体(モノクローナル抗体)を持続的に産生する細胞となる。

　マウスのモノクローナル抗体はヒトには使用できないので，遺伝子組換え技術を用いてヒト型の抗体をバックボーンに，抗原結合部位のFab可変部をマウスモノクローナル抗体に由来するヒト・マウスキメラ抗体を作製できた。さらに，Fab可変部の相補性決定領域がマウスモノクローナル抗体に由来し，他の領域をヒト型にしたヒト化モノクローナル抗体を作製することが可能となった(**図2**)。

　ヒト化モノクローナル抗体は，RSウイルス(respiratory syncytial virus：RSV)のF蛋白に対する抗RSVヒト化モノクローナル抗体として利用されている。リウマチ性疾患，悪性腫瘍に対して過剰なサイトカインが病態に関連している疾患に，TNF-αに対するヒト化モノクローナル抗体が使用されている。その他，多くの抗体医薬が，リウマチ，悪性腫瘍の治療薬として開発されている。サイトカインに対するヒト化モノクローナル抗体を使用している場合は生ワクチンの使用は制限され

150 ワクチン，免疫グロブリン製剤，抗毒素製剤

ている。

1）抗RSVヒト化モノクローナル抗体

RSVは，ウイルスが増殖するときには隣接する細胞へ細胞融合により感染が拡大していくことから，RSVのF蛋白に対する抗RSVヒト化モノクローナル抗体（シナジス）が開発された。RSVに感染すると重症化する低出生体重児，心奇形，肺疾患を有する乳幼児，ダウン症候群など，その適応症例は限られており，RSVの流行時期に毎月投与することで感染しても重症化を予防することが可能である。RSVに対するヒト化免疫グロブリンであることから生ワクチン接種に関しては考慮する必要はない。

Ⅱ　抗毒素製剤

破傷風抗毒素はヒトの免疫グロブリンであるが，その他のマムシ抗毒素，ハブ抗毒素，ボツリヌス抗毒素がある。これらの製剤は毒素や不活化した毒素をウマに接種して免疫したもので2度目の使用に際してはウマ免疫グロブリンに対する抗体ができているために血清病の懸念があり，投与の際には過去の投与についてあらかじめ確認するなどの注意が必要である。

わが国で現在製造されている抗毒素製剤の保存条件を**表7**に，**表8**には成分，適応，用法，禁忌，副作用を示した。

表7　抗毒素製剤の保存条件と有効期間　　（2020年1月1日現在。表8も同じ）

製　剤　名	保　存　条　件	有効期間
乾燥まむしウマ抗毒素 乾燥はぶウマ抗毒素 乾燥ガスえそウマ抗毒素＊ 乾燥ジフテリアウマ抗毒素＊ 乾燥ボツリヌスウマ抗毒素＊	遮光して10℃以下 （ただし凍結させると容器が破損することがある）	10年

＊　医療機関には常備されていないため，都道府県に連絡する。

免疫グロブリン製剤，抗毒素製剤　151

表8　抗毒素製剤の成分，適応，用法・用量，禁忌および副作用

乾燥まむしウマ抗毒素（凍結乾燥製剤）　（製造所　KMバイオロジクス）

成　分	まむし抗毒素（ウマ免疫グロブリン）		添加物
	抗致死価（/mL）	抗出血価（/mL）	
	300単位以上	300単位以上	L-グルタミン酸ナトリウム（10mg/mL） 塩化ナトリウム（8mg/mL），pH調節剤（適量）

製　剤	まむし毒またはトキソイドで免疫したウマの血清を精製処理して得たまむし抗毒素の凍結乾燥品
適　応	まむし咬傷の治療
用　法	・添付の溶剤（日本薬局方注射用水）20mLで完全に溶解して使用。 　成分は溶解液1mL中含有量 ・なるべく早期に約6,000単位（約20mL）を咬傷局所を避けた筋肉内（皮下）または静脈内に注射するか，あるいは生理食塩液等で希釈して点滴静注する。 ・症状が軽減しないときは2〜3時間後に3,000〜6,000単位（10〜20mL）を追加注射する。
原則禁忌*	ウマ血清に対しショック，アナフィラキシー（血圧降下，喉頭浮腫，呼吸困難等）およびその他の過敏症の既往を有する者。ただし，本剤の投与を必要とする場合は，ウマ血清過敏症試験および除感作処置等を行うこと。
副作用	重大な副作用として，ショック，アナフィラキシーが現れることがあるので，投与後は観察を十分に行い，異常が認められた場合には適切な処置を行う。その他の副作用として本剤投与後30分〜12日ごろに，全身あるいは局所に蕁麻疹様発疹，発赤，腫脹，疼痛，発熱，関節痛等の過敏症が10%程度に現れることがある。

＊　投与しないことを原則とするが，特に必要とする場合には，慎重に投与すること。

乾燥はぶウマ抗毒素（凍結乾燥製剤）　（製造所　KMバイオロジクス）

成　分	はぶ抗毒素（ウマ免疫グロブリン）			添加物
	抗致死価（/mL）	抗出血Ⅰ価（/mL）	抗出血Ⅱ価（/mL）	
	300単位以上	300単位以上	300単位以上	L-グルタミン酸ナトリウム（10mg/mL） 塩化ナトリウム（8mg/mL），pH調節剤（適量）

製　剤	はぶ毒またはトキソイドで免疫したウマの血清を精製処理して得たはぶ抗毒素の凍結乾燥品
適　応	はぶ咬傷の治療
用　法	・添付の溶剤（日本薬局方注射用水）20mLで完全に溶解して使用。 　成分は溶解液1mL中含有量 ・なるべく早期に約6,000単位（約20mL）を咬傷局所を避けた筋肉内（皮下）または静脈内に注射するか，あるいは生理食塩液等で希釈して点滴静注する。 ・症状が軽減しないときは2〜3時間後に3,000〜6,000単位（10〜20mL）を追加注射する。
原則禁忌*	ウマ血清に対しショック，アナフィラキシー（血圧降下，喉頭浮腫，呼吸困難等）およびその他の過敏症の既往を有する者。ただし，本剤の投与を必要とする場合は，ウマ血清過敏症試験および除感作処置等を行うこと。
副作用	重大な副作用として，ショック，アナフィラキシーが現れることがあるので，投与後は観察を十分に行い，異常が認められた場合には，適切な処置を行う。その他の副作用として本剤投与後30分〜12日ごろに，全身あるいは局所に蕁麻疹様発疹，発赤，腫脹，疼痛，発熱，関節痛等の過敏症が10%程度に現れることがある。

＊　投与しないことを原則とするが，特に必要とする場合には，慎重に投与すること。

152　ワクチン，免疫グロブリン製剤，抗毒素製剤

表8　抗毒素製剤の成分，適応，用法・用量，禁忌および副作用（続き）

乾燥ジフテリアウマ抗毒素（凍結乾燥製剤）　（製造所　KMバイオロジクス）

成　分	ジフテリア抗毒素（ウマ免疫グロブリン）	添加物
	500単位/mL以上	塩化ナトリウム（8mg/mL），pH調節剤（適量）

製　剤	ジフテリアトキソイドで免疫したウマの血漿を精製処理して得たジフテリア抗毒素の凍結乾燥品
適　応	ジフテリアの治療
用　法	・添付の溶剤（日本薬局方注射用水）10mL で完全に溶解して使用。 　成分は溶解液 1 mL中含有量 ・なるべく早期に下記の量を数回に分けて筋肉内（皮下）または静脈内に注射するか，あるいは生理食塩液などで希釈して点滴静注する。 　　軽　症　　　　　5,000〜10,000単位（10〜20 mL） 　　中等症　　　　10,000〜20,000単位（20〜40 mL） 　　重症または悪性　20,000〜50,000単位（40〜100mL） 　　喉頭ジフテリア　10,000〜30,000単位（20〜60 mL） 　　鼻ジフテリア　　5,000〜 8,000単位（10〜16 mL） ・症状が軽減しないときは，さらに5,000〜10,000単位（10〜20mL）を追加注射する。
原則禁忌*	ウマ血清に対しショック，アナフィラキシー（血圧降下，喉頭浮腫，呼吸困難等）およびその他の過敏症の既往を有する者。ただし，本剤の投与を必要とする場合は，ウマ血清過敏症試験および除感作処置等を行うこと。
副作用	重大な副作用として，ショック，アナフィラキシーが現れることがあるので，投与後は観察を十分に行い，異常が認められた場合には，適切な処置を行う。本剤投与後30分〜12日ごろに，全身あるいは局所に蕁麻疹様発疹，発赤，腫脹，疼痛，発熱，関節痛などが10％程度に現れることがある。
入手方法	医療機関には常備されていないため，都道府県に連絡する。

＊　投与しないことを原則とするが，特に必要とする場合には，慎重に投与すること。

乾燥ガスえそウマ抗毒素（凍結乾燥製剤）　（製造所　KMバイオロジクス）

成　分	ガスえそ抗毒素（ウマ免疫グロブリン）85mg以下	添加物
	C. perfringens Type A 抗毒素　　250単位/mL以上 *C. septicum* 抗毒素　　　　　　250単位/mL以上 *C. oedematiens* 抗毒素　　　　　250単位/mL以上	塩化ナトリウム（8mg/mL），pH調節剤（適量）

製　剤	*Clostridium perfringens* Type A, *C. septicum* および *C. oedematiens* トキソイドでそれぞれ個別のウマを免疫して得た血漿を精製処理し，3種の抗毒素を混合した凍結乾燥製剤
適　応	ガスえその治療および予防
用　法	添付の溶剤（日本薬局方注射用水）20mLで完全に溶解して使用。
治　療	なるべく早期に，10,000〜20,000単位（40〜80mL）を患部周辺を避けた筋肉内（皮下）または静脈内に注射するか，生理食塩液等で希釈して点滴静注する。症状が軽減しないときは，3〜4時間ごとに5,000単位（20mL）ずつ追加注射する。
予　防	なるべく早期に5,000〜10,000単位（20〜40mL）を筋肉内（皮下）または静脈内に注射する。
原則禁忌*	ウマ血清に対しショック，アナフィラキシー（血圧降下，喉頭浮腫，呼吸困難等）およびその他の過敏症の既往を有する者。ただし，本剤の投与を必要とする場合は，ウマ血清過敏症試験および除感作処置等を行うこと。
副作用	重大な副作用として，ショック，アナフィラキシーが現れることがあるので，投与後は観察を十分に行い，異常が認められた場合には，適切な処置を行う。その他の副作用として本剤投与後30分〜12日ごろに，全身あるいは局所に蕁麻疹様発疹，発赤，腫脹，疼痛，発熱，関節痛等の過敏症が10％程度に現れることがある。
入手方法	医療機関には常備されていないため，都道府県に連絡する。

＊　投与しないことを原則とするが，特に必要とする場合には，慎重に投与すること。

免疫グロブリン製剤，抗毒素製剤　153

表8　抗毒素製剤の成分，適応，用法・用量，禁忌および副作用(続き)

乾燥ボツリヌスウマ抗毒素(凍結乾燥製剤)*1　(製造所　KMバイオロジクス)

成　分*1	E型ボツリヌス抗毒素(ウマ免疫グロブリン)	添加物
	1,000単位/mL以上	塩化ナトリウム(8.5mg/mL)，pH調節剤(適量)
	ボツリヌス抗毒素(ウマ免疫グロブリン) 160mg以下	
	A型抗毒素　500単位/mL以上 B型抗毒素　500単位/mL以上 E型抗毒素　500単位/mL以上 F型抗毒素　200単位/mL以上	

製　　剤	ボツリヌストキソイドで免疫したウマの血漿を精製処理して得たボツリヌス抗毒素の凍結乾燥品
適　　応	ボツリヌスの治療および予防。
用　法*2,3	添付の溶剤 10mL[20mL]で完全に溶解して使用。
治　療*3	なるべく早期に10,000〜20,000単位(10〜20mL)[20〜40mL]を筋肉内(皮下)または静脈内に注射するか，生理食塩液等で希釈して点滴静注する。症状が軽減しないときは，3〜4時間ごとに10,000単位(10mL)[20mL]ないしそれ以上を追加使用する。
予　防*3	中毒の原因食を食べたと思われる者に対する予防はなるべく早く，2,500〜5,000単位(2.5〜5.0mL)[5〜10mL]を筋肉内(皮下)または静脈内注射する。
原則禁忌*4	ウマ血清に対しショック，アナフィラキシー(血圧降下，喉頭浮腫，呼吸困難等)およびその他の過敏症の既往を有する者。ただし，本剤の投与を必要とする場合は，ウマ血清過敏症試験および除感作処置等を行うこと。
副作用	重大な副作用として，ショック，アナフィラキシーが現れることがあるので，投与後は観察を十分に行い，異常が認められた場合には，適切な処置を行う。その他の副作用として本剤投与後30分〜12日ごろに，全身あるいは局所に蕁麻疹様発疹，発赤，腫脹，疼痛，発熱，関節痛等の過敏症が10%程度に現れることがある。
入手方法	医療機関には常備されていないため，都道府県に連絡する。

＊1　乾燥ボツリヌス抗毒素は「E型」および「ABEF型」の2種類がある。
＊2　E型：日本薬局方注射用水 10mL で溶解　ABEF型：日本薬局方注射用水 20mL で溶解
＊3　用法，治療，予防の[　]の数字はABEF型使用時の投与量
＊4　投与しないことを原則とするが，特に必要とする場合には，慎重に投与すること。

(中山哲夫)

3

ワクチン，免疫グロブリン製剤，抗毒素製剤

ワクチン，人免疫グロブリン製剤，抗毒素製剤　製造元・販売元一覧（五十音順）

（2020年1月1日現在）

ワクチン

MSD株式会社	〒102 -8667	東京都千代田区九段北 1-13-12　北の丸スクエア	0120-024-797 （ワクチン専用）
グラクソ・スミスクライン株式会社	〒107 -0052	東京都港区赤坂 1-8-1　赤坂インターシティAIR	03-4231-5000
KMバイオロジクス株式会社	〒860 -8568	熊本県熊本市北区大窪 1-6-1	0120-345-724
サノフィ株式会社	〒163 -1488	東京都新宿区西新宿 3-20-2　東京オペラシティタワー	0120-870-891
ジャパンワクチン株式会社	〒102 -0081	東京都千代田区四番町 6　東急番町ビル	0120-289-373
第一三共株式会社	〒103 -8426	東京都中央区日本橋本町 3-5-1	0120-189-132
武田薬品工業株式会社	〒103 -8668	東京都中央区日本橋本町 2-1-1	0120-566-587
田辺三菱製薬株式会社	〒541 -8505	大阪府大阪市中央区道修町　3-2-10	0120-753-280
デンカ生研株式会社	〒103 -8338	東京都中央区日本橋室町 2-1-1	03-6214-3231
日本ビーシージー製造株式会社	〒112 -0012	東京都文京区大塚 1-5-21	03-5395-5581
一般財団法人　阪大微生物病研究会	〒768 -0065	香川県観音寺市瀬戸町 4-1-70	0875-25-4171
ファイザー株式会社	〒151 -8589	東京都渋谷区代々木 3-22-7	0120-664-467
Meiji Seikaファルマ株式会社	〒104 -8002	東京都中央区京橋 2-4-16	0120-093-396

人免疫グロブリン製剤・抗毒素製剤

アルフレッサ ファーマ株式会社	〒540-8575	大阪府大阪市中央区石町 2-2-9	06-6941-0306
KMバイオロジクス株式会社	〒860-8568	熊本県熊本市北区大窪 1-6-1	0120-345-724
CSLベーリング株式会社	〒107-0061	東京都港区北青山 1-2-3 青山ビル8F	0120-534-587
シャイアー・ジャパン株式会社	〒100-0005	東京都千代田区丸の内 1-8-2 鉄鋼ビルディング21F	0120-566-587
武田薬品工業株式会社	〒103-8668	東京都中央区日本橋 2-12-10	0120-566-587
帝人ファーマ株式会社	〒100-8585	東京都千代田区霞が関 3-2-1	0120-189-315
一般社団法人　日本血液製剤機構	〒105-6107	東京都港区浜松町 2-4-1	0120-853-560
日本製薬株式会社	〒104-0044	東京都中央区明石町 8 番 1 号	0120-008-414
Meiji Seikaファルマ株式会社	〒104-8002	東京都中央区京橋 2-4-16	0120-093-396

3

ワクチン，免疫グロブリン製剤，抗毒素製剤

4

ワクチン別の解説

■ DPT-IPV(百日咳，ジフテリア，破傷風，ポリオ)

百日咳

1．疾患の概要

　百日咳は，2018年1月から感染症法で五類感染症・全数把握疾患に改定され，診断した医師すべてに報告が求められている。**表1**に新しい届出基準を示す。百日咳菌による飛沫感染症で，感冒症状から始まるが，特徴的な咳が出る前の診断は難しい。百日咳含有ワクチン接種歴，抗菌薬の種類・開始時期・期間，移行抗体などの影響で多彩な症状を呈する。潜伏期間は，感染後7〜10日が多い。

2．わが国における発生状況

　2018年第1〜52週までに感染症発生動向調査(National Epidemiological Surveillance of Infectious Disease：NESID)へ11,946例の百日咳患者が報告された[1]。そのうち，感染症法上の届出基準を満たし，かつ，「百日咳 感染症法に基づく医師届出

表1　百日咳の定義・臨床的特徴・届出基準(2018年1月〜)

(1)定義　*Bordetella pertussis*によって起こる急性気道感染症である。
(2)臨床的特徴　潜伏期は通常5〜10日(最大3週間程度)であり，かぜ様症状で始まるが，次第に咳が著しくなり，百日咳特有の咳が出始める。乳児(特に新生児や乳児早期)ではまれに咳が先行しない場合がある。
　典型的な臨床像は，顔を真っ赤にしてコンコンと激しく発作性に咳込み(スタッカート)，最後にヒューと音を立てて息を吸う発作(ウープ)となる。嘔吐や無呼吸発作(チアノーゼの有無は問わない)を伴うことがある。血液所見としては白血球数増多が認められることがある。乳児(特に新生児や乳児早期)では重症になり，肺炎，脳症を合併し，まれに致死的となることがある。
　ワクチン既接種の小児や成人では典型的な症状がみられず，持続する咳が所見としてみられることも多い。
(3)届出基準
ア　患者(確定例)　医師は，(2)の臨床的特徴を有する者を診察した結果，症状や所見から百日咳が疑われ，かつ，(4)により，百日咳患者と診断した場合には，法第12条第1項の規定による届出を，7日以内に行わなければならない。ただし，検査確定例と接触があり，(2)の臨床的特徴を有する者については，必ずしも検査所見を必要としない。
イ　感染症死亡者の死体　医師は，(2)の臨床的特徴を有する死体を検案した結果，症状や所見から，百日咳が疑われ，かつ，(4)により，百日咳により死亡したと判断した場合には，法第12条第1項の規定による届出を，7日以内に行わなければならない。
(4)届出のために必要な検査所見

検査方法	検査材料
分離・同定による病原体の検出 PCR法(LAMP法などを含む)による病原体の遺伝子の検出	鼻腔，咽頭，気管支などから採取された検体
抗体の検出(ペア血清による抗体陽転または抗体価の有意な上昇，または単一血清で抗体価の高値)	血清

http://www.mhlw.go.jp/bunya/kenkou/kekkaku-kansenshou11/01-05-23.htmlより

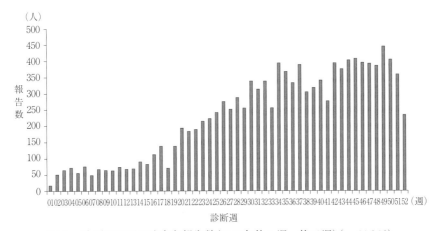

図1 診断週別百日咳患者報告数(2018年第1週～第52週)(n=11,946)

文献2)より引用

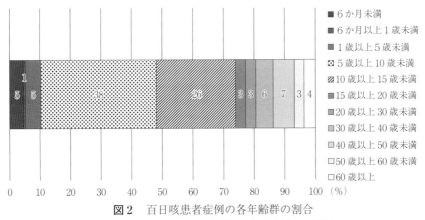

図2 百日咳患者症例の各年齢群の割合

百日咳 感染症法に基づく医師届出ガイドライン(初版)に則った症例のみを抽出

文献2)より引用

ガイドライン(初版)」[2)]の基準に合致した患者は11,190例(94%)であった(**図1**)。報告数は週ごとに上昇している。週平均で230例(17～445例)となった。

年齢分布がこれまでの定点報告と異なっている。**図2**に各年齢群の割合を示す。5～15歳未満が全体の64%を占めた。今回,20歳以上の成人の割合が初めて示され,全体の28%であった。**図3**に百日咳含有ワクチン接種回数別の百日咳患者年齢分布を示す。乳児から90歳以上まで報告があり,年齢中央値は7歳であった。初回ワク

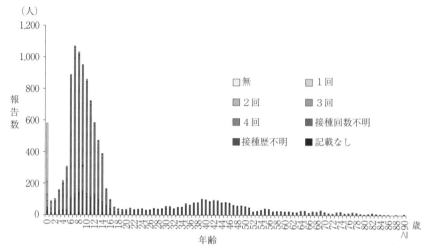

図3 百日咳含有ワクチン接種回数別百日咳患者年齢分布（2018年第1週～第52週）
文献2）より引用

チン接種前の時期を含む6カ月未満児（5％），7歳をピークとした5歳から15歳未満までの学童・青年期（64％），これまで小児科定点報告では把握できていなかった30～50歳代の成人（16％）の3つの年齢群で集積がみられた。

　乳児群は，百日咳含有ワクチン未接種が半数以上であった。全体の58％に当たる6,518例が4回の百日咳含有ワクチン接種歴があり，5～15歳未満に限定するとその割合は81％（5,768/7,131例）であった。現行の百日咳含有ワクチンのスケジュールでは，百日咳の制御が難しいことを示している。成人例はワクチン接種歴不明が多かった。

ジフテリア

1．疾患の概要

　ジフテリアは，感染症法で二類感染症に分類されている。ジフテリア菌の感染局所病変とジフテリア毒素による症状を呈する。咽頭ジフテリアは，嗄声，犬吠様咳嗽があり，扁桃に偽膜が認められる。鼻ジフテリアは，血性鼻汁や鼻孔周囲のびらん，血痂が認められる。

　ジフテリア毒素による症状は，心筋炎，神経麻痺が特徴である。心筋炎は心筋，伝導系および血管運動神経がジフテリア毒素により障害を受ける。感染2～3週間後に発症し，突然心筋障害で死亡することがある。また，毒素が末梢神経を障害し，軟口蓋，呼吸筋および四肢筋などの麻痺が起こる。

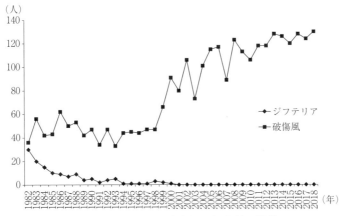

図4　ジフテリア，破傷風　報告数の推移
＊1998年までは伝染病統計　1999年から感染症発生動向調査
国立感染症研究所．感染症発生動向調査事業年報．https://www.niid.go.jp/niid/ja/allarticles/surveillance/2085-idwr/ydata/6555-ydata2015.html，https://www0.niid.go.jp/niid/idsc/idwr/IDWR2018/idwr2018-52.pdfより作成

2．わが国における発生状況

国内では1999年以降報告はないが，ジフテリア毒素を持つ*Corynebacterium ulcerance*感染症が問題となっている(**図4**)。

破傷風

1．疾患の概要

破傷風は，感染症法で五類感染症に分類されている。破傷風菌は，偏性嫌気性・芽胞形成グラム陽性桿菌で，世界中の土壌に分布し，外傷，火傷および挫創部などから感染する。表面の傷口が塞がり嫌気状態となった局所で菌が増殖し，破傷風毒素を産生するため，特有な症状を呈する。潜伏期は4〜12日で，短いほど予後不良とされる。咬筋けいれんによる開口不能，顔面筋けいれんによる痙笑などが初発症状の特徴で，数日以内に躯幹筋の強直性けいれんが起こり，後弓反張を呈する。光や音など外的刺激で全身性強直をきたし，次第に激しさと頻度が増加し，死亡することもある。

2．わが国における発生状況

1982年以降の患者数を**図4**に示す。1999年から報告様式が変更されたが，毎年100人前後が報告されている。患者年齢に特徴がある。2016年に120人が報告され，うち78人(65％)が70歳以上であった。この要因は，年齢別破傷風抗体保有状況(**図5**)か

162 ワクチン別の解説

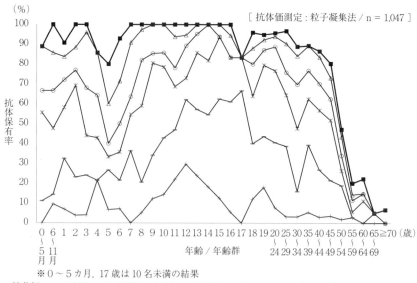

図5 年齢/年齢群別の破傷風抗体保有状況(2018年度感染症流行予測調査, 2019年5月現在)

ら推察できる。抗体保有率は，50歳以降で大きく低下している。破傷風に対する免疫は，ワクチン接種のみで得られ，自然感染では獲得できないとされているため，この年齢別抗体保有率は，これまでのワクチン施策を反映している。

3．予防接種の意義

沈降破傷風トキソイド(沈降T)は1953年に導入(任意接種)され，1968年からDTwP(diphtheria toxoid, tetanus toxoid and whole-cell pertussis)ワクチンとして定期接種化された。このため，1968年以前に出生した2018年時点での50歳以上の多くは，破傷風含有ワクチンは未接種のため，抗体価は低い。一方，49歳未満は，小児期に沈降精製百日せきジフテリア破傷風混合ワクチン(DPT)または沈降ジフテリア破傷風混合トキソイド(DT)など破傷風含有ワクチンを複数回接種されている世代で，抗体保有率は高い。

定期接種としては，11～12歳が最後のワクチン接種で，かつ自然感染での追加効果がないとされる疾患であるため，ワクチン接種で獲得した抗体は30年以上持続していると考えられる。

現行の小児のみを対象としている沈降精製百日せきジフテリア破傷風不活化ポリ

オ混合ワクチン(DPT-IPV)/DT接種方式では，高齢者の破傷風患者の発症は抑制できない。成人への破傷風含有ワクチンの追加接種が必要と考えられる。

ポリオ（急性灰白髄炎）

1．疾患の概要

ポリオ(急性灰白髄炎)は，感染症法で二類感染症に分類される。ポリオウイルスは，ヒト-ヒト間のみで感染し，媒介動物は存在しない。便中に排泄されたウイルスによる経口感染症である。潜伏期間は4～35日(平均15日)とされ，不顕性感染が大部分で，感染者の5～10%が軽症の上気道炎または胃腸炎症状を呈する。麻痺は，感染者1,000～2,000人に1人の割合とされているが，発症すると永久麻痺を残す。脊髄前角細胞にポリオウイルスが感染し，上下肢に片側性弛緩性麻痺が生じる。ときに上向性に延髄麻痺を生じ，呼吸不全を起こし死の転帰をとることもあった。

2．わが国における発生状況

1960年に患者数が5,000人を超え，かつてない大流行となったが，経口生ポリオワクチンの緊急輸入により，流行は終息した。1980年の1例を最後に，現在まで野生株ポリオウイルスによる患者報告はない(図6)。

3．予防接種の意義

患者サーベイランスとワクチンの普及により，ポリオウイルスを地球上から消滅させることを目指す「世界ポリオ根絶計画」は，1988年にWHO総会で採択された。本計画の進展により，南北アメリカ(1994年)，西太平洋(2000年)，ヨーロッパ(2002年)，東南アジア(2014年)それぞれのWHO管轄地域において，野生株ポリオウイルスの発生ゼロが確認された。また，2型野生株ウイルスは1999年，3型野生株ウイルスは2012年を最後に分離されておらず，2型については2015年に根絶宣言が，3型については2019年10月に根絶宣言が行われた。後は限定された地域に残る1型野生株ウイルスを消滅させれば，野生株ポリオウイルスは地球上から根絶できる。2019年11月の時点で，土着の野生株ポリオウイルスの分離が継続している国はパキスタンとアフガニスタンのみである[3]。

ワクチンの効果と安全性

1．ワクチンの概要

百日咳ワクチンが導入される前は，国内では年間約10万人の患者数で，約10%の死亡率があり，大きな疾病負担となっていた(図7)。

わが国の百日咳ワクチンは，開始当初は単味の全菌体ワクチンであった。1958年から百日咳ジフテリア混合ワクチン(DPワクチン)，1968年からDPTに切り替わっ

164 ワクチン別の解説

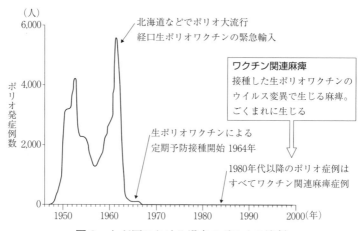

図6 わが国における過去のポリオの流行
国立感染症研究所．ポリオワクチンに関するファクトシート．http://www.mhlw.go.jp/stf2/shingi2/2r9852000000bx23-att/2r9852000000bybl.pdfより

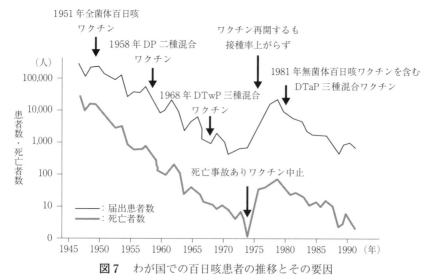

図7 わが国での百日咳患者の推移とその要因
1974年岐阜，1975年名古屋でDTwPワクチン接種後に死亡例．
1975年2月　厚生省（当時）はDTwPワクチンを中止．
1975年4月　集団接種は2歳以降を条件（紛れ込み防止）に再開したが，接種率は上がらず．
1981年　　無菌体百日咳ワクチンを含むDTaP三種混合ワクチンが導入．
　　　　　国立感染症研究所感染症疫学センター公表の定点当たりの百日咳患者報告より作図

た。国内外とも開発当初から、百日咳菌の菌体を破壊して不活化した死菌体ワクチンであったため、副反応の強いワクチンであったが、有効性もあり患者数は減少し、百日咳による死亡は、ほぼゼロにまでなった。1974〜1975年、不幸にも、国内で接種後の死亡例が報告されたため、ワクチン接種率は激減した。このため、1970年後半から百日咳の再興が認められ、患者数・死亡者数も増加し、安全性の高い百日咳ワクチンの開発が急務となった。

当時の国立予防衛生研究所(現：国立感染症研究所)の佐藤勇治・博子夫妻と百日咳ワクチン製造側の研究者が、国をあげて安全性の高いワクチンの開発に取り組んだ[4]。ワクチン株である東浜株の培養上清から、内毒素の混入を防ぎ感染防御抗原だけを大量に精製する方法の模索が続けられ、佐藤夫妻のショ糖密度勾配遠心法を用いて精製する方法が現在のaPワクチンの原型となった。その後、感染防御抗原の解析が進み、精製法もさらに改良された[5]。

1) 沈降精製百日咳ジフテリア破傷風混合ワクチン(DPT)

aPワクチンにジフテリアトキソイドと破傷風トキソイドを混合し、アルミニウム塩を加えて沈降ワクチンとしたもので、1回投与量(0.5mL)中に百日咳菌の防御抗原を4単位以上、ジフテリアトキソイドを23.5単位以上(約15 Lf)、破傷風トキソイドを13.5単位以上(約2.5 Lf)含有する。

aPワクチンは、主な感染防御抗原とされる百日咳毒素(pertussis toxin：PT)と線維状赤血球凝集素(filamentous hemagglutinin：FHA)が主成分で、菌体を含まない無菌体ワクチン(acellular vaccine)で、アジュバントとしてアルミニウム塩が添加されている。佐藤勇治・博子らが開発した原法は、百日咳I相菌東浜株の液体培養液を硫安分画、高濃度食塩抽出、ショ糖密度勾配遠心法を組み合わせて、発熱に関与する内毒素をほとんど除去し、PTとFHAを主成分とする画分(感染防御抗原画分)が精製されるものである。さらに、ホルマリン添加でPTの毒素活性を不活化させている。

百日咳ワクチンの製造法(精製法)は製造所によって異なっている。これまで、武田薬品および北里第一三共は原法で製造し、PT、FHA、69kDa外膜蛋白、凝集原2を含む4価ワクチンとなっていた。阪大微研は精製したPT、FHA、69kDa外膜蛋白からなる3価ワクチン、化血研はPTとFHAをそれぞれカラムクロマトグラフィーで精製し、それぞれを1：4の割合で混合した2価ワクチンとなっていた。

2019年時点で、接種できるのは阪大微研製のDPTのみとなっている。

2) 沈降精製百日咳ジフテリア破傷風不活化ポリオ混合ワクチン(DPT-IPV)

国内ではDPTに不活化ポリオワクチン(inactivated polio vaccine：IPV)が加わった四種混合ワクチン(DPT-IPV)クアトロバック(KMバイオロジクス)およびテトラビック(阪大微研)が、2012年11月から使用開始された。わが国で開発されたDPTワクチンに生ワクチンとしてこれまで接種されてきたワクチン株(セービン株)をホルマリンで不活化した不活化ポリオワクチン(Sabin strain derived inactivated polio vaccine：sIPV)を混合した世界で初めての四種混合ワクチンである。2015年12月か

166 ワクチン別の解説

らは，ポリオワクチンがソーク株のDPT-IPVであるスクエアキッズ皮下注（第一三共）も接種できるようになった。これは，国内外で使用されてきた野生株ポリオウイルスを不活化したcIPV（conventional inactivated polio vaccine）と国内のDPTを混合した製剤である。

　現在，わが国で製造されている3つの四種混合ワクチンの組成は，それぞれ基盤となったDPTワクチンも含めて異なっている（**表2**）。

3）単独不活化ポリオワクチン（IPV）

　わが国は，歴史的に経口生ポリオワクチン（oral polio vaccine：OPV）の緊急導入により患者数は激減し，その後のポリオの根絶を果たした。OPVのもたらした効果は絶大であったが，生ワクチンの宿命である，極めてまれではあるがOPVの重大な副反応であるワクチン関連麻痺（vaccine associated paralytic poliomyelitis：VAPP）を回避するために，定期接種としてのポリオワクチンをOPVからIPVに変更された。2012年9月からは，IPV単独ワクチン（ソーク株ワクチン）であるイモバックスポリオの接種が行われるようになった。

4）沈降ジフテリア破傷風混合トキソイド（沈降DTトキソイド）

　第2期の接種に用いる。2008年度からは第1期の接種にも使用できる。沈降DTトキソイドは，ジフテリアトキソイドと破傷風トキソイドにアルミニウム塩を加え，沈降型としたものである。

5）沈降破傷風トキソイド（沈降T）

　破傷風トキソイドは，破傷風菌を純培養し，培養液中の破傷風毒素をホルマリンで不活化して精製したもので，沈降破傷風トキソイド（沈降T）は，さらにアルミニウム塩に吸着させて不溶性としたものである。通常，破傷風のみの免疫を与える場合に使われる。

2．免疫効果

1）aPワクチン

　わが国で開発されたaPワクチンは，緊急導入の経緯から国内では十分に評価できなかったが，国際的には注目を集め，WHOを中心にスウェーデン，米国，英国など15カ国が参加した国際共同研究が1984年に行われた。1986年，スウェーデンでの無作為・二重盲検・症例対照研究が世界で初めての評価となった[6]。

　提供されたわが国のaPワクチンは，Japan-NIH6（JNIH-6）およびJapan-NIH7（JNIH-7）と名付けられた。2つのワクチンは，阪大微研で製造されたもので，JNIH-6はPTとFHAをそれぞれ23.4μg/doseを含んでいた。JNIH-7は，PT単独で37.7μg/doseを含んでいた。プラセボは，抗原を含まないワクチン希釈液が用いられた。対象は5～11カ月児で，8～12週間隔の2回接種で行われた。観察期間は接種後15カ月で，咳症状が出現した場合，保護者からの電話連絡を受け，培養を行い，培養陽性を百日咳と定義した。咳の期間を問わずに培養陽性例のみを百日咳と定義されていたことから，得られた有効性は予想より低率でJNIH-6が69%，JNIH-7が54%であ

表2　DTP-IPV（セービン株）およびDTP-IPV（ソークワクチン）に含まれる成分量の違い

製造元	百日咳菌の防御抗原（単位）	ジフテリアトキソイド（Lf）	破傷風トキソイド（Lf）	ポリオ1型		ポリオ2型		ポリオ3型	
				LSc,2ab株（ワクチン株）(Du)	Mahoney株（野生株）(Du)	P712,Ch,2ab株（ワクチン株）(Du)	MEF-1株（野生株）(Du)	Leon,12a$_1$b株（ワクチン株）(Du)	Saukett株（野生株）(Du)
阪大微研（セービン株）	4以上	≦15.0	≦2.5	1.5		50		50	
KMバイオロジクス（セービン株）	4以上	≦16.7	≦6.7	1.5		50		50	
第一三共（ソーク株）	4以上	≦15.0	≦2.5		40		8		32

0.5mLに含有される抗原量

各社添付文書より作成

った[7]。

　その後，いくつかの症例定義で再評価された（**表3**）。百日咳の症例定義の違いで，有効率は大きく異なる。1日以上の咳があり培養陽性を百日咳とするとワクチン有効率は，JNIH-6で69％，JNIH-7で54％，21日以上の発作性連続性咳嗽＋培養陽性を百日咳症例とするとワクチン有効率は，それぞれ81％，75％であった[8]。ワクチンの有効率は，百日咳の症例定義により大きく異なり，JNIH-6で16〜85％と幅がある[9]。

　1986〜1994年にかけて海外で行われたaPワクチンの臨床試験がまとめられている（**表4**）[4]。ワクチンに含まれる抗原のうち，PT，FHA以外に表層蛋白のpertactin（PRN）や線毛（Fim2とFim3）などを入れた多価ワクチンが，より有効性が高いのではないかとの考えから，PT単価，PT＋FHAの2価，PT＋FAH＋PRNの3価，PT＋FHA＋PRN＋Fim(s)の4価ワクチンの有効性が評価された。しかし，これらの試験に使用されたワクチンは，製造所，製造法，抗原の成分数，含量などが異なり，有効率の直接比較によって最適成分数や含量を検討することはできていないと考えられる。

　国内外の百日咳含有ワクチンの百日咳抗原数や含有量を表5にまとめた。1995年以降も有効性に関する多くの臨床試験が行われてきたが，症例定義や試験デザインが同じでないため，有効性の直接比較は難しい。ワクチンに含まれる最適な百日咳菌の抗原数や抗原量は，国内外で現時点でも確立されていない。

　aPワクチンの免疫原性の持続が課題となっている[8-11]。Test-negativeデザインでaPワクチンの免疫の減衰が評価された[12]。期間は2009年12月〜2013年3月，検査（PCR）陽性患者486例，陰性対照5,381例が対象となった。aPワクチンの有効性は，最終接種後1年以内で80％〔95％信頼区間（CI）：71〜86％〕，1〜3年で84％（95％CI：77〜89％），4〜7年で62％（95％CI：42〜75％），8年以上で41％（95％CI：0〜66％）

168 ワクチン別の解説

表3 症例定義の違いによるわが国のaPワクチンの有効率

百日咳の症例定義	有効率(%)(95%信頼区間)	
	JNIH-6	JNIH-7
1日以上の咳＋培養陽性	69(47〜82)	54(26〜72)
同上；1回目接種日から初発までの日数を問わない症例	65(44〜78)	53(28〜69)
同上；1回目接種から60日以内の初発例のみ	41(0〜79)	42(0〜79)
1日以上の発作性連続性咳嗽	16(3〜27)	5(-10, 17)
1日以上の発作性連続性咳嗽＋1日以上の吸気性笛声	39(16〜56)	51(30〜65)
1日以上の発作性連続性咳嗽＋培養陽性	75(54〜86)	60(33〜76)
1日以上の発作性連続性咳嗽＋1日以上の吸気性笛声＋培養陽性	85(67〜94)	89(72〜96)
21日以上の発作性連続性咳嗽	41(23〜55)	27(6〜43)
21日以上の発作性連続性咳嗽＋吸気性笛声	60(37〜75)	62(39〜76)
21日以上の発作性連続性咳嗽＋培養陽性	81(61〜90)	75(53〜87)
21日以上の発作性連続性咳嗽＋1日以上の吸気性笛声＋培養陽性	84(63〜93)	90(73〜97)
3年間の追加受動的サーベイランスで培養陽性	77(65〜85)	65(50〜75)
3年間の追加受動的サーベイランスで30日以上の咳＋培養陽性	92(84〜96)	79(67〜87)

	抗原量			
	PT	FHA	PRN	FIM
JNIH-6	23.4	23.4	-	-
JNIH-7	37.7	-	-	-

と評価された。aPワクチン接種後の百日咳感染リスクは，最終接種後1年ごと1.27（95%CI：1.20〜1.34）ずつ上昇すると推定された。初期免疫では，aPワクチンがwPワクチンより2.15倍（95% CI：1.30〜3.57）減衰が早いと評価された。

2）沈降精製百日咳ジフテリア破傷風混合ワクチン（DPT）

a 国内の百日咳患者数の推移と課題

　国内での効果は，1982年以降の定点当たりの累積患者数で示されている。従来の患者報告システムでは，小児科定点医療機関からの臨床診断に基づく報告となっていた。このため，小児の患者数の動向は，ほぼ把握でき，小児へのワクチン効果は可視化できていると考えられる。一方，15歳以上の思春期・成人層の患者は，小児科定点医療機関の受診患者しか収集されていないため，過小評価されている。国内での全年齢にわたる百日咳含有ワクチンを評価するには，入院などの重症例や死亡例，成人例など百日咳全体を把握する報告システムが必要となったため，2018年1月から全数把握疾患となった。

b 世界の現況

　WHOによると，2017年の世界における百日咳患者報告数は143,963人，関連死亡者数は89,000人（2008年推定），3回の百日咳ワクチン接種率は86％と推定されている[13]。

　わが国を含めた多くの先進国では，思春期・成人患者の増加が認められ，多くの

DPT−IPV（百日咳，ジフテリア，破傷風，ポリオ）　169

表4　1986〜1994年にわたり行われた精製百日咳ワクチンの効果判定野外試験最終成績（1995年）

ワクチン製造所	試験国	ワクチン	百日咳抗原量（μg Protein/dose）				接種回数	有効性（95%CI）
			PT	FHA	PRN	Agg(s)		
Smith Kline Beecham	スウェーデン	DTaP(2)[*1]	25	25	0	0	3	59(51〜66)
Smith Kline Connaught	スウェーデン	DTaP(5)	10	10	3	5	3	85(81〜89)
Connaught	スウェーデン	DTwP	−	−	−	−	3	48(37〜58)
Amvax	スウェーデン	DTaP(1)	40	0	0	0	3	71(63〜78)
Japan-NIH-6(Biken)	スウェーデン	aP(2)	23	23	0	0	2	92(83〜96)
Japan-NIH-7(Biken)	スウェーデン	aP(1)	38	0	0	0	2	79(66〜87)
Lederle-Takeda	ドイツ	DTaP(4)	3.2	34.4	1.6	0.8	4	82(75〜　)
Lederle	ドイツ	DTwP	−	−	−	−	4	91(86〜　)
Smith Kline Beecham	ドイツ	DTaP(3)	25	25	8	0	3	89(77〜95)
Smith Kline Beecham	ドイツ	DTwP	−	−	−	−	3	97(83〜99)
Biken	ドイツ	DTaP(2)	23	23	0	0	3	82(68〜90)
Behringwerke	ドイツ	DTwP	−	−	−	0	3	96(87〜99)
Chiron-Biocine	イタリア	DTaP(3)	5[*2]	2.5	2.5	0	3	84(76〜90)
Smith Kline Beecham	イタリア	DTaP(3)	25	25	8	0	3	84(76〜90)
Connaught	イタリア	DTwP	−	−	−	−	3	36(14〜52)
Pasteur-Merieux	セネガル	DTaP(2)	25	25	3	0	3	74(52〜86)
Pasteur-Merieux	セネガル	DTwP	−	−	−	−	3	91(79〜96)

*1：DTaP(2)とはdiphthexia toxoid＋tetanus toxoid＋2種類のpertussis抗原（PTとFHA）を含むワクチンを意味する。
　　WP：whole cell pertussis vaccine, P(1)：PT toxoidのみ，P(2)：P(1)＋FHA, P(3)：P(2)＋pertuctin, P(4)：P(3)＋agglutinogen 2, P(5)：P(4)＋agglutinogen 3
*2：無毒・百日咳毒素CRM蛋白質

佐藤勇治. 小児感染免疫 2008; 20: 347-358より引用

国々で対策がとられているが，十分にコントロールできていない。

　米国では，わが国で開発されたaPワクチンが1992年から導入されたが，その後患者数は増加傾向にある。わが国と報告システムが異なるため単純な比較はできないが，年齢別では乳児が最多で，次が7〜10歳となっている。百日咳に関連した乳児死亡例も10人前後は毎年報告されている。

　英国では2000年以降，生後3カ月未満の患者数が最多となり，入院も多い。2011-2012年の流行で，この月齢群の入院率が著増したため，妊婦へのワクチン接種が広く呼びかけられた。妊婦のTdap（tetanus toxoid, reduced diphtheria toxoid and acellular pertussis vaccine）接種率が上昇した結果，生後3カ月未満の入院率は減少した[14]。

3）沈降破傷風トキソイド（沈降T）

　破傷風に対する免疫は，接種後の血中抗毒素価が0.01IU/mL以上あれば有効であるとされ，0.1IU/mL以上であれば感染防御水準にあるとされている。基礎免疫（初回接種2回および追加接種1回）によって，多くは感染防御水準以上の抗体価が得ら

170　ワクチン別の解説

表5　国内外のDPTワクチンの抗原組成と抗原量

製造元または販売元	ワクチン名	百日咳抗原　（μg/0.5mL）				ジフテリア トキソイド (Lf/0.5mL)	破傷風 トキソイド (Lf/0.5mL)
		PT	FHA	PRN	FIM*		
Sanofi Pasteur（カナダ）	Tripacel;Daptacel	10	5	3	5 *1	15	5
Sanofi Pasteur（フランス）	Triavax;Triaxim	25	25	-	-	15	5
Sanofi Pasteur（米国）	Tripedia	23.4	23.4	-	-	6.7	5
Glaxo Smith Kline	Infanrix	25	25	8	-	25	10
日本（国立予防衛生研究所）	JNIH-6	23.4	23.4	-	-	-	-
日本（国立予防衛生研究所）	JNIH-7	37.7	-	-	-	-	-
国内							
化血研		8	32	-	-	16.7	6.7
阪大微研	トリビック	23.5	23.5	-	-	15	2.5
北里第一三共		6	52	5	1 *2	15	2.5
Tdap							
Sanofi Pasteur	Adacel	2.5	5	3	5 *1	2	5
Glaxo Smith Kline	Boostrix	8	8	2.5	-	2.5	5

＊1：FIM2＋FIM3，＊2：FIM2のみ

れる。

　破傷風に対する免疫はワクチン接種のみで得られ，自然感染では獲得できないとされているため，国内の年齢別抗体保有率からは，ワクチン接種で獲得した抗体は30年以上持続していると考えられる。

4）単独不活化ポリオワクチン（IPV）と沈降精製百日咳ジフテリア破傷風不活化ポリオ混合ワクチン（DTP-IPV）のポリオに関する免疫効果

　IPVおよびDTP-IPV 3回の接種後にはほぼ100％の被接種者に中和抗体が産生されるが，さらに追加免疫効果を目的として4回目の接種を行う。

　感染症流行予測調査では，OPVのみが接種されていた2012年までは中和抗体保有率は1型，2型はほぼ100％であったが，3型は相対的に低かった。IPV接種開始後は，3型も1型，2型と同等の抗体保有率となったことが示されている。IPVおよびDTP-IPVのポリオに対する効果が確認された。

　わが国より先行してIPVまたはDTP-IPVを接種してきた大部分の国々では，ポリオ発生国からの持ち込みに対して，就学前に追加接種を行い，国民の高い抗体保有率を維持している。わが国でも，ポリオに対しての効果を維持していくためには，就学前の追加接種が必要な時期にきている。

副反応

1．沈降精製百日咳ジフテリア破傷風不活化ポリオ混合ワクチン（DPT-IPV）

　予防接種後健康状況調査（図8）では，DPTの調査結果が1996年度から2012年度ま

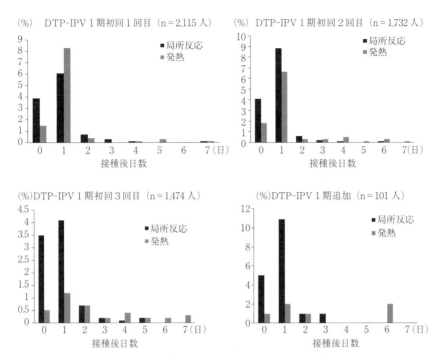

図8　DTP-IPV接種後の回数別局所反応率・発熱率と出現日
予防接種後健康状況調査集計報告書(2013年4月1日〜2014年3月31日)より

で累積でまとめられてきた。2013年度からは，DPT-IPV接種後の健康状況調査が加えられた。

第1期初回1回目：局所反応は，接種翌日が最も多く，6.1％の児に認められた。全身反応では発熱が最も多く，接種翌日が最多で8.3％の児に認められた。発熱以外の嘔吐や下痢，咳・鼻水も調査対象となっているが，不活化ワクチンであるため，ワクチン副反応とは考えにくい。

第1期初回2回目：局所反応は，1回目と同様に接種翌日が最も多く，8.8％の児に認められた。発熱も1回目と同様に接種翌日が最も多く，6.6％の児に認められた。

第1期初回3回目：局所反応は，1回目，2回目と同様に接種翌日が最も多かったが，頻度は4.1％と少なくなっていた。発熱も1回目，2回目と同様に接種翌日が最も多かったが，頻度は1.2％と局所反応と同じく，1回目，2回目より少なかった。

第1期追加：報告数が，3回目までと比較して多くはないが，傾向は3回目までと同様である。局所反応は接種翌日が最多で，10.9％の児に認められた。発熱も接種翌日が最多で，2.0％の児に認められた。

172 ワクチン別の解説

単独接種と同時接種

　ヒブワクチンや小児用肺炎球菌ワクチン(PCV)が定期接種となり，乳児には同時接種されることが多くなっている。2013年度の予防接種後健康状況調査集計報告書から，初めてDPT-IPV単独接種とヒブワクチンおよびPCVとの同時接種後の有害事象がまとめられているが，まだ症例数が少ない。

２．単独不活化ポリオワクチン(IPV)

　イモバックスポリオの国内臨床試験(n=74)において，初回接種（３回）後に，疼痛18.9%，紅斑77.0%，腫脹54.1%，発熱(37.5℃以上)33.8%，傾眠状態35.1%，易刺激性41.9%であった。頻度不明であるが，ショック，アナフィラキシーに対する注意，けいれんが1.4%にみられたため，その対応に関する注意などが添付文書に記載されている〔2016年２月改訂(第６版)添付文書参照〕。

３．沈降ジフテリア破傷風混合トキソイド(DT)

　DT第Ⅱ期接種後の副反応は，局所の反応が最も多い。接種後７日までに約31.1%に発赤・腫脹・硬結の局所反応がみられる。DPTワクチン接種後の副反応と同様に，局所反応は数日で自然に治まるが，硬結は縮小しながらも数カ月持続することがある。接種後の37.5℃以上38.5℃未満の発熱は，接種後１〜２日目に発現のピークがあり，発現率は接種当日が約0.1%，１日目が約0.4%，２日目が約0.2%であった。同様に，38.5℃以上の発熱も接種後１〜２日目に発現のピークがあり，発現率は接種当日が約0.0%，１日目が約0.1%，２日目が約0.1%であった(2013年度予防接種後健康状況調査集計報告書．1996年度〜2013年度累計報告)。

４．沈降破傷風トキソイド(沈降T)

　初回接種ではほとんど有害事象は認められないが，接種回数を重ねるに従って局所の発赤，腫脹が強くなる。追加接種の際に，まれに接種部位を中心として，上腕全体の高度の発赤，腫脹，浮腫状腫脹を呈することがある。

接種方法の実際

１．沈降精製百日咳ジフテリア破傷風不活化ポリオ混合ワクチン(DPT-IPV)

１）接種方法

　原則としてDPT-IPVを使用する。

　定期接種では，第１期(生後３カ月以上90カ月未満)と第２期(11歳以上13歳未満)に分けて，第１期はDPT-IPVまたはDTを，第２期はDTを皮下接種する。

　表6にDPT-IPVの対象者，接種期間，回数，間隔，接種量および接種上の注意点をまとめた。乳児期早期のワクチン未接種の百日咳感染は重症化のリスクが高い。生後３カ月になれば，できるだけ早くワクチン接種を開始することが大切である。

DPT–IPV（百日咳，ジフテリア，破傷風，ポリオ）　173

表6　百日せきジフテリア破傷風不活化ポリオ混合ワクチン（DPT-IPV），百日せき
ジフテリア破傷風混合ワクチン（DPT），沈降ジフテリア破傷風混合トキソイド
（DT），不活化ポリオワクチン（IPV）の対象者，接種期間，回数，間隔，接種量

ワクチン	接種					
	対象者	標準的な接種期間	回数	間隔	接種量	方法
百日せきジフテリア破傷風不活化ポリオ混合ワクチン（DPT-IPV） 百日せきジフテリア破傷風混合ワクチン（DPT） 沈降ジフテリア破傷風混合トキソイド（DT） 不活化ポリオワクチン（IPV）	第1期初回 生後3～90カ月	生後3～12カ月	3回	20日以上 （標準は20～56日）	各0.5mL	皮下
	第1期追加 生後3～90カ月 （第1期初回3回終了後6カ月以上の間隔をおく）	第1期初回接種（3回） 終了後12～18カ月	1回		0.5mL	皮下
沈降ジフテリア破傷風混合トキソイド（DT）	第2期 11歳以上 13歳未満	11～12歳	1回		0.1mL	皮下

a　第1期（百日咳，ジフテリア，破傷風，ポリオ）
第1期初回接種：生後3カ月以上90カ月未満が対象となる。標準として生後3カ月
以上12カ月未満の間に20日以上の間隔を置いて，DPT-IPV，DPTは3回，DTの場
合は2回左右交互に接種する。ただし，同一ワクチンを必要回数接種する。DPT-
IPV，DPT，DTともに1回の接種量は0.5mL。
第1期追加接種：初回接種終了後6カ月以上の間隔を置いて接種。標準として初回
　　　　　　　　接種終了後12カ月以上18カ月未満の間にDPT-IPVまたはDPT，
　　　　　　　　DTを1回接種する。
　　　　　　　　DPT-IPV，DPT，DTともに1回の接種量は0.5mL。
b　第2期（ジフテリア，破傷風）（11歳以上13歳未満）
　標準として11歳にDTを0.1mLを1回接種する。
　ジフテリアまたは破傷風のどちらか1つの予防接種を行う場合，または同時に行
う場合，いずれもDTを接種する。
2）注意
①百日咳の罹患歴のない者にはDPT-IPVまたはDPTを接種する。
②百日咳に罹患歴のある者で，ジフテリア，または破傷風の罹患歴のある者には
　DPT-IPVまたはDPT，DTのいずれのワクチンも使用できるが，百日咳の診断は
　難しい場合が多い。百日咳の罹患歴の有無がはっきりしない場合はDPT-IPVま
　たはDPTを接種する。百日咳に罹患歴のある者にもDPTを定期接種として接種

できるようになった(2008年3月21日予防接種実施要領改正)。

③DPTとDPT-IPVを併用する場合は，初回3回，追加1回の合計4回を超えて接種することはできない。

④DPTと単独不活化ポリオワクチンを同じ回数ずつ接種している場合，残りの接種はDPT-IPVを使用できる。

⑤初回接種において，明らかな発熱，または急性疾患に罹っているなど，予防接種不適当要因で接種間隔内に接種できなかった場合は，これらが解消された後，できるだけ早く接種を受けるように指導する。生後90カ月になる前までは定期接種として接種できる。

2. 沈降ジフテリア破傷風混合トキソイド(DT)
1) 接種方法
　第1期の接種にDTを使用する場合には，初回接種(2回)，追加接種(1回)を行う。

　第2期で使用できるワクチンは，DTのみである。

2) 注意
　第1期の予防接種の初回接種においては，DPT-IPV，DPTまたはDTのうちから，使用するワクチンを選択することが可能な場合であっても，原則として，同一種類のワクチンを必要回数接種する。

　皮下深く接種することで，局所の発赤・腫脹・硬結は軽減できる。

3. 沈降破傷風トキソイド(沈降T)
1) 接種方法
　破傷風の予防接種を行っていない者に接種する。

a　基礎免疫

初回免疫：沈降Tを20〜56日までの間隔で0.5mLずつ2回接種。

追加免疫：初回接種後6カ月以上の間隔を置いて，(標準として初回免疫終了後12カ月から18カ月までの間に)0.5mLを1回接種。ただし，初回免疫のときに副反応が強かった者には，適宜減量する。

2) 注意(外傷時の接種)
　外傷後に破傷風を発症するか否かを予想することは困難であり，わが国では沈降Tおよび抗破傷風ヒト免疫グロブリン(TIG)の投与基準はないのが現状である。発症例の中には軽微な創傷により発症している例や，感染経路が不明の例もあり注意が必要である。米国では破傷風を起こす可能性の高い創傷とは，受傷後時間の経っているもの(6時間以上)，創面に土や唾液などの異物を認め，壊死組織や感染徴候のあるもの，創の深さが1cmを超えるもの，神経障害や組織の虚血を合併しているものなどとなっている。

　外傷を受けた際に沈降TやTIGを投与する基準は，創部の状態および受傷者の破

DPT−IPV（百日咳，ジフテリア，破傷風，ポリオ）　175

傷風に対する免疫状態を考慮する必要がある。過去の破傷風含有ワクチン接種の有無，最終の予防接種時期を確かめることが重要である。米国小児科学会（American Academy of Pediatrics：AAP）の基準を**表7**に示す。

4．Tdap（思春期・成人用百日咳ワクチン）およびDTaP

　多くの先進国では百日咳対策として青年・成人層への百日咳ワクチンの追加接種が行われており，妊婦への接種が実施されている国もある。2014年に発行されたWHOの百日咳含有ワクチン専門家会議資料によると，海外では，10歳代および成人でのDPT接種は行われておらず，すべてTdapが使用されていた。これまで，国内ではDTaPおよびTdapを用いた臨床研究が行われきたが，添付文書の改訂までは至らなかった[15-16]。

　2016年2月に阪大微研が製造するトリビック（DTaP）の製造販売承認書の変更が行われ，青年層を含めた追加接種が可能となった。トリビック0.5mLを11歳以上13歳未満の健康小児223人に接種したこの臨床試験では，百日咳PTに対するブースター反応率が91%（86.5〜94.4%），百日咳FHAに対するブースター反応率が91.5%（87.0〜94.8%）であった[17]。なお，ブースター反応率とは接種前抗体価が20EU（ELISA単位）/mL未満の場合は，接種後に20EU/mL以上かつ4倍以上上昇，接種前抗体価が20EU/mL以上の場合は接種後に2倍以上上昇した被験者の割合を指す。この結果に基づき，以下の用法・用量で医薬品製造販売承認事項一部変更承認が行われた（下線部分）。

　　初回免疫：通常，1回0.5mLずつを3回，いずれも3〜8週間の間隔で皮下に注射する。

　　追加免疫：第1回の追加免疫には，通常，初回免疫後6カ月以上の間隔を置いて，0.5mLを1回皮下に注射する。

　　以後の追加免疫には，通常，0.5mLを1回皮下に注射する。

　この結果，乳幼児期に3回または4回接種された11〜13歳未満の小児，さらに青年・成人層における2回目の追加接種（計5回目）が可能となった。

1）期待される効果

　第2期（11歳以上13歳未満）のDTの代わりにDTaPを用いることで，年長児から青年の百日咳予防につながることが期待される。また，DTaPの追加接種には年齢制限が設けられていないことから，定期接種対象年齢以外での接種が可能である。

　就学前児の百日咳PT-IgG抗体価が低下していること，および4回接種を完了していても5〜15歳に発症している児が多い現状を受けて，日本小児科学会は就学前の百日咳含有ワクチンの追加接種を推奨している（**表8**）[18]。現時点で，就学前の5回目の百日咳予防として，DTaP-IPVは承認されていないため，5回目接種が承認されているDTaPの任意接種を推奨している。海外では多く行われている10歳代での百日咳含有ワクチンの接種も，国内では行われていないため，思春期の百日咳の予防を目的に，DTの代わりにDTaP接種（ただし，任意接種）を考慮してもよいとし

4

ワクチン別の解説

176 ワクチン別の解説

表7 外傷管理における破傷風予防指針

破傷風含有ワクチン*2 の接種回数	清潔で小さな傷		他のすべての傷*1	
	DTaP, Tdap, またはTd*3	TIG*4	DTaP, Tdap, またはTd	TIG*4
3回未満または不明	接種	不要	接種	接種
3回, またはそれ以上	破傷風含有ワクチン最終接種から10年未満の場合は不要	不要	破傷風含有ワクチン最終接種から5年未満の場合は不要*5	不要
	破傷風含有ワクチン最終接種から10年以上の場合は接種	不要	破傷風含有ワクチン最終接種から5年以上の場合は接種	不要

＊1：泥, 便, 土, 唾液で汚染された傷, 刺傷, 挫滅創, 銃創, 火傷, 凍傷などが該当するが限定されない。
＊2：DTP-IPV, DTP, DT, Tdap, Td
＊3：DTaPは7歳未満の小児に使用, Tdapは, Tdapを受けたことがない7歳以上の小児にはTdより優先して使用する。
＊4：ヒト破傷風免疫グロブリン。TIGが入手できないときは静注用ヒト免疫グロブリンを使用する。
＊5：それ以上の追加接種は, 有害事象が強くなる可能性があるため, 必要なし。
Committee on Infectious Diseases, et al. Red Book 2018-2021: Reported of the Committee on Infectious Diseases. American Academy of Pediatrics 2018: 793-798より

表8 日本小児科学会が推奨する予防接種スケジュール(2020年1月版)

ワクチン	種類	乳児期										幼児期							学童期／思春期				
		生直後	6週	2カ月	3カ月	4カ月	5カ月	6カ月	7カ月	8カ月	9〜11カ月	12〜15カ月	16〜17カ月	18〜23カ月	2歳	3歳	4歳	5歳	6歳	7歳	8歳	9歳	10歳以上
4種混合 (DPT-IPV)	不活化			①②		③						④*1				(7.5歳まで)							
3種混合 (DPT)	不活化			①②		③						④*1				(7.5歳まで) ⑤*2					⑥11〜12歳*3		
2種混合 (DT)	不活化																			11歳①	12歳		
ポリオ(IPV)	不活化			①②		③						④*1				(7.5歳まで) ⑤*4							

　定期接種の推奨期間　　任意接種の推奨期間　　定期接種の接種可能な期間　　任意接種の接種可能な期間

＊1：③〜④は6カ月以上あけ, 標準的には③終了後12〜18カ月の間に接種
＊2：就学前児の百日咳抗体価が低下していることを受けて, 就学前の追加接種を推奨
＊3：百日咳の予防を目的に, 2種混合の代わりに3種混合ワクチンを接種してもよい
＊4：ポリオに対する抗体価が減衰する前に就学前の接種を推奨

文献18)より引用

ている[18]。

2）安全性

　第1期として3～4回のDTaP接種歴がある11～12歳児445人をDTaP 0.5mL接種群とDT 0.1mL接種群にランダムに割り付け，接種から28日後あるいは42日後までに発生した副反応・有害事象の頻度が比較された[19]。接種部位の局所反応の発現頻度は，DTaP 0.5mL接種群でやや高かったが，両群で大きな差は認められなかった。重症度別にみると，両群とも軽度か中等度が多かったが，DTaP 0.5mL接種群では高度な紅斑，腫脹，硬結がDT 0.1mL接種群より多く認められた。全身反応に関しては，DTaP 0.5mL接種群で39.0C°以上の発熱が1人（0.4％）に認められたが，それ以外は両群とも軽度あるいは中等度であり，自然軽快した。死亡や重篤な有害事象は認められなかった。

　国内外で実施されたDTaP 0.5mL接種後の検討では，局所反応と発熱が中心であり，いずれも自然軽快していた。

5．単独不活化ポリオワクチン（IPV）

1）接種方法

対象年齢：生後3～90カ月に至るまでの間にある者。

初回接種（3回）：1回0.5mLずつを，生後3～12カ月に3回，皮下に接種（20日以上の間隔を置く）。

追加接種（1回）：0.5mLを，初回接種後12～18カ月までの間（最低6カ月後）に1回，皮下に接種。

　なお，この期間を過ぎた場合でも，生後90カ月に至るまでの間であれば，接種ができる。過去に生ポリオワクチンを受けそびれた者も，対象年齢内であれば，不活化ポリオワクチンの定期接種を受けることが可能である。

2回目の追加接種：IPVを早くから導入している多くの欧米諸国では，就学前の追加接種を実施している。わが国でも4～6歳の小児を対象に実施したイモバックスポリオの第IV相製造販売後臨床試験が行われた。主要評価項目は接種1カ月（28～42日）後のポリオウイルス1型，2型，および3型に対する追加免疫反応率とし，型別の追加免疫反応率は78.0％，78.0％および79.7％だった。副次評価項目である幾何平均抗体価（GMT）は，接種前の312.6，795.4，314.5からそれぞれ3,794.9，9,213.2，5,242.1に上昇した。また，忍容性も良好だった。初回免疫3回と追加免疫1回の乳幼児期の接種を受けた後，時間経過とともに減衰した抗体価が，通算5回目となる2回目の追加免疫により上昇することが確認され，2016年2月から添付文書が改訂された。

　日本小児科学会では，ポリオに対する抗体価が減衰する前に就学前の5回目の追加接種（ただし，任意接種）を推奨している[18]。

2）注意

　2012年9月1日以前に経口生ポリオワクチンを1回接種した児は，2012年9月1

日以降は，初回1回受けたとみなす。なお，2012年9月1日以前に経口生ポリオワクチンを2回接種した児は，IPVの接種を受ける必要はない。

接種回数は，原則2012年9月1日以前の接種歴に応じた接種回数とする。予防接種台帳による確認や保護者からの聞き取りなどを十分に行い，接種歴の確認に努める必要がある。

2012年9月1日以前に海外などでIPVの接種を受けた児は，医師の判断と保護者の同意に基づき，すでに接種した回数分のポリオワクチンの接種を受けたものとみなすことができる。

文献
1）国立感染症研究所感染症疫学センター・国立感染症研究所細菌第二部. 全数報告サーベイランスによる国内の百日咳報告患者の疫学（更新情報）— 2018年疫学週第1週〜52週. https://www.niid.go.jp/niid/ja/pertussis-m/pertussis-idwrs/8696-pertussis-190327.html,（accessed 2019-6-2）.
2）国立感染症研究所. 百日咳 感染症法に基づく医師届出ガイドライン（初版）. https://www.niid.go.jp/niid/ja/id/610-disease-based/ha/pertussis/idsc/7994-pertussis-guideline-180425.html,（accessed 2019-6-2）.
3）World Health Organization. Global Polio Eradication Initiative. http://www.searo.who.int/entity/indonesia/topics/immunization/sop-polio-outbreak-response-version-3-dec-2018-20181220.pdf,（accessed 2019-6-2）.
4）佐藤勇治. 小児感染免疫 2008; 20: 347-350.
5）佐藤勇治ほか. "百日ぜきワクチン". ワクチンハンドブック. 国立予防衛生研究所学友会編. 丸善 1994; 59-70.
6）Storsaeter J, et al. Vaccine 1992 10: 142-144.
7）Ad Hoc Group for the Study of Pertussis Vaccines. Lancet 1988; 1: 955-960.
8）Klein NP, et al. Pediatrics 2013; 131: 1716-1722.
9）Sheridan SL, et al. JAMA 2012; 308: 454-456.
10）Klein NP, et al. N Engl J Med 2012; 367: 1012-1019.
11）Baxter R, et al. BMJ 2013; 347: f4249.
12）Kevin L, et al. CMA 2016; 188: E399-406.
13）World Health Organization. Pertussis. http://www.who.int/immunization/monitoring_surveillance/burden/vpd/surveillance_type/passive/pertussis/en/,（accessed 2019-6-2）.
14）Amirthalingam G, et al. Lancet 2014; 384: 1521-1528.
15）Okada K, et al. Vaccine 2010. 28: 7626-7633.
16）Hara M, et al. Clin Vaccine Immunol 2013; 20: 1799-1804.
17）医薬品医療機器総合機構. 審査結果報告書. 沈降精製百日せきジフテリア破傷風混合ワクチン（トリビック）.平成28年2月24日. http://www.pmda.go.jp/drugs/2015/P20160307001/630144000_21800AMZ10361_A100_1.pdf,（accessed 2019-6-2）.
18）日本小児科学会. 日本小児科学会が推奨する予防接種スケジュール（2020年1月版）. http://www.jpeds.or.jp/uploads/files/vaccine_schedule.pdf,（accessed 2020-2-3）.
19）阪大微生物病研究会. 沈降精製百日せきジフテリア破傷風混合ワクチン（トリビック）に関する資料.

（岡田賢司）

BCG　179

■ BCG

結核

1．疾患の概要

　結核は，排菌者の咳などで飛散する結核菌による飛沫核感染症（空気感染）である。感染症法で二類感染症に位置づけられ，全数把握対象疾患の１つとなっている。感染後，初感染原発巣が形成され，肺門リンパ節にも病巣を作る。結核菌が血行性，リンパ行性に全身の臓器にも広がることがある。BCG接種の目的は，結核性髄膜炎や粟粒結核など重症結核の予防とされる。病型としては肺結核が最も多く，全体の約80％を占める。感染後の発病は１年以内が多いが，数年から数十年後に発病することもある。

　世界的には死亡原因トップ10の１つで，WHOのファクトシートでは2017年には1,000万人が罹患し，160万人（HIV感染者30万人を含む）が死亡している[1]。死亡は，低～中所得国の患者が多い。死亡率は，2017年は2000年と比較して42％減少している。小児では，約100万人が感染している。「the End TB戦略」で設定された目標に到達するには，まず結核罹患率減少率を2015年の２％から，2025年までに10％に加速させる必要がある。次に死亡率を2015年の15％から，2025年までに6.5％に減少させることが求められている[2]。

2．わが国における発生状況

　国内では，1948年予防接種法で結核は対象疾病に位置づけられたが，1951年結核予防法が施行され，特別な予防対策が行われてきた。当時は高蔓延状態にあり，新規登録患者数は年間約590,000人，死亡者数は年間約93,000人であった。罹患は若年者が中心で，20歳になるまでに国民の半数以上が結核に感染したという，まさに国民病であった。結核対策として，集団的で画一的な施策がとられ，新規登録患者数（罹患率）は激減した。

　現時点では，わが国は，まだ中蔓延国とされている。2017年新登録結核患者は16,789人で，2016年より836人減少した。人口10万対罹患率（新登録率）は13.3で，前年から0.6ポイント減少し，減少率は4.3％であった（**表１**）。2016年11月に「結核に関する特定感染症予防指針」が改正され，「2020年までに罹患率10以下（低蔓延国化）」を達成することが成果目標として掲げられた。現在は年約４％前後の減少率で推移している。目標を達成するためには減少速度を速める必要がある。

1）高齢者の結核

　新登録結核患者のうち71.1％を60歳以上が占める。特に全結核患者のうち３人に１人以上が80歳以上となっている。これは，かつて結核が蔓延していた時代に結核に感染した人が高齢となって発病していると考えられている。罹患率も高齢になる

4

ワクチン別の解説

180 ワクチン別の解説

表1 年次別, 年齢階級別結核罹患率

(人口10万対)

年	1962	1975	1980	1985	1990	1995	1998* 新分類	1998* 旧分類	2000	2005	2010	2012	2013	2014	2015	2016	2017
総　数	403.2	96.6	60.7	48.4	41.9	34.3	32.4	34.8	31.0	22.2	18.2	16.7	16.1	15.4	14.4	13.9	13.3
0～4歳	184.4	20.0	7.9	5.4	3.1	2.5	2.0	2.0	1.8	1.0	0.6	0.6	0.5	0.3	0.6	0.5	0.6
5～9歳	261.3	19.9	6.5	3.5	1.8	1.2	1.1	1.1	0.7	0.4	0.5	0.2	0.3	0.3	0.2	0.2	0.2
10～14歳	143.4	13.7	6.3	3.9	2.1	1.5	1.3	1.3	1.1	0.6	0.6	0.4	0.4	0.3	0.2	0.4	0.3
15～19歳	218.7	32.8	18.5	12.6	9.9	7.0	6.5	6.5	5.7	4.4	4.2	2.7	2.7	2.8	2.8	3.1	2.5
20～29歳	409.9	70.2	38.0	28.1	25.1	20.8	20.7	20.9	20.1	15.4	10.9	9.7	9.1	9.2	9.0	9.8	9.8
30～39歳	504.5	78.5	44.9	29.9	24.5	20.3	19.4	19.8	19.6	14.9	10.7	8.9	7.9	7.7	7.1	6.5	6.6
40～49歳	536.4	115.3	63.1	42.7	32.7	26.0	23.5	24.8	21.6	14.0	10.6	9.1	8.3	7.8	7.5	6.5	6.1
50～59歳	618.6	175.5	107.6	78.3	56.5	41.3	35.3	37.7	31.3	18.9	13.4	11.5	10.8	9.8	8.8	8.4	8.1
60～69歳	733.3	252.6	161.0	122.7	96.2	66.5	56.3	61.3	46.1	26.2	19.9	16.3	15.4	14.3	13.1	12.0	11.4
70歳～	607.8	312.5	218.3	183.8	154.5	112.2	105.2	116.1	101.3	66.6	56.4	52.4	50.7	47.9	45.2	42.8	39.3

(～1986年　結核登録者に関する定期報告, 1987～1995年　結核・感染症サーベイランス年報集計結
果, 1996～2006年　結核発生動向調査年報集計結果, 2007年～　結核登録者情報調査年報集計結果)
＊：1998年以降は新活動性分類による数値となり, 1999年より新分類で報告。
結核予防会結核研究所疫学情報センター. 結核の統計 2018. http://www.jata.or.jp/rit/ekigaku/touk
ei/adddata/ (accessed 2019-6-3).

ほど高く, 60～69歳では11.4, 70～79歳で22.0, 80～89歳で55.5, 90歳以上では92.7
と上昇していく。新登録患者数は90歳以上では上昇傾向で, 全体数に占める割合も
上昇している。

2）外国生まれの結核

　外国生まれの新登録結核患者数は, 増加傾向が続いている。2016年から192人増加
して1,530人となり, 新登録結核患者に占める割合は9.1%となっている。特に若年者
では新登録患者数の半数以上の62.9%を外国出生者が占める（**図1**）。このような中
で, 米国, カナダ, オーストラリア, ニュージーランド, 英国, オランダなどの国
々では入国前の結核スクリーニングを課しており, わが国でも長期滞在者に対して
結核入国前スクリーニングを実施することが厚生科学審議会結核部会で了承され,
相手国と調整を進め2020年の実施を目指している。入国前スクリーニングの実施に
よって外国出生者の結核登録数の減少が期待される一方, 入国時のスクリーニング
ではすべての結核を発見することは不可能であり, 入国後に発症した結核患者が早
期に診断され, 治療につながるようなシステムの継続も必要とされている。

3．予防接種の意義

　1948年に施行された予防接種法で, 結核が対象疾病の1つに位置付けられるまで,
結核は国民病として, 20歳になるまでに国民の半数以上が結核に感染していた。
1951年には結核予防法が制定, 施行され, 結核は他の予防接種対象疾病とは切り離

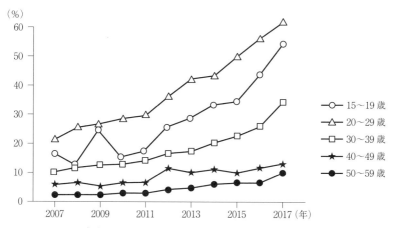

図1 年齢階層別新登録外国生まれ結核患者が占める割合

濱田洋平.『結核の統計 2018』を読む―統計を生かして結核対策の推進を！ https://jata.or.jp/rit/rj/382-06.pdf,（accessed 2019-6-3）.

され，特別な予防対策がとられてきた。

1948年当時，BCGは皮内接種が任意接種として行われたが，接種局所の副反応が強く，問題となり1951年に皮内接種は中止された。1954年に，管針法を用いてBCG定期接種が開始された。さらに集団検診など，集団的で画一的な施策がとられ，新規登録患者数（罹患率），死亡者数は激減した。特に若年者の罹患率は大幅に低下した。

わが国では，急速な高齢化社会となり，高齢者の結核発症が増加傾向にある。多くの高齢者は，結核が高度蔓延状態にあった時代に乳幼児，学童，青少年期を過ごし，自然治癒しているが，高齢になるにつれて，体力低下，免疫機能低下が起こり，結核の内因性感染（再燃）が起こる。高齢者の結核の多くが，このような経過をたどっている。さらに，高齢者の多くが施設で集団生活をするようになったことも増加の一因となっている。わが国の結核対策の一環として，高齢者の定期的な結核検診（胸部X-P），高齢者施設入所者に対する集団検診が不可欠となっている。

わが国は依然として結核中蔓延国であり，乳児が結核に感染する機会は常に存在する。BCGは乳児期の粟粒結核，結核性髄膜炎の発生を予防するための最も有効な手段であり，乳児を対象とする現行のBCG接種は継続しなければならない。

ワクチンの効果と安全性

1．ワクチンの概要

ワクチンは，牛型結核菌を継代培養して確立した弱毒株で，開発者（Calmetteと

182　ワクチン別の解説

Guérin)の名にちなんでカルメット・ゲラン菌(Bacille de Calmette et Guérin：BCG)と呼ばれる。わが国では1925年にCalmetteから分与を受け，原法どおり胆汁ジャガイモグリセリン培地に継代・維持されてきた。1961年に172代目の菌株がTokyo 172として標準品となった(Tokyo 172株はWHOのBCG国際参照品)。ワクチンには継代12代以内のものが使われる。これを凍結乾燥させた生ワクチンで，添付の溶解液(局方生理食塩液)を用いて懸濁し，管針にて接種する。菌の不活性化を防ぐため，日光の直射を避け，溶解後はできるだけ早く使用する。

2．免疫効果

　これまでの大規模疫学研究により，発病率および死亡率の低下，重篤な病型の減少などが報告されてきた。英国の大規模コホート研究(1959～1972年)では，BCG接種後5年間で83％の発病抑止効果がみられ，その効果は15年間持続するとされた。一方，1968年から南インドで行われた大規模野外試験では，発病抑止効果が認められなかった。WHOの主導下に，いくつかの症例対照研究および接触者研究なども行われた。その結果，発病抑止効果については2～90％とかなりの幅はあるが，概ね有効とする研究が多く，また髄膜炎や粟粒結核など重症病型には高い有効率(60～80％)が示された。WHOは，現時点ではBCGには一定の有効性があるとして，低蔓延国を除き全世界規模で推奨している。

　1950年から2013年11月までの論文がレビューされたシステマティックレビューに，BCGの効果がまとめられている[3]。肺結核患者との接触が確認できた16歳未満を対象に，結核感染の有無をinterferon-γ release assay(IGRA)で判断された研究が評価された。結果は14論文が基準に該当し，解析された症例数は3,855人であった。推定された全体のリスク比は0.81(95％CI 0.71～0.92)となり，BCG未接種児と比較してBCG接種をしていれば，患者と接触後の効果は19％と解釈されている。IGRAのうち，ELISPOTとQuantiFERONでは陽性率に差は認められなかった。感染防止効果と活動性結核発病の効果も検討されている。感染防止効果は27％(リスク比0.73，95％CI 0.61～0.87)であったが，活動性結核発病予防効果は71％(リスク比0.29，95％CI 0.15～0.58)とされた。全体では，感染後の発病予防効果は58％(リスク比0.42，95％CI 0.23～0.77)と推定され，BCG接種は活動性結核発病予防効果があると結論づけられている。

　国内でも，小児の結核性髄膜炎および粟粒結核の患者数が1965年から2017年までまとめられている(**表2**)[4]。近年は2000年以前より減少しているが，まだ数例が発病している。BCG接種は，当面継続する必要がある。**表3**にBCG接種者数および実施率の年次推移を示す[4]。

3．副反応
1)　通常認められる有害事象

　接種後1カ月前後から接種側の腋窩リンパ節が腫大することがある。予防接種後

表2 新登録小児結核患者数（登録率）および特定肺外結核（1965～2017年）

年	0～14歳新登録患者数		結核性髄膜炎数		粟粒結核数	
	数	率	0～14歳	0～4歳（率）	0～14歳	0～4歳（率）
1965	44,180	175.6	－	－	－	－
1970	18,197	73.4	－	－	－	－
1975	4,905	18.0	28	22 (0.221)	－	－
1980	1,893	6.9	22	14 (0.164)	－	－
1985	1,088	4.2	－	－	－	－
1990	518	2.3	9	4 (0.061)	10	8 (0.122)
1995	340	1.7	8	8 (0.136)	8	8 (0.136)
2000	220	1.2	7	4 (0.069)	3	3 (0.052)
2005	117	0.67	3	1 (0.018)	3	1 (0.018)
2006	85	0.49	0	0	1	1 (0.018)
2007	92	0.53	0	0	0	0
2008	95	0.55	0	0	1	1 (0.019)
2009	73	0.43	1	1 (0.019)	4	3 (0.056)
2010	89	0.53	0	0	0	0
2011	84	0.50	1	0	2	1 (0.019)
2012	63	0.38	1	1 (0.019)	0	0
2013	66	0.40	2	2 (0.038)	0	0
2014	49	0.30	5	2 (0.038)	2	1 (0.019)
2015	51	0.32	1	1 (0.020)	1	0
2016	59	0.40	2	2 (0.040)	1	1 (0.020)
2017	59	0.40	2	1 (0.020)	3	3 (0.061)

肺外結核：重複あり
率：当該年齢人口10万対率
－：情報なし

文献4）より引用

健康状況調査（1996年度～2013年度累計報告）によると，調査対象者数34,950人中リンパ節腫脹は204人（0.58％）であった。多くは1個のみであるが，ときに複数個または腋窩以外の部位（鎖骨上窩，側頸部など）に出ることもある。数カ月の経過で徐々に縮小していくが，ごくまれには腫大したリンパ節が化膿性変化をきたし，皮膚に穿孔し，排膿することがある（接種例の0.1％未満）。

その他の副反応としては，2013年度の予防接種後副反応報告書によると，皮膚結核様病変（接種局所周辺の肉芽腫，全身に散布する発疹など）が40件，骨炎・骨髄炎が10件報告されている。なお，接種直後から数日中に発疹などの過敏症反応が出ることがある。

184　ワクチン別の解説

表3　BCG接種者数および実施率の年次推移

	総　　数*2	定　　　　　期 乳　幼　児		予防接種実施率*3
		6カ月未満	1歳未満	
	千人		千人	
1954年	6,620		677	
1955	6,095		734	
1960	6,346		1,668	
1965	4,829		1,403	
1970	5,546		1,856	
1975	1,703		1,033	
1980	2,842		1,357	
1985	2,779		1,389	
1990	2,166		1,148	
1995	2,612		1,178	
2000	2,381		1,128	
		人	人	
2005*1	994	962,521	31,516	94.1
2006	978	960,858	17,217	90.2
2007	1,089	1,077,104	12,229	99.6
2008	1,067	1,056,024	11,413	97.0
2009	1,012	1,001,217	10,503	93.9
2010	991	984,378	6,586	94.6
2011	999	973,991	12,853	92.9
2012	970	954,875	15,066	92.9
		5カ月未満	5カ月以上1歳未満	
2013	877	134,151	687,903	84.2
2014	997	92,053	873,640	97.7
2015	1,003	78,276	903,422	104.4
2016	1,001	60,817	907,867	98.8

（～1996年　保健所運営報告，1997～1998年　地域保健事業報告，1999～2007年　地域保健・老人保健事業報告，2008～　地域保健・健康増進事業報告，2005年～厚生労働省予防接種情報「定期の予防接種実施者数」より）

＊1：2005年の法改正により，生後6カ月未満に直接BCG接種となった。

＊2：年齢階級別の計数が不詳の市区町村があるため，総数と年齢階級別の計が一致しない場合がある。2013年度より定期接種の対象者が「原則6カ月未満」から「生後1歳に至るまでの間にある者」に拡大した。

＊3：2012年報告より，定期外の欄が接触者健診となり，2013年から記載がなくなったため，削除した。新たに厚生労働省ホームページ記載の定期の予防接種実施数より，記載のある2005年より実施率を掲載年まで記載した。

文献4）より

2）重篤な有害事象[5]

1951年から2004年までに国内で2億1,380万人に接種された。その中で全身性の重篤な副反応症例39症例（接種10万件当たり0.0182件）がまとめられている。病変部位は骨・関節が多く27例，皮膚病変（結核疹を含む）17例であった。病巣からの抗酸菌培養は陽性29例，陰性4例，培養未実施3例，記載なし3例であった。1993年以降は，遺伝子解析により分離された菌がワクチン株であるTokyo172株であるかどうかを区別できるようになった。それ以前では野生株との鑑別はなされていない。

基礎疾患として，39症例中19例で，慢性肉芽腫症（chronic granulomatous disease：CGD），重症複合型免疫不全症（severe combined immunodeficiency：SCID），メンデル遺伝型マイコバクテリア易感染症（Mendelian susceptibility to mycobacterial disease：MSMD）などの先天性免疫不全を含め，何らかの細胞性免疫異常が報告されている。死亡例は6例で，全例に何らかの細胞性免疫異常があった。内訳は，CGD 2例，SCID 2例，残り2例も診断名は記載されていないが，細胞性免疫異常があると考えられている症例であった。

3）コッホ現象

a　病態

Robert Kochが最初に記載した現象で，モルモットに結核菌を皮下接種すると，局所に硬結・壊死が生じ，2～4週間後に潰瘍化する。結核既感染モルモットでは，2～3日後に硬結と軽度の潰瘍が生じ，速やかに治癒する。遅延型アレルギー反応の原型とされている。

b　BCG接種とコッホ現象

これまで，BCG再接種，再々接種で，コッホ現象は認められており，ツベルクリン反応（以下，ツ反）陰性児でも認められていた。事前のツ反は，結核の既感染者にBCG接種を行うことを避けるために行われてきたが，BCG直接接種となり，BCG接種前にスクリーニングできなくなった。別の視点からは，乳児にBCGを直接接種し，コッホ現象が認められた場合は，結核感染を疑うとされた。BCG接種後早期に出現するコッホ現象を確実に把握することは，重症化しやすい乳児結核感染例を診断する機会として非常に重要であるが，非特異的現象であることも多い。

c　コッホ現象事例報告書

2005年からのBCG直接接種導入時より，厚生労働省健康局長通知「定期の予防接種の実施について」（2005年1月），「定期接種実施要領」（2013年3月）において，コッホ現象に関する定義，出現時の対応が規定されており，「医師がコッホ現象を診断した場合には，保護者の同意を得て，直ちに当該被接種者が予防接種を受けた際の居住区域を管轄する市区町村長へ報告するよう協力を求める」こと，さらに報告書は都道府県知事を経て厚生労働大臣宛てに提出することが記されている。

2005～2008年の概要[6]

加藤らは「コッホ現象事例報告書」814件を分析・報告した。コッホ現象を契機に毎年25例前後の乳児が結核感染と診断され，4年間で3例の乳児の活動性結核発病

が判明していた。

2009～2012年の概要[7]

徳永が詳細な検討を行った。4年間に539件のコッホ現象事例報告書が提出された（122～147件/年）。このうち81例が要治療あるいは化学予防（＝真のコッホ現象）と判断されていた（14～27例/年，うち要治療例は0～1例/年）。適切な時期に実施したツ反が陽性であった117例のうち，69例で結核既感染と判断され，発病治療または潜在性結核感染症（latent tuberculosis infection：LTBI）治療が適用された。29例では治療が適用されず経過観察とされていた。ツ反が陰性であった302例のうち，10例は接種局所所見などより既感染の可能性が強く疑われ，発病予防を目的とした治療が適用されていた。発病した1例で感染源が明らかとなったが，他の発病例，感染例では児にとっての感染源症例は判明していなかった。

2013～2014年[8]

2013年4月よりBCGの標準的接種時期が「生後5カ月以降，8カ月未満」となり，これまでよりもやや遅い接種時期へと変更され，コッホ現象が疑われる例が増加することが予測されたため，2013年度以降の報告書を検討した。報告は2013年度376例，2014年度423例（年平均399例）と，これまでより増加した。

2014年度にLTBIとして予防内服を受けた児は81例（19.1％）であった。81例のBCG接種月齢は，生後5カ月，6カ月児が多かったが，本来この月齢は標準的接種月齢として推奨されている月齢で，多くの児が接種されているためと推定される。局所変化は，接種翌日に気付かれ医療機関を受診した児が最も多く79例中44例（55.7％）であった。次いで2日目が多かった。ツ反の発赤径では10～19mmが最も多く76例中53例（69.7％），30mm以上の児も2例報告されていた。検査した28例中5例がIGRA陽性であったが，ツ反発赤径との相関ははっきりしない。発症者の有無については不明である。

感染および予防内服の判断は，周囲の排菌患者との接触歴を詳細に聴取し，BCG接種後の変化を注意深く観察しながら，ツ反およびIGRAも参考に総合的に行う必要がある。

d　コッホ現象出現時の対応

保護者に対する周知

問診の際に，コッホ現象に関する情報提供および説明を行い，次の事項を保護者に周知する。

・コッホ現象と思われる反応が認められた場合は，接種医療機関等へ相談する。
・接種局所を清潔に保つ以外の特別の処置は不要であることを伝える。
・反応が起こってから，びらんや潰瘍が消退するまでの経過が，概ね4週間を超えるなど，治療が遷延する場合は，混合感染の可能性もあることから，接種医療機関等へ相談する。

コッホ現象事例報告書の取扱い

予防接種の実施主体である市町村は，あらかじめコッホ現象事例報告書を管内の

医療機関に配布しておく。医師がコッホ現象を診断した場合に、保護者の同意を得て、直ちに当該被接種者が予防接種を受けた際の居住区域を管轄する市町村長へ報告するよう協力を求める。市町村長は、医師からコッホ現象の報告を受けた場合は、保護者の同意を得て、コッホ現象事例報告書を都道府県知事に提出する。都道府県知事は、市町村長からコッホ現象の報告を受けた場合は、厚生労働大臣宛てにコッホ現象事例報告書の写し(個人情報に係る部分を除く)を提出する。

＊コッホ現象事例報告書等における個人情報の取扱い：保護者の同意が得られない場合は、個人情報を除く事項をそれぞれ報告および提出する。

報告書提出に際しての注意事項

①報告書提出の目的

・BCG接種時の結核既感染小児例を把握することにより、乳児の感染危険状況を明らかにする。

・コッホ現象が疑われた例に対して、適切な感染・発病判断あるいは適切な事後対応(治療や経過観察)が適用されているか否かを評価する。

・コッホ現象が疑われた例の局所所見の推移や感染診断結果を集積し、コッホ現象が疑われる例に対する適切な対応指針を明確にするための基礎的資料とする。

②報告書提出の時期

コッホ現象が疑われる例を診断した時点で第一報を行う。地域の保健センター・保健所からの指導も受けながら対応し、最終的な対応方針が確定した時点で再度、報告を求める。

③報告書内容の評価

報告書内容に関しては、適切な時期に小児結核専門医などによる助言や評価を求め、個々の事例における対応の問題点を明確にし、コッホ現象疑い事例に対する対応方法の標準化をめざす。

e より特異的な感染診断および治療適用基準の必要性

コッホ現象陽性の判断基準は、「コッホ現象の可能性が疑われる局所所見推移」＋「接種後2週以内に実施したツ反陽性」とされている。重症化しやすい乳児早期の感染例を早期に発見し、的確な病原体診断に基づき発病予防につなげることが目的と考えられる。ただ、これまでコッホ現象から、毎年数十例が既感染例と判断されているが、このうち発病が明らかとなる例は0〜1例のみであり、ツ反陽性例であっても治療を適用せずに経過観察の対象とされる例も報告されている(その後の発病の有無は不明)。より正確な感染診断および治療適用の判断基準を明確にする必要がある。

「真の」結核感染を、より特異性をもって評価するためには、ツ反の非特異反応の可能性を考慮し、IGRAと併用および周囲や地域の疫学情報も加味して、総合的に結核感染の判断を行う必要がある。「ツ反陽性」＋「治療適用なし・経過観察例」を対象とした前向き追跡調査の必要性もある。また、ツ反、IGRA以外の結核感染診断マーカーの開発が望まれる。

4．接種不適当者および接種要注意者
1）接種不適当者
①明らかな発熱を呈している者
②重篤な急性疾患にかかっていることが明らかな者
③当該疾病に係る予防接種の接種液の成分によって、アナフィラキシーを呈したことが明らかな者
④妊娠していることが明らかな者
⑤外傷等によるケロイドの認められる者
⑥その他、予防接種を行うことが不適当な状態にある者

2）接種要注意者（接種の判断を行うに際し，注意を要する者）
①心臓血管系疾患、腎臓疾患、肝臓疾患、血液疾患、発育障害等の基礎疾患を有する者
②予防接種で接種後2日以内に発熱のみられた者および全身性発疹等のアレルギーを疑う症状を呈したことがある者
③過去にけいれんの既往のある者
④過去に免疫不全の診断がされている者および近親者に先天性免疫不全症の者がいる者
⑤接種しようとする接種液の成分に対してアレルギーを呈するおそれのある者
⑥過去に結核患者との長期の接触がある者その他の結核感染の疑いのある者

接種方法の実際

1．接種方法の変遷
　1948年当時は皮内接種で行われていたが，局所の副反応が問題となり，1951年に接種は一時中止された。1954年から現行の管針を用いての定期接種が開始された。1976年まで4歳までに初回接種，それ以降，小学1年生，中学2年生に接種が行われた。1995年ツ反の疑陽性が廃止された。2003年から小学1年生，中学1年生に対するツ反およびBCG接種は廃止され，4歳未満の1回となった。2005年4月から事前のツ反を廃止し直接接種となり，対象も4歳未満から生後6カ月未満となった。2007年4月には結核予防法が廃止され，BCG定期接種は予防接種法に基づいて行われることになった。

2．接種方法
1）定期接種
　生後1歳に至るまでの間にある者にBCGを接種する。ツ反は行わない。標準的な接種期間は生後5カ月に達したときから生後8カ月に達するまでの期間である。
　長期間の病気療養のため，対象年齢で定期接種を受けられなかった場合でも治療終了などから2年以内であれば定期接種として接種が可能な長期療養特例措置が受

けられる。

2）接種方法

　管針（ディスポーザブル）による経皮接種法（スタンプ式）で行う。管針による経皮接種は，わが国独自の接種方法で，BCG皮内接種による潰瘍，瘢痕，ケロイドなどの局所副反応を軽減するために開発された。

a　接種前の確認事項

①BCGワクチンのセット内容を確認する。

②アンプルに記載されているロット番号と最終有効期限を確認する。

③ワクチンは生ワクチンで遮光が必要なため，白色または淡黄色で凍結乾燥されて褐色のアンプルに封入されている。極めてまれに輸送中や保存中にガラスに亀裂が生じ，アンプルの密閉度が保たれていない不良品が紛れ込むことがある。このようなアンプルは，壁にワクチンが付着して振っても落ちない状態となっている。開封前に確認する。

④接種時の間違いを少なくするために，接種前に前回のワクチン接種日を含めた問診および診察を行い，予診票に接種医のサイン，ロット番号のシールを予診票や母子手帳に貼付して，最後に接種することを勧める。

b　懸濁液作製時の注意事項

①取り出したワクチンの良否を確認後，アンプルカットでアンプルの頸の部分にキズを入れる。褐色アンプルは厚いため，アンプルカッターで念入りにキズを入れる必要がある。キズの部分を酒精綿で拭き，十分に乾燥させる。乾燥が不十分だと，アルコールがアンプル内に混入し，不活化するため注意が必要である。

②アルコールが乾燥したことを確認後，アンプル全体を添付の黒色の小さなポリ袋に入れる。袋の中で，アンプルのキズの部分を折る。ポリ袋に包まないで折るとアンプル内のワクチン粉末が環境中に飛散する可能性があるため，必ずポリ袋内で行う。

③懸濁用生理食塩水のアンプルを軽く振り，上に残っている液を下に落とす。酒精綿で頸の部分を拭き，十分に乾燥させる。カットマークを上にして，正しく反対側に折って開口する。

④添付のスポイトで懸濁用生理食塩水を全量吸いあげる。このとき，スポイトをあまり強く押して吸いあげないようにする。吸いあげには，注射器などは使用しない。

⑤吸いあげた懸濁用生理食塩水をワクチンアンプルの内壁に沿って，ゆっくりと注入する。ワクチンアンプルを2～3分間静かに置き，均等に溶解させる。均等な懸濁液になっていることを確認する。調整中にアルコールが混入すると均等な懸濁液にはならない。

⑥ワクチンが均等に縣濁したことを確認して，同じスポイトで吸いあげる。吸いあげは，溶解液の時と同様に強く押さないように心がける。

c 接種時の注意事項

①接種部位は，上腕外側中央部と規定されている。肩峰に近い部位はケロイド発生率が高いため接種部位として不適当とされている。肘関節に近い部位も皮下組織が薄いため，接種しない。

②接種医は，接種される児の上腕を下から握り，水平位に固定する。

③固めに絞った酒精綿で十分に拭く。接種部位のアルコールが乾燥したことを確認する。

④水平に保った上腕外側中央部にスポイトから１滴ワクチン懸濁液を滴下する。滴下するとき，スポイトの先端が皮膚に触れないように注意する。

⑤滴下したワクチン液を上腕の長軸に沿って，幅1.5cm長さ３cm程度に管針のツバで塗り広げる。濃淡なく塗り広げるために上から下へ塗った場合は，再度下から上へ戻すように塗り広げる。

⑥接種前に固定しているワクチン塗布面の皮膚を再度下部から引っ張り，緊張させる。

⑦接種医は，下にした手を押し上げ，上になった手と合わせて，両手で接種部位を挟むようにして管針を接種部位に押し付ける。

⑧管針を皮膚面に垂直に持ち，ツバが皮膚面に接するまで下方に向かって強く押す。管針を押すとき，ねじらない。

⑨１押し目が終了したら，管針の縁の跡が接するように，その下に２押し目を行う。

⑩２押し目が終了したら，ワクチン液が針痕から吸収されるように，管針のツバで４〜５回接種部位をなぞっておく。

⑪押圧の強さとしては，接種後数カ所の針痕から少量の出血がある程度を目安とする。

⑫接種後２〜３分間は，局所を自然乾燥させる。針痕がそろって赤く腫れていれば，良好な接種ができたと考えられる。

d BCG接種後の経過

BCG接種後，１〜２日は針痕部の発赤は残っているが，それ以降発赤は淡くなる。７〜10日目頃から個々の針痕部に再び小さな発赤や丘疹が生じる。その後同部位が化膿することもある。このような変化は接種後１カ月頃で最も強い。やがて個々の針痕部位には痂皮が生じ，３カ月頃までには落屑して小さな瘢痕を残すのみとなる。

文献

1) World Health Organization. Global tuberculosis report 2018. https://www.who.int/tb/publications/factsheet_global.pdf?ua=1, (accessed 2019-6-2).

2) World Health Organization. The End TB Strategy. https://www.who.int/tb/strategy/end-tb/en/, (accessed 2019-6-3).

3) Roy A, et al. BMJ 2014; 349: g4643.

4) 結核予防会結核研究所疫学情報センター. 結核年報 2018. http://www.jata.or.jp/rit/ekigaku/toukei/nenpou/, (accessed 2019-6-3).

5) 戸井田一郎ほか. Kekkaku 2007; 82: 809-824.

6) 加藤誠也ほか. 結核 2010; 85: 777-782.
7) 徳永修. 平成21年～24年に提出された「コッホ現象事例報告書」の集計及び検討. 厚生科学審議会 結核部会 資料. http://www.mhlw.go.jp/file/05-Shingikai-10601000-Daijinkanboukouseikagakuka-Kouseikagakuka/0000051889.pdf,（accessed 2019-6-3）.
8) 厚生労働省. BCGワクチンについて. http://www.mhlw.go.jp/stf/seisakunitsuite/bunya/kenkou_iryou/kenkou/kekkaku-kansenshou03/index.html,（accessed 2019-6-3）.

（岡田賢司）

ヒトの結核菌に対する特異性が高い結核感染診断法：IGRA

IGRAは，ヒトの結核菌感染者のリンパ球が産生するIFN-γを定量的に測定し結核感染を診断する検査法で，2つの検査法が保険適用となっている。クォンティフェロンTB ゴールド（QuantiFERON TB-Gold：QFT-3G）は，全血を検体としリンパ球からIFN-γをELISA法で測定する。もう1つが，T-SPOT.TBで，産生IFN-γをELISPOT法で測定する。刺激抗原が，牛型結核菌であるBCGには存在せず，ヒト型結核菌群に特異的であるため，結果の判断にBCG接種の影響を受けないことが特徴となっている。特異度はツ反検査より高いとされているが，活動性結核と潜在性結核との鑑別が難しいことが課題の1つとなっている。適用は，小児・成人ともに①接触者健診，②発病危険性の高い患者や免疫抑制状態の患者，③医療従事者の健康管理，④活動性結核の補助的診断などが考えられている。

小児結核診断におけるIGRAの有用性を検討したシステマティックレビュー[1]では，「特に乳幼児では感度が低い，あるいは判定不能が多くなる可能性が示唆されているが，小規模の研究が多く，研究方法も一定でないため，有用性を結論づけることは難しい」とされている。国内の小児結核研究班の報告書[2]には，「QFT-3GおよびT-SPOTの一致率は高く，感度も同等である」とされている。低蔓延国における小児の活動性結核における報告[3]では，感度は両方とも93％，特異度は98～100％と高いとされている。

IGRA陰性の乳幼児の場合，潜在性結核に対する診断感度がやや低い可能性を考慮して，IGRA陰性だけで未感染と判断せず，ツ反検査や患者とのより詳細な接触状況を勘案し，総合的に判断する必要がある。IGRA陽性の乳幼児の場合は，すでに発病している可能性もあることから，早急に病型を判断するための検査が必要となる。

1) Mandalakas AM, et al. Int J Tuberc Lung Dis 2011; 15: 1018-1032.
2) 徳永修. 小児を対象とした結核感染診断におけるQFT-GIT及びT-SPOT TB反応性の比較. 平成24年度厚生科学研究 新型インフルエンザ等新興・再興感染症研究事業「結核の革新的な診断・治療及び対策の強化に関する研究」報告書 2013.
3) Detjen AK, et al. Clin Infect Dis 2007; 45: 322-328.

（岡田賢司）

192　ワクチン別の解説

■ 日本脳炎ワクチン

日本脳炎

1．疾患の概要

　日本脳炎は，フラビウイルス科の日本脳炎ウイルスによる感染症で，日本では主にコガタアカイエカがウイルスを媒介する。日本脳炎ウイルスは蚊-ブタ-蚊の間で，感染環を形成しており，妊娠ブタが感染すると流産する場合があるが，通常，ブタは感染しても症状を示さない。また，ブタは野生のイノシシなどとともに，日本脳炎ウイルスの増幅動物といわれており，感染後多量のウイルス血症の期間が存在する。コガタアカイエカはヒトよりブタなどの大きな動物を好むこと，ブタの肥育期間は1年に満たない（約5〜8カ月）ことから，毎年免疫を持たないブタが多数生まれ，肥育されていることになる。デング熱などを媒介するヒトスジシマカが植木鉢の水受け皿や，古タイヤなどの小さな水たまりを好んで産卵するのに対して，コガタアカイエカは，水田や沼，池といった大きな水たまりに産卵する。また，活動するのは真夏の日中ではなく，日没頃から活動が活発になり，夜間に吸血する性質を有する。このような媒介蚊の性質を知っておくことも感染予防には重要である。

　ヒトは日本脳炎ウイルスに感染しても，ブタのようにウイルス血症の期間は長く認められず，血中のウイルス量も極めて少ない。ヒト-ヒト感染は起こさず，ヒトは日本脳炎ウイルスにとっては終末宿主である。また，日本脳炎ウイルスに感染したヒトが全員脳炎症状を発症するわけではない。日本脳炎ウイルスに感染後6〜16日の潜伏期間を経て，100〜1,000人に1人程度が髄膜脳炎，脊髄炎などの症状を呈する。多くは感染しても無症状で，髄膜炎の症状のみで軽快する場合もある。しかし，ひとたび脳炎症状を発症すると極めて重篤で，致命率は20〜40％と高い。また，小児では治癒しても麻痺や精神運動発達遅滞などの重度後遺症を残すことが多い。ワクチンが開発される前の日本では，小児と高齢者に2峰性のピークを有していたが，近年では，日本脳炎ワクチンが小児の定期接種に導入されたことなどから，小児の患者は減少し，高齢者が中心である。ただし，壮年層での発症もあるため注意が必要である（**図1**）。

　日本脳炎は，感染症法に基づく感染症発生動向調査では四類感染症全数把握疾患であり，診断した医師は直ちに管轄の保健所に届け出ることが義務づけられている。

　日本脳炎は，突然の高熱で発症することが多く，頭痛，悪心嘔吐，意識障害，筋硬直，不随意運動，けいれんなどを認める。検査所見としては，血中の白血球数の軽度増加，髄液細胞数の増加を認める。髄液細胞数は初期には多核球優位で，その後はリンパ球優位となる。多くは1,000/μL未満である。髄液蛋白は軽度上昇を認める。頭部MRIでは，T2強調画像で視床，海馬，黒質，基底核，橋，小脳などに対称性の高信号を認めることが多いとされており，特に両側性の視床病変は日本脳炎に

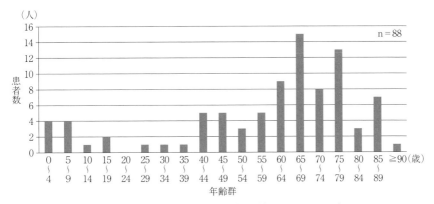

図1 年齢群別日本脳炎患者報告数，2003〜2016年
（感染症発生動向調査，2017年7月24日現在）

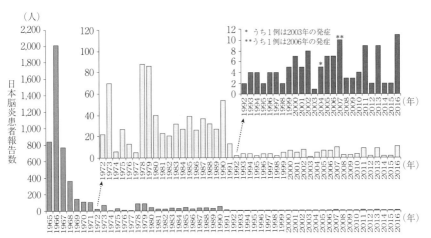

図2 日本脳炎患者報告数の推移（報告年別），1965〜2016年（2016年11月現在）
日本脳炎患者個人票（1965〜1998年）および感染症発生動向調査（1999年〜）より

特徴的とされている。

2．わが国における発生状況

1960年代までのわが国では，年間数千人規模の発症がみられていたが（図2），日本脳炎ワクチンが定期接種として小児に接種されるようになったこと，コガタアカ

194　ワクチン別の解説

表1　日本脳炎　確認患者地域別発生状況(感染症流行予測調査)

年度	九州・沖縄	中国	四国	近畿	中部	関東	計
2000	3	3	1				7
2001	2		2	1			5
2002		6		2			8
2003	1	1					2
2004	3			1			4
2005	2	3			2		7
2006	5	1	1			1	8
2007	3	3			3		9
2008					1	2	3
2009	1		1	1			3
2010	1	1	1	1			4
2011	7	1				1*1	9
2012	2						2
2013	3	1	1	4*2			9
2014	1			1			2
2015					1	1	2
2016	4	3		1	2	1	11
2017	1	2					3
計	39	25	7	12	9	6	98

＊1：推定感染地域インド　　＊2：うち1例推定感染地域不明

　イエカとブタの間で感染環を形成していたとしても，ブタがヒトの居住地から遠く離れて飼育されるようになったこと，コガタアカイエカの産卵場所である水田の減少などの影響により患者数は減少し，近年では関東以西の西日本を中心として(**表1**)，毎年10人前後の報告数である。発症時期は国内では8～9月をピークに4～11月頃に認められる。

　一方，海外ではアジアモンスーン地域を中心として，年間数万人規模の患者発生が報告されており，海外渡航の機会が多くなった現在，国内のどこに居住していても，ワクチンにより予防しておくことが重要な疾患である。

　わが国では感染症流行予測調査事業として，ブタの血清抗体保有状況〔赤血球凝集抑制(hemagglutination inhibition：HI)法〕が毎年度調査されている(**図3**)。

　前述したように，ブタの肥育期間が1年未満であることから，ブタが日本脳炎ウイルスに対する抗体を保有していた場合は，そのブタが肥育されていた場所に，最近数カ月間に日本脳炎ウイルスが存在したことを示している。毎年，西日本を中心として7月頃から陽性ブタが認められる割合が高くなる。

　これらの結果は，ヒトの日本脳炎患者の発生が8～9月にピークを有することと一致する。ヒトの日本脳炎の診断には急性期と回復期のペア血清で日本脳炎ウイルスに対する抗体の有意上昇を確認する。国立感染症研究所では，日本脳炎ウイルス

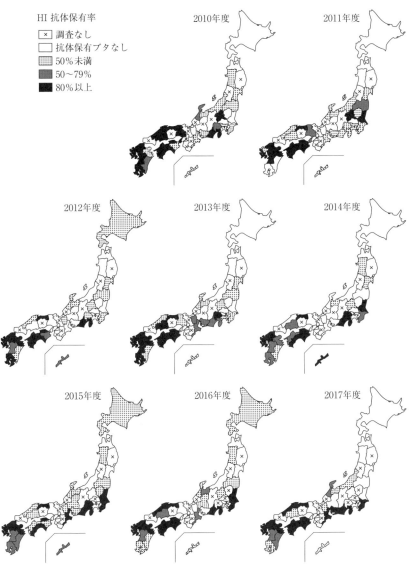

図3 ブタの日本脳炎ウイルス感染状況(2010〜2017年度)
(国立感染症研究所感染症疫学センター 感染症流行予測調査事業 日本脳炎速報)

196　ワクチン別の解説

特異的IgM抗体の測定やPCR法による日本脳炎ウイルス遺伝子の検出などの検査が
実施可能である。

3．予防接種の意義

　急性脳炎(脳症を含む)は感染症法に基づく感染症発生動向調査では五類感染症全
数把握疾患であり，診断後7日以内に管轄の保健所に届け出ることが義務づけられ
ている。

　しかし，急性脳炎と診断され報告された症例のうち，約半数が病原体不明である
ことから，この中に日本脳炎が紛れ込んでいる可能性は否定できない。急性脳炎と
診断した場合は，日本脳炎ワクチンの接種歴の確認とともに，症状，検査所見，頭
部MRI画像所見，渡航歴(旅行歴)，蚊の刺咬歴などを確認し，前述の特徴なども考
慮した上で，必ず日本脳炎を鑑別に入れて，検査を実施することが重要である。急
性脳炎の病原体診断には，発症後1週間以内の急性期の5点セット〔血液(全血と血
清)，髄液，呼吸器由来検体，便，尿〕と回復期血清の小分け凍結保管が極めて重要
であり，日本脳炎については，検査可能な機関(国内各地の地方衛生研究所，国立感
染症研究所など)にペア血清と髄液を送付して，日本脳炎ウイルスに対する検査診
断を実施することが重要である。

■ワクチンの効果と安全性

1．ワクチンの概要

　わが国では，マウス脳由来のワクチンが長く用いられてきた。1954〜1967年まで
は勧奨接種として接種が実施され，1967〜1976年に特別対策として小児のみならず
高齢者を含む成人にワクチンが接種されるようになり，患者数は激減した。1976年
から予防接種法に基づく臨時接種として小児への集団接種が行われるようになった。
ワクチン株は，1935年に分離された中山株が使われていたが，野外分離株を含めて
多くの株に広く中和活性が認められる北京株(1949年北京で分離)に1989年から変更
になった。

　1995年から予防接種法に基づく定期接種になり，生後6〜90カ月未満の乳幼児に
3回(標準的な接種年齢は3歳で2回，4歳で1回)(第1期)，9歳以上13歳未満(標
準的な接種年齢は9歳)で1回(第2期)，14歳以上16歳未満(標準的な接種年齢は14
歳)で1回の(第3期)5回接種となった。第3期として接種を受けた14歳女児が，接
種後に重篤な急性散在性脳脊髄炎(acute disseminated encephalomyelitis：ADEM)
を発症し，予防接種法に基づく健康被害救済認定を受けたことから，2005年5月30
日に日本脳炎ワクチンの積極的勧奨が差し控えられた。2005年7月から，実施率が
毎年約50％であったこと，10歳代の日本脳炎患者数は少ないことなどの理由から，
第3期の接種は中止となった。第1期と第2期については，定期接種として接種は
可能であったが，実施率は激減した(付録211頁参照)。

実施率の計算方法は，標準的な接種年齢期間の総人口を総務庁統計局推計人口（各年10月1日現在）から求め，これを12カ月相当人口に推計した値を分母として用い，分子は当該年度に受けた人全員であることから時に100％を超える値になる。

2009年2月23日に，Vero細胞で培養した乾燥細胞培養日本脳炎ワクチンが薬事法（現：医薬品，医療機器等の品質，有効性及び安全性の確保等に関する法律：医薬品医療機器等法）に基づいて製造販売承認され，任意接種として使用可能となった。また，2009年6月2日から定期接種のワクチンとして乾燥細胞培養日本脳炎ワクチンが使用可能となり，2010年4月から3歳児への第1期初回免疫の積極的勧奨が再開となった。2010年8月27日以降，第2期の定期接種が可能となり，第1期で受けそびれていた人も，第2期の年齢で残りの回数を定期接種として受けられることになった。2011年4月からは3歳児と4歳児への第1期初回追加免疫の積極的勧奨が再開され，第1期を完了していない9歳児と10歳児に積極的勧奨が再開された。また，1995年4月2日～2007年4月1日生まれの者で4回の定期接種が完了していない者については，20歳未満であれば定期接種として4回の接種が実施可能となった。その後も順次，積極的勧奨の差し控えの期間に受ける機会がなかった年齢層に対して，積極的勧奨が再開された。2013年4月からは高校3年生相当年齢の者に，毎年度，積極的勧奨が実施されている。また，2007年4月2日～2009年10月1日生まれの者は生後6～90カ月未満に加えて，9～13歳未満の期間においても第1期の定期接種が可能である。2016年4月からこれまで定期接種を実施していなかった北海道でも定期接種が開始された。

2．免疫効果

大谷らのマウスによる感染実験によると，1：10の血中抗体価があれば，50％のマウス致死量である10^5MLD$_{50}$のウイルス感染を防ぐという結果が示されており，1回の蚊の吸血によって注入されるウイルス量は10^3～10^4MLD$_{50}$との報告があることから，1：10の抗体価があれば日本脳炎の発症を予防できると考えられている。

わが国では，2013年度から予防接種法に基づく事業として（それまでは厚生労働省の予算事業），毎年約2,000人の健常者を対象として，日本脳炎ウイルスに対する中和抗体の測定が地方衛生研究所で実施されている〔感染症流行予測調査事業（National Epidemiological Surveillance of Vaccine Preventable Disease：NESVPD）〕。結果は，National Epidemiological Surveillance of Infectious Diseases（NESID）システムを通して，国立感染症研究所に届けられ，国立感染症研究所感染症疫学センターで作図作表が行われ，国立感染症研究所のホームページに公表されている。

感染症流行予測調査事業に基づいて実施された2018年度の中和抗体保有状況を示す（**図4**）。定期接種は生後6カ月から可能であるが，標準的な接種年齢が3歳であることから，第1期初回免疫が開始された3歳で中和抗体保有率は55％程度に上昇し，第1期追加接種の対象年齢である4歳で約75％となる。その後は20歳代まで概ね70～90％前後の中和抗体保有率を示す。35歳以降，抗体保有率は減少し，40歳以

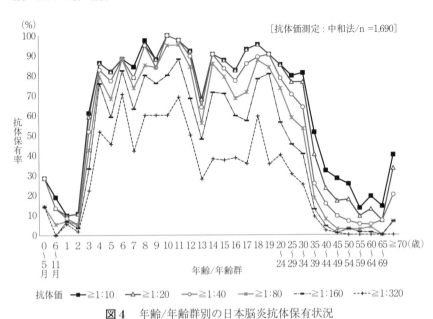

図4 年齢/年齢群別の日本脳炎抗体保有状況
(2018年度感染症流行予測調査，2019年5月現在)

上で40％以下となり，50歳代後半には10％台となる。70歳以降では20〜40％台の抗体保有率である。

2年ごとに抗体保有率の結果を比較すると，2005年5月の積極的勧奨の差し控えにより小児の抗体保有率が激減したことがわかる（**図5**）。その後，2010年4月から積極的勧奨が順次年齢層を拡大して再開となり，2018年度は抗体保有状況が改善してきたことがわかる。

接種回数別の抗体保有状況を示す（**図6**）。1〜2回のみの接種の場合，10％〜25％程度の中和抗体陰性者（中和抗体＜1：10）が存在するが，3回接種により概ね90％以上が1：10以上の中和抗体を保有するようになる。その後の追加接種が行われないと，抗体価は減衰し，20歳以上になると20％程度は抗体陰性となる。ワクチン未接種でも一定頻度の中和抗体陽性者が存在し，移行抗体が残存する0歳以外では，自然感染を示唆している。1〜14歳で中和抗体陽性者は認められなかったが，15〜19歳で約30％が中和抗体を保有しており，ワクチン未接種者において自然感染の割合が年齢とともに増加していることがわかる。

3．副反応

承認前臨床試験成績によると，生後6カ月以上90カ月未満の小児（第1期）の接種

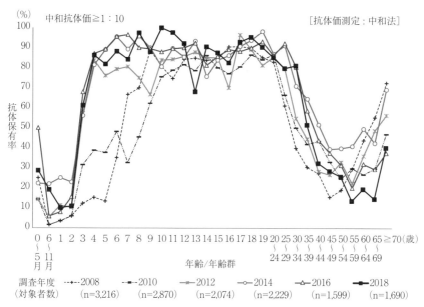

図5 年齢/年齢群別の日本脳炎抗体保有状況の年度比較,2008〜2018年
(2017年度感染症流行予測調査,2019年5月現在)

後に認められる主な副反応としては,発熱(18.7〜21.5%),注射部位紅斑(8.9〜16.6%),咳嗽(8.0〜11.4%),注射部位腫脹(6.7%),鼻漏(6.7〜9.8%),発疹(5.5%)であり,これらの副反応のほとんどは接種3日後までに認められた.

重大な副反応としては,ショック,アナフィラキシー(0.1%未満),ADEM(0.1%未満),脳炎・脳症(頻度不明),けいれん(頻度不明),血小板減少性紫斑病(頻度不明)が添付文書に記載されている.

その他の副反応としては,注射部位紅斑(5%以上),注射部位腫脹(0.1〜5%以上),注射部位内出血,硬結,疼痛,掻痒感(0.1〜5%未満),注射部位しびれ感,熱感(頻度不明),皮膚の発疹(5%以上),皮膚の紅斑,掻痒症,蕁麻疹(0.1〜5%未満),頭痛,気分変化(0.1〜5%未満),失神・血管迷走神経反応,感覚鈍麻,末梢性ニューロパチー(頻度不明),咳嗽・鼻漏(5%以上),発声障害,鼻出血,鼻閉,咽喉頭疼痛,くしゃみ,喘鳴,咽頭紅斑(0.1〜5%未満),腹痛,下痢,嘔吐,食欲不振(0.1〜5%未満),嘔気(頻度不明),発熱(5%以上),異常感(0.1〜5%未満),倦怠感,悪寒,四肢痛,関節痛,リンパ節腫脹,脱力感(頻度不明)がある.

2013年4月1日から予防接種法の一部改正に基づき,予防接種後副反応疑い報告がすべての医師に義務づけられた.日本脳炎ワクチンについては,接種後4時間以内の「アナフィラキシー」,接種後7日以内の「けいれん」,接種後28日以内の「AD

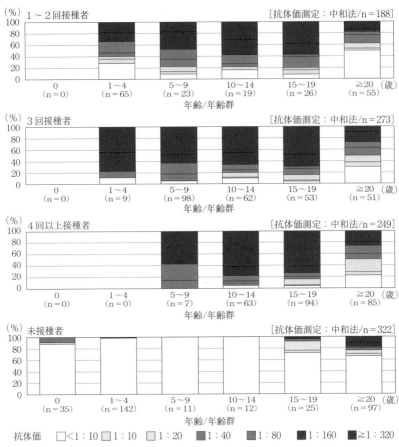

図6 日本脳炎ワクチン接種歴別の年齢/年齢群別日本脳炎抗体保有状況
(2017年度感染症流行予測調査,2018年5月現在)

EM」「脳炎・脳症」「血小板減少性紫斑病」については,ワクチンとの因果関係にかかわらず全例を,医薬品医療機器総合機構(PMDA)安全第一部情報管理課(2014年11月24日までは厚生労働省健康局結核感染症課)に直接FAXで報告することが義務づけられている。また,「その他の反応」については,①入院,②死亡または永続的な機能不全に陥るまたは陥るおそれがある場合であって,それが予防接種を受けたことによるものと疑われる症状,については報告が求められており,報告基準中の発生までの時間を超えて発生した場合であっても,それが予防接種を受けたことによるものと疑われる症状については,「その他の反応」として報告が求められている。

日本脳炎ワクチン　201

　報告様式は，PDFと電子媒体の両方で作成されており，副反応疑い報告書(別紙様式１)の最新版(PDF)は厚生労働省のホームページから，副反応疑い報告書(別紙様式２)の入力アプリ(「予防接種後副反応疑い報告書」入力アプリ)は国立感染症研究所のホームページ(http://www.niid.go.jp/niid/ja/vaccine-j/6366-vaers-app.html)からダウンロード可能である。

　報告された副反応疑い報告は，厚生科学審議会予防接種・ワクチン分科会副反応検討部会と薬事・食品衛生審議会医薬品等安全対策部会安全対策調査会の合同開催で定期的に検討されている。2012年11月１日〜2019年６月30日までの累計では，接種可能延べ人数(回数)28,787,301人のうち，製造販売業者から138人(0.00048％)，医療機関から564人(0.0020％)うち重篤と報告された者213人(0.00074％)の報告があった。アナフィラキシーとして報告された症例とADEMとして報告された症例については，専門家の評価が行われ，それとともに厚生労働省のホームページ(http://www.mhlw.go.jp/stf/shingi/shingi-kousei_284075.html)に公表されている。

４．接種不適当者および接種要注意者
１）接種不適当者
①明らかな発熱を呈している者
②重篤な急性疾患にかかっていることが明らかな者
③本剤の成分によってアナフィラキシーを呈したことがあることが明らかな者
④上記に掲げる者のほか，予防接種を行うことが不適当な状態にある者
２）接種要注意者
①心臓血管系疾患，腎臓疾患，肝臓疾患，血液疾患，発育障害などの基礎疾患を有する者
②予防接種で接種後２日以内に発熱のみられた者および全身性発疹などのアレルギーを疑う症状を呈したことがある者
③過去にけいれんの既往のある者
④過去に免疫不全の診断がなされている者および近親者に先天性免疫不全症の者がいる者
⑤本剤の成分に対してアレルギーを呈するおそれのある者

接種方法の実際

１．接種方法
　接種前に問診，検温，診察により健康状態を確認する。
　ワクチンは凍結乾燥品であるため，ワクチンに添付されている溶剤(日本薬局方注射用水)0.7mLで溶解する。
　初回免疫は，通常，0.5mLずつ(３歳未満では0.25mLずつ)を２回，１〜４週間の間隔で皮下に注射する。免疫の獲得は１週間間隔(中６日)で接種するより，４週間

4

ワクチン別の解説

間隔で接種した方が良好である。追加免疫は通常，初回免疫後，概ね1年を経過した時期に，0.5mL（3歳未満では0.25mL）を1回皮下に注射する。

定期接種は，生後6カ月以上90カ月未満で3回（第1期），9歳以上13歳未満で1回（第2期）であるが，積極的勧奨の差し控えにより，受けそびれていた人に対する接種については，「1．ワクチンの概要」（196頁）を参照のこと。

日本脳炎ワクチンは不活化ワクチンのため，別の種類のワクチンを受ける場合は，中6日以上あければ，いつでも接種可能である。なお，日本脳炎ワクチンを続けて接種する場合は，上記の標準的な接種方法を参照のこと。

また，医師が必要と認めた場合には，別の種類のワクチンを別々の部位に同時接種することが可能である（別のワクチンと混合して接種することはできない）。

2．注意
接種後は過激な運動を避け，接種部位を清潔の保ち，局所の異常反応や体調の変化，高熱，けいれんなどの異常な症状を認めた場合は，速やかに医師の診察を受けるように事前に被接種者またはその保護者に伝えておくことが重要である。

文献
1）原田和歌子ほか．感染症学雑誌 2004；78：1020-1025.
2）国立感染症研究所ほか．日本脳炎1991〜1998. IASR 1999；20. http://idsc.nih.go.jp/iasr/20/234/inx234-j.html
3）国立感染症研究所ほか．日本脳炎1999〜2002. IASR 2003；24：149-150. http://idsc.nih.go.jp/iasr/24/281/tpc281-j.html
4）国立感染症研究所ほか．日本脳炎2003〜2008年．IASR 2009；30：147-148. https://idsc.niid.go.jp/iasr/30/352/tpc352-j.html
5）国立感染症研究所ほか．日本脳炎2007〜2016年．IASR 2017；38：151-152. https://www.niid.go.jp/niid/ja/je-m/je-iasrtpc/6827-450t.html
6）国立感染症研究所感染症疫学センターほか．日本脳炎Q&A第5版．2016年12月一部改訂．https://www.niid.go.jp/niid/ja/jeqa.html
7）厚生労働省．予防接種・ワクチン分科会 副反応検討部会資料．http://www.mhlw.go.jp/stf/shingi/shingi-kousei_284075.html

（多屋馨子）

インフルエンザワクチン

インフルエンザ

1. 疾患の概要

1) インフルエンザウイルス

　季節性インフルエンザは，急性のウイルス感染症で，ヒトからヒトへ容易に広がる。毎年，温帯気候では冬季に，熱帯地域では一年中の流行があり，どの年代層の誰もが感染し得る頻度の高い感染症である。インフルエンザウイルスは，RNAウイルスであり，A，B，Cの３つの型に大別され，流行を起こすのはA型とB型である。インフルエンザウイルスは，表面にヘマグルチニン(hemagglutinin：HA)とノイラミニダーゼ(neuraminidase：NA)の２種類の突起状の抗原を持ち(**図1**)，その抗原性を決定している。特にHAに対する抗体がインフルエンザの防御に重要である。ウイルスは，HAを介して呼吸器の受容体に結合し，感染する。HAの作用を抑制するのがHI抗体で，インフルエンザワクチンはHIに対する抗体を作る。

2) 命名法

　インフルエンザウイルスは，毎年，世界的な流行を起こす。その流行したウイルスは，国際的な命名法によって，毎年記録されている。その命名法とは，次の５つの要素を「/」を並べて記載する。

①インフルエンザウイルスの型(A，B，C)
②分離された動物(ヒトの場合は省略する)
③分離地
④分離番号および分離年
⑤HAとNAの型

　例えば，2016/2017シーズンの株を例にとると，A/カルフォルニア/ 7 /2009(H1N1)pdm09は，A型で，ヒトから，カルフォルニア，2009年に 7 番目に分離されHA亜型が 1 ，NA亜型が 1 のインフルエンザウイルスということを表す。また，A/香港/4801/2014(H3N2)は，A型で，ヒトから，香港で，2014年に4801番目に分離され，HA亜型が 3 ，NA亜型が 2 のインフルエンザウイルスであることを指す。

3) インフルエンザの流行史(**図2**)

　インフルエンザウイルスは，世界的な流行を繰り返している。ウイルスの分離が可能になったのは，A型が1933年，B型が1940年であり，過去の検体を検索することによって，ウイルス学的な解析が可能になったのは，1918年のスペインかぜからである。重要な歴史的な流行として，1918年のスペインかぜ，1947年のイタリアかぜ，1957年のアジアかぜ，1968年の香港かぜ，1977年のソ連かぜ，1997年の鳥インフルエンザなどがあげられる。A(H1N1)が流行の主流であったが，その後，A(H2N2)，A(H3N2)などの新しい型の大流行がみられた。また，1997年の香港におけるA

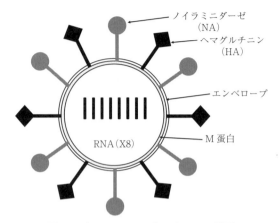

図1 インフルエンザウイルスの構造
インフルエンザウイルスは，その表面にHAとNAの2つの突起を持つ。ウイルスのエンベロープ内には，8本のRNAが存在する。

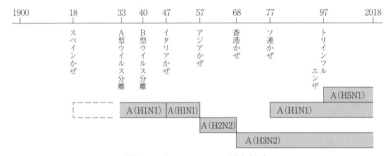

図2 インフルエンザ流行史

(H5N1)は鳥インフルエンザウイルスのヒトへの直接感染が確認され，大きな問題となった。最近では2013年以降，中国におけるA(H7N9)鳥インフルエンザのヒトへの感染が問題となっており，2017年には700名を超える感染者が出て大流行したが，2020年1月現在，その報告数は1ケタ台にとどまっている。

4）パンデミックインフルエンザ

　パンデミックインフルエンザとは，ヒトにとって初めてのインフルエンザ，あるいはウイルスの再来によって，世界中での流行が起こることを指す。1997年に香港で鳥インフルエンザA(H5N1)ウイルスのヒトへの患者発生と重症化が初めて確認され，その後，鳥インフルエンザの家禽類での流行，そしてそこからヒト-ヒトでの

感染が認められ，ワクチンを含めたパンデミックインフルエンザへの対策が世界各国で行われるようになり，わが国も対策の強化に取り組んだ。また，2009年には，新しい亜型のインフルエンザA/H1N1pdmによる世界的流行（パンデミック）が起こった。また，鳥インフルエンザA（H7N9）のヒトでの流行も2013年以降，報告されている。2020年1月現在，その報告数は極めて少数となっているが，その動向は注視され続けている。このように，今後，世界でインフルエンザの大流行（パンデミック）が発生する可能性はあり，薬剤の備蓄，予防接種戦略などを含めて，大変重要な領域となっている。

5）症状

インフルエンザに罹患すると，突然の発熱，咽頭痛，関節痛，筋肉痛，呼吸器症状などの症状が現れる。通常は自然治癒し，予後良好であるが，高リスク患者（**表1**）が罹患すると，重篤な病状を引き起こしたり，死亡することもあり，公衆衛生上の重要な問題となり得る。合併症として，肺炎や中耳炎，重篤なものとして，心筋炎，脳炎，脳症などがあげられる。疾患が重症化するリスクとして，5歳未満の乳幼児（特に2歳未満の乳幼児），65歳以上の高齢者，それ以外にも糖尿病，慢性肺疾患，腎不全，免疫不全などを持つ患者があげられる（**表1**）。

6）診断

診断は，国内ではインフルエンザ迅速診断キットが実際の臨床の現場に定着しているため，それによって診断されることがほとんどである。具体的には，鼻咽頭のぬぐい液を用い，それをイムノクロマト法などを用いたキットで検査を行う。それ以外にも，血清抗体価，ウイルス培養，PCR法などが診断に用いられる。

7）治療

インフルエンザは，自然に治癒する疾患であるが，国内では積極的に抗インフルエンザ薬で治療されることが多い。

a　ノイラミニダーゼ阻害薬

国内では4種類の薬剤が現在，使用されている。オセルタミビルは，最も多く使用されている経口薬である。ザナミビル，ラミナビルは吸入薬で，それぞれ1日1回単回投与，1日2回5日間投与である。ペラミビルは静注薬で，経口，吸入で薬剤の服用ができない患者に投与される。ノイラミニダーゼ阻害薬の効果は，発症から48時間以内に投与すると有熱期間を1～1.5日短縮することが報告されているが，合併症を予防する効果は確認されていない。ノイラミニダーゼ阻害薬による治療が始まってから，少数ながらオセルタミビル，ペラミビルへの耐性ウイルスの報告がある。また，オセルタミビル，ザナミビル，ラミナビルは，施設内のアウトブレイク時などの予防投与の薬剤としても用いられる。

b　ポリメラーゼ阻害薬（ファビピラビル）

RNAポリメラーゼを阻害することで，インフルエンザウイルスの細胞内での遺伝子複製を阻害する薬剤である。新型または再興型インフルエンザ感染症が発生した場合，国が本剤を使用すると判断された場合にのみ患者への投与が検討される薬

206　ワクチン別の解説

表1　インフルエンザの高リスク患者
5歳未満の乳幼児（特に2歳未満） 65歳以上の高齢者 以下の基礎疾患を持つ者 　・免疫抑制状態にある者（HIV感染症を含む） 　・腎疾患 　・肝疾患 　・血液疾患（鎌状赤血球症を含む） 　・神経・神経筋・代謝性疾患（糖尿病） 　・妊婦 　・慢性呼吸器疾患（喘息を含む） 　・心血管系疾患（高血圧は含まない） 19歳未満で長期のアスピリン治療を受けている者 介護施設，慢性期療養施設に入所している者

剤である。

c　メッセンジャーRNA阻害薬（バロキサビルマルボキシル）

インフルエンザウイルス特有の酵素であるキャップ依存性エンドヌクレアーゼ活性を阻害し，増殖を抑制する。単回投与で治療が可能であるが，投与後の耐性ウイルスの発生が問題となっている。

8）予後

予後良好の疾患で，多くは自然治癒するが，肺炎，心筋炎，脳炎，脳症などの重篤な合併症をきたすと後遺症を残したり，中には死亡することもある。その重篤化を予防するのがインフルエンザワクチンである。

2．わが国における発生状況

インフルエンザは，毎年，冬季から春季早期にかけて流行を繰り返し，毎年，全人口の5〜10%が罹患する極めて頻度の高い疾患である。国内ではインフルエンザ報告定点からの症例数が国立感染症研究所において毎週更新され，その大まかな発生状況の把握が可能である。通常，12〜1月から流行が始まり，4〜5月には終息する。A型の全国的な流行が通常先行し，その後にB型が局地的な流行をみせることが多い。A型は，H1N1とN3N2のどちらかが優位に流行する。B型は，山形系，ビクトリア系の両方が流行するが，その年によって優位に流行する系が異なる。

3．予防接種の意義

インフルエンザワクチンの意義は，重症化を防ぐことにある。残念ながら，現在の不活化インフルエンザワクチンの効果には限界がある。しかしながら，ワクチンの型と流行する型が一致すると50%程度の予防効果が確認されている。また，インフルエンザが重篤になる可能性のあるリスクを持つ対象には，積極的な接種が必要である。インフルエンザ感染症のハイリスク患者を表1にまとめた。主な対象として，乳幼児，高齢者，基礎疾患を持つ者，長期のアスピリン治療を受けている者（ラ

インフルエンザワクチン　207

表2　国内で販売されているインフルエンザワクチン

	商品名	製造元	剤形	容量	チメロサール
インフルエンザHAワクチン	「KMB」	KMバイオロジクス	注	1 mL	あり
	「第一三共」	第一三共	シリンジ	0.25mL	なし
	「生研」	デンカ生研		0.5mL	あり
	ビケンHA	阪大微研	注	1 mL	あり
	フルービックHA	阪大微研	注	0.5mL	なし
			シリンジ	0.5mL	なし
沈降インフルエンザワクチンH5N1(プレパンデミックワクチン)	「KMB」	KMバイオロジクス	注	1 mL 10mL	あり
	「第一三共」	第一三共			
	「生研」	デンカ生研			
	「ビケン」	阪大微研			

イ症候群のリスクを上げる)，介護施設，慢性期療養施設に入所している者(施設内での流行が多い)などがあげられる。これらのリスクを持つ者には，シーズンの始まる前(10月末から11月初めにかけて)に確実にインフルエンザワクチンを接種する必要がある。また，これらのリスクを持たない者に対しても，インフルエンザ感染症によってまれに起こる合併症や重篤化を防ぐため，インフルエンザワクチン接種の意義がある。

ワクチンの効果と安全性

1．ワクチンの概要

1）季節性インフルエンザワクチンの製造方法

インフルエンザHAワクチンは，発育鶏卵の尿膜腔を用い，そこで増殖したインフルエンザウイルスを原料とする。そして，濃縮，精製されたウイルス粒子にエーテルを加え，ウイルス粒子を分解，HA成分を採取し，それをホルマリンで不活化する。その後，チメロサールや分散剤を加え原液として，一定の力価をとなるように希釈，A型とB型のウイルス株を混合して製造される。現在の国内で作られているインフルエンザワクチンには，A型が2つ，B型が2つ，計4つの型が含まれる4価ワクチンである。なお，インフルエンザワクチンに含まれるウイルス株はインフルエンザの流行状況を考え毎年決定される。国内で製造されているインフルエンザワクチンをまとめた(**表2**)。

2）季節性インフルエンザワクチン株の選定

インフルエンザワクチン株は，世界保健機関(World Health Organization：WHO)の専門家会議で，次シーズンに向けたインフルエンザワクチン株が，毎年2回，北半球用と南半球用に選定される。日本では，国立感染症研究所でその検討会

議が開催され，WHOの推奨株や，国内の流行株の現状，ワクチン製造に適切な株かどうかなどを加味し，毎年5～6月にそのシーズンのワクチン株が決定される。そのように決定された1998年からのワクチン選定株を**表3**に示す。なお，2015/2016シーズンからは，B型株を2種類ワクチンに含むようになったので，A型2種類と合わせ，4価のワクチンとなっている。また，同じ鶏卵に2種類以上のウイルスが同時に感染した際に，ウイルス同士の遺伝子が一部入れ替わるリアソートメント（reassortment）が起こり，その結果生まれたワクチンをリアソータント（reassortant）というが，それについても，2013年から記載されるようになった。

　ワクチン株に重要な要素は，流行株の抗原性を持ち，かつ鶏卵で増殖し，その間に抗原性の変化を起こさないことである。近年，A/H3N2，B型インフルエンザワクチン株を鶏卵で増殖させると，糖鎖付加部位にアミノ酸置換が起こり，HA蛋白の抗原性に変化が起こり，細胞で分離したウイルスとは抗原性が異なる現象がみられるようになった。これを「卵馴化」といい，この現象の少ない製造株を探し，ワクチン株が選定されている。

3）プレパンデミックワクチン

　新型インフルエンザを引き起こす可能性のあるインフルエンザウイルスについては，いくつかの候補ウイルスがある。特にA/H5N1鳥インフルエンザウイルスは，そのパンデミックへの発展の可能性と疾患の重症度の高さを考えて，このウイルスに対するワクチンの開発と製造，そして備蓄が行われてきたが，2019年，A/H7N9を備蓄するワクチン株に変更した。

　このワクチンは，パンデミックの起こる前に作られるワクチンであるため，プレパンデミックワクチンと呼ばれる。もしA/H5N1インフルエンザウイルス，これからはA/H7N9インフルエンザウイルスによるパンデミックが起こった場合は，まずは基礎的な免疫を早期につける目的で，このワクチンを接種することが想定されている。しかしながら，実際の流行株との抗原の差によって，その効果は異なることが懸念される。また，その備蓄量には限界があるので，その接種対象者の優先順位や，途上国へのワクチンの供与なども問題として検討されている。

a　国内におけるプレパンデミックワクチンの備蓄

　1997年に世界で初めてのA/H5N1鳥インフルエンザウイルスによる感染確定者がヒトで報告され，大きな注目を集めた。このウイルス由来の新型インフルエンザが発生した場合は，その病原性の高さから，大きな影響が出ることが想定された。前述したように，パンデミックワクチンが製造されるまでの間に，その準備として，プレパンデミックワクチンが製造され，備蓄されている。国内では，2006年より，A/H5N1鳥インフルエンザウイルス株のプレパンデミックワクチンを毎年約1,000万人分製造し，備蓄を続けてきた。これまで，ベトナム・インドネシア株，アンフィ株，チンハイ株に対するワクチンを，それぞれ1,000万人分，毎年準備してきた（**図3**）。しかしながら，ワクチンの原液の有効期限は3年間であり，期限が切れると原液は破棄される。したがって，現時点では，3年分，約3,000万人分のワクチンが備

インフルエンザワクチン 209

表3 1998～2019年の季節性インフルエンザHAワクチンの製造株

シーズン	A型株	B型株
1998/1999	A/北京/262/95(H1N1) A/シドニー/5/97(H3N2)	B/三重/1/93
1999/2000	A/北京/262/95(H1N1) A/シドニー/5/97(H3N2)	B/山東/7/97
2000/2001	A/ニューカレドニア/20/99(H1N1) A /パナマ/2007/99(H3N2)	B/山梨/166/98
2001/2002	A/ニューカレドニア/20/99(H1N1) A /パナマ/2007/99(H3N2)	B/ヨハネスバーグ/5/99
2002/2003	A/ニューカレドニア/20/99(H1N1) A /パナマ/2007/99(H3N2)	B/山東/7/97
2003/2004	A/ニューカレドニア/20/99(H1N1) A /パナマ/2007/99(H3N2)	B/山東/7/97
2004/2005	A/ニューカレドニア/20/99(H1N1) A/ワイオミング/3/2003(H3N2)	B/上海/361/2002
2005/2006	A/ニューカレドニア/20/99(H1N1) A/ニューヨーク/55/2004(H3N2)	B/上海/361/2002
2006/2007	A/ニューカレドニア/20/99(H1N1) A/広島/52/2005(H3N2)	B/マレーシア/2506/2004
2007/2008	A/ソロモン諸島/3/2006(H1N1) A/広島/52/2005(H3N2)	B/マレーシア/2506/2004
2008/2009	A/ブリスベン/59/2007(H1N1) A/ウルグアイ/716/2007(H3N2)	B/フロリダ/4/2006
2009/2010	A/ブリスベン/59/2007(H1N1) A/ウルグアイ/716/2007(H3N2) A/カリフォルニア/7/2009(H1N1)pdm	B/ブリスベン/60/2008
2010/2011	A/カリフォルニア/7/2009(H1N1)pdm A/ビクトリア/210/2009(H3N2)	B/ブリスベン/60/2008
2011/2012	A/カリフォルニア/7/2009(H1N1)pdm A/ビクトリア/210/2009(H3N2)	B/ブリスベン/60/2008
2012/2013	A/カリフォルニア/7/2009(H1N1)pdm09 A/ビクトリア/361/2011(H3N2)	B/ウィスコンシン/1/2010
2013/2014	A/カリフォルニア/7/2009(X-179A)(H1N1)pdm09 A/テキサス/50/2012(X-223)(H3N2)	B/マサチューセッツ/2/2012(BX-51B)
2014/2015	A/カリフォルニア/7/2009(X-179A)(H1N1)pdm09 A/ニューヨーク/39/2012(X-223A)(H3N2)	B/マサチューセッツ/2/2012(BX-51B)
2015/2016	A/カリフォルニア/7/2009(X-179A)(H1N1)pdm09 A/スイス/9715293/2013(NIB-88)(H3N2)	B/プーケット/3073/2013(B/山形系統) B/テキサス/2/2013/(B/ビクトリア系統)
2016/2017	A/カリフォルニア/7/2009(X-179A)(H1N1)pdm09 A/香港/4801/2014(X-263)(H3N2)	B/プーケット/3073/2013(山形系統) B/テキサス/2/2013/(ビクトリア系統)
2017/2018	A/シンガポール/GP1908/2015(IVR-180)(H1N1)pdm09 A/香港 /4801/2014(X-263)(H3N2)	B/プーケット/3073/2013(山形系統) B/テキサス/2/2013(ビクトリア系統)
2018/2019	A/シンガポール/GP1908/2015(IVR-180)(H1N1)pdm09 A/シンガポール/INFIMH-16-0019/2016(IVR-186)(H3N2)	B/プーケット/3073/2013(山形系統) B/メリーランド/15/2016(NYMC BX-69A)(ビクトリア系統)
2019/2020	A/ブリスベン/02/2018(IVR-190)(H1N1)pdm09 A/カンザス/14/2017(X-327)(H3N2)	B/プーケット/3073/2013(山形系統) B/メリーランド/15/2016(NYMC BX-69A)(ビクトリア系統)

2013年から，リアソータント番号についての記載がなされることとなった(下線)。

4 ワクチン別の解説

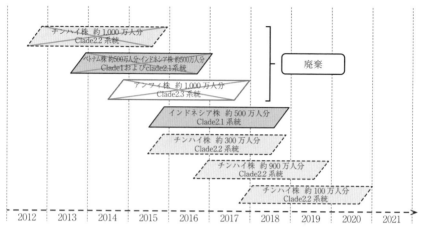

図3 備蓄されているプレパンデミックワクチン
内閣官房．プレパンデミックワクチンの今後の備蓄方針について．新型インフルエンザ等対策有識者会議（第17回）2019年5月23日資料．

蓄されていることになる．そして2019年，前述のようにプレパンデミックワクチン株はA/H7N9に変更された．

現在，国は，パンデミックワクチンの備蓄について，以下の4点を検討している．①H5N1，H7N9鳥インフルエンザ発生の疫学，②パンデミック発生の危険性，③パンデミック時の社会への影響，④流行を起こしたウイルスとワクチン株の抗原性，である．そして，検討時点での危機管理上の重要性の高いワクチン株の備蓄を優先するとしている．その重要性は，ヒトでの感染事例が多いかどうか，重症度が高いかどうか，日本との行き来の激しい国や地域での感染事例が多いかどうか，などの観点から，総合的に評価，判断するとしている．

b　今後の課題

プレパンデミックワクチンの今後の備蓄方針については，課題が多い．これまで，幸いなことに流行はなく，1,000万人分のワクチンが毎年廃棄されている現実がある．現時点での国の方針では，プレパンデミックワクチンの備蓄は，当面必要としている．

現在，細胞培養インフルエンザワクチン事業でワクチン製造を整備しているのは，国内3社（KMバイオロジクス，第一三共，武田薬品）であるが，それぞれのワクチンは，アジュバントを含むものと含まないもの，ワクチンの形態として全粒子とスプリットワクチン，HAの含有量，そしてバイアルサイズ，接種方法など，いくつかの点で異なる．したがって，その効果，供給時期，体制などについて，今後検討が必要である．

c 接種方法

実際の接種方法は，13歳以上の者に対して，0.5mLを3週間の間隔をおいて，筋肉内か皮下に2回接種する。

副反応として，接種部位の疼痛，紅斑，腫脹，掻痒感，硬結など，全身反応として，発熱，頭痛，倦怠感などが報告されている。

d 最近の鳥インフルエンザウイルスの流行状況

2017年以降，A/H5N1鳥インフルエンザのヒトでの感染例は4例にとどまっているが，注目を集めているのが，A/H7N9鳥インフルエンザウイルスである。このウイルスは，主に中国で流行しており，ヒトへの感染者数が2013年以降，1,500人を超え，死亡率は約40%と極めて高い。したがって，前述のヒトへの感染例が多いこと，重症度が高いこと，隣国の中国で起こっていることの3つの条件を満たすため，現在ヒトに感染するインフルエンザの亜型の中では，最も重要な亜型である。

今後のプレパンデミックワクチンは，このA/H7N9鳥インフルエンザウイルスに対するものを細胞培養で製造するのが望ましいとされ，プレパンデミックワクチン製造株としてA/H5N1からA/H7N9に変更された。

4）パンデミックワクチン

パンデミックワクチンは，実際に流行している新型インフルエンザウイルスに対するワクチンである。現行のインフルエンザワクチンの製造方法では，新型インフルエンザが実際に発生しない限り，ワクチンの製造が開始できないことが大きな問題である。流行があり，ウイルスを同定し，ワクチンを製造するまでには，少なくとも6カ月はかかるため，その間には，流行を最小限にとどめることだけで，ワクチンを実際に使用することはできない。そのため，その製造期間をどうしたら短縮できるか，どうしたらより大量のワクチンを産生できるか，そしてより効果があり，安全なワクチンが製造できるかなどを目指して，いくつかの国，ワクチンメーカーにおいてパンデミックワクチンの開発が続けられている。特に，従来の鶏卵培養法ではなく，培養細胞を用いた方法で，大量のワクチンを作ることがその大きな流れであり，わが国でも細胞培養法が導入された。

2．免疫効果

インフルエンザワクチンは，毎年変異しながら流行するため，それに対して適切な季節性インフルエンザワクチンの接種が必要である。その効果は，接種後2週間から5カ月といわれており，たとえワクチン株が前年と同様のものであっても，毎年の接種が必要である。

ワクチンの効果は，そのシーズンのワクチン株と流行株が合致しているかどうか，ワクチン株の卵馴化の有無，集団での接種率などによって決定される。インフルエンザワクチンの効果は，ウイルスに対する感染防御や発症阻止の効果は完全ではなく，ワクチンを接種してもインフルエンザに罹患することがある。

高齢者への接種を積極的に行ってきた米国では，高齢者の肺炎やインフルエンザ

による入院を30〜70％減少できると報告している。一方で，老人施設の入居者については，インフルエンザの発症を30〜40％，肺炎やインフルエンザによる入院を50〜60％，死亡するリスクを80％，それぞれ減少させることができると報告している。このように，インフルエンザワクチンの効果は100％ではないが，高齢者を中心としたハイリスク群では，合併症の発生や入院，死亡といった重篤な状態を減少させる効果が示されている。これはWHOをはじめ世界各国で広く認識されている事実であり，これに基づきハイリスク群を主な対象としたワクチン接種が勧告され，その実施が積極的に進められている。

　一方で，小児においては，その効果が低いことが知られており，特に2歳未満の児における効果が年長児に比べると低いことが知られている。米国でのデータによると，インフルエンザと検査で確認された患者において，ワクチンの効果は10〜60％と幅広く，その流行年によって大きく異なる。しかし，入院は約60％，ICUへの入院は約80％，また死亡は，ハイリスク児で51％，非ハイリスク児で65％減少したと報告されており，この年齢層でもその効果が示されている。

3．副反応

1）局所反応，全身症状
　インフルエンザワクチン接種後に，接種部位に，紅斑，熱感，硬結・腫脹，疼痛などの局所反応が現れることがある。また，発熱などの全身症状をみることもある。これらの症状は，通常接種後2〜3日中に消失する。

2）重大な副反応
①ショック，アナフィラキシー：ワクチンによる最も重篤な副反応であり，ワクチンの成分に対する重篤なアレルギー反応で，蕁麻疹，呼吸困難，血管浮腫などが出現することがある。インフルエンザワクチンを製造する際，インフルエンザウイルスの培養には発育鶏卵が使用されるが，鶏卵成分は精製段階で除去されているため，その含有はほぼないものと考えてよい。しかし，強い卵アレルギーがある場合，インフルエンザワクチンにより即時型アレルギーが誘発される危険性を完全には否定できない。

②急性散在性脳脊髄炎(acute disseminated encephalomyelitis：ADEM)：接種後，数日から2週間以内に発熱，頭痛，けいれん，運動障害，意識障害などの症状とともに発症する。診断には，頭部MRIが必要である。

③脳炎・脳症，脊髄炎，視神経炎

④ギラン・バレー症候群：四肢遠位から始まる弛緩性麻痺，腱反射の減弱ないし消失などの症状が出現する。

⑤けいれん

⑥肝機能障害，黄疸：AST，ALT，γ-GTP，ALPなどの肝胆道系逸脱酵素の上昇や，黄疸などが現れる。

⑦喘息発作

⑧血小板減少性紫斑病，血小板減少：紫斑，鼻出血，口腔粘膜出血などがみられることがある。

⑨血管炎：アレルギー性紫斑病，アレルギー性肉芽腫性血管炎，白血球破砕性血管炎などの血管炎の症状が出現することがある。

⑩間質性肺炎：発熱，咳嗽，呼吸困難などの症状が出現することがある。

⑪皮膚粘膜眼症候群(スティーブンズ・ジョンソン症候群)：発疹と2つ以上の解剖学的部位の粘膜症状が出現することがある。

⑫ネフローゼ症候群：浮腫や体重増加，蛋白尿などをきたす。

4．接種不適当者および接種要注意者

1）接種不適当者

　インフルエンザワクチン接種の際に予防接種不適当者に該当する者は，以下の通りである。

①明らかな発熱(37.5℃以上)を呈している

②重篤な急性疾患にかかっていることが明らかである

③予防接種の接種液の成分によって，アナフィラキシーを呈したことがある

④高齢者に対する定期接種の場合，予防接種後2日以内に発熱のみられた者および全身性発疹等アレルギーを疑う症状を呈したことがある者

⑤その他，予防接種を行うことが不適当な状態にある者

　②においては，急性疾患であっても，軽症と判断できる場合には接種可能である。また，③では，インフルエンザワクチンの成分に含まれる可能性のある鶏卵，鶏肉，カナマイシン，エリスロマイシン，ゼラチンなどでアナフィラキシーショックを起こした既往歴のある者は，これを含有するワクチンの接種は行わない。なお，アトピー性皮膚炎，気管支喘息，アレルギー性鼻炎，蕁麻疹の既往などのアレルギー疾患のある児へのインフルエンザワクチン接種は可能である。⑤に関しては，個別の症例ごとに接種医により判断される。

2）接種要注意者

　インフルエンザワクチン接種の際に予防接種要注意者に該当する者は以下の通りである。

①心臓血管系疾患，腎臓疾患，肝臓疾患，血液疾患，発育障害等の基礎疾患を有する

②予防接種で接種後2日以内に発熱のみられた者および全身性発疹等のアレルギーを疑う症状を呈したことがある

③過去にけいれんの既往のある

④過去に免疫不全の診断がなされている，および近親者に先天性免疫不全症の者がいる

⑤間質性肺炎，気管支喘息等の呼吸器系疾患を有する

⑥本剤の成分または鶏卵，鶏肉，その他鶏由来のものに対してアレルギーを呈する

おそれがある

なお，接種可能な者として，明らかな鶏卵・鶏肉によるアナフィラキシーの既往のない卵アレルギー児，ガンマグロブリン投与患者があげられる。

いずれかに該当する場合は、健康状態，身体所見などから，接種をするかどうかの判断を行う。また，予防接種のリスク，ベネフィットを共有し，同意を得た上で，接種を行う。

接種方法の実際

1．接種方法
年齢によって，接種量と接種回数が異なる。適切な接種量を皮下接種する(**表 4**)。
1）定期接種の対象
インフルエンザワクチンの定期接種対象者は以下の者である。

a　65歳以上の高齢者

b　60歳以上65歳未満で，

①心臓，腎臓，呼吸器の機能に自己の身辺の日常生活行動が極度に制限される程度の障害を持つ者

②HIV感染により免疫の機能に日常の生活がほとんど不可能な程度の障害のある者

なお， bの①では日常生活行動が極度に制限される程度の障害，②では日常の生活がほとんど不可能な程度の障害とあるが，これは定期接種の対象として決められているものであることを特記したい。これらの基礎疾患があり，障害のない者は，定期接種としては認められないが，接種を確実にする必要がある。

2）その他の接種対象者
任意接種にはなるが，それ以外にも以下の者が接種対象者となる。
①基礎疾患を持つ者
他の年齢層でも，呼吸器疾患，慢性心不全，先天性心疾患，糖尿病，腎不全，免疫不全などの基礎疾患を持つ者は，インフルエンザに罹患すると重症化するおそれがあるので，ワクチンを積極的に接種する必要がある。
②医療関係者
医療関係者は，自分自身がインフルエンザに感染し，患者や他の医療関係者に感染させないためにも，また，インフルエンザ患者から感染しないためにも，インフルエンザワクチンを接種する必要がある。
③妊婦
妊婦は，妊娠週数を問わず，どの時期でもインフルエンザの重篤化のリスクがある。したがって，妊娠の可能性のある女性は，インフルエンザのシーズン前に，インフルエンザワクチンを接種しておく必要がある。また，妊娠中期から後期にかけてのインフルエンザワクチンの安全性は確認されており，出産後の児を移行抗体で守るという目的も兼ねて，妊婦に対するインフルエンザワクチン接種は重要性を増

表4　年齢別のインフルエンザワクチンの具体的接種方法

年齢	接種量	回数	間隔	接種方法
6か月以上3歳未満	0.25mL	2	2～4週[*1]	皮下
3歳以上13歳未満	0.5mL	2	2～4週[*1]	皮下
13歳以上	0.5mL	1または2[*2]	1～4週[*1]	皮下

*1：接種間隔は4週が望ましい．
*2：13歳以上は1回接種でよいが，2回接種も可能．

している．

④すべての子どもと成人

　基礎疾患を持たない小児や成人も，学校や職場などで，インフルエンザが流行しないようにそれぞれがワクチン接種を行っておくことが望ましい．すなわち，すべての年齢層（生後6カ月未満を除く）において，インフルエンザワクチン接種により，ワクチン株と流行株が合致すれば，一定の予防効果，または重症化の抑制が期待できる．また，社会全体の接種率を高め，集団免疫を獲得できれば，ワクチンを接種できない，あるいは接種未完了の新生児，乳児，高齢者，化学療法を受けている者などがインフルエンザから守られることにつながる．

2．注意

　不活化インフルエンザワクチンの作製の際，インフルエンザウイルスの増殖には鶏卵を使用するので，卵アレルギーの既往のある者（接種すると蕁麻疹や発疹が出る者）に対しての接種には，十分な注意が必要である．また，鶏卵や鶏肉の摂取後に，アナフィラキシーの既往がある者は接種できない．

（齋藤昭彦）

★海外における多彩なインフルエンザワクチン

　現在の国内における季節性インフルエンザワクチンは，4価不活化ワクチンのみである．その効果には限界があるため，海外では新しいワクチンが開発され，実用化されている（表）．高齢者に対する抗原量が4倍含まれる4価不活化ワクチン，抗原量を1/5に抑え高い効果が確認されている現在市販されているものとして皮下ワクチン，Vero細胞培養を用いた4価不活化ワクチン，バキュロウイルスを用いその表面にインフルエンザウイルスのHA蛋白を発現させるレコンビナントワクチン，経鼻生ワクチンなどがあげられる．

表　海外で使用されているインフルエンザワクチン

名前	各型の抗原量	作製時に使う細胞	不活化/生	接種年齢	接種回数	接種方法
4価不活化ワクチン	15μg	鶏卵	不活化	6カ月から，各ワクチンによって異なる	1回。初回は，4週間あけて2回	筋肉内
高齢者用高容量ワクチン	60μg	鶏卵	不活化	65歳以上	1回。初回は，4週間あけて2回	筋肉内
細胞培養ワクチン	15μg	Vero細胞	不活化	4歳以上	1回。初回は，4週間あけて2回	筋肉内
レコンビナントワクチン	15μg	バキュロウイルス	不活化	18〜49歳	1回。初回は，4週間あけて2回	筋肉内
皮内ワクチン	3μg	鶏卵	不活化	18〜64歳	1回。初回は，4週間あけて2回	皮下
経鼻ワクチン	$10^{6.5-7.5}$ FFU	鶏卵	生	2〜49歳	1回。初回は，4週間あけて2回	経鼻

FFU：fluorescent focus units

★高齢者用の高容量ワクチン

　通常のインフルエンザワクチンには，A型2種類，B型2種類の抗原がそれぞれ15μg含まれている。高齢者において，その免疫原性が低いことが臨床上問題であった。65歳以上の高齢者により高い免疫原性を期待し，その容量を通常のワクチンの抗原量の4倍の60μgとしたワクチンである。これにより，高齢者でのより高い抗体価の上昇が確認されている。

★レコンビナントワクチン

　昆虫に感染するバキュロウイルスを用いたワクチンで，その表面にインフルエンザウイルスのHA蛋白を発現させて，ヒトに接種し，抗体を作る。鶏卵を用いていないので，卵アレルギーの患者にも使用可能である点が大きな長所である。

★細胞培養ワクチン

　Vero細胞などの細胞を使い，短い期間(約10週)で大量のワクチン製造が可能である。また，無菌の環境で維持が可能であるので，鶏卵培養と比べ，混合感染したりする可能性が低い。また，インフルエンザの亜型に対して，幅広い免疫を提供できる可能性もある。鶏卵を用いないので，卵アレルギー患者にも安全に接種可能である。

★経鼻生ワクチン

　経鼻投与するワクチンで，鼻腔内での局所免疫を誘導し，インフルエンザ感染を予防するワクチンである。通常の不活化ワクチンに比べ，痛みがないことなどから，海外では，インフルエンザワクチンの1つのオプションとして使われている。ただし，年齢に制限があり，適応は2〜49歳である。投与量は1回0.2mLを鼻腔内に噴霧する。投与回数は，初回投与時のみ2回投与で，その後は年1回の投与である。なお，米国では2014/2015〜2017/2018の4シーズンにわたり，その効果がみられなかったというデータが示され，推奨ワクチンから外されていた。2018/2019シーズンからは推奨ワク

チンに復帰した。

★皮内ワクチン

　皮内ワクチンは，ワクチンを皮内に接種し，皮内のランゲルハンス細胞などの抗原提示細胞によって免疫をつけるワクチンである。その利点は，接種量が通常の接種量の1/5であること，より高い免疫原性が期待できること，そして，接種時の痛みが軽減されることなどがあげられる。米国では，既にこのワクチン専用のデバイスがあり，実用化されている。今後，他のワクチンや小児への応用も期待されている。

★貼るワクチン

　予防接種において，接種する際の被接種者の痛みは，接種を妨げる1つの要因となっている。特に，接種回数の多い乳幼児には，その負担は大きい。また，世界に目を向けると，ワクチンの管理や実際の接種方法は重要であり，例えば多くの生ワクチンは冷所保存が基本であり，コールドチェーンが切れるとワクチンの効果がなくなってしまう。また，接種する際には，接種者の技術が必要である。

　このような観点から，非侵襲的で，冷所保存の必要がなく，接種者の技術がほとんどいらない貼るワクチンに注目が集まっている。現在，この領域での研究がインフルエンザワクチンを中心に盛んに行われている。実際のワクチンは，親水性のゲルパッチを用いたものや，マイクロニードルを用いたものが開発されている。いずれも，ワクチンの成分がゲルやマイクロニードルを介して皮内に入り，ランゲルハンス細胞などの抗原提示細胞を介して免疫原性を示す。被接種者への疼痛を軽減するのはもちろんのこと，途上国など，有効なワクチンが行き渡りにくく，実際の接種が困難なところでも，この簡便なワクチンへの期待は極めて大きい。

（齋藤昭彦）

■ 麻疹ワクチン

麻疹

1．疾患の概要

麻疹は，パラミクソウイルス科モルビリウイルス属の麻疹ウイルスによる感染症で，空気感染，飛沫感染，接触感染で感染伝播する。全員が感受性者の集団において，1人の患者から2次感染を起こす平均数である基本再生産数(R_0)は，インフルエンザが1.4～4とされるのに対して，麻疹は12～18と高く，感染力が強い。不顕性感染は少なく，感染するとほぼ100％が顕性発症する。発症後は免疫機能低下状態が数週間にわたって続き，ツベルクリン反応の陰転化，結核の再燃などがみられる。

麻疹ウイルスに感染後，10～12日の潜伏期を経て，発熱，カタル症状で発症する。咳嗽，鼻汁以外に，眼球結膜の充血，眼脂，咽頭痛などが特徴である。カタル期が数日続くが，この期間の感染力が最も強い。カタル期の後半に口腔粘膜に麻疹に特徴的な粘膜疹(コプリック斑)が認められるようになる。コプリック斑が現れると，翌日から耳の後ろ付近から発疹が出現し，その後，顔面，躯幹，四肢へと1～2日のうちに拡大する。発疹は鮮紅色紅斑で，やや皮膚面から盛り上がり，融合傾向を示すが，健常皮膚面を残すことも特徴である。この時期を発疹期と呼び，39～40℃

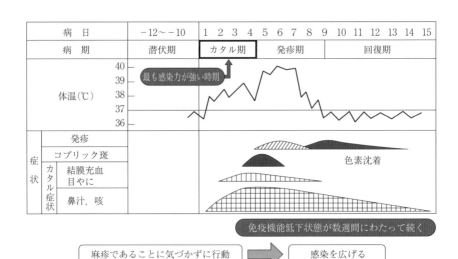

図1　麻疹の臨床症状

藤井良知ほか．小児感染症学 第1版．南山堂 1985；p.14，国立感染症研究所感染症疫学センター．学校における麻しん対策ガイドライン第二版．2017より引用改変

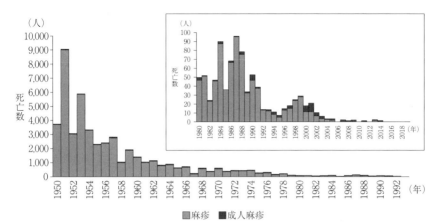

図2 麻疹が死因として報告された死亡数（1950～2018年）
1980～2015年は上段に再掲。成人麻疹は，1999年までは20歳以上の死亡，2000年以降は18歳以上の死亡，2006年4月以降は15歳以上の死亡。

人口動態統計より作成

台の高熱が続き，カタル症状はさらに激しくなる。合併症を併発しなければ，発疹は色素沈着を残して，次第に回復へと向かう（**図1**）。

合併症として肺炎（細菌の二次感染による肺炎，麻疹ウイルスによる肺炎および巨細胞性肺炎がある），中耳炎，クループ，熱性けいれん，心筋炎，脳炎などがあり，脳炎の発症率は麻疹患者約1,000人に1人といわれている。肺炎と脳炎は麻疹の2大死因である。麻疹は発症すると，特異的な治療法がないことから，致命率は先進国であっても約0.1％とされており，途上国では20％以上にのぼることもある。

2．わが国における発生状況

1950～2015年までに国内で麻疹によって死亡した人数を示す（**図2**）。

1950年代には年間数千人規模で認められていた麻疹による死亡は，1960年代には数百人規模に減少したが，ワクチンの導入に伴いさらに減少し，最近は年間0～2人に留まっている。近年，小児の麻疹患者の減少に伴い，成人が麻疹を発症して死亡する症例が目立つ。

麻疹治癒後，数年～10年ほど経ってから発症する亜急性硬化性全脳炎（subacute sclerosing panencephalitis：SSPE）は極めて重篤な脳炎で予後不良である。ワクチンがない時代の先進国では麻疹患者10万人当たり1人の発症率とされていたが，最近の報告では，5歳未満の麻疹患者のうち，1,300～3,300人に1人がSSPEを発症したと推計されており，従来考えられていた発症率よりも高い可能性が報告されている。2017年には米国から，0歳で麻疹に罹患した場合のSSPE発症率は609人に1人であったと報告されている。途上国ではその100倍多く，明らかなSSPEのリスク因

子は2歳の誕生日より前に麻疹に罹患することとされる。ワクチン株の麻疹ウイルスはSSPEを起さないことが疫学的，ウイルス学的に示されており，ワクチンの導入によりSSPEの患者数は減少している。SSPE患者からみつかった麻疹ウイルスは，M（matrix）遺伝子に変異が生じており，感染性のある遊離ウイルス粒子を産生しない特徴がある。初発症状としては，学校の成績が落ちる，いつもと違う行動がみられるなどで，運動障害が徐々に進行し，ミオクローヌスなどの錐体・錐体外路症状を示し，その後，昏睡状態となり死に至る。男性の方が女性よりも2～3倍患者数は多い。

麻疹は，感染症法に基づく感染症発生動向調査では五類感染症全数把握疾患であり，診断した医師は直ちに管轄の保健所に届け出ることが義務づけられている。

2008年に麻疹が全数報告になるまでは，小児科定点が全国で約2,500～3,000カ所指定されており，毎週麻疹患者数が報告されていた。

数年ごとに大規模な全国流行を繰り返しており，2001年には全国で約28.6万人が発症したと推定される大規模な全国流行が発生した。1999年第14週からは，基幹定点（ベッド数300床以上で内科と外科があり，内科医療と小児科医療の両方を提供する病院が全国で約500カ所指定されている）から成人麻疹が報告されるようになった。成人麻疹は18歳以上が対象であり，2006年4月以降は15歳以上が報告対象となった。

2002年以降，小児科医を中心とした麻疹ワクチンの接種勧奨により，小児の患者は年々減少したが，2006年に茨城県南部と千葉県で発生した麻疹の地域流行は2007年に大規模な全国流行となり，ワクチン未接種の乳幼児と，ワクチン未接種あるいは接種歴不明，1回接種の10～20歳代を中心とした流行になった。多数の大学や高等学校が麻疹により休校となり，麻疹含有ワクチンの不足，麻疹抗体価測定のためのキットの不足など，社会的な問題となった。この流行を受けて，厚生労働省は「麻しんに関する特定感染症予防指針」を告示し，2012年度までに麻疹を排除し，その状態を維持することを目標に定めた〔5年後の改訂で，2015年度までに麻疹を排除し，世界保健機関（WHO）の認定も受けて，その状態を維持することに目標が変更となった〕。2008年から麻疹は定点報告から全数把握疾患となり，予防接種の制度も変更となった（「1．ワクチンの概要」225頁参照）。

図3に2008年以降の麻疹患者報告数を示す。2008年は1万人を超える大規模な全国流行となったが，その後，患者数は減少し，海外で流行すると輸入例を発端として国内で小規模な地域流行が発生した。全国の保健所，自治体，地方衛生研究所，医療機関などの迅速な対策と，予防接種率の上昇などの効果により，わが国土着の麻疹ウイルス（遺伝子型D5）は2010年5月を最後に検出されなくなった。その後の対策も功を奏し，2015年3月27日に日本はWHO西太平洋地域事務局から麻疹の排除が認定された。

近年，小児の予防接種率の上昇に伴い，麻疹患者数の減少とともに麻疹患者の年齢分布も変化している。2008年には0～1歳と10～20歳代が中心であった麻疹患者は，2016年には約80％が成人となった（**図4**）。

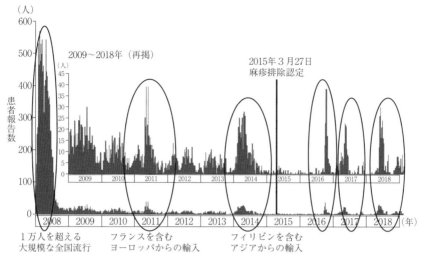

図3　週別麻疹患者報告数（2008年～2018年）

感染症発生動向調査より作成

　世界には，まだ麻疹が流行している国が多数存在する。WHOが毎月公表している麻疹患者報告数では，2019年3～8月までの6カ月間に麻疹患者が多く報告された上位10カ国は，マダガスカル，インド，ウクライナ，フィリピン，ナイジェリア，カザフスタン，コンゴ民主共和国，ブラジル，アンゴラ，ミャンマーであった。

　日本は麻疹流行国に囲まれており，これらの国々への渡航者も多い。特に，2016年以降，インドネシアで感染した麻疹患者の報告が目立つ。また，2017年はヨーロッパでも麻疹の大規模な流行が発生しており，特にイタリア，ルーマニアの患者報告数が多く，多数の麻疹による死亡者が報告されている。2018年は，南北米大陸でもベネズエラやブラジルで患者報告数が増加しており，インド，ウクライナ，フィリピンでの流行規模が大きかった。欧州では，フランスでも患者数が急増した。2019年は，全世界的に患者数が多く，2018年の3倍近い報告数となっている。日本が含まれる西太平洋地域では，フィリピンでの流行規模が大きく，多数の死者が報告されている。また，ニュージーランドでも報告数が急増し，ニューヨークでは非常事態宣言が出された。また，欧州では，排除が認められていた英国を含めた4カ国で，排除認定が撤回され，再興国になっている。

　厚生労働省検疫所は，海外渡航で検討する予防接種の種類の目安として，表を作成し，麻疹については，全世界に◎（予防接種をお奨めしています）が付されている。

　2016年には，中国からの輸入例を発端とした関西国際空港内事業所での集団発生，千葉県松戸市，兵庫県尼崎市での集団発生が認められたが，それぞれの地域の保健所，事業所，医療機関，保育機関，地方衛生研究所などの迅速かつ適切な対策によ

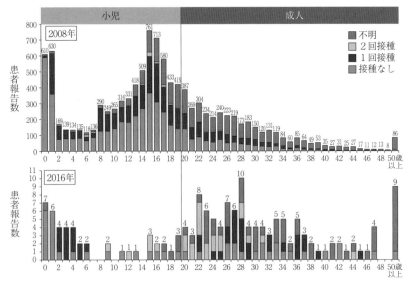

図4 週別麻疹患者報告数(2008年と2016年の比較)
国立感染症研究所感染症疫学センター．学校における麻しん対策ガイドライン第二版 2017より引用

り1〜2カ月で終息宣言が出された．

　2017年にも，インドネシア，インドなどで感染した輸入例を発端とした集団発生が複数認められたが，それぞれの地域の保健所，自治体，地方衛生研究所，医療機関，保育機関，教育機関などの迅速かつ適切な対策により，1〜2カ月以内に終息宣言がなされた．2019年は排除認定後では最多の報告数となっており，三重県，大阪府，首都圏での集団発生が報告されている．

3．予防接種の意義

　近年の麻疹集団発生の特徴として，ワクチン既接種者の修飾麻疹がある．修飾麻疹とは，予防接種歴がある場合，移行抗体が残っている0歳前半，ヒト免疫グロブリン投与後などで，麻疹に対する免疫を保有しているものの不十分な人が麻疹ウイルスの感染を受けた時に発症する軽症の麻疹である．高熱が出ない，発熱期間が短い，発疹が全身に広がらないあるいは発疹が認められない，カタル症状が認められない，などの非典型的な症状を示し，臨床症状のみでの診断は不可能である．濃厚接触した場合には周りへの感染源になるが，感染力は通常の麻疹ほど強くない．修飾麻疹は，麻疹の積極的疫学調査の過程でみつかることが多い．

　麻疹の検査診断は，急性期の3点セット(EDTA血，咽頭ぬぐい液，尿)を，保健所を通して地方衛生研究所に搬送することで，麻疹ウイルス分離あるいは麻疹ウイ

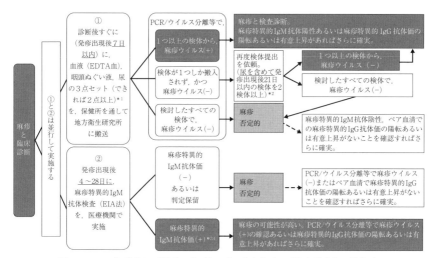

図5 2016年改訂：最近の知見に基づく麻疹の検査診断の考え方

*1：麻疹と臨床診断したら直ちに保健所に麻疹発生届を提出し，それと同時に保健所を通して地方衛生研究所に検体を搬送する．取り扱う検体は自治体によって異なるため，保健所に確認する．
*2：発疹出現後8日以上経っている場合でも，麻疹ウイルス遺伝子は比較的長期に検出されるとの報告あり．麻疹に限ったことではないが，ウイルス感染症を疑った場合，その原因が明らかになるまでは，ペア血清での診断を可能にするため，急性期の血清の冷凍保管は，極めて重要である．
*3：麻疹含有ワクチン接種から8～56日の場合，麻疹特異的IgM抗体が陽性になる場合がある．地方衛生研究所に検体が搬入されていれば，検出される麻疹ウイルスの遺伝子型により，ワクチンによる反応か，麻疹の発症かを鑑別可能となる．ワクチンの場合は遺伝子型Aであり，Aが検出された場合は，麻疹発症ではないため，麻疹発生届は取り下げとなる．
*4：デンカ生研の旧キットでは，伝染性紅斑，突発性発疹，風疹，デング熱の急性期に麻疹IgM抗体が陽性になる(偽陽性)場合があったが，同社の改良キットでは，偽陽性反応はほとんどみられなくなっている．

国立感染症研究所麻疹対策技術支援チーム作成

ルス遺伝子の検出（RT-PCR法あるいはリアルタイムPCR法）が実施されている．麻疹特異的IgM抗体価の測定は健康保険適用があるが，発疹出現後4～28日の間に検査を行うことが重要である（検査が早すぎるとまだ陽性になっていない）．他の発疹性疾患（伝染性紅斑，突発性発疹，風疹，デング熱など）で麻疹IgM抗体価が弱陽性になるキットは改良されて，偽陽性が少なくなっているが，発症後4カ月以上経っても弱陽性の人がいること，麻疹含有ワクチン接種後8～56日の間は陽性になることがあるため，結果の解釈には注意が必要である．麻疹患者との接触歴があり，急性期の麻疹特異的IgG抗体価が著明に高く，症状が軽い場合は修飾麻疹が疑われる．修飾麻疹では，麻疹IgM抗体価は陰性であることが多く，診断には有用ではない．全国の地方衛生研究所が麻疹ウイルス遺伝子の検出による検査診断を実施しており，

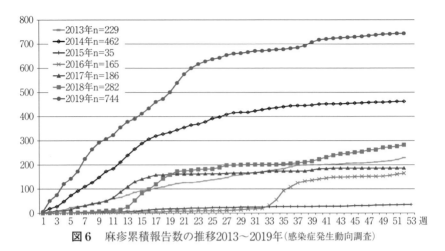

図6 麻疹累積報告数の推移2013〜2019年（感染症発生動向調査）

全例の検査診断が求められている。

図5に，最近の知見に基づく麻疹の検査診断の考え方を示す。症状，複数の検査所見，予防接種歴，渡航歴，旅行歴，患者との接触歴などから総合的に診断することが大切である。

麻疹排除を維持するためには，高い予防接種率を維持し，患者が1人でも発生したら迅速に感染拡大予防策をとることが重要である。また，医療関係者，保育関係者，学校関係者，海外からくる人と接触する機会の多い職場，不特定多数の人と接触する職場に勤務している人は，必要回数である1歳以上で2回の予防接種を受けておくことが大切である。また，麻疹流行国渡航前の予防接種も重要である。

近年の麻疹患者累積報告数を示す。迅速な対応により，患者の増加が早期に抑制されていることがわかる（図6）。年齢は約80％が成人であることは2016年と同様の傾向である。

国外感染例については，2019年は推定感染地域としてフィリピン，ベトナム，タイ，インドの報告が多く，2019年はアジアのみならず南米，ヨーロッパ，アフリカでも増加が報告されている。

麻疹ウイルスの遺伝子型は24種類が報告されている。国内では，全国の地方衛生研究所で麻疹ウイルスの遺伝子型が検査されているが，2011年はヨーロッパで多く検出されていた遺伝子型D4に加えて，D8，D9などが認められた。2014年はフィリピンで多く検出されていた遺伝子型B3の検出が目立ち，それに加えてD8，D9も認められた。2016年は中国やモンゴルで多く検出されていた遺伝子型H1に加えて，D8が多く検出されているが，2017年はインドネシアを含めたアジア諸国で多く検出されているD8が多い。2018〜2019年はD8が多く，B3も報告されている

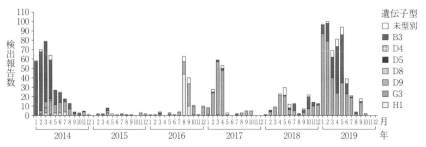

図7　月別麻疹ウイルス分離・検出報告数2014年1月〜2019年10月
（病原微生物検出情報：2019年10月17日現在報告数）

（図7）。ワクチン株の遺伝子型はAであるが，ワクチンはすべての遺伝子型に有効である。

ワクチンの効果と安全性

1．ワクチンの概要

　わが国では1966年からKL法〔不活化ワクチン(killed vaccine：K)と生ワクチン(live vaccine：L)の併用〕で麻疹ワクチンの接種が開始された。当時の生ワクチンの副反応を軽減する目的であったが，異型麻疹発症などの問題があり，1969年からは高度弱毒生麻疹ワクチンに切り替えられた。1978年10月から麻疹ワクチンが予防接種法に基づく定期接種になり，生後12〜72カ月未満が定期接種の対象となった。当時は，武田薬品工業，阪大微生物病研究会，北里研究所，千葉県血清研究所の4社で製造されていた。安定剤として含まれていたゼラチンがアナフィラキシーショックを含む重篤なアレルギー反応の原因となることが判明し，1996年以降ゼラチン除去あるいは低アレルゲン性ゼラチンへの変更が加えられた（千葉県血清研究所は2002年4月から製造を中止している）。

　以上のことから，2019年4月1日現在，46歳6カ月以上になる人は定期接種の機会がなく，小児期に麻疹に罹患した人が多い。2019年4月1日現在29〜46歳6カ月になる人は，1回だけ定期接種の機会があった。1989年4月〜1993年4月までは，定期接種の際に麻疹おたふくかぜ風疹混合(measles-mumps-rubella combined：MMR)ワクチンを選択してもよいことになったが，おたふくかぜワクチン株による無菌性髄膜炎の多発により，MMRワクチンの接種は中止となった。1994年の予防接種法の一部改正により，1995年4月から定期接種の対象が生後12〜90カ月未満になったが，1歳で接種を受ける者が少なく，2000年の1歳児の接種率は50％未満と低かった。2001年の麻疹の全国流行により，「麻疹ワクチンを1歳のお誕生日のプレゼントにしましょう」キャンペーンが始まり，1歳になってすぐに1回目のワクチンを接種することが全国の小児科医を中心に始まった。2006年4月から定期接種の

ワクチンとして麻疹風疹混合(measles-rubella：MR)ワクチンの接種が可能となり，定期接種の対象も1歳児(第1期)と小学校入学前1年間(第2期)となった。また，2006年6月2日から，第1期と第2期の2回接種が始まった。

2007年の10～20歳代を中心とした麻疹の全国流行を受けて，10歳代への免疫を強化することを目的として，2008年度からの5年間の時限措置として，中学1年生(第3期)と高校3年生相当年齢の者(第4期)に2回目のワクチンを原則，MRワクチンで接種することになった。2019年度25～29歳になる人(1990年4月2日～1995年4月1日生まれ)は，高校3年生相当年齢の時に第4期として2回目のワクチンを接種する機会があったが，接種率が60～90％(平均80％)で都市部の接種率が低かった。2019年度20～24歳になる人(1995年4月2日～2000年4月1日生まれ)は，中学1年生の時に第3期として2回目のワクチンを接種する機会があったが，全国の接種率は80％台の後半であった。2019年度小学校入学前1年間の幼児～19歳になる人(2000年4月2日～2014年4月1日生まれ)は，小学校入学前1年間に第2期として2回目のワクチンを受ける機会があり，90％程度が受けた。2019年度1歳～2019年度に5歳になる人(2014年4月2日生まれ以降)は1回のみ第1期としてワクチンを受ける機会があり，95％以上の接種率である。

接種率(付録206頁参照)の目標は第1期，第2期ともに95％以上である。各都道府県別での2018年度の接種率は，47都道府県すべてで第1期が目標の95％以上を達成した。第2期は目標の95％以上を達成している県が22県であり，80％台の県はなくなった。平常時から接種率を高めて，たとえ海外から麻疹ウイルスが持ち込まれても広がらないようにしておくことが重要である。2008年度以降，全市区町村別の接種率が，厚生労働省ホームページ(http://www.mhlw.go.jp/bunya/kenkou/kekkaku-kansenshou21/hashika.html)，国立感染症研究所ホームページ(https://www.niid.go.jp/niid/ja/diseases/ma/measles/221-infectious-diseases/disease-based/ma/measles/550-mesles-vac.html)で公表されているため，これらの結果を参照して接種勧奨につなげたい。

2．免疫効果

麻疹含有ワクチンは，1歳以上で2回受けることが重要である。0歳での接種は免疫獲得が不十分なため，接種回数には含めない。また，記録に残されていない場合は，受けていないと考えることも重要である。

わが国では，2013年度から予防接種法に基づく事業として(それまでは厚生労働省の予算事業)，毎年約6,000人の健常者を対象として，麻疹ウイルスに対するゼラチン粒子凝集(particle agglutination：PA)法による抗体価の測定が地方衛生研究所で実施されている〔感染症流行予測調査事業(National Epidemiological Surveillance of Vaccine Preventable Disease：NESVPD)〕。結果は，National Epidemiological Surveillance of Infectious Diseases(NESID)システムを通して，国立感染症研究所に届けられ，国立感染症研究所感染症疫学センターで作図作表が行われ，国立感染

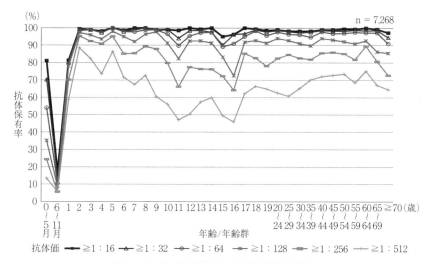

図8 年齢/年齢群別の麻疹抗体保有状況
（2018年度感染症流行予測調査，2019年5月現在）

症研究所のホームページに公表されている。

感染症流行予測調査事業に基づいて実施された2018年度のPA抗体保有状況を示す（図8）。

定期接種は1歳と小学校入学前1年間（6歳になる年度）の2回接種のため，1歳で約80％が抗体陽性となり2歳以上のすべての年齢群で95％以上の高い抗体保有率が認められている。第2期の年齢でブースターがかかっていることがわかる。PA法は1：16以上が陽性であるが，すべての年齢層に＜1：16の陰性者がいることには注意が必要である。また，発症予防には1：128以上のPA抗体価が求められており，医療関係者では＜1：16の陰性者にはあと2回，1：16〜1：128の場合にはあと1回の追加接種が求められている。

2018年度の年齢別麻疹抗体保有状況を麻疹含有ワクチンの接種回数とともに示す（図9）。2回接種世代である28歳以下の年齢層でも，1回接種のみの割合が2割以上いることがわかる。制度があっても受けていない可能性が高いことから，予防接種歴は必ず記録で確認することが重要である。

2007〜2018年度のPA抗体保有率の結果を比較すると，10〜20歳代で大規模な全国流行を認めた2007〜2008年は，小・中・高校生の年齢群に1割程度の抗体陰性者が蓄積していることがわかる。抗体陰性者の割合は第2，3，4期の定期接種により激減したが，1：128以上の抗体保有率が低くなっていることには注意が必要である。

接種回数別の抗体保有状況を示す（図10）。1回のみの接種の場合，数〜10％程度のPA抗体陰性者（PA抗体＜1：16）が存在するが，2回接種によりほぼ全員が1：16

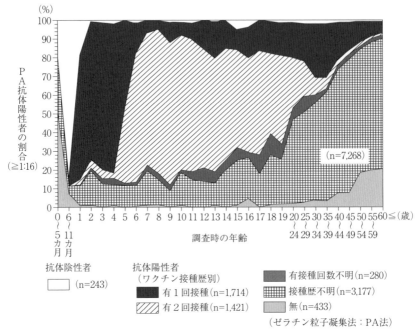

図9 予防接種歴別麻疹抗体保有状況(2018年度感染症流行予測調査, 2019年3月現在)

以上のPA抗体を保有するようになる。ワクチン未接種の場合，移行抗体が残存する0歳以外では，自然感染を示唆している。1～4歳で約5％，5～9歳で100％(n=2)，15～19歳で約85％，35歳以上ではほぼ全員がPA抗体を保有しており，ワクチン未接種のままでいると，いつかは感染することがわかる。

3．副反応

重大な副反応としては，ショック，アナフィラキシー(0.1％未満)，血小板減少性紫斑病(100万人接種当たり1人程度：接種後数日～3週頃)，急性散在性脳脊髄炎(acute disseminated encephalomyelitis：ADEM)(頻度不明：接種後数日から2週間程度)，脳炎・脳症(100万人接種当たり1人以下)，けいれん(0.1～5％未満：熱性けいれんを起こすことがある)が添付文書に記載されている。

その他の副反応としては，過敏症(発疹，蕁麻疹，紅斑，掻痒，発熱など)が接種直後から翌日にみられることがある。全身症状としては，麻疹に対する免疫がない者に接種した場合，接種から5～14日後に，1～3日間だるさ，不機嫌，発熱，発疹などが現れる場合がある。特に，7～12日を中心として15～30％程度に37.5℃以上，10％以下に38.5℃以上の発熱がみられる。10～20％に軽度の麻疹様発疹を認め

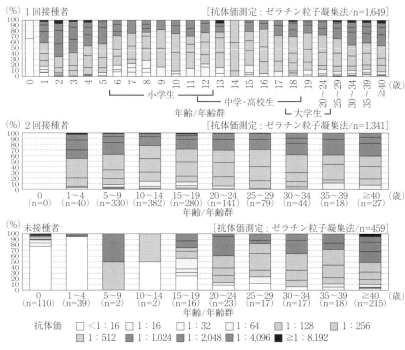

図10 麻疹含有ワクチン接種歴別の年齢／年齢群別麻疹抗体保有状況
（2017年度感染症流行予測調査，2018年5月現在）

ることがある．発熱時に，咳嗽，鼻汁，食欲減退がみられることがあるが，これらの症状は，いずれも通常1〜3日で消失する．接種局所の反応として，発赤，腫脹，硬結，疼痛などがみられることがある．

2013年4月1日から予防接種法の一部改正に基づき，予防接種後副反応疑い報告がすべての医師に義務づけられた．麻疹ワクチンについては，接種後4時間以内の「アナフィラキシー」，接種後21日以内の「けいれん」，接種後28日以内の「ADEM」，接種後28日以内の「脳炎・脳症」，接種後28日以内の「血小板減少性紫斑病」については，ワクチンとの因果関係にかかわらず全例を，医薬品医療機器総合機構（PMDA）安全第一部情報管理課（2014年11月24日までは厚生労働省健康局結核感染症課）に直接FAXで報告することが義務づけられている．また，「その他の反応」については，①入院，②死亡または永続的な機能不全に陥るまたは陥るおそれがある場合であって，それが予防接種を受けたことによるものと疑われる症状，については報告が求められており，報告基準中の発生までの時間を超えて発生した場合であっても，それが予防接種を受けたことによるものと疑われる症状については，「その他

230　ワクチン別の解説

の反応」として報告が求められている。

　報告様式はPDFと電子媒体の両方で作成されており，副反応疑い報告書(別紙様式１)の最新版(PDF)は厚生労働省のホームページから，副反応疑い報告書(別紙様式２)の入力アプリ(「予防接種後副反応疑い報告書」入力アプリ)は国立感染症研究所のホームページ(http://www.niid.go.jp/niid/ja/vaccine-j/6366-vaers-app.html)からダウンロード可能である。

　報告された副反応疑い報告は，厚生科学審議会予防接種・ワクチン分科会副反応検討部会と薬事・食品衛生審議会医薬品等安全対策部会安全対策調査会の合同開催で定期的に検討されている。2013年４月１日～2019年４月30日までの累計では，接種可能延べ人数(回数)584,331人のうち，製造販売業者から15人(0.0026％)，医療機関から６人(0.0010％)，そのうち重篤と報告された者４人(0.00068％)の報告があった。アナフィラキシーとして報告された症例とADEMとして報告された症例については，専門家の評価が行われ，それとともに厚生労働省のホームページ(http://www.mhlw.go.jp/stf/shingi/shingi-kousei_284075.html)に公表されている。

４．接種不適当者および接種要注意者

１）接種不適当者

①明らかな発熱を呈している者

②重篤な急性疾患にかかっていることが明らかな者

③本剤の成分によってアナフィラキシーを呈したことがあることが明らかな者

④明らかに免疫機能に異常のある疾患を有する者および免疫抑制をきたす治療を受けている者

⑤妊娠していることが明らかな者

⑥上記に掲げる者のほか，予防接種を行うことが不適当な状態にある者

２）接種要注意者

①心臓血管系疾患，腎臓疾患，肝臓疾患，血液疾患，発育障害などの基礎疾患を有する者

②予防接種で接種後２日以内に発熱のみられた者および全身性発疹などのアレルギーを疑う症状を呈したことがある者

③過去にけいれんの既往のある者

④過去に免疫不全の診断がなされている者および近親者に先天性免疫不全症の者がいる者

⑤本剤の成分に対してアレルギーを呈するおそれのある者

接種方法の実際

１．接種方法

　接種前に問診，検温，診察により健康状態を確認する。

　ワクチンは凍結乾燥品であるため，ワクチンに添付されている溶剤(日本薬局方

注射用水)0.7mLで溶解し，年齢にかかわらず1回0.5mLを皮下に接種する。生ワクチンは紫外線で容易に不活化し，温度管理(5℃以下に保存)が重要であることから，接種直前に溶解し，溶解したら直ちに使用することが重要である。事前に溶解して，診察室に並べておくことは厳禁である。

　生後6カ月以上であれば，任意接種として接種可能であるが，0歳での接種は免疫の獲得が十分ではないため，周りに麻疹患者の発生がみられ，接触後72時間以内の緊急ワクチン接種が必要となった場合，0歳で麻疹流行国に渡航しなければならない場合など，緊急避難的な接種に留める。

　2019年現在，1歳になったらすぐに第1期として1回目の接種を定期接種として実施し，小学校入学前1年間に第2期として2回目の接種を定期接種として実施するが，原則として，MRワクチンを用いるため，麻疹ワクチンを選択することはほとんどない。

　麻疹ワクチンは生ワクチンのため，別の種類のワクチンを受ける場合は，中27日以上あければ，いつでも接種可能である。なお，麻疹ワクチンを2回続けて接種する場合は，最低でも1カ月以上あけて接種する必要がある。

2．注意

　接種前3カ月以内に輸血またはガンマグロブリン製剤の投与を受けた者は，これらの製剤に含まれる麻疹抗体によりワクチンウイルスが中和されて，ワクチン株の増殖が抑制され，効果が得られない可能性があることから，3カ月以上接種を延期する必要がある。また，ガンマグロブリン大量静注療法(川崎病や血小板減少性紫斑病の治療などで，200mg/kg以上の投与)を受けた場合は，6カ月以上(麻疹ウイルスに感染する危険性が低い場合は11カ月以上)過ぎるまで接種を延期する必要がある。また，麻疹ワクチン接種後14日以内にガンマグロブリン製剤を投与した場合は，投与後3カ月以上経過した後に再接種することが望ましい。

　医師が必要と認めた場合には，別の種類のワクチンを別々の部位に同時接種することが可能である(別のワクチンと混合して接種することはできない)。

　接種後は過激な運動を避け，接種部位を清潔の保ち，局所の異常反応や体調の変化，高熱，けいれんなどの異常な症状を認めた場合は，速やかに医師の診察を受けるように事前に被接種者またはその保護者に伝えておくことが重要である。

文献
1) Wendorf KA, et al. Clin Infect Dis 2017; 65: 226-232.
2) 国立感染症研究所ほか. 麻疹. IASR. https://www.niid.go.jp/niid/ja/measles-m/measles-iasrtpc.html
3) 国立感染症研究所感染症疫学センター. 麻疹. https://www.niid.go.jp/niid/ja/diseases/ma/measles.html
4) 厚生労働省. 予防接種・ワクチン分科会 副反応検討部会資料. http://www.mhlw.go.jp/stf/shingi/shingi-kousei_284075.html

(多屋馨子)

■ 風疹ワクチン

風疹

1．疾患の概要

　風疹は，マトナウイルス科ルビウイルス属の風疹ウイルスによる感染症で，飛沫感染，接触感染で伝播する。全員が感受性者の集団において， 1 人の患者から 2 次感染を起こす平均数〔基本再生産数(R_0)〕は，インフルエンザが$1.4～4$，麻疹が$12～18$とされるのに対して，風疹は$5～7$である。

　風疹ウイルスに感染後，約$14～21$日（平均$16～18$日）の潜伏期を経て発症する。発熱，発疹，リンパ節腫脹(耳介後部，後頭部，頸部)の 3 主徴が認められるのは約半数で，不顕性感染が$15～30$％程度ある。咳嗽，鼻汁以外に，眼球結膜の充血，咽頭痛なども認められる。発疹出現前 1 週間から，発疹出現後 1 週間は，感染力があるため，注意が必要である。リンパ節は発疹出現数日前から腫れ始め， 3 ～ 6 週間程度持続する。発疹は淡紅色紅斑で，やや皮膚面から盛り上がるが，融合傾向を示さない。発疹は通常，色素沈着を残さずに消退する。

　基本的には予後良好な疾患であるが，高熱が持続したり，麻疹様の発疹を認める場合もある。成人が罹患すると関節痛を訴える頻度が高いとされ，関節炎の合併頻度は$5～30$％である。合併症として脳炎($4,000～6,000$人に 1 人)，血小板減少性紫斑病($3,000～5,000$人に 1 人)などがあるが，これらも予後は一般に良好である。風疹は発症すると，特異的な治療法がない。

　風疹を予防したい最も大きな理由として，先天性風疹症候群(CRS)の予防がある。先天性風疹症候群は，妊娠20週頃までの妊婦が風疹ウイルスに感染すると，胎児にも風疹ウイルスが感染して，出生児の眼，心臓，耳に先天性の障害を残す疾患である。母親が顕性感染した場合，妊娠 1 カ月で50％以上， 2 カ月で35％， 3 カ月で18％， 4 カ月で 8 ％程度が先天性風疹症候群を発症するとされる。母親が無症状であっても妊娠20週頃までに風疹ウイルスに感染すると，先天性風疹症候群を発症する可能性がある。

　先天性風疹症候群の臨床像を示す(**表 1**)。胎児の異常と，風疹ウイルスに感染した妊娠週数には相関がみられ，妊娠 2 カ月頃までに感染すると，出生児の眼，心臓，耳のすべてに症状を持つことが多く，それを過ぎると難聴と網膜症のみを持つことが多い。通常，妊娠20週以降に感染した場合は，出生児に先天的な障害を認めることはほぼないとされる。

2．わが国における発生状況

　風疹と先天性風疹症候群は，感染症法に基づく感染症発生動向調査では五類感染症全数把握疾患であり，診断した医師は風疹については直ちに，先天性風疹症候群

風疹ワクチン　233

表1　先天性風疹症候群の臨床像

カテゴリー	しばしばみられる症状	まれにみられる症状
出生時に みられる一過性	低出生体重，血小板減少性紫斑病，肝腫大，脾腫，骨病変	角膜混濁，肝炎，全身性リンパ節腫脹，溶血性貧血，肺炎
永久的	感音性難聴，末梢性肺動脈狭窄，肺動脈弁狭窄，動脈管開存，心室中隔欠損症，網膜症，白内障，小眼球症，精神運動発達遅滞，停留精巣，鼠径ヘルニア，糖尿病	高度の近視，甲状腺異常，掌紋異常，緑内障，心筋障害
遅発性	末梢性肺動脈狭窄，精神発達遅滞，中枢性言語障害，糖尿病，免疫複合体病，低ガンマグロブリン血症	高度の近視，甲状腺炎，甲状腺機能低下，成長ホルモン欠損症，慢性発疹，肺炎，進行性全脳炎

Banatvala JE, et al. Rubella. Topley and Wilson's Principles of Bacteriology, Virology and Immunity. Brown F, et al., eds. vol. 4. 7th ed. Edward Arnold 1984; p. 271-302 より引用改変

4

ワクチン別の解説

は診断後7日以内に管轄の保健所に届け出ることが義務づけられている。なお，風疹については，2020年度までにわが国から排除することを目標としていることから，迅速な対応が必要であり，1人発生した時点で積極的疫学調査を実施し，全例の検査診断が原則となった。

　2008年に風疹が全数報告になるまでは，指定された全国の約2,500〜3,000カ所の小児科定点から毎週，風疹患者数が報告されていた。1977年から女子中学生を対象として風疹ワクチンが定期接種に導入されたが，女子のみへの接種では流行はコントロールできず，数年ごとに大規模な全国流行を繰り返していた。1995年4月から男女幼児に定期接種が開始され，次第に患者数は減少した。

　1999年第14週から，先天性風疹症候群が全数届出疾患になった。2004年に成人を中心とする地域流行が発生し，毎年0〜2人であった先天性風疹症候群が10人報告され（**表2**），緊急提言が発出された。ただし，当時の届出基準は，風疹ウイルスに対する検査診断に加えて，症状が2つ以上必要であった。そのため，感音性難聴のみの症状では届出基準を満たさず，届出できないことが問題になっていた。そこで，2006年4月から届出基準が改定になり，症状が1つでも認められて，かつ検査診断がなされれば，先天性風疹症候群として届出可能となった（**表2**）。

　2007年の麻疹の大規模全国流行を受けて，2008年から麻疹が定点把握疾患から全数把握疾患に変更になったが，同時に風疹も全数把握疾患となり，**表3**の届出基準に基づいて，報告が義務づけられている。予防接種の制度も変更となった（「1．ワクチン概要」236頁参照）。また，「風しんに関する特定感染症予防指針」の改訂により，2018年1月1日から，風疹は氏名，住所，職業等を含めて，診断した医師は直

表2　先天性風疹症候群届出基準(2006年4月〜)

届出に必要な要件(以下のアおよびイの両方を満たすもの)

ア　届出のために必要な臨床症状

（ア）　CRS典型例；「(1)から2項目以上」または「(1)から1項目と(2)から1項目以上」

（イ）　その他；「(1)若しくは(2)から1項目以上」

(1)白内障または先天性緑内障，先天性心疾患，難聴，色素性網膜症

(2)紫斑，脾腫，小頭症，精神発達遅滞，髄膜脳炎，X線透過性の骨病変，生後24時間以内に出現した黄疸

イ　病原体診断または抗体検査の方法

（ア）　以下のいずれか1つを満たし，出生後の風疹感染を除外できるもの

検査方法	検査材料
分離・同定による病原体の検出	咽頭拭い液，唾液，尿
PCR法による病原体の遺伝子の検出	
IgM抗体の検出	血清
赤血球凝集阻止抗体価が移行抗体の推移から予想される値を高く越えて持続(出生児の赤血球凝集阻止抗体価が，月当たり1/2の低下率で低下していない)	

表3　風疹　患者届出基準(2018年1月〜)

届出のために必要な要件

検査診断例　届出に必要な臨床症状の1つ以上を満たし，かつ，届出に必要な病原体診断のいずれかを満たすもの。

臨床診断例　届出に必要な臨床症状の3つすべてを満たすもの。

届出に必要な臨床症状　①全身性の小紅斑や紅色丘疹，②発熱，③リンパ節腫脹

届出に必要な病原体診断

検査方法	検査材料
分離・同定による病原体の検出 検体から直接のPCR法による病原体の遺伝子の検出	咽頭拭い液，血液，髄液，尿
抗体の検出(IgM抗体の検出，ペア血清での抗体陽転または抗体価の有意の上昇)	血清

ちに管轄の保健所に届け出ることが義務付けられた。

　2008年以降の風疹ならびに先天性風疹症候群患者報告数は，2011年から増加傾向がみられていたが，2012年からさらに患者報告数は増加し，2013年は5月をピークに14,344人の大規模な全国流行となった。2013年に報告された患者は男性が女性の約3倍多く，ワクチン未接種あるいは接種歴不明の成人が約90%を占めた。20〜60歳の男性では，職場で感染したと推定された者が最も多く，20〜60歳の女性では職場と家族がほぼ同数で，家族では夫からの感染が最も多く報告された。小学生以下

風疹ワクチン　235

表4　風疹の予防接種が望まれる対象者

状　況	風疹の予防接種（過去の接種を含む）
①本人が妊娠を希望している。	非妊娠期に風疹の予防接種を2回することが望ましい*。
②職場・家族に妊婦・妊娠出産年齢の者がいる。	風疹の予防接種を少なくとも1回する。
③海外出張または国内の流行地への出張を予定している。	
④公共施設等多数の者が利用する職場に勤務している。または業務上外部者との面会の機会が多い。	

＊：風疹含有ワクチンの1回の接種による抗体の獲得率は約95％，2回の接種による抗体の獲得率は約99％とされていることから，妊娠を希望する女性等においては，2回の接種を完了することで，より確実な予防が可能となる。

国立感染症研究所．職場における風しん対策ガイドラインより

の小児では父親からの感染が最も多く報告された。その後，半年ほど経過して，先天性風疹症候群の報告が増加し，合計45人が先天性風疹症候群と診断された。45人のうち，20％が風疹含有ワクチンの接種を1回受けていたことから，「職場における風しん対策ガイドライン」では，妊娠を希望する女性は非妊娠期に2回の予防接種を受けておくことが奨められている（**表4**）。

2013年の大規模な全国流行以降，風疹の患者報告数は少なく推移していたが，2018年7月末から報告数が増加し，2018年は約3,000人が報告された。2019年に入っても流行は収まっておらず，第16週時点ですでに1,300人を超える報告数となった。男性が女性の約4倍多く，男性は30～50歳代の発症が多い。

風疹ウイルスは13種類の遺伝子型に分類されているが，検出される遺伝子型が収束してきており，現在検出される風疹ウイルスの多くが1a，1E，1G，1Jおよび2Bの5種類である。日本でも2011年以降に検出された風疹ウイルスの遺伝子型は1E，1Jおよび2Bの3種類で，特に1Eおよび2Bがその多くを占める。ワクチン株の遺伝子型は1aであるが，ワクチンはすべての遺伝子型に有効である。2018～2019年の流行では，ほとんどが1Eである。

3．予防接種の意義

風疹の検査診断は，健康保険適用がある風疹特異的IgM抗体価（EIA法）が最も多く用いられている。しかし，発症当日および翌日の風疹特異的IgM抗体陽性率は約20％と低く，発症後3日までを含めても45％と低いことが報告されており，発症4日以降に検査する必要がある。また，風疹特異的IgM抗体価が弱陽性のまま長期間にわたって持続している人がいるため，結果の解釈には注意が必要である。急性期と回復期のペア血清で風疹特異的IgG抗体価あるいは風疹ウイルスに対する赤血球凝集抑制（hemaggulutination inhibition：HI）抗体価の有意上昇で診断することも可

4

ワクチン別の解説

能であるが，回復期に受診する可能性が低く，この方法での検査診断も困難である。そこで，「風しんに関する特定感染症予防指針」に基づいて，2020年度までに風疹を排除するという国の目標を達成し，迅速な検査診断に資するために，2018年1月から，麻疹で実施されている急性期の3点セット（EDTA血，咽頭ぬぐい液，尿）を保健所を通して地方衛生研究所に搬送することで，風疹ウイルス分離あるいは風疹ウイルス遺伝子の検出（RT-PCR法あるいはリアルタイムPCR法）を全例に実施することになった（「風しんに関する特定感染症予防指針」の改訂）。

　症状，複数の検査所見，予防接種歴，渡航歴，旅行歴，患者との接触歴などから総合的に診断することが大切である。

　風疹の排除を達成するためには，高い予防接種率を維持し，患者が1人でも発生したら迅速に感染拡大予防策をとることが重要である。2018年1月から，風疹は1例発生した時点で積極的疫学調査を実施することに変更となり，医師の届出も「診断後直ちに」に変更となった。また，医療関係者，保育関係者，学校関係者，海外からくる人と接触する機会の多い職場，不特定多数の人と接触する職場に勤務している人は，麻疹と同様に，事前に予防接種を受けておくことが大切である。また，厚生労働省検疫所のFORTHのホームページでは，海外渡航で検討する予防接種の種類の目安として，麻疹および風疹をあげており（http://www.forth.go.jp/useful/vaccination.html），MRワクチンの使用が推奨されている。

■ ワクチンの効果と安全性

1. ワクチンの概要

　わが国では1976年から風疹ワクチンの接種が任意接種として始まった。1977年から風疹ワクチンが予防接種法に基づく定期接種になり，女子中学生が定期接種の対象となり，学校で集団接種として実施されていた。当時は，武田薬品工業，阪大微生物病研究会，北里研究所，化学及血清療法研究所，千葉県血清研究所の5社で製造されていた。2019年現在，武田薬品工業，阪大微生物病研究会，第一三共の3社が製造を継続している。

　1989年4月から1993年4月までは，麻疹の定期接種の際に麻疹おたふくかぜ風疹混合（measles-mumps-rubella combined：MMR）ワクチンを選択してもよいことになっていたが，おたふくかぜワクチン株による無菌性髄膜炎の多発により，MMRワクチンの接種は中止となった。1994年の予防接種法の一部改正により，1995年4月から定期接種の対象が生後12～90カ月未満の男女と12歳以上16歳未満の男女になったが，1歳で接種を受ける者が少なく，感染症流行予測調査事業によると，2000年の1歳児の接種率は約20％，2歳児の接種率は約60％，3～7歳児でも約70～80％と低かった。12歳以上16歳未満の者は対象が女性のみから男女になり，集団接種から医療機関を受診して受ける個別接種になったことから実施率は激減した。1977～2005年度の実施率を示す（図1）。実施率の計算は，対象人口を分母に，当該年（年

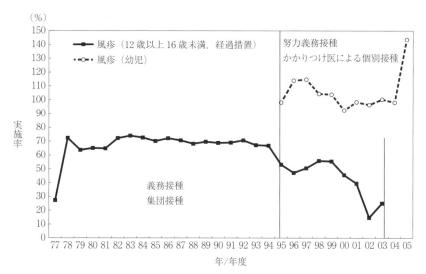

図1 風疹含有ワクチン実施率の推移

日本ワクチン産業協会.ワクチンの基礎2016 ―ワクチン類の製造から流通まで.日本ワクチン産業協会 2016より作成

度)に定期接種として受けた者全員を分子にして計算しているが,対象人口は,標準的な接種年齢期間の総人口を総務庁統計局推計人口(各年10月1日現在)から求め,これを12カ月相当人口に推計した(直近の数値は速報値)数字を用いていることから,時に100%を超える数字になることがある.実施人員は1996年までは保健所運営報告,1997年以降は地域保健事業報告の「定期の予防接種被接種者数」により計上されており,1997年からは年度で計算されている.

2008年度以降,麻疹と風疹ワクチンの接種率は,毎年度2～3回,厚生労働省健康局と国立感染症研究所感染症疫学センターで調査集計が実施されている.実施率と接種率は,計算方法が異なるため注意が必要である.接種率は第1期については当該年度の10月1日現在の1歳児人口を分母とし,第2～4期は当該年度の4月1日現在の対象人口を分母とし,分子は当該年度に定期接種として受けた人数としている.

2006年度から,定期接種のワクチンとして麻疹風疹混合(measles-rubella combined:MR)ワクチンの接種が可能となり,定期接種の対象も1歳児(第1期)と小学校入学前1年間(第2期)となった.また,2006年6月2日から,第1期と第2期の2回接種が始まった.

2007年の10～20歳代を中心とした麻疹の全国流行を受けて,10歳代への免疫を強化することを目的として,2008年度からの5年間の時限措置として,中学1年生(第

３期)と高校３年生相当年齢の者(第４期)に２回目のワクチンを原則，MRワクチンで接種することになった。2019年度に25～29歳になる人(1990年４月２日～1995年４月１日生まれ)は，高校３年生相当年齢の時に第４期として２回目のワクチンを接種する機会があったが，接種率が60～90％(平均80％)で都市部の接種率が低かった。2019年度に20～24歳になる人(1995年４月２日～2000年４月１日生まれ)は，中学１年生の時に第３期として２回目のワクチンを接種する機会があったが，接種率は80％台の後半であった。2019年度に小学校入学前１年間の幼児～19歳になる人(2000年４月２日～2014年４月１日生まれ)は，小学校入学前１年間に第２期として２回目のワクチンを接種する機会があり，接種率は約90％であった。2018年度現在１歳～2019年度に５歳になる人(2014年４月２日生まれ以降)は１回のみ第１期としてワクチンを接種する機会があり，接種率は95％以上である。

接種率の目標は，第１期，第２期ともに95％以上である。最近５年間の各都道府県別の接種率をみると，2017年度は第１期が目標の95％以上を達成しているのは39都道府県で，残り８県は90～94％の接種率であった。第２期は目標の95％以上を達成している県が10県のみであり，80％台の県も１県あった。さらに2018年度は第１期の接種率が47都道府県すべてで95％以上となった。第２期は21県で95％以上となり80％台の都道府県はなくなった。平常時から接種率を高めて，たとえ海外から風疹ウイルスが持ち込まれても広がらないようにしておくことが重要である。2008年度以降，全市区町村別の接種率が，厚生労働省ホームページ(http://www.mhlw.go.jp/bunya/kenkou/kekkaku-kansenshou21/hashika.html)，国立感染症研究所ホームページ(https://www.niid.go.jp/niid/ja/diseases/ma/measles/221-infectious-diseases/disease-based/ma/measles/550-mesles-vac.html)で公表されているため，これらの結果を参照して，接種勧奨につなげたい。

以上のことから，風疹ワクチンの定期接種の制度を理解しておくことが，現在の風疹の患者発生状況を理解するのに重要であることがわかる。**図２**に生年月日と2019年４月１日現在の年齢，風疹定期接種制度をまとめたので参照されたい。

２．免疫効果

風疹含有ワクチンは，１歳以上で２回受けることが重要である。また，記録に残されていない場合は，受けていないと考える。わが国では，2013年度から予防接種法に基づく事業として(それまでは厚生労働省の予算事業)，毎年約5,000人の健常者を対象として，風疹ウイルスに対するHI法による抗体価の測定が地方衛生研究所で実施されている〔感染症流行予測調査事業：National Epidemiological Surveillance of Vaccine Preventable Disease：NESVPD)〕。結果は，National Epidemiological Surveillance of Infectious Diseases(NESID)システムを通して，国立感染症研究所に届けられ，国立感染症研究所感染症疫学センターで集計が行われ，結果は国立感染症研究所のホームページに公表されている。

感染症流行予測調査事業に基づいて実施された2018年度のHI抗体保有状況を男

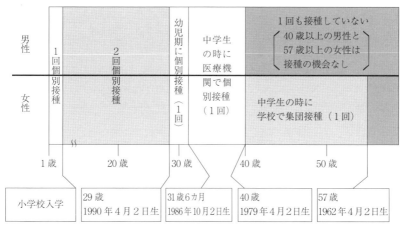

図2　風疹含有ワクチンの定期予防接種制度と年齢の関係（2019年4月1日現在）

女別に示す（図3）。調査実施都道府県は図下に記載している。定期接種は1歳と小学校入学前1年間（6歳になる年度）の2回接種のため，1歳で約80％が抗体陽性となり2歳で約90％が抗体陽性となる。第2期の年齢（5～6歳）でブースターがかかっていることがわかる。HI法は1：8以上が陽性であるが，すべての年齢層に＜1：8の陰性者がいることには注意が必要である。1979年4月1日以前に生まれた男性（2019年4月現在40歳以上）は定期接種として風疹ワクチンの接種を受けていないため抗体保有率が低く，30歳代後半～50歳代前半男性の約20％は抗体陰性であることに注意が必要である。また，女性は妊娠中の風疹ウイルスの感染を予防するために，妊娠前に1：32以上のHI抗体価を保有していることが望ましい。また，日本環境感染学会による「医療関係者のためのワクチン接種ガイドライン（第2版）」によると，医療関係者では1歳以上で2回の予防接種の記録が求められているが，記録が残されていない場合は，抗体検査の結果，HI抗体価が＜1：8の陰性者にはあと2回，1：8～1：16の場合にはあと1回の追加接種が求められている。

2018年度の年齢／年齢群別風疹抗体保有状況を風疹含有ワクチンの接種回数とともに示す（図4）。2017年の時点で2回接種世代であった27歳以下の年齢層でも，1回接種のみの割合が多数いることがわかる。制度があっても受けていない可能性が高いことから，予防接種歴は必ず記録で確認することが重要である。

過去10年間のHI抗体保有率を比較すると，2歳以上の小児の抗体保有率は第2～4期の効果により上昇したが，2013年の全国流行の後も，1962～1978年度に生まれた男性には抗体陰性者が多く蓄積していることには注意が必要である（図5）。これを受けて厚生労働省は，これまで1回も定期接種の機会がなかった1962（昭和37）年4月2日～1979（昭和54）年4月1日生まれの男性を対象に，抗体検査を前置した上

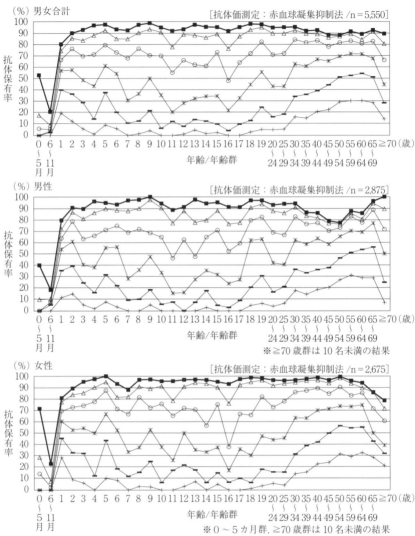

抗体価 ■ ≧1:8, △ ≧1:16, ○ ≧1:32, ＊ ≧1:64, ■ ≧1:128, ＋ ≧1:256 〈流行予測2018〉
【2018年度風疹感受性調査実施都道府県】
北海道，宮城県，茨城県，栃木県，群馬県，埼玉県，千葉県，東京都，神奈川県，新潟県，石川県，長野県，愛知県，三重県，山口県，高知県，福岡県，沖縄県

図3　年齢/年齢群別風疹抗体保有状況(2018年度感染症流行予測調査，2019年5月現在)

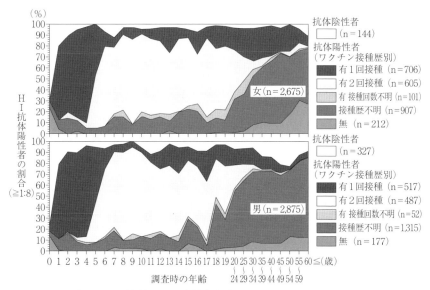

図4 年齢/予防接種歴別風疹抗体保有状況(2018年度感染症流行予測調査)

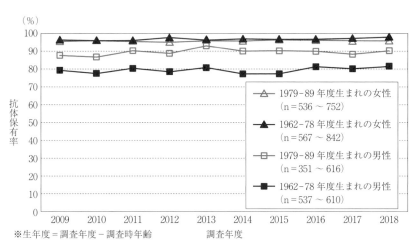

図5 生年度別風疹HI抗体保有状況(抗体価1:8以上)の年度推移
(2009年〜2018年度感染症流行予測調査,2019年8月現在)

242 ワクチン別の解説

表5 各測定法における風疹HI抗体価「1:8以下」に相当する抗体価

測定キット名(製造販売元)	測定原理	抗体価の単位	抗体価
ウイルス抗体EIA「生研」ルベラIgG (デンカ生研)	酵素免疫法 (EIA法)	EIA価	6.0未満
バイダス アッセイキット RUB IgG (シスメックス・ビオメリュー)	蛍光酵素免疫法 (ELFA法)	国際単位 (IU/mL)	25未満
エンザイグノスト B 風疹/IgG (シーメンスヘルスケア・ダイアグノ スティクス)	酵素免疫法 (EIA法)	国際単位 (IU/mL)	15未満
ランピア ラテックス RUBELLA (極東製薬工業)	ラテックス免疫比濁法 (LTI法)	国際単位 (IU/mL)	15未満
アクセス ルベラIgG (ベックマン・コールター)	化学発光酵素免疫法 (CLEIA法)	国際単位 (IU/mL)	20未満
i-アッセイCL 風疹IgG (保健科学西日本)	化学発光酵素免疫法 (CLEIA法)	抗体価	11未満
BioPlex MMRV IgG (バイオ・ラッド ラボラトリーズ)	蛍光免疫測定法 (FIA法)	抗体価 (AI*) ＊AI：製造企業が独自に 調整した抗体価単位	1.5未満
BioPlex ToRC IgG (バイオ・ラッド ラボラトリーズ)	蛍光免疫測定法 (FIA法)	国際単位 (IU/mL)	15未満

国立感染症研究所ウイルス第三部/感染症疫学センター．https://www.niid.go.jp/niid/images/idsc/disease/rubella/Rubella-HItiter8_Ver2.pdfより

で，HI抗体価1:8以下の者(**表5**)を対象に，第5期の定期接種を原則MRワクチンで実施することを決定した。2021年度までの3年間の制度である。

接種回数別の抗体保有状況を示す(**図6**)。1回のみの接種の場合，数～10数％程度のHI抗体陰性者(HI抗体＜1:8)が存在するが，2回接種により多くが1:8以上のHI抗体を保有するようになる。ワクチン未接種の場合，移行抗体が残存する0歳以外では，自然感染を示唆している。1～4歳で約10％，5～9歳で約80％，15～19歳で約60％，20歳以上では約90％がHI抗体を保有していることがわかる。

3．副反応

重大な副反応としては，ショック，アナフィラキシー(0.1％未満)，血小板減少性紫斑病(100万人接種当たり1人程度：接種後数日～3週頃)が添付文書に記載されている。

その他の副反応としては，過敏症(発疹，蕁麻疹，紅斑，掻痒，発熱など)が接種直後から翌日にみられることがある。全身症状としては，発熱，発疹，頸部その他リンパ節の腫脹，関節痛などの症状を認めることがあるが，一過性で，通常，数日中に消失する。接種局所の反応として，発赤，腫脹，硬結，疼痛などがみられるこ

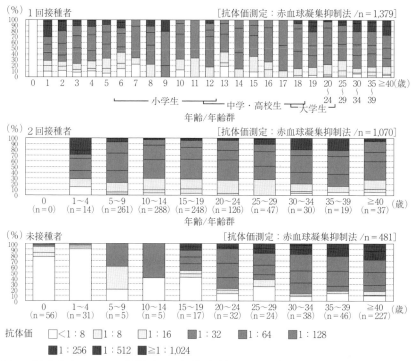

図6 風疹含有ワクチン接種歴別の年齢/年齢群別風疹抗体保有状況（2017年度感染症流行予測調査，2018年5月現在）

とがあるが，通常，一過性で2～3日中に消失する。

2013年4月1日から予防接種法の一部改正に基づき，予防接種後副反応疑い報告がすべての医師に義務づけられた。風疹ワクチンについては，接種後4時間以内のアナフィラキシー，接種後21日以内のけいれん，接種後28日以内の急性散在性脳脊髄炎（acute disseminated encephalomyelitis：ADEM），接種後28日以内の脳炎・脳症，接種後28日以内の血小板減少性紫斑病については，ワクチンとの因果関係にかかわらず，全例を医薬品医療機器総合機構（PMDA）安全第一部情報管理課（2014年11月24日までは厚生労働省健康局結核感染症課）に直接FAXで報告することが義務づけられている。また，「その他の反応」については，①入院，②死亡または永続的な機能不全に陥るまたは陥るおそれがある場合であって，それが予防接種を受けたことによるものと疑われる症状については報告が求められており，報告基準中の発生までの時間を超えて発生した場合であっても，それが予防接種を受けたことによるものと疑われる症状については，「その他の反応」として報告が求められている。

244　ワクチン別の解説

　報告様式はPDFと電子媒体の両方で作成されており，副反応疑い報告書（別紙様式1）の最新版（PDF）は厚生労働省のホームページから，副反応疑い報告書（別紙様式2）の入力アプリ（「予防接種後副反応疑い報告書」入力アプリ）は国立感染症研究所のホームページhttp://www.niid.go.jp/niid/ja/vaccine-j/6366-vaers-app.htmlからダウンロード可能である。

　報告された副反応疑い報告は，厚生科学審議会予防接種・ワクチン分科会副反応検討部会と薬事・食品衛生審議会医薬品等安全対策部会安全対策調査会の合同開催で定期的に検討されている。2013年4月1日〜2019年4月30日までの累計では，接種可能な延べ人数（回数）1,039,349人のうち，製造販売業者から14人（0.0013％），医療機関から12人（0.0012％）うち重篤と報告された者4人（0.00038％）の報告があった。アナフィラキシーとして報告された症例とADEMとして報告された症例については，専門家の評価が行われ，それとともに厚生労働省のホームページhttp://www.mhlw.go.jp/stf/shingi/shingi-kousei_284075.htmlに公表されている。

4．接種不適当者および接種要注意者

1）接種不適当者

①明らかな発熱を呈している者

②重篤な急性疾患にかかっていることが明らかな者

③本剤の成分によってアナフィラキシーを呈したことがあることが明らかな者

④明らかに免疫機能に異常のある疾患を有する者および免疫抑制をきたす治療を受けている者

⑤妊娠していることが明らかな者

⑥上記に掲げる者のほか，予防接種を行うことが不適当な状態にある者

2）接種要注意者

①心臓血管系疾患，腎臓疾患，肝臓疾患，血液疾患，発育障害などの基礎疾患を有する者

②予防接種で接種後2日以内に発熱のみられた者および全身性発疹などのアレルギーを疑う症状を呈したことがある者

③過去にけいれんの既往のある者

④過去に免疫不全の診断がなされている者および近親者に先天性免疫不全症の者がいる者

⑤本剤の成分に対してアレルギーを呈するおそれのある者

接種方法の実際

1．接種方法

　接種前に問診，検温，診察により健康状態を確認する。女性は妊娠中あるいは妊娠の可能性がある場合は接種できないため，あらかじめ1カ月間妊娠を避けた上で

接種し，接種後は２カ月間妊娠を避ける必要がある。しかし，万が一，ワクチン接種した後に妊娠がわかった場合でも，世界的にみてもこれまでにワクチンによる先天性風疹症候群の発生報告はなく，その可能性は否定されているわけではないが，人工中絶などを考慮する必要はないと考えられる。

ワクチンは凍結乾燥品であるため，ワクチンに添付されている溶剤（日本薬局方注射用水）0.7mLで溶解し，年齢にかかわらず１回0.5mLを皮下に接種する。生ワクチンは紫外線で容易に不活化し，温度管理（5℃以下に保存）が重要であることから，接種直前に溶解し，溶解したら直ちに使用することが重要である。事前に溶解して，診察室に並べておくことは厳禁である。

生後12カ月以上であれば，接種可能である。2019年現在，１歳になったらすぐに第１期として１回目の接種を定期接種として実施し，小学校入学前１年間に第２期として２回目の接種を定期接種として実施するが，原則として，MRワクチンを用いるため，風疹ワクチンを選択することはほとんどない。

風疹ワクチンは生ワクチンのため，別の種類のワクチンを受ける場合は，中27日以上あければ，いつでも接種可能である。なお，風疹ワクチンを２回続けて接種する場合は，最低でも１カ月以上あけて接種する必要がある。

２．注意

輸血またはガンマグロブリン製剤の投与を受けた者は，通常，３カ月以上の間隔をあけて接種する必要がある。また，ガンマグロブリン大量静注療法（川崎病や血小板減少性紫斑病の治療などで，200mg/kg以上の投与）を受けた場合は，６カ月以上あけて接種する。

医師が必要と認めた場合には，別の種類のワクチンを別々の部位に同時接種することが可能である（別のワクチンと混合して接種することはできない）。

接種後は過激な運動を避け，接種部位を清潔の保ち，局所の異常反応や体調の変化，高熱，けいれんなどの異常な症状を認めた場合は，速やかに医師の診察を受けるように事前に被接種者またはその保護者に伝えておくことが重要である。

文献
1) 国立感染症研究所ほか. 麻疹・風疹/先天性風疹症候群　2016年３月現在.IASR 2016; 37: 59-61. https://www.niid.go.jp/niid/ja/measles-m/measles-iasrtpc/6401-434t.html
2) 国立感染症研究所感染症疫学センター. 風疹.https://www.niid.go.jp/niid/ja/diseases/ha/rubella.html
3) 厚生労働省. 予防接種・ワクチン分科会 副反応検討部会資料. http://www.mhlw.go.jp/stf/shingi/shingi-kousei_284075.html

（多屋馨子）

246 ワクチン別の解説

■ 麻疹風疹混合ワクチン

疾患の概要については,「麻疹ワクチン」(218頁),「風疹ワクチン」(232頁)を参照。

■ ワクチンの効果と安全性

1. ワクチンの概要

　2005年12月および2006年1月にそれぞれ阪大微生物病研究会,武田薬品工業から麻疹風疹混合(measles-rubella:MR)ワクチンが市販された。当初,任意接種として接種が始まったが,2006年4月から定期接種で使用可能なワクチンはMRワクチンのみとなった。定期接種の制度としては1歳児(第1期)と小学校入学前1年間(第2期)の2回接種であったが,接種の対象が麻疹にも風疹にも罹患歴がなく,麻疹ワクチン,風疹ワクチンいずれのワクチンも接種を受けたことがない者となったため,2回接種の制度は始まったものの,2回目の接種は受けることができなかった。また,麻疹ワクチン,風疹ワクチンを定期接種として選択することができなくなっていた。そこで麻疹,風疹の罹患歴のある者へのMRワクチンの接種の有効性,安全性が確認された後,2006年6月2日から,麻疹,風疹のいずれかに罹患歴があっても,麻疹ワクチン,風疹ワクチンのいずれかを接種したことあっても,定期接種としてMRワクチンの接種が可能となった。さらに,麻疹ワクチン,風疹ワクチンについても定期接種として選択可能となった。ただし,第1期,第2期のそれぞれの期内ですでに単抗原ワクチンを受けてしまっていた場合,どうしても単抗原ワクチンの接種を希望する場合を除いて,原則としてMRワクチンが用いられることになった。2カ月間の検討を経て,ようやくMRワクチンによる第1期と第2期の2回接種制度が始まった。2011年5月には北里第一三共からもMRワクチンが市販され,現在3社で製造販売されている。

　2008年度からの5年間の時限措置として始まった,中学1年生(第3期)と高校3年生相当年齢の者(第4期)に対する2回目のワクチンを原則,MRワクチンで接種することになった経緯,それぞれのワクチンの接種率などについては,「麻疹ワクチン」の項,「風疹ワクチン」の項を参照のこと。

　また2019～2021年度の3年間の追加的対策として実施されることになった風疹の第5期定期接種も原則,MRワクチンで実施する。詳細は「風疹ワクチン」の項を参照のこと。

2. 免疫効果

　「麻疹ワクチン」の項,「風疹ワクチン」の項を参照。

3. 副反応

　基本的には,「麻疹ワクチン」の項,「風疹ワクチン」の項に記載した内容と同様

である。

　重大な副反応としては，ショック，アナフィラキシー(0.1％未満)，血小板減少性紫斑病(0.1％未満：接種後数日〜3週頃)，急性散在性脳脊髄炎（ADEM）(頻度不明：接種後数日から2週間程度)，脳炎・脳症(0.1％未満)，けいれん(0.1〜5％未満：熱性けいれんを起こすことがある)が添付文書に記載されている。

　その他の副反応としては，過敏症(発疹，蕁麻疹，紅斑，掻痒，発熱など)が接種直後から翌日にみられることがある。全身症状としては，麻疹に対する免疫がない者に接種した場合，接種から5〜14日後に，1〜3日間だるさ，不機嫌，発熱，発疹などが現われる場合がある。特に，7〜12日を中心として15〜30％程度に37.5℃以上，10％以下に38.5℃以上の発熱がみられる。10〜20％に軽度の麻疹様発疹を認めることがある。発熱時に，咳嗽，鼻汁，食欲減退がみられることがあるが，これらの症状は，いずれも通常1〜3日で消失する。接種局所の反応として，発赤，腫脹，硬結，疼痛などがみられることがある。

　2013年4月1日から予防接種法の一部改正に基づき，予防接種後副反応疑い報告がすべての医師に義務づけられた。MRワクチンについては，麻疹ワクチン，風疹ワクチンと同様で，接種後4時間以内のアナフィラキシー，接種後21日以内の「けいれん」，接種後28日以内の「ADEM」，接種後28日以内の「脳炎・脳症」，接種後28日以内の「血小板減少性紫斑病」については，ワクチンとの因果関係にかかわらず全例を，独立行政法人医薬品医療機器総合機構(PMDA)安全第一部情報管理課(2014年11月24日までは厚生労働省健康局結核感染症課)に直接FAXで報告することが義務づけられている。また，「その他の反応」については，①入院，②死亡または永続的な機能不全に陥るまたは陥るおそれがある場合であって，それが予防接種を受けたことによるものと疑われる症状については報告が求められており，報告基準中の発生までの時間を超えて発生した場合であっても，それが予防接種を受けたことによるものと疑われる症状については，「その他の反応」として報告が求められている。

　報告様式はPDFと電子媒体の両方で作成されており，副反応疑い報告書(別紙様式1)の最新版(PDF)は厚生労働省のホームページから，副反応疑い報告書(別紙様式2)の入力アプリ(「予防接種後副反応疑い報告書」入力アプリ)は国立感染症研究所のホームページ(http://www.niid.go.jp/niid/ja/vaccine-j/6366-vaers-app.html)からダウンロード可能である。

　報告された副反応疑い報告は，厚生科学審議会予防接種・ワクチン分科会副反応検討部会と薬事・食品衛生審議会医薬品等安全対策部会安全対策調査会の合同開催で定期的に検討されている。2013年4月1日〜2019年4月30日までの累計では，接種可能延べ人数(回数)15,515,012人のうち，製造販売業者から83人(0.00053％)，医療機関から287人(0.0018％)うち重篤と報告された者144人(0.00093％)の報告があった。アナフィラキシーとして報告された症例とADEMとして報告された症例については，専門家の評価が行われ，それとともに厚生労働省のホームページ(http://

www.mhlw.go.jp/stf/shingi/shingi-kousei_284075.html）に公表されている。

4．接種不適当者および接種要注意者
1）接種不適当者
①明らかな発熱を呈している者
②重篤な急性疾患にかかっていることが明らかな者
③本剤の成分によってアナフィラキシーを呈したことがあることが明らかな者
④明らかに免疫機能に異常のある疾患を有する者および免疫抑制をきたす治療を受けている者
⑤妊娠していることが明らかな者
⑥上記に掲げる者のほか，予防接種を行うことが不適当な状態にある者

2）接種要注意者
①心臓血管系疾患，腎臓疾患，肝臓疾患，血液疾患，発育障害等の基礎疾患を有する者
②予防接種で接種後2日以内に発熱のみられた者および全身性発疹等のアレルギーを疑う症状を呈したことがある者
③過去にけいれんの既往のある者
④過去に免疫不全の診断がなされている者および近親者に先天性免疫不全症の者がいる者
⑤本剤の成分に対してアレルギーを呈するおそれのある者

接種方法の実際

1．接種方法
　接種前に問診，検温，診察により健康状態を確認する。

　ワクチンは凍結乾燥品であるため，ワクチンに添付されている溶剤（日本薬局方注射用水）0.7mLで溶解し，年齢にかかわらず1回0.5mLを皮下に接種する。生ワクチンは紫外線で容易に不活化し，温度管理（5℃以下に保存）が重要であることから，接種直前に溶解し，溶解したら直ちに使用することが重要である。事前に溶解して，診察室に並べておくことは厳禁である。

　1歳になったらすぐに第1期定期接種として接種を行う。小学校入学前1年間に第2期定期接種として2回目の接種を実施するが，いずれも接種するワクチンは原則，MRワクチンを用いる。2019〜2022年3月までは，第5期定期接種として，1962（昭和37）年4月2日〜1979（昭和54）年4月1日生まれの男性を対象に風疹HI抗体価が1：8以下（その他の方法で測定した場合は読替あり）の場合に，原則MRワクチンを1回接種することになった。詳細は「風疹ワクチン」の項を参照のこと。

　MRワクチンは生ワクチンのため，別の種類のワクチンを受ける場合は，中27日以上あければ，いつでも接種可能である。なお，MRワクチンを2回続けて接種す

る場合は，最低でも１カ月以上あけて接種する必要がある。

２．注意

　接種前３カ月以内に輸血またはガンマグロブリン製剤の投与を受けた者は，これらの製剤に含まれる麻疹あるいは風疹抗体によりワクチンウイルスが中和されて，ワクチン株の増殖が抑制され，効果が得られない可能性があることから，３カ月以上接種を延期する必要がある。また，ガンマグロブリン大量静注療法（川崎病や血小板減少性紫斑病の治療などで，200mg/kg以上の投与）を受けた場合は，６カ月以上（麻疹ウイルスに感染する危険性が低い場合は11カ月以上）経過するまで接種を延期する必要がある。また，MRワクチン接種後14日以内にガンマグロブリン製剤を投与した場合は，投与後３カ月以上経過した後に再接種することが望ましい。

　医師が必要と認めた場合には，別の種類のワクチンを別々の部位に同時接種することが可能である（別のワクチンと混合して接種することはできない）。

　接種後は過激な運動を避け，接種部位を清潔に保ち，局所の異常反応や体調の変化，高熱，けいれんなどの異常な症状を認めた場合は，速やかに医師の診察を受けるように事前に被接種者またはその保護者に伝えておくことが重要である。

　また，女性に対しては接種後，少なくとも２カ月間の避妊が必要なことを再度説明する。しかし，万が一，ワクチン接種した後に妊娠が分かった場合でも，世界的にみてもこれまでにワクチンによる先天性風疹症候群の発生報告はなく，その可能性は否定されているわけではないが，人工中絶などを考慮する必要はないと考えられる。

文献
　1）厚生労働省：予防接種・ワクチン分科会 副反応検討部会資料. http://www.mhlw.go.jp/stf/shingi/shingi-kousei_284075.html

（多屋馨子）

250　ワクチン別の解説

■ インフルエンザ菌b型結合型ワクチン（ヒブワクチン）

インフルエンザ菌b型感染症（ヒブ感染症）

1．疾患の概要[1]

　インフルエンザ菌b型（*Haemophilus influenzae* type b：Hib，ヒブ）は，乳幼児の化膿性髄膜炎，敗血症，喉頭蓋炎などの重篤な全身感染症（侵襲性感染症）の原因となってきた。侵襲性細菌感染症とは，通常無菌とされている血液，関節内液，髄液などから細菌が検出される感染症であり，一般的な肺炎などは含まれない。

2．わが国における発生状況

　ワクチン導入前の2010年以前は，ヒブによる髄膜炎は5歳未満人口10万対7.1～8.3とされ，年間約400人が発症し，約11％が予後不良と推定されていた。生後4カ月～1歳までの乳児が過半数を占めていた。

3．予防接種の意義

　わが国のヒブワクチンは，アクトヒブ（ActHIB）が2007年1月26日に承認され，2008年12月に市販，2013年4月より定期接種となった。定期接種化前後で比較すると，ヒブによる化膿性髄膜炎など侵襲性インフルエンザ菌感染症は激減し，班研究では5年連続してゼロとなっている（**表1**）。"生後2カ月のワクチンデビュー"ワクチンの1つで，今後も高い接種率を維持していくことが必要と考えられる。

ワクチンの効果と安全性

1．ワクチンの概要

　インフルエンザ菌b型結合型ワクチン（ヒブワクチン）は，抗原であるヒブの莢膜多糖体，ポリリボシルリビトールリン酸（polyribosyl-ribitol-phosphate：PRP）を主成分とする。PRPはT細胞非依存性抗原のため，キャリア蛋白を結合させたconjugate（結合型）ワクチンとして世界で広く接種されている。キャリア蛋白として使用されているのは，破傷風毒素トキソイド，毒素活性のないジフテリア毒素蛋白，髄膜炎菌外膜蛋白複合体である。米国で接種可能なヒブワクチンを**表2**に示す[2]。現在，国内で接種されている製剤は，破傷風トキソイドをキャリア蛋白とした単味ワクチン（アクトヒブ）である。このワクチンは，インフルエンザ菌b型（1482株）の培養液から抽出精製したPRPと，破傷風菌（Harvard株）の培養液から分離精製した毒素をホルマリンで無毒化した破傷風トキソイドを共有結合した破傷風トキソイド結合インフルエンザ菌b型多糖の原液に，精製白糖，トロメタモールを含む緩衝液を

インフルエンザ菌b型結合型ワクチン（ヒブワクチン）　251

表1　小児期侵襲性インフルエンザ菌感染症の罹患率の変化

	2008～2010年	2013年		2014年		2015年	
		罹患率	減少率	罹患率	減少率	罹患率	減少率
Hi髄膜炎	7.7	0.3	96	0	100	0.1	99
Hib髄膜炎		0.2	98	0	100	0	100
Hi非髄膜炎	5.1	0.2	97	0.5	90	0.9	83
Hib非髄膜炎		0.1	98	0	100	0	100

	2016年		2017年		2018年	
	罹患率	減少率	罹患率	減少率	罹患率	減少率
Hi髄膜炎	0.1	99	0.09	98.8	0	100
Hib髄膜炎	0	100	0	100	0	100
Hi非髄膜炎	0.5	90	0.9	83.1	1.3	74.7
Hib非髄膜炎	0	100	0	100	0	100

2017年1月28日現在の暫定値
罹患率：5歳未満人口10万人当たり。5歳未満人口は総務省統計局発表の各年10月1日時点
減少率：2008～2010年の罹患率に対する減少率
Hi：*Haemophilus influenzae*
Hib：*Haemophilus influenzae* type b
菅秀ほか．日本医療研究開発機構研究費「Hib，肺炎球菌，HPV及びロタウイルスワクチンの各ワクチンの有効性，安全性並びにその投与方法に関する基礎的・臨床的研究」平成27年度総括研究報告書．菅班平成28年度第2回班会議（2017年1月29日）資料，文献6）より作成

表2　米国で接種できるインフルエンザ菌b型結合型ワクチン

ワクチン	市販名	メーカー	キャリア蛋白	PRP含有量（μg/dose）
HbOC	HibTITER	Wyeth-Lederle Vaccine	CRM 197（ジフテリア菌無毒変異株）	10
PRP-OMP	PedvaxHIB	Merck & Co.	髄膜炎菌B11株の外膜蛋白複合体	7.5
PRP-T	ActHIB	Sanofi Pasteur	破傷風トキソイド	10
PRP-T	Hiberix	GlaxoSmithKline（追加接種のみ）	破傷風トキソイド	10
PRP-T/DTaP	TriHIBit	Sanofi Pasteur（追加接種のみ）	破傷風トキソイド	10
PRP-OMP/hepatitis B	Comvax	Merck & Co.（初回接種および追加接種）	髄膜炎菌B11株の外膜蛋白複合体	7.5
PRP-T/DTaP-IPV	Pentacel	Sanofi Pasteur	破傷風トキソイド	10

加えて希釈した後，凍結乾燥したものである。

PRPに破傷風トキソイドを結合したワクチンは，マウスに対して抗PRP抗体を産生し，その効果は反復接種によって増強された。乳幼児で誘導される抗PRP抗体はIgG（主にIgG 1 ）が主体で，殺菌活性およびオプソニン活性が抗PRP抗体価に相関して認められた。感染予防に必要な抗PRP抗体価（感染予防レベル）は0.15μg/mL，長期感染予防レベルは1μg/mLとされている[3]。

海外ではDPTワクチンにヒブワクチンを結合した四種混合ワクチン，B型肝炎ワクチンや不活化ポリオワクチンを加えた五種以上の多価混合ワクチンなども使われている。国内でもヒブワクチンが含まれた多価混合ワクチンの開発治験が進められている。

２．免疫効果

海外では，接種率が高くなるとヒブによる化膿性髄膜炎および敗血症などの侵襲性感染症が激減することは報告されていた。米国では５歳未満における侵襲性ヒブ感染症が1989〜1995年で99％減少した。先進国のみならず，発展途上国を含めた多くの国からも同様の報告がなされている[4,5]。

わが国では，ヒブワクチンは米国より20年遅れて2008年12月に承認された。2010年11月から５歳未満の小児は「子宮頸がん等ワクチン接種緊急促進事業」により公費助成の対象となった。2013年４月から定期接種（A類）となった。

１）国内でのワクチン導入前後での小児化膿性髄膜炎（研究班調査）

小児化膿性髄膜炎の主な起炎菌は，ヒブ，肺炎球菌，B群レンサ球菌（group B *Streptococcus*：GBS），髄膜炎菌などが知られている。ヒブワクチンの効果を評価するためには，ワクチン導入前後で化膿性髄膜炎などの疾病負担を比較検討する必要がある。厚生労働科学研究事業研究班（神谷班，庵原・神谷班：現，菅班）では，ワクチン導入前の2007年から，小児の化膿性髄膜炎や菌血症など侵襲性細菌感染症の人口ベースのアクティブサーベイランスを継続して実施している[6,7]。

a　調査方法

調査は，北海道，福島県，新潟県，千葉県，三重県，岡山県，高知県，福岡県，鹿児島県，沖縄県の10道県で行われている。10道県の研究協力者には，それぞれの道県内の小児科入院施設がある医療機関に15歳未満の侵襲性細菌感染症患者が入院したとき，患者情報を収集することが求められた。調査は全数把握が目標とされているため，研究協力者は定期的に各医療機関にメールまたは電話・ファックスで症例の確認を求め，登録もれを最小限にしてきた。患者情報は，家族構成，集団保育の有無，ヒブワクチンおよびPCV接種歴，発症時の年齢（月齢），臨床経過，予後などの情報を収集した（なお，北海道は髄膜炎のみの調査，他の９県は侵襲性感染症すべての調査となっている）。この調査の10道県の５歳未満人口（推計値）は約1,213,000人であり，全国の５歳未満人口（推計値）の22％をカバーしている[3]。罹患率は，総務省統計局の各年10月１日時点の県別推計人口を用いた。ワクチン導入前後の罹患

率の変化を評価するために，2008〜2010年の罹患率をベースとして，各年における罹患率の減少率も評価した。分離された菌株の同定・血清型解析は，各施設から国立感染症研究所へ送付され，莢膜の有無や血清型など細菌学的解析が行われている。

b 結果

2008〜2018年，10道県より報告された侵襲性ヒブ感染症の罹患率の推移を**表1**に示す。ヒブによる髄膜炎罹患率は，2008〜2010年の3年間は7.1〜8.3（平均7.7）であったが，2012年0.8，2013年0.17と減少し，2014年には10道県からの報告数は0となり，2015年以降2018年まで0であった。ワクチン公費助成前3年間（2008〜2010年）の罹患率からの減少率は，2012年92.2％，2013年98％，2014年以降は100％が続いている。非髄膜炎（菌血症など）も同様の傾向を示した。

インフルエンザ菌は莢膜の抗原性の違いからa〜fまでの6種類に分類される莢膜を有する菌（莢膜株）と，主に気道など局所感染症を引き起こす莢膜を有さない菌（無莢膜株）とに分類される。化膿性髄膜炎を起こすインフルエンザ菌の95％以上は，b型莢膜を持つ菌（ヒブ）である。ヒブワクチン接種後に髄膜炎など侵襲性感染症を引き起こすインフルエンザ菌は，b型以外の莢膜を持つ菌（non-Hib）あるいは，型別不能株（non-typable *H. influenzae*：NTHi）となっている。ヒブワクチン接種後，極めてまれであるが，ヒブ以外のインフルエンザ菌による髄膜炎例が報告されてきた。

2）国内の化膿性髄膜炎全国調査

国内の化膿性髄膜炎の全国調査は，学会主導で4〜5年ごとに行われてきた。起炎菌の分布割合はインフルエンザ菌が50％前後，肺炎球菌が10〜30％を占めていた。ワクチン導入前の2005〜2006年の調査での分離菌の割合は，インフルエンザ菌55％，肺炎球菌19.5％，GBS7.7％，大腸菌2.5％，髄膜炎菌0.4％であった[8]。ヒブワクチンおよびPCV7導入後，定期接種化前の2011〜2012年にも調査が行われた[9]。インフルエンザ菌の割合が減少し始め，2011年47.3％，2012年15.3％となった。相対的にGBS，大腸菌の割合は増加した。本調査の制限として，横断的多施設非介入のアンケート調査で小児科入院施設を主な対象としているため，全年齢にわたる全数調査ではないことがあげられる。このため，分離菌の変化も小児の「割合」の変化を推測していることおよび分離菌株すべての詳細な解析ができていないため，ワクチン導入の効果を国内全体では評価できていないとされている。

定期接種後の2013〜2015年の調査が報告された[10]。全国366病院から407例の報告があり，起炎菌の割合はGBSが最多で33.4％，肺炎球菌24.8％，大腸菌9.6％で，インフルエンザ菌は2.9％となった。化膿性髄膜炎による入院数（1,000入院当たり）は，2009〜2010年は1.19であったが，2013〜2015年は0.37と有意に減少した（$p < 0.001$）。インフルエンザ菌による髄膜炎罹患率は，2009〜2010年は0.66であったが，2013〜2015年は0.01と有意に減少した（$p < 0.001$）。**図1**に日本の小児化膿性髄膜炎における起炎菌の推移（2001〜2015年）を示した[10]。2012年以降のインフルエンザ菌の減少が目立つ。ヒブワクチンの効果で，小児化膿性髄膜炎の頻度は減少し，GBSが最も多い起炎菌となった（**図2**）。

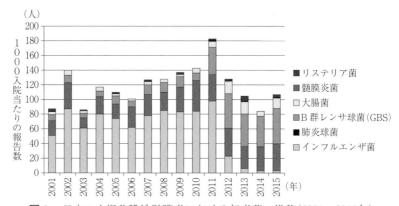

図1 日本の小児化膿性髄膜炎における起炎菌の推移(2001〜2015年)

ヒブワクチン:2008年12月任意接種, 2011年4月公費助成, 2013年4月定期接種
PCV7:2010年2月任意接種, 2011年4月公費助成, 2013年4月定期接種, 2013年11月PCV13

文献10)より作成

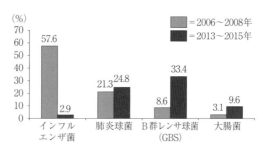

図2 ヒブワクチン, PCV導入前後の小児化膿性髄膜炎の起炎菌の割合

ヒブワクチン:2008年12月任意接種, 2011年4月公費助成, 2013年4月定期接種
PCV7:2010年2月任意接種, 2011年4月公費助成, 2013年4月定期接種, 2013年11月PCV13

文献10)より作成

死亡率(2013〜2015年)は, インフルエンザ菌は0で, 死亡および後遺症のリスク因子として, 意識障害, 髄液糖濃度の低下, 起炎菌が黄色ブドウ球菌の場合とされている.

3) 感染症法での調査[11]

細菌性髄膜炎は, 感染症法では五類感染症・定点把握対象疾患としてまとめられていたため, 国内全体の症例数は不明であった. 2013年4月に省令改正が行われ, 五類感染症・全数届出対象疾病に侵襲性インフルエンザ菌感染症, 侵襲性髄膜炎菌感染症, 侵襲性肺炎球菌感染症が追加され, 感染症発生動向調査事業として集計さ

れ始めた。

侵襲性インフルエンザ菌感染症の感染症法上の届出の定義は，*Haemophilus influenzae*による侵襲性感染症として，本菌が髄液または血液などの無菌部位から検出された感染症とされている。

国の感染症発生動向調査（National Epidemiological Surveillance of Infectious Diseases：NESID）では，2013年第14週〜2018年第52週に1,729例の侵襲性インフルエンザ菌感染症症例が報告された（2019年1月15日現在）。報告数は経年的に増加傾向を示した。届出時点での致命率は，2013〜2018年は5.6〜8.3%であった。

図3に，人口10万人当たりの年齢群別病型別の年間報告数を示した。報告された全年齢の病型の内訳は，髄膜炎65例（5%），肺炎640例（51%），菌血症358例（29%），その他181例（15%）であった。報告数は，5歳未満と65歳以上に多く，特に1歳未満が最も多かった。病型分類では，1歳未満で他の年齢群と比べ髄膜炎の報告数が多く，65歳以上では肺炎が半数以上を占めた。

2013〜2018年にNESIDに報告された症例報告数は経年的に増加傾向であり，届出について医師への周知が進んできている可能性も示唆されるとともに，届出対象疾患となった当初の報告数は過小評価であった可能性も考えられる。

今回の報告書は，小児だけではなく全年齢での全数調査であることが特徴となっている。小児へのワクチン接種効果を，小児だけでなく成人への効果（集団免疫効果）も評価できる点で有用な調査と考えられる。一方，制限としては，ワクチン導入前の状況は不明であること，および分離菌の詳細な情報も求められていないため，分離菌の評価ができない点があげられる。制限の2点目は，病型分類方法があげられている。NESID上の検査に関する情報は十分ではなく，医師の症状記載における診断を参考に病型分類が行われたため，菌分離検体に基づく客観的な病型分類ではない。このため，それぞれの病型において過小評価，過大評価のいずれもあり得ると考えられる。また，死亡数（致命率）はNESIDの届出時点での情報であり，届出後に死亡した症例が含まれていない。正確な死亡数および算出される致命率は異なる可能性がある。

2013年4月に，侵襲性インフルエンザ菌感染症が全数届出の対象疾患となってから5年が経過した。報告数は，依然として増加傾向にある。また，2016年11月以降，届出基準において，検査材料として髄液，血液以外に「その他の無菌部位」も追加されたことから，サーベイランスデータとしての解釈には注意が必要である。

NESIDの届出対象は侵襲性インフルエンザ菌感染症であり，b型以外のインフルエンザ菌感染症も対象に含まれる。定期接種導入後の経時的な疫学変化をとらえるために，今後も継続的にデータの収集と監視を続けることが重要である。

3．副反応

国内で接種されているヒブワクチン（アクトヒブ）は，サノフィから導入された海外製造ワクチンであり，導入前にその有効性とともに安全性に関する検討が数年に

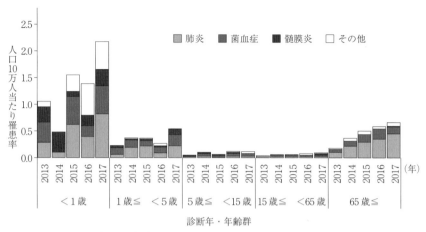

図3 人口10万人当たり年齢群・病型別の侵襲性インフルエンザ菌感染症罹患率（2013年第14週～2017年第52週）

わたり行われた．アクトヒブは，開発当初国内の無細胞精製百日咳含有ワクチンよりエンドトキシンの含有量が多かったため，有害事象が懸念された．安全性を重視する国内のニーズに配慮し，エンドトキシン含有量は，WHO国際基準（250EU/dose未満）よりも大幅に低い基準（100EU/dose未満）に抑えられた．現在，わが国で接種されているワクチンは，多くの関係者の努力により日本向けに新たに作られた製造ラインで生産され，厳しい基準を満たしたロットのみが輸入され，国内での自社検定を経た後，国家検定が行われている．複数の過程でエンドトキシン含有量が確認され，諸外国に比較して，より高品質のヒブワクチンが国内で接種されている．

海外データでは発熱頻度が極端に高いとの報告はなく，安全性の面で大きな問題はないと結論づけられ，導入された．

1）添付文書

2017年4月に改訂された添付文書（第11版）での副反応は，接種局所の発赤44.2%，腫脹18.7%，硬結17.8%，疼痛5.6%，全身反応は発熱2.5%，不機嫌14.7%，食思不振8.7%などが認められている[1]．

2）予防接種後健康状況調査集計報告書

懸念されていた発熱は，複数のワクチンと同時接種される場合が多く，ヒブワクチンが原因と特定することはできない．2013年の予防接種後健康状況調査では，単独接種，同時接種ともに問題となる結果ではなかった（**表3**）．

3）重篤な症例[1]

販売開始から2018年6月30日までに医療機関から副反応の疑い例（有害事象）として報告されたうちの重篤症例（重篤と非重篤は，明確な基準がないため，あくまでも報告者の判断に基づいている．同じ症状であっても，重篤であったり非重篤であっ

インフルエンザ菌b型結合型ワクチン（ヒブワクチン）　257

表3　予防接種後健康状況調査でのヒブワクチン接種後の健康異常報告件数

全体

	1回目	2回目	3回目	追加
対象者数	909人	695人	716人	874人
症状を呈した人数（件数）	195人（259件）	210人（275件）	197人（288件）	286人（424件）
発熱	69件（7.6％）	107件（15.40％）	94件（13.1％）	152件（17.40％）

単独

	1回目	2回目	3回目	追加
対象者数	137人	69人	101人	283人
症状を呈した人数（件数）	28人（31件）	12人（13件）	25人（33件）	74人（98件）
発熱	5件（3.6％）	2件（2.9％）	8件（7.9％）	29件（10.2％）

予防接種後健康状況調査集計報告書（2013年4月1日〜2014年3月31日）より作成

たりすることから，この区分で症状の重症度を判断することはできない）の発生頻度は，10万接種当たり1.5である（2018年9月　第37回厚生科学審議会予防接種・ワクチン分科会副反応検討部会資料より）。

4．接種不適当者および接種要注意者
1）接種不適当者
被接種者が次のいずれかに該当すると認められる場合には，接種を行ってはならない。
①明らかな発熱を呈している者
②重篤な急性疾患にかかっていることが明らかな者
③本剤の成分または破傷風トキソイドによってアナフィラキシーを呈したことがあることが明らかな者
④上記に掲げる者のほか，予防接種を行うことが不適当な状態にある者
2）接種要注意者
被接種者が次のいずれかに該当すると認められる場合は，健康状態および体質を勘案し，診察および接種適否の判断を慎重に行い，予防接種の必要性，副反応，有用性について十分な説明を行い，同意を確実に得た上で，注意して接種すること。
①心臓血管系疾患，腎臓疾患，肝臓疾患，血液疾患，発育障害等の基礎疾患を有する者

4　ワクチン別の解説

②予防接種で接種後2日以内に発熱のみられた者および全身性発疹等のアレルギーを疑う症状を呈したことがある者
③過去にけいれんの既往のある者
④過去に免疫不全の診断がなされている者および近親者に先天性免疫不全症の者がいる者
⑤本剤の成分または破傷風トキソイドに対して，アレルギーを呈するおそれのある者

接種方法の実際

1．接種方法

　ヒブワクチンは，初回接種の開始時の月齢ごとに以下の方法により行うこととし，①の方法を標準的な接種方法とする。

①初回接種開始時が生後2～7カ月児の場合

　初回接種については27日（医師が必要と認めた場合には20日）以上，標準的には27日（医師が必要と認めた場合には20日）から56日までの間隔をおいて3回，追加接種については初回接種終了後7カ月以上，標準的には7～13カ月までの間隔をおいて1回行う。ただし，初回接種のうち2回目および3回目の接種は，生後12カ月に至るまでに行うこととし，それを超えた場合は行わない。この場合，追加接種は実施可能であるが，初回接種に係る最後の接種終了後，27日（医師が必要と認めた場合には20日）以上の間隔をおいて1回行う。

②初回接種開始時が生後7～12カ月児の場合

　初回接種については27日（医師が必要と認めた場合には20日）以上，標準的には27日（医師が必要と認めた場合には20日）から56日までの間隔をおいて2回，追加接種については初回接種終了後7カ月以上，標準的には7～13カ月までの間隔をおいて1回行う。ただし，初回接種のうち2回目の接種は，生後12カ月に至るまでに行うこととし，それを超えた場合は行わない。この場合，追加接種は実施可能であるが，初回接種に係る最後の接種終了後，27日（医師が必要と認めた場合は20日）以上の間隔をおいて1回行う。

③初回接種開始時に生後12～60カ月児の場合

　ワクチン接種は1回行う。

2．注意

　ヒブワクチンは，b型以外のインフルエンザ菌による感染症あるいは他の起炎菌による髄膜炎を予防することはできない。

　ワクチンに含まれる破傷風トキソイドを，予防接種法に基づく破傷風の予防接種に転用することはできない。

インフルエンザ菌b型結合型ワクチン（ヒブワクチン）　259

文献

1）予防接種ガイドライン等検討委員会．予防接種ガイドライン 2019年度版.予防接種リサーチセンター 2019.
2）Chandran A, et al. "Heamophilus influenzae vaccines". Vaccines 6th ed. Plotkin SA, et al., eds. Elsevier 2013; p.167-182.
3）http://www.mhlw.go.jp/stf/kinkyu/2r98520000013zrz.html
4）Holmes SJ, et al. Am J Dis Child 1993; 147: 832-36
5）Adegbola RA, et al. Lancet 2005; 366: 144-50.
6）日本医療研究開発機構.平成30年度新興・再興感染症に対する革新的医薬品等開発推進研究事業「ワクチンの実地使用化における有効性・安全性及びその投与方法に関する基礎的・臨床的研究」班会議（研究代表者：菅 秀）資料
7）Suga S, et al. Vaccine 2015; 33: 6054-6060.
8）砂川慶介ほか．感染症学雑誌 2008; 82: 187-197.
9）Shinjoh M, et al. J Infect Chemother 2014: 20: 477-483.
10）Shinjoh M, et al. J Infect Chemother 2017; 23: 427-438.
11）国立感染症研究所.感染症法に基づく侵襲性インフルエンザ菌感染症の届け出状況, 2013～2018年（2019月 1 月15日現在）. https://www.niid.go.jp/niid/ja/id/1568-disease-based/a/haemophilus-influenzae/idsc/idwr-sokuho/8609-ihd-20190221.html,（accessed 2019- 6 -22）.

（岡田賢司）

■ 肺炎球菌ワクチン

肺炎球菌感染症

1．疾患の概要

　肺炎球菌(*Streptococcus pneumoniae*)は主に乳幼児の鼻咽頭に感染・定着している。乳幼児や高齢者では，菌血症を伴わない肺炎や中耳炎，副鼻腔炎などの非侵襲性感染症の原因となる。ときに，髄膜炎や菌血症を伴う肺炎などの侵襲性肺炎球菌感染症(invasive pneumococcal disease：IPD)を引き起こす。IPDとは通常無菌であるべき検体から肺炎球菌が分離された疾患を指す。

2．わが国における発生状況

　小児では，肺炎球菌による髄膜炎の罹患率は，ワクチン導入前5歳未満人口10万対2.6〜2.9とされ，年間150人前後が発症していると推定されていた[1]。致命率や後遺症例(水頭症，難聴，精神発達遅滞など)の頻度は，ヒブによる髄膜炎より高く，約21％が予後不良とされている。

　高齢者では，2011年以降，肺炎はわが国の死因第3位となった。特に80歳以上の死亡率が高い。国内の成人市中肺炎の調査では，肺炎球菌性肺炎の割合は17〜24％とされている[2]。2011年9月〜2013年1月，国内で実施された市中発症肺炎(市中肺炎と医療ケア関連肺炎)の疫学的調査では，罹患率は1,000人・年当たり16.9(95％CI：13.6〜20.9)，死亡率は，0.7(95％CI：0.6〜0.8)と推定された[3]。すべての肺炎球菌性肺炎のうち，菌血症を伴う肺炎の頻度は4〜5％とされている[3]。

3．予防接種の意義

1）沈降13価肺炎球菌結合型ワクチン(PCV13)

　米国では，沈降7価肺炎球菌結合型ワクチン(PCV7)が2000年から接種が開始され，2010年にPCV13に置き換えられた。

　わが国では2009年10月にPCV7が承認され，2010年2月から接種できるようになった。同年11月からワクチン接種緊急促進基金事業で5歳未満児に対するPCV7接種の公費助成が拡充され，広く接種されるようになった。2013年4月からヒブワクチンなどともに定期接種となり，同年11月からは，PCV7からPCV13に置き換えられた。2014年6月からPCV13は65歳以上でも接種できるようになった(任意接種)。

2）23価莢膜多糖体ワクチン(PPSV23)

　肺炎球菌性肺炎は高齢者に多く，高齢者や基礎疾患を有する者では重症化しやすい。ハイリスクとして考えられている疾病は，鎌状赤血球貧血，ホジキン病，先天性または後天性免疫不全，ネフローゼ症候群，脾機能不全，および脾臓摘出あるいは臓器移植を受けた患者などとされている。その他，糖尿病，うっ血性心不全，慢

性呼吸器疾患，腎不全も肺炎球菌感染によるリスクが高いとされる。

米国では1983年から導入され，わが国では1992年から「脾摘患者の発症予防」で保険適用された。2006年にはニューモバックスNPとして製造販売承認され，2014年10月から65歳以上の成人等を対象として定期接種ワクチン（B類疾病）となった。

■ ワクチンの効果と安全性

1．ワクチンの概要

1）沈降13価肺炎球菌結合型ワクチン

現在国内で接種されているPCV13は，90種類以上ある肺炎球菌血清型のうち重症感染症から分離される頻度の高い13血清型（1，3，4，5，6A，6B，7F，9V，14，18C，19A，19F，23F）肺炎球菌から抽出・精製した莢膜多糖体をそれぞれ2.2μg/dose（6Bのみ4.4μg）含んでいる。抗原を無毒性変異ジフテリア毒素（CRM$_{197}$）と共有結合させ，リン酸アルミニウムに吸着・不溶化とした蛋白結合型ワクチン（pneumococcal conjugate vaccine：PCV）となっている（図1）。

莢膜多糖体抗原はT細胞非依存性抗原のため，免疫能が十分でない乳幼児には免疫原性が低く，免疫学的記憶も残らない。キャリア蛋白（CRM$_{197}$）を結合することで，T細胞依存性抗原となり，乳幼児にも免疫原性・免疫学的記憶がともに認められるワクチンとなっている（図2）。

2）23価莢膜多糖体ワクチン

PPSV23は，肺炎球菌の莢膜多糖体のうち，23種類（1，2，3，4，5，6B，7F，8，9N，9V，10A，11A，12F，14，15B，17F，18C，19A，19F，20，22F，23F，33F），各25μg/doseを含有する液剤で，0.25w/v％フェノールを含む（図1）。抗原は莢膜多糖体のみでT細胞非依存性の抗体を産生する（図2）。

2．免疫効果（疫学の変化）

1）侵襲性肺炎球菌感染症（IPD）に対する効果

a　感染症発生動向調査

2013年4月にIPDが全数把握対象疾患となって6年が経過した。感染症法上の届上の定義は，*Streptococcus pneumoniae*による侵襲性感染症として，本菌が髄液または血液などの無菌部位から検出された感染症となっている。

国の感染症発生動向調査（NESID）では，2013年14週から2017年52週に11,104例のIPD症例が報告された[4]。報告数は経年的に増加している。季節性があり，春と冬にピークがみられ，夏に報告数が少ない傾向がみられた。届出時点での致命率は，2013〜2017年で6.1〜6.8％とほぼ一定であった。

開始当初は周知が十分でなかったため報告数は過小評価されていたが，次第に医師の届出率が上昇してきたため，経年的に報告数が増加傾向となった可能性がある。

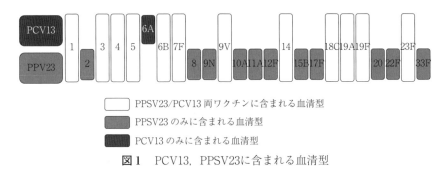

図1　PCV13, PPSV23に含まれる血清型

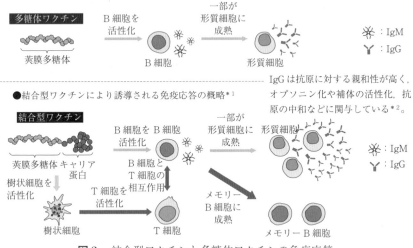

図2　結合型ワクチンと多糖体ワクチンの免疫応答

*1：Pollard, A. J. et al.Nat Rev Immunol 2009；9：213-20より作成
*2：Schroeder, HW Jr, et al. J Allergy Clin Immunol 2010; 125(2 suppl. 2)：S41-52より

b　班研究での調査
小児
　2007年から始まった神谷班研究での10道県(北海道，福島県，新潟県，千葉県，三重県，岡山県，高知県，福岡県，鹿児島県，沖縄県)のアクティブサーベイランスでは，PCV7導入以前の5歳未満小児IPD罹患率は25.0/5歳未満人口10万当たりであった(表1)[5,6]。PCV7導入後，IPD罹患率の減少がみられ，2013年は10.8で2008～2010年の平均罹患率に比べて57％減少した。2014年以降減少率は横ばいとなってい

肺炎球菌ワクチン　263

表1　IPDの罹患率の変化

	2008～2010年	2013年		2014年		2015年		2016年		2017年		2018年	
		罹患率	減少率	罹患率	減少率	罹患率	減少率	罹患率	減少率	罹患率	減少率	罹患率	減少率
肺炎球菌髄膜炎	2.8	1.1	61	0.9	70	0.9	68	0.7	75	0.9	68	0.8	71
肺炎球菌非髄膜炎	22.2	9.7	56	9.6	57	11.8	47	10.7	52	12.0	46	8.6	61
IPD	25.0	10.8	57	10.5	58	12.7	49	11.4	54	12.9	48	9.4	62

罹患率：5歳未満人口10万人当たり（総務省統計局発表の各年10月1日時点の5歳未満人口より算出）
減少率：2008～2010年の罹患率に対する減少率

文献6）より

る。

　IPDの中で，特に重篤な髄膜炎の罹患率は，PCV7導入前の3年間平均で2.6～3.1（平均2.8）であったが，2012年0.8と減少した。減少率71.4％は非髄膜炎の減少率56％より大きかった。2013年以降の罹患率の減少は，非髄膜炎例より大きい傾向が継続して認められている（表1）。

　分離される肺炎球菌の血清型に変化が認められる。PCV7およびPCV13導入前後における血清型別のIPD罹患率の推移を図3[5)]に示す。2010年のPCV7導入によりPCV7カバー血清型（PCV7血清型）IPDが減少した。さらにPCV13への切り替えによりPCV13カバー血清型（PCV13血清型）IPDも大きく減少した。PCV7導入前（2008～2010年）と比較して，2018年はPCV7血清型IPDに関しては100％減少，PCV13血清型IPDは99％減少していた。一方，非ワクチンカバー血清型（非PCV13血清型）によるIPDは251％増加したために，IPD全体としては62％の減少にとどまった。血清型置換によりワクチン効果が見かけ上，一部相殺されていた。

　5歳未満のIPDから分離された肺炎球菌血清型割合の推移を示す（図4）[5)]。PCV7導入前，分離された肺炎球菌のうちPCV7血清型の割合は78％を占めた。2010年PCV7導入後，PCV7でカバーされない血清型（非PCV7血清型）が増加してきた（血清型置換）。国内外で血清型19Aなど非PCV7血清型の菌が増加してきたため，世界的にPCV7からPCV13への切り替えが行われた。国内では2013年11月のPCV13への切り替え以降，PCV13血清型の割合は2014年34％，2015年12％となり，2018年は4％まで減少した。

成人

①疫学

　AMED研究班（研究代表者：大石和徳）では2013年度から国内10道県において，医療機関と地方自治体との連携により，成人IPDサーベイランスが行われている[7)]。成人IPD897例の年齢中央値は71歳，男性が61％，65歳以上が69％を占めた（表2）。患者の75％に併存症を認め，免疫不全状態の患者は31％認められた。病型は，菌血症を

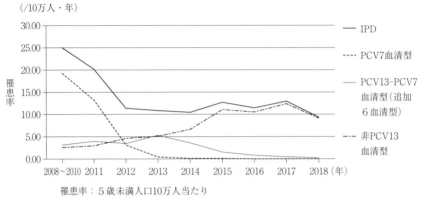

罹患率：5歳未満人口10万人当たり

図3 PCV7およびPCV13導入前後における血清型別IPD罹患率の推移

文献5)より

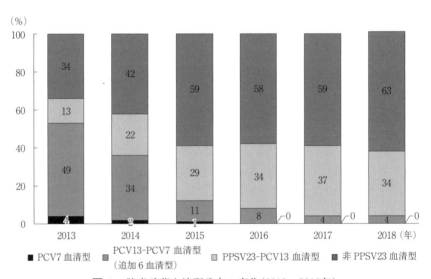

図4 肺炎球菌血清型分布の変化(2013〜2018年)

文献5)より

伴う肺炎(肺炎)60％，髄膜炎15％，巣症状のない菌血症16％に認められた．その他(菌血症を伴う関節炎，蜂窩織炎，脊椎炎，膿胸，心内膜炎など)は8％に認められた．5年以内のPPSV23接種歴は11％であった．報告時点の死亡例は19％であった．

肺炎球菌ワクチン　265

表2　成人侵襲性肺炎球菌感染症症例の臨床像（n＝897）

年齢　中央値（IQR）	71（51～91）
	n/N（%）
男性	544/897（61）
年齢群	
15～39歳	43/891（5）
40～64歳	235/891（26）
65歳以上	613/891（69）
喫煙	343/766（45）
依存症	639/851（75）
免疫不全	264/851（31）
病型	
肺炎	541/897（60）
髄膜炎	138/897（15）
巣症状のない菌血症	142/897（16）
その他	76/897（8）
PPSV23接種歴	79/714（11）
死亡	167/897（19）

文献7）より

4

ワクチン別の解説

　原因菌の血清型分布を**図5**に示した。調査開始の2013年度時点で，PCV7血清型は血清型14のみが5％を超えていたが，それ以降の分離頻度は4％未満であった。2010年から開始された小児へのPCV7導入の間接効果を示唆している[8]。一方，血清型3および19AはPCV13血清型であるが，2017年度時点の成人IPDにおけるこれらの血清型の減少は明らかではない。2017年度の成人IPDの原因菌のPCV7血清型，PCV13血清型，PPSV23血清型の割合は7.3％，30.9％，64.1％であった。

　PCV13には含まれないが，PPSV23に含まれる血清型12FによるIPDの報告は続いている。海外でも12F IPDの増加が報告されている[9,10]。わが国における2015～2017年の血清型12Fによる成人IPDの増加が，小児へのPCV13導入の間接効果に伴う血清型置換によるかどうかは，現時点では判断が困難とされている。今後も12F IPDの発生状況の監視が必要である。

②ワクチンの効果

　AMED大石班で収集されたIPD患者情報を用いた解析結果がまとめられた[11]。ワクチンの効果（vaccine effectiveness：VE）はindirect cohort design（Broome法）を用いて算出された。解析対象症例は897例で，各血清型別のVEを**表3**に示した。PPSV23血清型IPDに対するVEは45％（95％CI：6～67），PCV13血清型IPDに対する

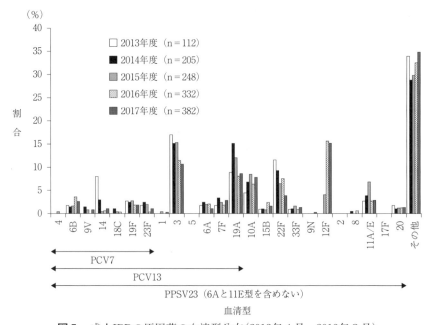

図5 成人IPDの原因菌の血清型分布（2013年4月〜2018年3月）

文献7）より

VEは38％（95％CI：-14〜67），PPSV23血清型/PCV13非血清型IPDに対するVEは52％（17〜72）であった．各血清型別VEでは血清型12FによるIPDに対するVEは87％（95％CI：33〜97）であった．血清型3，19A，10AによるIPDに対するVEの点推定値は40〜50％と算出されたが，いずれもサンプルサイズが小さく信頼区間が広かった．また年齢群別VEでは，15〜64歳群のVEは75％（95％CI：10〜93），65歳以上群のVEは39％（95％CI：-7〜65）だった．対象期間を2017年12月までとし，1,125例を対象とした追加解析では15〜64歳群のVEは60％（95％CI：21〜79），65歳以上群のVEは39％（95％CI：1〜63）だった．

海外では，PPSV23血清型IPDに対するVEは40〜70％と報告されている[12,13]．今回の結果は，これまで国内で行われてきた高齢者およびハイリスク者に対して行っている現行PPSV23定期接種の意義を裏付けるものであると考えられる．

また，PPSV23血清型かつ非PCV13血清型IPDに対するVEは，PCV13血清型IPDに対するVEと同等，あるいはやや高い傾向が認められた．

血清型によってVEに差がみられた．血清型12FによるIPDに対するVEが最も高かった（VE：87％，95％CI：33〜97）．血清型3，19A，10AによるIPDに対しても中等度の有効性がある傾向がみられたが，いずれも統計学的有意差は確認されなか

肺炎球菌ワクチン **267**

表3 成人IPD症例の各血清型別VE（2013年4月～2017年3月，n＝897）

	症例, n(%)	対照, n(%)	Crude VE(95%CI)	Adjusted VE(95%CI)
PPSV23血清型	599(67)	298(33)	47%(14～67)	45%(6～67)
PCV13血清型	329(52)	298(48)	42%(0～66)	38%(-14～67)
PPSV23, 非PCV13血清型	122(29)	298(37)	56%(28～74)	52%(17～72)
血清型3	126	298	33%(-45～69)	43%(-45～77)
血清型19A	98	298	65%(2～88)	53%(-53～86)
血清型22F	73	298	15%(-104～65)	-6%(-189～61)
血清型10A	61	298	70%(-27～93)	58%(-102～91)
血清型11A/E	37	298	-25%(-268～58)	-7%(-220～64)
血清型12F	62	298	85%(-13～98)	87%(33～97)

Adjusted VE：性別，年齢，基礎疾患，BMI，年度，シーズンで調整。

文献11)より

4

ワクチン別の解説

った。血清型ごとにVEが異なる所見は先行研究でも観察されており，特に血清型12FによるIPDに対する高い有効性はこれまでにも報告されている[12, 13]。今後は症例を蓄積し，推定の精度を高めていくことが必要であると考えられた。

　この報告には，いくつか制約が記載されている。まず，解析に使用したBroome法では対照をIPD患者から選んでいるため，実際のVE値よりも推定値が高く算出される可能性がある[14]。次に，登録数（910例）は感染症発生動向調査における10道県の報告数の約半数であり，代表性に影響している可能性は否定できない。また，回答が得られないか不明の項目が複数あり，結果に影響している可能性も考えられる。

c　肺炎に対する効果

小児

　小児の肺炎では喀痰採取ができないことが多く，起炎菌の評価は難しい。肺炎で血液培養でも肺炎球菌が分離された場合は，菌血症を伴う肺炎としてIPDに分類される。

　一方，菌血症を伴わない（あるいは血液培養が実施されていない）場合，鼻咽頭に保菌状態にある肺炎球菌と肺炎の原因菌としての肺炎球菌を区別することはできない。千葉大学医学部小児科では，以前から血液培養あるいは洗浄喀痰培養を実施し，小児市中肺炎の病原体診断が行われてきた[15]。PCV7導入前の市中肺炎罹患率は17.65であったが，PCV7導入後は14.31と有意に減少した（p＜0.01）。市中肺炎のうち，肺炎球菌性肺炎はPCV7導入前16.1%，PCV7導入後9.4%と減少した。分離菌のうち肺炎球菌の割合は，PCV7導入前は15.1%であったが，PCV7導入後は8.6%と有意に減少（p＝0.006）した。一方，インフルエンザ菌やモラクセラ・カタラーリスは増加していた（図6）。

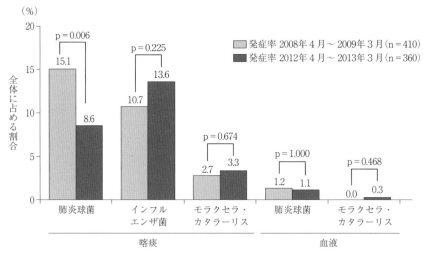

図6 小児市中肺炎症例の血液および喀痰から分離された細菌の内訳
割合：フィッシャーの正確確率検定（Fisher's exact test）を用いて解析された。
肺炎球菌：各試験期間において1人の患者の血液および喀痰の両方から分離された。

文献15）より作成

成人[16]

　肺炎球菌性肺炎発生率は65歳から急激に上昇し，65〜74歳で8.7/1,000人・年，75〜79歳では16.9/1,000人・年であった。
　2012年時点では，15歳以上の肺炎球菌性肺炎における血清型カバー率はPPSV23で67％，PCV13で54％であったが，2016年5月の調査ではPPSV23で49％，PCV13で32％であり，小児に対するPCV定期接種の間接効果と考えられる。
　わが国では，成人でも肺炎においては血液培養陽性の頻度は低いため，菌血症を伴わない肺炎に対するワクチンの有用性を正確に評価することはできていなかった。
　肺炎球菌性肺炎に対する肺炎球菌ワクチンの効果を検証することができなかった理由の1つは，ワクチンに含まれる血清型における肺炎球菌性肺炎発症予防効果を「すべての肺炎」や「すべての肺炎球菌性肺炎」を指標としてきたことが挙げられている。multiplex PCRシステムを用い肺炎球菌の血清型検査の精度を高め，APSG-J研究[17]のサブ解析をtest negative designにより行われた報告がある。PPSV23の全肺炎球菌性肺炎に対する効果は27.4％（95％CI：3.2〜45.6），PPSV23含有血清型による肺炎に対する予防効果は33.5％（95％CI：5.6〜53.1）と推定された。接種後5年で効果が減衰することも確認され，また有意差はなかったが，74歳以下，女性，大葉性肺炎，医療・介護関連肺炎において，より予防効果が高かった。
　成人肺炎に対する肺炎球菌ワクチンの有用性は，医療経済学的指標を用いた費用

肺炎球菌ワクチン　269

対効果によって評価された。PPSV23接種による医療費抑制効果を示した論文[18]では，PPSV23接種後1年目で，肺炎での入院患者が9％から6.4％へと減少し，結果として肺炎患者1人当たりの医療費を76,000円削減できると報告した。

　現在，PPSV23の高齢者に対する定期接種が行われている。今後の高齢者に対する長期的ワクチン政策については，①PPSV23定期接種を継続，②PCV13を導入，③PPSV23の2回目接種，④PCV13およびPPSV23の連続接種などが考えられる。ただ，それぞれのワクチンの有効な期間，接種年齢による効果の違い，選択肢③や④の肺炎発症予防効果が不明，血清型置換による血清型の変化など，不確定要素が多く，医療経済学的に正当な結論を出すには慎重な検討が必要とされている。

3．副反応
1）副反応疑い報告
　医師に報告義務がある接種後の症状と接種から症状発現までの期間を肺炎球菌ワクチンに関する項目を抜粋した（**表4**）。該当する症状が定められている期間内に発症した場合は，因果関係の有無を問わず，報告することが義務付けられている。

　予防接種後の副反応疑い報告は，個別に医薬品との関連性を評価したものではないが，製造販売業者または医療機関から報告されたものが，定期的に厚生科学審議会予防接種・ワクチン分科会副反応検討部会に報告されている。製造販売業者からの報告は，「医薬品，医療機器等の品質，有効性及び安全性の確保等に関する法律」第68条の10に基づき「重篤」と判断された症例について報告されたものである。なお，製造販売業者からの報告には，医療機関から報告された症例と重複している症例が含まれている可能性があり，重複症例は，医療機関報告として計上されている。**表4**に2013年4月以降の企業報告と医療機関重篤症例の総計数を抜粋した[19,20]。

a　PCV7，PCV13
　2016年3月〜2019年2月に，延べ11,768,412回（医療機関への納入数量）接種と推計されている。この中で，製造販売業者から320例（0.003％），医療機関から327例（0.003％）が報告された。報告基準にあるアナフィラキシーは49例であったが，専門家評価によりアナフィラキシーの可能性が高いと評価されたのは8例であった。この8例は，ヒブワクチンなど他のワクチンとの同時接種されている例を含んでいる可能性がある。頻度は100万接種当たり0.6例（2013年4月〜2016年2月で1.1例）と推測され，他のワクチンと同様の頻度と考えられる。けいれんおよび血小板減少性紫斑病は，専門家評価を受ける症状になっていないため，報告総数で推計すると100万接種当たり，それぞれ4.8例，2.7例（2013年4月〜2016年2月では，それぞれ5.0例，1.1例）となっている。

b　PPSV23
　2016年5月〜2018年12月に，累計9,025,328回接種と推計されている。製造販売業者から356例（0.004％），医療機関から806例（0.009％）が報告された。医療機関報告の中で重篤とされた例が194例（0.002％）（2013年4月〜2016年4月で0.002％）となって

4

ワクチン別の解説

270　ワクチン別の解説

表4　副反応疑い報告基準と報告数

対象ワクチン	事象・症状	接種後症状発生までの時間	2013年4月～2016年4月までの企業報告と医療機関重篤症例の総計数	2016年4月～2019年2月までの企業報告と医療機関重篤症例の総計数
小児用肺炎球菌ワクチン	アナフィラキシー*1	4時間	37	48
	けいれん*2	7日	71	56
	血小板減少性紫斑病*3	28日	30	32
	その他医師が予防接種との関連性が高いと認める症状であって，入院治療を必要とするもの，死亡，身体の機能の障害に至るものまたは死亡もしくは身体の機能の障害に至るおそれのあるもの	予防接種との関連性が高いと医師が認める期間		
	その他の反応*8	－		
高齢者の肺炎球菌ワクチン	アナフィラキシー*1	4時間	16	12
	ギラン・バレー症候群*4	28日	12	21
	血小板減少性紫斑病*5	28日	3	4
	注射部位壊死または注射部位潰瘍*6			7
	蜂巣炎(これに類する症状であって，上腕から前腕に及ぶものを含む)*7	7日	106	149
	その他医師が予防接種との関連性が高いと認める症状であって，入院治療を必要とするもの，死亡，身体の機能の障害に至るものまたは死亡もしくは身体の機能の障害に至るおそれのあるもの	予防接種との関連性が高いと医師が認める期間		
	その他の反応*8	－		

＊1：アナフィラキシーショック，アナフィラキシー反応，アナフィラキシー様反応
＊2：間代性けいれん，全身性強直性間代性発作，強直性けいれん，熱性けいれん，けいれん発作
＊3：血小板減少性紫斑病，免疫性血小板減少性紫斑病
＊4：ギラン・バレー症候群
＊5：血小板減少性紫斑病，血栓性血小板減少性紫斑病，免疫性血小板減少性紫斑病
＊6：ワクチン接種部位壊死，注射部位壊死，注射部位潰瘍(平成29年9月～)
＊7：ブドウ球菌性蜂巣炎，ワクチン接種部位蜂巣炎，注射部位蜂巣炎，蜂巣炎
＊8：a 無呼吸，b 気管支けいれん，c 急性散在性脳脊髄炎(ADEM)，d 多発性硬化症，e 脳炎・脳症，f 脊髄炎，g けいれん，h ギラン・バレー症候群，i 視神経炎，j 顔面神経麻痺，k 末梢神経障害，l 知覚異常，m 血小板減少性紫斑病，n 血管炎，o 肝機能障害，p ネフローゼ症候群，q 喘息発作，r 間質性肺炎，s 皮膚粘膜眼症候群，t ぶどう膜炎，u 関節炎，v 蜂巣炎，w 血管迷走神経反射，x a～w以外の場合は「症状名」に記載

いる。報告基準にあるアナフィラキシーは12例であったが，専門家評価によりアナフィラキシーの可能性が高いと評価された例はなかった。最も多かった症状は，蜂巣炎で149例報告され，頻度は100万接種当たり16.5例(2013年4月～2016年4月で10.6例)となっている。2017年9月からは，注射部位壊死または注射部位潰瘍例も取集されるようになった。

肺炎球菌ワクチン　271

2）予防接種後健康状況調査集計報告書

　予防接種後よく認められる発熱や局所反応は，予防接種後健康状況調査にまとめられている。2013（平成25）年度の報告書から，初めて小児へのPCV接種後の健康状況の変化がまとめられた[21]。PCVは，ヒブワクチンなどと同時接種が行われている場合が多いため，単独接種と分けられているが，いずれの接種においてもまだ対象者数は多くない。PCVは当初から，接種後の発熱割合が他の同時期に行われるワクチンよりやや高いことが懸念されていたため，発熱率を単独接種と同時接種に分けて抜粋した。1回目単独接種（n＝44）後は接種翌日が最多で4.5％，ヒブワクチンとの同時接種（n＝539）後は接種当日と翌日がともに2.4％であった。2回目単独接種（n＝28）後は対象者数が少なく不明，ヒブワクチンとの同時接種（n＝303）後は接種翌日が最多で4.3％，3回目単独接種（n＝27）後も対象者数が少なく不明，ヒブワクチンとの同時接種（n＝334）後は接種翌日が最多で3.3％，4回目（追加）単独接種（n＝64）後は接種当日が最多で4.7％，ヒブワクチンとの同時接種（n＝363）後も接種翌日が最多で4.7％であった。DTP-IPVとヒブワクチンとの3本同時接種では，1回目（n＝529）接種後翌日が最多で13.2％，2回目（n＝904）も接種翌日が最多で14.4％，3回目（n＝445）も接種翌日が最多で8.5％であった。同時接種の発熱率はどのワクチンに起因するかは特定できない。

4．接種不適当者および接種要注意者

1）接種不適当者

①本剤の成分またはジフテリアトキソイドによってアナフィラキシーを呈したことがあることが明らかな者
②明らかな発熱を呈している者
③重篤な急性疾患にかかっていることが明らかな者
④上記に掲げる者のほか，予防接種を行うことが不適当な状態にある者

2）接種要注意者

　被接種者が次のいずれかに該当すると認められる場合は，健康状態および体質を勘案し，診察および接種適否の判断を慎重に行い，予防接種の必要性，副反応，有用性について十分な説明を行い，同意を確実に得た上で，注意して接種すること。

①過去に免疫不全の診断がなされている者および近親者に先天性免疫不全症の者がいる者
②心臓血管系疾患，腎臓疾患，肝臓疾患，血液疾患，発育障害等の基礎疾患を有する者
③予防接種で接種後2日以内に発熱のみられた者および全身性発疹等のアレルギーを疑う症状を呈したことがある者
④過去にけいれんの既往のある者
⑤本剤の成分またはジフテリアトキソイドに対して，アレルギーを呈するおそれのある者

4

ワクチン別の解説

接種方法の実際

1．接種方法

1）PCV13

　小児への定期接種は，生後2カ月から生後60カ月に至るまでの間にある者を対象とする。初回接種の開始時の月齢ごとに回数などが異なる。

標準的な接種方法(初回接種3回，追加接種1回)

初回接種対象者：初回接種開始時に生後2カ月から生後7カ月に至るまでの間にある者。

初回接種の方法：いずれも27日間以上の間隔で0.5mLずつ3回皮下接種，3回目接種は生後24カ月に至るまでに接種し，それを超えた場合は行えない(追加接種は可能)。

追加接種対象者：初回接種開始時に生後2カ月から生後12カ月に至るまでの間にあった者に対し，初回接種に係る最後の注射終了後60日以上の間隔をおいた後であって，生後12カ月に至った日(出生日に応答する日の前日)以降。

追加接種の方法：初回接種終了後60日間以上の間隔をおいて0.5mLを1回皮下接種。

接種もれ者(初回接種2回，追加接種1回)

初回接種対象者：生後7カ月に至った日の翌日から生後12カ月に至るまでの間にある者。

初回接種の方法：27日間以上の間隔で0.5mLずつ2回皮下接種，初回2回目の接種は，生後24カ月に至るまでの間に接種し，それを超えた場合は行えない(追加接種は可能)。

追加接種対象者：生後12カ月齢以上。

追加接種の方法：初回接種終了後60日以上の間隔をおいて0.5mLを1回皮下接種。

接種もれ者(初回接種2回のみ)

初回接種対象者：初回接種開始時に生後12カ月に至った日の翌日から生後24カ月に至るまでの間にある者。

初回接種の方法：60日間以上の間隔で0.5mLずつ2回皮下接種。

接種もれ者(初回接種1回のみ)

初回接種対象者：初回接種開始時に生後24カ月に至った日の翌日から生後60カ月に至るまでの間にある者。

初回接種の方法：0.5mLを1回皮下接種。

2）PPSV23

　PPSV23の定期接種は，65歳以上の者および60歳以上65歳未満で日常生活が極度に制限される程度の基礎疾患を有する者を対象とし，0.5mLを皮下または筋肉内に1回接種する。

2．注意

① 「予防接種実施規則」および「定期接種実施要領」を参照して使用すること。

② 被接種者について，接種前に必ず問診，検温および診察（視診，聴診等）によって健康状態を調べること。

③ 被接種者またはその保護者に，接種当日は過激な運動は避け，接種部位を清潔に保ち，また，接種後の健康監視に留意し，局所の異常反応や体調の変化，さらに高熱，けいれん等の異常な症状を呈した場合には速やかに医師の診察を受けるよう事前に知らせること。

④ 本剤と他のワクチンを同時に同一の被接種者に対して接種する場合は，それぞれ単独接種することができる旨の説明を行うこと。特に，被接種者が重篤な基礎疾患に罹患している場合は，単独接種も考慮しつつ，被接種者の状態を確認して慎重に接種すること。

⑤ 過去5年以内に，多価肺炎球菌莢膜ポリサッカライドワクチンを接種されたことのある者では，本剤の接種により注射部位の疼痛，紅斑，硬結等の副反応が，初回接種より頻度が高く，程度が強く発現すると報告されている。本剤の再接種を行う場合には，再接種の必要性を慎重に考慮した上で，前回接種から十分な間隔を確保して行うこと。

⑥ 定期接種の対象者から除外される者：これまでにPPSV23を1回以上接種した者は定期接種としては受けることができない。また，2014年度から2018年度の間にすでに定期接種として予防接種を受けた者についても，定期接種としては受けることができないため，周知を行うにあたっては，予防接種台帳等を活用し，すでにPPSV23を受けたことのある者を除いて周知する。このため，予防接種記録については5年間を超えて管理・保存するよう努める。

⑦ 予防接種の特例：2019年4月1日から2020年3月31日までの間，65歳以上の対象者については，2019年3月31日において100歳以上の者および65歳，70歳，75歳，80歳，85歳，90歳，95歳または100歳となる日の属する年度の初日から当該年度の末日までの間にある者とする。また，2020年4月1日から2024年3月31日までの間，65歳以上の対象者については，65歳，70歳，75歳，80歳，85歳，90歳，95歳または100歳となる日の属する年度の初日から当該年度の末日までの間にある者とする。

文献

1) 予防接種ガイドライン等検討委員会. 予防接種ガイドライン2019年度版.予防接種リサーチセンター 2019.

2) Fukuyama H, et al. BMC Infect Dis 2014; 14: 534.

3) Morimoto K, et al. PLoS One 2015; 10: e0122247.

4) 国立感染症研究所 感染症疫学センター. 感染症法に基づく侵襲性肺炎球菌感染症の届出状況, 2013年〜2017年(2018年1月5日現在). https://www.niid.go.jp/niid/ja/pneumococcal-m/pneumococcal-idwrs/8041-ipd-180517.html,(accessed 2019-6-29).

5) Suga S, et al. Vaccine 2015; 33: 6054-6060.

6) 日本医療研究開発機構，新興・再興感染症に対する革新的医薬品等開発推進研究事業「ワクチンの実地使用化における有効性・安全性及びその投与方法に関する基礎的・臨床的研究」(研究代表者：菅秀)班，会議資料.

7) 国立感染症研究所感染症疫学センター．成人侵襲性肺炎球菌感染症(IPD)症例の臨床像の特徴と原因菌の血清型分布の解析. https://www.niid.go.jp/niid/ja/allarticles/surveillance/2432-iasr/related-articles/related-articles-461/8168-461r05.html,(accessed 2019-6-29).

8) Fukusumi M, et al. BMC Infect Dis 2017; 17: 2.

9) Rokney A, et al. Emerg Infect Dis 2018; 24: 453-461.

10) Ladhani SN, et al. Lancet Infect Dis 2018;18: 441-451.

11) 国立感染症研究所感染症疫学センター：成人侵襲性肺炎球菌感染症に対する23価肺炎球菌莢膜ポリサッカライドワクチンの有効性. https://www.niid.go.jp/niid/ja/allarticles/surveillance/2432-iasr/related-articles/related-articles-461/8169-461r06.html,(accessed 2019-6-29).

12) Gutierrez Rodriguez MA, et al. Euro Surveill 2014; 19: 1-9.

13) Andrews NJ, et al. Vaccine 2012; 30: 6802-6808.

14) Andrews N, et al. PLoS ONE 2011; 6: e28435.

15) Naito S, et al. Epidemiol Infect 2016; 144: 494-506.

16) 森本浩之輔ほか. https://www.niid.go.jp/niid/ja/allarticles/surveillance/2432-iasr/related-articles/related-articles-461/8170-461r07.html,(accessed 2019-6-29).

17) Morimoto K, et al. PLoS ONE 2015; 10: e0122247.

18) Kawakami K, et al. Vaccine 2010; 28: 7063-7069.

19) 沈降13価肺炎球菌結合型ワクチン(無毒性変異ジフテリア毒素結合体)の副反応疑い報告状況について．第41回厚生科学審議会予防接種・ワクチン分科会副反応検討部会，令和元年度第5回薬事・食品衛生審議会医薬品等安全対策部会安全対策調査会資料. https://www.mhlw.go.jp/stf/newpage_05485.html,(accessed 2019-7-2).

20) 23価肺炎球菌ワクチンの副反応疑い報告について．第40回厚生科学審議会予防接種・ワクチン分科会副反応検討部会，平成31年度第2回薬事・食品衛生審議会医薬品等安全対策部会安全対策調査会(合同開催)資料. https://www.mhlw.go.jp/stf/shingi2/0000208910_00009.html,(accessed 2019-7-2).

21) 予防接種・ワクチン分科会・副反応検討部会，厚生労働省健康局結核感染症課．予防接種後健康状況調査集計報告書(平成25年4月1日〜平成26年3月31日). http://www.mhlw.go.jp/file/05-Shingikai-10601000-Daijinkanboukouseikagakuka-Kouseikagakuka/0000126451.pdf,(accessed 2019-7-2).

(岡田賢司)

■ ヒトパピローマウイルスワクチン

子宮頸癌，尖圭コンジローマ

1．疾患の概要

　ヒトパピローマウイルス（human papilloma virus：HPV）は，最も頻度の高い性感染症の原因ウイルスで，1990年代に子宮頸癌との関連が科学的に証明され，大きな注目を集めるようになった。HPVは，二本鎖DNAウイルスで，粘膜上皮細胞に感染する。HPVは，表面のカプシド蛋白L1の遺伝子配列から100以上の型が存在する。そのうち約40の型が粘膜上皮細胞に感染し，その型によって引き起こす病気が異なる（表1）。その中でも特に重要なのは，子宮頸癌を引き起こす6，8型で，この2つの型が子宮頸癌の約7割を占める。また，16，18型は，尖圭コンジローマとの関連が強い。一方で，HPVは，肛門や外陰部の癌，口腔内や咽頭癌との関与も示されている。

1）子宮頸癌

　HPVは，粘膜上皮細胞に感染するが，その多くは自然に軽快する。しかしながら，少数の患者はHPVが持続感染し，それによってHPVのゲノムがヒトの染色体に組み込まれる。それが起こると，高い増殖能をもって子宮頸部の上皮内で占める割合が増加し，感染から数年～十数年後に前癌病変に移行，そして子宮頸癌に移行する。子宮頸癌を引き起こす主なHPVの型は16，18型であるが，それ以外にもいくつかの型が関与している（表1）。

　HPVの子宮頸部への感染は，そのほとんどが性交渉によるもので，HPVが子宮頸部粘膜の微細な損傷部位から入ることによって生じる。子宮頸癌は，すべての年齢層で発症する疾患であるが，近年，特に20～30歳代の若年層での患者数が増加しており，妊孕期にある若い女性の患者数の増加が大きな問題となっている（図1）。また，進行した症例では，子宮の部分的あるいは全摘出が必要なこともあり，その場合，妊娠や出産が不可能となったり，排尿障害をきたすこともある予後の悪い病気である。

　子宮頸癌を代表する組織型は扁平上皮癌（主に16，18型による）であるが，最近では腺癌（主に18型による）の増加傾向が認められ，1960年代には約4％であったが，2002年には20％を超えるまで増加している。腺癌は，検診では早期発見されにくく，進行癌として発見されることが多い。また扁平上皮癌より予後が悪いため，早期発見と治療が大きな問題となっている。

2）尖圭コンジローマ

　尖圭コンジローマは，主に血清型6，11型によって起こる良性の疣贅である。一般的に無症状で，痛みなどは伴わず，外見上の問題が大きい。治療には，外用薬や外科的切開術が行われる。また，妊婦が尖圭コンジローマを発症すると，出産時に

276　ワクチン別の解説

表1　HPVの型と主な関連疾患

疾患		遺伝子型	
		頻度の高い型	頻度の低い型
子宮頸癌		16，18	31，33，35，39，45，51，52，56，58，59，66，67，68，73，82
尖圭コンジローマ		6，11	16，18，31，33，35，40，42，43，44，45，51，52，53，54，55，56，58，59，66，68，70
再発性呼吸器乳頭腫症		6，11	16，18，31，33，35，39
上皮内腫瘍	低リスク	6，11	16，18，31，33，35，42，43，44，45，51，52，54，61，70，72，74
	高リスク	16，18	31，33，35，39，42，44，45，51，52，56，58，59，66，67

産道で児に感染し，児に尖圭コンジローマや再発性呼吸器乳頭腫（recurrent respiratory papillomatosis）をきたすことがある。再発性呼吸器乳頭腫は，咽頭，喉頭，気管支，細気管支などに感染し，その名前の通り，その部位に乳頭腫を形成し，再発を繰り返す。治療には，手術による切除焼灼や，抗ウイルス薬であるシドフォビルなどの局所注入療法などが用いられるが，治療に難渋する疾患である。

3）その他の上皮細胞の悪性腫瘍

HPVはそれ以外にも，肛門癌，外陰部癌（陰茎癌，外陰癌，腟癌など），咽頭癌，口腔内癌（舌癌など）の原因となることが知られている。16，18型の頻度が高い。

2．わが国における発生状況

子宮頸癌は，女性特有の癌の中では，乳癌に次ぐ罹患率の高い悪性腫瘍である。国内では年間約10,900人が発症し，約2,900人の死亡が報告されている，頻度が高く，かつ予後の悪い疾患である。年齢別にみた子宮頸癌の罹患率は，20歳代後半から40歳前後まで高くなった後に横ばいとなる。近年，罹患率，死亡率ともに若年層で増加傾向にある（**図1**）。

尖圭コンジローマは，感染症法で五類感染症の性感染症定点把握疾患に定められており，全国の定点医療機関から毎月報告がある。その報告は，10歳代後半から30歳代に多く，男性は25〜29歳，女性は20〜24歳にピークがある。その数は，わずかながら毎年増加している。

3．予防接種の意義

HPVワクチンは，癌を予防できるワクチンであり，その意義は極めて大きい。特に，10歳代前半の女性にHPVワクチンを接種することによって，近年増加している20〜30歳代の子宮頸癌を予防し，患者数を減らすことができる利点は大きい。また，子宮頸癌だけではなく，尖圭コンジローマ，外陰部や口腔内の悪性腫瘍の予防も可

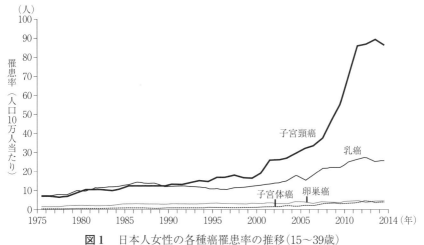

図1 日本人女性の各種癌罹患率の推移(15〜39歳)
国立がん研究センターがん対策情報センター. がん登録・統計. http://ganjoho.jp/reg_stat/index.html

能である。さらには，児の再発性呼吸器乳頭腫症の予防にもつながる。一方で，ワクチンでカバーできる型は限られているので，通常，20歳以上の女性は2年に1回子宮頸癌検診を定期的に受診することが推奨されている。

ワクチンの効果と安全性

1．ワクチンの概要

HPVワクチンは，HPVのL1蛋白を模倣したウイルス様粒子(virus-like particle：VLP)からなる不活化ワクチンである。世界中で使用され，国内でも2008年に2価のHPVワクチン(サーバリックス)，2009年に4価のワクチン(ガーダシル)が導入された。2つのワクチンの比較を**表2**にまとめた。2価のワクチンは，16と18型を含み，4価のワクチンはそれに加え，6，11型を含む。一方，欧米では，4価のワクチンに，31，33，45，52，58型を加えた，9価のワクチンがその主流となり，より多くの血清型をカバーできるようになった(**表2**)。これによって，子宮頸癌の原因の約90%をカバーできることになる。

3つのワクチンの成分について，**表3**にまとめた。9価ワクチンは，4価ワクチンに比べ，6，11，16，18のそれぞれの型に対する抗原量が多く，さらに，31，33，45，52，58型に対するVLPが含まれている。

2．免疫効果
1）免疫原性

両ワクチンとも，高い免疫原性を持つ。3回の接種後の1カ月後には，99％以上

278　ワクチン別の解説

表2　HPVワクチンの種類

ワクチンの種類	組換え沈降2価ヒトパピローマウイルス様粒子ワクチン	組換え沈降4価ヒトパピローマウイルス様粒子ワクチン	組換え沈降9価ヒトパピローマウイルス様粒子ワクチン
商品名	サーバリックス	ガーダシル	ガーダシル9
製造元	グラクソ・スミスクライン	MSD	MSD
含まれる型	16，18	6，11，16，18	6，11，16，18，31，33，45，52，58
アジュバント	AS04 (Adjuvant System 04) *1	アルミニウム塩	アルミニウム塩
国内での導入	2009年	2010年	未承認
接種回数*2	3回(0，1，6カ月後)	3回(0，2，6カ月後)	
投与量	0.5mL	0.5mL	
接種方法	筋肉内接種	筋肉内接種	
接種年齢	10歳以上	9歳以上	

＊1：AS04は，Toll-like receptor 4の作動薬であるmonophosphoryl lipid Aとアルミニウム塩からなる。
＊2：WHOは，初回接種が15歳未満の女性に対して，2回(0，6カ月)を推奨している。

の被接種者に抗体がみられる。このワクチンにおいて，接種者にHPVワクチン接種後は，それぞれの型に対する抗体が産生され，それが子宮頸部の粘膜に浸透し，防御の役割を果たすとされている。2価と4価のHPVワクチンの比較では，2価ワクチンの方が4価ワクチンに比べ，幾何平均抗体価は16，18型に対して数倍高いことが報告されているが，この高い抗体価が防御により効果が高く，また長期間持続するかどうかは不明である。また，確実に定義された最低限の抗体価の閾値も設定されていないので，今後のデータの蓄積が待たれる領域である。

2）疾患の予防

　ワクチンの予防効果のデータが世界各国から報告されている。これらのワクチン投与後，いくつかの国の大規模な臨床研究で，子宮頸部の上皮内癌(CIN 2/3)と上皮内腺癌の予防の報告がある。国内の最近のデータでは，子宮頸部のスクリーニングにおいて，2価のワクチンで16，18型に対して96％の効果，交差防御として31，45，52型に対しても72％の防御効果を示した。また，その効果は6年間持続した。4価のワクチンでは，陰部の疣贅と外陰部の上皮内癌の予防が報告されている。ワクチンの効果の持続については，10年以上，持続的な抗体価と疾患への予防が観察されている。今後，より多くのデータが集まることで，疾患の予防のための抗体価の閾値，ワクチンの持続期間などが明確になるであろう。

ヒトパピローマウイルスワクチン　279

表3　HPVワクチンの成分

ワクチンに含まれるもの		組換え沈降2価HPV様粒子ワクチン	組換え沈降4価HPV様粒子ワクチン	組換え沈降9価HPV様粒子ワクチン
VLP(μg)	6		20	30
	11		40	40
	16	20	40	60
	18	20	20	40
	31			20
	33			20
	45			20
	52			20
	58			20
アジュバント(μg)	アルミニウム塩	500	225	500
	monophosphoryl lipid A	50		

3．副反応

　HPVワクチンの副反応として，国内の臨床試験では，接種部位の疼痛，発赤，腫脹が80〜90%の頻度で報告されているが，そのほとんどは，軽症で一時的なものである。また，全身性の症状として，疲労，筋痛，頭痛，胃腸症状(悪心，嘔吐，下痢，腹痛など)，関節痛，発疹，発熱などが報告されている。これらの症状は，ほとんどが一時的なものであり，接種回数が増えても，それらの発現率の上昇はみられなかった。

　一方で，重大な副反応として，ショックまたはアナフィラキシー様症状を含むアレルギー反応や血管浮腫が現れることがあるので，異常が認められた場合には適切な処置を行う必要がある。

　また，接種後の血管迷走神経反応としてふらふら感，冷や汗，血圧低下または悪寒などの症状が発現することがある。したがって，接種後は，失神による転倒を避けるため，接種後30分程度は座って安静にするなどの対応が必要である。

4．接種不適当者および接種要注意者

1）接種不適当者

　ワクチンの不適当者として，以下があげられる。以下のものがみられる際には，ワクチン接種を行わない。

①明らかな発熱(≧37.5℃)がある

②重篤な急性疾患に罹患している

③ワクチンの成分に対して過敏症を呈したことがある

④予防接種を行うことが不適当な状態にある

280　ワクチン別の解説

2）接種要注意者

　以下の条件を満たす者は，被接種者の健康状態や体質を勘案し，診察および接種適否の判定を慎重に行い，予防接種の必要性，副反応および有用性について十分な説明を行い，同意を確実に得た上で，注意して接種する。

①血小板減少症や凝固障害を有する
②心臓血管系疾患，腎臓疾患，肝臓疾患，血液疾患，発育障害などの基礎疾患を有する
③予防接種で接種後2日以内に発熱がみられた，および全身性発疹などのアレルギーを疑う症状を呈したことがある
④過去にけいれんの既往がある
⑤過去に免疫不全の診断がされている，および近親者に先天性免疫不全症の者がいる
⑥妊婦または妊娠している可能性がある

接種方法の実際

1．接種方法

　HPVワクチンは，筋肉内接種のワクチンである。接種部位は，肩峰先端から3横指下の三角筋中央部であり（**図2**），注射器を持たない手の親指と人差し指で接種部位の筋肉をつまみ，針を接種部位に対して，垂直（90°）の角度で針全体を挿入する。使用する針の太さは23〜25ゲージ，長さは25mmが適切である。なお，推奨接種部位に大きな血管は存在しないため，あえて内筒を引いて，血液の逆流のないことを確認する必要はない。また，接種後，接種部位をもむ必要はなく，ガーゼや綿球で，数秒軽く押さえるだけでよい。

　ワクチンの接種回数は，国内では1回0.5mLを1回接種し，その後，1，6カ月後に計3回接種する。海外では15歳未満の小児では2回でもその免疫原性が高いことが報告され，2回接種（6カ月以上間隔をあけて）の国が多い。

　接種年齢は，性交渉を始める前の年齢が適切で，10歳代初めでの接種が望ましい。予防接種法では，12〜16歳（小学校6年生から高校1年生相当）の女児が接種対象者で，2価ワクチンは10歳以上，4価ワクチンは9歳以上から接種可能である。なお，米国では接種率を上げるために，女性だけでなく11〜12歳の男性への接種を推奨している。

2．注意

　HPVワクチン接種後に血管迷走神経反射による失神が起こる可能性があるので，注意が必要である。血管迷走神経反射とは，接種時の疼痛や恐怖，不安などの精神的な動揺によって自律神経系が刺激され，全身の血管床が拡張し，脳血流が低下することによって起こるとされている。その際，一過性の血圧や心拍数の低下を引き起こす。失神後の転倒を防ぐためには，接種後の移動の際に，保護者，医療関係者

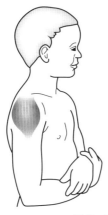
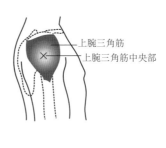

図2　HPVワクチン接種部位

が付き添い，接種後30分は，背もたれのある椅子に座り，立ち上がらないように指導する必要がある．なお，このような血管迷走神経反射は，HPVワクチンに限ったことではなく，10歳代の児への他のワクチン接種時にも起こり得る．

（齋藤昭彦）

─── コラム ───

HPVワクチンの積極的接種推奨の中止について

　HPVワクチン接種後の複合性局所疼痛症候群や広範な疼痛，または運動障害を中心とした多彩な症状が出現したとの報告があり，2013年6月に国は，HPVワクチンの積極的接種推奨を中止した．国は，これらの患者への適切な診療を提供するためにその医療制度の整備を行った．また，このような症状を呈した患者の疫学調査を行い，非接種者においても，一定の頻度で同様の病態が発生していることを発表した〔厚生労働省研究班（祖父江班）の全国疫学調査報告，名古屋市子宮頸がん予防接種調査結果より〕．一方で，世界保健機関（WHO）は，今までの海外のデータを基にHPVワクチンとこのような多彩な症状との関係を否定し，その状況の改善を警告している(http://www.who.int/vaccine_safety/committee/GACVS_HPV_statement_17Dec2015.pdf)．
　一方，国内の17の予防接種関連の学会による予防接種推進専門協議会は，2016年4月に「HPVワクチン接種推進に向けた関連学術団体の見解」を公開した．そこでは，HPVワクチンの有害事象の実態把握と解析，接種後に生じた症状に対する報告体制と診療・相談体制の確立，健康被害を受けた被接種者に対する救済などの対策が講じられたことを受けて，積極的接種を推奨するとした(予防接種専門推進協議会ホームページ http://vaccine-kyogikai.umin.jp/pdf/20160418_HPV-vaccine-opinion.pdfを参照)．また，ワクチン接種後に起こった多彩な症状は，ワクチンを接種していない同年齢の小児においても同頻度で起こっていることが疫学データで証明されている(Suzuki S, et al. Papillomavirus Res 2018; 5: 96-103)．

（齋藤昭彦）

水痘ワクチン（帯状疱疹ワクチン）

水痘・帯状疱疹

1. 疾患の概要

1) 水痘

　水痘は，ヘルペスウイルス科の α 亜科に属する水痘・帯状疱疹ウイルス（varicella zoster virus：VZV）の初感染により引き起こされる感染症である。空気感染，飛沫感染，接触感染により感染し，感受性者はほぼすべてが発症する。約 2 週間（10〜21日）の潜伏期間の後に，多くは発熱で発症し，1〜2 日後に発疹が出現する。皮疹は紅斑から始まり，水疱を形成し，その後膿疱となり，痂皮化して治癒する。最初の皮疹が出現した後，4 日目頃まで新しい皮疹が出現するため，紅斑，水疱，膿疱，痂皮などの様々な皮疹が混在する。皮疹は全身に出現するが，特に躯幹や顔面に好発し，日焼けやおむつかぶれなどによる炎症部には密集する傾向がある。皮疹がすべて痂皮化するまでには 7〜10 日を要し，痂皮が脱落して水痘は治癒したとされる。

　水痘には様々な合併症がある。中枢神経系合併症としては，水痘罹患患者10万人に100例以下の頻度で，急性小脳失調症，髄膜炎，脳炎・脳症，横断性脊髄炎などがあり，約20％が神経学的後遺症を残すか死亡する。合併する細菌感染症としては，A群溶血性レンサ球菌や黄色ブドウ球菌による蜂窩織炎や化膿性リンパ節炎，劇症型A群溶血性レンサ球菌感染症などがある。

　水痘はTORCH症候群（283頁コラム参照）の 1 つで，妊婦が妊娠初期に初感染すると胎児・新生児に重篤な障害（四肢低形成，瘢痕性皮膚炎，眼球異常，精神発達遅滞など）をもたらすことがあり，先天性水痘症候群と呼ばれる。妊娠 5 カ月以降に水痘に罹患した妊婦から出生した児では，帯状疱疹が早期に発症するとされる。また，出産前 5 日〜出産後 2 日に妊婦が水痘に罹患した場合，抗ウイルス療法を行わないと 5〜10 日に水痘を発症し，約30％が死亡する。白血病や悪性腫瘍などで抗癌剤を使用している者や，ネフローゼ症候群や自己免疫疾患などに対する治療で免疫機能が低下している者が水痘に罹患すると遷延・重篤化しやすく，抗ウイルス薬による治療をされなかった悪性腫瘍患者の致死率は 7〜17％にのぼるとされている。

2) 帯状疱疹

　帯状疱疹は，VZVに初感染し水痘を発症した後，脊髄後根神経節や脳神経節に潜伏していたウイルスが再活性化することにより，神経支配領域（皮膚デルマトーム）に疼痛を伴う水疱が集簇して出現する疾患である。この再活性化には，ウイルス特異的細胞性免疫の低下が関与しているとされる。

　帯状疱疹の合併症の 1 つに帯状疱疹後神経痛（postherpetic neuralgia：PHN）があり，発症後長期にわたり神経痛が持続する。帯状疱疹患者の10〜50％に生じるとされ，高齢者ほど発症頻度が高い。その他，ラムゼイ・ハント症候群，眼合併症，髄

膜炎・脳炎，脳梗塞，横断性脊髄炎・運動神経炎，内臓播種性VZV感染症などの合併症がある。抗ウイルス薬の早期投与により，ウイルス排泄期間の短縮，新規の皮膚病変出現抑制，疼痛期間の短縮とPHN発症頻度減少が見込まれる。

２．わが国における発生状況

　VZVは，感染力が強く不顕性感染が少ないため，水痘ワクチンを接種していない者はほぼすべてが感染し発症していると推定され，その400人のうち１人以上が入院を要するとされている。小児では気管支炎・肺炎，熱性けいれん，細菌感染症などの合併症によるものが多く，成人では水痘そのものが重症化したための入院が多い。ワクチン未接種者での水痘による死亡は，罹患者10万人当たり２人とされるが，年齢により異なり，１〜14歳では10万人当たり１例，15〜19歳では2.7例，30〜49歳では25.2例と成人での死亡率が高くなる。

　一方，帯状疱疹については，成人のほとんどが水痘に既感染であり，そのリスクを有し，80歳までに1/3が，85歳までに1/2が帯状疱疹を経験していると推測されている。

　わが国における水痘および帯状疱疹による入院患者数については，2011年12月に日本医師会，日本小児科医会，日本小児科学会が合同で行った「ムンプスウイルスおよび水痘・帯状疱疹ウイルス感染による重症化症例と重篤な合併症を呈した症例についての調査」が推計している。入院施設を有する全国の病院，計20,000施設を対象とした調査(回答率18.9%)では，2009年１月１日から2011年12月31日までの３年間に，水痘により24時間以上入院を必要とした患者は3,458人(男1,883人：54.5%，女1,575人：45.5%)，帯状疱疹により24時間以上入院を必要とした患者は19,277人(男8,795人：45.6%，女10,482人：54.4%)であった(**表１**)。水痘で入院が必要となった理由は，水痘の重症化1,038人，肺炎・気管支炎322人，入院中に水痘を発症244人，脱水症230人，熱性けいれん196人，細菌による二次感染176人，肝機能障害183人，基礎疾患の増悪123人，脳炎・脳症81人，小脳失調６人，その他859人であった。帯状疱疹で入院が必要となった理由は，帯状疱疹16,955人，入院中に帯状疱疹を発症2,322人であった。水痘あるいは帯状疱疹により３年間で少なくとも22,735人が24時間以上入院したことになる。

★TORCH症候群

　母体の感染症状は軽微であるが，胎児への感染が新生児や胎児に重篤な疾患や死亡をきたす感染症による胎児疾患の総称。TORCHは，代表的な微生物であるトキソプラズマ(toxoplasma)，その他(other agents，水痘，梅毒，リステリアなど)，風疹(rubella)，サイトメガロウイルス(cytomegalovirus)，単純ヘルペスウイルス(herpes simplex virus)の頭文字。

(細矢光亮)

284　ワクチン別の解説

表1　水痘・帯状疱疹ウイルス感染による重症化症例についての調査

		2009年			2010年			2011年			合計
		男	女	合計	男	女	合計	男	女	合計	
水痘	肺炎・気管支炎	43	61	104	71	50	121	52	41	93	318
	肝機能障害	31	19	50	32	20	52	26	22	48	150
	脳炎・脳症	10	10	20	17	12	29	16	15	31	80
	小脳失調症	－	－	0	3	1	4	1	1	2	6
	脱水症	45	31	76	38	46	84	44	26	70	230
	熱性けいれん	38	30	68	37	27	64	33	31	64	196
	細菌の2次感染による重症化	30	22	52	39	29	68	22	32	54	174
	合併症なく水痘の重症化で入院	198	128	326	202	166	368	183	154	337	1,031
	水痘による基礎疾患の増悪にて入院	22	16	38	21	17	38	29	18	47	123
	入院中に水痘発症	40	39	79	44	32	76	41	47	88	243
	その他	124	114	238	162	155	317	157	144	301	856
	小　計	581	470	1,051	666	555	1,221	604	531	1,135	3,407
帯状疱疹	帯状疱疹にて入院	2,348	2,799	5,147	2,438	2,958	5,396	2,347	2,930	5,277	15,820
	入院中に帯状疱疹発症	297	380	677	343	427	770	395	429	824	2,271
	小　計	2,645	3,179	5,824	2,781	3,385	6,166	2,742	3,359	6,101	18,091
	合　計	3,226	3,649	6,875	3,447	3,940	7,387	3,346	3,890	7,236	21,498

日本小児科医会報. 2012; 44: 182-186.

　2014年10月に，1～2歳での2回の水痘ワクチン接種が定期接種化された。この前後における国内の水痘発生動向を，感染症発生動向調査の小児科定点報告数（2000～2017年）でみると（**図1**），日本小児科学会が水痘ワクチン接種を推奨した2012年以降は報告数が減少傾向となり，定期接種化後の2015年以降は大幅な減少がみられている。2000～2011年の年平均に比べると，2017年時点では全体で77%，定期接種対象であった4歳以下では88%減少した。2014年第38週以降，水痘入院例は全例報告となった。入院例は3年間で997例報告されているが，経年的に5歳未満の報告数，報告割合が減少している。

3．予防接種の意義
1）水痘予防の意義
　現在，わが国で認可されている水痘ワクチンは，乾燥弱毒生水痘ワクチン「ビケン」のみである。これは，当初，白血病やネフローゼ症候群などの水痘に罹患すると重症化しやすいハイリスク者における感染予防を目的に，わが国において開発され，1986年に市販された。しかし，小児癌の治療法が複雑化し，ワクチン接種の判断が困難になったことと有効な抗ウイルス薬が開発されたことにより，ハイリスク児への接種は行われなくなり，代わって1987年に1歳以上の健康小児に対する接種

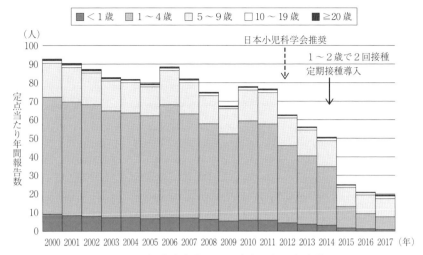

図1　小児科定点当たりの水痘の年間報告数
国立感染症研究所．日本における水痘ワクチン2回接種の定期接種導入前後の全国サーベイランスに基づく水痘発生動向に関する記述疫学，2000-2017年．https://www.niid.go.jp/niid/ja/basic-science/epidemi/8440-epi-2018-3.html

が認可された．この水痘ワクチン株（岡株）は世界各国で接種試験が行われ，その有効性と安全性が認められ，多くの国々でワクチン株に採用されている．わが国においては，長らく任意接種ワクチンであったが，2014年10月に定期接種ワクチンとなった．

2）帯状疱疹予防の意義

水痘ワクチンによるVZVに対する特異免疫の賦活が帯状疱疹の発症を予防するため，2016年3月に乾燥弱毒生水痘ワクチン「ビケン」の効能効果に，50歳以上の者に対する帯状疱疹予防が追加され，わが国においても帯状疱疹ワクチンとして接種できるようになった．

また，これとは異なるサブユニット型の帯状疱疹ワクチンである「シングリックス筋注用」の国内製造販売が2018年3月に承認された．

ワクチンの効果と安全性

1．ワクチンの概要
1）水痘ワクチン

水痘ワクチンは，阪大微研において初めて開発され，わが国においては1986年から販売されている．この乾燥弱毒生水痘ワクチン「ビケン」に使用されているワク

チン株(岡株)は，水痘患児の水疱液からヒト胎児肺細胞を用いて分離されたVZV
を，34℃においてヒト胎児肺細胞で11代，モルモット胎仔細胞で12代継代した後，
ウイルス収量を高めるためにヒト2倍体細胞WI-38で3代，MR-5で2代継代した
ものである。このウイルス浮遊液を精製し，安定剤として精製白糖とL-グルタミン
酸ナトリウムを加え，分注後，凍結乾燥したものが乾燥弱毒生水痘ワクチンである。
製造工程でウシ由来成分(血清)およびブタ由来成分(トリプシン)を使用している。
添付の溶解液を加えると速やかに溶解し，無色透明～淡白色の液剤となる。添付の
溶液0.7mLで溶解したとき，接種量の0.5mL中に含まれる感染力価は1,000PFU以上
である。

　水痘ワクチン岡株は，親株や野生株と比較して，若干の温度感受性とモルモット
胎仔細胞での高い増殖力などの性質を有する一方，ヒト皮膚組織での増殖力低下が
明らかになっている。また，水痘自然感染では，発疹出現前後の数日間に血液単核
球中から高率に水痘ウイルスが分離されるが，水痘ワクチン接種者では発疹が出現
せず血液単核球中からウイルスが検出されない。これは，ワクチンウイルスは局所
のリンパ節で増殖し，一次血症を起こすが，肝臓や脾臓などの臓器での増殖がほと
んどなく，野生株のような二次血症が起こらないためと推測されている。遺伝子レ
ベルでは，岡株ワクチンウイルスとその親株の間では42塩基配列に置換があり，20
アミノ酸に置換がある。しかし，置換部位は完全に単一の塩基配列ではなく，ワク
チンに特有な配列を有しつつも一部は親株の配列を残すいくつかの株が混じるmix-
ed populationであることが知られている。この比率が変化すると，臨床治験と同じ
安全性・有効性が確保できない可能性があるが，製造承認からこの25年間にわが国
で流通しているワクチン製剤の遺伝子構成に変化はなく，シードロットシステムは
適正に運用されていることが確認されている。

　水痘は，健康小児では比較的軽症であるが，白血病や腫瘍で抗癌剤治療が行われ
ている小児や，ネフローゼ症候群や慢性腎炎などで免疫抑制療法が行われている小
児では重篤となり，死亡することも多い。水痘ワクチンは，このようなハイリスク
の症例を対象に開発が進められ1986年に認可され，翌年に健康小児に対しても承認
された。また，世界各国で行われた接種試験の結果，岡株の有効性と安全性が確認
され，メルク，サノフィ，グラクソ・スミスクラインが岡株を用いて水痘ワクチン
を製造し，多くの国々で予防接種プログラムに採用されている。わが国においては，
長らく任意接種ワクチンであったが，2014年10月に乾燥弱毒生水痘ワクチン「ビケ
ン」が定期接種ワクチンとなった。

2）帯状疱疹ワクチン

　海外において，帯状疱疹の予防目的に，水痘ワクチン岡株を元にZOSTAVAX
(Merck社)が開発され，2006年に帯状疱疹およびPHNを予防する帯状疱疹ワクチン
として米国で承認された。ZOSTAVAXは，水痘発症予防のための弱毒水痘ワクチ
ンVARIVAXの約10倍の力価のウイルスが含まれている。この力価は，阪大微研の
乾燥弱毒生水痘ワクチン「ビケン」の力価と大きな差はない。ZOSTAVAXによる

帯状疱疹予防効果は大規模プラセボ対照無作為化二重盲検群間比較試験やその後の研究により明らかにされ，欧州やオーストラリアなどでも承認され，現在は60カ国以上で使用されている。弱毒生水痘ワクチンの帯状疱疹に対する予防効果が公知であること，国内第Ⅲ相臨床治験の結果が良好であったことから，2016年3月より，わが国においても，阪大微研の乾燥弱毒生水痘ワクチン「ビケン」の効能に「50歳以上に対する帯状疱疹の予防」が追加された。

乾燥組換え帯状疱疹ワクチン「シングリックス筋注用」（グラクソ・スミスクライン；以下，シングリックス）は，遺伝子組換えVZV糖蛋白E（gE）にアジュバントシステム（AS01$_B$）を添加したサブユニットワクチンである。生ワクチンでないため，免疫機能の低下した患者においても接種できる。世界同時に開発され，2017年10月に米国およびカナダにおいて，2018年3月に欧州および日本において承認された。

2．免疫効果

1）水痘ワクチン

わが国における2,000名を超えるワクチン市販後調査での抗体陽転率は，健康小児では約92％と良好である。水痘ワクチンの有効率は，中等症〜重症では95〜100％，軽症まで含めると80〜85％とされる。米国での1回接種者のワクチン有効率は，重症のみでは100％，軽症まで含むすべての水痘に対しては平均84.5％（44〜100％）とされる。ワクチンの1回接種では，その後に水痘罹患者に接触すると約20％が水痘を発症する。ワクチン接種者における水痘の特徴は，発疹数が少ない，水疱形成までに至らない，発熱を伴わない，痒みが少ない，経過が短いなど，軽症である点であり，重症化予防の観点からはほぼ100％の有効性がある。

米国において，1回接種した群と3カ月間隔をあけて2回接種した群を10年間追跡調査した成績では，ワクチン接種後にVZV特異的抗体価が陽転した者は抗体陽性が持続すること，1回接種者の15％程度で不十分な抗体上昇しか得られないこと，2回接種するとほとんどが十分な抗体を獲得することが明らかにされている。また，2回接種により，抗体のみならず細胞性免疫も増強されることが示されている。現在，米国，英国，ドイツ，スペイン，スイス，ギリシャ，サウジアラビアなどで2回接種が行われている。米国は1回目を12〜15カ月，2回目を4〜6歳と接種間隔をあけているのに対し，ドイツは1回目を11〜14カ月，2回目を15〜23カ月として短い間隔での2回接種を採用している。

わが国において，急性白血病患児330名に水痘ワクチンを接種し，その後の帯状疱疹発症を数年間観察したところ，接種後に発疹（水疱）のみられた83名では17％に帯状疱疹が出現したのに対し，発疹のみられなかった247人では2％のみであった。米国で行われた調査でもほぼ同様の結果であった。ウイルス血症をきたし，ウイルスが皮膚に到達して増殖し皮疹を形成し，その後，末梢神経を逆行して脊髄後根知覚神経節に潜伏すると推定されることから，将来の帯状疱疹の発生は水痘罹患時の皮疹の多寡に影響されると考えられている。水痘ワクチン接種では水疱を形成するこ

とはまれであり，潜伏感染する可能性が低いため，自然感染に比較して将来帯状疱疹を発症する頻度は低いと推測される。

2）帯状疱疹ワクチン

岡株を元に作製された弱毒水痘ワクチンZOSTAVAXは，帯状疱疹の予防効果が証明された。ZOSTAVAXの帯状疱疹発症予防効果について，60歳以上の38,546人を対象に行ったプラセボ対照無作為化二重盲検群間比較試験の報告では，接種後3.12年間のサーベイランスにおいて，帯状疱疹発症が51.3％減少，PHNが66.5％減少，疾病負担が61.1％減少した。50～59歳の22,439人を対象とした別のプラセボ対照無作為化二重盲検群間比較試験の報告では，帯状疱疹発症阻止効果は69.8％であった。ワクチン効果を年齢別に解析すると，60歳代の帯状疱疹発症阻止効果は70歳代のそれより高かった。一方，PHN発症阻止効果や疾病負担については両年齢間に違いはなかったとされている。

阪大微研の乾燥弱毒生水痘ワクチン「ビケン」については，高齢者に接種した場合，50～69歳で約90％，70歳代で約85％に水痘・帯状疱疹ウイルスに対する細胞性免疫が上昇したと報告されている。

一方，シングリックスについては，50歳以上を対象とした国際共同第Ⅲ相臨床試験では，追跡期間3.1年において帯状疱疹発症予防効果は97.2％であり，50歳代，60歳代，70歳以上の年齢層に分けた場合の有効率はそれぞれ96.6％，97.4％，97.9％と年齢層間で違いがなかった。また，70歳以上を対象とした国際共同第Ⅲ相臨床試験では，追跡期間3.9年において帯状疱疹発症予防効果は89.8％であり，70歳代と80歳以上の年齢層に分けた場合の有効率はそれぞれ90.0％，89.1％と年齢層間で違いがなかった。さらに，シングリックスの有効性の持続は接種後4年目まで確認されている。

3．副反応

1）水痘ワクチン

水痘予防のためのワクチン接種による重篤な副反応の報告はほとんどない。阪大微研により，1986年から1992年にかけて健常者8,429人を対象に行われた市販後調査では，544例（6.9％）に軽微な発熱・発疹および局所の発赤・腫脹が認められたが，発疹数が500以上で39.5℃以上の発熱をきたした重篤な副反応例はなかった。定期接種されている米国においては，1995～2005年の市販後10年間において，47,733,950ドーズが流通し，ワクチン副反応報告システム（vaccine adverse events reporting system：VAERS）に25,306例の副反応が報告された。そのうち重大事象は1,276件で，うち798件がMMRワクチンとの同時接種後であった。死亡は10年間で60人あり，ワクチンとの因果関係が明確であったのはNK細胞機能欠損例の1件のみとされている。

2）帯状疱疹ワクチン

帯状疱疹予防のためのワクチン接種については，乾燥弱毒生水痘ワクチン「ビケン」の50歳以上の健康成人259例を対象とした国内臨床試験では，接種後50.6％に副

水痘ワクチン（帯状疱疹ワクチン）　289

反応が認められ，そのほとんどが接種部位の局所反応であり，因果関係が認められる重篤有害事象はなかった。主に海外で行われたZOSTAVAXの大規模臨床試験の解析では，接種部位の局所反応が48.3％，接種による全身反応が6.3％に認められたが，重篤な有害事象に関してはプラセボ群と比較して有意な差はなかった。シングリックスの大規模臨床試験の解析では，接種部位の局所反応は疼痛が78.0％，発赤が38.1％，腫脹が25.9％，接種による全身反応は筋肉痛が40.0％，疲労が38.9％，頭痛が32.6％に認められたが，重篤な有害事象の発現率についてはプラセボ群と有意な差はなかったとされている。

4．接種不適当者および接種要注意者
1）接種不適当者
①明らかな発熱を呈している者
②重篤な急性疾患にかかっていることが明らかな者
③水痘ワクチンの成分によってアナフィラキシーを呈したことがあることが明らかな者
④明らかに免疫機能に異常のある疾患を有する者および免疫抑制をきたす治療を受けている者（乾燥弱毒生水痘ワクチン）
⑤妊娠していることが明らかな者（乾燥弱毒生水痘ワクチン）
⑥上記に揚げる者のほか，予防接種を行うことが不適当な状態にある者

2）接種要注意者
①心臓血管系疾患，腎臓疾患，肝臓疾患，血液疾患，発育障害などの基礎疾患を有する者
②予防接種で接種後2日以内に発熱のみられた者および全身性発疹等のアレルギーを疑う症状を呈したことのある者
③過去にけいれんの既往のある者
④過去に免疫不全の診断がなされている者および近親者に先天性免疫不全症の者がいる者
⑤水痘予防の場合，明らかに免疫機能に異常のある疾患を有する者および免疫抑制をきたす治療を受けている者（乾燥弱毒生水痘ワクチン）
⑥水痘ワクチンの成分に対して，アレルギーを呈するおそれのある者
⑦血小板減少や凝固障害を有する者，抗凝固療法を施行している者（筋肉内注射部位の出血のおそれがある）（乾燥組換え帯状疱疹ワクチン）

接種方法の実際

1．乾燥弱毒生水痘ワクチン
1）接種方法
　効能または効果は，水痘および50歳以上の者に対する帯状疱疹の予防である。用

法および用量は，添付の溶剤0.7mLで溶解し，その0.5mLを皮下に注射する。

a 水痘

接種の対象となるのは，生後12カ月以上の水痘既往歴のない者である。定期接種対象者は，生後12カ月から36カ月に至るまでの間にある者に対し，3カ月以上の間隔をおいて2回接種する。標準としては，1回目は生後12カ月から生後15カ月に至るまでの間に，2回目は1回目の接種後6カ月から12カ月を経過した者に行う。

任意接種は，水痘に感受性のある生後12カ月以上の者すべてが対象である。特に，水痘罹患が危険と考えられるハイリスク患者(急性白血病などの悪性腫瘍患者および治療により免疫能に障害をきたしている者)，ネフローゼ，重症気管支喘息などでコルチコステロイドなどを使用している者，緊急時(水痘患者との接触)，ハイリスク患者に接する水痘感受性者，水痘に感受性のある成人(特に医療関係者など)，病院・病棟や寮などでの蔓延の終結・予防などに勧められる。

b 帯状疱疹

50歳以上の者を接種対象者とする。ただし，明らかに免疫機能に異常のある疾患を有する者や免疫抑制をきたす治療を受けている者には接種しない。

2) 注意

他の生ワクチンの接種を受けた者は，通常，27日以上間隔を置いて接種する。不活化ワクチンの接種を受けた者は，通常，6日以上間隔を置いて接種する。ただし，医師が必要と認めた場合には，同時に接種することができる(他のワクチンと混合して接種してはならない)。

輸血またはガンマグロブリン製剤投与を受けた者は，通常，3カ月以上間隔を置いて接種する。ガンマグロブリン大量静注療法において200mg/kg以上投与を受けた者は，6カ月以上間隔を置いて接種する。

妊娠可能な女性においては，あらかじめ約1カ月間避妊した後に接種すること，およびワクチン接種後約2カ月間は妊娠しないように注意させること。

2. 乾燥組換え帯状疱疹ワクチン

1) 接種方法

効能・効果は帯状疱疹の予防である。用法・用量は抗原製剤を専用溶解用液全量で溶解し，通常，50歳以上の成人に0.5mLを2カ月間隔で2回，筋肉内に接種する。

2) 注意

標準として1回目の接種から2カ月後に2回目の接種を行うこと。1回目の接種から2カ月を超えた場合であっても，6カ月後まで2回目の接種を行うこと。

生ワクチンの接種を受けた者は，通常，27日以上，また他の不活化ワクチンの接種を受けた者は，通常，6日以上間隔を置いて接種する。ただし，医師が必要と認めた場合には，同時に接種することができる(他のワクチンと混合して接種してはならない)。

(細矢光亮)

■ B型肝炎ワクチン

B型肝炎

1．疾患の概要

　B型肝炎は，ヘパドナウイルス科に属するB型肝炎ウイルス（hepatitis B virus：HBV）の感染によって引き起こされる。HBVは，遺伝子型（A〜J型）で10種類に分類されている。また，抗原性の違いに基づく血清型による分類（主要サブタイプはadr，adw，ayr，ayw）もある。異なる血清型間で交差免疫が成立することが，チンパンジーで観察されている。HBVは，肝細胞に感染し増殖する。その後，宿主の免疫応答により感染肝細胞ごと排除され，このときに肝細胞が破壊されて肝炎症状を呈する。世界中では20億人のHBV感染者がおり，そのうち3億5,000万人が持続感染者で，年間50万〜70万人がB型肝炎やB型肝炎に起因する疾病（肝硬変，肝癌など）で死亡している。HBVは，主として感染者の血液や唾液，精液などの体液を介して感染する。出血などによる体外の血液は，乾燥しても感染性があり，少なくとも1週間は感染性を保つと考えられている。

　病態は，一過性感染と持続感染であり，持続感染から肝硬変や肝癌に進行する場合がある（**図1**）。一過性感染は，輸血などの医療行為や感染者との剃刀の共用，感染者との性行為などによる場合が多く，持続感染は，HBVに持続感染している母親からの垂直感染や小児期の水平感染などが多い。成人での初感染の場合，70〜80％は一過性感染症で自覚症状がないままに治癒し，20〜30％の感染者が急性肝炎を発症する。まれに慢性化することがあるが，一般には予後は良好である。2003年の感染症法の改正により，急性B型肝炎と診断した医師は，7日以内の届け出が義務付けられている〔五類感染症「ウイルス性肝炎（A型肝炎及びE型肝炎を除く）」〕。持続感染者の多くは，HBVを体内に保持しながら肝機能は正常のHBe抗原陽性無症候性キャリアとなり，免疫能の発達により顕性または不顕性肝炎を発症する。その90％はセロコンバージョン（HBe抗原陰性化，HBe抗体陽性化）を経てHBe抗原陰性無症候性キャリアへ移行する。しかし，約10％が慢性肝疾患（慢性肝炎，肝硬変，肝癌）に移行する。

　わが国においては，1972年から輸血・血液製剤用血液のB型肝炎スクリーニングが開始され輸血による感染が激減した。また，1986年から抗HBs人免疫グロブリン（HBIG）とB型肝炎ワクチンによるB型肝炎母子感染防止事業が実施され，垂直感染によるHBV無症候性キャリアの発生は減少したが，対象小児の約10％で予防処置からの脱落または胎内感染によると思われる無症候性キャリア化があるとされている。HBVには10種類の遺伝子型が存在するが，わが国では遺伝子型CとBの2つがB型肝炎のほとんどを占めていた。しかし，近年，遺伝子型CやBと比較して慢性化しやすい遺伝子型Aの感染者の割合が，新規献血者や急性肝炎症例で急速に増加してい

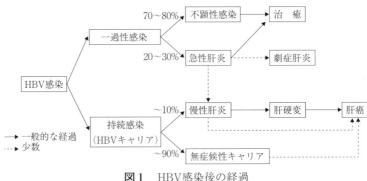

図1 HBV感染後の経過

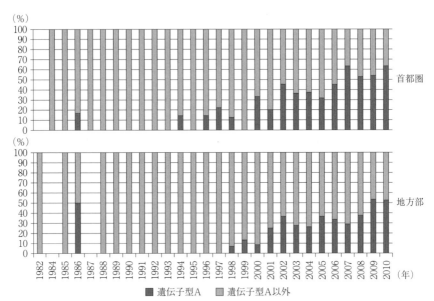

図2 急性B型肝炎における遺伝子型Aの首都圏と地方部での比較

厚生労働科学研究費補助金肝炎等克服緊急対策研究事業「B型肝炎ジェノタイプA型肝炎の慢性化など本邦における実態とその予防に関する研究」平成23年度総括・分担研究報告書(研究代表者:溝上雅史)より引用改変

る(**図2**)。わが国の急性B型肝炎入院患者の年齢をみると,20歳以上60歳未満が多く,感染経路は性的接触が60%以上を占める。

2．わが国における発生状況

1）キャリア率

　WHOは5歳児のHBVキャリア率が2％以下の場合，その地域のB型肝炎はコントロールされているとみなしている。わが国における小児のHBs抗原陽性率の調査は自治体単位で行われている。静岡県の小学生を対象とした調査では，1986年の陽性率が0.2％であったのに対し，1997年は0.05％に減少していた。また，岩手県におけるHBV母子感染予防事業実施前後に出生した年齢集団（1978～1999年度出生群）を対象とした解析では，事業開始前のキャリア率が0.75％であったのに対し，事業開始後は0.04％に減少していた。2006年10月から2007年9月にかけて日本赤十字社で初回献血した者のHBs抗原陽性率をみると，全体（16～69歳）では0.229％であるのに対し，B型肝炎母子感染予防事業の対象となる世代の16～20歳は0.042％であった。

　2015年1月に報告された厚生労働科学研究費補助金（肝炎等克服政策研究事業）による「小児におけるB型肝炎ウイルス感染の大規模疫学調査」によると，HBs抗原陽性率は0.025％（95％CI：0.022～0.027％）と推計されている。全国の血液センターでの初回献血者におけるHBs抗原陽性率をみると，17～21歳においてもHBs抗原陽性率は0.02～0.03％と大きな差異は認めず，HBc抗体陽性率が0.20～0.25％であったことから，幼少期に特定の小児でウイルス感染が生じている可能性が指摘されてい

★遺伝子型AのB型肝炎ウイルス

　HBVにはAからJまでの遺伝子型があり，遺伝子型間で異なる臨床経過を取る場合がある。日本で検出される遺伝子型はCとBがほとんどであったが，近年遺伝子型Aが増加傾向にある。遺伝子型Aは欧米やアフリカに多い型で，性交渉を通じて感染し海外から持ち込まれ，性感染症として国内で感染が拡大していると考えられている。遺伝子型Aによる急性肝炎は発病後の高ウイルス量の期間が長く，遷延化しやすく，持続感染する確率が他の遺伝子型より高いとされている。

★de novo B型肝炎

　血清HBs抗原が消失し，B型肝炎が治癒したとみなされた場合においても，肝臓内では少量の感染性のあるウイルスが産生され続けていることがわかってきた。ウイルスの産生は宿主の免疫により抑え込まれており，通常は肝炎を発症しない。近年，多くの免疫抑制剤や抗癌剤，生物学的製剤が開発され，治療効果が報告されている。しかしながら，その強力な免疫抑制効果のために，B型肝炎ウイルスが再活性化し，肝炎を発症する場合があり，これが de novo B型肝炎と呼ばれ，しばしば劇症肝炎を引き起こすため問題になる。

　近年報告が多いのは，B型肝炎既往歴がある人に，悪性リンパ腫の治療にリツキシマブを投与した場合や，慢性関節リウマチに対し抗TNF-α抗体を投与した場合である。様々な疾患の治療で免疫抑制はさらに強力になっており，HBVに感染の既往がある者にこのような治療をした場合，再活性化の防止は困難である。ワクチン接種によりHBVに感染しないことが今後さらに重要になる。

（細矢光亮）

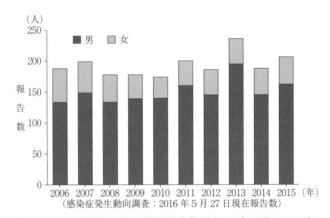

図3 急性B型肝炎患者の年別性別発生状況（2006年4月～2015年12月）

国立感染症研究所．IASR 2016; 37: 147-48より引用

る。これらのことから，B型肝炎対策は母子感染予防処置の徹底と，水平感染対策の強化が重要と考えられた。このため，2016年10月に，母子感染予防を継続するとともに，B型肝炎ワクチンを定期接種化することにより，すべての小児へのワクチン接種（ユニバーサル化）が開始された。

2）肝炎発症者

B型肝炎は，1987年に感染症サーベイランス事業の対象疾患に加えられ，全国約500カ所の定点から報告されている。その後，1999年の感染症法施行から全数把握疾患となり，サーベイランスが継続されている。急性B型肝炎の年間報告数は1999年の510例から減少傾向にあり，2003～2006年は200～250例で推移し，2007年以降は200例前後である（**図3**）。性別年齢群別発生状況をみると，20歳代から40歳代前半に多く，かつ男性が女性のおよそ3倍である（**図4**）。しかし，全例が届け出されているとは考えにくく，正確な発症数は把握できていない。

国立病院機構肝炎共同研究班では，1976年以降，入院した急性ウイルス性肝炎患者を全例登録している。これによると，1999年は27例であったのに対し，その後やや増加して2004年以降は40～60例で推移している。このデータから試算すると，日本全国における急性B型肝炎による新規入院数は年間1,800人程度と推計される。

また，診断群分類（diagnosis procedure combination：DPC）を用いて2007年および2008年のB型急性肝炎発症者患者数を推定したところ2,280人（2,000～2,500人）と算出された。大学病院などの大病院入院例が中心であり，外来治療例は含まれていない。エキスパートオピニオンとしては，B型急性肝炎発症者数は年間約5,000人としている。

3）劇症肝炎，死亡者数

厚生労働省「難治性の肝疾患に関する研究」班による全国の主要医療施設を対象

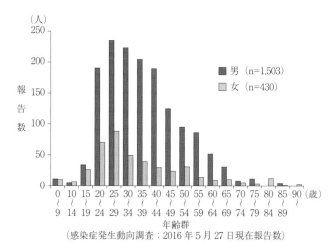

図4 急性B型肝炎患者の性別年齢群別発生状況(2006年4月～2015年12月)

国立感染症研究所．IASR 2016; 37: 147-48より引用

とした調査によると，劇症肝炎は年間100例程度の発生があり，そのうちの40％以上をB型肝炎ウイルスが占めるとされている。

人口動態調査によるB型肝炎を原因とする死亡数は，2000～2004年は800人台であったのが，2006～2008年は600人台になっている。肝硬変による死亡者数は年間9,000人前後で，そのうちの約13％はB型肝炎が原因と考えられている。肝癌による死亡者数は年間34,000人前後で，肝癌患者のB型肝炎ウイルス陽性率は15.5％との報告がある。

3．予防接種の意義

わが国においては，1986年からHBIGとB型肝炎ワクチンによる母子感染防止事業が実施され，1995年度からは健康保険の給付対象となった。このプログラムが完全に実施されれば，94～97％の高率でキャリア化を防ぐことができるが，胎内感染，妊婦検査の漏れ，処置の不徹底などのため，実際には約10％で無症候性キャリア化がある。また，対象児以外の児は感受性のままであり，家族内の水平感染，思春期以降の性行為感染などでの感染の危険性が残存する。

世界では，多くの国ですべての小児にB型肝炎ワクチンを接種するユニバーサルワクチネーションが導入されている。HBVキャリア化しやすい小児に免疫を付与し，小児のHBV感染を防ぐことが目的であるが，ウイルス排泄の多いHBe抗原陽性無症候性キャリアの小児から大人への感染を防ぐ効果も期待できる。米国では，ユニバーサルワクチネーションの導入により，ワクチン対象年齢以外における急性B型肝炎発生数の減少が報告されている。わが国においても2016年10月にB型肝炎ワ

クチンが定期接種化され，直接効果のみならず間接的な効果も期待される。

■ ワクチンの効果と安全性 ■

1．ワクチンの概要

　B型肝炎ワクチンは，遺伝子組換え技術を応用して酵母で産生したHBs抗原をアジュバント(アルミニウム塩)に吸着させた沈降不活化ワクチンである。わが国では，日本製(ビームゲン)と米国製(ヘプタバックスⅡ)の2種類が販売されている(**表1**)。海外では酵母由来製剤に加えて細胞由来製剤も認可されている。また，小児期の接種回数を減らすために，単味ワクチンに加え種々の混合ワクチンが開発・使用されているが，わが国では現在のところ単味ワクチンのみが使用されている。

　組換え沈降B型肝炎ワクチンは20年以上の使用実績があるが，安全性に関する問題が起こったことはない。ワクチン接種による中和抵抗性変異ウイルス株(エスケープミュータント)の発生が危惧されているが，ユニバーサルワクチネーション実施下においてエスケープミュータントは一定の割合で検出されるが，変異株が広がる兆候はみられないとされている。

2．免疫効果

　若年者ほど抗体獲得率が高い傾向にある。40歳までの抗体獲得率は95％，40〜60歳は90％，60歳以上では65〜70％になる。ワクチン3回接種後の防御効果は20年以上続くと考えられているが，抗体持続期間は個人差が大きい。3回接種完了後の抗体価の高い方が持続期間が長い傾向にある。獲得された抗体価が低力価であったり，その後に力価が低下した場合であっても，発病を予防する効果が期待できる。全接種者の10％前後のnon-responder，low-responderがみられるが，この場合は追加接種，高用量接種，皮内接種などで対応する。

　針刺し事故などHBV曝露後の発症予防としては，曝露後48時間以内に行うHBIGの筋肉内注射に加え，7日以内に開始された3回のワクチン接種により，発症予防効果が期待できる。

　わが国において伝播している遺伝子型はBとCがほとんどとされているが，遺伝子型AのHBVから作られたワクチン(ヘプタバックスⅡ)の効果が問題視されたことはない。また，2015年1月に報告された厚生労働科学研究費補助金(肝炎等克服政策研究事業)による「遺伝子型が異なるウイルスに対するB型肝炎ワクチンの効果の検討」においても，遺伝子型C由来のB型肝炎ワクチン(ビームゲン)の接種は，遺伝子型AのB型肝炎ウイルスに対しても予防効果があることが示されている。さらなる検証が必要ではあるが，現時点では遺伝子型の異なるウイルスに対しても有効であると考えられている。

B型肝炎ワクチン　297

表1　わが国で使用されているB型肝炎ワクチン

製品名	製造所	血清型	遺伝子型
ビームゲン	KMバイオロジクス	adr	C
ヘプタバックスⅡ	MSD	adw	A

3．副反応

　副反応は5％以下の確率で，発熱，発疹，局所の疼痛，痒み，腫脹，硬結，発赤，吐き気，下痢，食思不振，頭痛，倦怠感，関節痛，筋肉痛，手の脱力感などがみられるが，いずれも数日以内に回復する。

　重大な副反応としてアナフィラキシーショックがある。ワクチンは酵母由来なので，酵母に対する強いアレルギー反応がある人には使用を避ける。保存剤として添加されているチメロサールは減量化が進んでおり，ビームゲンのチメロサール含有量は0.001w/v％であり，ヘプタバックスⅡは2005年にチメロサールフリー製剤に切り替わった。チメロサールに過敏症を呈することがあるので，ビームゲン接種後は観察を十分に行う。

　多発性硬化症，急性散在性脳脊髄炎，ギラン・バレー症候群などの副反応疑いが報告されており，添付文書にも重大な副反応（頻度不明）として記載されているが，科学的な根拠はないとされている。

4．接種不適当者および接種要注意者

1）接種不適当者

①明らかな発熱を呈している者

②重篤な急性疾患にかかっていることが明らかな者

③B型肝炎ワクチンの成分によってアナフィラキシーを呈したことがあることが明らかな者

④上記に揚げる者のほか，予防接種を行うことが不適当な状態にある者

2）接種要注意者

①心血管系疾患，腎臓疾患，肝臓疾患，血液疾患，発育障害などの基礎疾患を有する者

②予防接種で接種後2日以内に発熱のみられた者および全身性発疹等のアレルギーを疑う症状を呈したことのある者

③過去にけいれんの既往のある者

④過去に免疫不全の診断がなされている者および近親者に先天性免疫不全症の者がいる者

⑤ワクチンの成分に対して，アレルギーを呈するおそれのある者

⑥妊婦または妊娠している可能性がある婦人

4

ワクチン別の解説

298　ワクチン別の解説

接種方法の実際

１．接種方法
①B型肝炎の予防
　通常，0.5mLずつを４週間間隔で２回，さらに，20〜24週を経過した後に１回0.5mL
を皮下または筋肉内に注射する。ただし，10歳未満の者には，0.25mLずつを同様の
間隔で皮下注射する。能動的HBs抗体が獲得されていない場合には追加注射する。
　定期接種には，生後１歳に至るまでの間にある者に対し，標準として生後２カ月
に至ったときから生後９カ月に至るまでの間に，27日以上の間隔を置いて２回，さ
らに１回目の接種から139日以上の間隔を置いて１回皮下に接種する。
②B型肝炎ウイルス母子感染の予防（HBIGとの併用）
　通常，0.25mLを１回，生後12時間以内を目安に皮下に注射する。さらに，0.25mL
ずつを初回注射の１カ月後および６カ月後の２回，同様の用法で注射する。ただし，
能動的HBs抗体が獲得されていない場合には追加注射する。
③HBs抗原陽性かつHBe抗原陽性の血液による汚染事故後のB型肝炎発症予防（HB
　IGとの併用）
　通常，0.5mLを１回，事故発生後７日以内に皮下または筋肉内に注射する。さら
に0.5mLずつを初回注射の１カ月後および３〜６カ月後の２回，同様の用法で注射
する。なお，10歳未満の者には，0.25mLずつを同様の間隔で皮下注射する。ただし，
能動的HBs抗体が獲得されていない場合には追加注射する。

２．注意
　B型肝炎ウイルス母子感染の予防およびHBs抗原陽性かつHBe抗原陽性の血液に
よる汚染事故後のB型肝炎発症予防には，HBIGを併用すること。
　B型肝炎ウイルス母子感染の予防における初回注射の時期は，被接種者の状況に
応じて生後12時間以降とすることもできるが，その場合であっても生後できるだけ
早期に行う。
　B型肝炎ウイルスへの曝露による感染および発症の可能性が高い者またはB型肝炎
ウイルスに感染すると重症化するおそれがある者には，３回目接種１〜２カ月後を
目途に抗体検査を行い，HBs抗体が獲得されていない場合には追加接種を考慮する。
　「B型肝炎の予防」の目的で使用した場合は，保険給付の対象にはならない。ただ
し，血友病患者に「B型肝炎の予防」の目的で使用した場合は，保険給付の対象に
なる。また，生後１歳に至るまでの間にある者はB型肝炎ワクチンの定期接種の対
象である。ただし，「HBs抗原陽性かつHBe抗原陽性の血液による汚染事故後のB型
肝炎発症予防（HBIGとの併用）」および「B型肝炎ウイルス母子感染の予防（HBIGと
の併用）」の目的で使用した場合は，保険給付の対象になり，定期接種の扱いとはな
らない。
（細矢光亮）

おたふくかぜワクチン　299

■ おたふくかぜワクチン

おたふくかぜ

1. 疾患の概要

　おたふくかぜ(流行性耳下腺炎, ムンプス)はムンプスウイルスによる感染症である。主に唾液を介した飛沫によりヒト-ヒト感染する。耳下腺腫脹前6日から後9日まで唾液中にウイルスが排泄されるので, この間の唾液や飛沫は感染源となる。尿中へのウイルスの排泄があるので, 尿も感染源となり得る。感染から発症までの潜伏期間は12〜24日(ピークは17〜18日)である。ウイルスは気道に感染後, 上気道粘膜や頸部の局所リンパ節で増殖し, 一次ウイルス血症を経て唾液腺, 髄膜, 膵臓, 睾丸, 卵巣, 甲状腺, 腎臓, 中枢神経組織などに達し, そこで増殖して全身的な二次感染を起こして主要症状や合併症を引き起こす(表1)。

　おたふくかぜの主要症状は, 発熱と唾液腺(特に耳下腺)の腫脹・疼痛である。耳下腺の腫脹は発症後1〜3日がピークで, 3〜7日で消退する。疼痛は唾液の分泌により増強する。発熱は1〜6日続き, 頭痛, 倦怠感, 食欲減退, 筋肉痛, 頸部痛などを伴うこともある。

　おたふくかぜは, 軽症の疾患と思われがちであるが, 実際には様々な合併症を伴うことがある。小児期には髄膜炎や脳炎・脳症などの中枢神経系合併症が多い。ムンプスウイルスは中枢神経系への親和性が高く, 患者の65%に髄液細胞増加があり, 10〜15%に髄膜刺激症状があるとの報告もある。臨床的に無菌性髄膜炎と診断されるのは1〜10%であり, その予後は一般に良好である。他方, ムンプス脳炎・脳症の頻度は高くはない(0.02〜0.3%)が, 後遺症を残したり, ときに死に至ることもある。合併症として特に注意を要するものがムンプス難聴で, 発生頻度は0.01〜0.5%とされていたが, 近年ではそれよりもやや多い割合(数百人に1人)ではないかとされている。思春期以降に感染すると睾丸炎(20〜40%)や卵巣炎(5%)の合併がある。睾丸炎を起こすと, 様々な程度に睾丸が萎縮し精子数は減少するが, 不妊に至ることはまれである。膵炎の合併率は4%程度であるが, これが糖尿病の発症にどのようにかかわるかは明らかではない。妊娠早期(第一三半期)に妊婦が感染すると流産の危険率が高くなるが, 胎児への催奇形性については不明である。

　唾液腺腫脹や疼痛は, 必発症状ではなく, 約30%は明らかな症状のない不顕性感染である。不顕性感染は乳児に多く, 年齢とともに顕性感染率が上昇し, また腫脹期間が長くなる。不顕性感染であっても, 唾液中へのウイルスの排泄があり, 感染源となり得る。唾液腺腫脹がなく, 無菌性髄膜炎, 睾丸炎, 膵炎などを主徴とする場合もある。2歳以下の場合は, 顕性感染においても約20%において発熱がない。

300　ワクチン別の解説

表1　自然感染の症状とワクチンの合併症

	臨床症状	自然感染(%)	ワクチン(%)
腺組織	耳下腺腫脹	60〜70	3
	顎下腺腫脹	10	0.5
	睾丸炎	20〜40	ほとんどなし
	卵巣炎	5	ほとんどなし
	膵炎	4	ほとんどなし
神経組織	髄液細胞増多症	50	不明
	無菌性髄膜炎	1〜10	0.1〜0.01
	ムンプス脳炎	0.02〜0.3	4 E-04
	ムンプス難聴	0.01〜0.5	不明
その他	腎機能低下	30	不明
	心電図異常	5〜15	不明

庵原俊昭. 任意接種対象疾患 おたふくかぜワクチン. 臨床と微生物 2005; 32: 481-484.

２．わが国における発生状況

　おたふくかぜは，五類感染症定点把握疾患に位置付けられており，小児科定点医療機関からの報告により疾患の発生動向が把握されている。1989年以前には，定点からの年間報告数が20万人前後となる流行が3〜4年周期でみられたが，麻疹おたふくかぜ風疹混合(MMR)ワクチンが導入された1989年から1993年の期間は3〜4年周期の大流行は認められなかった。ワクチン接種が中止された1993年以降は，2001〜2002年と2005〜2006年に定点報告数が20万人を超える流行があり，ワクチン導入以前に戻った。定点報告数から全国年間患者数を推計すると，流行のあった2005年の全国年間患者数は135.6万人(95％CI：127.2万〜144.0万人)，報告数の少ない2007年では43.1万人(95％CI：35.5万〜50.8万人)と推計されている。発症年齢のピークは4〜5歳であり，3〜6歳が約60％を占める。

　厚生労働省科学研究費補助金「水痘，流行性耳下腺炎，肺炎球菌による肺炎等の今後の感染症対策に必要な予防接種に関する研究」(研究代表者：岡部信彦)における全国約2万件の内科，泌尿器科，皮膚科，小児科，産婦人科，耳鼻咽喉科を対象としたアンケート調査(回収率40.9％)によると，おたふくかぜによる入院数は，2004年1年間が1,624人，2005年が2,069人であり，回収割合から年間入院数は約5,000人と推定されている。

３．予防接種の意義

　おたふくかぜワクチンを含むワクチンを1回定期接種している国では，おたふくかぜの発症者数は88％減少し，ワクチンを2回定期接種している国では99％減少し

おたふくかぜワクチン　301

表2　世界のおたふくかぜ生ワクチン株

ワクチン株	遺伝子型	製造国	使用細胞
Jeryl-Lynn株	A	米国，英国	ニワトリ胚
RIT-4385	A	米国，英国	ニワトリ胚
Rubini	A	スイス	MRC-5
Urabe-AM9	B	日本	ニワトリ胚
Torii	B	日本	ニワトリ胚
Hoshino-L32	B	日本	ニワトリ胚
Miyahara	B	日本	ニワトリ胚
NK M-46	B	日本	ニワトリ胚
Leningrad-3	D	ロシア	ニワトリ胚
L-Zagreb	D	クロアチア	ウズラ胚
Sofia-6	不明	ブルガリア	モルモット腎
S-12	H	イラン	MRC-5
BBM-18	H	スイス	MRC-5

ており，接種率が上昇すれば，大流行はなくなると予想される。

　おたふくかぜワクチンの副反応としての無菌性髄膜炎の発生頻度は，自然罹患での合併頻度に比較して低率であり，予後は良好である。また，脳炎・脳症などの中枢神経系合併症，ムンプス難聴，睾丸炎や卵巣炎などの重篤な合併症は，ワクチン接種によりほぼなくなると期待される。

ワクチンの効果と安全性

1．ワクチンの概要

　世界初のおたふくかぜ生ワクチン株は，遺伝子型Aに属するJeryl-Lynn株で，1967年に米国で承認された（表2）。現在では，麻疹風疹混合（MR）ワクチンにおたふくかぜワクチンを加えたMMRワクチンとして世界で最も広く用いられている。Jeryl-Lynn株をさらにブラッククローニングしたのがRIT4385株である。スイスでは，1985年以降Rubini株が用いられている。わが国では，1972年から開発が行われ，1981年より導入された。わが国で開発されたワクチン株は遺伝子型Bに属し，阪大微生物病研究会（阪大微研）の占部株，武田薬品工業（武田）の鳥居株，北里研究所（北里）の星野株，化学及血清療法研究所（化血研）の宮原株がある。旧ソ連では1974年に遺伝子型Dに属するLeningrard-3株が開発され，クロアチアおよび旧ユーゴスラビアではLeningrard-3株から派生したL-Zagreb株が1976年以降用いられている。イランでは1991年に遺伝子型HのS-12株が開発されている。

　わが国では，統一株を用いた国産のMMRワクチン（おたふくかぜウイルス株：阪

表3　世界のおたふくかぜワクチン定期接種回数

地域	国数	1回接種	2回接種	使用国
アフリカ	46	0	2	2(4%)
南北アメリカ	35	4	31	35(100%)
東地中海	21	1	12	13(57%)
欧州	53	1	52	53(100%)
東南アジア	11	2	0	2(20%)
西太平洋	27	3	10	13(19%)
全体	193	11	107	118(61%)

WHO. Vaccine Preventable Diseases Monitoring System 2009より

大微研占部株，麻疹ウイルス株：北里AIK-C株，風疹ウイルス：武田To336株)が開発され，1989年から定期接種ワクチンとして使用された。しかし，無菌性髄膜炎の発生頻度が高いことから，1993年4月末までで定期接種ワクチンとしての利用が中止された。その後，武田と北里のMMRワクチンの承認書は返納され，阪大微研のMMRワクチンと単味おたふくかぜワクチンは製造が中止された。このため，2020年1月の時点において，わが国で製造承認を受けているおたふくかぜワクチンは単味ワクチンのみであり，武田(鳥居株)と第一三共(星野株)の乾燥弱毒生おたふくかぜワクチンが任意接種に使用されている。KMバイオロジクスはMerck Sharp & Dohme社のMMRワクチン(M-M-R™ II)の輸入販売を申請しているが，まだ認可されていない。

　おたふくかぜワクチンは，患者より分離されたおたふくかぜウイルスをニワトリ胚細胞に馴化させたワクチン株を用いて製造されている。ウイルス培養液は安定剤，フェノールレッド，抗菌剤などを含んでいる。凍結乾燥製剤で，1バイアルを添付の溶解液(0.7mL)で溶解すると淡赤色透明の液剤になり，その0.5mL(5,000CCID$_{50}$以上)を接種する。

2．免疫効果

　諸外国の成績では，Jeryl-Lynn株を用いた単味ワクチンを1回接種した場合の抗体陽転率は80〜100％であるが，MMRワクチンを1回接種した場合の抗体陽転率の平均は73%と若干低い。MMRワクチンを2回接種した場合の抗体陽転率の平均は86%に上昇し，2回接種によるおたふくかぜの防御効果は75〜91％と見積もられている。おたふくかぜワクチンを含むワクチンを1回定期接種している国では，おたふくかぜの発症者数は88%減少し，ワクチンを2回定期接種している国では99%減少している。高い2回接種率を維持しているフィンランドでは，1996年に野生株の排除を宣言している。Jeryl-Lynn株を用いたMMRワクチンの1回接種の予防効果は十分ではないため，WHOは2回接種を推奨しており，MMRワクチンを定期接種

おたふくかぜワクチン　303

表4　おたふくかぜ生ワクチンの臨床第Ⅲ相試験接種成績

製造所	例数	抗体陽転率(%)	平均中和抗体価(2^n)
北里研究所[1]	532	89	3.3〜4.3
武田薬品(L4)[2]	59	85	4.1
武田薬品(L5)[2]	62	90	4.2
阪大微研[1]	663	95	3.4〜4.0
化血研[3]	695	98	3.9

1）宍戸亮. 臨床とウイルス 1980; 8: 249-57, 2）平山宗宏. 臨床とウイルス 1981; 9: 331-35, 3）植田浩司ほか. 臨床とウイルス 1984; 12: 207-11.

に導入している多くの国が2回接種を採用している（表3）。

　わが国で開発され承認された占部株，鳥居株，星野株，宮原株はいずれも同様の免疫原性を有し，臨床第Ⅲ相試験における1回接種による中和抗体陽転率は85〜98％と高い（表4）。英国とカナダで行われたMMRワクチンを用いた調査では，占部株を用いたMMRワクチンの場合の平均抗体陽転率がそれぞれ85％と95％であり，Jeryl-Lynn株を用いたMMRワクチンの場合の81％と85％に比較して高い成績が得られている。わが国で開発されたワクチン株はJeryl-Lynn株に比較して免疫原性に優れている可能性はあるが，抗体陽転率の向上と免疫の長期持続を期待して，日本小児科学会は，任意接種ではあるが1歳過ぎ2歳未満に1回と，小学校入学前の1年に1回の，計2回接種を推奨している。

3．副反応

　おたふくかぜワクチンによる副反応として，接種後24時間以内の接種部位の疼痛があるが，ほとんどは一過性であり処置を必要としない。接種後10〜14日後に微熱や軽度の耳下腺腫脹（1〜2％）を呈する場合があるが，特に治療を要しない。

　主な重大な副反応としては以下がある。

①ショック，アナフィラキシー様症状（0.1％未満）

　ショックやアナフィラキシー様症状（蕁麻疹，呼吸困難，血管浮腫など）が現れることがある。

②無菌性髄膜炎（0.1％未満）

　接種後3週間前後に，おたふくかぜワクチンに由来すると疑われる無菌性髄膜炎が，1,200人接種当たり1人程度発生する（304頁参照）。

③急性血小板減少性紫斑病

　血小板減少性紫斑病が現れることがある（100万人接種当たり1人程度）。通常，接種後数日から3週間頃に紫斑，鼻出血，口腔粘膜出血などが現れる。

表5 おたふくかぜワクチン株による無菌性髄膜炎発生頻度

MMRワクチン ウイルス株	統一株 Urabe-AM9 AIK-C To336	武田自社株 Torii Schwarz To336	北里自社株 Hashino-L32 AIK-C Takahashi	阪大微研自社株 Urabe-AM9 CAM-70 Matsuura
対象数	104,652	87,236	208,970	74,745
無菌性髄膜炎発生数	165	72	111	4
発生頻度	0.16%	0.08%	0.05%	0.005%

MMRワクチン接種後の無菌性髄膜炎研究班集計より

ウイルス株	国産単味ワクチン			野生株
	武田 Torii	化血研 Miyahara	北里 Hashino-L32	
対象数	7,850	6,758	6,847	1,051
無菌性髄膜炎発生数	5	2	3	13
発生頻度	0.06%	0.03%	0.04%	1.24%

厚生労働科学研究 医薬品安全総合事業. 永井らの報告 2004より

④難聴(0.1%未満)

ワクチン接種との関連性が疑われる難聴が現れたとする報告がある。通常一側性のため，出現時期などの確認が難しく，特に乳幼児の場合，注意深い経過観察が必要である。

⑤精巣炎(0.1%未満)

ワクチンによると疑われる精巣炎が現れたとする報告がある。通常，接種後3週間前後に精巣腫脹などが特に思春期以降の男性に認める。

国産おたふくかぜワクチンは，無菌性髄膜炎の発生頻度が高いとされている(表5)。諸外国におけるJeryl-Lynn株での無菌性髄膜炎の発生頻度は10万人当たり0〜1人とされ，自然感染時の発生頻度の1〜10%に比較して十分に低い。これに対し，わが国で開発されたワクチン株による無菌性髄膜炎の高い発生頻度が問題になった。統一株を用いた国産MMRワクチンには，おたふくかぜワクチン株に阪大微研の占部株が選定され，1989年に定期接種ワクチンとして使用された。1981年に国産おたふくかぜワクチンが使用開始されてから，それまでは副反応としての無菌性髄膜炎が問題にされたことはなかったが，定期接種化に伴い無菌性髄膜炎の発生が表面化し，その頻度は0.16%に達した。その後，自社株を用いたMMRワクチンの接種がなされたが，星野株を用いたMMRワクチン(北里)では0.05%，鳥居株を用いたMMRワクチン(武田)でも0.08%と，大きな改善はみられなかった。このため，1993年，定期接種開始後わずか4年で国産MMRワクチンを用いた定期接種は中止された。その後，おたふくかぜワクチンは単味の任意接種ワクチンとして使用されてい

おたふくかぜワクチン　305

るが，無菌性髄膜炎の発生頻度は0.03～0.06％であり，単味ワクチンとMMRワクチンに大きな差はないため，無菌性髄膜炎はおたふくかぜワクチンをMRワクチンと混合したことによるものではなく，おたふくかぜワクチンそれ自身によると確認されている。

　国産MMRワクチン統一株に使用された占部株を含む自社株（阪大微研）によるMMRワクチンでの無菌性髄膜炎発生頻度は0.005％であり，占部株自身は副反応が少ない優れたワクチン株であったと考えられる。しかし，統一株として占部株を用いたMMRワクチンでの無菌性髄膜炎発生率が0.16％と高かった理由が明らかでなかったため，阪大微研の占部株を含むおたふくかぜワクチンの製造・販売が中止され，現在に至っている。

　2017年11月に行われた第31回厚生科学審議会予防接種・ワクチン分科会副反応検討部会の資料によると，北里第一三共と武田の乾燥弱毒生おたふくかぜワクチンが，2013年4月1日～2017年8月31日までに推定約506万人に接種され，そのうち，企業および医療機関から報告された副反応疑い報告（報告医が重篤としたもの）は，髄膜炎などを含めたすべての神経系障害の合計が180人（0.0036％），発熱やアレルギー反応など非重篤を含むすべての副反応疑い報告が6,240人（0.0047％）と，非常に低かったとしている。

4．接種不適当者および接種要注意者

1）接種不適当者

①明らかな発熱を呈している者

②重篤な急性疾患にかかっていることが明らかな者

③おたふくかぜワクチンの成分によってアナフィラキシーを呈したことがあることが明らかな者

④明らかに免疫機能に異常のある疾患を有する者および免疫抑制をきたす治療を受けている者

⑤妊娠していることが明らかな者

⑥上記にあげる者のほか，予防接種を行うことが不適当な状態にある者

2）接種要注意者

①心臓血管系疾患，腎臓疾患，肝臓疾患，血液疾患，発育障害などの基礎疾患を有する者

②予防接種で接種後2日以内に発熱のみられた者および全身性発疹などのアレルギーを疑う症状を呈したことのある者

③過去にけいれんの既往のある者

④過去に免疫不全の診断がなされている者および近親者に先天性免疫不全症の者がいる者

⑤おたふくかぜワクチンの成分に対して，アレルギーを呈するおそれのある者

4

ワクチン別の解説

接種方法の実際

1. 接種方法

　生後12カ月以上のおたふくかぜ既往歴のない者は，性，年齢に関係なくすべて接種対象者である。添付文書上では，生後24〜72カ月の間に接種することが望ましい。添付の溶剤0.7mLで溶解し，通常，その0.5mLを1回皮下に注射するとしているが，日本小児科学会は，免疫の長期持続を期待して，1歳過ぎ2歳未満の1年に1回と，小学校入学前の1年に1回に，計2回接種することを推奨している。

2. 注意

　妊娠早期の罹患は，自然流産や先天異常を増加させる可能性があり，成人女性に接種する場合は妊娠していないことを確認する。自然感染の潜伏期中にワクチンを接種した場合には，おたふくかぜを発症することを説明する。

　ガンマグロブリン製剤には，ムンプスウイルス中和抗体が含まれている可能性が高い。3カ月以内にガンマグロブリンを投与された者，6カ月以内にガンマグロブリン大量静注療法を受けた者には，おたふくかぜワクチン接種を延期することが望ましい。おたふくかぜワクチン接種後14日以内にガンマグロブリン製剤を投与した場合，投与後3カ月以上経過した後にワクチンを再接種することが望ましい。

（細矢光亮）

> **★ムンプス難聴**
> 　日本耳鼻咽喉科学会は，ムンプス難聴の実態を知るための全国規模の調査を先般施行した。それによると，2015〜2016年の2年間に少なくとも359人のムンプス難聴患者が発症し，そのうち15人は両側高度難聴，290人が一側重度難聴の後遺症を残したことが明らかになった。重度の難聴を背負うことは，社会生活や日常生活の中で大きな負担となり，また職業選択の幅に制限がかかり子どもたちの可能性を狭めることもあるため，見過ごせるものではないとしている。
>
> （細矢光亮）

■ ロタウイルスワクチン

［ ロタウイルス感染症 ］

1．疾患の概要

ロタウイルスは，レオウイルス科のロタウイルス属に分類され，11分節の二本鎖RNA遺伝子を内包する直径約100nmの粒子である。粒子は，コア，内殻，外殻の3層構造よりなる正二十面体カプシドを有する。ウイルス粒子の内殻蛋白(VP6)の抗原性により，A～Gの7群に分類され，ヒトに感染するのは主にAとC群である。外殻蛋白のVP7とVP4は独立した中和抗原を有し，VP7に対する血清型をG血清型(27種類)，VP4に対する血清型をP血清型(35種類)という。近年，塩基配列に基づきG遺伝子型(血清型番号と一致)，P遺伝子型(血清型と一致しない場合あり)での分類がなされ，ヒトロタウイルスでは少なくとも11のG遺伝子型と13のP遺伝子型が検出されている。G遺伝子型1，P遺伝子型8の場合，このロタウイルス株をG1P[8]と表記する。世界中で検出されるロタウイルス株の大部分を，主要な5種類の遺伝子型(G1P[8]，G2P[4]，G3P[8]，G4P[8]，G9P[8])が占めていた。

ロタウイルスの主な感染経路は，ヒトとヒトの間での糞口感染で，感染力はきわめて強く，ロタウイルス粒子10～100個で感染が成立すると考えられている。ヒトの消化管から排泄されたロタウイルスは，糞便を介して経口感染し，小腸の絨毛上皮細胞に感染し，微絨毛の配列の乱れや欠落などの組織障害をきたす。これにより腸上皮からの水分の吸収が阻害され下痢が発生する。通常2～4日程度の潜伏期間をおいて，胃腸炎を引き起こす。嘔吐や発熱で始まり，間もなく頻回の水様下痢(粘液や血液を伴わない)になる。通常は1～2週間で自然に治癒するが，脱水が重度となり，ショックや電解質異常から死に至る場合もある。成人にも感染し得る。合併症として最も多いのは脱水症であり，その程度は他のウイルス性胃腸炎よりも重く，特に2歳未満の乳幼児が重症化しやすい。わが国では，入院を要した5歳未満の小児の急性胃腸炎の原因の40～50％がロタウイルスであるとされている。その他，胃腸炎関連けいれん，脱水による腎前性腎不全や高尿酸血症による尿路結石，急性脳炎・脳症などの合併症がある。

2．わが国における発生状況

わが国においては，感染性胃腸炎(ロタウイルス胃腸炎を含む)が五類感染症定点把握疾患として全国約3,000の小児科定点から報告されており，その半分程度がロタウイルス胃腸炎と考えられる。また，2013年第42週以降，全国約500の基幹定点から，感染性胃腸炎(ロタウイルスに限る)の患者数が報告されるようになり，小児科定点と合わせてサーベイランスが実施されている。これによると，3～5月にかけてピークを持つ流行が観察されるが，患者数の推移に言及できるデータにはなっていな

い。秋田県，三重県，京都府で行われたロタウイルス胃腸炎の調査研究によると，感染性胃腸炎患者のうち，ロタウイルスが占める割合は42～58％と推計され，入院率は5歳未満人口1,000人当たり年間4.4～12.7人，すなわち5歳までにロタウイルス胃腸炎で入院するリスクは15～43人に1人と考えられる。これを基に全国における入院患者数を推計すると年間26,500～78,000人となる。

　五類感染症定点把握疾患である急性脳症のサーベイランス解析結果によると，ロタウイルス胃腸炎に合併した脳症の発生頻度は比較的高い。2007～2015年に報告された急性脳炎・脳症の中で，ワクチンの対象疾患となっている病原体が判明している急性脳炎・脳症で最も多いのはインフルエンザ（886例，うち死亡65例）であり，次いでロタウイルス（89例，うち死亡8例）であった。小児科入院施設を対象に行ったロタウイルス感染症関連脳症と心肺停止例に関する全国調査の結果，2009/2010～2010/2011の2シーズンに脳症が51例，心肺停止例が7例発生していることが明らかになっている。ロタウイルス胃腸炎に合併した脳症の特徴は，けいれんが難治であり，後遺症を残すことが多い（38％）ことであり，インフルエンザや突発性発疹に合併する脳症と同様に予後が不良であった。

　わが国におけるロタウイルス胃腸炎による死亡はまれであるが，実数は不明である。米国では，ワクチンが導入される前の5歳未満の年間死亡者数は20～40人，入院が6万～7万人，外来受診者は50万人以上と推計されている。全世界では，5歳未満の小児が年間約45万人死亡していると推計されている。

3．予防接種の意義

　ロタウイルスワクチンを複数回接種することにより，ロタウイルス感染症による重症ロタウイルス胃腸炎を防ぎ，軽症化が期待できる。現行のロタウイルスワクチンには多様な遺伝子型に対する防御効果が期待され，ロタウイルス胃腸炎による入院数，外来患者数の大幅な減少が期待される。さらに，ロタウイルス感染症に関連する急性脳炎・脳症やけいれん重積，急性腎不全などの発症が減少し，病院内や保育園などにおける集団発生のリスクが低減されると期待される。

　なお，ロタウイルスワクチンは2020年10月に定期接種化される見込みである。

■ ワクチンの効果と安全性

1．ワクチンの概要

　現在，わが国で使用できる経口弱毒生ロタウイルスワクチンには，単価経口弱毒生ヒトロタウイルスワクチン（RV1，ロタリックス）と5価経口弱毒生ロタウイルスワクチン（RV5，ロタテック）がある。

　RV1は，G1P[8]に属するヒトロタウイルス（89-12株）のクローンである弱毒生ヒトロタウイルス（RIX4414株）をアフリカミドリザル腎臓由来のVero細胞で培養増殖させ，得られたウイルス液を精製し，添加材を加えた内容液剤である。製造行程

ロタウイルスワクチン　309

表1　ロタリックス（RV1）1.5mL中の成分・分量

	成　　分	分　　量
有効成分	弱毒生ヒトロタウイルス（RIX4414株）	$6.0\log_{10}$ CCID$_{50}$以上
安定剤	精製白糖	1.073g
緩衝剤	アジピン酸	100.75mg
緩衝剤	水酸化ナトリウム	54.76mg
希釈剤	ダルベッコ療法イーグル培地	2.033mg

表2　ロタテック（RV5）2mL中の成分・分量

	成　　分	分　　量
有効成分	G1型ロタウイルス（WI79-9株）	2.2×10^6感染単位以上
	G2型ロタウイルス（SC2-9株）	2.8×10^6感染単位以上
	G3型ロタウイルス（WI78-8株）	2.2×10^6感染単位以上
	G4型ロタウイルス（BrB-9株）	2.0×10^6感染単位以上
	PIA［8］型ロタウイルス（WI79-4株）	2.3×10^6感染単位以上
添加物	精製白糖（安定剤）	1,080mg
	水酸化ナトリウム（pH調節剤）	2.75mg
	クエン酸ナトリウム水和物（緩衝剤）	127mg
	リン酸二水素ナトリウム一水和物（安定剤）	29.8mg
	ポリソルベート80（安定剤）	0.17～0.86mg
	ロタウイルス希釈液（希釈剤）*	適量*

＊：ロタウイルス希釈液は，Ham's F12とMedium 199を混合した組成の溶液である。
　　5種類の原薬とロタウイルス希釈液の合計量は，製剤全体量の15vol％となる。

4

ワクチン別の解説

でブタの膵臓由来成分（トリプシン）およびウシの乳由来成分（無水乳糖）を使用している。また，製造工程のきわめて初期の段階においては，仔ウシの血清由来成分（血清），ウシとブタの骨抽出成分（アミノ酸類）およびウシの乳由来成分（ラクトアルブミン加水分解物）を使用している（**表1**）。

RV5は，弱毒生ロタウイルス株（WI79-9株，SC2-9株，WI78-8株，BrB-9株，WI79-4株）を，個別にVero細胞（アフリカミドリザル腎臓由来）で培養して製造した単価ワクチン原液を希釈混合し，5価ワクチンとして調整した液剤である。これらのワクチン株は，2種類のウイルスが感染した細胞中でそれぞれに由来する遺伝子が再集合するというロタウイルスの性質を用いることにより，ヒトおよびウシロタウイルスの親株から生成されたヒト-ウシロタウイルス再集合体である。なお，本剤は製造工程で，ウシの血液由来成分（ウシ胎仔血清），ヒツジの毛由来成分（コレステロ

ール)およびトリプシンを使用している。なお，トリプシンはブタの膵臓由来成分（トリプシン）およびウシの乳由来成分（乳糖）を含む（表2）。

2．免疫効果

　RV1はヒトロタウイルス（G1P[8]）を弱毒化した単価弱毒生ヒトロタウイルスワクチンであり，RV5はG1，G2，G3，G4，P[8]の5価の遺伝子型を含むヒト-ウシロタウイルス再集合を混合した5価弱毒生ロタウイルスワクチンである。RV1はワクチン株（G1P[8]）とは遺伝子型が全く異なるG2P[4]に対する有効性に懸念があったが，その後の研究でG2P[4]に対しG1P[8]に対する有効性とほぼ同等の効果が示されており，RV1とRV5のいずれもが主要な遺伝子型であるG1P[8]，G2P[4]，G3P[8]，G4P[8]，G9P[8]に対する予防効果があるとされている。

　ロタウイルスワクチンを接種された個人は，未接種またはプラセボを接種された個人と比較してロタウイルス胃腸炎を発症する相対危険度が低下する。RV1またはRV5に関するプラセボ接種群を対照とした無作為化臨床試験およびワクチン市販後症例対照試験の結果，ロタウイルスによる重症下痢症に対し，高所得国では約90％，低所得国では約50％，その中間に属する国では約70％の発病防止効果があるとされている。わが国におけるRV1およびRV5のブリッジング試験においても高い有効性が示されている。ワクチン導入後，ロタウイルス胃腸炎による入院患者数の減少あるいはロタウイルス陽性割合の減少が，ワクチン接種率以上に，あるいはワクチン未接種の年齢層にも及んでおり，ワクチンの間接効果（集団免疫効果）が考えられている。また，欧州で行われたRV5およびアジアの高所得国で行われたRV1の追跡調査から，接種後3歳に達するまで十分なワクチンの重症化予防効果が持続することが確認されている。

　米国では，2006年にロタウイルスワクチンが定期接種に導入されたが，導入以前は5歳になるまでに約80人に1人がロタウイルス胃腸炎で入院していた。しかし，2009年には約860人に1人，2010年には約9,000人に1人まで減少している。英国では，2013年にロタウイルスワクチンが定期接種化され，接種率は87.5％に達したが，ワクチン導入前の10シーズンと比較して，2013/2014シーズンのロタウイルス陽性患者数は67％減少した。わが国では60〜70％の接種率となっており，1歳未満でのロタウイルス胃腸炎患者の顕著な減少を示した報告がなされている。

　2種のロタウイルスワクチンは，世界中ですでに約4億ドーズが投与され，優れた効果が示されている。すなわち，高所得国においては重症のロタウイルス胃腸炎を90％以上減少させ，胃腸炎におけるロタウイルス陽性率が顕著に減少し，集団免疫効果があることが報告されている。世界保健機関（WHO）は，すべての国の定期接種プログラムにロタウイルスワクチンが導入されるべきであると報告しており，すでに世界130カ国以上の国々で承認され，有効性が示されている。

3．副反応

　ロタウイルスワクチンの腸重積以外の副反応として，国内臨床試験では，RV1接種者508例中，接種後30日間に報告された副反応としては，易刺激性37例（7.3％），下痢18例（3.5％），咳嗽・鼻漏17例（3.3％）があり，RV5接種を受けた乳児380例中，接種後14日間に報告された主な副反応は，下痢（5.5％），嘔吐（4.2％），胃腸炎（3.4％），発熱（1.3％）であり，易刺激性，下痢なども国内臨床試験で報告されているが，いずれも一過性で，重篤なものはなかったとされる。

　第一世代のロタウイルスワクチン（ロタシールド）は，被験者11,000例に1例の割合で腸重積が発生することが疑われ，1999年に市場から撤収された。このため，第二世代のロタウイルスワクチン（RV1とRV5）の安全性の試験は，計132,000人が参加する大規模なものであった。RV1には接種後30日間の，RV5には接種後42日間の追跡調査が行われ，治験段階ではプラセボに比較して腸重積の発生頻度の有意な上昇は認められなかった。世界中でロタウイルスワクチンが広く接種されるようになり，接種者が増加するに伴い，特に初回接種1週間以内の腸重積発症率が自然発症率よりも増加することが報告されている。すなわち，RV1については，海外で行われた観察研究のメタアナリシスにおいて，RV1接種後7日間の腸重積症の相対リスクは，初回接種後4.68（95％CI：2.62～8.35），2回目接種後は1.83（95％CI：1.31～2.56）であったとされ，RV5については，米国においてself-controlled risk interval（SCRI）デザインを用いて実施された疫学研究にてRV5接種後の腸重積症発症リスクは，初回接種後22～42日の期間に対し，初回接種後7日間または21日間のリスク比がそれぞれ9.1（95％CI：2.2～39），4.2（95％CI：1.1～16）であり，初回接種後7日間または21日間の10万接種当たりの腸重積症の発症は，それぞれ1.12例（95％CI：0.33，2.70），1.54例（95％CI：0.19，3.22）の増加を認めたとしている。

　国内におけるロタウイルスワクチン接種後の腸重積の発症を，最近，製造業者がまとめている。これによると，RV1は約433万本出荷され，確認された腸重積は138例，初回接種後の腸重積が69例，初回接種後0～6日以内の腸重積が50例であり，RV5は約332万本が出荷され，確認された腸重積が105例，初回接種後の腸重積が50例，初回接種0～6日以内の腸重積が25例であったとしている。

　フランスで，ロタウイルスワクチン接種後に2例の腸重積による死亡報告があり，フランス公衆衛生高等審議会は，2015年4月にロタウイルスワクチン接種を広く推奨することを差し控える方針を発表した。これを受けて，WHOは「すべての国の予防接種プログラムにロタウイルスワクチンを含める推奨」を継続した上で，「ワクチン接種の利益は大幅にリスクを上回るため，接種は受け入れ可能であり，ロタウイルス感染症が低年齢小児の死亡の重要な原因である発展途上国では特に重要である」との声明を発表している。

4．接種不適当者および接種要注意者

1）接種不適当者

①明らかな発熱を呈している者

②重篤な急性疾患にかかっていることが明らかな者

③本剤の成分によって過敏症を呈したことがある者。また，本剤接種後に過敏症が疑われる症状が発現した者には，その後の本剤接種を行ってはならない

④腸重積症の既往のある者

⑤腸重積症発症を高める可能性のある未治療先天性消化管障害（メッケル憩室など）を有する者

⑥重症複合型免疫不全（severe combined immunodeficiency：SCID）を有する者（外国の市販後において，本剤の接種後にSCIDと診断された乳児で，重度下痢および持続的なワクチンウイルス株排出を伴う胃腸炎が報告されている）

⑦前記に掲げる者の他，予防接種を行うことが不適当な状態にある者

2）接種要注意者

①心血管系疾患，腎臓疾患，肝臓疾患，血液疾患，発育障害等の基礎疾患を有する者

②予防接種で接種後2日以内に発熱のみられた者および全身性発疹などのアレルギーを疑う症状を呈したことがある者

③過去にけいれんの既往のある者

④免疫機能に異常がある疾患を有する者およびそのおそれがある者，免疫抑制をきたす治療中の者，近親者に先天性免疫不全症の者がいる者

⑤胃腸障害（活動性胃腸疾患，慢性下痢）のある者（使用経験がない）

接種方法の実際

1．接種方法

　ロタリックス（RV1）は，乳児に通常4週間以上の間隔をおいて2回経口接種し，接種量は毎回1.5mLとする。生後6週から初回接種を開始し，少なくとも4週間の間隔をおいて2回目の接種を完了する。遅くとも生後24週までには接種を完了させること。また，早期産児においても同様に接種することができる。なお，初回接種は生後14週6日までに行うことが推奨されている。

　ロタテック（RV5）は，乳児に通常4週間以上の間隔をおいて3回経口接種し，接種量は毎回2.0mLとする。生後6～32週の間にある乳児に経口接種する。初回接種は6週齢以上とし，4週間以上の間隔をおいて32週までに3回経口投与を行う。また，早期産児においても同様に接種することができる。なお，初回接種は生後14週6日までに行うことが推奨されている。

2. 注意

①ロタウイルスワクチンは，「予防接種実施規則」および「定期接種実施要領」を参照して使用すること。

②被接種者について，接種前に必ず問診，検温および診察（視診，聴診等）によって健康状態を調べること。

③被接種者およびその保護者に，接種当日は過激な運動は避け，また接種後の健康監視に留意し，体調の変化，さらに高熱，けいれんなどの異常な症状を呈した場合には速やかに医師の診察を受けるよう事前に知らせること。

④ロタウイルスワクチンの接種が開始される生後6週時点においては免疫不全症の診断は困難であり，ヒト免疫不全ウイルス（HIV）感染症以外の免疫不全者に対して，本剤の有効性および安全性の臨床データはない。免疫機能に異常がある疾患を有する者およびそのおそれがある者，免疫抑制をきたす治療を受けている者，近親者に先天性免疫不全症の者がいる者に本剤を接種する場合は，免疫不全症を疑わせる症状の有無に十分注意し，慎重に接種すること。

⑤被接種者の保護者に，腸重積症を示唆する症状（腹痛，反復性の嘔吐，血便排泄，腹部膨満感，高熱）を呈した場合には速やかに医師の診察を受けるよう事前に知らせること（海外の市販後安全性調査では，ロタウイルスワクチン接種後に生じた腸重積症例のほとんどが初回接種から7日間以内に報告されている。また，海外の疫学研究では，初回および2回目接種後7日間における腸重積症発現のリスクが報告されている）。

⑥ロタウイルスワクチンの互換性に関する安全性，免疫原性，有効性のデータはない。

（細矢光亮）

314　ワクチン別の解説

■ A型肝炎ワクチン

A型肝炎

1．疾患の概要
1）病原体と感染経路
　A型肝炎は，ヘパトウイルス属ピコルナウイルス科に分類されるRNAウイルスであるA型肝炎ウイルス(hepatitis A virus：HAV)による急性感染症である。感染者の糞便中に排泄されたHAVを経口摂取することで感染が拡大する(糞口感染)。ときに，汚染された食品や飲料水を介した集団発生も認められる。HAVは酸や乾燥には抵抗性であり，患者の排泄物や感染源となる可能性があるものに対しては，適切な処理や塩素剤による消毒，手洗いをはじめ衛生管理の徹底，食品の十分な加熱調理が，感染対策として大切である。

2）臨床的事項
　潜伏期間は2〜6週間，平均4週間である。初発症状は，38℃以上の発熱，全身倦怠感，食欲不振などで，その後，黄疸や肝腫大などの肝炎に特徴的な症状が出現する。血液検査では，肝逸脱酵素の上昇など肝機能障害を呈する。HAVは感染後約1週間頃から発症後数カ月後まで長期に糞便中に排出されるが，黄疸出現や肝逸脱酵素上昇の1〜2週間前頃に糞便中へのHAV排出量が最も多い。すなわち，感染者は発症前から感染源となり，病初期に感染力が強い。

　検査診断法としては，HAV特異抗体価(IgG，IgM分画)が測定できる。IgM抗体陽性は，現在あるいは最近の感染を意味する。通常は，感染後5〜10日でIgM抗体が陽性となり，概ね6カ月以内に検出感度以下に低下する。IgG抗体は，IgM抗体出現後早期に陽性化し，長期に陽性値を持続するので，既往歴やワクチンによる防御免疫保有の指標となる。

　特異的な治療法は存在せず，安静や対症療法を行うが，通常は約2〜3カ月の経過で自然に治癒する。一般的には予後良好な疾患で，慢性化したり感染者がウイルスのキャリアとなることはない。ただし，まれに劇症例や死亡例が報告されており，高齢者や肝臓に基礎疾患を有する者では重症化のリスクが高い。

　小児，特に年少児では不顕性感染が多く，5歳以下の小児では約70〜90％が不顕性感染といわれる。ただし，不顕性感染の小児も感染源となり，家族内感染の発端者となることがある。一方，成人では約90％が顕性感染で，そのうち約60％は黄疸を呈する。

3）国内の関連法規
　感染症の予防及び感染症の患者に対する医療に関する法律(以下，感染症法)では，A型肝炎は四類感染症に分類され，全数報告対象疾患である。診断した医師は，直ちに最寄りの保健所に届け出る必要がある。無症状病原体保有者も届け出の対象に

該当する。

２．わが国における発生状況

１）流行疫学

かつては１～５月に患者の発生が多く季節性が認められていたが，患者数の減少とともに，季節性は報告数の多い年に限られるようになった。近年は，年間100～400例程度の無症状病原体保有者と患者の報告がある。重症化の頻度については，2010～2014年11月までの届け出のうち，劇症肝炎は６例(年齢範囲：56～67歳)であった。

推定感染地については，約80％は日本国内での感染が推定される患者で，地域集積性は認められなかった。海外での感染例が毎年40～50例報告されている。

推定される感染経路として経口感染が疑われるものが多く，推定原因食ではカキやその他の魚介類が多い。ただし，原因食が不明の場合も多い。性的接触による感染(糞口感染)も認められる。

2010～2014年のわが国の報告によれば，患者の性別は男性が約60％，女性が約40％であった。患者年齢については，20～60歳に緩やかな山があり，40～60歳代前半，特に男性が多かった。患者の年齢は上昇傾向にあり，年齢中央値は，2000年は41歳，2004年は44歳，2010年は47歳，2014年は49歳であった。

２）年齢と抗体保有率

一度HAVに感染すると，顕性・不顕性感染にかかわらず終生免疫が得られる。衛生環境の不良な途上国においては，HAVは広く流行伝播しており，成人における抗体保有率は高い。すなわち，小児期に多くの者が感染してしまうため，成人の感受性者は少ない。

一方，わが国では，第二次世界大戦直後までは社会に広くHAVが蔓延していたが，その後は衛生環境の整備とともにHAVの感染伝播は制御され，成人の抗体保有率は徐々に減少した(**図１**)。**図１**に示した2003年の調査において，当時60歳以上の者における抗体保有率は70％以上と高かったが，60～40歳にかけて急激に減少し，40歳以下はほぼ０％であった。このことから，2003年より60～65年以上前(1940年以前)は，わが国にA型肝炎が常在し，多くの者が無症状または軽症で済む小児期に罹患して終生免疫を獲得していたこと，その後約20年間でA型肝炎の罹患者が減少し抗体保有率が低下したこと，2003年の約40年前(1960年代)から2003年までは抗体保有率に影響を及ぼすようなA型肝炎の蔓延がなかったことがわかる。

これら調査の結果から，わが国における2020年時点での年齢別抗体保有率を推定すると，77歳以上ではHAVに対する抗体保有率は70％以上，57歳以下での保有率はほぼ０％と考えられる。年齢による抗体保有率の差異は，海外渡航時などに接種を推奨する際の目安として参考になる。また，抗体を有する者にワクチンを接種したとしても，副反応が増強するわけではない。

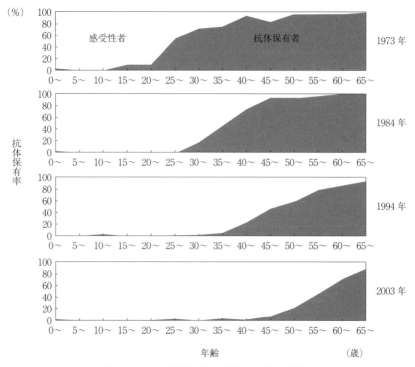

図1 HAV感受性者と抗体保有率の推移

国立感染症研究所. IASR 2010; 31: 286-287 より

3．予防接種の意義

1）海外渡航者

海外，特に衛生環境が不整備な途上国へ渡航する者に対しては，接種が推奨される代表的なワクチンである．A型肝炎の中等度以上のリスクが存在する場所として，WHOは図2に示す国と地域をあげている．北米，西欧，北欧，オーストラリア，ニュージーランド以外は，感染に注意すべき国である．しかし，わが国では，渡航者に対するワクチン（トラベラーズワクチン）の大切さが十分には認識されていない．海外渡航に際して，ワクチンで防ぐことのできる疾患に対しては，予防を心がけることの重要性をさらに啓発する必要がある．

わが国のA型肝炎ワクチンは，添付文書の上では0歳でも接種が可能であるが，WHOは1歳以上の者に対する接種を推奨している．わが国から流行地域へ渡航する者については，小学生以上には必須で，1歳以上には接種を推奨したいワクチンと考える．その理由として，年少児のA型肝炎は軽症に経過することもあるが，し

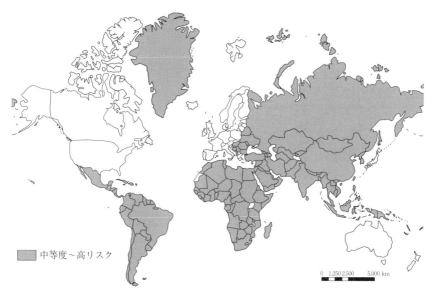

図2　A型肝炎に注意すべき国/地域

WHO資料より

ばしば家族内感染の主たる原因になるからである。また，海外で体調不良をきたした場合，医療機関を受診することの利便性がわが国に比べて劣るので，基本的にはワクチンによる予防を心がけたい。

2）国内

　感染症法の四類感染症として報告される患者の約80％は，推定感染地域が国内であることを考えれば，わが国においてもワクチンでA型肝炎を予防することの意義は大きい。また，グローバリゼーションに伴い，海外からの来訪者（インバウンド）は増加の一途であり，本疾患がワクチン予防可能疾患であることは再認識しておきたい。

ワクチンの効果と安全性

1．ワクチンの概要

　わが国で製造販売されている製剤「乾燥組織培養不活化A型肝炎ワクチン（エイムゲン）」は，アフリカミドリザル腎臓由来細胞（GL37細胞）でA型肝炎ウイルスを培養し，高度に精製し，不活化後安定剤を加え，凍結乾燥したワクチンである。

　1回接種量0.5mL中に，有効成分として不活化A型肝炎ウイルス抗原（HAV抗原）0.5μgを含有する。添加物として，乳糖水和物やD-ソルビトールを含有するが，チ

318 　ワクチン別の解説

メロサールなどの防腐剤やアジュバントは含有しない。なお，製造工程でウシの血液由来成分(血清)，ウシの膵臓由来成分(デオキシリボヌクレアーゼI，リボヌクレアーゼA)，ブタの膵臓由来成分(トリプシン)を使用している。

２．免疫効果

　臨床試験では，本剤の２回接種により良好な免疫原性が示され，３回目の接種により追加免疫効果が認められた。10歳以上の健康人1,168人を対象とした試験では，抗A型肝炎ウイルス抗体陰性者(961人)の100％が，２回接種後に抗体価は陽性となった。また，抗体陽性者では追加免疫効果が認められた。16歳未満の小児を対象とした試験でも，２回接種後に抗A型肝炎ウイルス抗体陰性者(55人)の100％が抗体陽性となった。抗体陽性者における追加免疫効果も同様に認められた。

３．副反応

　発売以来，特に問題となる副反応の報告はなく，接種後の副反応は頻度，程度ともに軽微であり，概ね安全に接種できるワクチンと考えられる。添付文書によれば，以下のような副反応が報告されている。10歳以上の健康人を対象とした臨床試験では，延べ接種例数2,710例中162例(6.0％)に副反応が認められ，主なものは全身倦怠感76例(2.8％)，局所の疼痛43例(1.6％)，局所の発赤27例(1.0％)，発熱17例(0.6％)，頭痛13例(0.5％)であった。16歳未満の小児を対象とした臨床試験では，延べ接種例数468例中８例(1.7％)に副反応が認められ，主なものは発熱４例(0.9％)，倦怠感３例(0.6％)，頭痛３例(0.6％)であった。16歳以上を対象とした製造販売後の使用成績調査では，延べ接種例数1,338例中13例(1.0％)に副反応が認められ，主なものは発熱４例(0.3％)，倦怠感４例(0.3％)であった。

４．接種不適当者および接種要注意者

　定期予防接種における接種不適当者および接種要注意者(48頁)に準じて対応する。本ワクチンに特異的な接種不適当者および接種要注意者は特にない。

接種方法の実際

１．接種方法

　添付の溶剤(日本薬局方注射用水)0.65mLで溶解し，１回量0.5mLを２〜４週間隔で２回，筋肉内または皮下に接種し，さらに初回接種後24週を経過した後に0.5mLを追加接種する。小児と成人で接種量に差異はなく，小児でも１回接種量は0.5mLである。

２．注意

　1994年10月，16歳以上の者を対象として承認を得て，発売に至った。すなわち，発

売当初は，成人のみが接種対象であった。その後，2013年３月に，16歳未満の者に
対する接種が承認された。現在は，小児を含む全年齢層に接種が可能である。

（中野貴司）

─コ─ラ─ム─

★海外で使用されるA型肝炎ワクチン

　海外で使用されるA型肝炎ワクチンは，わが国の製剤とは成分，含有物や接種スケ
ジュールが異なる（**表**）。海外の多くのワクチンは，わが国の製剤とは異なりアジュバ
ントを含有する。接種スケジュールについては，海外の製剤は，２回目の接種は１回
目接種から６カ月以上の間隔をあける。アジュバントにより強い免疫応答を期待し，
目前の渡航に対しては１回の接種で対応しようという考え方である。１コースの接種
回数は，国内製剤は３回であるが，海外製剤は２回である。グローバル化時代を迎え
て，国内外のワクチンのこのような特性を知った上で，海外渡航者の相談に応じるこ
とが必要となる。また，海外ではB型肝炎や腸チフスワクチンとの混合製剤も使用さ
れている。

表　国内外のA型肝炎ワクチン

製造メーカー	商品名	HAV株	アジュバント	抗原含有量	接種対象年齢	１回接種量(mL)	接種スケジュール(月)
Merck&Co	VAQTA	CR326F	aluminum hydroxyphosphate sulfate	25U 50U	12カ月〜18歳 19歳以上	0.5 1	0，6〜18 0，6〜18
GlaxoSmithKline Biologicals	HAVRIX	HM175	aluminum hydroxide	720 EL.U. 1,440 EL.U.	12カ月〜18歳 19歳以上	0.5 1	0，6〜12 0，6〜12
Sanofi Pasteur	AVAXIM	GBM	aluminum hydroxide	80U 160U	12カ月〜15歳 16歳以上	0.5 0.5	0，6〜18 0，6〜18
Crucell Vaccines	EPAXAL	RG-SB	virosomes composed of $10 \mu g$ purified influenza virus hemagglutinin and $100 \mu g$ of phospholipids	25IU	12カ月以上	0.5	0，6〜12
Sinovac Biotech	Healive	TZ84	aluminum hydroxide	250U 500U	12カ月〜15歳 16歳以上	0.5 1	0，6 0，6
KMバイオロジクス	エイムゲン	KRM003	含有せず	$0.5 \mu g$	制限なし	0.5	0，1，6

Murphy T, et al. "Hepatitis A vaccines". Plotkin SA, et al., eds. Vaccines. 6th ed. Saunders
2013; p.183-204，エイムゲン添付文書（2019年２月改訂 第16版）より作成

（中野貴司）

■ 狂犬病ワクチン

狂犬病

1．疾患の概要

1）病原体と感染経路

　リッサウイルス属ラブドウイルス科に分類されるRNAウイルスである狂犬病ウイルス（rabies virus）が，狂犬病の原因病原体である。

　世界的にみて，ヒト患者の90％以上はイヌからの感染によるものであるが，狂犬病ウイルスは理論上あらゆる哺乳動物に感染する。イヌ以外では，コウモリ，アライグマ，スカンク，キツネ，コヨーテ，オオヤマネコ，ジャッカル，マングース，タヌキなどの野生動物が重要な感染源である。一方，ネズミ，リス，ウサギなどの小型哺乳動物の狂犬病はまれである。

　狂犬病ウイルスは，感染した動物の唾液中に大量に含まれ，それら動物による咬傷や引っ掻き傷から感染伝播する。咬傷が複数箇所に及ぶ場合や，頭部，顔面，手などの傷はリスクが高い。また，頻度はまれであるが，実験室内でのエアロゾル感染やコウモリのいる洞窟内での感染が疑われる事例から，狂犬病ウイルスは傷のない粘膜から侵入することもあるとされる。

　狂犬病と診断されずに死亡した患者からの角膜やその他臓器の移植によっても感染が発生する。患者から健常な医療関係者への感染伝播や，咬傷によるヒトからヒトへの感染例は確定されていない。

2）臨床的事項

　潜伏期間は平均1～3カ月であるが，数日～1年以上と幅がある。例えば，頭部の重度の傷から狂犬病ウイルスに感染したことが疑われ，受傷後5日以内に症状が発現した症例もある。

　臨床病型は大きく2つに分類され，脳炎型，別名では狂躁型（furious）狂犬病と呼ばれる病型が最も一般的である。発熱，咽喉頭痛，倦怠感，頭痛，悪心，嘔吐，脱力などで発症するが，咬傷部位やその付近に感覚異常や掻痒感を伴うことが多い。感覚異常の範囲は徐々に拡大し，まもなく重度の中枢神経症状を呈するようになる。激越，抑うつ，不安発作，時にけいれん発作を認める。狂犬病初期の脳炎の特徴として，意識清明期があり，間歇的に中枢神経症状を呈する。恐水症（hydrophobia）と空気恐怖症（aerophobia）は狂犬病に特徴的な症状である。患者は，飲み物を勧められる，自らに向かってくる空気の流れを感じるなどの際に，激越，恐怖心，攣縮が激しく起こり，窒息や誤嚥につながる。そして，やがて昏睡に陥り死に至る。

　もう1つの病型は麻痺型狂犬病と呼ばれ，頻度は高くないが，発熱と上行性の運動麻痺が主症状である。四肢や脳神経に症状が目立つが，病状進行に伴い脳炎型の症状も認める場合が多い。

動物の感染診断は，脳組織中のウイルス抗原を直接蛍光抗体法などで検出する。ウイルス分離や核酸同定法も可能である。ヒトにおける生前診断は，頸部うなじ部分を皮膚生検する直接蛍光抗体法，唾液からのウイルス分離や核酸検出などの方法があるが，感度は良好とは限らない。

特異的な治療法は存在せず，発症後に病状の進行を止める治療はないとされる。すなわち，死亡率は100％に近い極めて予後不良な疾患である。

3）国内の関連法規

感染症の予防及び感染症の患者に対する医療に関する法律（感染症法）では，狂犬病は四類感染症に分類され，全数報告対象疾患である。診断した医師は，直ちに最寄りの保健所に届け出る必要がある。動物の狂犬病に対しては，狂犬病予防法や家畜伝染病予防法が適用される。

2．わが国における発生状況

幸いわが国では，国内で感染したヒトの狂犬病患者は1956年を最後に発生していない。また，動物では1957年のネコを最後に発生がない。海外での受傷による感染と考えられる輸入症例は，1970年１例（ネパール），2006年２例（フィリピン）のイヌ咬傷後の死亡例の報告がある。

しかし世界的にみれば，狂犬病が常在しない国は，わが国以外では英国，北欧諸国，アイスランド，オーストラリア，ニュージーランドなど，ごく限られた地域であることを，グローバル化が進んだ現在においては認識しておく必要がある（図1）。

3．予防接種の意義

1）海外渡航者

先進諸国では，イヌやネコなど愛玩動物に対しては，ワクチンによる予防という狂犬病対策が浸透し，これら動物の狂犬病発生はほとんどなくなった。しかし，コウモリ，アライグマ，キツネなど野生動物による感染は依然として発生しており，先進国も含めて世界の多くの地域は狂犬病のリスクがある。また，コウモリによる傷は軽微で自覚されない場合も多い。

一方，多くのアジア・アフリカ諸国においては，ヒトの生活圏とオーバーラップして暮らすイヌたちの間で，狂犬病ワクチンによる予防はほとんど行われておらず，イヌ咬傷による狂犬病のリスクがある（図1）。

2）疾患の重篤度

発症した場合には，ほぼ100％の症例が死に至る予後不良な疾患であることを考慮すれば，ワクチンによる予防は大切である。そして，曝露前予防と曝露後予防という２つの手段があることを知っておく必要がある（後述）。

3）ワクチン供給の問題点

国内で承認された狂犬病ワクチン製剤の供給量は十分ではなく，常に慢性的な供給不足状態にある。曝露後予防については優先的に確保されるが，曝露前予防につ

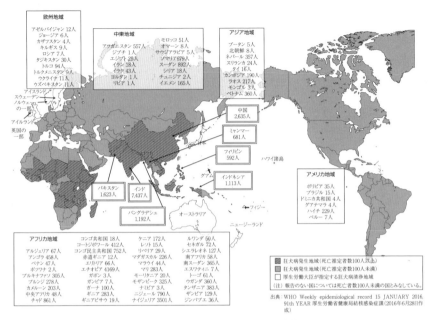

図1　世界における狂犬病の発生状況

厚生労働省．"狂犬病に関するQ&Aについて"．http://www.mhlw.go.jp/bunya/kenkou/kekkaku-kansenshou10/07.htmlより

いては，希望者に接種できない場合がある．曝露前予防の対象者として，狂犬病の流行地域への渡航者で，動物との接触が避けられない，近くに医療機関がないような地域に長期間滞在するなどの条件があげられるが，予防を心がけたい者には平等に入手できることがワクチンの原則であり，現状の改善が望まれる．

ワクチンの効果と安全性

1．ワクチンの概要
1）乾燥組織培養不活化狂犬病ワクチン(商品名：組織培養不活化狂犬病ワクチン)

1980年に承認された本製品は，ニワトリ胚初代培養細胞に馴化した狂犬病ウイルス(HEP Flury株)を増殖させ，β-プロピオラクトンで不活化し，濃縮・精製し，安定剤を加え凍結乾燥したものである．添加物としてゼラチン0.2mgを含有するので，ゼラチンアレルギーの者に対しては，接種の際に注意が必要である．本製品の接種方法は，皮下注射である．

２）乾燥組織培養不活化狂犬病ワクチン（商品名：ラビピュール筋注用）

　2019年に承認された本製品は，狂犬病ウイルス（Flury LEP株）をニワトリ胚初代培養細胞で増殖させ，β-プロピオラクトンで不活化した後，濃縮・精製し，安定剤を加え凍結乾燥したものである。添加物としてポリゼリン9.0〜12.0mgを含有する。ポリゼリンはゼラチンの分解物を重合させたゼラチン由来物質であり，ゼラチンアレルギーの者に対しては，接種の際に注意が必要である。本製剤の接種方法は，筋肉内注射である。

２．免疫効果

１）乾燥組織培養不活化狂犬病ワクチン（商品名：組織培養不活化狂犬病ワクチン）

　本剤を健康成人30名に２週間隔で２回，うち10名については初回接種後６カ月目に１回追加接種した。２回接種後には抗体陽転率100％，平均中和抗体価105倍に達したが，６カ月後の３回接種前には，それぞれ40％，11倍に低下した。３回目接種２週後はそれぞれ100％，170倍に上昇した。

　また，狂犬病またはその疑いのある動物により咬傷を受けた17名に本剤を接種した結果，狂犬病の症状を呈した者はなく，発病を予防したものと考えられた。

２）乾燥組織培養不活化狂犬病ワクチン（商品名：ラビピュール筋注用）

　本剤を健康成人109例に対して，0，7，28日の計３回筋肉内に接種した結果，中和抗体保有率（中和抗体価0.5IU/mL以上の者の占める割合）は99.0％，中和抗体価の幾何平均抗体価は6.44IU/mLであった。20歳未満の健康人34例に対して，0，7，28日の計３回筋肉内に接種した結果では，中和抗体保有率100.0％，幾何平均抗体価10.71IU/mLであった。

　また，狂犬病またはその疑いがある動物への曝露歴がある者57例に対して，本剤を0，3，7，14，30，90日の計６回筋肉内に接種した結果，観察期間中に（平均値352日，中央値376日），狂犬病を発症した被験者は認められなかった。

３．副反応

　接種後に発熱などの全身症状，発赤・腫脹・疼痛などの局所反応を認めることがあるが，概ね程度は重篤ではなく，一過性のものである。

４．接種不適当者および接種要注意者

　定期予防接種における接種不適当者および接種要注意者（48頁）に準じて対応する。加えて，前述のように，添加物としてゼラチンやその由来物質を含有するので，ゼラチン含有製剤やゼラチン含有の食品に対して過敏症の既往歴のある者に対しては，接種適否の判断を慎重に行う。

324　ワクチン別の解説

表1　曝露前免疫と曝露後免疫

製品名	組織培養不活化狂犬病ワクチン	ラビピュール筋注用
生物学的製剤基準名	乾燥組織培養不活化狂犬病ワクチン	乾燥組織培養不活化狂犬病ワクチン
製造販売元	KMバイオロジクス，Meiji Seika ファルマ	グラクソ・スミスクライン
接種方法	皮下注射	筋肉内注射
曝露前免疫	計3回：0日，4週後，6〜12カ月後	計3回：0日，7日，21日あるいは28日
曝露後免疫	計6回：0日，3日，7日，14日，30日，90日	①計4回：0日(接種部位を変えて，2カ所に1回ずつ，計2回)，7日，21日 ②計5回：0日，3日，7日，14日，28日 ③計6回：0日，3日，7日，14日，30日，90日

2製品の添付文書より作成

接種方法の実際

　現在国内で製造販売されている2製品とも，添付の溶剤(日本薬局方注射用水)で溶解し，1mLが1回接種量である。小児の場合も，成人と同量を接種する。狂犬病ワクチンには，曝露前免疫と曝露後免疫という2種類の予防方法がある。2種類の製品により，接種間隔や回数，接種方法(皮下注射と筋肉内注射)の規定が異なるので注意が必要である(**表1**)。

(中野貴司)

★狂犬病が疑われる動物に咬まれたら……

わが国では長年にわたって狂犬病の国内感染例はなく,国内での動物咬傷による狂犬病発症のリスクはないと考えてよい。一方,海外で動物に咬まれて帰国後に発症する可能性は常に存在する。動物咬傷などを受けた場合は,まず傷口を十分に洗浄することが大切である。その後はしかるべき医療機関で,表に示すWHOの推奨に基づいて対処する。カテゴリーII以上の曝露の際は,狂犬病ワクチンの曝露後免疫を行う。カテゴリーIIIの曝露や頭部に近い傷などハイリスクの曝露の際は,狂犬病ワクチンの曝露後免疫と併せて抗狂犬病ヒト免疫グロブリンの咬傷部位への浸潤と筋肉内注射が推奨される。ただし,抗狂犬病ヒト免疫グロブリン製剤は,国内では承認されていない。

表 WHOが規定する接触・曝露の種類と勧告される曝露後発症予防処置

カテゴリー	曝露の程度	被疑もしくは確定した狂犬病の家畜もしくは野生動物,または逃走して経過観察できない動物との接触状況	勧告される曝露後発症予防法
I	なし	・動物に触れる ・動物にえさを与える ・傷のない皮膚を舐められる	接触歴が信頼できれば治療は不要
II	軽微	・素肌を軽く咬まれた ・出血のない小さい引っ掻き傷やかすり傷	直ちに狂犬病ワクチンを投与。加害動物が10日間の経過観察を通して健康である,または信頼できる施設による適切な診断法により加害動物が狂犬病陰性と判断されたら,治療中止してよい。
III	重度	・1カ所から数カ所の皮下に達する咬傷または引っ掻き傷 ・傷がある皮膚を舐められる ・唾液による粘膜の汚染 ・コウモリからの曝露	直ちに狂犬病ワクチンを投与し,可能な限り早期に抗狂犬病グロブリンを投与(ワクチンから7日以内に注射)。加害動物が10日間の経過観察を通して健康である,または信頼できる施設による適切な診断法により加害動物が狂犬病陰性と判断されたら,治療中止してよい。

西園晃. Q112. まるわかりワクチンQ&A. 中野貴司編著. 日本医事新報社 2015; p.355より

★国産ワクチンと海外ワクチンの互換性

海外の狂犬病流行地域で動物咬傷を受けた場合は,可能な限り速やかに曝露後免疫を開始することが望ましい。その理由は,曝露後に初めて狂犬病ワクチンの接種を開始した際は,有意な抗体産生までに10日間以上を要するとされるからである。現地で海外ワクチンによる曝露後免疫を開始し,接種スケジュールの途中で帰国した場合には,帰国後は国産ワクチンで引き続き曝露後免疫を継続することになり,ワクチンの互換性が問題となる。国産ワクチンと海外ワクチンの互換性に関する研究は限られているが,少数例に対する検討では,防御抗体価を上回る中和抗体が獲得され,問題となる副反応も発生しておらず,互換性があるとして対処してよいと考えられる。

(中野貴司)

326 ワクチン別の解説

■ 黄熱ワクチン

黄熱

1. 疾患の概要
1）病原体と感染経路
　病原体は黄熱ウイルスで，フラビウイルス科フラビウイルス属のRNAウイルスである。ウイルスの遺伝子解析の結果によると，野生株黄熱ウイルスは少なくとも7つの型(アフリカ5型，南米2型)に分類されるが，現行の17D株黄熱ワクチンはすべての型に有効とされる。
　黄熱ウイルスは，蚊によって媒介される。媒介蚊としてネッタイシマカ(*Aedes aegypti*)はよく知られているが，他にも諸種の媒介蚊が存在する。ネッタイシマカと同じヤブカ属のヒトスジシマカは，日本に常在するが，黄熱ウイルスを媒介する可能性については明らかでない。少なくとも，ネッタイシマカと比較すると黄熱ウイルスをヒトに媒介する確率は小さいと考えられている。ネッタイシマカは，かつては国内でも沖縄県，小笠原諸島，熊本県などで一時的に生息していたことが記録されているが，1955年以降は国内から消滅したとされる。ただし今日では，航空機によって国内に運ばれる例も確認されており，定着の可能性は皆無ではない。
2）疫学
　アフリカおよび南米の熱帯地域に常在する疾患で，しばしば流行がみられる(**図1**)。わが国が生んだ偉大な医学者，野口英世(1876-1928)の命を西アフリカのガーナで奪ったのは，本疾患であった。
　黄熱の流行様式は，大きく2つに分類される。1つは森林型で，ジャングルや熱帯林のサルなどヒト以外の霊長類の間で黄熱ウイルスが伝播しており，たまたま現地へ入ったヒトが蚊(媒介蚊には諸種あり)に刺され感染が生じる。もう1つは都市型で，主にネッタイシマカが黄熱患者を吸血し，ヒトから蚊を介してヒトへの感染が媒介される。さらに，森林型と都市型の混在した中間型と呼ばれる感染サイクルも存在する。
　黄熱の正確な患者数は明らかでないが，WHOの試算では，年間8万〜17万人の患者が発生し，死者は最大で6万人に及ぶとされる。アフリカでは，森林型と都市型両方の流行がみられ，南米では主に森林型である。黄熱を媒介する蚊は昼夜を問わずヒトを刺すが，日中の方がよりリスクが高いとされている。
　不顕性感染もある疾患で，アフリカでの流行時に調査した結果では，黄熱ウイルス感染者のうち3〜8人に1人が臨床症状を呈するとされた。蚊に刺されてからの潜伏期は3〜6日である。
3）臨床的事項
　病態はウイルス性出血熱であり，「黄熱(yellow fever)」の病名は「黄(yellow)＝

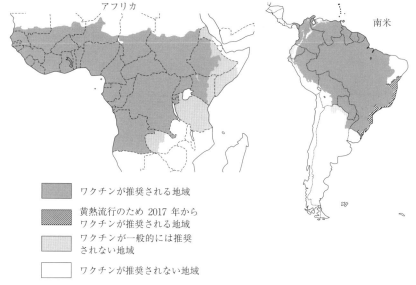

図1 黄熱ワクチンの接種が推奨される国/地域
CDC. "Yellow Fever Maps". https://www.cdc.gov/yellowfever/maps/index.html (accessed 2019-8-20).

黄疸」＋「発熱(fever)」に由来すると考えられる．症状の発現順序は，発熱が黄疸に先んじる．すなわち，突然の発熱，悪寒，倦怠感，頭痛，腰背部痛，悪心，眩暈などで発症する．眼球充血や比較的徐脈が認められることも多い．軽症例は黄疸を発症せず，上記症状が3〜4日間続いた後に回復する．

患者の約15％では，発症後3〜6日目頃に増悪期が始まる．増悪期の前に，1〜2日間の短い症状寛解期を認める場合もある．増悪期には，高熱，嘔吐，腹痛，黄疸，肝不全，腎不全，出血傾向，心循環不全をきたす．脳炎を合併することもあるが，頻度は高くない．増悪期に進展した患者の致死率は20〜50％であり，発症後7〜10日で死亡する場合が多い．また，年少児と高齢者では致死率が高い．

血液からウイルスが分離されれば確定診断できる．発病初期4日間の分離陽性率が高いが，10日目以降の患者や剖検肝から分離されたという報告もある．血清のRT-PCR法による診断も有用である．血清抗体価は，HI法，CF法，間接蛍光抗体法，中和法など以外に，IgM capture ELISA法の有用性が高い．しかし，これらの実験室診断法は，専門の施設でのみ実施が可能である．

4）国内の関連法規

感染症の予防及び感染症の患者に対する医療に関する法律（感染症法）では，黄熱は四類感染症に分類され，全数報告対象疾患である．診断した医師は，直ちに最寄りの保健所に届け出る必要がある．無症状病原体保有者も届け出の対象に該当する．

２．わが国における発生状況

　幸いわが国では，第二次世界大戦後に海外のリスク国・地域で感染し発症した例，国内で感染した例ともに，これまでに報告はない。ただし，グローバル化により渡航する人口が増えた昨今，油断は禁物である。

３．予防接種の意義

１）流行地への渡航者の発病リスク

　感染や発病には様々な因子が影響するため，渡航者のリスク割合を推計することは難しいが，アフリカの流行地へ予防接種をせずに２週間の旅行に出かけた場合，黄熱に罹患するリスクは10万人当たり50人の頻度，黄熱で死亡するリスクは10万人当たり10人の頻度，南米へ渡航の場合はこの10分の１のリスクと推計されている。1970～2009年に報告された黄熱に罹患した渡航者の一覧を表１に示すが，予防接種歴のない者が大多数を占め，致死率も高い。2015年12月以降のアンゴラを中心とした流行では，中国などから10名以上の渡航者が発病した。

　黄熱罹患の危険因子として，森林型が流行する地域では森林開拓，製材業，道路建設などの業務があげられる。媒介蚊が増加する雨季の中盤以降は，森林型，都市型ともに要注意の季節である。

２）国際保健規則(IHR)と予防接種証明書

　黄熱は国際保健規則(International Health Regulation：IHR)に基づいて，流行国への入国時，あるいは流行地から当該国への入国に際して国際予防接種証明書(イエローカード)の呈示を求められる場合がある(図２)。流行地からの入国に際して接種証明書の呈示を要求する国は，黄熱ウイルス媒介蚊が国内で生息し，患者が発生した場合に都市型黄熱の流行を危惧する国である。日本は要求していないが，アフリカや南米を訪れた後，帰途にトランジットで立ち寄る国では呈示が必要な場合がある。医学的な理由で黄熱ワクチンを接種できない場合は，その理由を説明した書類，すなわちワクチン適用除外証明書(medical waiver)を医師が作成することも認められている(図３)。

　接種証明書は，かつての有効期間は「接種10日後から10年間」であったが，2016年７月11日以降は「接種10日後から生涯有効」に変更された。かつて接種し，すでに有効期間が経過した接種証明書も生涯有効なものとして取り扱われる。入国時に接種証明書の呈示が必要な国はしばしば更新されるので，渡航前にWHO〔International Travel and Health(http://www.who.int/ith/en/)〕や厚生労働省検疫所〔黄熱について(http://www.forth.go.jp/useful/yellowfever.html)〕のウェブサイトで最新の情報を入手する。

　低月齢乳児では黄熱ワクチン関連神経障害(yellow fever vaccine-associated neurotropic disease：YEL-AND)のリスクがあることを考慮して，周囲で流行がある場合を除いて生後９カ月以上の児を接種対象とする場合が多く，接種証明書の提示義務についても生後９カ月以上や１歳以上を対象とする国が多い。ただし，一部の国

黄熱ワクチン　329

表1　渡航者の黄熱罹患報告例（1970〜2015年）

年月	年齢・性	予防接種歴	住地	渡航先	予後
1979年10月	42・男	無	フランス	セネガル	死亡
1979年10月	25・男	無	フランス	セネガル	死亡
1985年8月	27・女	無	オランダ	ギニア・ビサオ，ガンビア，セネガル	生存
1988年10月	37・女	有	スペイン	ニジェール，モーリタニア，マリ，ブルキナファソ	生存
1996年4月	53・女	無	スイス	ブラジル（アマゾン）	死亡
1996年8月	42・男	無	米国	ブラジル（アマゾン）	死亡
1999年8月	40・男	無	ドイツ	コートジボアール	死亡
1999年9月	48・男	無	米国	ベネズエラ	死亡
2001年11月	47・女	無	ベルギー	ガンビア	死亡
2002年3月	47・男	無	米国	ブラジル（アマゾン）	死亡

Staples JE, et al. Yellow fever vaccine. Vaccines 7th ed. Plotkin SA, et al., eds. Elsevier 2018; 1181-1265より引用改変

図2　黄熱ワクチンの予防接種証明書（イエローカード）

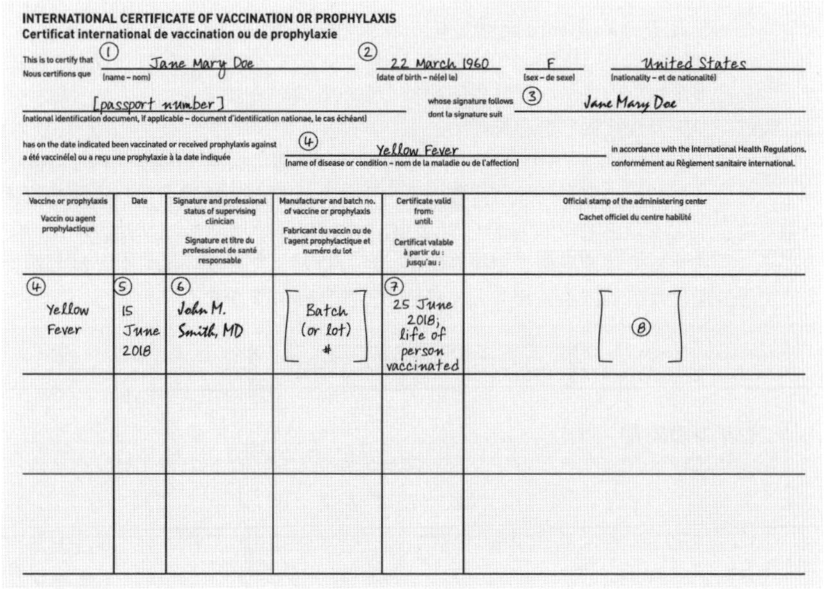

CDC. "Yellow Fever". Travelers' Health（2018. Mar 22）. https://wwwnc.cdc.gov/travel/yellowbook/2018/infectious-diseases-related-to-travel/yellow-fever より

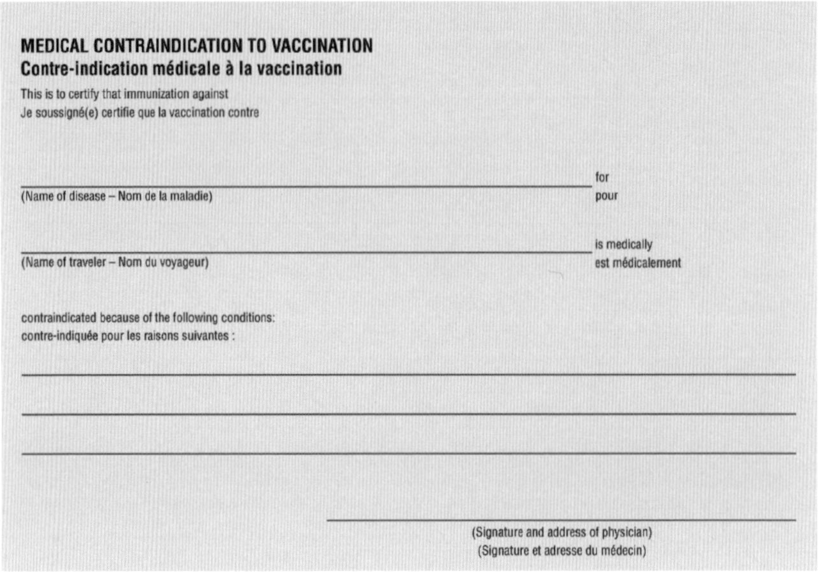

330　ワクチン別の解説

MEDICAL CONTRAINDICATION TO VACCINATION
Contre-indication médicale à la vaccination

This is to certify that immunization against
Je soussigné(e) certifie que la vaccination contre

_____　for
(Name of disease – Nom de la maladie)　pour

_____　is medically
(Name of traveler – Nom du voyageur)　est médicalement

contraindicated because of the following conditions:
contre-indiquée pour les raisons suivantes :

_____

_____

_____

_____
(Signature and address of physician)
(Signature et adresse du médecin)

図 3　ワクチン適用除外証明書（medical waiver）

CDC. "Yellow Fever". Travelers' Health（2018. Mar 22）. https://wwwnc.cdc.gov/travel/yellowbo
ok/2018/infectious-diseases-related-to-travel/yellow-fever より

では生後 6 カ月以上の児への黄熱予防接種を要求している。
3）黄熱ワクチンが接種できる施設

　黄熱ワクチンの接種は，IHRに則り，各国の保健官署によって管理された施設で行うこととされ，わが国では検疫所など指定された機関が，接種および接種証明書の発行を担当している（354頁参照）。わが国の指定接種機関の数は諸外国に比べて少なく，特に地方では遠隔地まで接種に出かけなければならない場合がしばしばである。渡航前には日程に余裕をもって接種を計画する必要がある。

ワクチンの効果と安全性

1．ワクチンの概要

　わが国で接種される黄熱ワクチンは，弱毒生黄熱ウイルス（17D-204株）が主成分である。黄熱ワクチンは世界中で唯一17D株がワクチン株として使われており，1927年にガーナで分離された野生株黄熱ウイルス（Asibi株）を継代し弱毒化したものである。

　添加物としてゼラチンを含有するので，ゼラチンアレルギーの者に対しては，接種の際に注意が必要である。また，ワクチン製造時のウイルス培養に鶏卵を用いる

ので，重篤な鶏卵アレルギーの者に接種する際にも注意を要する。

2．免疫効果

接種後の免疫賦与については，米国での2試験において，被験者の90%が接種後10日以内に，100%が14日目までに抗体が獲得されたと報告されている。日本での報告では，接種後の中和抗体獲得率は7日目で0%，10日目で32%，14日目および29日目で100%であった。

3．副反応

黄熱ワクチンは，歴史的・世界的に副反応の少ない安全性の高いワクチンとして知られているが，本剤の成分および製造過程に由来する鶏卵，ゼラチンなどに対するアレルギーを有する者では過敏反応が出現する可能性がある。

ワクチンによる全身性の副反応としては，軽度の発熱，頭痛，筋肉痛，倦怠感などが接種数日後に10～30%の頻度で認められる。重篤な副反応はまれではあるが，脳炎(低月齢乳児に多い)，多臓器不全(高齢者に多い)の報告がある。わが国では，9カ月未満の乳児では脳炎発症のリスクを考慮して，本ワクチンを接種しないこととされている。

1）黄熱ワクチン関連神経障害(YEL-AND)

1945年以降，黄熱ワクチン接種後の脳炎が26例報告され，うち16例は7カ月未満の乳児であった。26例中24例は後遺症なく回復した。接種後1～3週間頃に発症し，発熱，頭痛，意識障害，髄液細胞数増多，髄液蛋白増加，感覚障害，運動障害，言語障害などが症状であった。

このように，YEL-ANDは当初乳児の脳炎という形で報告されたが，その後，頻度はまれであるが各年齢で髄膜脳炎，ギラン・バレー症候群，急性散在性脳脊髄炎(acute disseminated encephalomyelitis：ADEM)などが起こり得るとされ，米国での頻度は10万接種当たり0.8である。60歳以上の高齢者では，10万接種当たり2.2と頻度が上昇する。初回接種で起こる場合が多く，接種後2～56日の発症である。重篤な合併症であるが，死亡例はまれとされる。

コ-ラ-ム

★授乳婦と黄熱ワクチン

弱毒生ワクチンは，授乳婦に対しても通常は健常人と同様に接種できる。ただし，黄熱ワクチンについては注意事項がある。1カ月未満の乳児の授乳婦に対して黄熱ワクチンを接種し，乳児が脳炎(YEL-AND)を呈した症例がこれまでに3例報告されている。授乳婦が，黄熱流行地へ渡航する場合の接種の適否に関しては，そのリスクとベネフィットを十分考慮した上で判断する。

(中野貴司)

2）黄熱ワクチン関連臓器障害(yellow fever vaccine-associated viscerotropic disease：YEL-AVD)

1996～2001年の間に，黄熱ワクチンとの因果関係が考えられる7例の多臓器不全症例が報告され，うち6例は死亡した。年齢分布は5～79歳で，6例中4例は60歳以上であった。発熱，肝機能障害，腎不全，呼吸不全，低血圧，血小板減少などが症状であり，接種後2～5日頃に発症した。報告国別内訳は，オーストラリア1例，ブラジル2例，米国4例であった。この期間中に世界中で使用された黄熱ワクチンは1億5,000万ドーズであり，ブラジルではこのうち5,400万ドーズが使用された。当初，発症頻度は，小児への定期接種が実施されているブラジルでは1,000万ドーズ当たり1例，成人渡航者への接種が主である米国では20～30万ドーズ当たり1例(60歳以上の高齢者への接種に限定すると4～5万ドーズ当たり1例)と推計された。

YEL-AVDは，黄熱ワクチン初回接種者でリスクが高く，現状でウイルス学的に確定診断された症例は，初回接種のみである。米国の報告では，接種から発症までは平均4日(1～18日)で，致命率46％であった。頻度について最近の報告では，米国で10万接種当たり0.3，60歳以上の高齢者では，10万接種当たり1.2と頻度が上昇し，70歳以上ではさらに高頻度である。

4．接種不適当者および接種要注意者

定期予防接種における接種不適当者および接種要注意者(48頁)に準じて対応する。加えて，前述のように，添加物としてゼラチンを含有するので，ゼラチン含有製剤やゼラチン含有の食品に対して過敏症の既往歴のある者に対しては，接種適否の判断を慎重に行う。また，ワクチン製造時のウイルス培養に鶏卵を用いるので，鶏卵アレルギーに対する注意も必要である。

わが国の黄熱ワクチン添付文書には，以下に示す者が接種不適当者としてあげられている。

①9カ月齢未満の乳児

②明らかに免疫機能に異常のある疾患を有する者および免疫抑制をきたす治療を受けている者

③明らかな発熱を呈している者

④重篤な急性疾患にかかっていることが明らかな者

⑤本剤の成分*によってアナフィラキシーを呈したことがあることが明らかな者

⑥胸腺に関連した疾患(重症筋無力症，胸腺腫)を有したことがある者および胸腺摘除術を受けた者(熱性多臓器不全の発現が報告されている)

⑦上記に掲げる者のほか，予防接種を行うことが不適当な状態にある者

＊：黄熱ワクチンは，微量の鶏卵成分やゼラチンを含有する。

年齢特異的な副反応発現のリスクがあり，生後9カ月未満の乳児は接種不適当者である。高齢者においても，前述のように重篤な副反応発現の頻度が増すことが報

告されており，高齢者は接種に際して注意を要する者に分類される。

接種方法の実際

1．接種方法
1回0.5mLを皮下に注射する。

2．注意
　前述したように，年齢特異的(乳児および高齢者)な副反応発現のリスクがあることに注意する。弱毒生ワクチンであり，免疫低下者への接種は原則禁忌となる。ワクチン成分として微量含有されるゼラチンや鶏卵成分に対するアレルギーのある者への接種時には，詳細な問診を行い，接種の可否を慎重に判断した上で，十分な説明と同意に基づいて接種する。海外渡航時の予防接種証明書の有効期限については，かつては10年間であったが，現在は生涯有効である。

（中野貴司）

★海外渡航と予防接種
　国内未承認ワクチンについては，「海外渡航時の予防接種」(347頁)で記載した事項以外にも，海外でTdapワクチンが使われている年長児や成人の百日咳含有ワクチン，A型・B型肝炎やMMRなどの多価混合ワクチン，B群髄膜炎菌ワクチンなど，話題となる内容は多い。トラベラーズワクチンの分野では，いまだ海外との間に大きなワクチンギャップが存在するので，その解消に努めてゆくことが大切である。有効性と安全性の担保されたワクチンが，わが国でも多く承認されることを期待したい。なお，厚生労働科学研究による検討を経て作成された「トラベラーズワクチン等の臨床評価に関するガイダンス」(平成28年4月7日薬生審査発0407第1号，厚生労働省医薬・生活衛生局審査管理課長通知)が厚生労働省より発出されている(https://www.pmda.go.jp/files/000211988.pdf)。

（中野貴司）

334 ワクチン別の解説

■ 髄膜炎菌ワクチン

髄膜炎菌性髄膜炎

1. 疾患の概要

1) 病原体と感染経路

髄膜炎菌(*Neisseria meningitidis*)は，グラム陰性の双球菌で，莢膜の免疫化学的特性により13以上の血清群に分類される。ヒトでの病原性が問題となるのは，A，B，C，W，X，Y群である。感染経路は，飛沫および接触感染である。

本菌は鼻や咽頭など気道粘膜に定着し，無症状の保菌者も存在する。保菌率は人口集団の年齢や特性によっても異なり，思春期や人口密度が高い集団では保菌率が高い。喫煙や呼吸器感染症の併存は，保菌や伝播の危険因子とされる。

2) 臨床的事項

潜伏期間は1〜10日で，一般的に4日以内である。血液や髄液に本菌が侵入増殖すると，菌血症や髄膜炎など重篤な感染症を発症する。血液や髄液など本来無菌的な身体部位から髄膜炎菌が分離される感染症を，侵襲性髄膜炎菌感染症(invasive meningococcal disease：IMD)と総称する。

代表的なIMDは，髄膜炎である。悪寒，発熱，頭痛，傾眠傾向，意識障害，易刺激性，頸部硬直などが主症状で，斑状丘状疹や紫斑などの発疹を認める頻度が高い。その他に，菌血症や肺炎，関節炎，心筋炎，心内膜炎，心外膜炎などが報告されている。

特に髄膜炎や菌血症では，病状の進行がきわめて速い場合がある。そのような劇症の経過をたどる症例は約10〜20%で，紫斑の急激な拡大と血圧低下，多臓器不全をきたす。剖検所見で急性副腎出血がみられることがある(Waterhouse-Friderichsen症候群)。劇症型の予後は不良で，致死率50%に及ぶ。

後遺症として，聴力障害，言語障害，知能障害，麻痺，てんかんなどがあり，壊疽により四肢の変形や瘢痕をきたすこともある。

髄膜炎菌は，感染力が強く，集団感染を起こしやすいため，患者の濃厚接触者に対して抗菌薬の予防投薬を考慮する。予防投薬は，患者診断後24時間以内に開始することが望ましい。濃厚接触者の定義として，発症前7日以内の「キス，歯ブラシや食事用具の共用など患者唾液との直接接触」「家庭内，保育所，子どもの世話」「航空機で8時間以上隣席」「医療従事者では口対口の蘇生，気管挿管時の非防護的接触」などがあげられる。わが国では予防投薬の具体的な指針が定められてないが，海外の選択薬剤の例として米国小児科学会による推奨を表1に示した。

患者好発年齢は，世界的には1歳未満の罹患率が高く，幼児，学童と罹患率は減少する。しかし，10歳代後半で再び増加する。特に欧米では，大学の寮，軍隊など多人数が共同生活する環境で，しばしば流行がみられる。米国の予防接種スケジュ

髄膜炎菌ワクチン　335

表1　米国で濃厚接触者に対する予防投薬に推奨される薬剤

薬剤名	対象年齢	用法	用量	投与期間	有効率
リファンピシン	生後1カ月未満	経口	5mg/kg，12時間ごと	2日間	90～95%
	生後1カ月以上		10mg/kg(600mgまで)，12時間ごと		
セフトリアキソン	15歳未満	筋肉内注射	125mg	単回投与	90～95%
	15歳以上		250mg		
シプロフロキサシン		経口	20mg/kg(500mgまで)	単回投与	90～95%
アジスロマイシン		経口	10mg/kg(500mgまで)		90%

リファンピシンは経口避妊薬，抗けいれん薬，抗凝固薬との相互作用やソフトコンタクトレンズの着色に注意する。
リファンピシンとシプロフロキサシンは，妊婦への投与は推奨されない。
シプロフロキサシンは米国では月齢1カ月から投与可能だが，わが国では小児適用はない。
アジスロマイシンは，通常には推奨されないが，リファンピシンと同等の除菌効果という研究報告がある。
American Academy of Pediatrics. Red Book 2015. 30th ed. Elk Grove Village 2015; p.547-558より

4

ワクチン別の解説

ールでは，11歳での接種を推奨しているが，患者好発年齢かつ流行伝播の起こりやすい集団生活に入る以前での予防を目的としたものである。

3）国内の関連法規

感染症の予防及び感染症の患者に対する医療に関する法律（感染症法）では，IMDは五類感染症に分類されるが，全数報告対象疾患である。無症状病原体保有者は，届け出の対象に該当しない。

2．わが国における発生状況

第二次世界大戦直後は，毎年数千人の患者が報告されていたが，近年の発症頻度は低く，2000年以降は毎年10～20人程度の発生で推移した（**図1**）。2011年4～5月には宮崎県の高等学校の全寮制運動部寮でB群髄膜炎菌の集団感染が発生し，1例の死亡を含む5例の感染者が報告された。

2013年4月以降は，IMDが全数報告対象疾患となり，菌血症が報告されるようになったこともあって報告数は増加した。これら症例の中では，菌の血清群はY群が最も多く，次いでB群，C群の順であった。4価髄膜炎菌ワクチン（A，C，W，Y群）含有血清群の占める割合は61％（160例中97例）であった。

国内の患者年齢については，2013～2017年の報告例では5歳未満，10歳代後半，40歳代以上の患者が多数を占めた（**図2**）。10～40歳代の患者が死亡例の半数以上を占め，日頃は元気な年齢層でも発症すれば不幸な転帰につながる。

最近の出来事としては，2015年夏にわが国で開催された「第23回世界スカウトジャンボリー」の海外参加者の間で本感染症が伝播した事例，2017年夏に全寮制学校に在席する10代学生が発熱後に急激に症状が悪化して死亡した事例などが記憶に新

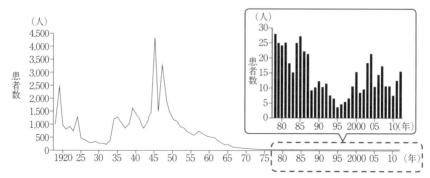

図1 わが国の髄膜炎菌性髄膜炎患者報告数の推移(1918〜2012年)
1999年3月までは「伝染病統計」による流行性脳脊髄膜炎患者数
1999年4月からは感染症発生動向調査(2013年11月15日現在報告数)

国立感染症研究所. IASR 2013; 34: p.361-362より

表2 髄膜炎菌ワクチンの接種推奨対象者

1. 寮などで集団生活を送る者(国内では学校・警察・自衛隊など)
2. 免疫低下のあるハイリスク患者(補体欠損症・無脾症・脾臓機能不全・HIV感染症など)
3. エクリズマブ治療患者(発作性夜間ヘモグロビン尿症・非典型溶血性尿毒症症候群・重症筋無力症など)
4. 髄膜炎菌研究者・医療関係者でリスクの高い者
5. 国際的な大会などマス・ギャザリングへの参加者
6. 流行地域*への海外渡航者や医療ボランティア
7. 定期接種実施国への留学生
8. メッカ巡礼者

＊：アフリカ髄膜炎ベルト(図3)は代表的な流行地域であるが、その他にも世界各地で流行がみられる。

しい。これらの事例では周囲の濃厚接触者からも髄膜炎菌が分離された。

また、2019年11月には、ラグビーワールドカップ日本大会を観戦するために来日し、富士山へのバスツアーにも参加したオーストラリア在住者が、日本国内でIMDを発症し、厚生労働省から感染伝播の注意に関する情報提供が行われた。

3．予防接種の意義

国内での発症頻度は決して高くないが、症状が急速に進行し治療が間に合わない場合も想定されるため、本疾患をワクチンで予防する意義は大きい。海外諸国では、乳児や10歳代に定期接種として実施されている。また、近年のインバウンド増加も考慮すると、予防の重要性はよりクローズアップされる。

患者年齢やIMD罹患のハイリスク者、海外を含めた流行状況などを総合的に考慮して、現状では**表2**に示す者に接種を推奨したい。

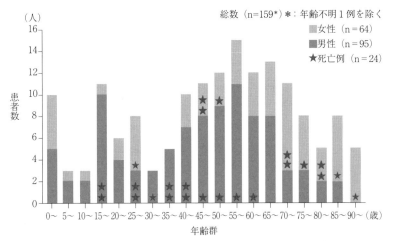

図2 わが国の侵襲性髄膜炎菌感染症患者の性別と年齢分布（2013年4月～2017年10月）

国立感染症研究所. IASR 2018; 39: 1-2 より

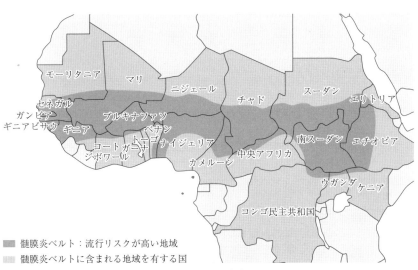

図3 アフリカ髄膜炎ベルト

MacNeil JR, et al. "Meningococcal disease". CDC Health Information for International Travel 2016: the yellow book. Brunette GW, et al., eds. Oxford University Press 2015より

ワクチンの効果と安全性

1．ワクチンの概要

　わが国では2014年7月に，4価髄膜炎菌結合体ワクチン（メナクトラ筋注）の製造販売が承認され，2015年5月から接種が可能となった。本ワクチンは，4種類の髄膜炎菌多糖体のジフテリアトキソイド結合体ワクチンであり，血清群A，C，W，Yに起因するIMDを予防することが目的である。

　髄膜炎菌血清群A，C，W，Yの培養液から分離精製した多糖体をジフテリアトキソイド蛋白とそれぞれ共有結合させた原液に，無菌のリン酸緩衝生理食塩液を加えて製剤化する。本剤は，製造工程でウシ乳由来成分（酸加水分解カゼイン）を使用する。1回接種量0.5mL中には，各血清型の髄膜炎菌ジフテリアトキソイド結合体を，それぞれ多糖体として4μg含有する。

2．免疫効果

　国内第Ⅲ相臨床試験では，2〜55歳の日本人健康人200例（成人194例，思春期未成年2例，小児4例）を対象に，本剤0.5mLを単回筋肉内接種し，免疫原性および安全性を評価した。その結果，約80％以上の被験者において血清群A，C，W，Yの4種のSBA-BR（serum bactericidal assay using baby rabbit complement）抗体価が128倍以上となった。思春期未成年と小児の登録例は，それぞれ2例，4例と少数であったが，接種後の抗体保有率は100％であった。

　SBA-BR抗体価とは，幼若ウサギ補体を用いた抗体価測定の方法で，血清殺菌活性測定法である。WHOによれば，1999〜2000年の英国での髄膜炎菌感染症流行時に，血清群Cの単価ワクチンの有効性を評価した際に，SBA-BR抗体価が128倍以上であることが感染防御効果を期待できるとされた。メナクトラ筋注の国内臨床試験では，その指標を採用し，血清群C以外に関してもSBA-BR抗体価128倍以上を感染防御抗体価とした。また，SBA-BR抗体価128倍以上は，ヒトの補体を用いる試験法で確立された感染防御レベルである4倍以上に相当する。

3．副反応

　国内第Ⅲ相臨床試験の結果では，本ワクチン接種後の注射部位反応の発現率は，疼痛30.9％，紅斑（発赤）2.6％，腫脹1.0％，全身反応の発現率は筋肉痛24.7％，倦怠感15.5％，頭痛11.3％，発熱1.5％であった。思春期未成年における注射部位反応は，紅斑（発赤）は2名中2名に，腫脹は2名中2名にみられたが，全身反応はみられなかった。小児における注射部位反応は，紅斑（発赤）は4名中3名に，疼痛は4名中3名に，腫脹は4名中3名にみられたが，全身反応はみられなかった。

髄膜炎菌ワクチン　339

４．接種不適当者および接種要注意者

　定期予防接種における接種不適当者および接種要注意者(48頁)に準じて対応する。かつて米国で，本ワクチン接種者でギラン・バレー症候群のリスクが上昇するという報告があり(現在では，因果関係を認めるという結論には至っていない)，ギラン・バレー症候群の既往がある者は接種要注意者に分類される。

接種方法の実際

１．接種方法

　髄膜炎菌(血清群A，C，W，Y)によるIMDの予防を目的として，１回0.5mLを筋肉内に注射する。

２．注意

　本ワクチンは米国では生後９カ月から接種が可能であるが，国内第Ⅲ相臨床試験では，２〜55歳の日本人健常者を対象として実施されたために，国内の２歳未満の幼児に対する使用経験はない。したがって，２歳未満の幼児に対する有効性および安全性は確立していない旨が添付文書に記載されている。また，56歳以上の者への使用経験は少なく，高齢者に対する有効性および安全性は確立していない。

(中野貴司)

コラム

★髄膜炎菌ワクチンにも及んでいたワクチンギャップ

　筆者は2000年から2005年にかけて、西アフリカの内陸国ニジェールで青年海外協力隊とポリオ対策の仕事に携わった。ニジェールはサハラ砂漠の南縁に位置し、「髄膜炎ベルト」(図３)の一角を成す国である。ニジェールでは、高温で乾燥する乾季に髄膜炎菌感染症の大流行が認められ、毎年数千人を超える患者が報告されていた。当時、わが国にはまだ承認された髄膜炎菌ワクチンがなく、わが国から派遣される者たちもニジェールに入国してから現地で入手するワクチンを接種していた。海外で活躍する日本人にも「ワクチンギャップ」の波が及んでいることを悲しく思ったものであるが、ようやくわが国でも４価髄膜炎菌結合体ワクチンが2015年５月から接種可能となった。

★髄膜炎菌ワクチンの歴史と世界で使用されているワクチン

　最初に開発されたのは、莢膜多糖体を主成分とするワクチンであった。当初は単価ワクチンが用いられ、1978年に米国でA，C，W，Yの４価多糖体ワクチンが承認された。多糖体ワクチンはT細胞非依存性抗原のため、低年齢小児では免疫原性に劣り、免疫メモリーの付与も乏しいという弱点があった。莢膜多糖体をキャリア蛋白に結合させることによりT細胞を介した免疫応答を誘導できるという理論に基づいて開発されたのが結合体ワクチンである。結合体ワクチンは低年齢小児にも免疫原性があり、多糖体ワクチンよりも強い免疫誘導が期待でき、メモリー機能も付与する。そして現在、海外では複数種類の髄膜炎菌ワクチンが使用されている(表)。B群菌に対するワクチンは長らく存在しなかったが、近年開発され各国で承認されつつある。

4

ワクチン別の解説

340　ワクチン別の解説

表　世界で使用されている髄膜炎菌ワクチン

ワクチンの種類	製造元	商品名	成分	キャリア蛋白
結合体ワクチン[1~9]	GSK	Menjugate®	MenC	CRM197
	Pfizer	Meningitec®	MenC	CRM197
	Pfizer	NeisVac-C®	MenC	TT
	GSK	Menitorix®	MenC-Hib	TT
	Serum Institute of India	MenAfriVac®	MenA	TT
	サノフィ	メナクトラ®	MenACWY	DT
	GSK	Menveo®	MenACWY	CRM197
	Pfizer	Nimenrix®	MenACWY	TT
	GSK	MenHibrix®	MenCY-Hib	TT
B群菌に対するワクチン[10,11]	GSK	BEXERO®	MenB	
	Pfizer	TRUMENBA®	MenB	
多糖体ワクチン[12~14]	Sanofi Pasteur	Meningo A+C®	MenAC	
	Pfizer Australia	Mencevax	MenACWY	
	Sanofi Pasteur	Menomune®	MenACWY	

1）GSK. Menjugate® ［PI］. 2015, 2）Pfizer. Meningitec® ［PI］. 2011, 3）Pfizer NeisVac-C® ［Product Monograph］. 2015, 4）GSK Menitorix® ［PI］. 2016, 5）Serum Institute of India. MenAfriVac® ［PI］6）サノフィ. メナクトラ® ［添付文書］. 2015, 7）GSK. Menveo® ［PI］. 2017, 8）Pfizer. Nimenrix® ［Product Monograph］. 2016, 9）GSK. MenHibrix® ［PI］. 2013, 10）GSK. BEXSERO® ［PI］.2016, 11）Pfizer.TRUMENBA® ［PI］.2017, 12）Sanofi Pasteur. Meningo A+C® ［Public assessment report］. 2013; 13）Pfizer Australia. Mencevax® ［PI］. 2016; 14）Sanofi Pasteur. Menomune® ［PI］. 2013　より

（中野貴司）

■ 痘瘡ワクチン

```
痘瘡
```

1. 疾患の概要

1) 病原体と感染経路

痘瘡(天然痘)ウイルス(variola virus)は，ポックスウイルス科オルソポックスウイルス属のDNAウイルスである。人類が根絶に成功した唯一の病原体で，現在は自然界には存在せず，米国疾病予防管理センター(Centers for Disease Control and Prevention：CDC)とロシアの国立ウイルス学・バイオテクノロジー研究センター(VECTOR)の２施設に保管される。

ヒトのみが痘瘡ウイルスの自然宿主であり，感染者の口や咽頭からの飛沫により感染する。皮膚や粘膜の病変部との直接接触，衣服やリネン類など媒介物を間接的に介しての感染や，頻度は低いが空気感染の報告もある。

2) 臨床的事項

潜伏期間は７〜17日，平均12日である。発疹出現前の前駆症状として発熱，倦怠感，頭痛，背部痛，嘔吐，腹痛などが２〜５日間持続する。発熱は高熱で，各症状の程度も強く重症感がある。前駆症状に引き続き，口蓋や舌に小さな赤い斑紋病変が出現する。この時期から，後に出現する皮膚病変が結痂し脱落するまで患者は感染源となる。口腔内の斑紋病変出現後24時間以内に，発疹が出現する。発疹は典型的には顔面から始まり，上腕，体幹，下肢へと急速に拡大する。発疹の密度は，顔面と四肢末端で高く，多くの場合，手掌や足底にも発疹がある。発疹出現後は体温が低下傾向となるが，完全には解熱しない。発疹は斑状疹で始まり，その後丘疹となり，さらに硬い水疱から深い膿疱となる。膿疱期には再度高熱を呈する。それぞれの発疹期は１〜２日間程度で，後半には臍形成したり癒合する。発疹性病変のサイズは，10日目頃が最大で，その後痂皮化が始まる。痂皮にも感染性がある。

検査診断法としては，水疱や膿疱液から痘瘡ウイルスを検出する。ウイルス分離，PCR法，免疫組織法，電子顕微鏡などの手段がある。

ワクチン歴がなく罹患した場合，痘瘡による致死率は30％程度とされるが，妊婦，１歳未満の乳児，30歳以上の成人では致命率が高い。扁平型や出血性の発疹が出現する場合は，予後不良とされる。

水痘との鑑別については，水痘は発疹出現前から高熱を認めることはまれである。痘瘡の発疹は深く硬い水疱や膿疱であるが，水痘疹はより表面性の病変である。水痘では身体のあらゆる部位に紅斑，丘疹，水疱，痂皮など様々なステージの発疹が混在するが，痘瘡では身体のすべての発疹が同一ステージにある。また，水痘の発疹は顔面と体幹に多く，四肢には比較的少なく，手掌や足底にはまれである。

サル痘ウイルス(monkeypox virus)は，痘瘡ウイルスと近縁のウイルスで，アフ

リカ中央〜西部に生息する齧歯類が宿主と考えられている。痘瘡ほど重症ではないが，類似の発熱性発疹性疾患をヒトに起こす。

3）国内の関連法規

感染症の予防及び感染症の患者に対する医療に関する法律（感染症法）では，痘瘡は一類感染症に分類され，全数報告対象疾患である。

2．わが国における発生状況

1）疾病の歴史

痘瘡は，有史以来「死に至る病」として恐れられ，治癒しても瘢痕などの後遺症に苦しむことが多い。わが国でも歴史上の多くの人物が痘瘡で命を奪われたり，失明などの後遺症を残した記録が残っている。

わが国では，1946年に18,000人にのぼる流行がみられ，約3,000人が死亡したが，緊急種痘などの対策により鎮静化し，1956年以降は幸い国内患者の発生はないまま，1980年の世界からの根絶達成宣言を迎えることができた。

2）痘瘡ワクチンの歴史

わが国では1976年に痘瘡ワクチンの接種が中止されたが，それまでのワクチン株には池田株や大連株が使われていた。安全性の懸念事項として，10万〜50万人に1人の割合で急性脳炎（種痘後脳炎）などの中枢神経系の副反応が生じ，その他に全身性種痘疹，湿疹性種痘疹，接触性種痘疹などが報告されていた。

より安全性の高い弱毒生ワクチンの開発が検討され，橋爪壮博士らのグループによって開発されたLC16m8株は，免疫原性の点では池田株や大連株と遜色がなく，加えてより高い安全性が確認された。しかし，LC16m8株が採用された1976年には種痘の定期接種が廃止されたため，実用化には至らなかった。

その後，米国同時多発テロ事件（2001年）を受けて生物テロに対する備えの声があがり，わが国で再び生産，国家備蓄されている痘瘡ワクチンは，このLC16m8株を用いて製造された生ワクチンである。

3．予防接種の意義

痘瘡は，人類が1つの病原体の根絶に成功した唯一の事例で，その大きな武器はワクチンであった。最後の自然感染による患者は，1977年にアフリカのソマリアで発生した。翌1978年には，英国で実験室のウイルスへの曝露による感染事例があったが，その後患者の発生はなく，1980年WHOは根絶の達成を宣言した。

米国では小児への定期接種は1972年，医療関係者への接種は1976年，軍人への接種は1990年に中止された。しかし，2001年9月11日の同時多発テロ事件以降，痘瘡ウイルスが生物兵器として使用される危惧を懸念する声が高まり，2002年に米国は特定の軍人への接種を再開し，2003年には生物テロに対処する者への接種も開始した。

生物テロという人類への冒瀆ともいえる脅威に対して，一部の対象にではあるが

痘瘡ワクチン　343

ワクチン接種が再開されたことは，考えさせられるところの多い経緯である。前述した世界の2カ所(米国とロシア)に保管される病原体を廃棄するか否かの議論と合わせて，ワクチンをもって1つの病原体を封じ込めた私たち人類に投げかけられた課題でもある。

　しかし，ワクチンで痘瘡ウイルスを根絶できた意義は大きい。根絶達成により，大きな費用対効果があった。また，ワクチンの中止により，不幸にしてワクチンの副反応を被る者をゼロにすることができたというメリットもある。

ワクチンの効果と安全性

1．ワクチンの概要

　わが国の痘瘡ワクチンは「乾燥細胞培養痘そうワクチン(乾燥細胞培養痘そうワクチン「LC16"KMB"」)」であり，現状では国家備蓄品としてのみ製造されている。

　添付の溶剤(20vol％グリセリン加注射用水)を加えて溶解した液剤0.5mL中には，**表1**に示す成分を含有する(1回接種量は0.01mLである)。

2．免疫効果

1）小児

　1974年度に検討された免疫産生力については，HI抗体価2^{33}(検査数513)，NT抗体価4^{25}(検査数97)であり，また従来株による追加接種にあたり明らかな免疫反応を呈した。

2）成人

　2002〜2005年にわが国の成人に対してLC16m8株による接種が3,000人規模で実施され(初回接種：1,443人，再接種：1,529人)，初回接種の94.4％，再接種の86.6％で善感(346頁「コラム」参照)がみられた。また，接種後30日で，初回接種の90.2％，再接種の60.0％に中和抗体の陽転あるいは有意上昇が確認された。

　2005〜2010年に，国連の平和維持活動に従事するわが国の陸上自衛隊員へLC16m8株による接種を268人に行ったところ(初回接種：196人，再接種71人)，初回接種の94.4％，再接種の81.7％で善感がみられ，接種後7カ月時点においても高い中和抗体価が維持されていた。

　免疫産生力については，NT抗体価は初回接種者において接種前4^{26}(検査数68)，接種1カ月後4^{52}(検査数39)，再接種者において接種前4^{38}(検査数30)，接種1カ月後4^{48}(検査数12)であり，有意な抗体上昇が認められた。

3．副反応

1）小児

　本剤は，1974年度に約5万名の小児に接種され，詳細に臨床症状を観察しえた10,578例について，善感率95.1％，平均発赤径(10日目判定)18.4mm，平均硬結径

4

ワクチン別の解説

表1 乾燥細胞培養痘そうワクチン「LC16"KMB"」0.5mL に含有される成分

成分		分量
有効成分	生ワクチニアウイルス(LC16m 8株)	2.5×10^7PFU以上
添加物	D-ソルビトール	5 w/v%
	ペプトン	5 w/v%
	ストレプトマイシン硫酸塩	100μg(力価)以下
	エリスロマイシンラクトビオン酸塩	12.5μg(力価)以下
	フェノールレッド	0.002w/v%以下
	ゼラチン	0.15w/v%以下
	199培地	残量
	pH調節剤	適量
	濃グリセリン	20vol%

乾燥細胞培養痘そうワクチン「LC16"KMB"」添付文書より

6.1mm，腋下リンパ節腫脹12～19％，発熱(種痘後4～14日の間)7.7％であり，熱性けいれん3例，種痘性湿疹1例，自己接種9例，副痘28例，種痘疹8例が観察された。

発熱の最高体温は，38℃台が多く，38.9℃までが77.4％を占めた。有熱期間は1日のみが60％，85％が2日以内であった。

接種後14日で脳波検査を56例に実施したが，脳波異常は認めなかった。

2）成人

2005年度に実施した使用成績調査において，268名の成人に接種され，善感率91.0％(初回接種者94.4％，再接種者81.7％)，平均発赤径23.8mm(検査数98)，平均水疱径7.6mm(検査数87)であり，リンパ節腫脹19.4％，注射部位紅斑5.2％，発熱1.5％，倦怠感0.7％，ワクチン接種後合併症(サテライト)0.7％，発疹0.4％，注射部位腫脹0.4％，ワクチン接種後自家接種0.4％が観察された。

重点調査項目として実施した心疾患(胸部X線，心電図)，脳炎，副痘・種痘疹については認められなかった。

4．接種不適当者および接種要注意者

定期予防接種における接種不適当者および接種要注意者(48頁)に準じて対応する。加えて，蔓延性の皮膚疾患がある場合は痘瘡ワクチンによる副反応をきたすおそれがあり，接種不適当者である。

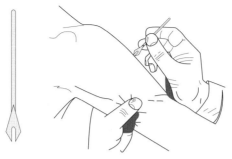

図1　二叉針を用いた多刺法(痘瘡ワクチンの接種方法)
乾燥細胞培養痘そうワクチン「LC16"KMB"」添付文書より引用

接種方法の実際

1．接種方法

　0.01mLを多刺法により皮膚に接種する。なお，接種時の圧迫回数は，初回接種で5回，その他の接種では10回とする。

　接種後10日～14日の間に検診を行い，「善感」か否かを判定する(346頁「コラム」参照)。

2．注意

　多刺法とは，二叉針を用いる接種法である(**図1**)。注意事項を以下に解説する。

1）接種液の採取

　二叉針の先端部を液につけワクチン接種液1人分(0.01mL)を採取する。

2）接種部位の消毒と乾燥

　接種部位は，原則として上腕外側で上腕三頭筋起始部とする。堅く絞ったアルコール綿で消毒し，よく乾燥させた上で接種を行う。

3）多刺法による接種(図1)

　二叉針を用い，針を皮膚に直角に保ち，針を持った手首を皮膚の上において，手首の動きで皮膚を圧迫する。圧迫回数は，初種痘で5回，その他の種痘で10回とする。接種箇所は，上腕外側で上腕三頭筋起始部に直径約5mmの範囲とする。

4）接種後の処置

　接種後はワクチン液を乾燥させるが，接種1～3分後には，乾いていないワクチン液を堅く絞ったアルコール綿で吸い取る(ふき取る)。

(中野貴司)

┌─── コラム
│ ★痘瘡ワクチン接種後の「善感」とは？
│ 　「善感」とは，痘瘡ワクチン接種の跡がはっきりと付いて免疫が獲得されたことを指
│ す(**図**)。なお，接種後の跡が不明な場合は免疫が獲得されていない可能性があり，こ
│ れを「不善感」と呼ぶ。本判定は，接種後10～14日の時点で行う。

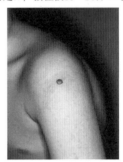

　　　　　　　　　　　図　痘瘡ワクチン接種後の「善感」
岡部信彦．"天然痘(痘そう)とは"．国立感染症研究所．https://www.niid.go.jp/niid/ja/diseas
es/a/yellow-fever/392-encyclopedia/445-smallpox-intro.htmlより引用．

★痘瘡ワクチンによる発病予防機序
　痘瘡ウイルスは，経気道的に感染し，局所リンパ節で増殖後，ウイルス血症を起こ
して全身の標的器官に運ばれ，発病する。あらかじめワクチンを接種し，痘瘡ウイル
スに対する液性免疫および細胞性免疫が獲得されていると，感染したウイルスの増殖
は抑制され発病が阻止される。

★米国で痘瘡ワクチン再開後に問題となった副反応
　米国で使用されているワクチンはLC16m8株ではないが，2002～2003年，テロ対策
の一環として軍人に対して米国製痘瘡ワクチンを約32.5万人に接種したところ，接種
後6～12日目に11人(1/20,000人)の心筋炎あるいは心膜炎がみられ，うち1人が重症
の心不全を発症した。また，2003年に接種を受けた一般市民約2.5万人のうち，2人に
狭心症発作，3人(うち2人は死亡)に心臓麻痺(発作)がみられたという報告もあった。

　　　　　　　　　　　　　　　　　　　　　　　　　　　　　　　　（中野貴司）

5

海外渡航時の予防接種

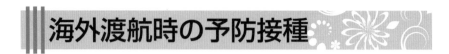

海外渡航時の予防接種

I 海外渡航と感染症

1. 渡航者の増加と多様化

1950年の世界中の海外渡航者は2,500万人であった。それが1980年は2億7,700万人，2000年は6億7,500万人，そして2011年には10億人にまで達した。わが国においても渡航者数は増加し，2015年の出国日本人数は1,621万人であった（図1）。海外からわが国を訪れる者（インバウンド）の増加が著明なことも近年の特徴であり，2015年の訪日外国人旅行者数は1,974万人と初めて出国日本人数を上回り，以降その状態は続いている。

海外渡航の目的が多様化したことも，最近の特徴である。旅行の目的の多くが観光やビジネスだったのは，過去の話となった。例えば，留学先や出張先は欧米のみならず途上国まで拡大し，海外へ赴く目的もボランティア活動，友人や親戚の訪問（visiting friends and relatives：VFR），メディカルツーリズムなど様々で，多種多様な旅を多くの者が経験するグローバル時代が到来した。

2. 感染症に対するリスク管理

ワクチンは感染症を予防するための有効な手段であるが，海外渡航に際しては当

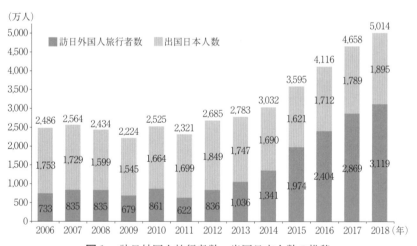

図1　訪日外国人旅行者数・出国日本人数の推移

国土交通省観光庁．"訪日外国人旅行者数・出国日本人数"．統計情報・白書．2019年1月29日更新．http://www.mlit.go.jp/kankocho/siryou/toukei/in_out.html, (accessed 2019-10-4).

海外渡航時の予防接種　349

表1　途上国に滞在中の発症率（月当たり，2011年データ）

1. 10%以上
    ・旅行者下痢症

2. 1%
    ・インフルエンザA型またはB型
    ・デング熱（症候性）

3. 1～0.1%
    ・狂犬病リスクがある動物の咬傷
    ・ツベルクリン反応陽転
    ・マラリア（西アフリカ渡航時）

4. 0.1～0.01%
    ・A型肝炎
    ・腸チフス（南アジア，北/西/中央アフリカ渡航時）

5. 0.01%
    ・ダニ媒介脳炎（オーストリア農村部渡航時）

6. 0.01～0.001%
    ・B型肝炎
    ・腸チフス（4.の腸チフス以外の地域への渡航時）
    ・HIV感染症
    ・マラリア（中米/カリブ海地域渡航時）

7. 0.001～0.0001%
    ・コレラ
    ・レジオネラ感染症

8. 0.0001%あるいはそれ以下
    ・日本脳炎
    ・髄膜炎菌感染症
    ・ポリオ

Steffen R, et al. "Epidemiology: morbidity and mortality in travelers". Travel Medicine. 3rd ed. Edited by Keystone JS, et al., eds. Elsevier 2013; p.5-11より引用改変

表2　海外渡航者のリスク管理～考慮すべき情報

1. 渡航先
    ・途上国，先進国
    ・都市部，リゾート地，地方，辺境地

2. 宿泊地
    ・ホテル滞在，高級あるいは廉価
    ・友人宅などに宿泊
    ・キャンプや野営

3. 気候
    ・熱帯地域，温帯地域，寒冷地
    ・海抜の高い高地，日射しの強い海浜
    ・雨季，乾季
    ・北半球，南半球（季節が正反対）

4. 期間，形態
    ・長期の滞在，短期の旅行
    ・滞在型，周遊型
    ・航空機，船舶，車

5. 目的
    ・観光，ビジネス，留学，ボランティア，VFR
    ・特殊なアクティビティー（高地，潜水，キャンプ，医療ボランティア）

6. 食事
    ・レストラン
    ・知人や友人宅
    ・郷土料理

7. 渡航者の特性
    ・基礎疾患，常用薬
    ・高齢者，小児，妊婦

中野貴司. INFECTION CONTROL 2016; 25: 726-732より

5

海外渡航時の予防接種

　然感染症以外にも注意をはらうべき事項が多々あり，全体のリスク管理の中の1つとしての感染症対策であることをまず認識する必要がある。さらに，感染症の中には，ワクチンで予防できるものと，そうでないものがある。また，「海外にいくから特別なワクチンが必要になる」という考え方よりも，常日頃からワクチンで予防できる疾患（vaccine-preventable disease：VPD）はそれを実践しておくことが基本である。トラベラーズワクチンの相談を受けた際，これまでに接種しておくべきワクチンで未接種のものがあれば，その接種を推奨することも忘れずに行いたい。

　海外渡航者が罹患しやすい感染症として，**表1**に示すような疾患があげられる。これらの中にはワクチンで予防できる疾患も多いが，海外でトラベラーズワクチン

表3 海外の感染症流行状況や関連情報を入手できるウェブサイト

厚生労働省検疫所	https://www.forth.go.jp	海外の感染症流行情報,推奨予防接種情報,国内の予防接種施設情報
国立感染症研究所感染症疫学センター	https://www.nih.go.jp/niid/ja/from-idsc.html	海外の感染症流行情報,各感染症の解説
外務省 世界の医療事情	https://www.mofa.go.jp/mofaj/toko/medi/index.html	地域別医療事情
外務省海外安全ホームページ	https://www.anzen.mofa.go.jp/index.html	国別の生活注意事項,海外医療施設情報
JOMF 海外邦人医療基金	https://www.jomf.or.jp	海外医療施設情報
IMASI 海外医療支援協会	http://www.imasi.jp	慢性疾患の管理
日本渡航医学会	http://www.jstah.umin.jp	国内の予防接種施設情報
日本旅行医学会	http://jstm.gr.jp	国内の予防接種施設情報
日本小児科医会国際委員会	https://www.jpa-web.org/about/organization_chart/international_committee.html	国内の予防接種施設情報,諸外国の予防接種制度
母子保健事業団	https://www.mcfh.co.jp	外国語母子健康手帳の販売
世界保健機関(WHO)International Travel and Health	https://www.who.int/ith/en/	海外の感染症流行情報,推奨予防接種情報
米国疾病予防管理センター(CDC)Traveller's Health	https://wwwnc.cdc.gov/travel	海外の感染症流行情報,推奨予防接種情報
TripPrep.com	https://tripprep.com	海外の感染症流行情報,推奨予防接種情報

として使われている腸チフス, ダニ媒介脳炎, コレラなどは, わが国には承認された製剤がない。トラベラーズワクチンの分野は, いまだ解消されていない「ワクチンギャップ」の1つである。また, 罹患する頻度と合わせて当該疾患の重篤度も考慮する必要がある。狂犬病や熱帯熱マラリアの致死率は高く, 罹患した渡航者が死に至る場合もしばしばである。

　渡航者が感染症に罹患するリスクは, 渡航先や旅のスタイル, 渡航者の特性にも左右される(**表2**)。先進国と途上国で感染症のリスクが異なることは当然想定される。デング熱, マラリア, 日本脳炎などの蚊媒介感染症は, 雨季と乾季, 都市部と田園地域で罹患リスクに差異があることも明らかである。通常の観光ツアーやビジネス旅行と比較して, VFRは感染症罹患のリスクが高いことがよく知られている。さらに, 渡航者に基礎疾患があったり, 高齢者や小児の場合は, 易感染性や重症化に注意する必要がある。

海外渡航時の予防接種　351

表4　伝播経路による感染症の分類

1．接触感染
・直接的あるいは間接的な接触により感染症の病原体が伝播する。
・直接的な接触とは，皮膚や性行為によるものである。
・間接的な接触とは，タオルや衣類，血液や体液を介してである。

2．飲食物感染
・病原体で汚染された飲食物の摂取により伝播する。
・原因食品の流通範囲によっては大規模で広範な集団発生となる。

3．空気感染
・同一空間を一定時間共有した者に病原体が伝播する。
・原則的にヒトからヒトに空気感染するのは結核，麻疹，水痘。
・レジオネラは空気感染が起こるが，ヒトからヒトではない。
・飛沫感染する病原体も特殊な状況下ではまれに空気感染が起こることがある。

4．飛沫感染
・咳やくしゃみ，会話の際に，病原体が含まれる呼吸器分泌物に曝露されて感染する。
・通常は1m以上距離が離れていれば，ヒトからヒトへの飛沫感染は起こらない。
・咳エチケットが予防に有効である。

5．動物媒介感染
・蚊，ダニ，巻き貝などの媒介動物を介して伝播する。
・媒介動物の生態や生息地によって感染のリスクが変わる。

6．母子感染・周産期感染
・子宮内の胎児期や出産時に病原体が感染伝播する。

Nelson KE. "Epidemiology of infectious diseases: general principles". Nelson KE, et al., eds. Infectious Disease Epidemiology, Theory and Practice. 3 rd ed. Jones & Bartlett Learning 2014; p19-44 より作成

表5　病原体と自然宿主

1．ヒト
・梅毒トリポネーマ，淋菌
・赤痢菌，チフス菌
・B型肝炎ウイルス，C型肝炎ウイルス
・ヒト免疫不全ウイルス

2．動物由来感染症
・狂犬病ウイルス
・ペスト菌，レプトスピラ，ブルセラ
・非チフス性サルモネラ菌

3．土壌
・破傷風菌
・ボツリヌス菌
・ヒストプラズマなどの真菌

4．水
・レジオネラ
・緑膿菌

Nelson KE. "Epidemiology of infectious diseases: general principles". Nelson KE, et al., eds. Infectious Disease Epidemiology, Theory and Practice. 3 rd ed. Jones & Bartlett Learning 2014; p19-44より作成

3．感染症について知る

1）海外の流行状況

　海外における感染症の流行状況を知り，常にアップデートしておくことにより，渡航者に対する適切な指導が可能となる。関連情報の入手も併せて，**表3**に示すようなウェブサイトをチェックするとよい。

2）伝播経路と感染源

　感染症が伝播する経路や，各疾患の感染源について知っておくことも，予防に関する啓発や指導を行うためには欠かせない。それぞれ，**表4，5**に示した。

Ⅱ　渡航先と必要なワクチン

1．基本的な考え方

　前述したように「渡航するから予防接種が必要」なのではなく，「有効で安全な予防手段があるなら，それを活用するのが感染症対策の基本」である。海外渡航が決まって慌てて受診する者の中に，小児期の基本的なワクチンが未接種である場合がしばしばある。まず日常からワクチンによる予防を心がけることが原則で，加えて渡航に際して新たに予測される感染症のリスクと接種によるベネフィットを勘案してトラベラーズワクチンを計画することになる。

　「渡航する国や地域ごとに接種すべきワクチンを教えて欲しい」という要望も多いが，その回答は大変難しい。過去の接種歴，旅行の形態や渡航先でのライフスタイルなどによって，個々にオーダーメイドな接種計画を立案することが基本である。

2．途上国への渡航

　途上国では，A型肝炎や腸チフスなど，わが国では公衆衛生の向上により制御された疾患がいまだ多発している。それらの地域では，厳しい生活環境や医療資源の貧困も併存し，感染症に罹患することはしばしば生命にかかわる。長期滞在はもちろん，短期旅行の場合でも，楽しい旅を辛い思い出にしないために，ワクチンによる予防を心がけたい。また，黄熱や髄膜炎菌のように，国や渡航目的によって入国時に接種を要求されるワクチンもある(後述)。

　ワクチンによる感染症予防を励行したい理由は2つある。1つは「個人防衛」で，自らの健康状態を保つことは，環境厳しい途上国での生活を円滑に行うために不可欠である。もう1つは，「海外からわが国への病気の持ち込みを防ぐこと」である。病気に罹って帰国し，自分の周囲の者を新たな輸入病原体の危険に曝すようなことは避けたいものである。

3．先進国への渡航

　先進国への渡航においても予防接種が必要となる場合があり，業務派遣される家族に帯同して現地の学校に編入学する児や，高校や大学への留学生の例がよく知ら

海外渡航時の予防接種　353

表6　諸外国の予防接種スケジュール　掲載サイト（2020年1月1日現在）

国/地域	ホームページ	URL
EU/EEA	European Centre for Disease Prevention and Control（ECDC）. Vaccine schedules in all countries of the European Union（EU/EEAの各国のスケジュールが年齢層別にみられる）	https://vaccine-schedule.ecdc.europa.eu/
オーストラリア	Department of Health, Australian Government. "National Immunisation Program Schedule".	https://www.health.gov.au/health-topics/immunisation/immunisation-throughout-life/national-immunisation-program-schedule
カナダ	Government of Canada. "Provincial and territorial routine and catch-up vaccination programs for infants and children in Canada".	https://www.canada.ca/en/public-health/services/provincial-territorial-immunization-information/provincial-territorial-routine-vaccination-programs-infants-children.html
米国	Centers for Disease Control and Prevention（CDC）. Immunization Schedules.	https://www.cdc.gov/vaccines/schedules/index.html

れている。例えば米国では，その年齢までに接種しておくべきワクチンを済ませていることが入学条件として要求され，未接種の場合は接種を勧告される。もちろん，体質や宗教上の理由によりワクチンを接種することができない，家族が拒否するなどのケースは想定され，その際は書類の提出が必要である。わが国と比較して，集団生活における予防医学の手段としてのワクチンの意義付けが重視されている。

「ワクチンギャップ」のあったわが国では，欧米諸国と比べて定期接種されるワクチンの種類や回数が少なかったため，渡航に際して追加の接種が必要となることが多い。諸外国の予防接種スケジュール掲載サイトを**表6**に示した。一方，BCGはわが国では定期接種であるが，米国などのように実施していない国もある。そのような場合にも注意事項があり後述する。

Ⅲ　予防接種に関する英文証明書

1．黄熱ワクチン

黄熱は国際保健規則（International Health Regulation：IHR）に基づいて，流行国への入国時，あるいは流行地から当該国への入国に際して国際予防接種証明書（イエローカード）の呈示を求められる場合がある。詳細については，黄熱ワクチンの項（326頁）を参照されたい。黄熱ワクチンの接種が行われている機関を**表7**に示した。

2．ポリオワクチン

IHRに基づく他の例として，2014年に国境を越えてのポリオウイルス伝播が懸念され，パキスタン，カメルーン，シリアの住民と1カ月以上の長期滞在者に対して，ポリオワクチンの接種とIHRで規定された接種証明書の発行が要求された。

354 海外渡航時の予防接種

表7 黄熱の予防接種が受けられる機関（2020年1月1日現在）

機 関 名	電 話	実 施 日[*1]	黄熱の他に行っているワクチン[*2]
小樽検疫所	0134-23-4162	毎月第2火曜日	
千歳空港検疫所支所	0123-45-7007	毎月第4火曜日	
独立行政法人国立病院機構仙台医療センター	022-383-1854（仙台検疫所）	毎週水曜日	破, 日, A, B, 狂, マ, MR
独立行政法人国立病院機構盛岡医療センター	022-383-1854（仙台検疫所）	毎月第2火曜日	破, 日, A
東京検疫所	03-3599-1515	毎週火曜日	
国立研究開発法人国立国際医療研究センター病院トラベルクリニック	03-3202-1012	毎週火曜日, 水曜日, 木曜日	DPT-IPV, DPT, DT, 破, IPV, MR, MMR, 麻, 風, お, 日, A, B, 水, 狂, 肺, HPV, イ, BCG, 腸, 髄, ダ, ロ
東京医科大学病院渡航者医療センター	03-5339-3137	毎週金曜日	破, IPV, MR, MMR, お, 日, A, B, 水, 狂, 肺, Hib, 腸, 髄, コ, ダ, Tdap
横浜検疫所	045-201-4456	毎週水曜日	
新潟検疫所	025-275-4615	毎月第2, 第4水曜日	
中部空港検疫所支所	0569-38-8205	毎週火曜日	
大阪市立総合医療センター（大阪検疫所）	06-6571-3522（大阪検疫所）	毎週月曜日, 木曜日	破, 麻, 風, 日, A, B, 狂, IPV, 腸, 髄
りんくう総合医療センター	下記メールアドレスにて受付 w-tokou@rgmc.izumisano.osaka.jp	毎月第1, 第3火曜日	DPT-IPV, DPT, Tdap, DT, 破, IPV, MR, MMR, 麻, 風, お, 日, A, B, 水, 狂, 肺, Hib, イ, 腸, 髄, ダ, ロ, コ, マ
広島検疫所	082-251-2927	毎月第2, 第4火曜日	
福岡検疫所	092-291-3585	毎週水曜日	
門司検疫所支所	093-321-3056	毎月第1火曜日	
長崎検疫所支所	095-826-8081	毎月第2火曜日	
鹿児島検疫所支所	099-222-8670	毎月第3木曜日	
那覇空港検疫所支所	098-857-0057	毎月第2火曜日	
日本検疫衛生協会　東京診療所	03-3527-9135	月～土曜日定時	DPT-IPV, DPT, DT, 破, IPV, 麻, 風, MR, お, 日, A, B, 水, 狂, ジ, イ, 肺, 髄

＊1：すべて前週～前日までの予約が必要。また実施日・実施ワクチンなども変更される場合があるので事前に調べておく。

＊2：破：破傷風　ポ：ポリオ　麻：麻疹　日：日本脳炎　A：A型肝炎　狂：狂犬病
　　風：風疹　お：おたふくかぜ　B：B型肝炎　水：水痘　ジ：ジフテリア　イ：インフルエンザ
　　肺：肺炎球菌　腸：腸チフス　髄：髄膜炎菌　コ：コレラ　ダ：ダニ媒介脳炎
　　ロ：ロタウイルス　マ：マラリア

3. 髄膜炎菌ワクチン

IHRに則ったものではないが，海外渡航に際して髄膜炎菌ワクチンの接種が必要となる場合がある。メッカ巡礼ではイスラム教の聖地に世界中から信徒が集まり，人口過密な場を介して髄膜炎菌感染症が世界各地へ伝播した事例が何度も報告された。近年は，メッカ巡礼のビザ発給の条件として，髄膜炎菌ワクチンを接種していることが，サウジアラビア政府によって要求されている。

4. インフルエンザワクチン

メッカ巡礼のビザ発給の条件として，近年はさらにインフルエンザワクチンの接種が推奨されている。メッカ巡礼目的での渡航に対応する時期は，わが国ではインフルエンザワクチンが入手できない時期でもあり，対応が苦慮されている。

5. 留学生・編入学児

米国への留学や編入学に際しては，過去の接種歴を記載した文書の提出を求められる場合がほとんどである。接種済みの予防接種や罹患した疾病，各種抗体価を記載する書式は，州や学校で定型のものがあればそこに記入するが，書式が定められていなければ各自準備する。先方が要求する記載事項を漏れなく網羅した英文証明書を作成することが必要である。英文予防接種証明書の実例を**図2**に示した。

BCGを接種していない米国の学校へ編入学や留学する際，ツベルクリン反応（以下，ツ反）の結果を記載するよう指示される場合があるが，その際には注意点がある。わが国の小児は乳児期にBCGを済ませており，ツ反は通常陽性である。一方，BCGを実施していない米国では，ツ反は結核菌感染の有無を調べるための検査であり，「ツ反陽性」の判定は結核菌感染を意味する。すなわち，陽性という結果の解釈についてしばしば誤解が生じ，わが国からの渡航者が結核菌感染者と診断され抗結核剤を投与される場合さえある。彼らが誤解を受けることがないように，BCG接種によるツ反陽転であることを説明した文書を渡航時に持参させることが望ましい。その具体的な例文を**表8**に示した。

ツ反の判定法や解釈にも，国によって差異があることも認識しておく必要がある。米国では発赤ではなく硬結の径を測定し，宿主の要件（結核患者への曝露歴，基礎疾患，年齢など）によって陽性と判定するツ反硬結径が異なる。

IV 各種のトラベラーズワクチン

1. トラベラーズワクチンとは

トラベラーズワクチンとは，主に海外渡航者に対して接種されるワクチンのことを指す。ただし，前述したように，ワクチンによるVPDの予防は日頃から積極的に心がけることが望ましく，すべてのワクチンが海外渡航者にも適用されるワクチンである。その中で，A型肝炎ワクチン，狂犬病ワクチン，黄熱ワクチン，髄膜炎菌ワクチンについては，現状のわが国においては接種対象が渡航者となる場合が多い

General Medical Center①
Kawasaki Medical School
2-6-1, Nakasange, Kita-ku, Okayama, 700-8505, Japan
Tel: +81-86-225-2111, Fax: +81-86-232-8343

CERTIFICATE OF PREVIOUS VACCINATION AND RECORDS OF DISEASES

Date: April 8, 2012　②

Name:　　③　　　Date of birth: January14, 2007 ④　　Gender：　Female

1) Records of Vaccination

Type of Vaccination		Date ④
DaPT[1]	1st ⑤	April 20, 2007
DaPT	2nd	May 18,2007
DaPT	3rd	June 15, 2007
TOPV[2]	1st ⑤	June 22, 2007
TOPV	2nd	October 23, 2007
MR[3]	⑤	January 15, 2008
Varicella		February 19, 2008
JE[4]	1st	March 24, 2010

⑤　1) DaPT: diphtheria, acellular pertussis, tetanus combined vaccine
　　2) TOPV: trivalent live attenuated oral polio vaccine
　　3) MR: measles, rubella combined vaccine　　4) JE: Japanese encephalitis vaccine

2) Records of Past History

Name of Disease	Date
Mumps	April 20, 2010

3) Results of Serum Antibody Titer

Name of Disease	Date of Sampling⑥	Antibody Titer⑥	Determination⑥
Measles	March 3, 2011	1 : 512, positive⑦	PA ⑧
Rubella	March 3, 2011	less than 1 : 8, negative⑦	HI ⑧
Mumps	March 3, 2011	23.5 EU (EIAUnit), positive⑦	EIA-IgG ⑧
Varicella	March 3, 2011	1 : 32, positive⑦	IAHA ⑧

This is to certify that these data come from our medical investigations and records.

⑨
Takashi Nakano, M.D.

⑩　Department of Pediatrics, General Medical Center, Kawasaki Medical School
2-6-1, Nakasange, Kita-ku, Okayama, 700-8505, Japan
Tel: +81-86-225-2111, Fax: +81-86-232-8343
e-mail:
⑪

図2　英文予防接種証明書の実例

①レターヘッドに医療機関名や住所，連絡先，ロゴマークなどを記載。
②書類を発行した日は必ず記載する．米国は「月/日/年」，その他の国は「日/月/年」の順に記載することが一般的．
③姓名の記載は，ローマ字綴りなどパスポート記載と同一にすることが望ましい．
④生年月日や接種日などの日付は西暦で記載する．米国は「月/日/年」，その他の国は「日/月/年」の順に記載することが一般的．
⑤ワクチンや疾患名はできる限り略称にしない方が望ましいが，略す場合には脚注を付す．
　例：DaPT，TOPV，MR，JEは上記を参照．DT (diphtheria, tetanus)，IPV (inactivated polio vaccine)，MMR (measles, mumps, rubella combined vaccine)
⑥血清抗体価については，抗体価のみならず，測定日，測定に用いた方法も記載する．
⑦抗体価について，測定値「512倍」は「1：512」と記載する．「8倍未満」は「less than 1：8」となる．測定方法が酵素免疫法 (enzyme immunoassay：EIA) の場合は，絶対値 (EIA単位) を記載する．結果の解釈 (陽性，陰性) も併せて記載する．
⑧抗体測定に用いた方法を記載する．
　例：赤血球凝集抑制法 (hemagglutination inhibition：HI)，中和法 (neutralization test：NT)，EIA (IgG抗体やIgM抗体など免疫グロブリン分画別の抗体価が測定できる)，粒子凝集法 (particle agglutination：PA)，免疫粘着赤血球凝集反応 (immune adherence hemagglutination：IAHA)，化学発光免疫測定法 (chemiluminescent immunoassay：CLIA) など
⑨医師名の印字とともに，必ず署名をする．
⑩医療機関名，診療科，所在地，電話番号，Fax，e-mailなどを記載する．
⑪押印の習慣がない国も多いが，英文の病院印があるとよい．

中野貴司．"診断書・説明書編"．小児科外来医療英語．中村安秀ほか編．診断と治療社 2012; p.137-154 より

海外渡航時の予防接種　357

表8　BCG接種とツベルクリン判定結果に関する例文

例文1
日本語：本児は現在5歳だが，生後6カ月時にBCGを接種した。日本では，乳児に対してBCGが定期接種として実施されている。本児は5歳の現在，ツベルクリン反応検査の判定は陽性だが，BCG接種による陽転である。病歴，身体所見には結核を疑わせる徴候はなく，健康であると診断する。
英語：Some years ago, a 6-month-old infant received a BCG vaccination, a routine vaccination for all Japanese infants. Now in his fifth year, the child has tested positive in a tuberculin test (positive conversion by the BCG vaccination). There has never been clinical evidence of tuberculosis and the child appears healthy on physical examination.

例文2
日本語：日本では2002年まで小中学生のツベルクリン反応陰性者に対してBCG接種が行われていた。2011年3月8日に彼女に実施したツベルクリン反応の判定結果は陽性（硬結の長径18mm）だが，これは過去のBCG接種による細胞性免疫の感作を意味するものである。
英語：BCG had been administered to students with negative results of tuberculin test in primary school and junior high school until 2002 in Japan. She tested positive in the tuberculin test (major axis of induration with 18 mm) on March 8, 2011, hence her former BCG vaccination was concluded to sensitize her to cellular immunity.

中野貴司．"診断書・説明書編"．小児科外来医療英語．中村安秀ほか編．診断と治療社 2012; p.137-154，中野貴司．"海外へ行く児の予防接種"．よくわかる予防接種のキホン―小児，高齢者用から渡航用ワクチンまで．庵原俊昭ほか編著．中外医学社 2015; p.94-105より

と考えられる。本項では，その他の国内ワクチンと一部の未承認ワクチンについて，解説する。

2．国内承認製剤
1）B型肝炎ワクチン

　B型肝炎ワクチンは，母子感染の防止，医療関係者の職業感染予防，針刺し事故対策などで以前から広く使われており，2016年10月からは0歳児への定期接種が開始された。本ワクチンは，海外渡航時にも接種を推奨したい代表的なワクチンでもある。

　渡航者は，B型肝炎ウイルス感染のリスクに曝される機会が多々ある。途上国では，医療機関における器具の消毒，輸血血液の安全性などが徹底されてないところも多い。渡航中の不慮の事故や疾病などで医療機関を受診する可能性は誰にもあり，またB型肝炎ウイルスキャリアの多い地域で医療行為や救援活動に従事する渡航者もいる。医療機関以外でも，血液や体液による汚染が憂慮される機会は想定され，髭剃りのカミソリやピアスの穴開け，タトゥーなどがある。さらに，性感染症として伝播することもしばしばである。

2）破傷風トキソイド

　破傷風菌は世界中の土壌中に広く分布し，現在，わが国でも年間100例前後の破傷風患者が報告されている。途上国に限らず，土との接触機会が多い場合は感染のリ

スクが高い。例えば，地震や津波など自然災害の緊急援助に赴く者などに対しては，特に接種が推奨される。

わが国では1968年頃からDPTワクチンとして，破傷風トキソイドが小児期定期接種に導入され，小児の破傷風患者はほとんどみられなくなった。現在の患者の大多数は，破傷風トキソイドの接種を受けてない50歳以降の世代である。

WHOやCDCは，「基礎免疫完了後は概ね10年ごとの1回の追加接種」を推奨している。基礎免疫が完了している者への追加免疫は1回の接種で可であり，これは基礎免疫完了後10年以上経過していても適用できると考える。小児期に基礎免疫を受けていない世代に対しては計3回の接種(2回の初回免疫と1回の追加免疫)が必要である。

3）日本脳炎ワクチン

日本脳炎は，アジア地域で流行するウイルス性脳炎であり，東は日本から韓国，中国，東南アジア諸国を経て西はインドまで，南はインドネシア，パプアニューギニア，オーストラリア北端まで患者報告があり，アジア諸国にはわが国よりも多数の患者が発生している国が多い。したがって，アジア地域への渡航者に対してはワクチンの接種が推奨される。そして，日本脳炎を媒介する蚊が多く発生する雨季の滞在や，農村部で戸外活動の機会が多ければ，感染のリスクはより高いと考えられる。

流行地域へ渡航する成人の接種歴については，トータルで3回以上(最低2回の初回免疫と1回の追加免疫)の接種が必要であり，最終接種から10年以上経過していたら1回の追加接種を推奨する。過去に未接種の場合は，流行地へ渡航するまでに最低2回の接種を済ませておくことを推奨する。

4）ポリオワクチン

根絶計画の進展により，2020年1月現在，土着の野生株ポリオウイルスの伝播が残る国は，パキスタン，アフガニスタンの2国のみである。わが国では2012年8月まで経口生ポリオワクチン(OPV)の2回接種という世界標準よりも少ない接種回数だったこともあり，流行地への渡航に際しては，確実な予防を心がけることが大切である。また，1975〜1977年生まれの者は，ポリオウイルス1型について，他の世代と比べて血清中和抗体陽性率の低い集団であることが血清疫学調査の結果より指摘されており，特に注意する。

現在は不活化ポリオワクチン(IPV)が用いられるが，過去に2回のOPV接種歴があれば，IPVを1回追加接種することで良好な免疫誘導が期待できる。過去の接種回数がないか不十分な成人に対しては，ポリオワクチンとしてトータルの接種回数が3回以上(最低2回の初回免疫と1回の追加免疫)となるように接種を行う。

海外渡航時の予防接種　359

5）MR（麻疹風疹混合）ワクチン

2012〜13年にかけての風疹の流行，WHOによる排除認定後もわが国でしばしば報告される麻疹患者発生のいずれもが，発端は海外からのウイルス持ち込みである。ウイルスがヒトの体内に潜んで国境を移動し，潜伏期間を経てわが国で発症すれば他人に伝播する感染源となる。MRワクチンも渡航者に推奨されるワクチンである。

接種の回数については，明らかな罹患既往がある者を除いて，1歳以降で2回の接種を行うことを推奨する。現在渡航する機会の多い成人の世代には，定期接種制度で2回の接種を受ける機会のなかった者が多いので，忘れずに接種を推奨したい。また，2019年から開始された成人男性に対する風疹第5期定期接種も活用していただきたい。

3. 国内未承認製剤
1）腸チフスワクチン

腸チフスとパラチフスは，一般のサルモネラ感染症とは区別され，それぞれチフス菌*Salmonella* TyphiとパラチフスA菌*Salmonella* Paratyphi Aが起因菌となる網内系マクロファージ内増殖に伴う菌血症と，腸管の局所の病変を特徴とする疾患である。両菌とも，ヒトのみが自然宿主であり，ヒトの糞便で汚染された食物や水が疾患を媒介する。

通常10〜14日の潜伏期間を経て発熱で発症する。徐々に高熱を呈し39〜40℃に達する。バラ疹（発疹），脾腫，比較的徐脈は3主徴として知られている。40℃に及ぶ稽留熱が持続し，下痢または便秘を呈する。重症では意識障害を合併する。感受性のある抗菌薬は有効であるが，適切な治療が行われないと，腸出血や腸穿孔の合併症を起こす頻度が高い。回復後，一部の患者は胆嚢などに長期保菌する場合がある。

わが国では衛生水準の向上とともに患者数は激減したが，アジア，インド亜大陸，中東，アフリカ，中南米など途上国ではいまだ患者が多く発生し，海外渡航者は感染のリスクがある。世界的に，インド亜大陸とその周辺すなわち南アジア地域への渡航者は，特にリスクが高いとされる。わが国では毎年50例前後の患者報告があるが，その6〜8割は海外での感染事例である。

腸チフス・パラチフスは類似した病状を呈する疾患であるが，予防ワクチンが使われているのは腸チフスであり，パラチフスに対するワクチンは入手できない。腸チフスワクチンは，わが国では承認されていないが，世界的には注射製剤であるVi多糖体不活化ワクチンと経口弱毒生ワクチンが流通している。これらワクチンの有効率は，60％前後とする報告が多い。

a　Vi多糖体不活化ワクチン（Typhim Vi，Sanofi Pasteur）

Vi多糖体抗原を成分とする不活化ワクチンで，0.5mLを1回筋肉内注射する。流行地域に入る2週間前までに接種する。2歳以上が接種対象で，有効期間は接種後数年とされる。わが国で，成人百数十例に接種した複数の研究があり，その報告によれば大きな問題となる副反応は発現せず，抗体価の上昇は良好であった。

5

海外渡航時の予防接種

b　経口弱毒生ワクチン(Vivotif, Crucell)

　Ty21a株が成分の弱毒生ワクチンで，カプセルを経口投与する。食事１時間前までに常温以下の水で，１日おきに４回内服する。流行地域に入る１週間前までに接種を完了する。したがって，流行地入りする２週間前までには接種を開始する必要がある。年齢６歳以上が接種対象で，有効期間は５年とされる。細菌の弱毒生ワクチンであり，抗菌活性のある薬剤との同時内服は効果を減弱させるおそれがあるため，一定の投与間隔をあけることが推奨されている。

2）コレラワクチン

　コレラは，*Vibrio cholerae*による細菌感染症である。患者の糞便で汚染された飲食物を介して伝播する。主たる病変部位は小腸で，大量の水様下痢便を特徴的な症状とし，短時間で容易に脱水に陥る。

　わが国での発生は非常にまれであるが，世界的には途上国を中心にしばしば流行が認められている。かつては国際検疫対象疾患として，入国に際してワクチンの接種が要求された時代もあったが，現状でコレラワクチンを入国の条件として課す国はない。わが国には承認されたワクチン製剤はないが，世界的には経口投与する生ワクチンと不活化ワクチンが使用されている。ただし，コレラワクチンの効果は限定的であるともされている。

a　経口弱毒生ワクチン(Vaxchora, PaxVax製)

　凍結乾燥されたCVD 103-HgRを主成分とする経口弱毒生ワクチンで，投与回数は１回である。胃酸で失活しないように緩衝液とともに内服する。投与と食事との間隔は１時間以上あける。血清型Ｏ１のコレラ菌に対する予防ワクチンとして，2016年米国FDAにより承認された。Ｏ139など血清型Ｏ１以外のコレラ菌に対する予防効果はない。コレラ菌に曝露される10日前までに接種を行う。18歳以上65歳未満が接種対象で，コレラによる重症の下痢を接種10日後で90％，接種３カ月後で80％減少させる効果があるとされる。より長期の予防効果については確定していない。細菌の弱毒生ワクチンであり，抗菌活性のある薬剤との同時内服は効果を減弱させるおそれがあるため，一定の投与間隔をあけることが推奨されている。

b　経口不活化ワクチン(Dukoral, SBL Vaccines製)

　不活化された血清型Ｏ１コレラ菌(WC)と組換えコレラ毒素Bサブユニット(rBS)が成分である(WC-rBS)。スウェーデンで開発され，1991年に承認された。胃酸で失活しないように緩衝液とともに内服する。投与と食事との間隔は１時間以上あける。２歳以上が接種対象である。初回免疫の投与回数について，２歳以上６歳未満では７日以上６週間未満の間隔で３回，６歳以上では７日以上６週間未満の間隔で２回投与する。１回投与量は，６歳未満・以上とも同一である。緩衝液の投与量は，６歳未満は75mLで，６歳以上(150mL)の半量である。接種完了後１週間以上経てば，有効性が期待できるとされる。コレラ菌に対する曝露リスクの継続を想定しての追加接種については，２歳以上６歳未満では６カ月後，６歳以上では２年後に１

回内服する。これ以上の間隔があいた場合には，初回免疫の方法で再開する。

本ワクチンに含有されるコレラ毒素Bサブユニットは，構造的にも機能的にも腸管毒素原性大腸菌(enterotoxigenic *Escherichia coli*：ETEC)の易熱性毒素(heat labile toxin：LT)に類似する。両毒素は免疫学的にも交差免疫性があるとされ，本ワクチンではETECによる下痢を予防する効果も報告されている。

c 経口不活化ワクチン(ShanChol，mORCVAX)

これら2製剤は，コレラ毒素Bサブユニットは含有しないが，不活化された血清型O1とO139のコレラ菌を含有する2価ワクチンである。ORCVAXがベトナムで1997年に承認され，2009年にmORCVAX(VABIOTECH製)として改良された。2009年にはインドでShanChol(Shantha Biotec製)が承認され，現在は本製剤が世界的に流通している。液状製剤で，14日間の間隔をあけて2回の投与を行い，2年後に追加接種が推奨されている。接種対象は1歳以上である。

3) ダニ媒介脳炎ワクチン

世界的には欧州からロシアにかけて流行があり，中央ヨーロッパ型ダニ脳炎，ロシア春夏脳炎などが知られている。病原体は，日本脳炎ウイルスと同じ属のフラビウイルスで，齧歯類とマダニの間でウイルスは維持される。ダニ媒介脳炎の原因となるウイルスは，3つのタイプ(European, Siberian, Far Eastern)に分類される。ヒトは，ウイルスを保有するマダニの刺咬によって感染する。マダニの活動が活発になるのは，3～10月頃で，流行地の野外で活動する機会の多い者は罹患のリスクが高い。一般的に，マダニは，沢に沿った斜面や森林の笹原，牧草地などに生息する。感染したヤギやヒツジなどの未殺菌の乳を飲んで感染することもあるが，ヒトからヒトへの直接の感染はない。

潜伏期間は，通常7～14日である。中央ヨーロッパ型ダニ脳炎では，発熱，筋肉痛などのインフルエンザ様症状が出現し，2～4日間持続する。そのうちの約3分の1は，髄膜脳炎に進展し，けいれん，めまい，知覚異常などがみられる。ロシア春夏脳炎では，高度の頭痛，発熱，悪心などから髄膜脳炎に進展する。発症した場合の致死率は，中央ヨーロッパ型ダニ脳炎で1～2％，ロシア春夏脳炎は20％といわれ，回復しても神経学的後遺症を残す場合がある。

発症してからの特異的な治療法はなく，対症療法を行う。予防対策として，マダニに咬まれないようにすることが最も大切である。草の茂ったマダニの生息する場所に入る場合には，長袖，長ズボンを着用し，肌を露出するサンダルなどは履かないようにする。忌避剤の併用も効果が期待される。さらに，野外活動後は入浴し，マダニに刺されていないか確認し，マダニの咬着が認められた場合は，皮膚科などでマダニの頭部が残らないように除去してもらう。

世界中でダニ媒介脳炎の患者は，毎年6,000人以上，多い年には1万人前後が発生している。中欧および東欧の多くの国々で，流行がみられる。2001年には，オーストリアの地方に滞在した日本人が発症し死亡した例も報告されている。わが国では，

362　海外渡航時の予防接種

表9　欧州とロシアで承認されているダニ媒介脳炎ワクチン

商品名	メーカー	国	対象年齢	接種量	投与経路	初回免疫	最初の追加接種	その後の追加接種
FSME-IMMUN	Baxter	オーストリア	16歳以上	0.5mL	筋肉内接種	3回(0, 1〜3カ月, 6〜15カ月)*1	3年	5年*4
FSME-IMMUN Junior	Baxter	オーストリア	1〜15歳	0.25mL	筋肉内接種	3回(0, 1〜3カ月, 6〜15カ月)*1	3年	5年
Encepur-Adults	Novartis	ドイツ	12歳以上	0.5mL	筋肉内接種	3回(0, 1〜3カ月, 9〜12カ月)*2	3年	5年*4
Encepur-Children	Novartis	ドイツ	1〜11歳	0.25mL	筋肉内接種	3回(0, 1〜3カ月, 9〜12カ月)*2	3年	5年
EnceVir	Microgen	ロシア	3歳以上	0.5mL	筋肉内接種	2回(0, 5〜7カ月)*3	1年	3年
TBE-Moscow	Chumakov Institute	ロシア	3歳以上	0.5mL	筋肉内接種	2回(0, 1〜7カ月)	1年	3年

＊1：早期の免疫付与が必要な場合，2回目の接種を初回接種から2週間後に実施できる。
＊2：早期の免疫付与が必要な場合，初回免疫を0, 7, 21日に接種し，最初の追加接種を12〜18カ月に実施できる。
＊3：早期の免疫付与が必要な場合，初回免疫を0, 1〜2カ月に接種できる。
＊4：50歳以上の者では，3年ごとの追加接種が推奨される。
CDC. "Tickborne Encephalitis". Yellow Book 2018. May 31, 2017. https://wwwnc.cdc.gov/travel/yellowbook/2018/infectious-diseases-related-to-travel/tickborne-encephalitis, (accessed 2017-6-22).

北海道で1993年1例，2016年1例，2017年2例，2018年1例の発生が報告され，北海道の一部地域にはダニ媒介脳炎ウイルスが分布している。

　予防ワクチンとして不活化ワクチンが，海外では使われているが，わが国では未承認である。欧州とロシアで承認されているワクチンとその接種方法について**表9**に示した。免疫原性の検討でみる限り，これらワクチンは3つのタイプの原因ウイルスに対して交差免疫性があると考えられる。50歳以上の者への接種では，免疫原性が劣るという報告がある。

（中野貴司）

コ-ラ-ム

★マラリアワクチン
　マラリアは，ハマダラカ属（Anopheles）の蚊が，病原体であるマラリア原虫を媒介することによって発症する疾患である。熱帯熱マラリア原虫（Plasmodium falciparum），三日熱マラリア原虫（P. vivax），卵形マラリア原虫（P. ovale），四日熱マラリア原虫（P. malariae）の4種類がヒトのマラリアの病原体として知られている。近年，マレー

シアのボルネオ島などでサルの原虫と考えられる*P. knowlesi*のヒトへの感染が報告されており，帰国後に診断された日本人の発症例もあった（国立感染症研究所．IASR 2013; 34: 6-7）。

世界では，100カ国以上の流行国（流行地域には世界人口の約40％が居住）において年間2億人以上が罹患し，約50万人の死亡例があるとされ，人類にとって最も大きな疾病負担の1つである。報告例で頻度が高いのは，熱帯熱マラリアと三日熱マラリアである。また，グローバル化社会において流行地への渡航者，あるいは流行地からのインバウンドは増加し，日本を含めた全世界で輸入マラリアへの対策は重要な課題となっている。

特に熱帯熱マラリアは，脳マラリアや腎不全により重症化する場合が多く，マラリアに対して免疫のない日本人が罹患した場合，診断と治療の遅れは生命にかかわる。流行地域への渡航に際しては，抗マラリア薬の予防内服という予防手段がある。わが国ではメフロキンとアトバコン/プログアニル合剤が，予防投薬の場合は保険適用外で処方可能である。また，媒介蚊に刺されないための対策として，ハマダラカの活動時間である夜間の外出を避ける，肌を露出しない，外出時は虫除けスプレー，室内では防蚊薬や蚊帳を使用するなどを心がける。

マラリアの予防対策としてワクチンへの期待は大きく，世界中で開発が進められている。しかし，マラリア原虫には複雑な生活環があり，原虫の各発育時期によって発現している蛋白質が大きく異なっている。①媒介蚊からヒトへ侵入したスポロゾイトや肝臓型原虫を標的とする感染阻止ワクチン，②赤血球への侵入型であるメロゾイトを標的とする発病阻止ワクチン，③生殖母体を吸血後に蚊の体内で発育する原虫を標的とする伝播阻止ワクチンなどの開発が進められてきたが，現状では世界的に薬事承認されたワクチンは未だない。

現在最も開発が進んでいるのは，組換えCSP（circumsporozoite protein；スポロゾイトの表面蛋白質）を抗原とする「RTS, S/AS01ワクチン」（グラクソ・スミスクライン）である。2015年に終了したアフリカのマラリア流行国8カ国での第Ⅲ相臨床試験では，乳児におけるマラリア発症予防効果は27％，幼児では39％であった。本ワクチンについて，WHOは2018年からガーナ，ケニア，マラウイの3カ国で，実用化を目指した大規模なマラリアワクチン接種プログラム（Malaria Vaccine Implementation Programme：MVIP）を開始しており，導入が期待されている。

わが国で開発が進められている原虫のSERA5蛋白質を抗原とした「BK-SE36ワクチン」（大阪大学微生物病研究所）は，メロゾイトの蛋白質を標的抗原とした発病阻止ワクチンである。ウガンダやブルキナファソで臨床試験が行われ，安全性と有効性に関する検証が進行中である。

（中野貴司）

付録

予防接種法　付録1

定期接種実施要領　付録57

特定感染症予防指針　付録83

予防接種法改正および

予防接種実施関連通知　付録101

感染症法　付録125

予防接種法による救済制度　付録167

予防接種関連統計　付録203

予防接種法
予防接種法施行令
予防接種法施行規則
予防接種実施規則

366 （付録2）予防接種法

予防接種法（昭和23年6月30日 法律第68号）

〔沿革〕昭和26年3月31日法律第96号，4月2日第120号，28年8月15日第
213号，29年6月1日第136号，33年4月19日第66号，36年3月28日
第7号，39年4月16日第60号，7月11日第169号，45年6月1日第
111号，51年6月19日第69号，53年5月23日第55号，57年7月16日
第66号，平成6年6月29日第51号，7月1日第84号，11年7月16日
第87号，12月8日第151号，12月22日第160号，13年3月30日第9号，
11月7日第116号，14年12月20日第192号，18年12月8日第106号，
23年7月22日第85号，25年3月30日第8号，11月27日第84号，12
月13日第103号

第1章 総　則

（目的）

第 1 条　この法律は，伝染のおそれがある疾病の発生及びまん延を予防するために，公衆
衛生の見地から予防接種の実施その他必要な措置を講ずることにより国民の健康の保持に
寄与するとともに，予防接種による健康被害の迅速な救済を図ることを目的とする。

（予防接種の定義及び予防接種を行う疾病の範囲）

第 2 条　この法律において「予防接種」とは，疾病に対して免疫の効果を得させるため，疾
病の予防に有効であることが確認されているワクチンを，人体に注射し，又は接種するこ
とをいう。

2　この法律において「A類疾病」とは，次に掲げる疾病をいう。

一　ジフテリア　　二　百日せき　　三　急性灰白髄炎　　四　麻しん
五　風しん　　六　日本脳炎　　七　破傷風　　八　結核　　九　Hib感染症
十　肺炎球菌感染症（小児がかかるものに限る。）　　十一　ヒトパピローマウイルス感染
症
十二　前各号に掲げる疾病のほか，人から人に伝染することによるその発生及びまん延を
予防するため，又はかかった場合の病状の程度が重篤になり，若しくは重篤になるおそ
れがあることからその発生及びまん延を予防するため特に予防接種を行う必要があると
認められる疾病として政令で定める疾病

3　この法律において「B類疾病」とは，次に掲げる疾病をいう。

一　インフルエンザ
二　前号に掲げる疾病のほか，個人の発病又はその重症化を防止し，併せてこれによりそ
のまん延の予防に資するため特に予防接種を行う必要があると認められる疾病として政
令で定める疾病

4　この法律において「定期の予防接種」とは，次に掲げる予防接種をいう。

一　第5条第1項の規定による予防接種
二　前号に掲げる予防接種に相当する予防接種として厚生労働大臣が定める基準に該当す
る予防接種であって，市町村長以外の者により行われるもの

5　この法律において「臨時の予防接種」とは，次に掲げる予防接種をいう。

一　第6条第1項又は第3項の規定による予防接種
二　前号に掲げる予防接種に相当する予防接種として厚生労働大臣が定める基準に該当す
る予防接種であって，第6条第1項又は第3項の規定による指定があった日以後当該指
定に係る期日又は期間の満了の日までの間に都道府県知事及び市町村長以外の者により
行われるもの

6　この法律において「定期の予防接種等」とは，定期の予防接種又は臨時の予防接種をい
う。

7　この法律において「保護者」とは，親権を行う者又は後見人をいう。

予防接種法（付録3）367

第2章　予防接種基本計画等

（予防接種基本計画）

第 3 条　厚生労働大臣は，予防接種に関する施策の総合的かつ計画的な推進を図るため，予防接種に関する基本的な計画（以下この章及び第24条第二号において「予防接種基本計画」という。）を定めなければならない。

2　予防接種基本計画は，次に掲げる事項について定めるものとする。
　一　予防接種に関する施策の総合的かつ計画的な推進に関する基本的な方向
　二　国，地方公共団体その他関係者の予防接種に関する役割分担に関する事項
　三　予防接種に関する施策の総合的かつ計画的な推進に係る目標に関する事項
　四　予防接種の適正な実施に関する施策を推進するための基本的事項
　五　予防接種の研究開発の推進及びワクチンの供給の確保に関する施策を推進するための基本的事項
　六　予防接種の有効性及び安全性の向上に関する施策を推進するための基本的事項
　七　予防接種に関する国際的な連携に関する事項
　八　その他予防接種に関する施策の総合的かつ計画的な推進に関する重要事項

3　厚生労働大臣は，少なくとも5年ごとに予防接種基本計画に再検討を加え，必要があると認めるときは，これを変更するものとする。

4　厚生労働大臣は，予防接種基本計画を定め，又はこれを変更しようとするときは，あらかじめ，関係行政機関の長に協議しなければならない。

5　厚生労働大臣は，予防接種基本計画を定め，又はこれを変更したときは，遅滞なく，これを公表しなければならない。

（個別予防接種推進指針）

第 4 条　厚生労働大臣は，A類疾病及びB類疾病のうち，特に総合的に予防接種を推進する必要があるものとして厚生労働省令で定めるものについて，当該疾病ごとに当該疾病に応じた予防接種の推進を図るための指針（以下この条及び第24条第二号において「個別予防接種推進指針」という。）を予防接種基本計画に即して定めなければならない。

2　個別予防接種推進指針は，次に掲げる事項について定めるものとする。
　一　当該疾病に係る予防接種の意義，有効性及び安全性に関する事項
　二　当該疾病に係る予防接種に関する啓発及び知識の普及に関する事項
　三　当該疾病に係る予防接種の適正な実施のための方策に関する事項
　四　当該疾病に係る予防接種の研究開発の推進及びワクチンの供給の確保に関する事項
　五　その他当該疾病に係る予防接種の推進に関する重要事項

3　当該疾病について感染症の予防及び感染症の患者に対する医療に関する法律（平成10年法律第114号。附則第6条第1項において「感染症法」という。）第11条第1項の規定により同項に規定する特定感染症予防指針が作成されるときは，個別予防接種推進指針は，当該特定感染症予防指針と一体のものとして定められなければならない。

4　厚生労働大臣は，個別予防接種推進指針を定め，又はこれを変更したときは，遅滞なく，これを公表しなければならない。

第3章　定期の予防接種等の実施

（市町村長が行う予防接種）

第 5 条　市町村長は，A類疾病及びB類疾病のうち政令で定めるものについて，当該市町村の区域内に居住する者であって政令で定めるものに対し，保健所長（特別区及び地域保健法（昭和22年法律第101号）第5条第1項の規定に基づく政令で定める市（第10条において「保健所を設置する市」という。）にあっては，都道府県知事）の指示を受け期日又は期間を指定して，予防接種を行わなければならない。

2　都道府県知事は，前項に規定する疾病のうち政令で定めるものについて，当該疾病の発

付録

368 （付録4）予防接種法

生状況等を勘案して，当該都道府県の区域のうち当該疾病に係る予防接種を行う必要がないと認められる区域を指定することができる。

3　前項の規定による指定があったときは，その区域の全部が当該指定に係る区域に含まれる市町村の長は，第1項の規定にかかわらず，当該指定に係る疾病について予防接種を行うことを要しない。

（臨時に行う予防接種）

第 6 条　都道府県知事は，A類疾病及びB類疾病のうち厚生労働大臣が定めるもののまん延予防上緊急の必要があると認めるときは，その対象者及びその期日又は期間を指定して，臨時に予防接種を行い，又は市町村長に行うよう指示することができる。

2　厚生労働大臣は，前項に規定する疾病のまん延予防上緊急の必要があると認めるときは，政令の定めるところにより，同項の予防接種を都道府県知事に行うよう指示することができる。

3　厚生労働大臣は，B類疾病のうち当該疾病にかかった場合の病状の程度を考慮して厚生労働大臣が定めるもののまん延予防上緊急の必要があると認めるときは，その対象者及びその期日又は期間を指定して，政令の定めるところにより，都道府県知事を通じて市町村長に対し，臨時に予防接種を行うよう指示することができる。この場合において，都道府県知事は，当該都道府県の区域内で円滑に当該予防接種が行われるよう，当該市町村長に対し，必要な協力をするものとする。

（予防接種を行ってはならない場合）

第 7 条
市町村長又は都道府県知事は，第5条第1項又は前条第1項若しくは第3項の規定による予防接種を行うに当たっては，当該予防接種を受けようとする者について，厚生労働省令で定める方法により健康状態を調べ，当該予防接種を受けることが適当でない者として厚生労働省令で定めるものに該当すると認めるときは，その者に対して当該予防接種を行ってはならない。

（予防接種の勧奨）

第 8 条　市町村長又は都道府県知事は，第5条第1項の規定による予防接種であってA類疾病に係るもの又は第6条第1項若しくは第3項の規定による予防接種の対象者に対し，定期の予防接種であってA類疾病に係るもの又は臨時の予防接種を受けることを勧奨するものとする。

2　市町村長又は都道府県知事は，前項の対象者が16歳未満の者又は成年被後見人であるときは，その保護者に対し，その者に定期の予防接種であってA類疾病に係るもの又は臨時の予防接種を受けさせることを勧奨するものとする。

（予防接種を受ける努力義務）

第 9 条　第5条第1項の規定による予防接種であってA類疾病に係るもの又は第6条第1項の規定による予防接種の対象者は，定期の予防接種であってA類疾病に係るもの又は臨時の予防接種（同条第3項に係るものを除く。）を受けるよう努めなければならない。

2　前項の対象者が16歳未満の者又は成年被後見人であるときは，その保護者は，その者に定期の予防接種であってA類疾病に係るもの又は臨時の予防接種（第6条第3項に係るものを除く。）を受けさせるため必要な措置を講ずるよう努めなければならない。

（保健所長への委任）

第 10 条　都道府県知事又は保健所を設置する市若しくは特別区の長は，第5条第1項又は第6条第1項若しくは第3項の規定による予防接種の実施事務を保健所長に委任することができる。

（政令及び厚生労働省令への委任）

第 11 条　この章に規定するもののほか，予防接種の実施に係る公告，周知，記録及び報告に関して必要な事項は政令で，その他予防接種の実施に関して必要な事項は厚生労働省令

予防接種法（付録5）369

で定める。

第4章　定期の予防接種等の適正な実施のための措置

（定期の予防接種等を受けたことによるものと疑われる症状の報告）

第 12 条　病院若しくは診療所の開設者又は医師は，定期の予防接種等を受けた者が，当該定期の予防接種等を受けたことによるものと疑われる症状として厚生労働省令で定めるものを呈していることを知ったときは，その旨を厚生労働省令で定めるところにより厚生労働大臣に報告しなければならない。

2　厚生労働大臣は，前項の規定による報告があったときは，遅滞なく，厚生労働省令で定めるところにより，その内容を当該定期の予防接種等を行った市町村長又は都道府県知事に通知するものとする。

（定期の予防接種等の適正な実施のための措置）

第 13 条　厚生労働大臣は，毎年度，前条第1項の規定による報告の状況について厚生科学審議会に報告し，必要があると認めるときは，その意見を聴いて，定期の予防接種等の安全性に関する情報の提供その他の定期の予防接種等の適正な実施のために必要な措置を講ずるものとする。

2　厚生科学審議会は，前項の規定による措置のほか，定期の予防接種等の安全性に関する情報の提供その他の定期の予防接種等の適正な実施のために必要な措置について，調査審議し，必要があると認めるときは，厚生労働大臣に意見を述べることができる。

3　厚生労働大臣は，第1項の規定による報告又は措置を行うに当たっては，前条第1項の規定による報告に係る情報の整理又は当該報告に関する調査を行うものとする。

4　厚生労働大臣は，定期の予防接種等の適正な実施のため必要があると認めるときは，地方公共団体，病院又は診療所の開設者，医師，ワクチン製造販売業者(薬事法(昭和35年法律第145号)第12条第1項の医薬品の製造販売業の許可を受けた者であって，ワクチンの製造販売(同法第2条第13項に規定する製造販売をいう。附則第6条第1項において同じ。)について，同法第14条の承認を受けているもの(当該承認を受けようとするものを含む。)をいう。第23条第5項において同じ。)，定期の予防接種等を受けた者又はその保護者その他の関係者に対して前項の規定による調査を実施するため必要な協力を求めることができる。

（機構による情報の整理及び調査）

第 14 条　厚生労働大臣は，独立行政法人医薬品医療機器総合機構(以下この条において「機構」という。)に，前条第3項に規定する情報の整理を行わせることができる。

2　厚生労働大臣は，前条第1項の規定による報告又は措置を行うため必要があると認めるときは，機構に，同条第3項の規定による調査を行わせることができる。

3　厚生労働大臣が第一項の規定により機構に情報の整理を行わせることとしたときは，第12条第1項の規定による報告をしようとする者は，同項の規定にかかわらず，厚生労働省令で定めるところにより，機構に報告しなければならない。

4　機構は，第1項の規定による情報の整理又は第2項の規定による調査を行ったときは，遅滞なく，当該情報の整理又は調査の結果を厚生労働省令で定めるところにより，厚生労働大臣に通知しなければならない。

第5章　定期の予防接種等による健康被害の救済措置

（健康被害の救済措置）

第 15 条　市町村長は，当該市町村の区域内に居住する間に定期の予防接種等を受けた者が，疾病にかかり，障害の状態となり，又は死亡した場合において，当該疾病，障害又は死亡が当該定期の予防接種等を受けたことによるものであると厚生労働大臣が認定したときは，次条及び第17条に定めるところにより，給付を行う。

付録

370 （付録6）予防接種法

2 厚生労働大臣は，前項の認定を行うに当たっては，審議会等（国家行政組織法（昭和23年法律第120号）第8条に規定する機関をいう。）で政令で定めるものの意見を聴かなければならない。

（給付の範囲）

第16条 A類疾病に係る定期の予防接種等又はB類疾病に係る臨時の予防接種を受けたことによる疾病，障害又は死亡について行う前条第1項の規定による給付は，次の各号に掲げるとおりとし，それぞれ当該各号に定める者に対して行う。

一 医療費及び医療手当 予防接種を受けたことによる疾病について医療を受ける者

二 障害児養育年金 予防接種を受けたことにより政令で定める程度の障害の状態にある18歳未満の者を養育する者

三 障害年金 予防接種を受けたことにより政令で定める程度の障害の状態にある18歳以上の者

四 死亡一時金 予防接種を受けたことにより死亡した者の政令で定める遺族

五 葬祭料 予防接種を受けたことにより死亡した者の葬祭を行う者

2 B類疾病に係る定期の予防接種を受けたことによる疾病，障害又は死亡について行う前条第1項の規定による給付は，次の各号に掲げるとおりとし，それぞれ当該各号に定める者に対して行う。

一 医療費及び医療手当 予防接種を受けたことによる疾病について政令で定める程度の医療を受ける者

二 障害児養育年金 予防接種を受けたことにより政令で定める程度の障害の状態にある18歳未満の者を養育する者

三 障害年金 予防接種を受けたことにより政令で定める程度の障害の状態にある18歳以上の者

四 遺族年金又は遺族一時金 予防接種を受けたことにより死亡した者の政令で定める遺族

五 葬祭料 予防接種を受けたことにより死亡した者の葬祭を行う者

（政令への委任等）

第17条 前条に定めるもののほか，第15条第1項の規定による給付（以下「給付」という。）の額，支給方法その他給付に関して必要な事項は，政令で定める。

2 前条第2項第一号から第四号までの政令及び同項の規定による給付に係る前項の規定に基づく政令は，独立行政法人医薬品医療機器総合機構法（平成14年法律第192号）第15条第1項第一号イに規定する副作用救済給付に係る同法第16条第1項第一号から第四号までの政令及び同条第3項の規定に基づく政令の規定を参酌して定めるものとする。

（損害賠償との調整）

第18条 市町村長は，給付を受けるべき者が同一の事由について損害賠償を受けたときは，その価額の限度において，給付を行わないことができる。

2 市町村長は，給付を受けた者が同一の事由について損害賠償を受けたときは，その価額の限度において，その受けた給付の額に相当する金額を返還させることができる。

（不正利得の徴収）

第19条 市町村長は，偽りその他不正の手段により給付を受けた者があるときは，国税徴収の例により，その者から，その受けた給付の額に相当する金額の全部又は一部を徴収することができる。

2 前項の規定による徴収金の先取特権の順位は，国税及び地方税に次ぐものとする。

（受給権の保護）

第20条 給付を受ける権利は，譲り渡し，担保に供し，又は差し押さえることができない。

（公課の禁止）

第21条 租税その他の公課は，給付として支給を受けた金銭を標準として，課することが

予防接種法（付録7）371

できない。
（保健福祉事業の推進）
第22条 国は，第16条第1項第一号から第三号まで又は同条第2項第一号から第三号まで
に掲げる給付の支給に係る者であって居宅において介護を受けるものの医療，介護等に関
し，その家庭からの相談に応ずる事業その他の保健福祉事業の推進を図るものとする。

第6章 雑則
（国等の責務）
第23条 国は，国民が正しい理解の下に予防接種を受けるよう，予防接種に関する啓発及
び知識の普及を図るものとする。
2 国は，予防接種の円滑かつ適正な実施を確保するため，予防接種の研究開発の推進及び
ワクチンの供給の確保等必要な措置を講ずるものとする。
3 国は，予防接種による健康被害の発生を予防するため，予防接種事業に従事する者に対
する研修の実施等必要な措置を講ずるものとする。
4 国は，予防接種による免疫の獲得の状況に関する調査，予防接種による健康被害の発生
状況に関する調査その他予防接種の有効性及び安全性の向上を図るために必要な調査及び
研究を行うものとする。
5 病院又は診療所の開設者，医師，ワクチン製造販売業者，予防接種を受けた者又はその
保護者その他の関係者は，前各項の国の責務の遂行に必要な協力をするよう努めるものと
する。
（厚生科学審議会の意見の聴取）
第24条 厚生労働大臣は，次に掲げる場合には，あらかじめ，厚生科学審議会の意見を聴
かなければならない。
　一　第2条第2項第12号及び第3項第二号並びに第5条第1項及び第2項の政令の制定又
　　は改廃の立案をしようとするとき。
　二　予防接種基本計画及び個別予防接種推進指針を定め，又は変更しようとするとき。
　三　第6条第1項及び第3項に規定する疾病を定めようとするとき。
　四　第6条第2項及び第3項の規定による指示をしようとするとき。
　五　第7条の予防接種を受けることが適当でない者を定める厚生労働省令，第11条の厚生
　　労働省令（医学的知見に基づき定めるべき事項に限る。）及び第12条第1項の定期の予防
　　接種等を受けたことによるものと疑われる症状を定める厚生労働省令を制定し，又は改
　　廃しようとするとき。
（予防接種等に要する費用の支弁）
第25条 この法律の定めるところにより予防接種を行うために要する費用は，市町村（第
6条第1項の規定による予防接種については，都道府県又は市町村）の支弁とする。
2 給付に要する費用は，市町村の支弁とする。
（都道府県の負担）
第26条 都道府県は，政令の定めるところにより，前条第1項の規定により市町村の支弁
する額（第6条第1項の規定による予防接種に係るものに限る。）の3分の2を負担する。
2 都道府県は，政令の定めるところにより，前条第1項の規定により市町村の支弁する額
（第6条第3項の規定による予防接種に係るものに限る。）及び前条第2項の規定により市
町村の支弁する額の4分の3を負担する。
（国庫の負担）
第27条 国庫は，政令の定めるところにより，第25条第1項の規定により都道府県の支弁
する額及び前条第1項の規定により都道府県の負担する額の2分の1を負担する。
2 国庫は，前条第2項の規定により都道府県の負担する額の3分の2を負担する。

付録

372　(付録 8) 予防接種法

（実費の徴収）
第 28 条　第 5 条第 1 項又は第 6 条第 3 項の規定による予防接種を行った者は，予防接種を受けた者又はその保護者から，政令の定めるところにより，実費を徴収することができる。ただし，これらの者が，経済的理由により，その費用を負担することができないと認めるときはこの限りでない。

（事務の区分）
第 29 条　第 6 条の規定により都道府県が処理することとされている事務並びに同条第 1 項及び第 3 項，第15条第 1 項，第18条並びに第19条第 1 項の規定により市町村が処理することとされている事務は，地方自治法(昭和22年法律第67号)第 2 条第 9 項第一号に規定する第一号法定受託事務とする。

　　　　附　則　抄
（施行期日）
第 1 条　この法律は，昭和23年 7 月 1 日から，これを施行する。ただし，第13条及び第14条の規定施行の期日は，昭和24年 6 月30日までの間において，各規定につき政令(昭和24年政令第230号で昭和24年 6 月30日から施行)でこれを定める。

（種痘法の廃止）
第 5 条　種痘法(明治42年法律第35号)は，これを廃止する。（後略）
2～3　（略）

（新型インフルエンザ等感染症ワクチン購入契約に係る損失補償契約）
第 6 条　政府は，予防接種法及び新型インフルエンザ予防接種による健康被害の救済等に関する特別措置法の一部を改正する法律(平成23年法律第85号)の施行の日から 5 年間を限り，新型インフルエンザ等感染症ワクチン(感染症法第 6 条第 7 項に規定する新型インフルエンザ等感染症に係るワクチンをいう。以下同じ。)について，世界的規模で需給が著しくひっ迫し，又はひっ迫するおそれがあり，これを早急に確保しなければ国民の生命及び健康に重大な影響を与えるおそれがあると認められるときは，厚生労働大臣が新型インフルエンザ等感染症ワクチンの購入契約を締結する製造販売業者(医薬品，医療機器等の品質，有効性及び安全性の確保等に関する法律第12条第 1 項の医薬品の製造販売業の許可を受けた者であって，新型インフルエンザ等感染症ワクチンの製造販売について，同法第14条の 3 第 1 項の規定により同法第14条の承認を受けているもの(当該承認を受けようとするものを含む。)に限る。)を相手方として，当該購入契約に係る新型インフルエンザ等感染症ワクチンを使用する予防接種による健康被害に係る損害を賠償することにより生ずる損失その他当該新型インフルエンザ等感染症ワクチンの性質等を踏まえ国が補償することが必要な損失を政府が補償することを約する契約(以下「損失補償契約」という。)を締結することができる。
2　厚生労働大臣は，前項の購入契約(当該購入契約に係る新型インフルエンザ等感染症ワクチンについて損失補償契約を締結する場合における当該購入契約に限る。)を締結する場合には，あらかじめ，閣議の決定を経なければならない。
3　政府は，損失補償契約の締結前に，当該損失補償契約を締結することにつき国会の承認を得なければならない。ただし，緊急の必要がある場合には，国会の承認を得ないで当該損失補償契約(次項の規定による国会の承認を受けることをその効力の発生の条件とするものに限る。)を締結することができる。
4　前項ただし書の規定により国会の承認を得ないで損失補償契約を締結した場合には，政府は，速やかに，当該損失補償契約の締結につき国会の承認を求めなければならない。

予防接種法（付録 9）373

　　附　則（昭和51年 6 月19日法律第69号，平成13年11月 7 日法律第116号改正）　　抄
（施行期日等）
第 1 条　この法律は，公布の日から施行する。ただし，第 2 条，第 3 条及び附則第 3 条から附則第 5 条までの規定は，公布の日から起算して 1 年を超えない範囲内において政令で定める日から施行する。（昭和52年政令第16号で昭和52年 2 月25日から施行）
2　第 2 条の規定による改正後の予防接種法第16条第 1 項の規定及び第 3 条の規定（中略）は，前項の政令で定める日以後に行われた予防接種を受けたことによる疾病，廃疾及び死亡について適用する。
第 2 条　（罰則に関する経過措置）　　（略）
（従前の予防接種による健康被害の救済に関する措置）
第 3 条　附則第 1 条第 1 項ただし書の政令で定める日前に予防接種法若しくは結核予防法の規定により行われた予防接種又はこれらに準ずるものとして厚生労働大臣が定める予防接種を受けた者が，同日以後に疾病にかかり，若しくは廃疾となっている場合又は死亡した場合において，当該疾病，廃疾又は死亡が当該予防接種を受けたことによるものと厚生労働大臣が認定したときは，当該予防接種を受けた者の当該予防接種を受けた当時の居住地の市町村長は，政令で定めるところにより，予防接種法第16条第 1 項の規定による給付に準ずる給付を行う。
2　予防接種法第15条第 2 項，第18条から第21条まで，第25条第 2 項，第26条第 2 項及び第27条第 2 項の規定は，前項の規定による給付について準用する。

　　附　則（平成 6 年 6 月29日法律第51号，平成13年11月 7 日法律第116号改正）　　抄
（施行期日）
第 1 条　この法律は，平成 6 年10月 1 日から施行する。
（検討）
第 2 条及び第 3 条　削除
第 4 条　この法律の施行前に第 1 条の規定による改正前の予防接種法（以下この条において「旧予防接種法」という。）第 4 条，第 7 条又は第10条の規定により予防接種を受けた者（旧予防接種法第 5 条，第 8 条又は第11条の規定により当該予防接種を受けたものとみなされる者を含む。）は，予防接種法第15条第 1 項の規定の適用については，同法第 2 条第 4 項に規定する定期の予防接種又は同条第 5 項に規定する臨時の予防接種（同法第 6 条第 3 項に係るものを除く。）を受けた者とみなし，同法第16条第 1 項の規定の適用については同項に規定するA類疾病に係る定期の予防接種等又は同項に規定するB類疾病に係る臨時の予防接種を受けた者とみなす。
第 6 条　（罰則に関する経過措置）　　（略）
第 9 条　（その他の経過措置の政令への委任）　　（略）

　　附　則（平成13年11月 7 日法律第116号）　　抄
（施行期日）
第 1 条　この法律は，公布の日から施行する。
（検討）
第 2 条　政府は，この法律の施行後 5 年を目途として，高齢者に係るインフルエンザの流行の状況及び予防接種の接種率の状況，インフルエンザに係る予防接種の有効性に関する調査研究の結果その他この法律による改正後の予防接種法の規定の施行の状況を勘案し，必要があると認めるときは，インフルエンザに係る定期の予防接種の在り方等について検討を加え，その結果に基づいて所要の措置を講ずるものとする。
（インフルエンザに係る定期の予防接種に関する特例）
第 3 条　予防接種法第 5 条第 1 項の規定によりインフルエンザに係る予防接種を行う場合

374 （付録 10）予防接種法

については，当分の間，同項中「当該市町村の区域内に居住する者であって政令で定める
もの」とあるのは，「当該市町村の区域内に居住する高齢者であって政令で定めるもの」と
する。
2　前項の規定により読み替えられた予防接種法第５条第１項の規定によるインフルエンザ
に係る予防接種による健康被害の救済に係る給付については，同法第16条第２項第二号の
規定は，適用しない。

　　　附　則（平成18年12月８日法律第106号）　抄
（施行期日）
第 1 条　この法律は，公布の日から起算して６月を超えない範囲内において政令で定める
日から施行する（平成19年政令第43号で平成19年６月１日から施行）。ただし，（中略）　第
２条の規定（編集部注　予防接種法の一部改正）並びに次条（編集部注　検疫法の一部改正）
から附則第７条まで，（中略）　及び附則第14条から第23条までの規定は，平成19年４月１
日から施行する。
（結核予防法の廃止に伴う経過措置）
第 7 条　一部施行日前に旧結核予防法の規定により予防接種を受けた者は，予防接種法第
15条第１項の規定の適用については同法第２条第４項に規定する定期の予防接種又は同条
第５項に規定する臨時の予防接種（同法第６条第３項に係るものを除く。）を受けた者とみ
なし，同法第16条第１項の規定の適用については同項に規定するA類疾病に係る定期の予
防接種等を受けた者とみなす。
2　一部施行日前に旧結核予防法第21条の２第１項の規定により厚生労働大臣が予防接種を
受けたことによるものであると認定した疾病又は障害については，それぞれ予防接種法第
15条第１項の規定による厚生労働大臣の認定があったものとみなす。
（罰則の適用に関する経過措置）
第 24 条　この法律（附則第１条ただし書に規定する規定については，当該規定）の施行前に
した行為及びこの附則の規定によりなお従前の例によることとされる場合における同条た
だし書に規定する規定の施行後にした行為に対する罰則の適用については，なお従前の例
による。
（その他の経過措置の政令への委任）
第 25 条　この附則に規定するもののほか，この法律の施行に伴い必要な経過措置は，政令
で定める。

　　　附　則（平成23年７月22日法律第85号）　抄
（施行期日）
第 1 条　この法律は，公布の日から施行する。ただし，第１条中予防接種法第６条に２項
を加える改正規定，同法第７条の改正規定，同条の次に１条を加える改正規定並びに同法
第８条，第９条，第22条第２項，第24条及び第25条の改正規定，第２条中新型インフルエ
ンザ予防接種による健康被害の救済等に関する特別措置法第５条第２項を削る改正規定及
び同法附則第２条第２項の改正規定並びに附則第３条及び第４条の規定は，公布の日から
起算して３月を超えない範囲内において政令で定める日から施行する。
（検討）
第 6 条　政府は，伝染のおそれがある疾病の発生及びまん延の状況，第１条の規定による
改正後の予防接種法の規定の施行の状況等を勘案し，予防接種の在り方等について総合的
に検討を加え，その結果に基づいて所要の措置を講ずるものとする。
2　政府は，この法律の施行の日から５年以内に，緊急時におけるワクチンの確保等に関す
る国，製造販売業者（医薬品，医療機器等の品質，有効性及び安全性の確保等に関する法律
（昭和35年法律第145号）第12条第１項の医薬品の製造販売業の許可を受けた者をいう。）等

予防接種法（付録11）375

の関係者の役割の在り方等について総合的に検討を加え，その結果に基づいて必要な措置を講ずるものとする。

（政令への委任）

第 7 条 この附則に定めるもののほか，この法律の施行に関し必要な経過措置は，政令で定める。

　　附　則（平成25年３月30日法律第８号）　抄

（施行期日）

第 1 条 この法律は，平成25年４月１日から施行する。ただし，附則第６条及び第19条の規定は，公布の日から施行する。

（検討）

第 2 条 政府は，この法律の施行後５年を目途として，伝染のおそれがある疾病の発生及びまん延の状況，予防接種の接種率の状況，予防接種による健康被害の発生の状況その他この法律による改正後の予防接種法（以下この条から附則第７条までにおいて「新法」という。）の規定の施行の状況を勘案し，必要があると認めるときは，新法の規定について検討を加え，その結果に基づいて所要の措置を講ずるものとする。

（指針に関する経過措置）

第 3 条 この法律の施行の際現にこの法律による改正前の予防接種法（次条並びに附則第５条及び第７条において「旧法」という。）第20条第１項の規定により定められている指針は，新法第４条第１項の規定により定められた指針とみなす。

（報告に関する経過措置）

第 4 条 この法律の施行前に行われた旧法第７条の２第１項に規定する定期の予防接種又は臨時の予防接種は，新法第12条の規定の適用については，新法第２条第６項に規定する定期の予防接種等とみなす。

（健康被害の救済に関する経過措置）

第 5 条 この法律の施行前に旧法第７条の２第１項に規定する定期の予防接種であって一類疾病に係るもの又は同項に規定する臨時の予防接種を受けた者は，新法第15条第１項の規定の適用については新法第２条第４項に規定する定期の予防接種又は同条第５項に規定する臨時の予防接種を受けた者と，新法第16条第１項の規定の適用については同項に規定するA類疾病に係る定期の予防接種等又は同項に規定するB類疾病に係る臨時の予防接種を受けた者とみなす。

2 この法律の施行前に旧法第７条の２第１項に規定する定期の予防接種であって二類疾病に係るものを受けた者は，新法第15条第１項の規定の適用については新法第２条第４項に規定する定期の予防接種を受けた者と，新法第16条第２項の規定の適用については同項に規定するB類疾病に係る定期の予防接種を受けた者とみなす。

（厚生科学審議会の意見の聴取）

第 6 条 厚生労働大臣は，新法第24条各号に掲げる場合には，この法律の施行前においても，厚生科学審議会の意見を聴くことができる。

（新型インフルエンザ等感染症に係る定期の予防接種に関する特例）

第 7 条 インフルエンザであって次に掲げるものに係る新法第５条第１項の規定による予防接種についての附則第12条の規定による改正後の予防接種法の一部を改正する法律（平成13年法律第116号）附則第３条の規定の適用については，同条第１項中「インフルエンザ」とあるのは「インフルエンザ（予防接種法の一部を改正する法律（平成25年法律第８号）附則第７条各号に掲げるものを除く。次項において同じ。）」と，「同項」とあるのは「予防接種法第５条第１項」とする。

一　感染症の予防及び感染症の患者に対する医療に関する法律（平成10年法律第114号。以下この条において「感染症法」という。）第６条第７項第一号に掲げる新型インフルエン

付録

376 （付録12）予防接種法

ザに該当するものとして感染症法第44条の2第1項の規定により厚生労働大臣が平成21年4月28日にその発生に係る情報を公表したもの（次号において「特定新型インフルエンザ」という。）

二 この法律の施行前に感染症法第6条第7項に規定する新型インフルエンザ等感染症に該当するものとして感染症法第44条の2第1項の規定により厚生労働大臣がその発生に係る情報を公表したもの（特定新型インフルエンザを除く。）のうち旧法第6条第1項若しくは第3項に規定する二類疾病又は新法第6条第1項若しくは第3項に規定するB類疾病として厚生労働大臣が定めたもの

三 この法律の施行後に感染症法第6条第7項に規定する新型インフルエンザ等感染症に該当するものとして感染症法第44条の2第1項の規定により厚生労働大臣がその発生に係る情報を公表したもののうち新法第6条第1項又は第3項に規定するB類疾病として厚生労働大臣が定めたもの

（政令への委任）

第19条 この附則に定めるもののほか，この法律の施行に関し必要な経過措置は，政令で定める。

　　附　則（平成25年11月27日法律第84号）　抄

（施行期日）

第1条 この法律は，公布の日から起算して1年を超えない範囲内において政令で定める日から施行する。ただし，附則第64条，第66条及び第102条の規定は，公布の日から施行する。

（検討）

第66条 政府は，この法律の施行後5年を目途として，この法律による改正後の規定の実施状況を勘案し，必要があると認めるときは，当該規定について検討を加え，その結果に基づいて必要な措置を講ずるものとする。

（処分等の効力）

第100条 この法律の施行前に改正前のそれぞれの法律（これに基づく命令を含む。以下この条において同じ。）の規定によってした処分，手続その他の行為であって，改正後のそれぞれの法律の規定に相当の規定があるものは，この附則に別段の定めがあるものを除き，改正後のそれぞれの法律の相当の規定によってしたものとみなす。

（政令への委任）

第102条 この附則に規定するもののほか，この法律の施行に伴い必要な経過措置（罰則に関する経過措置を含む。）は，政令で定める。

　　附　則（平成25年12月13日法律第103号）　抄

（施行期日）

第1条 この法律は，公布の日から起算して6月を超えない範囲内において政令で定める日から施行する。

予防接種法施行令（付録13）377

予防接種法施行令（昭和23年7月31日　政令第197号）

[沿革] 昭和28年9月17日政令第283号, 35年6月30日第185号, 36年4月25日第113号, 50年12月24日第370号, 51年6月19日第159号, 52年2月22日第17号, 7月22日第241号, 53年5月23日第185号, 7月28日第296号, 54年7月31日第223号, 55年7月31日第203号, 11月18日第302号, 56年4月3日第103号, 7月31日第263号, 57年8月24日第230号, 31日第236号, 58年1月21日第6号, 8月23日第189号, 59年第35号, 第268号, 60年1月22日第1号, 6月25日第188号, 第323号, 61年第53号, 5月27日第173号, 62年6月2日第190号, 63年5月24日第157号, 平成元年12月22日第340号, 2年3月26日第48号, 3年9月29日第60号, 4年4月10日第120号, 5年第132号, 6年6月24日第168号, 8月17日第266号, 9月2日第282号, 7年3月27日第84号, 8年5月11日第137号, 9年3月28日第84号, 4月1日第135号, 10年4月9日第136号, 11年3月25日第51号, 9月3日第262号, 12月8日第393号, 12年3月29日第107号, 6月7日第309号, 13年11月7日第347号, 14年4月1日第147号, 15年3月31日第146号, 10月22日第460号, 16年4月1日第150号, 17年7月29日第264号, 18年3月30日第108号, 6月2日第210号, 19年3月9日第44号, 20年2月27日第35号, 3月31日第113号, 3月31日第116号, 4月25日第147号, 22年4月1日第102号, 23年3月31日第78号, 5月20日第144号, 9月30日第305号, 24年2月3日第26号, 3月30日第92号, 25年1月30日第18号, 2月1日第26号, 3月30日第119号, 9月26日第288号, 26年3月31日第114号, 7月2日第247号, 27年4月10日第208号, 28年3月31日第172号, 6月22日第241号, 29年3月31日第92号, 30年3月30日第106号, 31年2月1日第20号, 31年3月29日第114号, **令和元年9月27日第116号**

（政令で定めるA類疾病）

第　1　条　予防接種法（以下「法」という。）第2条第2項第12号の政令で定める疾病は, 次に掲げる疾病とする。

一　痘そう

二　水痘

三　B型肝炎

（政令で定めるB類疾病）

第　1　条の2　法第2条第3項第二号の政令で定める疾病は, 肺炎球菌感染症（高齢者がかかるものに限る。）とする。

（定期の予防接種を行う疾病及びびその対象者）

第　1　条の3　法第5条第1項の政令で定める疾病は, **次の表の左欄**に掲げる疾病とし, 同項〔予防接種法の一部を改正する法律（平成13年法律第116号）附則第3条第1項（予防接種法の一部を改正する法律（平成25年法律第8号）附則第7条の規定により読み替えられる場合を含む。）の規定により読み替えられる場合を含む。〕の政令で定める者は, **同表の左欄**に掲げる疾病ごとにそれぞれ**同表の右欄**に掲げる者〔当該疾病にかかっている者又はかかったことのある者（インフルエンザにあっては, インフルエンザにかかったことのある者を除く。）その他厚生労働省令で定める者を除く。〕とする。

2　前項の**表の左欄**に掲げる疾病（インフルエンザを除く。以下この項において「特定疾病」という。）についてそれぞれ**同表の右欄**に掲げる者であった者（当該特定疾病にかかっている者又はかかったことのある者その他厚生労働省令で定める者を除く。）であって, 当該掲げる者であった間に, 長期にわたり療養を必要とする疾病で厚生労働省令で定めるものにかかったことその他の厚生労働省令で定める特別の事情があることにより当該特定疾病に

付録

疾　病	予防接種の対象者
ジフテリア	一　生後3月から生後90月に至るまでの間にある者 二　11歳以上13歳未満の者
百日せき	生後3月から生後90月に至るまでの間にある者
急性灰白髄炎	生後3月から生後90月に至るまでの間にある者
麻　しん	一　生後12月から生後24月に至るまでの間にある者 二　5歳以上7歳未満の者であって，小学校就学の始期に達する日の1年前の日から当該始期に達する日の前日までの間にあるもの
風　しん	一　生後12月から生後24月に至るまでの間にある者 二　5歳以上7歳未満の者であって，小学校就学の始期に達する日の1年前の日から当該始期に達する日の前日までの間にあるもの
日本脳炎	一　生後6月から生後90月に至るまでの間にある者 二　9歳以上13歳未満の者
破傷風	一　生後3月から生後90月に至るまでの間にある者 二　11歳以上13歳未満の者
結　核	1歳に至るまでの間にある者
Hib感染症	生後2月から生後60月に至るまでの間にある者
肺炎球菌感染症 (小児がかかるものに限る。)	生後2月から生後60月に至るまでの間にある者
ヒトパピローマウイルス感染症	12歳となる日の属する年度の初日から16歳となる日の属する年度の末日までの間にある女子
水　痘	生後12月から生後36月に至るまでの間（新設）（新設）にある者
B型肝炎	1歳に至るまでの間にある者
肺炎球菌感染症 (高齢者がかかるものに限る。)	一　65歳の者 二　60歳以上65歳未満の者であって，心臓，腎臓若しくは呼吸器の機能の障害又はヒト免疫不全ウイルスによる免疫の機能の障害を有するものとして厚生労働省令で定めるもの

係る法第5条第1項の規定による予防接種を受けることができなかったと認められるものについては，当該特別の事情がなくなった日から起算して2年(肺炎球菌感染症(高齢者がかかるものに限る。)に係る同項の規定による予防接種を受けることができなかったと認められるものについては，当該特別の事情がなくなった日から起算して1年)を経過する日までの間(厚生労働省令で定める特定疾病にあっては，厚生労働省令で定める年齢に達するまでの間にある場合に限る。)，当該特定疾病に係る同項の政令で定める者とする。

(市町村長が予防接種を行うことを要しない疾病)

第 2 条　法第5条第2項の政令で定める疾病は，日本脳炎とする。

(厚生労働大臣が予防接種を行うよう指示することができる場合)

第 3 条　厚生労働大臣が法第6条第2項の規定により都道府県知事に予防接種を行うよう指示することができるのは，次の各号のいずれかに該当する場合とする。

一　法第6条第1項に規定する疾病(以下この条において「疾病」という。)が発生し，若しくは流行し，又はそのおそれがあって，2以上の都道府県にわたって同時に予防接種を行う必要があるとき。

二　日本との交通が密接である地域で疾病が流行している場合において，その病毒が日本に侵入するおそれがあるとき。

三　災害その他により疾病が流行するおそれが著しいとき。

予防接種法施行令（付録 15）379

2　前項各号のいずれかに該当し，かつ，疾病に係る予防接種による健康被害が発生するお
それが大きい場合であって，予防接種の対象者を制限する必要があると認められるときに，
厚生労働大臣が法第 6 条第 2 項の規定により都道府県知事に予防接種を行うよう指示する
場合は，疾病が発生した場合に直ちにそのまん延を防止するために必要な業務に従事しな
ければならない者であって当該疾病に感染するおそれがあると認められるものを対象とし
て予防接種を行うよう指示するものとする。

3　前項の予防接種の対象者を制限する必要があると認められるときであって，現に日本で
疾病が発生し，又は発生することが確実であると認められるときに，厚生労働大臣が法第
6 条第 2 項の規定により都道府県知事に予防接種を行うよう指示する場合は，前項に規定
する者及び当該疾病の病毒によつて汚染された物又は当該疾病にかかっている者（疑似症
を呈している者を含む。）に接触したと認められる者を対象として予防接種を行うよう指示
するものとする。

第 3 条の 2　厚生労働大臣が法第 6 条第 3 項の規定により都道府県知事を通じて市町村長
に予防接種を行うよう指示することができるのは，次の各号のいずれかに該当する場合と
する。

一　法第 6 条第 3 項に規定する疾病（以下この条において「疾病」という。）が発生し，若し
くは流行し，又はそのおそれがあるとき。

二　日本との交通が密接である地域で疾病が流行している場合において，その病毒が日本
に侵入するおそれがあるとき。

三　災害その他により疾病が流行するおそれが著しいとき。

（予防接種を行う医師）

第 4 条　市町村長又は都道府県知事は，法第 5 条第 1 項又は第 6 条第 1 項若しくは第 3 項
の規定による予防接種を，当該市町村長又は都道府県知事の要請に応じて予防接種の実施
に関し協力する旨を承諾した医師により行うときは，当該予防接種を行う医師について，
その氏名及び予防接種を行う主たる場所を公告するものとする。ただし，専ら市町村長又
は都道府県知事が自ら設ける場所において実施する予防接種を行う医師については，この
限りでない。

2　市町村長又は都道府県知事は，前項の規定により公告した事項に変更があったとき，又
は同項の医師の承諾が撤回されたときは，速やかにその旨を公告しなければならない。

（予防接種の公告）

第 5 条　市町村長又は都道府県知事は，法第 5 条第 1 項又は第 6 条第 1 項若しくは第 3 項
の規定による予防接種を行う場合には，予防接種の種類，予防接種の対象者の範囲，予防
接種を行う期日又は期間及び場所，予防接種を受けるに当たって注意すべき事項その他必
要な事項を公告しなければならない。

（対象者等への周知）

第 6 条　市町村長は，法第 5 条第 1 項の規定による予防接種を行う場合には，前条の規定
による公告を行うほか，当該予防接種の対象者又はその保護者に対して，あらかじめ，予
防接種の種類，予防接種を受ける期日又は期間及び場所，予防接種を受けるに当たって注
意すべき事項その他必要な事項を周知しなければならない。

（予防接種に関する記録）

第 6 条の 2　市町村長又は都道府県知事は，法第 5 条第 1 項又は第 6 条第 1 項若しくは第
3 項の規定による予防接種を行ったときは，遅滞なく，次に掲げる事項を記載した予防接
種に関する記録を作成し，かつ，これを当該予防接種を行ったときから 5 年間保存しなけ
ればならない。

一　予防接種を受けた者の住所，氏名，生年月日及び性別

二　実施の年月日

三　前 2 号に掲げる事項のほか，厚生労働省令で定める事項

付録

380 （付録16）予防接種法

2　市町村長又は都道府県知事は，予防接種を受けた者から前項の規定により作成された記録の開示を求められたときは，正当な理由がなければ，これを拒んではならない。
（市町村長の報告）

第 7 条　市町村長は，法第5条第1項又は第6条第1項若しくは第3項の規定による予防接種を行ったときは，予防接種を受けた者の数を，厚生労働省令で定めるところにより，保健所長（特別区及び地域保健法（昭和22年法律第101号）第5条第1項の規定に基づく政令で定める市の長にあっては都道府県知事）に報告しなければならない。
（定期の予防接種等による健康被害の救済に関する措置）

第 8 条　法第15条第1項の規定による給付に関して必要な事項は，予防接種がA類疾病又はB類疾病からの社会の防衛に資するものであること及び予防接種を受けたことによる疾病が医学上の特性を有するものであることに鑑み，経済的社会的諸事情の変動及び医学の進歩に即応するよう定められるものとする。
（審議会等で政令で定めるもの）

第 9 条　法第15条第2項の審議会等で政令で定めるものは，疾病・障害認定審査会とする。
（A類疾病に係る定期の予防接種等に係る医療費）

第 10 条　法第16条第1項第一号の規定による医療費の額は，次に掲げる医療に要した費用の額を限度とする。ただし，予防接種を受けたことによる疾病について医療を受ける者が，当該疾病につき，健康保険法（大正11年法律第70号），船員保険法（昭和14年法律第73号），国民健康保険法（昭和33年法律第192号），高齢者の医療の確保に関する法律（昭和57年法律第80号），国家公務員共済組合法（昭和33年法律第128号。他の法律において準用し，又は例による場合を含む。）若しくは地方公務員等共済組合法（昭和37年法律第152号）（以下この条において「社会保険各法」という。），介護保険法（平成9年法律第123号），労働基準法（昭和22年法律第49号），労働者災害補償保険法（昭和22年法律第50号），船員法（昭和22年法律第100号），国家公務員災害補償法（昭和26年法律第191号。他の法律において準用し，又は例による場合を含む。），地方公務員災害補償法（昭和42年法律第121号）若しくは公立学校の学校医，学校歯科医及び学校薬剤師の公務災害補償に関する法律（昭和32年法律第143号）の規定により医療に関する給付を受け，若しくは受けることができたとき，又は当該医療が法令の規定により国若しくは地方公共団体の負担による医療に関する給付として行われたときは，当該医療に要した費用の額から当該医療に関する給付の額を控除した額（その者が社会保険各法による療養の給付を受け，又は受けることができたときは，当該療養の給付に関する当該社会保険各法の規定による一部負担金に相当する額とし，当該医療が法令の規定により国又は地方公共団体の負担による医療の現物給付として行われたときは，当該医療に関する給付について行われた実費徴収の額とする。）を限度とする。
　　一　診　察
　　二　薬剤又は治療材料の支給
　　三　医学的処置，手術及びその他の治療並びに施術
　　四　居宅における療養上の管理及びその療養に伴う世話その他の看護
　　五　病院又は診療所への入院及びその療養に伴う世話その他の看護
　　六　移　送

2　前項の医療に要した費用の額は，厚生労働大臣の定める算定方法により算定した額とする。ただし，現に要した費用の額を超えることができない。
（A類疾病に係る定期の予防接種等に係る医療手当）

第 11 条　法第16条第1項第一号の規定による医療手当は，月を単位として支給するものとし，その額は，1月につき，次の各号に掲げる区分に従い，当該各号に定める額とする。
　　一　その月において前条第1項第一号から第四号までに規定する医療（同項第五号に規定する医療に伴うものを除く。以下同じ。）を受けた日数が3日以上の場合　36,800円
　　二　その月において前号に規定する医療を受けた日数が3日未満の場合　34,800円

三 その月において前条第１項第五号に規定する医療を受けた日数が８日以上の場合 36,800円

四 その月において前号に規定する医療を受けた日数が８日未満の場合 34,800円

2 同一の月において前条第１項第一号から第四号までに規定する医療と同項第五号に規定する医療とを受けた場合にあっては，その月分の医療手当の額は，前項の規定にかかわらず，36,800円とする。

（A類疾病に係る定期の予防接種等に係る障害児養育年金）

第 12 条 法第16条第１項第二号の政令で定める程度の障害の状態は，**別表第１**に定めるとおりとする。

2 法第16条第１項第二号の規定による障害児養育年金の額は，次の各号に掲げる区分に従い，当該各号に定める額とする。

一 法第２条第５項に規定する臨時の予防接種（法第６条第３項に係るものに限る。以下「第３項臨時予防接種」という。）を受けたことにより障害の状態にある者を養育する者に支給する場合 次のイ又はロに掲げる区分に従い，それぞれイ又はロに定める額

イ 別表第１に定める１級の障害の状態にある18歳未満の者（以下この条において「１級障害児」という。）を養育する者に支給する場合 1,222,800円

ロ 別表第１に定める２級の障害の状態にある18歳未満の者（以下この条において「２級障害児」という。）を養育する者に支給する場合 979,200円

二 前号に掲げる場合以外の場合 次のイ又はロに掲げる区分に従い，それぞれイ又はロに定める額

イ １級障害児を養育する者に支給する場合 1,572,000円

ロ ２級障害児を養育する者に支給する場合 1,258,800円

3 前項の規定による障害児養育年金の額は，**別表第１**に定める障害の状態にある18歳未満の者（以下「障害児」という。）であって児童福祉法（昭和22年法律第164号）にいう医療型障害児入所施設その他これに類する施設で厚生労働省令で定めるものに入所又は入院をしていないものを養育する者に支給する場合は，同項の規定にかかわらず，同項に規定する額に介護加算額を加算した額とする。

4 前項に規定する介護加算額は，１級障害児を養育する者に支給する場合は843,600円とし，２級障害児を養育する者に支給する場合は562,400円とする。

5 障害児について，予防接種を受けたことによる障害に関し，特別児童扶養手当等の支給に関する法律（昭和39年法律第134号）の規定により特別児童扶養手当又は障害児福祉手当が支給されるときは，法第16条第１項第二号の規定による障害児養育年金の額は，前３項の規定にかかわらず，前３項の規定により算定した額から同号の規定による障害児養育年金の支給期間中の各年に支給される特別児童扶養手当又は障害児福祉手当の額を控除して得た額とする。

（A類疾病に係る定期の予防接種等に係る障害年金）

第 13 条 法第16条第１項第三号の政令で定める程度の障害の状態は，**別表第２**に定めるとおりとする。

2 法第16条第１項第三号の規定による障害年金の額は，次の各号に掲げる区分に従い，当該各号に定める額とする。

一 第３項臨時予防接種を受けたことにより障害の状態にある者に支給する場合 次のイからハまでに掲げる区分に従い，それぞれイからハまでに定める額

イ 別表第２に定める１級の障害の状態にある18歳以上の者（以下「１級障害者」という。）に支給する場合 3,914,400円

ロ 別表第２に定める２級の障害の状態にある18歳以上の者（以下「２級障害者」という。）に支給する場合 3,132,000円

ハ 別表第２に定める３級の障害の状態にある18歳以上の者（次号ハにおいて「３級障

382 （付録18）予防接種法

　害者」という。）に支給する場合　2,348,400円
　二　前号に掲げる場合以外の場合　次のイからハまでに掲げる区分に従い，それぞれイ
　　からハまでに定める額
　イ　1級障害者に支給する場合　5,032,800円
　ロ　2級障害者に支給する場合　4,026,000円
　ハ　3級障害者に支給する場合　3,019,200円
3　前項の規定による障害年金の額は，1級障害者又は2級障害者であって，児童福祉法に
　いう医療型障害児入所施設その他これに類する施設で厚生労働省令で定めるものに入所又
　は入院をしていないものに支給する場合は，前項の規定にかかわらず，同項に規定する額
　に介護加算額を加算した額とする。
4　前項に規定する介護加算額は，1級障害者に支給する場合は843,600円とし，2級障害者
　に支給する場合は562,400円とする。
5　法第16条第1項第三号の規定による障害年金を受ける者について，予防接種を受けたこ
　とによる障害に関し，特別児童扶養手当等の支給に関する法律の規定により特別児童扶養
　手当，障害児福祉手当若しくは特別障害者手当が支給されるとき，国民年金法等の一部を
　改正する法律（昭和60年法律第34号）附則第97条第1項の規定により福祉手当が支給される
　とき，又は国民年金法（昭和34年法律第141号）第30条の4の規定による障害基礎年金が支
　給されるときは，同号の規定による障害年金の額は，前3項の規定にかかわらず，前3項
　の規定により算定した額から同号の規定による障害年金の支給期間中の各年に支給される
　特別児童扶養手当，障害児福祉手当若しくは特別障害者手当の額若しくは福祉手当の額又
　は障害基礎年金の額の100分の40に相当する額を控除して得た額とする。
（A類疾病に係る定期の予防接種等に係る年金たる給付の支給期間等）
第14条　法第16条第1項第二号の規定による障害児養育年金又は同項第三号の規定による
　障害年金（以下「A類疾病に係る定期の予防接種等に係る年金たる給付」という。）の支給
　は，支給すべき事由が生じた日の属する月の翌月から始め，支給すべき事由が消滅した日
　の属する月で終わる。
2　A類疾病に係る定期の予防接種等に係る年金たる給付は，毎年1月，4月，7月及び10
　月の4期に，それぞれの前月分までを支払う。ただし，前支払期月に支払うべきであった
　A類疾病に係る定期の予防接種等に係る年金たる給付又は支給すべき事由が消滅した場合
　におけるその期のA類疾病に係る定期の予防接種等に係る年金たる給付は，その支払期月
　でない月であっても，支払うものとする。
（A類疾病に係る定期の予防接種等に係る年金たる給付の額の変更）
第15条　障害児又は法第16条第1項第三号の規定による障害年金の支給を受けている者の
　障害の状態に変更があったため，新たに**別表第1**又は**別表第2**に定める他の等級に該当す
　ることとなった場合においては，新たに該当するに至った等級に応ずる額を支給するもの
　とし，従前の給付は行わない。
（A類疾病に係る定期の予防接種等に係る年金たる給付に係る診断及び報告）
第16条　市町村長は，A類疾病に係る定期の予防接種等に係る年金たる給付の支給に関し
　特に必要があると認めるときは，A類疾病に係る定期の予防接種等に係る年金たる給付を
　受けている者に対して，医師の診断を受けるべきこと若しくはその養育する障害児につい
　て医師の診断を受けさせるべきことを命じ，又は必要な報告を求めることができる。
2　A類疾病に係る定期の予防接種等に係る年金たる給付を受けている者が，正当な理由が
　なくて前項の規定による命令に従わず，又は報告をしないときは，市町村長は，A類疾病
　に係る定期の予防接種等に係る年金たる給付の支給を一時差し止めることができる。
（死亡一時金）
第17条　法第16条第1項第四号の政令で定める遺族は，配偶者（届出をしていないが，事実
　上婚姻関係と同様の事情にあった者を含む。以下同じ。），子，父母，孫，祖父母及び兄弟

姉妹とする。ただし，配偶者以外の者にあっては，予防接種を受けたことにより死亡した者の死亡の当時その者と生計を同じくしていた者に限る。

2　死亡一時金を受けることができる遺族の順位は，次の各号に掲げる区分に従い，当該各号に定める順序とする。

一　第3項臨時予防接種を受けたことにより死亡した者の遺族に支給する場合　次のイ及びロの順序（イ及びロに掲げる者のうちにあっては，それぞれイ及びロに掲げる順序）

イ　第3項臨時予防接種を受けたことにより死亡した者の死亡の当時その者によって生計を維持していた配偶者，子，父母，孫，祖父母及び兄弟姉妹

ロ　イに該当しない配偶者，子，父母，孫，祖父母及び兄弟姉妹

二　前号に掲げる場合以外の場合　前項に規定する順序

3　予防接種を受けたことにより死亡した者の死亡前にその者の死亡によって死亡一時金を受けることができる先順位又は同順位となるべき者を故意に死亡させた者及び死亡一時金を受けることができる先順位又は同順位の者を故意に死亡させた者は，死亡一時金を受けることができる遺族としない。

4　死亡一時金の額は，次の各号に掲げる区分に従い，当該各号に定める額とする。

一　第2項第一号に掲げる場合　次のイ又はロに掲げる区分に従い，それぞれイ又はロに定める額

イ　第2項第一号イに掲げる者に支給する場合　34,200,000円

ロ　第2項第一号ロに掲げる者に支給する場合　25,700,000円

二　第2項第二号に掲げる場合　44,000,000円

5　前項の規定による死亡一時金の額は，予防接種を受けたことにより死亡した者が法第16条第1項第三号の規定による障害年金の支給を受けたことがあるときは，前項の規定にかかわらず，同項に規定する額に**次の表の左欄**に掲げる同号の規定による障害年金の支給を受けた期間の区分に応じて**同表の右欄**に掲げる率を乗じて得た額とする。

6　死亡一時金を受けることができる同順位の遺族が2人以上ある場合における各人の死亡一時金の額は，第4項の額（前項の規定に該当する場合には，同項の規定により算定した額）をその人数で除して得た額とする。

（A類疾病に係る定期の予防接種等に係る葬祭料）

第18条　法第16条第1項第五号の規定による葬祭料の額は209,000円とする。

（B類疾病に係る定期の予防接種に係る医療費）

第19条　法第16条第2項第一号の政令で定める程度の医療は，病院又は診療所への入院を要すると認められる場合に必要な程度の医療とする。

2　法第16条第2項第一号の規定による医療費の支給の請求は，当該医療費の支給の対象となる費用の支払が行われた時から5年を経過したときは，することができない。

3　第10条の規定は，法第16条第2項第一号の規定による医療費の額について準用する。

法第16条第1項第三号の規定による 障害年金の支給を受けた期間	率	法第16条第1項第三号の規定による 障害年金の支給を受けた期間	率
1年未満	0.98	9年以上11年未満	0.44
1年以上3年未満	0.89	11年以上13年未満	0.33
3年以上5年未満	0.78	13年以上15年未満	0.22
5年以上7年未満	0.67	15年以上17年未満	0.10
7年以上9年未満	0.56	17年以上	0.05

384 （付録20）予防接種法

（B類疾病に係る定期の予防接種に係る医療手当）

第20条 法第16条第2項第一号の規定による医療手当は，月を単位として支給するものとし，その額は，第11条に規定する金額とする。

2 法第16条第2項第一号の規定による医療手当の支給の請求は，その請求に係る医療が行われた日の属する月の翌月の初日から5年を経過したときは，することができない。

（B類疾病に係る定期の予防接種に係る障害年金）

第21条 法第16条第2項第三号の政令で定める程度の障害の状態は，**別表第2**（3級の項を除く。）に定めるとおりとする。

2 法第16条第2項第三号の規定による障害年金の額は，次の各号に掲げる者の区分に従い，当該各号に定める額とする。

一 **別表第2**に定める1級の障害の状態にある者 2,796,000円

二 **別表第2**に定める2級の障害の状態にある者 2,236,800円

（B類疾病に係る定期の予防接種に係る障害年金の額の変更）

第22条 法第16条第2項第三号の規定による障害年金の支給を受けている者の障害の状態に変更があったため，新たに**別表第2**に定める他の等級（3級を除く。）に該当することとなった場合においては，新たに該当するに至った等級に応ずる額を支給するものとし，従前の給付は行わない。

（B類疾病に係る定期の予防接種に係る障害年金の給付に係る診断及び報告）

第23条 第16条の規定は，法第16条第2項第三号の規定による障害年金の給付に係る診断及び報告について準用する。

（遺族年金）

第24条 法第16条第2項第四号の政令で定める遺族年金を受けることができる遺族は，配偶者，子，父母，孫，祖父母及び兄弟姉妹であって，予防接種を受けたことにより死亡した者の死亡の当時その者によって生計を維持していたものとする。

2 予防接種を受けたことにより死亡した者の死亡の当時胎児であった子が出生したときは，前項の規定の適用については，将来に向かって，その子は，予防接種を受けたことにより死亡した者の死亡の当時その者によって生計を維持していた子とみなす。

3 遺族年金を受けることができる遺族の順位は，第1項に規定する順序による。

4 遺族年金は，10年を限度として支給するものとする。ただし，予防接種を受けたことにより死亡した者が当該予防接種を受けたことによる障害について法第16条第2項第三号の規定による障害年金の支給を受けたことがある場合には，10年からその支給を受けた期間（その期間が7年を超えるときは，7年とする。）を控除して得た期間を限度として支給するものとする。

5 遺族年金の額は，2,444,400円とする。

6 遺族年金を受けることができる同順位の遺族が2人以上ある場合における各人の遺族年金の額は，前項の額をその人数で除して得た額とする。

7 遺族年金を受けることができる同順位の遺族の数に増減を生じたときは，遺族年金の額を改定する。

8 遺族年金を受けることができる先順位者がその請求をしないで死亡した場合においては，次順位者が遺族年金を請求することができる。遺族年金を受けることができる先順位者の死亡により遺族年金が支給されないこととなった場合において，同順位者がなくて後順位者があるときも，同様とする。

9 遺族年金の支給の請求は，予防接種を受けたことにより死亡した者の当該予防接種を受けたことによる疾病又は障害について法第16条第2項第一号の規定による医療費若しくは医療手当又は同項第三号の規定による障害年金の支給の決定があった場合には，その死亡の時から2年，それ以外の場合には，その死亡の時から5年を経過したとき（前項後段の規定による請求により支給する遺族年金にあっては，遺族年金を受けることができる先順位

予防接種法施行令（付録21）385

者の死亡の時から2年を経過したとき）は，することができない。

（B類疾病に係る定期の予防接種に係る障害年金等の支給期間等）

第 25 条　法第16条第2項第三号の規定による障害年金又は同項第四号の規定による遺族年金（次項において「障害年金等」と総称する。）の支給は，その請求があった日の属する月の翌月から始め，支給すべき事由が消滅した日の属する月で終わる。

2　第14条第2項の規定は，障害年金等の支払期月について準用する。

（遺族一時金）

第 26 条　法第16条第2項第四号の政令で定める遺族一時金を受けることができる遺族は，配偶者，子，父母，孫，祖父母及び兄弟姉妹とする。ただし，配偶者以外の者にあっては，予防接種を受けたことにより死亡した者の死亡の当時その者と生計を同じくしていた者に限る。

2　遺族一時金を受けることができる遺族の順位は，前項に規定する順序による。

3　遺族一時金は，次の各号に掲げる場合に支給するものとし，その額は，それぞれ当該各号に定める額とする。

一　予防接種を受けたことにより死亡した者の死亡の当時遺族年金を受けることができる遺族（当該死亡の当時胎児である子がある場合であって当時胎児であった子が出生した場合における当該子を含む。以下この項において同じ。）がないとき，又は遺族年金を受けることができる遺族が遺族年金の支給の請求をしないで死亡した場合において，他に同順位若しくは後順位の遺族年金を受けることができる遺族がないとき
7,333,200円

二　遺族年金を受けていた者が死亡した場合において，他に遺族年金を受けることができる遺族がなく，かつ，当該予防接種を受けたことにより死亡した者の死亡により支給された遺族年金の額の合計額が前号に定める額に満たないとき
同号に定める額から当該予防接種を受けたことにより死亡した者の死亡により支給された遺族年金の額の合計額を控除した額

4　第3項第二号の規定による遺族一時金の支給の請求は，遺族年金を受けていた者が死亡した時から2年を経過したときは，することができない。

5　第24条第6項及び第9項の規定は，遺族一時金の額及び第3項第一号の規定による遺族一時金の支給の請求について準用する。

（遺族年金等の支給の制限）

第 27 条　第17条第3項の規定は，遺族年金又は遺族一時金の支給の制限について準用する。

（B類疾病に係る定期の予防接種に係る葬祭料）

第 28 条　法第16条第2項第五号の規定による葬祭料の額は，第18条に規定する金額とする。

2　第24条第9項の規定は，法第16条第2項第五号の規定による葬祭料の支給の請求について準用する。

（未支給の給付）

第 29 条　給付を受けることができる者が死亡した場合において，その死亡した者に支給すべき給付でまだその者に支給していなかったものがあるときは，その者の配偶者，子，父母，孫，祖父母又は兄弟姉妹であってその者の死亡の当時その者と生計を同じくしていたものに支給する。

2　未支給の給付を受けることができる者の順位は，前項に規定する順序による。

3　未支給の給付を受けることができる同順位者が2人以上あるときは，その全額をその1人に支給することができるものとし，この場合において，その1人にした支給は，全員に対してしたものとみなす。

（厚生労働省令への委任）

第 30 条　この政令に定めるもののほか，給付の請求の手続きその他給付の実施に関し必要な事項は，厚生労働省令で定める。

付録

386（付録22）予防接種法

（都道府県の負担）

第31条 法第26条第1項の規定による都道府県の負担は，各年度において，法第25条第1項の規定により市町村が支弁する費用について厚生労働大臣が定める基準によって算定した医師の報酬，薬品，材料その他に要する経費の額〔その額が当該年度において現に要した当該費用の額(その費用のための寄附金があるときは，その寄附金の額を控除するものとする。)を超えるときは，当該費用の額とする。〕について行う。

2 法第26条第2項の規定による都道府県の負担は，各年度において，次に掲げる額について行う。

一 法第25条第1項の規定により市町村が支弁する費用(法第6条第3項の規定による予防接種に係るものに限る。)については，厚生労働大臣が定める基準によって算定した医師の報酬，薬品，材料その他に要する経費の額(その額が当該年度において現に要した当該費用の額(その費用のための寄附金があるときは，その寄附金の額を控除するものとする。)を超えるときは，当該費用の額とする。)から当該年度において現に要した当該費用に係る法第28条の規定による徴収金の額(その額が厚生労働大臣が定める基準によって算定した額に満たないときは，当該基準によって算定した額とする。)を控除した額

二 法第25条第2項の規定により市町村が支弁する費用については，厚生労働大臣が定める基準によって算定した額(その額が当該年度において現に要した当該費用の額(その費用のための寄附金があるときは，その寄附金の額を控除するものとする。)を超えるときは，当該費用の額とする。)

3 厚生労働大臣は，前2項に規定する基準を定めるに当たっては，あらかじめ，総務大臣及び財務大臣と協議しなければならない。

（国庫の負担）

第32条 法第27条第1項の規定による国庫の負担は，各年度において，次に掲げる額について行う。

一 法第25条第1項の規定により都道府県が支弁する費用については，厚生労働大臣が定める基準によって算定した医師の報酬，薬品，材料その他に要する経費の額〔その額が当該年度において現に要した当該費用の額(その費用のための寄附金があるときは，その寄附金の額を控除するものとする。)を超えるときは，当該費用の額とする。〕

二 法第26条第1項の規定により都道府県が負担する費用については，当該年度において現に要した当該費用の額

2 前条第3項の規定は，前項の場合に，これを準用する。

（実費）

第33条 法第28条の実費とは，薬品費，材料費及び予防接種を行うために臨時に雇われた者に支払う経費をいう。

2 法第5条第1項の規定による予防接種であってA類疾病に係るものを行った者は，予防接種を受けた者又はその保護者の負担能力，地域の実情その他の事情を勘案して，当該予防接種について，法第28条本文の規定により実費を徴収するかどうかを決定するとともに，徴収する場合にあっては徴収する者の基準及び徴収する額を定めるものとする。

（事務の区分）

第34条 第4条，第5条及び第6条の2(法第6条第1項の規定による予防接種に係る部分に限る。)並びに第7条(法第6条第1項又は第3項の規定による予防接種に係る部分に限る。)の規定により都道府県が処理することとされている事務は，地方自治法(昭和22年法律第67号)第2条第9項第一号に規定する第一号法定受託事務とする。

2 第4条，第5条，第6条の2及び第7条(法第6条第1項又は第3項の規定による予防接種に係る部分に限る。)並びに第16条(第23条において準用する場合を含む。)の規定により市町村が処理することとされている事務は，地方自治法第2条第9項第一号に規定する第一号法定受託事務とする。

予防接種法施行令（付録 23）387

　　附　則（昭和23年7月31日政令第197号）
（施行期日）
1　この政令は，公布の日（昭和23年7月31日）から，これを施行し，昭和23年7月1日から，これを適用する。
（市町村長が行う予防接種の対象者の特例）
2　平成7年4月2日から平成19年4月1日までの間に生まれた者に対する日本脳炎に係る予防接種についての第1条の3第1項の表日本脳炎の項の規定の適用については，同項中「一　生後6月から生後90月に至るまでの間にある者　二　9歳以上13歳未満の者」とあるのは，「4歳以上20歳未満の者」とする。
3　法第5条第1項の政令で定める者については，平成34年3月31日までの間，第1条の3第1項の表風しんの項中「一　生後12月から生後24月に至るまでの間にある者　二　5歳以上7歳未満の者であって，小学校就学の始期に達する日の1年前の日から当該始期に達する日の前日までの間にあるもの」とあるのは，「一　生後12月から生後24月に至るまでの間にある者　二　5歳以上7歳未満の者であって，小学校就学の始期に達する日の1年前の日から当該始期に達する日の前日までの間にあるもの　三　昭和37年4月2日から昭和54年4月1日までの間に生まれた男性」とする。
4　第1条の3第1項の表肺炎球菌感染症（高齢者がかかるものに限る。）の項第一号中「65歳の者」とあるのは，平成31年4月1日から平成32年3月31日までの間においては「平成31年3月31日において100歳以上の者及び同年4月1日から平成32年3月31日までの間に65歳，70歳，75歳，80歳，85歳，90歳，95歳又は100歳となる者」と，同年4月1日から平成36年3月31日までの間においては「65歳，70歳，75歳，80歳，85歳，90歳，95歳又は100歳となる日の属する年度の初日から当該年度の末日までの間にある者」とする。

　　附　則（昭和52年2月22日政令17号）
（施行期日）
第 1 条　この政令は，昭和52年2月25日から施行する。
第 2 条　（従前の予防接種による健康被害の救済に関する給付）　　（略）

　　附　則（平成6年8月17日政令第266号）　抄
（施行期日）
第 1 条　この政令は，平成6年10月1日から施行する。ただし，附則第3条の規定は，平成7年4月1日から施行する。
第 2 条　（定期の予防接種を行う疾病及びその対象者に係る特例）　　（略）
第 3 条　（風しんの予防接種に係る経過措置）　　（略）

　　附　則（平成17年7月29日政令第264号）
　　この政令は，平成18年4月1日から施行する。ただし，第1条の2の表日本脳炎の項の改正規定は，公布の日から施行する。
（経過措置）

　　附　則（平成19年3月9日政令第44号）　抄
（施行期日）
第 1 条　この政令は，感染症の予防及び感染症の患者に対する医療に関する法律等の一部を改正する法律の施行の日（平成19年6月1日）から施行する。ただし，第1条の規定，第2条中感染症の予防及び感染症の患者に対する医療に関する法律施行令第1条及び第13条の改正規定，（中略），第3条及び第4条の規定，第5条中検疫法施行令第1条の3の改正規定，（中略），並びに次条から附則第4条までの規定は，平成19年4月1日から施行する。

付録

388 （付録24）予防接種法

（罰則に関する経過措置）
第 4 条 附則第 1 条ただし書に規定する規定の施行前にした行為に対する罰則の適用については，なお従前の例による。

　　附　則（平成20年 2 月27日政令第35号）
　この政令は，公布の日から施行する。

　　附　則（平成20年 3 月31日政令第113号）
（施行期日）
第 1 条 この政令は，平成20年 4 月 1 日から施行する。
（経過措置）
第 2 条 平成20年 3 月以前の月分の予防接種法による障害児養育年金及び障害年金に係る介護加算額については，なお従前の例による。
2　平成20年 3 月以前に受けた介護に係る原子爆弾被爆者に対する援護に関する法律による介護手当の額については，なお従前の例による。

　　附　則（平成20年 4 月25日政令第147号）
（施行期日）
第 1 条 この政令は，平成20年 5 月 1 日から施行する。
（経過措置）
第 2 条 この政令による改正後の独立行政法人医薬品医療機器総合機構法施行令第 4 条第 4 項及び第 5 条第 3 項（これらの規定を同令第22条において読み替えて準用する場合を含む。）の規定は，この政令の施行の日以後に行われるこれらの規定に規定する費用の支払又は医療について適用し，同日前に行われたこの政令による改正前の独立行政法人医薬品医療機器総合機構法施行令第 4 条第 4 項又は第 5 条第 3 項（これらの規定を同令第22条において読み替えて準用する場合を含む。）に規定する費用の支払又は医療については，なお従前の例による。
2　この政令による改正後の予防接種法施行令第19条第 2 項及び第20条第 2 項の規定は，この政令の施行の日以後に行われるこれらの規定に規定する費用の支払又は医療について適用し，同日前に行われたこの政令による改正前の予防接種法施行令第19条第 2 項又は第20条第 2 項に規定する費用の支払又は医療については，なお従前の例による。

　　附　則（平成22年 4 月 1 日政令第102号）
（施行期日）
第 1 条 この政令は，公布の日から施行する。
（経過措置）
第 2 条 平成22年 3 月以前の月分の予防接種法による障害児養育年金及び障害年金に係る介護加算額並びに同月31日以前の死亡に係る同法による葬祭料の額については，なお従前の例による。
2　平成22年 3 月以前に受けた介護に係る原子爆弾被爆者に対する援護に関する法律による介護手当及び同月31日以前の死亡に係る同法による葬祭料の額については，なお従前の例による。

　　附　則（平成23年 3 月31日政令第78号）　抄
（施行期日）
第 1 条 この政令は，平成23年 4 月 1 日から施行する。

（経過措置）

第 2 条　平成23年 3 月以前の月分の予防接種法による医療手当，障害児養育年金，障害年金，障害児養育年金及び障害年金に係る介護加算額並びに遺族年金並びに同月31日以前の死亡に係る同法による死亡一時金及び遺族一時金の額については，なお従前の例による。

2　平成23年 3 月以前に受けた介護に係る原子爆弾被爆者に対する援護に関する法律による介護手当の額については，なお従前の例による。

附　則（平成23年 5 月20日政令第144号）

この政令は，公布の日から施行し，改正後の附則第 5 項の規定は，平成23年 3 月11日から適用する。

附　則（平成23年 9 月30日政令第305号）　抄

（施行期日）

第 1 条　この政令は，予防接種法及び新型インフルエンザ予防接種による健康被害の救済等に関する特別措置法の一部を改正する法律（平成23年法律第85号）附則第 1 条ただし書に規定する規定の施行の日（平成23年10月 1 日）から施行する。

（予防接種法施行令の一部改正に伴う経過措置）

第 2 条　この政令の施行の日前に支給すべき事由が生じた予防接種法による医療費については，なお従前の例による。

附　則（平成24年 3 月30日政令第92号）　抄

（施行期日）

第 1 条　この政令は，平成24年 4 月 1 日から施行する。

（経過措置）

第 2 条　平成24年 3 月以前の月分の予防接種法による医療手当，障害児養育年金，障害年金，障害児養育年金及び障害年金に係る介護加算額並びに遺族年金並びに同月31日以前の死亡に係る同法による死亡一時金及び遺族一時金の額については，なお従前の例による。

2　平成24年 3 月以前に受けた介護に係る原子爆弾被爆者に対する援護に関する法律による介護手当の額については，なお従前の例による。

3　平成24年 3 月以前の月分の独立行政法人医薬品医療機器総合機構法による医療手当，障害年金，障害児養育年金及び遺族年金並びに同月31日以前の死亡に係る同法による遺族一時金の額については，なお従前の例による。

4　平成24年 3 月以前の月分の新型インフルエンザ予防接種による健康被害の救済に関する特別措置法による医療手当，障害児養育年金，障害年金，障害児養育年金及び障害年金に係る介護加算額並びに遺族年金の額については，なお従前の例による。

附　則（平成25年 3 月30日政令第119号）　抄

（施行期日）

第 1 条　この政令は，平成25年 4 月 1 日から施行する。

附　則（平成25年 9 月26日政令第288号）　抄

（施行期日）

1　この政令は，平成25年10月 1 日から施行する。

（経過措置）

2　平成25年 9 月以前の月分の予防接種法による医療手当，障害児養育年金，障害年金及び遺族年金並びに同月30日以前の死亡に係る同法による死亡一時金及び遺族一時金の額については，なお従前の例による。

390 （付録 26）予防接種法

   附 則（平成26年 3 月31日政令第114号）　抄
（施行期日）
1　この政令は，平成26年 4 月 1 日から施行する。
（経過措置）
2　平成26年 3 月以前の月分の予防接種法による医療手当，障害児養育年金，障害年金及び
　遺族年金並びに同月31日以前の死亡に係る同法による死亡一時金，葬祭料及び遺族一時金
　の額については，なお従前の例による。

   附 則（平成26年 7 月 2 日政令第247号）
（施行期日）
1　この政令は，平成26年10月 1 日から施行する。
（経過措置）
2　この政令の施行の日から平成27年 3 月31日までの間における改正後の第 1 条の 3 第 1 項
　の規定の適用については，同項の表水痘の項中「生後36月」とあるのは「生後60月」と，同
　表肺炎球菌感染症（高齢者がかかるものに限る。）の項第一号中「65歳の者」とあるのは「平
　成26年 3 月31日において100歳以上の者及び同年 4 月 1 日から平成27年 3 月31日までの間
　に65歳，70歳，75歳，80歳，85歳，90歳，95歳又は100歳となる者」とする。
3　平成27年 4 月 1 日から平成31年 3 月31日までの間における改正後の第 1 条の 3 第 1 項の
　規定の適用については，同項の表肺炎球菌感染症（高齢者がかかるものに限る。）の項第一
　号中「65歳の者」とあるのは，「65歳，70歳，75歳，80歳，85歳，90歳，95歳又は100歳と
　なる日の属する年度の初日から当該年度の末日までの間にある者」とする。

   附 則（平成27年 4 月10日政令第208号）　抄
（施行期日等）
1　この政令は，公布の日から施行し，この政令による改正後の予防接種法施行令第11条か
　ら第13条まで，第17条，第21条，第24条及び第26条，附則第 3 項の規定による改正後の予
　防接種法施行令及び結核予防法施行令の一部を改正する政令（昭和52年政令第17号）附則第
　 2 条並びに次項の規定は，平成27年 4 月 1 日から適用する。
（経過措置）
2　平成27年 3 月以前の月分の予防接種法による医療手当の額，障害児養育年金及び障害年
　金の額（障害児養育年金及び障害年金に係る介護加算額を含む。）並びに遺族年金の額並び
　に同月31日以前の死亡に係る同法による死亡一時金及び遺族一時金の額については，なお
　従前の例による。

   附 則（平成28年 3 月31日政令第172号）　抄
（施行期日）
1　この政令は，平成28年 4 月 1 日から施行する。
（経過措置）
2　平成28年 3 月以前の月分の予防接種法による医療手当の額，障害児養育年金及び障害年
　金の額（障害児養育年金及び障害年金に係る介護加算額を含む。）並びに遺族年金の額並び
　に同月31日以前の死亡に係る同法による死亡一時金及び遺族一時金の額については，なお
　従前の例による。

   附 則（平成28年 6 月22日政令第241号）
（施行期日）
1　この政令は，平成28年10月 1 日から施行する。

（経過措置）

2　改正後の第１条の３第１項の規定（同項の表Ｂ型肝炎の項に係る部分に限る。）は，平成28年４月１日以後に生まれた者について適用する。

　　附　則（平成29年３月31日政令第92号）

（施行期日）

1　この政令は，平成29年４月１日から施行する。

（経過措置）

2　平成29年３月以前の月分の予防接種法による障害児養育年金及び障害年金の額（介護加算額を含む。）並びに遺族年金の額並びに同月31日以前の死亡に係る同法による死亡一時金及び遺族一時金の額については，なお従前の例による。

　　附　則（平成30年３月30日政令第106号）

この政令は，平成30年４月１日から施行する。

　　附　則（平成31年２月１日政令第20号）

この政令は，公布の日から施行する。

　　附　則（平成31年３月20日政令第48号）

この政令は，公布の日から施行する。

　　附　則（平成31年３月29日政令第114号）　抄

（施行期日）

1　この政令は，平成31年４月１日から施行する。

（経過措置）

2　平成31年３月以前の月分の予防接種法による医療手当の額，障害児養育年金及び障害年金の額（障害児養育年金及び障害年金に係る介護加算額を含む。）並びに遺族年金の額並びに同月31日以前の死亡に係る同法による死亡一時金及び遺族一時金の額については，なお従前の例による。

　　附　則（令和元年９月27日政令第116号）

（施行期日）

1　この政令は，令和元年10月１日から施行する。

（経過措置）

2　令和元年９月30日以前の死亡に係る予防接種法，原子爆弾被爆者に対する援護に関する法律，独立行政法人医薬品医療機器総合機構法及び新型インフルエンザ予防接種による健康被害の救済に関する特別措置法による葬祭料の額については，なお従前の例による。

（大幅な改正のない附則は省略した。沿革を参照されたい）

392 （付録28）予防接種法

別表第1（第12条，第15条関係）（昭和52年政17追加，昭和57年政236，平成14年政147，平成25年政119一部改正）

等　級	障　　害　　の　　状　　態
1　級	1　両眼の視力の和が0.02以下のもの 2　両耳の聴力が，耳殻に接して大声による話をしてもこれを解することができない程度のもの 3　両上肢の機能に著しい障害を有するもの 4　両下肢の用を全く廃したもの 5　体幹の機能に座っていることができない程度の障害を有するもの 6　前各号に掲げるもののほか，身体の機能の障害又は長期にわたる安静を必要とする病状が前各号と同程度以上と認められる状態であって，日常生活の用を弁ずることを不能ならしめる程度のもの 7　精神の障害であって，前各号と同程度以上と認められる程度のもの 8　身体の機能の障害若しくは病状又は精神の障害が重複する場合であって，その状態が前各号と同程度以上と認められる程度のもの
2　級	1　両眼の視力の和が0.08以下のもの 2　両耳の聴力が，耳殻に接して大声による話をした場合においてのみこれを解することができる程度のもの 3　平衡機能に著しい障害を有するものかく 4　咀嚼又は言語の機能に著しい障害を有するもの 5　一上肢の機能に著しい障害を有するもの 6　一下肢の機能に著しい障害を有するもの 7　体幹の機能に歩くことができない程度の障害を有するもの 8　前各号に掲げるもののほか，身体の機能の障害又は長期にわたる安静を必要とする病状が前各号と同程度以上と認められる状態であって，日常生活が著しい制限を受けるか，又は日常生活に著しい制限を加えることを必要とする程度のもの 9　精神の障害であって，前各号と同程度以上と認められる程度のもの 10　身体の機能の障害若しくは病状又は精神の障害が重複する場合であって，その状態が前各号と同程度以上と認められる程度のもの

備考　視力の測定は，万国式試視力表によるものとし，屈折異常があるものについては，矯正視力によって測定する。

予防接種法施行令（付録 29）393

別表第 2（第13条，第15条，第21条，第22条関係）（昭和52年政17追加，昭和57年政236，平成14年政147，平成25年政119一部改正）

等　　級	障　　害　　の　　状　　態
1　級	1　両眼の視力が0.02以下のもの 2　両上肢の用を全く廃したもの 3　両下肢の用を全く廃したもの 4　前各号に掲げるもののほか，身体の機能の障害又は長期にわたる安静を必要とする病状が前各号と同程度以上と認められる状態であって，労働することを不能ならしめ，かつ，常時の介護を必要とする程度のもの 5　精神の障害であって，前各号と同程度以上と認められる程度のもの 6　身体の機能の障害若しくは病状又は精神の障害が重複する場合であって，その状態が前各号と同程度以上と認められる程度のもの
2　級	1　両眼の視力が0.04以下のもの 2　1眼の視力が0.02以下で，かつ，他眼の視力が0.06以下のもの 3　両耳の聴力が，耳殻に接して大声による話をしてもこれを解することができない程度のもの 4　咀嚼又は言語の機能を廃したもの 5　一上肢の用を全く廃したもの 6　一下肢の用を全く廃したもの 7　体幹の機能に高度の障害を有するもの 8　前各号に掲げるもののほか，身体の機能の障害又は長期にわたる安静を必要とする病状が前各号と同程度以上と認められる状態であって，労働が高度の制限を受けるか，又は労働に高度の制限を加えることを必要とする程度のもの 9　精神の障害であって，前各号と同程度以上と認められる程度のもの 10　身体の機能の障害若しくは病状又は精神の障害が重複する場合であって，その状態が前各号と同程度以上と認められる程度のもの
3　級	1　両眼の視力が0.1以下のもの 2　両耳の聴力が，40センチメートル以上では通常の話声を解することができない程度のもの 3　咀嚼又は言語の機能に著しい障害を有するもの 4　一上肢の機能に著しい障害を有するもの 5　一下肢の機能に著しい障害を有するもの 6　体幹の機能に著しい障害を有するもの 7　前各号に掲げるもののほか，身体の機能の障害又は長期にわたる安静を必要とする病状が前各号と同程度以上と認められる状態であって，労働が著しい制限を受けるか，又は労働に著しい制限を加えることを必要とする程度のもの 8　精神の障害であって，前各号と同程度以上と認められる程度のもの 9　身体の機能の障害若しくは病状又は精神の障害が重複する場合であって，その状態が前各号と同程度以上と認められる程度のもの

備考　視力の測定は，万国式試視力表によるものとし，屈折異常があるものについては，矯正視力によって測定する。

付録

394 （付録30）予防接種法

予防接種法施行規則 （昭和23年8月10日　厚生省令第36号）

〔沿革〕昭和24年10月5日厚生省令第34号，25年4月1日第8号，26年5月
7日第20号，6月12日第26号，28年10月2日第50号，29年7月17日
第42号，33年9月17日第28号，36年4月15日第16号，39年4月16日
第16号，40年4月28日第22号，12月28日第55号，45年7月11日第43
号，51年9月14日第42号，52年2月22日第5号，8月29日第36号，
53年7月28日第46号，55年7月31日第29号，57年8月31日第40号，
59年9月26日第53号，60年12月28日第49号，61年3月29日第17号，
平成6年7月1日第47号，8月17日第51号，9月9日第56号，8年
11月20日第62号，9年2月28日第8号，9月25日第72号，11年3月
8日第15号，3月16日第21号，11月1日第91号，12月28日第99号，
12年6月7日第100号，6月14日第102号，10月20日第127号，13年
11月7日第210号，15年2月25日第15号，3月20日第39号，9月30
日第149号，10月22日第164号，16年3月31日第77号，17年7月29日
第127号，18年6月2日第128号，19年3月23日第26号，12月28日第
158号，20年3月31日第80号，22年3月31日第38号，4月1日第58
号，23年9月30日第122号，24年3月28日第40号，25年1月18日第
4号，1月30日第6号，3月30日第50号，9月11日第100号，26年
3月28日第27号，7月16日第80号，9月9日第104号，11月13日第122
号，11月25日第129号，27年3月31日第56号，3月31日第57号，9月
29日第150号，28年6月22日第115号，29年9月25日第95号，31年2
月1日第9号，令和元年6月28日第20号，**9月27日第53号**

（予防接種の推進を図るための指針を定める疾病）

第1条　予防接種法（昭和23年法律第68号。以下「法」という。）第4条第1項に規定する厚
生労働省令で定める疾病は，麻しん，風しん，結核及びインフルエンザとする。
（保健所長等の指示）

第1条の2　法第5条第1項の規定による市町村長に対する保健所長（特別区及び地域保
健法（昭和22年法律第101号）第5条第1項の規定に基づく政令で定める市にあっては都道
府県知事。以下同じ。）の指示は，予防接種施行の時期，予防接種の対象者の範囲，予防接
種の技術的な実施方法その他必要な事項とする。
（予防接種の対象者から除かれる者）

第2条　予防接種法施行令（昭和23年政令第197号。以下「令」という。）第1条の3第1項
本文及び第2項に規定する厚生労働省令で定める者は，次のとおりとする。

一　当該予防接種に相当する予防接種を受けたことのある者で当該予防接種を行う必要が
ないと認められるもの

二　明らかな発熱を呈している者

三　重篤な急性疾患にかかっていることが明らかな者

四　当該疾病に係る予防接種の接種液の成分によってアナフィラキシーを呈したことがあ
ることが明らかな者

五　麻しん及び風しんに係る予防接種の対象者にあっては，妊娠していることが明らかな
者

六　結核に係る予防接種の対象者にあっては，結核その他の疾病の予防接種，外傷等によ
るケロイドの認められる者

七　B型肝炎に係る予防接種の対象者にあっては，HBs抗原陽性の者の胎内又は産道にお
いてB型肝炎ウイルスに感染した者であって，抗HBs人免疫グロブリンの投与に併せて
組換え沈降B型肝炎ワクチンの投与を受けたことのある者

八　肺炎球菌感染症（高齢者がかかるものに限る。）に係る予防接種の対象者にあっては，

予防接種法施行規則（付録31）395

当該疾病に係る法第5条第1項の規定による予防接種を受けたことのある者

九　第二号から第八号までに掲げる者のほか，予防接種を行うことが不適当な状態にある者

（インフルエンザの予防接種の対象者）

第2条の2　令第1条の3第1項の表インフルエンザの項第二号に規定する厚生労働省令で定める者は，心臓，腎臓又は呼吸器の機能に自己の身辺の日常生活活動が極度に制限される程度の障害を有する者及びヒト免疫不全ウイルスにより免疫の機能に日常生活がほとんど不可能な程度の障害を有する者とする。

（高齢者の肺炎球菌感染症の予防接種の対象者）

第2条の3　令第1条の3第1項の表肺炎球菌感染症（高齢者がかかるものに限る。）の項第二号に規定する厚生労働省令で定める者は，心臓，腎臓又は呼吸器の機能に自己の身辺の日常生活活動が極度に制限される程度の障害を有する者及びヒト免疫不全ウイルスにより免疫の機能に日常生活がほとんど不可能な程度の障害を有する者とする。

（長期にわたり療養を必要とする疾病）

第2条の4　令第1条の3第2項に規定する厚生労働省令で定めるものは，次の各号に掲げるものとする。

一　重症複合免疫不全症，無ガンマグロブリン血症その他免疫の機能に支障を生じさせる重篤な疾病

二　白血病，再生不良性貧血，重症筋無力症，若年性関節リウマチ，全身性エリテマトーデス，潰瘍性大腸炎，ネフローゼ症候群その他免疫の機能を抑制する治療を必要とする重篤な疾病

三　その他のこれらに準ずると認められるもの

（特別の事情）

第2条の5　令第1条の3第2項に規定する厚生労働省令で定める特別の事情は，次のとおりとする。

一　前条に規定する疾病にかかったこと（これによりやむを得ず法第5条第1項の規定による予防接種を受けることができなかった場合に限る。）

二　臓器の移植術（臓器の移植に関する法律（平成9年法律第104号）第1条に規定する移植術をいう。）を受けた後，免疫の機能を抑制する治療を受けたこと（これによりやむを得ず法第5条第1項の規定による予防接種を受けることができなかった場合に限る。）

三　前二号に掲げるもののほか，医学的知見に基づきこれらに準ずると認められるもの

（特定疾病）

第2条の6　令第1条の3第2項に規定する厚生労働省令で定める特定疾病は，ジフテリア，百日せき，急性灰白髄炎，破傷風，結核，Hib感染症及び肺炎球菌感染症（小児がかかるものに限る。）とし，同項に規定する厚生労働省令で定める年齢は，次の表の左欄に掲げる特定疾病ごとに，それぞれ同表の右欄に掲げる年齢とする。

特定疾病	年　　齢
ジフテリア	15歳（予防接種実施規則（昭和33年厚生省令第27号）第9条及び第10条の規定により沈降精製百日せきジフテリア破傷風不活化ポリオ混合ワクチン（以下この表において「4種混合ワクチン」という。）を使用する場合に限る。）
百日せき	15歳（予防接種実施規則第9条及び第10条の規定により4種混合ワクチンを使用する場合に限る。）
急性灰白髄炎	15歳（予防接種実施規則第9条及び第10条の規定により4種混合ワクチンを使用する場合に限る。）
破傷風	15歳（予防接種実施規則第9条及び第10条の規定により4種混合ワクチンを使用する場合に限る。）

付録

396 （付録32）予防接種法

特定疾病	年　齢
結　　　核	4歳
Hib 感 染 症	10歳
肺炎球菌感染症 （小児がかかるものに限る。）	6歳

（予防接種に関する記録）

第 2 条の7　令第6条の2第1項第三号に規定する厚生労働省令で定める事項は，次のとおりとする。

一　予防接種の種類

二　令第4条第1項の規定による予防接種を医師により行う場合にあっては，当該医師の氏名

三　接種液の接種量

四　接種液の製造番号その他当該接種液を識別することができる事項

五　予防接種を受けた者の個人番号（行政手続における特定の個人を識別するための番号の利用等に関する法律（平成25年法律第27号）第二条第五項に規定する「個人番号」をいう。以下同じ。）

六　前各号に掲げる事項のほか，予防接種の実施に関し必要な事項

（市町村長の報告）

第 3 条　令第7条の規定による報告は，予防接種を受けた者の数を，疾病別並びに定期臨時の別及び定期についてはその定期別に計算して行うものとする。

（予防接種済証の様式）

第 4 条　法第5条第1項又は法第6条第1項若しくは第3項の規定による予防接種を行った者は，予防接種を受けた者に対して，予防接種済証を交付するものとする。

2　前項の予防接種済証の様式は，次の各号に掲げる予防接種の種類に従い，それぞれ当該各号に定める様式とする。

一　法第5条第1項の規定による予防接種　**様式第一**

二　法第6条第1項又は第3項の規定による急性灰白髄炎の予防接種　**様式第二**

3　母子保健法（昭和40年法律第141号）第16条第1項の規定により交付された母子健康手帳に係る乳児又は幼児については，前2項に規定する予防接種済証の交付に代えて，母子健康手帳に証明すべき事項を記載するものとする。

（報告すべき症状）

第 5 条　法第12条第1項に規定する厚生労働省令で定めるものは，**次の表の左欄**に掲げる対象疾病の区分ごとにそれぞれ**同表の中欄**に掲げる症状であって，それぞれ接種から**同表の右欄**に掲げる期間内に確認されたものとする。

対象疾病	症　　状	期　間
ジフテリア， 百日せき， 急性灰白髄炎， 破傷風	アナフィラキシー	4時間
	けいれん	7日
	血小板減少性紫斑病	28日
	脳炎又は脳症	28日
	その他医師が予防接種との関連性が高いと認める症状であって，入院治療を必要とするもの，死亡，身体の機能の障害に至るもの又は死亡若しくは身体の機能の障害に至るおそれのあるもの	予防接種との関連性が高いと医師が認める期間

予防接種法施行規則（付録33）397

対象疾病	症　　状	期　間
麻しん, 風しん	アナフィラキシー	4 時間
	急性散在性脳脊髄炎	28日
	けいれん	21日
	血小板減少性紫斑病	28日
	脳炎又は脳症	28日
	その他医師が予防接種との関連性が高いと認める症状であって，入院治療を必要とするもの，死亡，身体の機能の障害に至るもの又は死亡若しくは身体の機能の障害に至るおそれのあるもの	予防接種との関連性が高いと医師が認める期間
日本脳炎	アナフィラキシー	4 時間
	急性散在性脳脊髄炎	28日
	けいれん	7 日
	血小板減少性紫斑病	28日
	脳炎又は脳症	28日
	その他医師が予防接種との関連性が高いと認める症状であって，入院治療を必要とするもの，死亡，身体の機能の障害に至るもの又は死亡若しくは身体の機能の障害に至るおそれのあるもの	予防接種との関連性が高いと医師が認める期間
結核	アナフィラキシー	4 時間
	化膿性リンパ節炎	4 月
	全身播種性ＢＣＧ感染症	1 年
	ＢＣＧ骨炎（骨髄炎，骨膜炎）	2 年
	皮膚結核様病変	3 月
	その他医師が予防接種との関連性が高いと認める症状であって，入院治療を必要とするもの，死亡，身体の機能の障害に至るもの又は死亡若しくは身体の機能の障害に至るおそれのあるもの	予防接種との関連性が高いと医師が認める期間
Hib感染症, 肺炎球菌感染症 （小児がかかるものに限る。）	アナフィラキシー	4 時間
	けいれん	7 日
	血小板減少性紫斑病	28日
	その他医師が予防接種との関連性が高いと認める症状であって，入院治療を必要とするもの，死亡，身体の機能の障害に至るもの又は死亡若しくは身体の機能の障害に至るおそれのあるもの	予防接種との関連性が高いと医師が認める期間
ヒトパピローマウイルス感染症	アナフィラキシー	4 時間
	急性散在性脳脊髄炎	28日
	ギラン・バレ症候群	28日
	血管迷走神経反射（失神を伴うものに限る。）	30分
	血小板減少性紫斑病	28日
	その他医師が予防接種との関連性が高いと認める症状であって，入院治療を必要とするもの，死亡，身体の機能の障害に至るもの又は死亡若しくは身体の機能の障害に至るおそれのあるもの	予防接種との関連性が高いと医師が認める期間
水痘	アナフィラキシー	4 時間
	血小板減少性紫斑病	28日
	無菌性髄膜炎（帯状疱疹を伴うものに限る。）	予防接種との関連性が高いと医師が認める期間

付録

398 （付録34）予防接種法

対象疾病	症　状	期　間
水痘（つづき）	その他医師が予防接種との関連性が高いと認める症状であって，入院治療を必要とするもの，死亡，身体の機能の障害に至るもの又は死亡若しくは身体の機能の障害に至るおそれのあるもの	予防接種との関連性が高いと医師が認める期間
B型肝炎	アナフィラキシー	4時間
	急性散在性脳脊髄炎	28日
	ギラン・バレ症候群	28日
	視神経炎	28日
	脊髄炎	28日
	多発性硬化症	28日
	末梢神経障害	28日
	その他医師が予防接種との関連性が高いと認める症状であって，入院治療を必要とするもの，死亡，身体の機能の障害に至るもの又は死亡若しくは身体の機能の障害に至るおそれのあるもの	予防接種との関連性が高いと医師が認める期間
インフルエンザ	アナフィラキシー	4時間
	肝機能障害	28日
	間質性肺炎	28日
	急性散在性脳脊髄炎	28日
	急性汎発性発疹性膿疱	28日
	ギラン・バレ症候群	28日
	けいれん	7日
	血管炎	28日
	血小板減少性紫斑病	28日
	視神経炎	28日
	脊髄炎	28日
	喘息発作	24時間
	ネフローゼ症候群	28日
	脳炎又は脳症	28日
	皮膚粘膜眼症候群	28日
	その他医師が予防接種との関連性が高いと認める症状であって，入院治療を必要とするもの，死亡，身体の機能の障害に至るもの又は死亡若しくは身体の機能の障害に至るおそれのあるもの	予防接種との関連性が高いと医師が認める期間
肺炎球菌感染症（高齢者がかかるものに限る。）	アナフィラキシー	4時間
	ギラン・バレ症候群	28日
	血小板減少性紫斑病	28日
	注射部位壊死又は注射部位潰瘍	28日
	蜂巣炎（これに類する症状であって，上腕から前腕に及ぶものを含む。）	7日
	その他医師が予防接種との関連性が高いと認める症状であって，入院治療を必要とするもの，死亡，身体の機能の障害に至るもの又は死亡若しくは身体の機能の障害に至るおそれのあるもの	予防接種との関連性が高いと医師が認める期間

予防接種法施行規則 （付録35） 399

（厚生労働大臣への報告）
第 6 条 法第12条第1項の規定による報告は，次の各号に掲げる事項について速やかに行うものとする。
一 被接種者の氏名，性別，生年月日，接種時の年齢及び住所
二 報告者の氏名並びに報告者が所属し，又は開設した医療機関の名称，住所及び電話番号
三 被接種者が報告に係る予防接種を受けた期日及び場所
四 報告に係る予防接種に使用されたワクチンの種類，製造番号又は製造記号，製造販売業者の名称及び接種回数
五 予防接種を受けたことによるものと疑われる症状並びに当該症状の発症時刻及び概要
六 その他必要な事項
（厚生労働大臣から市町村長等への通知）
第 7 条 法第12条第2項の規定による通知は，前条各号に掲げる事項について速やかに行うものとする。
（独立行政法人医薬品医療機器総合機構への報告）
第 7 条の2 法第14条第3項の規定による報告は，次の各号に掲げる事項について速やかに行うものとする。
一 被接種者の氏名，性別，生年月日，接種時の年齢及び住所
二 報告者の氏名並びに報告者が所属し，又は開設した医療機関の名称，住所及び電話番号
三 被接種者が報告に係る予防接種を受けた期日及び場所
四 報告に係る予防接種に使用されたワクチンの種類，製造番号又は製造記号，製造販売業者の名称及び接種回数
五 予防接種を受けたことによるものと疑われる症状並びに当該症状の発症時刻及び概要
六 その他必要な事項
（独立行政法人医薬品医療機器総合機構による情報の整理に係る情報の提供）
第 7 条の3 厚生労働大臣が法第14条第1項の規定により独立行政法人医薬品医療機器総合機構に法第13条第3項に規定する情報の整理を行わせる場合において，同条第4項によりワクチン製造販売業者（同項に規定するワクチン製造販売業者をいう。以下この条において同じ。）に対し同条第3項に規定する調査を実施するため必要な協力を求めるときは，独立行政法人医薬品医療機器総合機構は，当該調査を行うため必要な限度において，ワクチン製造販売業者に対し，法第14条第3項の規定により報告された情報（被接種者の氏名及び生年月日を除く。）を提供することができる。
（独立行政法人医薬品医療機器総合機構から厚生労働大臣への通知）
第 8 条 法第14条第4項の規定による通知は，次の各号に掲げる事項について速やかに行うものとする。
一 法第14条第1項の規定により法第13条第3項に規定する情報の整理を行った件数及び当該情報の整理の結果
二 法第14条第2項の規定による調査の結果
三 その他必要な事項
（医療型障害児入所施設に類する施設）
第 9 条 令第12条第3項に規定する厚生労働省令で定める施設は，次のとおりとする。
一 児童福祉法（昭和22年法律第164号）に規定する乳児院，児童養護施設又は福祉型障害児入所施設
二 児童福祉法に規定する医療型障害児入所施設におけると同様な治療等を行う同法に規定する指定医療機関
三 障害者の日常生活及び社会生活を総合的に支援するための法律（平成17年法律第123

付録

400 （付録36）予防接種法

号)に規定する障害者支援施設
  四 独立行政法人国立重度知的障害者総合施設のぞみの園法(平成14年法律第167号)の規
    定により独立行政法人国立重度知的障害者総合施設のぞみの園が設置する施設
第 9 条の 2 令第13条第 3 項に規定する厚生労働省令で定める施設は，次のとおりとする。
  一 前条各号に掲げる施設
  二 独立行政法人国立病院機構，独立行政法人国立がん研究センター，独立行政法人国立
    循環器病研究センター，独立行政法人国立精神・神経医療研究センター，独立行政法人
    国立国際医療研究センター，独立行政法人国立成育医療研究センター若しくは独立行政
    法人国立長寿医療研究センターの設置する医療機関又は社会福祉法(昭和26年法律第45
    号)第 2 条第 3 項第九号に規定する事業を行う施設であって，進行性筋萎縮症者が入所
    又は入院をし，必要な治療，訓練及び生活指導を行うもの
  三 厚生労働省組織規則(平成13年厚生労働省令第 1 号)に基づく国立保養所
  四 生活保護法 |昭和25年法律第144号。中国残留邦人等の円滑な帰国の促進及び永住帰国
    後の自立の支援に関する法律(平成 6 年法律第30号)第14条第 4 項〔中国残留邦人等の円
    滑な帰国の促進及び永住帰国後の自立の支援に関する法律の一部を改正する法律(平成
    19年法律第127号)附則第 4 条第 2 項において準用する場合を含む。〕においてその例に
    よる場合を含む。| に規定する救護施設又は更生施設
  五 老人福祉法(昭和38年法律第133号)に規定する養護老人ホーム又は特別養護老人ホー
    ム

（医療費の支給に係る請求書）
第 10 条 法第16条第 1 項第 1 号の規定による医療費の支給を受けようとする者は，次に掲
げる事項を記載した請求書を市町村長に提出しなければならない。
  一 医療を受けた者の氏名，生年月日，住所及び個人番号
  二 医療を受けた者が受けた予防接種の種類並びに当該予防接種を受けた期日及び場所
  三 医療を受けた病院，診療所，指定訪問看護事業者等〔健康保険法(大正11年法律第70
    号)第88条第 1 項に規定する指定訪問看護事業者，介護保険法(平成 9 年法律第123号)第
    41条第 1 項に規定する指定居宅サービス事業者(同法第 8 条第 4 項に規定する訪問看護
    を行う者に限る。)又は同法第53条第 1 項に規定する指定介護予防サービス事業者(同法
    第 8 条の 2 第 4 項に規定する介護予防訪問看護を行う者に限る。)をいう。以下同じ。〕又
    は薬局(以下「医療機関」という。)の名称及び所在地並びに当該医療機関が指定訪問看護
    事業者等であるときは当該指定に係る訪問看護事業，居宅サービス事業又は介護予防サ
    ービス事業を行う事業所(以下「訪問看護ステーション等」という。)の名称及び所在地
  四 医療に要した費用の額
2 前項の請求書には，同項第 4 号の事実を証明することができる書類及び当該医療の内容
を記載した書類を添えなければならない。
第 11 条 法第16条第 1 項第一号の規定による医療手当の支給を受けようとする者は，令第
10条第 1 項第一号から第五号までに規定する医療を受けた各月分につき，次の各号に掲げ
る事項を記載した請求書を市町村長に提出しなければならない。
  一 医療を受けた者の氏名，生年月日，住所及び個人番号
  二 医療を受けた者が受けた予防接種の種類並びに当該予防接種を受けた期日及び場所
  三 医療を受けた日の属する月
  四 その月において令第10条第 1 項第一号から第四号までに規定する医療(同項第五号に
    規定する医療に伴うものを除く。)を受けた日数又は同項第五号に規定する医療を受けた
    日数
  五 医療を受けた医療機関の名称及び所在地並びに当該医療機関が訪問看護事業者等であ
    るときは訪問看護ステーション等の名称及び所在地
2 前項の請求書には，同項第三号及び第四号の事実を証明することができる書類及び当該

医療の内容を記載した書類を添えなければならない。

第11条の2 法第16条第1項第二号の規定による障害児養育年金の支給を受けようとする者は，次の各号に掲げる事項を記載した請求書を市町村長に提出しなければならない。

一　障害児の氏名，生年月日，住所及び個人番号

二　請求者の氏名，生年月日，住所及び個人番号

三　障害児が受けた予防接種の種類並びに当該予防接種を受けた期日及び場所

四　障害児が令別表第1に定める障害の状態に該当するに至った年月日

五　障害児について特別児童扶養手当等の支給に関する法律（昭和39年法律第134号）の規定により特別児童扶養手当又は障害児福祉手当の支給を受けたときは，その額及びその支給を受けた期間

六　障害児が令第12条第3項に規定する施設に入所又は入院をしたときは，その施設名及びその入所又は入院をした期間

2　前項の請求書には，次の各号に掲げる書類を添えなければならない。

一　障害児の障害の状態に関する医師の診断書，前項第四号の事実及び予防接種を受けたことにより障害の状態となったことを証明することができる書類並びに必要があるときは障害の状態を明らかにすることができるその他の資料

二　障害児を養育することを明らかにすることができる書類

第11条の3 法第16条第1項第二号の規定による障害児養育年金の支給を受けている者が，その養育する障害児の障害の程度が減退し，又は増進した場合において，その受けている法第16条第1項第二号の規定による障害児養育年金の額の変更を請求しようとするときは，次の各号に掲げる事項を記載した請求書を市町村長に提出しなければならない。

一　障害児の氏名，生年月日，住所及び個人番号

二　請求者の氏名，生年月日，住所及び個人番号

三　障害児が**令別表第1**に定める他の等級に該当するに至った年月日

2　前項の請求書には，障害児の障害の状態に関する医師の診断書及び同項第三号の事実を証明することができる書類を添え，必要があるときは，障害の状態を明らかにすることができるその他の資料を添えなければならない。

第11条の4 法第16条第1項第三号の規定による障害年金の支給を受けようとする者は，次の各号に掲げる事項を記載した請求書を市町村長に提出しなければならない。

一　請求者の氏名，生年月日，住所及び個人番号

二　請求者が受けた予防接種の種類並びに当該予防接種を受けた期日及び場所

三　請求者が**令別表第2**に定める障害の状態に該当するに至った年月日

四　請求者について特別児童扶養手当等の支給に関する法律の規定により特別児童扶養手当，障害児福祉手当若しくは特別障害者手当の支給を受けたとき，国民年金法等の一部を改正する法律（昭和60年法律第34号）附則第97条第1項の規定により福祉手当の支給を受けたとき，又は国民年金法（昭和34年法律第141号）第30条の4の規定による障害基礎年金の支給を受けたときは，その額及びその支給を受けた期間

五　請求者が令第13条第3項に規定する施設に入所又は入院をしたときは，その施設名及びその入所又は入院をした期間

2　前項の請求書には，障害者の障害の状態に関する医師の診断書並びに同項第三号の事実及び予防接種を受けたことにより障害の状態となったことを証明することができる書類を添え，必要があるときは，障害の状態を明らかにすることができるその他の資料を添えなければならない。

第11条の5 法第16条第1項第三号の規定による障害年金の支給を受けている者が，その障害の程度が減退し，又は増進した場合において，その受けている法第16条第1項第三号の規定による障害年金の額の変更を請求しようとするときは，次の各号に掲げる事項を記載した請求書を市町村長に提出しなければならない。

402（付録38）予防接種法

一　請求者の氏名，生年月日，住所及び個人番号
二　請求者が現に支給を受けている法第16条第1項第三号の規定による障害年金に係る**令別表第2**に定める等級
三　請求者が**令別表第2**に定める他の等級に該当するに至った年月日
2　前項の請求書には，請求者の障害の状態に関する医師の診断書及び同項第三号の事実を証明することができる書類を添え，必要があるときは，障害の状態を明らかにすることができるその他の資料を添えなければならない。

第11条の6　削除

第11条の7　法第16条第1項第二号の規定による障害児養育年金又は同項第三号の規定による障害年金の支給を受けている者は，次の各号のいずれかに該当するに至ったときは，速やかに，その旨を記載した届書を市町村長に提出しなければならない。
一　氏名又は住所を変更したとき
二　法第16条第1項第二号の規定による障害児養育年金又は同項第三号の規定による障害年金の支給要件に該当しなくなったとき
三　障害児又は法第16条第1項第三号の規定による障害年金の支給を受けている者の障害の状態に変更があったため，新たに令別表第1又は令別表第2に定める他の等級に該当することとなったとき
四　特別児童扶養手当等の支給に関する法律の規定により特別児童扶養手当，障害児福祉手当若しくは特別障害者手当の支給を受け，国民年金法等の一部を改正する法律附則第97条第1項の規定により福祉手当の支給を受け，若しくは国民年金法第30条の4の規定による障害基礎年金（以下この条において「障害基礎年金」という。）の支給を受けることとなったとき，若しくは受けることがなくなったとき，又は支給を受けている特別児童扶養手当若しくは障害基礎年金の額の改定があったとき
五　障害児又は法第16条第1項第三号の規定による障害年金の支給を受けている者が令第12条第3項又は令第13条第3項に規定する施設に入所若しくは入院をすることとなったとき，又は入所若しくは入院をすることがなくなったとき

第11条の8　法第16条第1項第二号の規定による障害児養育年金又は同項第三号の規定による障害年金の支給を受けている者が死亡したときは，戸籍法（昭和22年法律第224号）の規定による死亡の届出義務者は，速やかに，その旨を記載した届書を市町村長に提出しなければならない。

第11条の9　死亡一時金の支給を受けようとする者は，次の各号に掲げる事項を記載した請求書を市町村長に提出しなければならない。
一　死亡した者の氏名，生年月日，死亡の当時有していた住所及び個人番号
二　請求者及び請求者以外の死亡一時金を受けることができる遺族の氏名，生年月日，住所及び個人番号並びに死亡した者との身分関係
三　死亡した者が受けた予防接種の種類並びに当該予防接種を受けた期日及び場所
四　死亡した者の死亡年月日
五　死亡した者が法第16条第1項第三号の規定による障害年金の支給を受けたことがあるときは，その支給を受けた期間
2　前項の請求書には，次の各号に掲げる書類を添えなければならない。
一　予防接種を受けたことにより死亡したことを証明することができる書類
二　請求者と死亡した者との身分関係を明らかにすることができる戸籍の謄本又は抄本
三　請求者が死亡した者と婚姻の届出をしていないが事実上婚姻関係と同様の事情にあった者であるときは，その事実を証明することができる書類
四　請求者が令第17条第2項第一号イのいずれかに該当する者であるときは，当該請求者が死亡した者の死亡の当時その者によって生計を維持していたことを明らかにすることができる書類

五　請求者が令第17条第2項第一号イのいずれかに該当する者以外の者であるときは，当
　　　該請求者(配偶者を除く。)が死亡した者の死亡の当時その者と生計を同じくしていたこ
　　　とを明らかにすることができる書類
第 11 条の10　法第16条第1項第五号の規定による葬祭料の支給を受けようとする者は，次
　の各号に掲げる事項を記載した請求書を市町村長に提出しなければならない。
　　一　死亡した者の氏名，生年月日，死亡の当時有していた住所及び個人番号
　　二　請求者の氏名，生年月日及び住所及び個人番号並びに死亡した者との関係
　　三　死亡した者が受けた予防接種の種類並びに当該予防接種を受けた期日及び場所
　　四　死亡した者の死亡年月日
2　前項の請求書には，次の各号に掲げる書類を添えなければならない。
　　一　予防接種を受けたことにより死亡したことを証明することができる書類
　　二　請求者が死亡した者について葬祭を行う者であることを明らかにすることができる書
　　　類
第 11 条の11　第10条及び第11条の規定は，法第16条第2項第一号の規定による医療費及び
　医療手当の支給を受けようとする者について準用する。
第 11 条の12　法第16条第2項第三号の規定による障害年金の支給を受けようとする者は，
　次の各号に掲げる事項を記載した請求書を市町村長に提出しなければならない。
　　一　請求者の氏名，生年月日，住所及び個人番号
　　二　請求者の障害の原因とみられる予防接種を受けた期日及び場所
　　三　請求者が**令別表第2**(3級の項を除く。)に定める障害の状態に該当するに至つた年月
　　　日
2　前項の請求書には，請求者の障害の状態に関する医師の診断書並びに同項第三号の事実
　及び予防接種を受けたことにより障害の状態となったことを証明することができる書類を
　添え，必要があるときは，障害の状態を明らかにすることができるその他の資料を添えな
　ければならない。
第 11 条の13　**令別表第2**に定める2級の障害の状態にある者であって法第16条第2項第
　三号の規定による障害年金の支給を受けているものが，その障害の程度が増進した場合に
　おいて，その受けている障害年金の額の変更を請求しようとするときは，次の各号に掲げ
　る事項を記載した請求書を市町村長に提出しなければならない。
　　一　請求者の氏名，生年月日，住所及び個人番号
　　二　請求者が**令別表第2**に定める1級の障害の状態に該当するに至った年月日
2　前項の請求書には，請求者の障害の状態に関する医師の診断書及び同項第二号の事実を
　証明することができる書類を添え，必要があるときは，障害の状態を明らかにすることが
　できるその他の資料を添えなければならない。
第 11 条の14　法第16条第2項第三号の規定による障害年金の支給を受けている者は，次の
　各号のいずれかに該当するに至ったときは，速やかに，その旨を記載した届書を市町村長
　に提出しなければならない。
　　一　氏名又は住所を変更したとき
　　二　法第16条第2項第三号の規定による障害年金の支給要件に該当しなくなったとき
　　三　法第16条第2項第三号の規定による障害年金の支給を受けている者の障害の状態に変
　　　更があったため，**令別表第2**(3級の項を除く。)に定める他の等級に該当することとな
　　　ったとき
第 11 条の15　第11条の9(第2項第五号を除く。)の規定は，遺族年金の支給を受けようと
　する者(次条第1項又は第11条の17の規定に該当する者を除く。)について準用する。この
　場合において，第11条の9第1項第三号中「受けた予防接種の種類並びに当該予防接種」
　とあるのは「その死亡の原因とみられる予防接種」とし，同条第2項第四号中「請求者が
　令第17条第2項第一号イのいずれかに該当する者であるときは，当該請求者」とあるのは

404 （付録40）予防接種法

「請求者(死亡した者の死亡の当時胎児であった子を除く。)」とする。

第11条の16 死亡した者の死亡の当時胎児であった子は，当該死亡した者の死亡に係る遺族年金を受けることができるその他の遺族が既に遺族年金の支給の決定を受けた後に遺族年金の支給を請求しようとするときは，次の各号に掲げる事項を記載した請求書を市町村長に提出しなければならない。

一　死亡した者の氏名，生年月日，死亡の当時有していた住所及び個人番号

二　請求者の氏名，生年月日，住所及び個人番号並びに死亡した者との身分関係

三　死亡した者に係る遺族年金の支給を受けている遺族の氏名，生年月日，住所及び個人番号

2　前項の請求書には，請求者と死亡した者との身分関係を明らかにすることができる戸籍の謄本又は抄本を添えなければならない。

第11条の17 令第24条第8項後段の規定により遺族年金の支給を受けようとする者は，次の各号に掲げる事項を記載した請求書を市町村長に提出しなければならない。

一　死亡した者の氏名，生年月日，死亡の当時有していた住所及び個人番号

二　請求者及び請求者以外の遺族年金を受けることができる遺族の氏名，生年月日，住所及び個人番号並びに死亡した者との身分関係

三　死亡した者に係る遺族年金の支給を受けることができた先順位者の氏名，生年月日及び当該先順位者がその死亡の当時有していた住所及び個人番号並びに当該先順位者が死亡した年月日

2　前項の請求書には，次の各号に掲げる書類を添えなければならない。

一　請求者と死亡した者との身分関係を明らかにすることができる戸籍の謄本又は抄本

二　請求者(死亡した者の死亡の当時胎児であった子を除く。)が死亡した者の死亡の当時その者によって生計を維持していたことを明らかにすることができる書類

第11条の18 遺族年金の支給を受けている者は，その氏名又は住所を変更したときは，速やかに，その旨を記載した届書を市町村長に提出しなければならない。

第11条の19 第11条の8の規定は，法第16条第2項第三号の規定による障害年金又は遺族年金の支給を受けている者が死亡したときについて準用する。

第11条の20 令第26条第3項第一号の規定により遺族一時金の支給を受けようとする者は，次の各号に掲げる事項を記載した請求書を市町村長に提出しなければならない。

一　死亡した者の氏名，生年月日，死亡の当時有していた住所及び個人番号

二　請求者及び請求者以外の遺族一時金を受けることができる遺族の氏名，生年月日，住所及び個人番号並びに予防接種を受けたことにより死亡した者との身分関係

三　死亡した者がその死亡の原因とみられる予防接種を受けた期日及び場所

四　死亡した者の死亡年月日

2　第11条の9第2項(第四号を除く。)の規定は，前項の請求書について準用する。

第11条の21 令第26条第3項第二号の規定により遺族一時金の支給を受けようとする者は，次の各号に掲げる事項を記載した請求書を市町村長に提出しなければならない。

一　死亡した者の氏名，生年月日，死亡の当時有していた住所及び個人番号

二　請求者及び請求者以外の遺族一時金を受けることができる遺族の氏名，生年月日，住所及び個人番号並びに予防接種を受けたことにより死亡した者との身分関係

三　予防接種を受けたことにより死亡した者に係る遺族年金の支給を受けていた者の氏名，生年月日，その者がその死亡の当時有していた住所及び個人番号並びにその者が死亡した年月日

2　前項の請求書には，次の各号に掲げる書類を添えなければならない。

一　請求者と予防接種を受けたことにより死亡した者との身分関係を明らかにすることができる戸籍の謄本又は抄本

二　請求者が予防接種を受けたことにより死亡した者と婚姻の届出をしていないが事実上

婚姻関係と同様の事情にあった者であるときは，その事実を証明することができる書類

三　請求者(配偶者を除く。)が予防接種を受けたことにより死亡した者の死亡の当時その者と生計を同じくしていたことを明らかにすることができる書類

第 11 条の22　第11条の10の規定は，法第16条第２項第五号の規定による葬祭料の支給を受けようとする者について準用する。この場合において，第11条の10第１項第三号中「受けた予防接種の種類」とあるのは「その死亡の原因とみられる予防接種」とする。

第 11 条の23　未支給の給付を受けようとする者は，次の各号に掲げる事項を記載した請求書を市町村長に提出しなければならない。

一　給付を受けることができた者で死亡したもの(以下「支給前死亡者」という。)の氏名，生年月日及び個人番号

二　請求者の氏名，住所，個人番号及び支給前死亡者との身分関係

三　未支給の給付の種類

四　支給前死亡者の死亡年月日

2　前項の請求書には，次の各号に掲げる書類を添えなければならない。

一　請求者と支給前死亡者との身分関係を明らかにすることができる戸籍の謄本又は抄本

二　請求者が支給前死亡者と婚姻の届出をしていないが事実上婚姻関係と同様の事情にあった者であるときは，その事実を証明することができる書類

三　請求者が支給前死亡者の死亡の当時その者と生計を同じくしていたことを明らかにすることができる書類

四　支給前死亡者が給付を受けようとした場合において，提出すべきであった書類その他の資料でまだ提出していなかったものがあるときは，当該書類その他の資料

3　第１項の請求書を提出する場合において，支給前死亡者が死亡前に当該給付に係る請求書を提出していなかったときは，未支給の給付を受けようとする者は，当該未支給の給付の種類に応じて第10条から第11条の５まで，第11条の９から第11条の14まで又は前３条の例による請求書及びこれに添えるべき書類等を市町村長に提出しなければならない。

第 11 条の24　給付を受けようとする者又は受けた者が，同一の事由について損害賠償を受けたときは，速やかに，その旨を記載した届書を市町村長に提出しなければならない。

第 11 条の25　市町村長は，給付に関する処分を行ったときは，速やかに，文書でその内容を，給付を受けようとする者，給付の支給を受けることができる者又は給付の支給を受けることができる者であったものに通知しなければならない。

第 11 条の26　市町村長は，この省令の規定により請求書又は届書に添えなければならない書類により証明すべき事実を公簿等によって確認することができるときは，当該書類を省略させることができる。

2　この省令の規定により同時に２以上の請求書又は届書を提出する場合において，１の請求書又は届書に添えなければならない書類により，他の請求書又は届書に添えなければならない書類に係る事項を明らかにすることができるときは，他の請求書又は届書の余白にその旨を記載して，他の請求書又は届書に添えなければならない当該書類は省略することができる。同一の世帯に属する２人以上の者が同時に請求書又は届書を提出する場合における他方の請求書又は届書についても，同様とする。

(フレキシブルディスク等による手続)

第 11 条の27　次の各号に掲げる書類の提出については，これらの書類に記載すべき事項を記録したフレキシブルディスク並びに請求者又は届出者の氏名及び住所並びに請求又は届出の趣旨及びその年月日を記載した書類を提出することによって行うことができる。(後略)

第 11 条の28〜30　　(略)

(住民票等の届出)

第 11 条の31　市町村長は，住民基本台帳法(昭和42年法律第81号)第30条の10及び第30条の

406 （付録42）予防接種法

12の規定により，第11条の2，第11条の9（第11条の15において準用する場合を含む。以下この条において同じ。），第11条の10（第11条の22において準用する場合を含む。以下この条において同じ。），第11条の20又は第11条の23の規定による請求に係る同法第30条の6第1項に規定する本人確認情報を利用することができないときは，第11条の2の規定により請求を行う者に対し，障害児の属する世帯の全員の住民票の写しを，第11条の9，第11条の10，第11条の20又は第11条の23の規定により請求を行う者に対し，死亡した者の死亡の事実及び死亡年月日を証明することができる書類を，それぞれ提出させることができる。

第12条及び第13条　(予防接種実施方法等の指示)　　削除

附　則(昭和23年8月10日厚生省令第36号)

第14条　この省令は，公布の日から，これを施行し，昭和23年7月1日から，これを適用する。

第15条　種痘法施行規則〈明治42年内務省令第26号〉は，これを廃止する。

第16条　令第1条の3第1項本文及び第2項に規定する厚生労働省令で定める者については，平成34年3月31日までの間，第2条中「五　麻しん及び風しんに係る予防接種の対象者にあっては，妊娠していることが明らかな者」とあるのは，「五　麻しん及び風しんに係る予防接種の対象者にあっては，妊娠していることが明らかな者／五の二　風しんに係る予防接種の対象者(令附則第3項の規定による読替え後の令第1条の3第1項風しんの項第三号に規定する者に限る。)にあっては，風しんに係る抗体検査を受けた結果，十分な量の風しんの抗体があることが判明し，当該予防接種を行う必要がないと認められる者」と，同条第九号中「第二号から第六号まで」とあるのは，「第二号から第六号まで(第五号の二を除く。)」とする。

附　則(平成6年8月17日厚生省令第51号)　抄

第1条　この省令は平成6年10月1日から施行する。

第3条　(介護加算額の加算の請求手続)　　(略)

附　則(平成16年3月31日厚生労働省令第77号)　抄

(施行期日)

第1条　この省令は，公布の日から施行する。ただし，附則第8条から第18条までの規定は，平成16年4月1日から施行する。

附　則(平成19年3月23日厚生労働省令第26号)

(施行期日)

第1条　この省令は，平成19年4月1日から施行する。

第2条　(様式に関する経過措置)　　(略)

附　則(平成23年9月30日厚生労働省令第122号)

この省令は，予防接種法及び新型インフルエンザ予防接種による健康被害の救済等に関する特別措置法の一部を改正する法律の一部の施行の日(平成23年10月1日)から施行する。

附　則(平成24年3月28日厚生労働省令第40号)　抄

(施行期日)

第1条　この省令は，平成24年4月1日から施行する。

附　則(平成25年1月18日厚生労働省令第4号)

この省令は，平成25年4月1日から施行する。

附　則(平成25年1月30日厚生労働省令第6号)

この省令は，公布の日から施行する。

附　則(平成25年3月30日厚生労働省令第50号)　抄

(施行期日)

第 1 条　この省令は，平成25年4月1日から施行する。

(様式の特例)

第 2 条　この省令の施行の際現にあるこの省令による改正前の様式(次項において「旧様式」という。)により使用されている書類は，この省令による改正後の様式によるものとみなす。

2　この省令の施行の際現にある旧様式による用紙は，当分の間，これを取り繕って使用することができる。

附　則(平成25年9月11日厚生労働省令第100号)　抄

(施行期日)

第 1 条　この省令は，平成25年11月1日から施行する。

附　則(平成26年3月28日厚生労働省令第27号)

この省令は，平成26年4月1日から施行する。

附　則(平成26年7月16日厚生労働省令第80号)　抄

(施行期日)

1　この省令は，予防接種法施行令の一部を改正する政令(平成26年政令第247号。以下「改正令」という。)の施行の日から施行する。

附　則(平成26年9月9日厚生労働省令第104号)　抄

(施行期日)

第 1 条

この省令は，平成26年10月1日から施行する。

附　則(平成26年11月13日厚生労働省令第122号)　抄

(施行期日)

第 1 条

この省令は，平成27年1月1日から施行する。

附　則(平成26年11月25日厚生労働省令第129号)

この省令は，薬事法等の一部を改正する法律の施行の日(平成26年11月25日)から施行する。

附　則(平成27年3月31日厚生労働省令第五六号)　抄

(施行期日)

第 1 条

この省令は，平成27年4月1日から施行する。

附　則(平成27年3月31日厚生労働省令第57号)　抄

(施行期日)

第 1 条

この省令は，平成27年4月1日から施行する。

408 （付録44）予防接種法

　　附　則（平成27年9月29日厚生労働省令第150号）　抄
　（施行期日）
第 1 条　この省令は，行政手続における特定の個人を識別するための番号の利用等に関する法律（以下「番号利用法」という。）の施行の日（平成27年10月5日）から施行する。ただし，次の各号に掲げる規定は，当該各号に定める日から施行する。
1　第6条，第8条から第10条まで，第12条，第13条，第15条，第17条，第19条から第29条まで及び第31条から第38条までの規定　番号利用法附則第1条第4号に掲げる規定の施行の日（平成28年1月1日）

　　附　則（平成28年6月22日厚生労働省令第115号）　抄
　（施行期日）
1　この省令は，平成28年10月1日から施行する。

　　附　則（平成29年9月25日厚生労働省令第95号）
　この省令は，公布の日から施行する。

　　附　則（平成31年2月1日厚生労働省令第九号）
　この省令は，公布の日から施行する。

　　附　則（令和元年6月28日厚生労働省令第20号）　抄
　（施行期日）
第 1 条　この省令は，不正競争防止法等の一部を改正する法律の施行の日（令和元年7月1日）から施行する。

　　附　則（令和元年9月27日厚生労働省令第53号）
　この省令は，公布の日から施行する。

　　　　　　　　　　　　　　　（大幅な改正のない附則は省略した。沿革を参照されたい）

予防接種法施行規則（付録45）409

様式第一（第4条第2項第一号関係）（平25厚労令50・全改）

No.＿＿＿＿＿＿＿＿

＿＿＿＿＿＿＿＿＿＿＿＿＿ 予防接種済証（第　期）（定期）

　　　　　　　　　　　　　　住所
　　　　　　　　　　　　　　氏名
　　　　　　　　　　　　　　　　　　　年　　月　　日生

予防接種を行った年月日

　　年　　回　　　年　　月　　日
　　年　　回　　　年　　月　　日
　　年　　回　　　年　　月　　日
　　年　　回　　　年　　月　　日
　　　　年　　月　　日

　　　　　　　　　　　　都道府県
　　　　　　　　　　　　市区町村長氏名　　　　　　　印

備考　不要の文字は抹消して用いること

様式第二（第4条第2項第二号関係）（平25厚労令50・全改）

No.＿＿＿＿＿＿＿＿

＿＿＿＿＿＿＿＿＿＿＿＿＿ 予防接種済証（第　期）（臨時）

　　　　　　　　　　　　　　住所
　　　　　　　　　　　　　　氏名
　　　　　　　　　　　　　　　　　　　年　　月　　日生

予防接種を行った年月日

　　年　　回　　　年　　月　　日
　　年　　回　　　年　　月　　日
　　年　　回　　　年　　月　　日
　　年　　回　　　年　　月　　日
　　　　年　　月　　日

　　　　　　　　　　　　都道府県
　　　　　　　　　　　　知事又は市区町村長氏名　　　　印

備考　不要の文字は抹消して用いること

付録

410 （付録 46）予防接種法

予防接種実施規則 （昭和33年9月17日　厚生省令第27号）

〔沿革〕昭和33年9月17日厚生省令第27号，36年2月1日第1号，4月15日
第17号，37年12月27日第55号，39年4月16日第17号，43年10月15日
第46号，45年7月11日第44号，47年8月28日第46号，48年3月29日
第10号，51年9月14日第43号，52年8月29日第37号，53年7月28日
第47号，54年12月10日第45号，55年7月31日第29号，56年8月1日
第58号，63年3月31日第25号，12月19日第64号，平成6年8月17日
第51号，12年10月20日第127号，13年11月7日第210号，17年7月29
日第127号，18年6月2日第128号，19年3月23日第26号，20年3月
19日第39号，21年6月2日第117号，22年8月27日第97号，23年5
月20日第62号，9月30日第122号，24年7月31日第110号，9月28日
第137号，25年3月30日第50号，9月11日第100号，26年3月24日第
22号，7月16日第80号，7月30日第87号，28年3月31日第62号，6月22
日第115号，29年3月31日第38号，**31年2月1日第9号**

第1章　総　則

（通　則）

第 1 条　予防接種法（昭和23年法律第68号。以下「法」という。）に基いて行う予防接種の実施方法は，この規則の定めるところによる。

（使用接種液）

第 2 条　予防接種には，薬事法（昭和35年法律第145号）第43条第1項に規定する検定に合格し，かつ，同法第42条第1項の規定に基づく厚生労働大臣の定める基準に現に適合している接種液を用いなければならない。

（接種用器具の滅菌等）

第 3 条　接種用器具は，乾熱，高圧蒸気，煮沸，エチレンオキサイドガス又はコバルト60から放出されるガンマ線によって滅菌されていなければならない。

2　注射筒，注射針及び多圧針は，被接種者ごとに取り換えなければならない。

（健康状態を診断する方法）

第 4 条　法第7条に規定する厚生労働省令で定める方法は，問診，検温及び診察とする。

（母子健康手帳の提示）

第 5 条　法第3条第1項又は第6条第1項若しくは第3項の規定による予防接種を行う者は，その対象者が母子保健法（昭和40年法律第141号）第16条第1項の規定により交付された母子健康手帳に係る乳児又は幼児である場合には，当該予防接種を行うに当たっては，その保護者に対し，母子健康手帳の提示を求めなければならない。

（説明と同意の取得）

第 5 条の2　予防接種を行うに当たっては，あらかじめ被接種者又はその保護者に対して，予防接種の有効性及び安全性並びに副反応について当該者の理解を得るよう，適切な説明を行い，文書により同意を得なければならない。

2　被接種者が次の各号のいずれかに該当する場合であって，それぞれ当該各号に定める者が長期間にわたり当該被接種者の保護者と連絡をとることができないことその他の事由により当該被接種者の保護者の同意の有無を確認することができないとき（保護者のあるときに限る。）は，当該被接種者の保護者に代わって，それぞれ当該各号に定める者が前項の同意をすることができる。

一　児童福祉法（昭和22年法律第164号）第27条第1項第三号の規定により同法第6条の3第8項に規定する小規模住居型児童養育事業を行う者又は同法第6条の4に規定する里親（以下この号において「里親等」という。）に委託されている場合当該里親等

二　児童福祉法第7条第1項に規定する児童福祉施設（以下この号において「児童福祉施

設」という。)に入所している場合当該児童福祉施設の長

　三　児童福祉法第33条第１項又は第２項の規定により児童相談所長による一時保護が加えられている場合当該児童相談所長

（予防接種を受けることが適当でない者）

第６条　法第７条に規定する厚生労働省令で定める者は，予防接種法施行規則（昭和23年厚生省令第36号）第２条第二号から第九号までに掲げる者とする。

（接種後の注意事項の通知）

第７条　予防接種を行うに当たっては，被接種者又はその保護者に対して，次の事項を知らせなければならない。

　一　高熱，けいれん等の症状を呈した場合には，速やかに医師の診察を受けること。

　二　医師の診察を受けた場合には，速やかに当該予防接種を行った都道府県知事又は市町村長に通報すること。

　三　前２号に掲げる事項のほか，接種後の安静その他接種後に特に注意すべき事項

（臨時の予防接種）

第８条　ジフテリア，百日せき，急性灰白髄炎，破傷風，麻しん，風しん，日本脳炎，結核，Hib感染症，肺炎球菌感染症(小児がかかるものに限る。)，ヒトパピローマウイルス感染症，水痘，B型肝炎，インフルエンザ又は肺炎球菌感染症(高齢者がかかるものに限る。)の臨時の予防接種に係る接種方法及び接種量は，次章から第12章までに定めるところを標準とし，被接種者の年齢，身体の状況，既に受けた当該予防接種の回数等に応じて決定しなければならない。

第２章　ジフテリア，百日せき，急性灰白髄炎及び破傷風の予防接種

（第１期予防接種の初回接種）

第９条　ジフテリ又は破傷風の第１期の予防接種の初回接種は，沈降精製百日せきジフテリア破傷風不活化ポリオ混合ワクチン又は沈降精製百日せきジフテリア破傷風混合ワクチンを20日以上の間隔をおいて３回皮下に注射するか，又は，沈降ジフテリア破傷風混合トキソイドを20日以上の間隔をおいて２回皮下に注射するものとし，接種量は，毎回0.5ミリリットルとする。

2　百日せきの第１期の予防接種の初回接種は，沈降精製百日せきジフテリア破傷風不活化ポリオ混合ワクチン又は沈降精製百日せきジフテリア破傷風混合ワクチンを前項に規定する間隔をおいて３回皮下に注射するものとし，接種量は，毎回0.5ミリリットルとする。

3　急性灰白髄炎の第１期の予防接種の初回接種は，沈降精製百日せきジフテリア破傷風不活化ポリオ混合ワクチンを第１項に規定する間隔をおいて３回皮下に注射するか，又は，不活化ポリオワクチンを20日以上の間隔をおいて３回皮下に注射するものとし，接種量は，毎回0.5ミリリットルとする。

4　ジフテリア，百日せき，急性灰白髄炎及び破傷風について同時に行う第１期の予防接種の初回接種は，沈降精製百日せきジフテリア破傷風不活化ポリオ混合ワクチンを第１項に規定する間隔をおいて３回皮下に注射するものとし，接種量は，毎回0.5ミリリットルとする。

5　ジフテリア，百日せき及び破傷風について同時に行う第１期の予防接種の初回接種は，沈降精製百日せきジフテリア破傷風不活化ポリオ混合ワクチン又は沈降精製百日せきジフテリア破傷風混合ワクチンを，ジフテリア，百日せき及び急性灰白髄炎について，ジフテリア，急性灰白髄炎及び破傷風について又は百日せき，急性灰白髄炎及び破傷風について同時に行う第１期の予防接種の初回接種は，沈降精製百日せきジフテリア破傷風不活化ポリオ混合ワクチンを第１項に規定する間隔をおいて３回皮下に注射するものとし，接種量は，毎回0.5ミリリットルとする。

412 （付録48）予防接種法

（第1期予防接種の追加接種）

第10条 ジフテリア又は破傷風の第1期の予防接種の追加接種は，沈降精製百日せきジフテリア破傷風不活化ポリオ混合ワクチン，沈降精製百日せきジフテリア破傷風混合ワクチン又は沈降ジフテリア破傷風混合トキソイドを，百日せきの第1期の予防接種の追加接種は，沈降精製百日せきジフテリア破傷風不活化ポリオ混合ワクチン又は沈降精製百日せきジフテリア破傷風混合ワクチンを，急性灰白髄炎の第1期の予防接種の追加接種は，沈降精製百日せきジフテリア破傷風不活化ポリオ混合ワクチン又は不活化ポリオワクチンを前条の初回接種終了後6月以上の間隔をおいて1回皮下に注射するものとし，接種量は，0.5ミリリットルとする。

2 ジフテリア，百日せき，急性灰白髄炎及び破傷風について同時に行う第1期の予防接種の追加接種は，沈降精製百日せきジフテリア破傷風不活化ポリオ混合ワクチンを前項に規定する間隔をおいて1回皮下に注射するものとし，接種量は，0.5ミリリットルとする。

3 ジフテリア，百日せき及び破傷風について同時に行う第1期の予防接種の追加接種は，沈降精製百日せきジフテリア破傷風不活化ポリオ混合ワクチン又は沈降精製百日せきジフテリア破傷風混合ワクチンを，ジフテリア，百日せき及び急性灰白髄炎について，ジフテリア，急性灰白髄炎及び破傷風について又は百日せき，急性灰白髄炎及び破傷風について同時に行う第1期の予防接種の追加接種は，沈降精製百日せきジフテリア破傷風不活化ポリオ混合ワクチンを第1項に規定する間隔をおいて1回皮下に注射するものとし，接種量は，0.5ミリリットルとする。

4 ジフテリア及び破傷風について同時に行う第1期の予防接種の追加接種は，沈降精製百日せきジフテリア破傷風不活化ポリオ混合ワクチン，沈降精製百日せきジフテリア破傷風混合ワクチン又は沈降ジフテリア破傷風混合トキソイドを，ジフテリア及び百日せきについて又は百日せき及び破傷風について同時に行う第1期の予防接種の追加接種は，沈降精製百日せきジフテリア破傷風不活化ポリオ混合ワクチン又は沈降精製百日せきジフテリア破傷風混合ワクチンを，ジフテリア及び急性灰白髄炎について，百日せき及び急性灰白髄炎について又は急性灰白髄炎及び破傷風について同時に行う第1期の予防接種の追加接種は，沈降精製百日せきジフテリア破傷風不活化ポリオ混合ワクチンを第1項に規定する間隔をおいて1回皮下に注射するものとし，接種量は，0.5ミリリットルとする。

（第2期予防接種）

第11条 ジフテリア又は破傷風の第2期の予防接種は，沈降ジフテリア破傷風混合トキソイドを1回皮下に注射するものとし，接種量は，0.1ミリリットルとする。

2 ジフテリア及び破傷風について同時に行う第2期の予防接種は，沈降ジフテリア破傷風混合トキソイドを1回皮下に注射するものとし，接種量は，0.1ミリリットルとする。

第3章　麻しん及び風しんの予防接種

（第1期予防接種）

第12条 麻しんの第1期の予防接種は，乾燥弱毒生麻しんワクチン又は乾燥弱毒生麻しん風しん混合ワクチンを1回皮下に注射するものとし，接種量は，0.5ミリリットルとする。

2 風しんの第1期の予防接種は，乾燥弱毒生風しんワクチン又は乾燥弱毒生麻しん風しん混合ワクチンを1回皮下に注射するものとし，接種量は，0.5ミリリットルとする。

3 麻しん及び風しんについて同時に行う第1期の予防接種は，乾燥弱毒生麻しん風しん混合ワクチンを1回皮下に注射するものとし，接種量は，0.5ミリリットルとする。

（第2期予防接種）

第13条 麻しんの第2期の予防接種は，乾燥弱毒生麻しんワクチン又は乾燥弱毒生麻しん風しん混合ワクチンを1回皮下に注射するものとし，接種量は，0.5ミリリットルとする。

2 風しんの第2期の予防接種は，乾燥弱毒生風しんワクチン又は乾燥弱毒生麻しん風しん混合ワクチンを1回皮下に注射するものとし，接種量は，0.5ミリリットルとする。

3 麻しん及び風しんについて同時に行う第2期の予防接種は，乾燥弱毒生麻しん風しん混合ワクチンを1回皮下に注射するものとし，接種量は，0.5ミリリットルとする。

第4章　日本脳炎の予防接種

（第1期予防接種）

第14条　日本脳炎の第1期の予防接種の初回接種は，乾燥細胞培養日本脳炎ワクチンを6日以上の間隔をおいて2回皮下に注射するものとし，接種量は，毎回0.5ミリリットルとする。ただし，接種量は，3歳未満の者にあっては0.25ミリリットルとする。

2　日本脳炎の第1期の予防接種の追加接種は，第1期予防接種の初回接種終了後6月以上の間隔をおいて乾燥細胞培養日本脳炎ワクチンを1回皮下に注射するものとし，接種量は，0.5ミリリットルとする。ただし，接種量は，3歳未満の者にあっては0.25ミリリットルとする。

（第2期予防接種）

第15条　日本脳炎の第2期の予防接種は，前条第2項に規定する日本脳炎の第1期の予防接種の追加接種終了後6日以上の間隔をおいて乾燥細胞培養日本脳炎ワクチンを1回皮下に注射するものとし，接種量は，0.5ミリリットルとする。

第5章　結核の予防接種

（接種の方法）

第16条　結核の定期の予防接種は，経皮接種用乾燥BCGワクチンの懸濁液を上腕外側のほぼ中央に滴下し，管針法により1回行うものとする。

2　管針法は，接種部位の皮膚を緊張させ，懸濁液を塗った後，9本針植付けの管針を接種皮膚面に対してほぼ垂直に保ち，これを強く圧して行うものとする。

3　接種数は2箇とし，管針の円跡は相互に接するものとする。

第6章　Hib感染症の予防接種（接種の方法）

第17条　Hib感染症の予防接種の初回接種は，**次の表の左欄**に掲げる対象者ごとに，それぞれ**同表の右欄**に掲げる方法で行うものとする。

対象者	方　法
初回接種の開始時に生後2月から生後7月に至るまでの間にある者	生後12月に至るまでの間に乾燥ヘモフィルスb型ワクチンを27日（医師が必要と認めるときは，20日）以上の間隔をおいて3回皮下に注射するものとし，接種量は，毎回0.5ミリリットルとする。
初回接種の開始時に生後7月に至った日の翌日から生後12月に至るまでの間にある者	生後12月に至るまでの間に乾燥ヘモフィルスb型ワクチンを27日（医師が必要と認めるときは，20日）以上の間隔をおいて2回皮下に注射するものとし，接種量は，毎回0.5ミリリットルとする。
初回接種の開始時に生後12月に至った日の翌日から生後60月に至るまでの間にある者	乾燥ヘモフィルスb型ワクチンを1回皮下に注射するものとし，接種量は，0.5ミリリットルとする。

2　Hib感染症の予防接種の追加接種は，初回接種の開始時に生後2月から生後12月に至るまでの間にあった者に対し，前項の初回接種終了後7月以上の間隔をおいて，乾燥ヘモフィルスb型ワクチンを1回皮下に注射するものとし，接種量は，0.5ミリリットルとする。ただし，初回接種の開始時に生後2月から生後12月に至るまでの間にあった者が，前項の初回接種を終了せずに生後12月を超えた場合は，前項の初回接種に係る最後の注射終了後27日（医師が必要と認めるときは，20日）以上の間隔をおいて，乾燥ヘモフィルスb型ワクチンを1回皮下に注射するものとし，接種量は，0.5ミリリットルとする。

3　予防接種法施行令（昭和23年政令第197号。以下「令」という。）第1条の3第2項に規定

414（付録50）予防接種法

するところにより，Hib感染症の予防接種を受けることができなかったと認められ，Hib感染症に係る法第5条第1項の政令で定める者とされた者については，初回接種の開始時に生後12月に至った日の翌日から生後60月に至るまでの間にある者とみなし，第1項の規定を適用する。

第7章　小児の肺炎球菌感染症の予防接種

（接種の方法）

第18条　肺炎球菌感染症（小児がかかるものに限る。）の予防接種の初回接種は，**次の表の左欄**に掲げる対象者ごとに，それぞれ**同表の右欄**に掲げる方法で行うものとする。

対象者	方法
初回接種の開始時に生後2月から生後7月に至るまでの間にある者	生後24月に至るまでの間に，沈降13価肺炎球菌結合型ワクチンを27日以上の間隔をおいて3回皮下に注射するものとし，接種量は，毎回0.5ミリリットルとする。ただし，生後12月を超えて第2回目の注射を行った場合は，第3回目の注射を行わないものとする。
初回接種の開始時に生後7月に至った日の翌日から生後12月に至るまでの間にある者	生後24月に至るまでの間に，沈降13価肺炎球菌結合型ワクチンを27日以上の間隔をおいて2回皮下に注射するものとし，接種量は，毎回0.5ミリリットルとする。
初回接種の開始時に生後12月に至った日の翌日から生後24月に至るまでの間にある者	沈降13価肺炎球菌結合型ワクチンを60日以上の間隔をおいて2回皮下に注射するものとし，接種量は，毎回0.5ミリリットルとする。
初回接種の開始時に生後24月に至った日の翌日から生後60月に至るまでの間にある者	沈降13価肺炎球菌結合型ワクチンを1回皮下に注射するものとし，接種量は，0.5ミリリットルとする。

2　肺炎球菌感染症（小児がかかるものに限る。）の予防接種の追加接種は，初回接種の開始時に生後2月から生後12月に至るまでの間にあった者に対し，前項の初回接種に係る最後の注射終了後60日以上の間隔をおいた後であって，生後12月に至った日以降において，沈降13価肺炎球菌結合型ワクチンを1回皮下に注射するものとし，接種量は，0.5ミリリットルとする。

3　令第1条の3第2項に規定するところにより，肺炎球菌感染症（小児がかかるものに限る。）の予防接種を受けることができなかったと認められ，肺炎球菌感染症（小児がかかるものに限る。）に係る法第5条第1項の政令で定める者とされた者については，初回接種の開始時に生後24月に至った日の翌日から生後60月に至るまでの間にある者とみなし，第1項の規定を適用する。

第8章　ヒトパピローマウイルス感染症の予防接種

（接種の方法）

第19条　ヒトパピローマウイルス感染症の定期の予防接種は，組換え沈降2価ヒトパピローマウイルス様粒子ワクチンを1月以上の間隔をおいて2回筋肉内に注射した後，第1回目の注射から5月以上かつ第2回目の注射から2月半以上の間隔をおいて1回筋肉内に注射するか，又は，組換え沈降4価ヒトパピローマウイルス様粒子ワクチンを1月以上の間隔をおいて2回筋肉内に注射した後，3月以上の間隔をおいて1回筋肉内に注射するものとし，接種量は，毎回0.5ミリリットルとする。

第9章　水痘の予防接種

（接種の方法）

第20条　水痘の定期の予防接種は，乾燥弱毒生水痘ワクチンを3月以上の間隔をおいて2

回皮下に注射するものとし，接種量は，毎回0.5ミリリットルとする。

第10章　B型肝炎の予防接種

（接種の方法）

第21条　B型肝炎の定期の予防接種は，組換え沈降B型肝炎ワクチンを27日以上の間隔を
おいて2回皮下に注射した後，第1回目の注射から139日以上の間隔をおいて1回皮下に
注射するものとし，接種量は，毎回0.25ミリリットルとする。

2　令第1条の3第2項に規定するところにより，B型肝炎の定期の予防接種を受けること
ができなかったと認められ，B型肝炎に係る法第5条第1項の政令で定める者とされた者
については，次の表の左欄に掲げる対象者ごとに，それぞれ同表の右欄に掲げる方法で予
防接種を行うものとする。

対象者	方法
予防接種の開始時に1歳以上十歳未満である者	組換え沈降B型肝炎ワクチンを27日以上の間隔をおいて2回皮下に注射した後，第1回目の注射から139日以上の間隔をおいて1回皮下に注射するものとし，接種量は，毎回0.25二五ミリリットルとする。ただし，第2回目以降の接種の開始時に10歳以上である者にあっては，筋肉内又は皮下に注射するものとし，第2回目以降の接種量は，0.5ミリリットルとする。
予防接種の開始時に十歳以上である者	組換え沈降B型肝炎ワクチンを27日以上の間隔をおいて2回筋肉内又は皮下に注射した後，第1回目の注射から139日以上の間隔をおいて1回筋肉内又は皮下に注射するものとし，接種量は，毎回0.5ミリリットルとする。

第11章　インフルエンザの予防接種

（接種の方法）

第22条　インフルエンザの定期の予防接種は，インフルエンザHAワクチンを毎年度1回
皮下に注射するものとし，接種量は，0.5ミリリットルとする。

第12章　高齢者の肺炎球菌感染症の予防接種

（接種の方法）

第23条　肺炎球菌感染症（高齢者がかかるものに限る。）の定期の予防接種は，23価肺炎球
菌莢膜ポリサッカライドワクチンを1回筋肉内又は皮下に注射するものとし，接種量は，
0.5ミリリットルとする。

附　則

（施行期日）

第1条　この省令は，公布の日から施行する。

（麻しん及び風しんの第3期予防接種）

（日本脳炎の予防接種に係る特例）

第2条　平成19年4月2日から平成21年10月1日までの間に生まれた者であり，かつ，平
成22年3月31日までに日本脳炎の第1期の予防接種のうち3回の接種を受けていない者
（接種を全く受けていない者を除く。）であって令第1条の3の表日本脳炎の項の予防接種
の対象者の欄第1号又は第2号に規定するものが，6日以上の間隔をおいて残りの接種を
受けたときは，第14条の規定にかかわらず，同条に規定する日本脳炎の第1期の予防接種
を受けたものとみなす。

2　平成19年4月2日から平成21年10月1日までの間に生まれた者であり，かつ，平成22年
3月31日までに日本脳炎の第1期の予防接種を全く受けていない者であって予防接種法施

416 （付録52）予防接種法

行令第1条の3の表日本脳炎の項の定期の予防接種の対象者の欄第2号に規定するものが，第14条の例により接種を受けたときは，同条の規定にかかわらず，同条に規定する日本脳炎の第1期の予防接種を受けたものとみなす。

3　第1項の規定により第14条に規定する日本脳炎の第1期の予防接種を受けたものとみなされた者であって令第1条の三の表日本脳炎の予防接種の対象者の欄第二号に規定するもの及び前項の規定により第14条に規定する日本脳炎の第1期の予防接種を受けたとみなされた者に係る第15条の規定の適用については，同条中「予防接種は，」とあるのは「予防接種は，前条第2項に規定する日本脳炎の第1期の予防接種の追加接種終了後6日以上の間隔をおいて」とする。

第3条　平成7年4月2日から平成19年4月1日までの間に生まれた者（以下「特例対象者」という。）であって日本脳炎の予防接種のうち4回の接種を受けていないもの（接種を全く受けていない者を除く。）に係る残りの日本脳炎の予防接種は，第14条及び第15条並びに前条の規定にかかわらず，乾燥細胞培養日本脳炎ワクチンを6日以上の間隔をおいて皮下に注射するものとし，接種量は，毎回0.5ミリリットルとする。ただし，第4回目の接種については，9歳以上の者に対して行うものとする。

2　特例対象者であって日本脳炎の予防接種を全く受けていないもの（以下「特例対象未接種者」という。）に係る日本脳炎の予防接種の第1回目の接種は，第14条及び第15条並びに前条の規定にかかわらず，乾燥細胞培養日本脳炎ワクチンを皮下に注射するものとし，接種量は，0.5ミリリットルとする。

3　特例対象未接種者に係る日本脳炎の予防接種の第2回目の接種は，第14条及び第15条並びに前条の規定にかかわらず，第1回目の接種後6日以上の間隔をおいて乾燥細胞培養日本脳炎ワクチンを皮下に注射するものとし，接種量は，0.5ミリリットルとする。

4　特例対象未接種者に係る日本脳炎の予防接種の第3回目の接種は，第14条及び第15条並びに前条の規定にかかわらず，第2回目の接種後6月以上の間隔をおいて乾燥細胞培養日本脳炎ワクチンを皮下に注射するものとし，接種量は，0.5ミリリットルとする。

5　特例対象未接種者に係る日本脳炎の予防接種の第4回目の接種は，第14条及び第15条並びに前条の規定にかかわらず，9歳以上の者に対し，第3回目の接種後6日以上の間隔をおいて乾燥細胞培養日本脳炎ワクチンを皮下に注射するものとし，接種量は，0.5ミリリットルとする。

（急性灰白髄炎の臨時の予防接種の特例）

第4条　急性灰白髄炎の臨時の予防接種は，当分の間，第8条の規定にかかわらず，経口生ポリオワクチンを経口投与することができることとし，その場合の接種方法及び接種量は，別に定める。この場合において，第3条第2項中「及び多圧針」とあるのは，「，多圧針及び経口投与器具」とする。

（風しんの第五期予防接種）

第5条　令附則第3項において読み替えて適用する令第1条の3第1項の規定による風しんの第5期の予防接種は，乾燥弱毒生風しんワクチン又は乾燥弱毒生麻しん風しん混合ワクチンを1回皮下に注射するものとし，接種量は，0.5ミリリットルとする。

　　附　則（平成19年3月23日厚生労働省令第26号）

第1条　この省令は，平成19年4月1日から施行する。

第2条　（様式に関する経過措置）　　（略）

　　附　則（平成20年3月19日省令第39号）

　この省令は，平成20年4月1日から施行する。ただし，附則第1項を第1条とする改正規定，附則第2項を削る改正規定及び附則に2条を加える改正規定は公布の日から施行する。

予防接種実施規則（付録53）417

　　附　則(平成21年6月2日厚生労働省令第117号)
　この省令は，公布の日から施行する。

　　附　則(平成22年8月27日厚生労働省令第97号)
　この省令は，公布の日から施行する。

　　附　則(平成23年5月20日厚生労働省令第62号)
　この省令は，公布の日から施行し，改正後の附則第6条の規定は，平成23年3月11日から適用する。

　　附　則(平成23年9月30日厚生労働省令第122号)
　この省令は，予防接種法及び新型インフルエンザ予防接種による健康被害の救済等に関する特別措置法の一部を改正する法律の一部の施行の日(平成23年10月1日)から施行する。

　　附　則(平成24年7月31日厚生労働省令第110号)
　(施行期日)
第1条　この省令は，平成24年9月1日から施行する。
　(経過措置)
第2条　この省令の施行前にこの省令による改正前の予防接種実施規則第12条の規定により三価混合の経口生ポリオワクチンの経口投与を1回受けた者は，この省令による改正後の予防接種実施規則(以下「新規則」という。)第12条の規定にかかわらず，同条第1項の規定により不活化ポリオワクチンの皮下への注射を1回受けたものとみなす。
2　新規則第12条第2項の規定は，不活化ポリオワクチンの添付文書(薬事法(昭和35年法律第145号)第52条の規定により医薬品に添付する文書をいう。)に当該不活化ポリオワクチンの第4回目の接種に係る有効性及び安全性に関する事項が記載される日までの間は，適用しない。

　　附　則(平成24年9月28日厚生労働省令第137号)
　(施行期日)
第1条　この省令は，平成24年11月1日から施行する。ただし，附則に1条を加える改正規定は，公布の日から施行する。
　(経過措置)
第2条　平成24年8月31日以前に予防接種実施規則の一部を改正する省令(平成24年厚生労働省令第110号)による改正前の予防接種実施規則第12条の規定により3価混合の経口生ポリオワクチンの経口投与を1回受けた者は，この省令による改正後の予防接種実施規則(以下「新規則」という。)第9条の規定にかかわらず，同条第3項の規定により不活化ポリオワクチンの皮下への注射を1回受けたものとみなす。
2　新規則第10条第1項(不活化ポリオワクチンに関する部分に限る。)の規定は，不活化ポリオワクチンの添付文書(薬事法(昭和35年法律第145号)第52条の規定により医薬品に添付する文書をいう。)に当該不活化ポリオワクチンの第4回目の接種に係る有効性及び安全性に関する事項が記載される日までの間は，適用しない。

　　附　則(平成25年3月30日厚生労働省令第50号)　　抄
　(施行期日)
第1条　この省令は，平成25年4月1日から施行する。
　(Hib感染症の予防接種に係る特例)
第3条　平成22年11月26日から平成25年3月31日までの間に，市町村長が行った注射であ

付録

418 （付録54）予防接種法

って，この省令による改正後の予防接種実施規則(以下「新規則」という。)第17条第1項に規定するHib感染症の注射に相当するものについては，当該注射を同項に規定するHib感染症の注射と，当該注射を受けた者については，同項の規定による注射を受けた者とみなし，同条の規定を適用する。

（小児の肺炎球菌感染症の予防接種に係る特例）

第4条 平成22年11月26日から平成25年3月31日までの間に，市町村長が行った注射であって，新規則第18条第1項に規定する肺炎球菌感染症(小児がかかるものに限る。)の注射に相当するものについては，当該注射を同項に規定する肺炎球菌感染症(小児がかかるものに限る。)の注射と，当該注射を受けた者については，同項の規定による注射を受けた者とみなし，同条の規定を適用する。

（ヒトパピローマウイルス感染症の予防接種に係る特例）

第5条 平成22年11月26日から平成25年3月31日までの間に，市町村長が行った注射であって，新規則第19条第1項に規定するヒトパピローマウイルス感染症の注射に相当するものについては，当該注射を同項に規定するヒトパピローマウイルス感染症の注射と，当該注射を受けた者については，同項の規定による注射を受けた者とみなし，同条の規定を適用する。

　　附　則(平成25年9月11日厚生労働省令第100号)

（施行期日）

第1条 この省令は，平成25年11月1日から施行する。

（経過措置）

第2条 この省令による改正前の予防接種実施規則(以下この条において「旧規則」という。)第18条に規定する沈降7価肺炎球菌結合型ワクチンの注射は，この省令による改正後の予防接種実施規則(以下この条において「新規則」という。)第18条に規定する沈降13価肺炎球菌結合型ワクチンの注射と，旧規則第18条の規定により沈降7価肺炎球菌結合型ワクチンの注射を受けた者については，新規則第18条の規定により沈降13価肺炎球菌結合型ワクチンの注射を受けた者とみなし，同条の規定を適用する。

　　附　則(平成26年3月24日厚生労働省令第22号)

この省令は，平成26年4月1日から施行する。

　　附　則(平成26年7月16日厚生労働省令第80号)

（施行期日）

1 この省令は，予防接種法施行令の一部を改正する政令(平成26年政令第247号。以下「改正令」という。)の施行の日から施行する。

（水痘の予防接種に係る特例）

2 生後36月に至った日の翌日から生後60月に至るまでの間にある者に係る改正令附則第2項において読み替えて適用する予防接種法施行令(昭和23年政令第197号)第1条の3第1項の規定による水痘の予防接種は，この省令による改正後の予防接種実施規則第20条の規定にかかわらず，乾燥弱毒生水痘ワクチンを1回皮下に注射するものとし，接種量は，0.5ミリリットルとする。

3 この省令の施行前の注射であって，この省令による改正後の予防接種実施規則第20条に規定する水痘の注射に相当するものについては，当該注射を同条に規定する水痘の注射と，当該注射を受けた者については，同条の規定による注射を受けた者とみなし，同条の規定を適用する。

　　附　則(平成26年7月30日厚生労働省令第87号)　　抄

予防接種実施規則（付録55）419

（施行期日）
第 1 条
　この省令は，薬事法等の一部を改正する法律（以下「改正法」という。）の施行の日（平成26年11月25日）から施行する。

　　附　則（平成28年3月31日厚生労働省令第62号）
　この省令は，平成28年4月1日から施行する。

　　附　則（平成28年6月22日厚生労働省令第115号）
（施行期日）
1　この省令は，平成28年10月1日から施行する。
（B型肝炎の予防接種に係る特例）
2　この省令の施行前の注射であって，第2条の規定による改正後の予防接種実施規則第21条に規定するB型肝炎の注射に相当するものについては，当該注射を同条に規定するB型肝炎の注射と，当該注射を受けた者については，同条の規定による注射を受けた者とみなし，同条の規定を適用する。

　　附　則（平成29年3月31日厚生労働省令第38号）　　抄
（施行期日）
第 1 条　この省令は，平成29年4月1日から施行する。

　　附　則（平成31年2月1日厚生労働省令第9号）
　この省令は，公布の日から施行する。

　　　　　　　　　　　　　　（大幅な改正のない附則は省略した。沿革を参照されたい）

付

録

定期接種実施要領

422　（付録58）定期接種実施要領

予防接種法第5条第1項の規定による予防接種の実施について
（平成25年3月30日　健発0330第2号　厚生労働省健康局長通知）

　予防接種法（昭和23年法律68号）第5条第1項の規定により市町村長が行う予防接種については，下記事項のとおりその具体的運営を図ることとしたので，貴職におかれては，貴管内市町村（保健所を設置する市及び特別区を含む。）及び関係機関等へ周知を図るとともに，その実施に遺漏なきを期されたい。なお，本通知は，地方自治法（昭和22年法律第67号）第245条の4第1項に規定する技術的な助言とし，平成25年4月1日から適用する。

記

1　定期接種実施要領
　予防接種法第5条第1項の規定による予防接種の実施に当たっては，予防接種法等関係法令を遵守するとともに，別添「**定期接種実施要領**」によること。
2　通知の廃止
　本通知の適用に伴い，「定期の予防接種の実施について」（平成17年1月17日付健発第0127005号厚生労働省健康局長通知），「定期のインフルエンザ予防接種の実施について」（平成17年6月16日付健発第0616002号厚生労働省健康局長通知）及び「日本脳炎の定期の予防接種について」（平成22年4月1日付健発0401第19号，薬食発0401第25号厚生労働省健康局長，医薬食品局長連名通知）は，平成25年3月31日をもって廃止する。

予防接種法施行規則及び予防接種実施規則の一部を改正する省令の施行等について
（平成25年9月11日健発0911第1号　厚生労働省健康局長通知）
　予防接種法施行規則及び予防接種実施規則の一部を改正する省令（平成25年厚生労働省令第100号）が本日公布され，本年11月1日から施行されるところである。これにより，小児の肺炎球菌感染症の定期の予防接種に用いるワクチンについて，沈降7価肺炎球菌結合型ワクチンから沈降13価肺炎球菌結合型ワクチンに変更されることとなり，その改正の概要等は下記のとおりである。また，上記省令の施行に併せて，「予防接種法第5条第1項の規定による予防接種の実施について」（平成25年3月30日付け健発0330第2号厚生労働省健康局長通知）の別添「定期接種実施要領」の一部を別紙のとおり改正し，本年11月1日から適用することとした。

予防接種実施規則の一部を改正する省令の施行等について
（平成26年3月24日健発0324第11号　厚生労働省健康局長通知）
　予防接種実施規則の一部を改正する省令（平成26年厚生労働省令第22号）が本日公布され，本年4月1日から施行されるところである。これにより，定期の予防接種について，接種間隔の上限の撤廃等が行われることとなり，その改正の概要等は下記のとおりである。また，上記省令の施行に併せて，「予防接種法第5条第1項の規定による予防接種の実施について」（平成25年3月30日付け健発0330第2号厚生労働省健康局長通知）の別添「定期接種実施要領」の一部を別紙のとおり改正し，本年4月1日から適用することとした。貴職におかれては，貴管内市町村（保健所を設置する市及び特別区を含む。）及び関係機関等へ周知を図るとともに，その実施に遺漏なきを期されたい。

予防接種法第5条第1項の規定による予防接種の実施について（付録59）423

「予防接種法第5条第1項の規定による予防接種の実施について」の一部改正について

（平成26年7月16日健発0716第31号　厚生労働省健康局長通知）

　予防接種法（昭和23年法律第68号）第5条第1項の規定により市町村長が行う予防接種については、「予防接種法第5条第1項の規定による予防接種の実施について」（平成25年3月30日付け健発0330第2号厚生労働省健康局長通知）の別添「定期接種実施要領」により示しているところである。今般、定期接種実施要領の一部について別紙のとおり改正することとしたので、貴職におかれては、貴管内市町村（保健所を設置する市及び特別区を含む。）及び関係機関等へ周知を図るとともに、その実施に遺漏なきを期されたい。

記

1　改正の概要
　(1) ヒトパピローマウイルス感染症について、平成25年6月14日以降、定期の予防接種の積極的な勧奨の差し控えを行っているところ、接種に当たっての留意点、接種後に広範な疼痛又は運動障害を中心とする多様な症状が発生した場合の対応などについて定めるもの。
　(2) 予防接種法施行令の一部を改正する政令（平成26年政令第247号）が今月2日に、予防接種法施行規則及び予防接種実施規則の一部を改正する省令（平成26年厚生労働省令第80号）が本日、それぞれ公布され、本年10月1日から定期の予防接種の対象疾病に水痘及び高齢者の肺炎球菌感染症が追加されることとなったことを受け、これらの予防接種の実施方法等について定めるもの。

2　施行期日
　1の(1)に係る部分（第二の7）については平成26年8月1日
　1の(2)に係る部分（第二の7以外の部分）については平成26年10月1日

（平成26年8月1日健発0801第3号　厚生労働省健康局長通知）

　予防接種法（昭和23年法律第68号）第5条第1項の規定により市町村長が行う予防接種については、「予防接種法第5条第1項の規定による予防接種の実施について」（平成25年3月30日付け健発0330第2号厚生労働省健康局長通知）の別添「定期接種実施要領」により示しているところである。今般、定期接種実施要領の一部について別紙のとおり改正することとしたので、貴職におかれては、貴管内市町村（保健所を設置する市及び特別区を含む。）及び関係機関等へ周知を図るとともに、その実施に遺漏なきを期されたい。

記

1　改正の概要
　平成26年10月1日から実施予定の高齢者の肺炎球菌感染症の定期の予防接種について、原則、皮下注射により接種を行うこととしていたところ、皮下注射又は筋肉内注射により行うこととするもの。

2　施行期日
　平成26年10月1日

（平成27年3月31日健発0331第51号　厚生労働省健康局長通知）

　予防接種法（昭和23年法律第68号）第5条第1項の規定により市町村長が行う予防接種については、「予防接種法第5条第1項の規定による予防接種の実施について」（平成25年3月30日付け健発0330第2号厚生労働省健康局長通知）の別添「定期接種実施要領」により示しているところである。今般、定期接種実施要領の一部について別紙のとおり改正することとした

付録

ので，貴職におかれては貴管内市町村（保健所を設置する市及び特別区を含む。）及び関係機関等へ周知を図るとともに，その実施に遺漏なきを期されたい。

記

1 改正の概要
(1) 定期的な検診の機会を利用した接種状況の確認で，3歳児健康診査の機会においても接種状況を確認することを追加すること。
(2) A類疾病の定期接種を集団接種で実施する際の注意事項として安全性の基準を定めていたところ，集団接種に限らず医療機関以外の場所で定期接種を実施する際の注意事項として安全性の基準を定めること。
(3) 平成27年度における日本脳炎の定期接種の積極的な勧奨の対象者について定めること。
(4) 水痘の定期接種における特例対象者について，平成26年度末をもって特例措置を終了すること。
(5) 水痘ワクチンの接種に当たっても，麻しん風しんワクチンと同様，溶解後速やかに接種することを定めること。
(6) 高齢者の肺炎球菌感染症の定期接種における特例対象者のうち，平成26年3月31日において100歳以上の者については，平成26年度末をもって特例措置を終了すること。

2 施行期日
平成27年4月1日

(平成28年3月30日健発0330第10号　厚生労働省健康局長通知)
　予防接種法（昭和23年法律第68号）第5条第1項の規定により市町村長が行う予防接種については，「予防接種法第5条第1項の規定による予防接種の実施について」（平成25年3月30日付け健発0330第2号厚生労働省健康局長通知）の別添「定期接種実施要領」により示しているところである。今般，定期接種実施要領の一部について別紙のとおり改正することとしたので，貴職におかれては貴管内市町村（保健所を設置する市及び特別区を含む。）及び関係機関等へ周知を図るとともに，その実施に遺漏なきを期されたい。

記

1 改正の概要
(1) 児童福祉施設等において，被接種者の保護者の住所又は居所を確認できないため保護者の同意の有無を確認することができない場合の取扱いについて定めること。
(2) 「行政手続きにおける特定の個人を識別するための番号の利用等に関する法律」の改正に伴う予防接種分野の対応について定めること。
(3) 平成28年度における日本脳炎の定期接種の積極的な勧奨の対象者について定めること。

2 施行期日
平成28年4月1日

(平成28年6月22日健発0622第5号　厚生労働省健康局長通知)
　予防接種法（昭和23年法律第68号）第5条第1項の規定により市町村長が行う予防接種については，「予防接種法第5条第1項の規定による予防接種の実施について」（平成25年3月30日付け健発0330第2号厚生労働省健康局長通知）の別添「定期接種実施要領」により示しているところである。今般，定期接種実施要領の一部について別紙のとおり改正することとしたので，貴職におかれては貴管内市町村（保健所を設置する市及び特別区を含む。）及び関係機関等へ周知を図るとともに，その実施に遺漏なきを期されたい。

予防接種法第５条第１項の規定による予防接種の実施について（付録61）425

記

1　改正の概要

予防接種法施行令の一部を改正する政令（平成28年政令第241号）及び予防接種法施行規則及び予防接種実施規則の一部を改正する省令（平成28年厚生労働省令第115号）が本日，それぞれ公布され，本年10月１日から定期の予防接種の対象疾患にＢ型肝炎が追加されることとなったことを受け，これらの予防接種の実施方法等について定めるもの。

2　施行期日

平成28年10月１日

（平成29年３月31日健発0331第７号　厚生労働省健康局長通知）

予防接種法（昭和23年法律第68号）第５条第１項の規定により市町村長が行う予防接種については，「予防接種法第５条第１項の規定による予防接種の実施について」（平成25年３月30日付け健発0330第２号厚生労働省健康局長通知）の別添「定期接種実施要領」により示しているところである。今般，定期接種実施要領の一部について別紙のとおり改正することとしたので，貴職におかれては貴管内市町村（保健所を設置する市及び特別区を含む。）及び関係機関等へ周知を図るとともに，その実施に遺漏なきを期されたい。

記

1　改正の概要

(1) 平成29年度以降における日本脳炎の２期の特例対象者に対する定期接種の積極的な勧奨について定めたこと。

なお，特例対象者以外の日本脳炎の対象者に対する積極的勧奨については，従前どおり取り扱うこと。

(2) その他必要な改正

2　施行期日

平成29年４月１日

（平成29年12月26日健発1226第８号　厚生労働省健康局長通知）

予防接種法（昭和23年法律第68号）第５条第１項の規定により市町村長が行う予防接種については，「予防接種法第５条第１項の規定による予防接種の実施について」（平成25年３月30日付け健発0330第２号厚生労働省健康局長　通知）の別添「定期接種実施要領」により示しているところである。今般，定期接種実施要領の一部について別紙のとおり改正することとしたので，貴職におかれては貴管内市町村（保健所を設置する市及び特別区を含む。）及び関係機関等へ周知を図るとともに，その実施に遺漏なきを期されたい。

記

1　改正の概要

(1) 定期的な検診の機会を利用した接種状況の把握において，３～４か月児健康診査など必要に応じて実施する健康診査の機会においても接種状況を把握することを追加すること。

(2) 接種前に母子健康手帳の提示を求める対象に小児を追加すること。

(3) 予防接種法第28条の規定による実費の徴収について，同条ただし書に規定する経済的理由には，市町村民税の課税状況や生活保護世帯又は中国残留邦人等支援給付の受給の

426 （付録62）定期接種実施要領

有無が含まれるため，予防接種を受けた者又はその保護者のこれらの状況を勘案し，実
費を徴収することができるかどうかを決定することについて定めること。
(4) 高齢者用肺炎球菌ワクチン予防接種予診票（様式第6）において，「皮下注射・筋肉内注
射の別」欄を追加すること。
(5) その他必要な改正

2 施行期日
平成29年12月26日

予防接種法施行令の一部を改正する政令等の施行等について

（平成31年2月1日健発0201第2号　厚生労働省健康局長通知）
　予防接種法施行令の一部を改正する政令（平成31年政令第20号）及び予防接種法施行規則及
び予防接種実施規則の一部を改正する省令（平成31年厚生労働省令第9号）については，本日
別紙1のとおり公布され，施行された。改正の概要は下記のとおりである。また，これに伴
い，別紙2のとおり「予防接種法第5条第1項の規定による予防接種の実施について」（平成
25年3月30日付け健発0330第2号厚生労働省健康局長通知）の別添「定期接種実施要領」を改
正する。貴職におかれては，これらについて貴管内市町村（保健所を設置する市及び特別区を
除く。以下同じ。）へ周知を図るとともに，その実施に遺漏なきを期されたい。（略）

記

第一　予防接種法施行令の一部を改正する政令について

1　改正の概要
　風しんに係る定期接種については，予防接種法施行令（昭和23年政令第197号）第1条の3
第1項の規定により，幼少期にある者を対象に，予防接種を受ける機会を確保している。
　昨年7月以降の風しんの発生状況等を踏まえ，厚生労働省として昨年12月に取りまとめた
風しんの追加的対策に基づき，予防接種法施行令の一部を改正し，平成34年3月31日までの
間に限り，風しんに係る公的接種を受ける機会がなかった昭和37年4月2日から昭和54年4
月1日までの間に生まれた（現在39歳から56歳）男性を，風しんに係る定期の予防接種の対象
者として追加することを規定する。

2　施行期日
　公布の日（平成31年2月1日）

第二　予防接種法施行規則及び予防接種実施規則の一部を改正する省令について

1　改正の概要
　上記政令改正により，平成34年3月31日までの間に限り，昭和37年4月2日から昭和54年
4月1日までの間に生まれた男性を対象に，風しんに係る定期の予防接種を行うことに伴い，
予防接種法施行規則（昭和23年厚生省令第36号）を改正し，追加的対策に係る予防接種を風し
んの第5期予防接種とし，その対象者から除かれる者として，風しんに係る抗体検査を受け
た結果，十分な量の風しんの抗体があることが判明し，予防接種を行う必要がないと認めら
れる者を規定する。
　また，予防接種実施規則（昭和33年厚生省令第27号）を改正し，風しんの第5期予防接種に
ついて，乾燥弱毒生風しんワクチン又は乾燥弱毒生麻しん風しん混合ワクチンを使用するこ
と及び接種量を0.5ミリリットルとすることを規定する。

2　施行期日
　公布の日（平成31年2月1日）

予防接種法第5条第1項の規定による予防接種の実施について（付録63）427

（平成31年3月20日健発0320第1号　厚生労働省健康局長通知）
　予防接種法施行令の一部を改正する政令の施行等について予防接種法施行令の一部を改正する政令（平成31年政令第48号）については，本日別紙1のとおり公布され，施行された。改正の概要は下記のとおりである。また，これに伴い，別紙2のとおり「予防接種法第5条第1項の規定による予防接種の実施について」（平成25年3月30日付け健発0330第2号厚生労働省健康局長通知）の別添「定期接種実施要領」を改正する。貴職におかれては，これらについて貴管内市町村（保健所を設置する市及び特別区を除く。以下同じ。）へ周知を図るとともに，その実施に遺漏なきを期されたい。なお，本通知は，地方自治法（昭和22年法律第67号）第245条の4第1項に規定する技術的な助言である。

記

第一　予防接種法施行令の一部を改正する政令について
1　改正の概要
　肺炎球菌感染症（高齢者がかかるものに限る。）については，予防接種法施行令の一部を改正する政令（平成26年政令第247号）附則第2項及び第3項に基づき，平成26年10月から定期接種の対象疾病として追加され，65歳，70歳，75歳，80歳，85歳，90歳，95歳又は100歳になる日の属する年度の初日から当該年度の末日までの間にある者に対し，さらに平成26年度中においては，平成25年度末に100歳以上の者に対し，経過措置として定期の予防接種を実施している。
　厚生科学審議会予防接種・ワクチン分科会における議論を踏まえ，予防接種法施行令の一部を改正し，平成31年4月1日から平成36年3月31日までの間の時限措置として，平成31年度から平成35年度までの間は，各当該年度に65歳，70歳，75歳，80歳，85歳，90歳，95歳，100歳になる日の属する年度の初日から当該年度の末日までの間にある者に対し，さらに平成31年度中においては，平成30年度末に100歳以上の者に対し，肺炎球菌感染症に係る定期接種を行うことを規定する。
2　施行期日
　公布の日（平成31年3月20日）　（略）

付
録

428 （付録64）定期接種実施要領

[別 紙] 定期接種実施要領

<table>
<tr><td rowspan="11">改正</td><td>平成17年7月29日健発第0729001号，</td><td>平成26年3月24日健発0324第11号，</td></tr>
<tr><td>平成18年5月31日健発第0531002号，</td><td>平成26年7月16日健発0716第31号，</td></tr>
<tr><td>平成19年3月29日健発第0329020号，</td><td>平成26年8月1日健発0801第3号，</td></tr>
<tr><td>平成20年3月21日健発第0321008号，</td><td>平成27年3月31日健発0331第51号，</td></tr>
<tr><td>平成21年6月2日健発第0602005号，</td><td>平成28年3月30日健発0330第10号，</td></tr>
<tr><td>平成22年8月27日健発0827第9号，</td><td>平成28年6月22日健発0622第5号，</td></tr>
<tr><td>平成23年5月20日健発0520第6号，</td><td>平成29年3月31日健発0331第7号，</td></tr>
<tr><td>平成24年7月31日健発0731第1号，</td><td>平成29年12月26日健発1226第8号，</td></tr>
<tr><td>平成24年9月28日健発0928第1号，</td><td>平成31年2月1日健発0201第2号，</td></tr>
<tr><td>平成24年10月23日健発1023第3号，</td><td>**平成31年3月20日健発0320第1号**</td></tr>
<tr><td>平成25年9月11日健発0911第1号，</td><td></td></tr>
</table>

第1 総論

1 **予防接種台帳**：市町村長（特別区の長を含む。以下同じ。）は，予防接種法（昭和23年法律第68号。以下「法」という。）第5条第1項の規定による予防接種（以下「定期接種」という。）の対象者について，あらかじめ住民基本台帳その他の法令に基づく適法な居住の事実を証する資料等に基づき様式第一の予防接種台帳を参考に作成し，予防接種法施行令（昭和23年政令第197号。以下「政令」という。）第6条の2や文書管理規程等に従い，少なくとも5年間は適正に管理・保存すること。

また，予防接種台帳を，未接種者の把握や市町村での情報連携等に有効活用するため，電子的な管理を行うことが望ましい。

2 **対象者等に対する周知**

(1) 定期接種を行う際は，政令第5条の規定による公告を行い，政令第6条の規定により定期接種の対象者又はその保護者に対して，あらかじめ，予防接種の種類，予防接種を受ける期日又は期間及び場所，予防接種を受けるに当たって注意すべき事項，予防接種を受けることが適当でない者，接種に協力する医師その他必要な事項が十分周知されること。その周知方法については，やむを得ない事情がある場合を除き，個別通知とし，確実な周知に努めること。

ヒトパピローマウイルス感染症の定期接種を行う際は，使用するワクチンについて，子宮頸がんそのものを予防する効果は現段階で証明されていないものの，子宮頸がんの原因となるがんに移行する前段階の病変の発生を予防する効果は確認されており，定期接種が子宮頸がんの予防を主眼としたものであることが適切に伝わるよう努めるものとし，また，B類疾病の定期接種を行う際は，接種を受ける法律上の義務はなく，かつ，自らの意思で接種を希望する者のみに接種を行うものであることを明示した上で，上記内容が十分周知されること。

(2) 予防接種の対象者又はその保護者に対する周知を行う際は，必要に応じて，母子健康手帳の持参，費用等も併せて周知すること。なお，母子健康手帳の持参は必ずしも求めるものではないが，接種を受けた記録を本人が確認できるような措置を講じること。

(3) 近年，定期接種の対象者に外国籍の者が増えていることから，多言語（日本語，英語，中国語，韓国語，ベトナム語，スペイン語，ポルトガル語，タイ語，インドネシア語，タガログ語，ネパール語等）等による周知等に努めること。

(4) 麻しん及び風しんの定期接種については，「麻しんに関する特定感染症予防指針」（平成19年厚生労働省告示第442号）及び「風しんに関する特定感染症予防指針」（平成26年厚生労働省告示第122号）において，第1期及び第2期の接種率目標を95％以上と定めており，また，結核の定期接種についても，「結核に関する特定感染症予防指針」（平成19年厚生労働省告示第72号）において，接種率目標を95％以上と定めていることから，予防接

を受けやすい環境を整え，接種率の向上を図ること。

(5) マイナポータルを通じたプッシュ型のお知らせ機能を積極的に活用すること。

3 予防接種実施状況の把握

(1) **既接種者及び未接種者の確認**：予防接種台帳等の活用により，「7　予防接種実施計画」で設定した接種予定時期を前提として，接種時期に応じた既接種者及び未接種者の数を早期のうちに確認し，管内における予防接種実施状況について的確に把握すること。

(2) **未接種者への再度の接種勧奨**：A類疾病の定期接種の対象者について本実施要領における標準的な実施時期を過ぎてもなお，接種を行っていない未接種者については，疾病罹患予防の重要性，当該予防接種の有効性，発生しうる副反応及び接種対象である期間について改めて周知した上で，本人及び保護者への個別通知等を活用して，引き続き接種勧奨を行うこと。

(3) **定期的な健診の機会を利用した接種状況の確認**：母子保健法(昭和40年法律第141号)に規定する健康診査(1歳6か月児健康診査及び3歳児健康診査のほか，3〜4か月児健康診査など必要に応じて実施する健康診査)及び学校保健安全法(昭和33年法律第56号)に規定する健康診断(就学時の健康診断)の機会を捉え，市町村長は，定期接種の対象となっている乳幼児の接種状況について，保健所又は教育委員会と積極的に連携することにより，その状況を把握し，未接種者に対しては，引き続き接種勧奨を行うこと。

(4) **風しんの第5期の定期接種の対象者への接種勧奨**：風しんの第5期の定期接種の対象者について，風しんに係る抗体検査を受けた結果，十分な量の風しんの抗体がないことが判明した者のうち未接種者については，疾病罹患予防の重要性，当該予防接種の有効性，発生しうる副反応及び接種対象である期間について周知した上で，本人への個別通知等を活用して，接種勧奨を行うこと。

4 予防接種に関する周知：市町村長は，予防接種制度の概要，予防接種の有効性・安全性及び副反応その他接種に関する注意事項等について，十分な周知を図ること。

5 接種の場所：定期接種については，適正かつ円滑な予防接種の実施のため，市町村長の要請に応じて予防接種に協力する旨を承諾した医師が医療機関で行う個別接種を原則とすること。ただし，予防接種の実施に適した施設において集団を対象にして行うこと(集団接種)も差し支えない。

また，定期接種の対象者が寝たきり等の理由から，当該医療機関において接種を受けることが困難な場合においては，予防接種を実施する際の事故防止対策，副反応対策等の十分な準備がなされた場合に限り，当該対象者が生活の根拠を有する自宅や入院施設等において実施しても差し支えない。これらの場合においては，「13　A類疾病の定期接種を集団接種で実施する際の注意事項」及び「14　医療機関以外の場所で定期接種を実施する際の注意事項」に留意すること。

なお，市町村長は，学校等施設を利用して予防接種を行う場合は，管内の教育委員会等関係機関と緊密な連携を図り実施すること。

6 接種液

(1) 接種液の使用に当たっては，標示された接種液の種類，有効期限であること及び異常な混濁，着色，異物の混入その他の異常がない旨を確認すること。

(2) 接種液の貯蔵は，生物学的製剤基準の定めるところによるほか，所定の温度が保たれていることを温度計によって確認できる冷蔵庫等を使用する方法によること。

また，ワクチンによって，凍結させないこと，溶解は接種直前に行い一度溶解したものは直ちに使用すること，溶解の前後にかかわらず光が当たらないよう注意することなどの留意事項があるので，それぞれ添付文書を確認の上，適切に貯蔵すること。

7 予防接種の実施計画

(1) 予防接種の実施計画の策定については，次に掲げる事項に留意すること。

ア　実施計画の策定に当たっては，地域医師会等の医療関係団体と十分協議するものと

430（付録66）定期接種実施要領

し，個々の予防接種が時間的余裕をもって行われるよう計画を策定すること。

また，インフルエンザの定期接種については，接種希望者がインフルエンザの流行時期に入る前（通常は12月中旬頃まで）に接種を受けられるよう計画を策定すること。

イ　接種医療機関において，予防接種の対象者が他の患者から感染を受けることのないよう，十分配慮すること。

ウ　予防接種の判断を行うに際して注意を要する者（（ア）から（キ）までに掲げる者をいう。以下同じ。）について，接種を行うことができるか否かに疑義がある場合は，慎重な判断を行うため，予防接種に関する相談に応じ，専門性の高い医療機関を紹介する等，一般的な対処方法等について，あらかじめ決定しておくこと。

（ア）　心臓血管系疾患，腎臓疾患，肝臓疾患，血液疾患，発育障害等の基礎疾患を有する者

（イ）　予防接種で接種後2日以内に発熱のみられた者及び全身性発疹等のアレルギーを疑う症状を呈したことがある者（なお，インフルエンザの定期接種に際しては，10(5)に記載したように，接種不適当者となることに注意すること）。

（ウ）　過去にけいれんの既往のある者

（エ）　過去に免疫不全の診断がされている者及び近親者に先天性免疫不全症の者がいる者

（オ）　接種しようとする接種液の成分に対してアレルギーを呈するおそれのある者

（カ）　バイアルのゴム栓に乾燥天然ゴム（ラテックス）が含まれている製剤を使用する際の，ラテックス過敏症のある者。

（キ）　結核の予防接種にあっては，過去に結核患者との長期の接触がある者その他の結核感染の疑いのある者

(2) 市区町村長は，予防接種の実施に当たっては，あらかじめ，予防接種を行う医師に対し実施計画の概要，予防接種の種類，接種対象者等について説明すること。

(3) 接種医療機関及び接種施設には，予防接種直後の即時性全身反応等の発生に対応するために必要な薬品及び用具等を備えておくこと。

8　対象者の確認：接種前に，予防接種の通知書その他本人確認書類の提示を求める等の方法により，接種の対象者であることを慎重に確認すること。

風しんの第5期の定期接種の実施に当たっては，風しんに係る抗体検査を受けた結果，十分な量の風しんの抗体があることが判明し，当該予防接種を行う必要がないと認められる者は定期接種の対象外となるため，対象者に抗体検査の結果の提示を求める等の方法により，接種の対象者を確認すること。

(注)風しんの第5期の定期接種の対象となる抗体価の基準は，別表1に掲げるとおりである。

なお，接種回数を決定するに当たっては，次のことに留意すること。

(1)「子宮頸がん等ワクチン接種緊急促進事業の実施について」(平成22年11月26日厚生労働省健康局長，医薬食品局長連名通知)に基づき過去に一部接種した回数については，既に接種した回数分の定期接種を受けたものとしてみなすこと。

(2) 海外等で受けた予防接種については，医師の判断と保護者の同意に基づき，既に接種した回数分の定期接種を受けたものとしてみなすことができること。

9　予診票

(1) 乳幼児や主に小学生が接種対象となっている定期接種（ジフテリア，百日せき，破傷風，急性灰白髄炎，麻しん，風しん，日本脳炎，結核，Hib感染症，小児の肺炎球菌感染症又は水痘）については**様式第二予防接種予診票（乳幼児・小学生対象）**を，ヒトパピローマウイルス感染症の定期接種のうち，接種を受ける者に保護者が同伴する場合及び接種を受ける者が既婚者の場合については**様式第三ヒトパピローマウイルス予防接種予診票（保護者が同伴する場合，受ける人が既婚の場合）**を，接種を受ける者に保護者が同伴

定期接種実施要領（付録67）431

しない場合については**様式第四**ヒトパピローマウイルス感染症予防接種予診票（保護者が同伴しない場合）を，インフルエンザの定期接種については**様式第五**インフルエンザ予防接種予診票を，高齢者の肺炎球菌感染症の定期接種については**様式第六**高齢者用肺炎球菌ワクチン予防接種予診票を，Ｂ型肝炎の定期接種については，**様式第八**Ｂ型肝炎予防接種予診票を，風しんの第５期の定期接種については，**様式第九**風しんの第５期の予防接種予診票を，それぞれ参考にして予診票を作成すること。

なお，予診票については，予防接種の種類により異なる紙色のものを使用すること等により予防接種の実施に際して混同を来さないよう配慮すること。

(2) 作成した予診票については，風しんの第５期の定期接種，インフルエンザの定期接種及び高齢者の肺炎球菌感染症の定期接種を除き，あらかじめ保護者に配付し，各項目について記入するよう求めること。

(3) 市町村長は，接種後に予診票を回収し，文書管理規程等に従い，少なくとも５年間は適正に管理・保存すること。

10　予診並びに予防接種不適当者及び予防接種要注意者

(1) 接種医療機関及び接種施設において，問診，検温，視診，聴診等の診察を接種前に行い，予防接種を受けることが適当でない者又は予防接種の判断を行うに際して注意を要する者に該当するか否かを調べること（以下「予診」という。）。

(2) 個別接種については，原則，保護者の同伴が必要であること。

ただし，政令第１条の３第２項の規定による対象者に対して行う予防接種，政令附則第２項による日本脳炎の定期接種及びヒトパピローマウイルス感染症の定期接種（いずれも13歳以上の者に接種する場合に限る。）において，あらかじめ，接種することの保護者の同意を予診票上の保護者自署欄にて確認できた者については，保護者の同伴を要しないものとする。

また，接種の実施に当たっては，被接種者本人が予防接種不適当者又は予防接種要注意者か否かを確認するために，予診票に記載されている質問事項に対する回答に関する本人への問診を通じ，診察等を実施したうえで，必要に応じて保護者に連絡するなどして接種への不適当要件の事実関係等を確認するための予診に努めること。

なお，被接種者が既婚者である場合は，この限りではない。

(3) 乳幼児・小児に対して予防接種を行う場合は，保護者に対し，接種前に母子健康手帳の提示を求めること。

(4) Ｂ類疾病の定期接種の実施に際しては，接種を受ける法律上の義務がないことから，対象者が自らの意思で接種を希望していることを確認すること。また，Ｂ類疾病の定期接種については，法の趣旨を踏まえ，積極的な接種勧奨とならないよう特に留意すること。なお，対象者の意思の確認が容易でない場合は，家族又はかかりつけ医の協力を得て，その意思を確認することも差し支えないが，明確に対象者の意思を確認できない場合は，接種してはならないこと。

(5) 予診の結果，異常が認められ，予防接種実施規則（昭和33年厚生省令第27号（以下「実施規則」という。））第６条に規定する者（予防接種を受けることが適当でない者）に該当する疑いのある者と判断される者に対しては，当日は接種を行わず，必要があるときは，精密検査を受けるよう指示すること。この場合，Ｂ類疾病の定期接種については，法の趣旨を踏まえ，積極的な接種勧奨とならないよう特に留意すること。なお，インフルエンザの定期接種で接種後２日以内に発熱のみられた者及び全身性発疹等のアレルギーを疑う症状を呈したことがある者で，インフルエンザワクチンの接種をしようとするものは，予防接種法施行規則（昭和23年厚生省令第36号。以下「施行規則」という。）第２条第９号（予防接種を行うことが不適当な状態にある者）に該当することに留意すること。

(6) 予防接種の判断を行うに際して注意を要する者については，被接種者の健康状態及び体質を勘案し，慎重に予防接種の適否を判断するとともに，説明に基づく同意を確実に

付録

432 （付録68）定期接種実施要領

得ること。

11 予防接種後副反応等に関する説明及び同意：予診の際は，予防接種の有効性・安全性，予防接種後の通常起こり得る反応及びまれに生じる重い副反応並びに予防接種健康被害救済制度について，定期接種の対象者又はその保護者がその内容を理解し得るよう適切な説明を行い，予防接種の実施に関して文書により同意を得た場合に限り接種を行うものとすること。

　ただし，政令第1条の3第2項の規定による対象者に対して行う予防接種，政令附則第2項による日本脳炎の定期接種及びヒトパピローマウイルス感染症の定期接種（いずれも13歳以上の者に接種する場合に限る。）において，保護者が接種の場に同伴しない場合には，予防接種の有効性・安全性，予防接種後の通常起こり得る副反応及びまれに生じる重い副反応並びに予防接種健康被害救済制度についての説明を事前に理解する必要があるため，**様式第四**ヒトパピローマウイルス感染症予防接種予診票（保護者が同伴しない場合）を参考に，説明に関する情報を含有している予診票を作成した上で，事前に保護者に配布し，保護者がその内容に関する適切な説明を理解したこと及び予防接種の実施に同意することを当該予診票により確認できた場合に限り接種を行うものとすること。

　なお，児童福祉施設等において，接種の機会ごとに保護者の文書による同意を得ることが困難であることが想定される場合には，当該施設等において，保護者の包括的な同意文書を事前に取得しておくことも差し支えなく，また，被接種者が既婚者である場合は，被接種者本人の同意にて足りるものとする。

　さらに，児童福祉施設等において，被接種者の保護者の住所又は居所を確認できないため保護者の同意の有無を確認することができない場合の取扱については，「児童相談所長等の親権行使による同意に基づく予防接種の実施について」（平成27年12月22日健発1222第1号・雇児発1222第5号・障発1222第2号厚生労働省健康局長，雇用均等・児童家庭局長，社会・援護局障害保健福祉部長通知）を参照すること。

　また，被接種者が次に掲げるいずれかに該当する場合であって，それぞれに定める者が，被接種者の保護者の住所又は居所を確認できるものの長期間にわたり当該被接種者の保護者と連絡をとることができない等の事由により，保護者の同意の有無を確認することができないときは，当該被接種者の保護者に代わって，それぞれに定める者から予防接種に係る同意を得ることができる。

　　ア　小規模住居型児童養育事業を行う者又は里親（以下「里親等」という。）に委託されている場合　当該里親等
　　イ　児童福祉施設に入所している場合　当該児童福祉施設の長
　　ウ　児童相談所に一時保護されている場合　当該児童相談所長

12 接種時の注意

(1) 予防接種を行うに当たっては，次に掲げる事項を遵守すること。

　　ア　予防接種に従事する者は，手指を消毒すること。
　　イ　ワクチンによって，凍結させないこと，溶解は接種直前に行い一度溶解したものは直ちに使用すること，溶解の前後にかかわらず光が当たらないよう注意することなどの留意事項があるので，それぞれ添付文書を確認の上，適切に使用すること。
　　ウ　接種液の使用に当たっては，有効期限内のものを均質にして使用すること。
　　エ　バイアル入りの接種液は，栓及びその周囲をアルコール消毒した後，栓を取り外さないで吸引すること。
　　オ　接種液が入っているアンプルを開口するときは，開口する部分をあらかじめアルコール消毒すること。
　　カ　結核，ヒトパピローマウイルス感染症及び高齢者の肺炎球菌感染症以外の予防接種にあっては，原則として上腕伸側に皮下接種により行う。接種前には接種部位をアルコール消毒し，接種に際しては注射針の先端が血管内に入っていないことを確認する

定期接種実施要領（付録69）433

こと。同一部位への反復しての接種は避けること。

キ　結核の予防接種にあっては，接種前に接種部位をアルコール消毒し，接種に際しては接種部位の皮膚を緊張させ，ワクチンの懸濁液を上腕外側のほぼ中央部に滴下塗布し，９本針植付けの経皮用接種針（管針）を接種皮膚面に対してほぼ垂直に保ちこれを強く圧して行うこと。接種数は２箇とし，管針の円跡は相互に接するものとすること。

ク　ヒトパピローマウイルス感染症の予防接種にあっては，ワクチンの添付文書の記載に従って，組換え沈降２価ヒトパピローマウイルス様粒子ワクチンを使用する場合は原則として上腕の三角筋部に，組換え沈降４価ヒトパピローマウイルス様粒子ワクチンを使用する場合は原則として上腕の三角筋部又は大腿四頭筋部に筋肉内注射する。接種前に接種部位をアルコール消毒し，接種に際しては注射針の先端が血管内に入っていないことを確認すること。同一部位への反復しての接種は避けること。

ケ　高齢者の肺炎球菌感染症の予防接種にあっては，原則として上腕伸側に皮下接種又は筋肉内注射により行う。接種前には接種部位をアルコール消毒し，接種に際しては注射針の先端が血管内に入っていないことを確認すること。

コ　接種用具等の消毒は，適切に行うこと。

(2) 被接種者及び保護者に対して，次に掲げる事項を要請すること。

ア　接種後は，接種部位を清潔に保ち，接種当日は過激な運動を避けるよう注意し，又は注意させること。

イ　接種後，接種局所の異常反応や体調の変化を訴える場合は，速やかに医師の診察を受け，又は受けさせること。

ウ　被接種者又は保護者は，イの場合において，被接種者が医師の診察を受けたときは，速やかに当該予防接種を行った市町村（特別区を含む。以下同じ。）の担当部局に連絡すること。

13　A類疾病の定期接種を集団接種で実施する際の注意事項

(1) 実施計画の策定：予防接種の実施計画の策定に当たっては，予防接種を受けることが適当でない者を確実に把握するため，特に十分な予診の時間を確保できるよう留意すること。

(2) 接種会場

ア　冷蔵庫等の接種液の貯蔵設備を有するか，又は接種液の貯蔵場所から短時間で搬入できる位置にあること。

イ　２種類以上の予防接種を同時に行う場合は，それぞれの予防接種の場所が明瞭に区別され，適正な実施が確保されるよう配慮すること。

(3) 接種用具等の整備

ア　接種用具等，特に注射針，体温計等多数必要とするものは，市区町村が準備しておくこと。

イ　注射器は，２ミリリットル以下のものを使用すること。

ウ　接種用具等を滅菌する場合は，煮沸以外の方法によること。

(4) 予防接種の実施に従事する者

ア　予防接種を行う際は，予診を行う医師１名及び接種を行う医師１名を中心とし，これに看護師，保健師等の補助者２名以上及び事務従事者若干名を配して班を編制し，各班員が行う業務の範囲をあらかじめ明確に定めておくこと。

イ　班の中心となる医師は，あらかじめ班員の分担する業務について必要な指示及び注意を行い，各班員はこれを遵守すること。

(5) 保護者の同伴要件：集団接種については，原則，保護者の同伴が必要であること。

ただし，政令第１条の３第２項の規定による対象者に対して行う予防接種，政令附則第２項による日本脳炎の定期接種及びヒトパピローマウイルス感染症の定期接種（いずれも13歳以上の者に接種する場合に限る。）において，あらかじめ，接種することの保護

付録

434 (付録70)定期接種実施要領

者の同意を予診票上の保護者自署欄にて確認できた者については，保護者の同伴を要しないものとする。

　また，接種の実施に当たっては，被接種者本人が予防接種不適当者又は予防接種要注意者か否かを確認するために，予診票に記載されている質問事項に対する回答内容に関する本人への問診を通じ，診察等を実施したうえで，必要に応じて保護者に連絡するなどして接種への不適当要件の事実関係等を確認するための予診に努めること。

なお，被接種者が既婚者である場合は，この限りではない。

(6) **予防接種を受けることが適当でない状態の者への注意事項**：予診を行う際は，接種場所に予防接種を受けることが適当でない状態等の注意事項を掲示し，又は印刷物を配布して，保護者から予防接種の対象者の健康状態，既往症等の申出をさせる等の措置をとり，接種を受けることが不適当な者の発見を確実にすること。

(7) **女性に対する接種の注意事項**：政令第1条の2第2項の規定による対象者に対して行う予防接種，政令附則第2項で定める日本脳炎の定期接種及びヒトパピローマウイルス感染症の定期接種対象者のうち，13歳以上の女性への接種にあたっては，妊娠中若しくは妊娠している可能性がある場合には原則接種しないこととし，予防接種の有益性が危険性を上回ると判断した場合のみ接種できる。このため，接種医は，入念な予診が尽くされるよう，予診票に記載された内容だけで判断せず，必ず被接者本人に，口頭で記載事実の確認を行うこと。また，その際，被接種者本人が事実を話しやすいような環境づくりに努めるとともに，本人のプライバシーに十分配慮すること。

14　医療機関以外の場所で定期接種を実施する際の注意事項

(1) **安全基準の遵守**：市町村長は，医療機関以外の場所での予防接種の実施においては，被接種者に副反応が起こった際に応急対応が可能なように下記における安全基準を確実に遵守すること。

ア　経過観察措置：市町村長は，予防接種が終了した後に，短時間のうちに，被接種者の体調に異変が起きても，その場で応急治療等の迅速な対応ができるよう，接種を受けた者の身体を落ち着かせ，接種した医師，接種に関わった医療従事者又は実施市町村の職員等が接種を受けた者の身体の症状を観察できるように，接種後ある程度の時間は接種会場に止まらせること。また，被接種者の体調に異変が起きた場合に臥床することが可能なベッド等を準備するよう努めること。

イ　応急治療措置：市町村長は，医療機関以外の場所においても，予防接種後，被接種者にアナフィラキシーショックやけいれん等の重篤な副反応がみられたとしても，応急治療ができるよう救急処置物品(血圧計，静脈路確保用品，輸液，エピネフリン・抗ヒスタミン剤・抗けいれん剤・副腎皮質ステロイド剤等の薬液，喉頭鏡，気管内チューブ，蘇生バッグ等)を準備すること。

ウ　救急搬送措置：市町村長は，被接種者に重篤な副反応がみられた場合，速やかに医療機関における適切な治療が受けられるよう，医療機関への搬送手段を確保するため，市町村にて保有する車両を活用すること又は，事前に緊急車両を保有する消防署及び近隣医療機関等と接種実施日等に関して，情報共有し，連携を図ること。

(2) **次回以降の接種時期及び接種方法の説明**：市町村長は，医療機関以外の場所で行った予防接種について，次回以降の接種が必要な場合は，被接種者本人又はその保護者に対して，次回以降の接種時期及び接種方法について十分に説明すること。

(3) **副反応が発生した場合の連絡先**：市町村長は，接種後に接種局所の異常反応や体調の変化が生じた際の連絡先として，接種医師の氏名及び接種医療機関の連絡先を接種施設に掲示し，又は印刷物を配布することにより，被接種者本人等に対して確実に周知すること。

(4) **実施体制等**：(1)から(3)までに定めるもののほか，医療機関以外の場所で定期接種を実施する場合は，「13A類疾病の定期接種を集団接種で実施する際の注意事項」の(1)か

ら(3)まで, (6)及び(7)と同様とすること。

15 実費の徴収

法第28条の規定による実費の徴収について, 同条ただし書に規定する経済的理由には, 市町村民税の課税状況や生活保護又は中国残留邦人等支援給付の受給の有無が含まれるため, 予防接種を受けた者又はその保護者のこれらの状況を勘案し, 実費を徴収することができるかどうかを判断すること。

16 予防接種に関する記録及び予防接種済証の交付

(1) 予防接種を行った際は, 施行規則に定める様式による予防接種済証を交付すること。

(2) 予防接種を行った際, 乳幼児・小児については, (1)に代え母子健康手帳に予防接種の種類, 接種年月日その他の証明すべき事項を記載すること。

(3) 平成24年に改正された母子健康手帳では, 乳幼児のみならず, 学童, 中学校, 高等学校相当の年齢の者に接種する予防接種についても記載欄が設けられていることから, 母子健康手帳に予防接種の種類, 接種年月日その他の証明すべき事項を記載することにより, (1)に代えることができること。

17 予防接種の実施の報告:市町村長は, 定期接種を行ったときは, 政令第7条の規定による報告を「地域保健・健康増進事業報告」(厚生労働省政策統括官(統計・情報政策担当)作成)の作成要領に従って行うこと。

18 都道府県の麻しん及び風しん対策の会議への報告:「麻しんに関する特定感染症予防指針」(平成19年厚生労働省告示第442号)及び「風しんに関する特定感染症予防指針」(平成26年厚生労働省告示第122号)に基づき, 都道府県知事は, 管内市区町村長と連携し, 管内における麻しん及び風しんの予防接種実施状況等を適切把握し, 都道府県を単位として設置される麻しん及び風しん対策の会議に速やかに報告すること。

19 他の予防接種との関係

(1) 乾燥弱毒生麻しん風しん混合ワクチン, 乾燥弱毒生麻しんワクチン, 乾燥弱毒生風しんワクチン, 経皮接種用乾燥BCGワクチン又は乾燥弱毒性水痘ワクチンを接種した日から別の種類の予防接種を行うまでの間隔は, 27日以上おくこと。沈降精製百日せきジフテリア破傷風不活化ポリオ混合ワクチン, 沈降精製百日せきジフテリア破傷風混合ワクチン, 不活化ポリオワクチン, 乾燥細胞培養日本脳炎ワクチン, 沈降ジフテリア破傷風混合トキソイド, 乾燥ヘモフィルスb型ワクチン, 沈降13価肺炎球菌結合型ワクチン, 組換え沈降2価(4価)ヒトパピローマウイルス様粒子ワクチン, 組換え沈降B型肝炎ワクチン, インフルエンザHAワクチン又は23価肺炎球菌莢膜ポリサッカライドワクチンを接種した日から別の種類の予防接種を行うまでの間隔は, 6日以上おくこと。

(2) 2種類以上の予防接種を同時に同一の接種対象者に対して行う同時接種(混合ワクチン・混合トキソイドを使用する場合は, 1つのワクチンと数え, 同時接種としては扱わない。)は, 医師が特に必要と認めた場合に行うことができること。

20 長期にわたり療養を必要とする疾病にかかった者等の定期接種の機会の確保

(1) インフルエンザを除く法の対象疾病(以下「特定疾病」という。)について, それぞれ政令で定める予防接種の対象者であった者(当該特定疾病にかかっている者又はかかったことのある者その他施行規則第2条各号に規定する者を除く。)であって, 当該予防接種の対象者であった間に, (2)の特別の事情があることにより予防接種を受けることができなかったと認められる者については, 当該特別の事情がなくなった日から起算して2年(高齢者の肺炎球菌感染症に係る定期接種を受けることができなかったと認められるものについては, 当該特別の事情がなくなった日から起算して1年)を経過する日までの間((3)に掲げる疾病については, それぞれ, (3)に掲げるまでの間である場合に限る。), 当該特定疾病の定期接種の対象者とすること。

(2) 特別の事情

ア 次の(ア)から(ウ)までに掲げる疾病にかかったこと(やむを得ず定期接種を受ける

436 (付録72) 定期接種実施要領

ことができなかった場合に限る。)
- (ア) 重症複合免疫不全症，無ガンマグロブリン血症その他免疫の機能に支障を生じさせる重篤な疾病
- (イ) 白血病，再生不良性貧血，重症筋無力症，若年性関節リウマチ，全身性エリテマトーデス，潰瘍性大腸炎，ネフローゼ症候群その他免疫の機能を抑制する治療を必要とする重篤な疾病
- (ウ) (ア)又は(イ)の疾病に準ずると認められるもの
   (注)上記に該当する疾病の例は，別表2に掲げるとおりである。ただし，これは，別表2に掲げる疾病にかかったことのある者又はかかっている者が一律に予防接種不適当者であるということを意味するものではなく，予防接種実施の可否の判断は，あくまで予診を行う医師の診断の下，行われるべきものである。
- イ 臓器の移植を受けた後，免疫の機能を抑制する治療を受けたこと(やむを得ず定期接種をうけることができなかった場合に限る。)
- ウ 医学的知見に基づきア又はイに準ずると認められるもの

(3) 対象期間の特例
- ア ジフテリア，百日せき，急性灰白髄炎及び破傷風については，15歳(沈降精製百日せきジフテリア破傷風不活化ポリオ混合ワクチンを使用する場合に限る。)に達するまでの間
- イ 結核については，4歳に達するまでの間
- ウ Hib感染症については，10歳に達するまでの間
- エ 小児の肺炎球菌感染症については，6歳に達するまでの間

(4) 留意事項
市町村は，(2)の「特別の事情」があることにより定期接種を受けることができなかったかどうかについては，被接種者が疾病にかかっていたことや，やむを得ず定期接種を受けることができなかったと判断した理由等を記載した医師の診断書や当該者の接種歴等により総合的に判断すること。

(5) 厚生労働省への報告
上記に基づき予防接種を行った市町村長は，被接種者の接種時の年齢，当該者がかかっていた疾病の名称等特別の事情の内容，予防接種を行った疾病，接種回数等を，任意の様式により速やかに厚生労働省健康局健康課に報告すること。

21 他の市町村等での予防接種
保護者が里帰りをしている場合，定期接種の対象者が医療機関等に長期入院している場合等の理由により，通常の方法により定期接種を受けることが困難な者等が定期接種を受けることを希望する場合には，予防接種を受ける機会を確保する観点から，居住地以外の医療機関と委託契約を行う，居住地の市町村長から里帰り先の市町村長へ予防接種の実施を依頼する，又は居住地の市町村長が定期接種の対象者から事前に申請を受け付けた上で償還払いを行う等の配慮をすること。

22 予防接種の間違い
- (1) 市町村長は，定期接種を実施する際，予防接種に係る間違いの発生防止に努めるとともに，間違いの発生を迅速に把握できる体制をとり，万が一，誤った用法用量でワクチンを接種した場合や，有効期限の切れたワクチンを接種した場合，血液感染を起しうる場合等の重大な健康被害につながるおそれのある間違いを把握した場合には，以下の①から⑨までの内容を任意の様式に記載し，都道府県を経由して，厚生労働省健康局健康課に速やかに報告すること。
   ①予防接種を実施した機関
   ②ワクチンの種類，メーカー，ロット番号
   ③予防接種を実施した年月日(間違い発生日)

定期接種実施要領（付録73）437

④間違いに係る被接種者数
⑤間違いの概要と原因
⑥市町村長の講じた間違いへの対応（公表の有無を含む。）
⑦健康被害発生の有無（健康被害が発生した場合は，その内容）
⑧今後の再発防止策
⑨市町村担当者の連絡先（電話番号，メールアドレス等）
(2) 接種間隔の誤りなど，直ちに重大な健康被害につながる可能性が低い間違いについては，(1)で報告した間違いを含めて，都道府県において，管内の市町村で当該年度（毎年4月1日から翌年3月31日までの間）に発生した間違いを取りまとめの上，その間違いの態様ごとに平成29年3月30日付事務連絡の別添様式を用いて，翌年度4月30日までに厚生労働省健康局健康課に報告すること。
(3) 予防接種の間違いが発生した場合は，市町村において，直ちに適切な対応を講じるとともに，再発防止に万全を期すこと。

23　副反応疑い報告

法の規定による副反応疑い報告については，「定期の予防接種等による副反応の報告等の取扱いについて」（平成25年3月30日付健発0330第3号，薬食発0330第1号厚生労働省健康局長，医薬食品局長連名通知）を参照すること。

24　「行政手続における特定の個人を識別するための番号の利用等に関する法律」における予防接種分野の対応

「行政手続における特定の個人を識別するための番号の利用等に関する法律」に基づく情報連携については，「「行政手続における特定の個人を識別するための番号の利用等に関する法律」の改正に伴う予防接種分野の対応について」（平成27年11月11日付事務連絡），「医療費・医療手当請求書等の様式変更について」（平成27年12月21日健発1221第4号厚生労働省健康局長通知），「子育てワンストップサービスの導入に向けた検討について」（平成28年12月14日付事務連絡）及び「情報提供ネットワークシステムを使用して地方税関係情報の提供を行う場合に本人の同意が必要となる事務における所要の措置について」（平成29年6月27日付事務連絡）等の関係通知等に留意して，適切に運用すること。

第2　各論

1　ジフテリア，百日せき，急性灰白髄炎及び破傷風の予防接種

(1) ジフテリア，百日せき，急性灰白髄炎及び破傷風について同時に行う第1期の予防接種は，沈降精製百日せきジフテリア破傷風不活化ポリオ混合ワクチンを使用し，初回接種については生後3月に達した時から生後12月に達するまでの期間を標準的な接種期間として20日以上，標準的には20日から56日までの間隔を置いて3回，追加接種については初回接種終了後6月以上，標準的には12月から18月までの間隔をおいて1回行うこと。
(2) ジフテリア，百日せき及び急性灰白髄炎について，ジフテリア，急性灰白髄炎及び破傷風について又は百日せき，急性灰白髄炎及び破傷風について同時に行う第1期の予防接種は，(1)と同様とすること。
(3) ジフテリア，百日せき及び破傷風について同時に行う第1期の予防接種は，沈降精製百日せきジフテリア破傷風不活化ポリオ混合ワクチン又は沈降精製百日せきジフテリア破傷風混合ワクチンを使用し，初回接種については生後3月に達した時から生後12月に達するまでの期間を標準的な接種期間として20日以上，標準的には20日から56日までの間隔を置いて3回，追加接種については初回接種終了後6月以上，標準的には12月から18月までの間隔をおいて1回行うこと。
(4) ジフテリア及び百日せきについて又は百日せき及び破傷風について同時に行う第1期の予防接種は，(3)と同様とすること。
(5) ジフテリア及び急性灰白髄炎について，百日せき及び急性灰白髄炎について又は急性灰白髄炎及び破傷風について同時に行う第1期の予防接種は，(1)と同様とすること。

付録

438 （付録74）定期接種実施要領

(6) ジフテリア及び破傷風について同時に行う第1期の予防接種は，沈降精製百日せきジフテリア破傷風不活化ポリオ混合ワクチン又は沈降精製百日せきジフテリア破傷風混合ワクチンを使用した時は，初回接種については生後3月に達した時から生後12月に達するまでの期間を標準的な接種期間として20日以上，標準的には20日から56日までの間隔を置いて3回，追加接種については初回接種終了後6月以上，標準的には12月から18月までの間隔をおいて1回行うこと。

また，沈降ジフテリア破傷風混合トキソイドを使用した時は，初回接種については生後3月に達した時から生後12月に達するまでの期間を標準的な接種期間として20日以上，標準的には20日から56日までの間隔を置いて2回，追加接種については初回接種終了後6月以上，標準的には12月から18月までの間隔をおいて1回行うこと。

(7) ジフテリア又は破傷風の第1期の予防接種は，(6)と同様とすること。

(8) 百日せきの第1期の予防接種は，(3)と同様とすること。

(9) 急性灰白髄炎の予防接種は，沈降精製百日せきジフテリア破傷風不活化ポリオ混合ワクチンを使用した時は，初回接種については生後3月に達した時から生後12月に達するまでの期間を標準的な接種期間として20日以上，標準的には20日から56日までの間隔を置いて3回，追加接種については初回接種終了後6月以上，標準的には12月から18月までの間隔をおいて1回行うこと。

また，不活化ポリオワクチンを使用したときは，初回接種については，生後3月に達した時から生後12月に達するまでの期間を標準的な接種期間として，20日以上の間隔を置いて3回，追加接種については初回接種終了後6月以上，標準的には12月から18月までの間隔をおいて1回行うこと。

(10) 第1期の予防接種の初回接種においては，沈降精製百日せきジフテリア破傷風不活化ポリオ混合ワクチン，沈降精製百日せきジフテリア破傷風混合ワクチン又は沈降ジフテリア破傷風混合トキソイドのうちから，使用するワクチンを選択することが可能な場合であっても，同一種類のワクチンを必要回数接種すること。

(11) ジフテリア及び破傷風について同時に行う第2期の予防接種は，沈降ジフテリア破傷風混合トキソイドを使用し，11歳に達した時から12歳に達するまでの期間を標準的な接種期間として1回行うこと。

(12) ジフテリア又は破傷風の第2期の予防接種は，(11)と同様とすること。

(13) ジフテリア，百日せき，急性灰白髄炎又は破傷風のいずれかの既罹患者においては，既罹患疾病以外の疾病に係る予防接種のために既罹患疾病に対応するワクチン成分を含有する混合ワクチンを使用することを可能とする。

ただし，第2期の予防接種に使用するワクチンは沈降ジフテリア破傷風混合トキソイドのみとする。

(14) 急性灰白髄炎の予防接種については，次のことに留意すること。

ア　急性灰白髄炎の予防接種の対象者については，原則として，平成24年9月1日より前の接種歴に応じた接種回数とすることから，予防接種台帳による確認や保護者からの聞き取り等を十分に行い，接種歴の把握に努める必要があること。

イ　平成24年9月1日より前に経口生ポリオワクチンを1回接種した者については，平成24年9月1日以降は，急性灰白髄炎の初回接種を1回受けたものとみなす。なお，平成24年9月1日より前に経口生ポリオワクチンを2回接種した者は，定期の予防接種として受けることはできないこと。

(15) ジフテリア，百日せき，急性灰白髄炎及び破傷風の予防接種について，平成26年4月1日より前に，予防接種実施規則の一部を改正する省令(平成26年厚生労働省令第22号。以下「改正省令」という。)による改正前の実施規則(以下「旧規則」という。)に規定する接種の間隔を超えて行った接種であって，改正省令による改正後の実施規則に規定する予防接種に相当する接種を受けた者は，医師の判断と保護者の同意に基づき，既に接種

定期接種実施要領（付録75）439

した回数分の定期接種を受けたものとしてみなすことができること。

2 麻しん又は風しんの予防接種

(1) 対象者

ア 麻しん又は風しんの第1期の予防接種は，乾燥弱毒生麻しんワクチン又は乾燥弱毒生風しんワクチン若しくは乾燥弱毒生麻しん風しん混合ワクチンにより，生後12月から生後24月に至るまでの間にある者に対し，1回行うこと。この場合においては，早期の接種機会を確保すること。

イ 麻しん又は風しんの第2期の予防接種は，乾燥弱毒生麻しんワクチン又は乾燥弱毒生風しんワクチン若しくは乾燥弱毒生麻しん風しん混合ワクチンにより，5歳以上7歳未満の者であって，小学校就学の始期に達する日の1年前の日から当該始期に達する日の前日までの間にあるもの(小学校就学前の1年間にある者)に対し，1回行うこと。なお，麻しん及び風しんの第1期又は第2期の予防接種において，麻しん及び風しんの予防接種を同時に行う場合は，乾燥弱毒生麻しん風しん混合ワクチンを使用すること。

ウ 風しんの第5期の予防接種は，原則，乾燥弱毒生麻しん風しん混合ワクチンにより，昭和37年4月2日から昭和54年4月1日の間に生まれた男性(風しんに係る抗体検査を受けた結果，十分な量の風しんの抗体があることが判明し，当該予防接種を行う必要がないと認められる者を除く)に対し，1回行うこと。

(2) 接種液の用法：乾燥弱毒生麻しんワクチン，乾燥弱毒生風しんワクチン及び乾燥弱毒生麻しん風しん混合ワクチンは，溶解後にウイルス力価が低下することから，溶解後速やかに接種すること。

(3) 麻しん又は風しんに既罹患である場合の混合ワクチンの使用：麻しん又は風しんに既に罹患した者については，既罹患疾病以外の疾病に係る予防接種を行う際，混合ワクチンを使用することが可能である。

(4) 風しんの第5期の予防接種における休日・夜間における接種機会の確保

風しんの第5期の予防接種については，被接種者の利便性向上の観点から，休日・夜間における接種機会を確保するよう努めること。

3 日本脳炎の予防接種

(1) 日本脳炎の第1期の予防接種は，乾燥細胞培養日本脳炎ワクチンにより，初回接種については3歳に達した時から4歳に達するまでの期間を標準的な接種期間として6日以上，標準的には6日から28日までの間隔を置いて2回，追加接種については，初回接種終了後6月以上，標準的にはおおむね1年を経過した時期に，4歳に達した時から5歳に達するまでの期間を標準的な接種期間として1回行うこと。

(2) 第2期の予防接種は，乾燥細胞培養日本脳炎ワクチンにより，9歳に達した時から10歳に達するまでの期間を標準的な接種期間として1回行うこと。

(3) 予防接種の特例

ア 実施規則附則第4条の対象者(平成19年4月2日から平成21年10月1日に生まれた者で，平成22年3月31日までに日本脳炎の第1期の予防接種が終了していない者で，生後6月から90月又は9歳以上13歳未満にある者)

(ア) 実施規則附則第4条第1項により，残り2回日本脳炎の予防接種を行う場合は，乾燥細胞培養日本脳炎ワクチンにより，6日以上の間隔をおいて2回接種すること。なお既に接種済みの1回と今回の接種間隔については，6日以上の間隔をおくこと。

(イ) 実施規則附則第4条第1項により，残り1回の日本脳炎の予防接種を行う場合は，乾燥細胞培養日本脳炎ワクチンにより，1回接種すること。なお，既に接種済みの2回と今回の接種間隔については，6日以上の間隔をおくこと。

(ウ) 実施規則附則第4条第2項による日本脳炎の予防接種は，乾燥細胞培養日本脳

付録

440 （付録76）定期接種実施要領

炎ワクチンにより，6日以上，標準的には6日から28日までの間隔をおいて2回，追加接種については2回接種後6月以上，標準的にはおおむね1年を経過した時期に1回接種すること。

（エ）　実施規則附則第4条第3項による日本脳炎の予防接種は，乾燥細胞培養日本脳炎ワクチンにより，実施規則附則第4条第1項又は第2項により，9歳以上13歳未満の者が第1期の接種を受け終え，第2期の接種を受ける場合，6日以上の間隔をおいて，1回接種すること。

イ　実施規則附則第5条の対象者（平成7年4月2日から平成19年4月1日に生まれた者で，20歳未満にある者：平成17年5月30日の積極的勧奨の差し控えによって第1期，第2期の接種が行われていない可能性がある者）

（ア）　実施規則附則第5条第1項により，残り3回の日本脳炎の予防接種を行う場合（第1期の初回接種を1回受けた者（第1回目の接種を受けた者））は，乾燥細胞培養日本脳炎ワクチンにより，6日以上の間隔をおいて残り2回の接種を行うこととし，第4回目の接種は，9歳以上の者に対して，第3回目の接種終了後6日以上の間隔をおいて行うこと。

（イ）　実施規則附則第5条第1項により，残り2回の日本脳炎の予防接種を行う場合（第1期の初回接種を2回受けた者（第2回目の接種を受けた者））は，乾燥細胞培養日本脳炎ワクチンにより，6日以上の間隔をおいて第3回目の接種を行うこととし，第4回目の接種は，9歳以上の者に対して，第3回目の接種終了後6日以上の間隔をおいて行うこと。

（ウ）　実施規則附則第5条第1項により，残り1回の日本脳炎の予防接種を行う場合（第1期の接種が終了した者（第3回目の接種を受けた者））は，乾燥細胞培養日本脳炎ワクチンにより，第4回目の接種として，9歳以上の者に対して，第3回目の接種終了後6日以上の間隔をおいて行うこと。

（エ）　実施規則附則第5条第2項から第5項による日本脳炎の予防接種は，乾燥細胞培養日本脳炎ワクチンにより，第1回目及び第2回目の接種として6日以上，標準的には6日から28日までの間隔をおいて2回，第3回目の接種については第2回目の接種後6月以上，標準的にはおおむね1年を経過した時期に1回接種すること。第4回目の接種は，9歳以上の者に対して第3回目の接種終了後，6日以上の間隔をおいて1回接種すること。

(4) 平成29～36年度における予防接種の特例に係る積極的な勧奨

ア　対象者：平成29～36年度に18歳となる者（平成11年4月2日から平成19年4月1日までに生まれた者）については，平成17年5月30日から平成22年3月31日までの積極的な勧奨の差し控えにより，第2期の接種勧奨が十分に行われていないことから，(3)の接種方法に沿って，年度毎に18歳となる者に対して予防接種の積極的な勧奨を行うこと。

イ　積極的な勧奨に当たって，個別通知を行う際には，予防接種台帳を確認して予防接種を完了していない者にのみ通知を行う方法又は対象年齢の全員に通知した上で，接種時に母子健康手帳等により残りの接種すべき回数を確認する方法のいずれの方法でも差し支えない。

ウ　積極的勧奨の差し控えが行われていた期間に，定期接種の対象者であった者のうち，第1期接種（初回接種及び追加接種）を完了していた者に対しては，市町村長等が実施可能な範囲で，第2期接種の積極的勧奨を行っても差し支えない。

(5) 日本脳炎の予防接種について，平成26年4月1日より前に，旧規則に規定する接種の間隔を超えて行った接種であって，実施規則に規定する予防接種に相当する接種を受けた者は，医師の判断と保護者の同意に基づき，既に接種した回数分の定期接種を受けたものとしてみなすことができること。

定期接種実施要領（付録77）441

4　結核の定期接種

(1) 結核の予防接種は，経皮接種用乾燥ＢＣＧワクチン（以下「BCG」という。）を使用し，生後5月に達した時から生後8月に達するまでの期間を標準的な接種期間として1回行うこと。

　ただし，結核の発生状況等市町村の実情に応じて，上記の標準的な接種期間以外の期間に行うことも差し支えない。

(2) **コッホ現象について**：健常者がBCGを初めて接種した場合は，接種後10日頃に針痕部位に発赤が生じ，接種後1月から2月までの頃に化膿巣が出現する。

　一方，結核菌の既感染者にあっては，接種後10日以内に接種局所の発赤・腫脹及び針痕部位の化膿等を来たし，通常2週間から4週間後に消炎，瘢痕化し，治癒する一連の反応が起こることがあり，これをコッホ現象という。これは，BCG再接種において見られる反応と同一の性質のものが結核菌感染後の接種において比較的強く出現したものである。

(3) **コッホ現象出現時の対応**

ア　保護者に対する周知：市区町村は，予防接種の実施に当たって，コッホ現象に関する情報提供及び説明を行い，次の事項を保護者に周知しておくこと。

（ア）　コッホ現象と思われる反応が被接種者に見られた場合は，速やかに接種医療機関を受診させること。

（イ）　コッホ現象が出現した場合は，接種局所を清潔に保つ以外の特別の処置は不要である。反抗が起こってから糜爛や潰瘍が消退するまでの経過が概ね4週間を超える等治癒が遷延する場合は，混合感染の可能性もあることから，接種医療機関を受診させること。

イ　市区町村長におけるコッホ現象事例報告書の取り扱い：市区町村長は，あらかじめ**様式第七**のコッホ現象事例報告書を管内の医療機関に配布し，医師がコッホ現象を診断した場合に，保護者の同意を得て，直ちに当該被接種者が予防接種を受けた際の居住区域を管轄する市区町村長へ報告するよう協力を求めること。

　また，市区町村長は，医師からコッホ現象の報告を受けた場合は，保護者の同意を得て，コッホ現象事例報告書を都道府県知事に提出すること。

ウ　都道府県知事のコッホ現象事例報告書の取り扱い：都道府県知事は，市区町村長からコッホ現象の報告を受けた場合は，厚生労働大臣あてにコッホ現象事例報告書の写し（個人情報に係る部分を除く。）を提出すること。

エ　コッホ現象事例報告書等における個人情報の取り扱い：イにおいて，保護者の同意が得られない場合は，個人情報を除く事項をそれぞれ報告及び提出すること。

(4) **副反応報告の提出**：コッホ現象は，通常，**様式第五の別表**に定める副反応の報告基準に該当しないので，副反応報告は不要であること。ただし，接種局所の変化の経過が遷延し，接種後4週間以上にわたって湿潤する場合は，第1の15に定めるところにより，「接種局所の膿瘍」として副反応報告の必要があるので留意すること。

5　Hib感染症の定期接種

　Hib感染症の予防接種は，初回接種の開始時の月齢ごとに以下の方法により行うこととし，(1)の方法を標準的な接種方法とすること。

(1) **初回接種開始時に生後2月から生後7月に至るまでの間にある者**：乾燥ヘモフィルスb型ワクチンを使用し，初回接種については27日（医師が必要と認めた場合には20日）以上，標準的には27日（医師が必要と認めた場合には20日）から56日までの間隔をおいて3回，追加接種については初回接種終了後7月以上，標準的には7月から13月までの間隔をおいて1回行うこと。ただし，初回接種のうち2目目及び3目目の注射は，生後12月に至るまでに行うこととし，それを超えた場合は行わないこと。この場合，追加接種は実施可能であるが，初回接種に係る最後の注射終了後，27日（医師が必要と認めた場合に

付録

442 （付録78）定期接種実施要領

は20日）以上の間隔をおいて1回行うこと。

(2) **初回接種開始時に生後7月に至った日の翌日から生後12月に至るまでの間にある者：**乾燥ヘモフィルスb型ワクチンを使用し，初回接種については27日（医師が必要と認めた場合には20日）以上，標準的には27日（医師が必要と認めた場合には20日）から56日までの間隔をおいて2回，追加接種については初回接種終了後7月以上，標準的には7月から13月までの間隔をおいて1回行うこと。ただし，初回接種のうち2回目の注射は，生後12月に至るまでに行うこととし，それを超えた場合は行わないこと。この場合，追加接種は実施可能であるが，初回接種に係る最後の注射終了後，27日（医師が必要と認めた場合には20日）以上の間隔をおいて1回行うこと。

(3) **初回接種開始時に生後12月に至った日の翌日から生後60月に至るまでの間にある者：**乾燥ヘモフィルスb型ワクチンを使用し，1回行うこと。なお，政令第1条の3第2項の規定による対象者に対しても同様とすること。

(4) Hib感染症の予防接種について，平成26年4月1日より前に，旧規則に規定する接種の間隔を超えて行った接種であって，実施規則に規定する予防接種に相当する接種を受けた者は，医師の判断と保護者の同意に基づき，既に接種した回数分の定期接種を受けたものとしてみなすことができること。

6 小児の肺炎球菌感染症の定期接種

小児の肺炎球菌感染症の予防接種は，初回接種の開始時の月齢ごとに以下の方法により行うこととし，(1)の方法を標準的な接種方法とすること。

(1) **初回接種開始時に生後2月から生後7月に至るまでの間にある者：**沈降13価肺炎球菌結合型ワクチンを使用し，初回接種については，標準的には生後12月までに27日以上の間隔をおいて3回，追加接種については生後12月から生後15月に至るまでの間を標準的な接種期間として，初回接種終了後60日以上の間隔をおいた後であって，生後12月に至った日以降において1回行うこと。ただし，初回接種のうち2回目及び3回目の注射は，生後24月に至るまでに行うこととし，それを超えた場合は行わないこと（追加接種は実施可能）。また，初回接種のうち2回目の注射は生後12月に至るまでに行うこととし，それを超えた場合は，初回接種のうち3回目の注射は行わないこと（追加接種は実施可能）。

(2) **初回接種開始時に生後7月に至った日の翌日から生後12月に至るまでの間にある者：**沈降13価肺炎球菌結合型ワクチンを使用し，初回接種については標準的には生後12月までに，27日以上の間隔をおいて2回，追加接種については生後12月以降に，初回接種終了後60日以上の間隔をおいて1回行うこと。ただし，初回接種のうち2回目の注射は，生後24月に至るまでに行うこととし，それを超えた場合は行わないこと（追加接種は実施可能）。

(3) **初回接種開始時に生後12月に至った日の翌日から生後24月に至るまでの間にある者：**沈降13価肺炎球菌結合型ワクチンを使用し，60日以上の間隔をおいて2回行うこと。

(4) **初回接種開始時に生後24月に至った日の翌日から生後60月に至るまでの間にある者：**沈降13価肺炎球菌結合型ワクチンを使用し，1回行うこと。なお，政令第1条の3第2項の規定による対象者に対しても同様とすること。

7 ヒトパピローマウイルス感染症の定期接種

(1) ヒトパピローマウイルス感染症の定期接種の対応については，当面の間，「ヒトパピローマウイルス感染症の定期接種の対応について（勧告）」（平成25年6月14日付け健発0614第1号厚生労働省健康局長通知）のとおりであること。

(2) 次に掲げる者については，ヒトパピローマウイルス感染症の予防接種後に広範な疼痛又は運動障害を中心とする多様な症状が発生する場合があるため，予診に当たっては，これらの者の接種について慎重な判断が行われるよう留意すること。

　ア　外傷等を契機として，原因不明の疼痛が続いたことがある者

　イ　他のワクチンを含めて以前にワクチンを接種した際に激しい疼痛や四肢のしびれが

生じたことのある者

(3) ヒトパピローマウイルス感染症の予防接種に当たっては，ワクチンを接種する目的，副反応等について，十分な説明を行った上で，かかりつけ医など被接種者が安心して予防接種を受けられる医療機関で行うこと．

(4) ヒトパピローマウイルス感染症の予防接種に，組換え沈降2価ヒトパピローマウイルス様粒子ワクチンを使用する場合には，13歳となる日の属する年度の初日から当該年度の末日までの間を標準的な接種期間とし，標準的な接種方法として，1月の間隔をおいて2回行った後，1回目の注射から6月の間隔をおいて1回行うこと．ただし，当該方法をとることができない場合は，1月以上の間隔をおいて2回行った後，1回目の注射から5月以上，かつ2回目の注射から2月半以上の間隔をおいて1回行うこと．

(5) ヒトパピローマウイルス感染症の予防接種に，組換え沈降4価ヒトパピローマウイルス様粒子ワクチンを使用する場合には，13歳となる日の属する年度の初日から当該年度の末日までの間を標準的な接種期間とし，標準的な接種方法として，2月の間隔をおいて2回行った後，1回目の注射から6月の間隔をおいて1回行うこと．ただし，当該方法をとることができない場合は，1月以上の間隔をおいて2回行った後，2回目の注射から3月以上の間隔をおいて1回行うこと．

(6) 組換え沈降2価ヒトパピローマウイルス様粒子ワクチンと組換え沈降4価ヒトパピローマウイルス様粒子ワクチンの互換性に関する安全性，免疫原性，有効性に関するデータはないことから，同一の者には，同一のワクチンを使用すること．

(7) ヒトパピローマウイルス感染症の予防接種後に血管迷走神経反射として失神があらわれることがあるので，失神による転倒等を防止するため，注射後の移動の際には，保護者又は医療従事者が腕を持つなどして付き添うようにし，接種後30分程度，体重を預けられるような場所で座らせるなどした上で，なるべく立ち上がらないように指導し，被接種者の状態を観察する必要があること．

(8) ヒトパピローマウイルス感染症の予防接種後に広範な疼痛又は運動障害を中心とする多様な症状が発生した場合，次に掲げる事項について適切に対応すること．
ア 法の規定による副反応報告の必要性の検討
イ 当該予防接種以降のヒトパピローマウイルス感染症の予防接種を行わないことの検討
ウ 神経学的・免疫学的な鑑別診断及び適切な治療が可能な医療機関の紹介

(9) ヒトパピローマウイルス感染症の予防接種について，平成26年4月1日より前に，旧規則に規定する接種の間隔を超えて行った接種であって，実施規則に規定する予防接種に相当する接種を受けた者は，医師の判断と保護者の同意に基づき，既に接種した回数分の定期接種を受けたものとしてみなすことができること．

(10) ヒトパピローマウイルス感染症は性感染症であること等から，感染予防や，がん検診を受診することの必要性について，併せて説明することが望ましい．

8 水痘の定期接種

(1) **対象者**：水痘の予防接種は，生後12月から生後36月に至るまでの間にある者に対し，乾燥弱毒生水痘ワクチンを使用し，生後12月から生後15月に達するまでの期間を標準的な接種期間として1回目の注射を行い，3月以上，標準的には6月から12月までの間隔をおいて2回目の注射を行うこと．

(2) **平成26年10月1日より前の接種の取扱い**
ア 平成26年10月1日より前に，生後12月以降に3月以上の間隔をおいて，乾燥弱毒生水痘ワクチンを2回接種した(1)の対象者は，当該予防接種を定期接種として受けることはできないこと．
イ 平成26年10月1日より前に，生後12月以降に乾燥弱毒生水痘ワクチンを1回接種した者は，既に当該定期接種を1回受けたものとみなすこと．

付録

444 (付録80) 定期接種実施要領

ウ　平成26年10月１日より前に，生後12月以降に３月未満の期間内に２回以上乾燥弱毒生水痘ワクチンを接種した者は，既に当該定期接種を１回受けたものとみなすこと。この場合においては，生後12月以降の初めての接種から３月以上の間隔をおいて１回の接種を行うこと。

(3) **接種液の用法**：乾燥弱毒生水痘ワクチンは，溶解後にウイルス力価が低下することから，溶解後速やかに接種すること。

9　B型肝炎の定期接種

(1) **対象者**：平成28年４月１日以後に生まれた，生後１歳に至るまでの間にある者とすること。

(2) **対象者から除外される者**：HBs抗原陽性の者の胎内又は産道においてB型肝炎ウイルスに感染したおそれのある者であって，抗HBs人免疫グロブリンの投与に併せて組換え沈降B型肝炎ワクチンの投与を受けたことのある者については，定期接種の対象者から除くこと。

(3) **接種方法**：B型肝炎の定期の予防接種は，組換え沈降B型肝炎ワクチンを使用し，生後２月に至った時から生後９月に至るまでの期間を標準的な接種期間として，27日以上の間隔をおいて２回接種した後，第１回目の注射から139日以上の間隔をおいて１回接種すること。

(4) **平成28年10月１日より前の接種の取扱い**：平成28年10月１日より前（定期の予防接種が開始される前）の注射であって，定期の予防接種のB型肝炎の注射に相当するものについては，当該注射を定期の予防接種のB型肝炎の注射とみなし，また，当該注射を受けた者については，定期の予防接種のB型肝炎の注射を受けた者とみなして，以降の接種を行うこと。

10　高齢者の肺炎球菌感染症の定期接種

(1) **対象者**：高齢者の肺炎球菌感染症の予防接種は，次に掲げる者に対し，23価肺炎球菌莢膜ポリサッカライドワクチンを使用し，１回行うこと。ただし，イに該当する者として既に当該予防接種を受けた者は，アの対象者から除くこと。

ア　65歳の者

イ　60歳以上65歳未満の者であって，心臓，腎臓又は呼吸器の機能に自己の身辺の日常生活活動が極度に制限される程度の障害を有する者及びヒト免疫不全ウイルスにより免疫の機能に日常生活がほとんど不可能な程度の障害を有する者

(2) **対象者から除外される者**：これまでに，23価肺炎球菌莢膜ポリサッカライドワクチンを１回以上接種した者は，当該予防接種を定期接種として受けることはできないこと。
　　また，平成26年度から平成30年度の間に既に定期接種として高齢者肺炎球菌感染症の予防接種を受けた者についても，同様に当該予防接種を定期接種として受けることはできないことから，予防接種法施行令（昭和23年政令第197号）第６条の規定による周知を行うにあたっては，予防接種台帳等を活用し，既に高齢者肺炎球菌感染症に係る予防接種を受けたことのある者を除いて送付する方法で周知を行うこと。そのため，予防接種記録について５年間を超えて管理・保存するよう努めること。

(3) **接種歴の確認**：高齢者の肺炎球菌感染症の予防接種を行うに当たっては，予診票により，当該予防接種の接種歴について確認を行うこと。

(4) **予防接種の特例**：平成31年４月１日から平成32年３月31日までの間，(1)アの対象者については，平成31年３月31日において100歳以上の者及び65歳，70歳，75歳，80歳，85歳，90歳，95歳又は100歳となる日の属する年度の初日から当該年度の末日までの間にある者とすること。また，平成32年４月１日から平成36年３月31日までの間，(1)アの対象者については，65歳，70歳，75歳，80歳，85歳，90歳，95歳又は100歳となる日の属する年度の初日から当該年度の末日までの間にある者とすること。

定期接種実施要領（付録81）445

11　インフルエンザの定期接種

　インフルエンザの予防接種は，次に掲げる者に対し，インフルエンザHAワクチンを使用し，毎年度1回行うこと。

　　ア　65歳以上の者
　　イ　60歳以上65歳未満の者であって，心臓，腎臓又は呼吸器の機能に自己の身辺の日常生活活動が極度に制限される程度の障害を有する者及びヒト免疫不全ウイルスにより免疫の機能に日常生活がほとんど不可能な程度の障害を有する者

付録

446 （付録82）定期接種実施要領

様式第一　予防接種台帳

No.		町・字			予防接種 実施者名		都道 府県		保健所		市町村

番号	予防接種 対象者 氏　名	生年 月日	性別	住　所	インフルエンザ予防接種									備考
					(1) 年月日 (2)	医師名 (3)	摘　要 (4)	(1) 年月日 (2)	医師名 (3)	摘　要 (4)	(1) 年月日 (2)	医師名 (3)	摘　要 (4)	

台帳作成及び記載上の注意

1　用紙は大型のものを用いること。
2　「予防接種」の欄には，小欄を多く設け，数回の予防接種（インフルエンザの場合は，複数年にわたる予防接種）に使用し得るようにしておくこと。
3　予防接種対象者の記載は，町・字ごとに行って「町・字名」の欄に当該町・字名を記載するとともに，「住所」の欄に簡略に記載すること。
4　「予防接種」欄には，予防接種が2回又は3回の接種により行われるときは，その1回ごとに記載するものとし，(1)欄には予防接種の種類，定期臨時の別等を，(2)欄には当該予防接種を行った年月日を，(3)欄には接種を行った医師の氏名を，(4)欄には接種液の名称，接種量等を記載すること。
5　実費徴収の徴収基準による区分，予防接種済証の交付等については備考欄にその旨を記載しておくこと。
6　予防接種を受けることが適当でない者，事故により予防接種を受けることが出来なかった者等については，それぞれ予防接種を行わなかった理由を備考欄に記載しておくこと。
7　それぞれの予防接種に用いた接種液については，その製造者及び製造所の名称，製造及び検定の年月日並びに製造番号を備考欄に記載しておくこと。

様式第二　予防接種予診票（乳幼児・小学生対象）（略）
様式第三　ヒトパピローマウイルス感染症予防接種予診票（略）
様式第四　ヒトパピローマウイルス感染症予防接種予診票（保護者が同伴しない場合）（略）
様式第五　インフルエンザ予防接種予診票（略）
様式第六　高齢者用肺炎球菌ワクチン予防接種予診票（略）
様式第七　コッホ現象事例報告書（本文185頁）
様式第八　B型肝炎予防接種予診票（略）
様式第九　風しんの第5期の予防接種予診票（略）

特定感染症予防指針

麻　疹
風　疹
結　核
インフルエンザ

448 （付録84）特定感染症予防指針

麻しんに関する特定感染症予防指針（抄）
（平成19年12月28日　厚生労働省告示第442号）

　感染症の予防及び感染症の患者に対する医療に関する法律（平成10年法律第114号）第11条
第１項及び予防接種法（昭和23年法律第68号）第20条第１項の規定に基づき，麻しんに関する
特定感染症予防指針を次のように策定したので，感染症の予防及び感染症の患者に対する医
療に関する法律第11条第１項及び予防接種法第20条第４項の規定により告示し，平成20年１
月１日から適用する。

改正　平成31年４月19日厚生労働省告示第237号（平成31年４月１日から適用）

　我が国においては，昭和51年６月から予防接種法（昭和23年法律第68号）に基づく予防接種
の対象疾病に麻しんを位置づけ，積極的に接種勧奨等を行うことにより，麻しんの発生の予
防及びまん延の防止に努めてきた。また，平成18年４月からは，麻しんの患者数が減少し，自
然感染による免疫増強効果が得づらくなってきた状況を踏まえ，それまでの１回の接種から
２回の接種へと移行し，より確実な免疫の獲得を図ってきた。しかし，平成19年に10代及び
20代を中心とした年齢層で麻しんが大流行した。この大流行の主な原因は，当該年齢層の者
の中に，麻しんの予防接種を１回も受けていなかった者又は麻しんの予防接種を１回は受け
たが免疫を獲得できなかった若しくは免疫が減衰した者が一定程度いたことであると考えら
れている。国は，麻しん対策を更に強化するため，平成20年に麻しんに関する特定感染症予
防指針（平成19年厚生労働省告示第442号）を策定し，平成20年度からの５年間を麻しんの排
除のための対策期間と定め，定期の予防接種（予防接種法第２条第４項に規定する予防接種
をいう。以下同じ。）の対象者に，中学１年生及び高校３年生に相当する年齢の者（既に麻しん
及び風しんにり患したことがある者又は麻しん及び風しんの予防接種をそれぞれ２回ずつ受
けたことがある者を除く。）を時限的に追加する措置（以下「時限措置」という。）を実施した。
　その結果，麻しんの予防接種を２回受けたことがある者の割合が大きく上昇し，当該年齢
層における麻しんの発生数の大幅な減少，大規模な集団発生の消失及び抗体保有率の上昇が
認められたことから，時限措置を行った当初の目的はほぼ達成された。当該年齢層において
麻しんの予防接種を２回受けていない者が一定程度存在することが課題として残っていたが，
時限措置を延長することで得られる効果が限定的であると予想されること，海外からの輸入
例が麻しんの発生の中心となっていること，特定の年齢層に限らず全ての年齢層に麻しんに
対する免疫を持たない者（以下「感受性者」という。）が薄く広く存在することが示唆されてい
ること等を踏まえ，時限措置は当初の予定どおり平成24年度をもって終了した。こうした取
組の結果，平成20年に11,013件あった麻しんの報告数も，平成28年には165件と着実に減少し，
高等学校や大学等における大規模な集団発生は見られなくなってきたところである。
　一方，麻しんを取り巻く世界の状況に目を向けると，平成24年に開催された世界保健総会
において，平成32年までに世界６地域のうち５地域において麻しん及び風しんの排除を達成
するという目標を掲げ，我が国を含め，世界保健機関西太平洋地域事務局管内の各国は，目
標の達成に向けた対策が求められているところである。麻しん排除の定義は，遺伝子技術の
普及により土着株と輸入株との鑑別が可能となったこと等を踏まえ，平成24年に世界保健機
関西太平洋地域事務局より新たな定義として「適切なサーベイランス制度の下，土着性の感
染伝播が１年以上確認されないこと」が示され，また，麻しん排除達成の認定基準として「適
切なサーベイランス制度の下，土着性の感染伝播が３年間確認されず，また遺伝子型解析に
より，そのことが示唆されること」が示された。
　我が国においては，平成27年に世界保健機関による麻しん排除達成の認定を受けたところ
であるが，その後も散発的に海外からの輸入例を契機とする麻しんの集団発生事例が起きて
いる。また，成人が麻しんの発症例の多くを占めているとともに，修飾麻しん（高熱，発しん

麻しんに関する特定感染症予防指針(抄)(付録85) 449

等の典型的な麻しんの症状を伴わない軽症の麻しんをいう。)の患者数が一定の割合で存在するようになってきている。

　本指針はこのような状況を踏まえ，引き続き排除状態を維持することを目標とし，そのために，国，地方公共団体，医療関係者，教育関係者等が連携して取り組んでいくべき施策についての新たな方向性を示したものである。

　本指針については，麻しんの発生動向，麻しんの治療等に関する科学的知見，本指針の進捗状況に関する評価等を勘案して，少なくとも5年ごとに再検討を加え，必要があると認めるときは，これを変更していくものである。

第三　発生の予防及びまん延の防止

1　基本的考え方：感染力が非常に強い麻しんの対策として，最も有効なのは，その発生の予防である。また，感染者は発症前からウイルスを排出することから，発生の予防に最も有効な対策は，予防接種により感受性者が麻しんへの免疫を獲得することである。そのため，定期の予防接種により対象者の95パーセント以上が2回の接種を完了することが重要であり，未接種の者及び1回しか接種していない者に対しては，幅広く麻しんの性質等を伝え，麻しんの予防接種を受けるよう働きかけることが必要である。

2　予防接種法に基づく予防接種の一層の充実

　1　国は，定期の予防接種を生後12月から生後24月に至るまでの間(以下「第1期」という。)にある者及び小学校就学の始期に達する日の1年前の日から当該始期に達する日の前日までの間(以下「第2期」という。)にある5歳以上7歳未満の者に対し行うものとし，それぞれの接種率が95パーセント以上となることを目標とする。また，少しでも早い免疫の獲得を図るとともに，複数回の接種勧奨を行う時間的な余裕を残すため，定期の予防接種の対象者となってからの初めの3月の間に，特に積極的な勧奨を行うものとする。

　2　国は，都道府県を通じ，定期の予防接種の実施主体である市町村(特別区を含む。以下同じ。)に対し，確実に予防接種が行われ，各市町村における第1期に接種した者及び第2期に接種した者の割合がそれぞれ95パーセント以上となるよう，積極的に働きかけていく必要がある。具体的には，市町村に対し，母子保健法(昭和40年法律第141号)第12条第1項第一号に規定する健康診査及び学校保健安全法(昭和33年法律第56号)第11条に規定する健康診断(以下「就学時健診」という。)の機会を利用して，当該健康診査及び就学時健診の受診者の麻しんのり患歴(過去に検査診断で確定したものに限る。以下同じ。)及び予防接種歴(母子健康手帳，予防接種済証等の記録に基づくものに限る。以下同じ。)を確認し，麻しんに未り患又は麻しんのり患歴が不明であり，かつ，麻しんの予防接種を必要回数(現行の定期の予防接種において必要とされる回数をいう。以下同じ。)である2回受けていない又は麻しんの予防接種歴が不明である場合には，当該予防接種を受けることを勧奨するよう依頼するものとする。また，定期の予防接種の受け忘れ等がないよう，定期の予防接種の対象者について，未接種の者を把握し，再度の接種勧奨を行うよう依頼するものとする。

　3　厚生労働省は，文部科学省に協力を求め，学校等の設置者に対し，就学時健診の機会を利用し，定期の予防接種の対象者の麻しんのり患歴及び予防接種歴を確認し，麻しんに未り患又は麻しんのり患歴が不明であり，かつ，麻しんの予防接種を必要回数である2回受けていない又は麻しんの予防接種歴が不明である場合には，当該予防接種を受けることを勧奨するよう依頼するものとする。また，当該接種勧奨後に，定期の予防接種を受けたかどうかの確認を行い，必要があれば，再度の接種勧奨を行うよう依頼するものとする。

　4　国は，右記以外にも，定期の予防接種を受けやすい環境づくりを徹底しなくてはならない。そのため，日本医師会並びに日本小児科学会，日本小児科医会及び日本小児保健協会等に対し，定期の予防接種が円滑に行われるように協力を求めるものとする。

3　予防接種法に基づかない予防接種の推奨

　1　医療機関，児童福祉施設等及び学校等(幼稚園，小学校，中学校，義務教育学校，高等

付録

学校，中等教育学校，特別支援学校，大学，高等専門学校，専修学校及び各種学校をいう。以下同じ。）の職員等は，乳幼児，児童，体力の弱い者等の麻しんにり患すると重症化しやすい者と接する機会が多いことから，本人が麻しんを発症すると，集団発生又は患者の重症化等の問題を引き起こす可能性が高い。このため，医療機関，児童福祉施設等及び学校等の職員等のうち，麻しんに未り患又は麻しんのり患歴が不明であり，かつ，麻しんの予防接種を必要回数である2回受けていない又は麻しんの予防接種歴が不明である者に対しては，当該予防接種を受けることを強く推奨する必要がある。

とりわけ，医療機関及び児童福祉施設等の職員等のうち，特に定期の予防接種の対象となる前であり抗体を保有しない0歳児，免疫不全者及び妊婦等と接する機会が多い者に対しては，当該予防接種を受けることを強く推奨する必要がある。

2 海外に渡航する者は，海外で麻しんにり患した者と接する機会があることから，本人が麻しんウイルスに感染して帰国すると，我が国に麻しんウイルスが流入する可能性がある。また，海外からの渡航者と接する機会が多い空港職員等は，麻しんウイルスに感染する可能性が比較的高く，本人が麻しんを発症すると，我が国で感染が拡大する可能性及び海外へ流出させる可能性がある。このため，海外に渡航する者及び空港職員等のうち，麻しんに未り患又は麻しんのり患歴が不明であり，かつ，麻しんの予防接種を必要回数である2回受けていない又は麻しんの予防接種歴が不明である者に対しては，当該予防接種を受けることを推奨する必要がある。

3 厚生労働省は，麻しんの大規模な流行を防止する観点から，事業者団体に対し，雇入れ時等の様々な機会を利用し，主として業務により海外に渡航する者について，麻しんのり患歴及び予防接種歴を確認し，麻しんに未り患又は麻しんのり患歴が不明であり，かつ，麻しんの予防接種を必要回数である2回受けていない又は麻しんの予防接種歴が不明である場合には，当該予防接種を受けることを推奨するよう協力を依頼するものとする。

4 厚生労働省は，日本医師会等の関係団体に協力を求め，医療機関の職員等に対し，自らの麻しんのり患歴及び予防接種歴を確認し，麻しんに未り患又は麻しんのり患歴が不明であり，かつ，麻しんの予防接種を必要回数である2回受けていない又は麻しんの予防接種歴が不明である場合には，当該予防接種を受けることを強く推奨するものとする。特に定期の予防接種の対象となる前であり抗体を保有しない0歳児，免疫不全者及び妊婦等と接する機会が多い者に対しては，当該予防接種を受けることを強く推奨するものとする。

5 厚生労働省は，児童福祉施設等の管理者に対し，児童福祉施設等において行われる労働安全衛生法（昭和47年法律第57号）第66条に規定する健康診断の機会等を利用して，当該施設等の職員の麻しんのり患歴及び予防接種歴を確認し，麻しんに未り患又は麻しんのり患歴が不明であり，かつ，麻しんの予防接種を必要回数である2回受けていない又は麻しんの予防接種歴が不明である場合には，当該予防接種を受けることを強く推奨するよう依頼するものとする。特に定期の予防接種の対象となる前であり抗体を保有しない0歳児と接する機会が多い者に対しては，当該予防接種を受けることを強く推奨するよう依頼するものとする。

6 厚生労働省は，文部科学省に協力を求め，学校等の設置者に対し，母子保健法第12条第1項第2号に規定する健康診査並びに学校保健安全法第13条第1項に規定する児童生徒等の健康診断及び同法第15条第1項に規定する職員の健康診断等の機会を利用して，学校等の児童生徒等及び職員の麻しんのり患歴及び予防接種歴を確認し，麻しんに未り患又は麻しんのり患歴が不明であり，かつ，麻しんの予防接種を必要回数である2回受けていない又は麻しんの予防接種歴が不明である場合には，当該予防接種を受けることを強く推奨するよう依頼するものとする。また，医療・福祉・教育に係る大学並びに専修学校の学生及び生徒に対し，幼児，児童，体力の弱い者等の麻しんにり患すると重症化しやすい者と接する機会が多いことを説明し，当該学生並びに生徒の麻しんのり患歴及び予防接種歴を確認し，麻しんに未り患又は麻しんのり患歴が不明であり，かつ，麻しんの予防接種を必要回数である2回受けていない又は麻しんの予防接種歴が不明である場合には，当該予防接種を受けることを推

麻しんに関する特定感染症予防指針（抄）（付録87） 451

奨するよう依頼するものとする。

　7　厚生労働省は，外務省及び国土交通省に協力を求め，海外に渡航する者に対し，自らの麻しんのり患歴及び予防接種歴を確認し，麻しんに未り患又は麻しんのり患歴が不明であり，かつ，麻しんの予防接種を必要回数である2回受けていない又は麻しんの予防接種歴が不明である場合には，当該予防接種を受けることを推奨するものとする。

　8　厚生労働省は，関係省庁に協力を求め，空港職員等に対し，自らの麻しんのり患歴及び予防接種歴を確認し，麻しんに未り患又は麻しんのり患歴が不明であり，かつ，麻しんの予防接種を必要回数である2回受けていない又は麻しんの予防接種歴が不明である場合には，当該予防接種を受けることを推奨するものとする。

　9　国は，国内で麻しんの患者が1例でも発生した場合には，国立感染症研究所において，周囲の感受性者に対して予防接種を推奨することも含めた対応について検討し，具体的な実施方法等を示した手引きの作成を行うものとする。また，国立感染症研究所は，都道府県等から要請があった場合には，適宜技術的支援を行うものとする。

4　その他必要な措置

　1　厚生労働省は，関係機関と連携し，疾病としての麻しんの特性，予防接種の重要性，副反応を防止するために注意すべき事項及びワクチンを使用する予防接種という行為上避けられない副反応，特に妊娠中の接種による胎児への影響等の情報（以下「麻しんに関する情報」という。）を整理し，国民に対し積極的に提供するものとする。また，情報提供に当たっては，リーフレット等の作成及び報道機関と連携した広報等を積極的に行う必要がある。

　2　厚生労働省は，児童福祉施設等及び職業訓練施設等の管理者に対し，入所又は入学の機会を利用して，児童福祉施設等において集団生活を行う者及び職業訓練施設等における訓練生の麻しんのり患歴及び予防接種歴を確認し，麻しんに未り患又は麻しんのり患歴が不明であり，かつ，麻しんの予防接種を必要回数である2回受けていない又は麻しんの予防接種歴が不明である場合には，麻しんに関する情報の提供を行うよう依頼するものとする。

　3　厚生労働省は，文部科学省に協力を求め，学校等の設置者に対し，学校保健安全法第13条第1項に規定する児童生徒等の健康診断等の機会を利用して，学校等の児童生徒等の麻しんのり患歴及び予防接種歴を確認し，麻しんに未り患又は麻しんのり患歴が不明であり，かつ，麻しんの予防接種を必要回数である2回受けていない又は麻しんの予防接種歴が不明である場合には，麻しんに関する情報の提供を行うよう依頼するものとする。

　4　厚生労働省は，日本医師会，日本小児科学会，日本小児科医会，日本皮膚科学会，日本内科学会及び日本小児保健協会等の学会等に対し，初診の患者の麻しんのり患歴及び予防接種歴を確認し，麻しんに未り患又は麻しんのり患歴が不明であり，かつ，麻しんの予防接種を必要回数である2回受けていない又は麻しんの予防接種歴が不明である場合には，麻しんに関する情報の提供を行うよう依頼するものとする。

　5　厚生労働省は，事業者団体に対し，麻しんに関する情報の提供等を事業者等に行うよう依頼するものとする。また，雇入れ時等の様々な機会を利用して，主として業務により海外に渡航する者の麻しんのり患歴及び予防接種歴を確認し，麻しんに未り患又は麻しんのり患歴が不明であり，かつ，麻しんの予防接種を必要回数である2回受けていない又は麻しんの予防接種歴が不明である場合には，麻しんに関する情報の提供を行うよう依頼するものとする。

　6　厚生労働省は，本省，国立感染症研究所及び検疫所のホームページ等を通じ，国内外の麻しんの発生状況，海外で麻しんが発症した場合の影響及び麻しんに関する情報の提供を行うとともに，外務省及び国土交通省に対し，海外に渡航する者に，これらの情報の提供を行うよう協力を依頼するものとする。また，国土交通省に協力を求め，旅行会社等に対し，海外に渡航する者に，国内外の麻しんの発生状況及び麻しんに関する情報の提供を行うよう依頼するとともに，文部科学省に対し，学校等の設置者に，海外に修学旅行等をする際に，これらの情報の提供を行うよう依頼するものとする。

付録

452 （付録88）特定感染症予防指針

7　厚生労働省は，外国人留学生及び外国人労働者等長期に我が国に滞在する海外からの渡航者に対し，入国する前に自らの麻しんのり患歴及び予防接種歴を確認し，必要に応じて麻しんの予防接種を受けることが望ましいことを複数の言語で情報提供するためのリーフレット等を作成するとともに，関係省庁及び事業者団体に対し，周知を行うよう協力を依頼するものとする。

8　厚生労働省は，麻しんの定期の予防接種を積極的に勧奨するとともに，予防接種の際の医療事故及び副反応を徹底して避けるため，地方公共団体及び医療機関等の各関係機関に対し，安全対策を十分行うよう協力を依頼するものとする。また，地方公共団体及び日本医師会に対し，麻しんの抗体検査及び予防接種を実施することができる医療機関に関する情報提供を行うよう協力を依頼するものとする。

9　国は，麻しんの予防接種に用いるワクチン及び試薬類（以下「ワクチン等」という。）の安定的な供給を図るため，ワクチン等の生産について，製造販売業者と引き続き連携を図るものとする。また，ワクチン等の流通についても，日本医師会，卸売販売業者及び地方公共団体の連携を促進するものとする。なお，麻しんの予防接種に用いるワクチンは，風しん対策の観点も考慮し，原則として，麻しん風しん混合（MR）ワクチンとするものとする。

第四　医療の提供

1　**基本的な考え方**：麻しんのような感染力が極めて強く，重症化のおそれのある感染症については，早期発見及び早期治療が特に重要である。このため，国は，麻しんの患者を適切に診断できるよう，医師に対して必要な情報提供を行うとともに，国民に対しても当該疾病に感染した際の初期症状及び早期にとるべき対応等について周知していくことが望ましい。

2　**医療関係者に対する普及啓発**：国は，麻しんの患者を医師が適切に診断できるよう，医師に対し，麻しんの流行状況等について積極的に情報提供するものとし，特に流行が懸念される地域においては，日本医師会等の関係団体と連携し，医療関係者に対して注意喚起を行う必要がある。さらに，麻しんの患者数が減少し，自然感染による免疫増強効果が得づらくなってきたことに伴って，麻しんが小児特有の疾患でなくなったことに鑑み，小児科医のみではなく，全ての医師が麻しんの患者を診断できるよう，積極的に普及啓発を行うことが重要である。

第六　国際的な連携

1　**基本的考え方**：国は，世界保健機関をはじめ，その他の国際機関との連携を強化し，情報交換等を積極的に行うことにより，世界的な麻しんの発生動向の把握，麻しんの排除の達成国の施策の研究等に努め，我が国の麻しん対策の充実を図っていくことが重要である。

2　**国際機関で定める目標の達成**：世界保健機関においては，2回の予防接種において，それぞれの接種率が95％以上となることの達成を目標に掲げているほか，西太平洋地域から麻しん及び風しんの排除を達成することを目標に掲げ，各国に対策の実施を求めており，同機関において，麻しん及び風しんの排除の認定作業が実施されている。我が国も本指針に基づき，麻しん対策の充実を図ることにより，その目標の達成及び維持に向けて取り組むものとする。

3　**国際機関への協力**：国際機関と協力し，麻しんの流行国における麻しん対策を推進することは，国際保健水準の向上に貢献するのみならず，海外で感染し，国内で発症する患者の発生を予防することにも寄与する。そのため，国は，世界保健機関等と連携しながら，国際的な麻しん対策の取組に積極的に関与する必要がある。

第七　評価及び推進体制と普及啓発の充実

1　**基本的考え方**：本指針の目標を達成するためには，本指針に基づく施策が有効に機能しているかの確認を行う評価体制の確立が不可欠である。国は，定期の予防接種の実施主体である市町村等と連携し，予防接種の実施状況に関する情報収集を行い，当該情報に基づき関係機関に協力を要請し，当該施策の進捗状況によっては，本指針に定める施策の見直しも含めた積極的な対応を講じる必要がある。また，市町村等は，予防接種台帳のデータ管理の在り方について，個人情報保護の観点を考慮しつつ，電子媒体での管理を進め，情報の活用の在

り方についても検討するものとする。

2　国における麻しん・風しん対策推進会議：国は，感染症の専門家，医療関係者，保護者，地方公共団体の担当者，ワクチン製造業者，学校関係者及び事業者団体の関係者からなる「麻しん・風しん対策推進会議」を設置するものとする。同会議は，毎年度，本指針及び風しんに関する特定感染症予防指針（平成26年厚生労働省告示第122号）に定める施策の実施状況に関する評価を行うとともに，その結果を公表し，必要に応じて当該施策の見直しについて提言を行うこととする。また，国は，麻しん・風しんについて，排除又は排除状態が維持されているかを判定し，世界保健機関に報告する排除認定会議も設置することとする。

3　都道府県等における麻しん・風しん対策の会議及びアドバイザー制度の整備

　1　都道府県は，感染症の専門家，医療関係者，保護者，市町村の担当者，学校関係者及び事業者団体の関係者等と協働して，麻しん・風しん対策の会議を設置し，関係機関の協力を得ながら，定期的に麻しん及び風しんの発生動向，各市町村における定期の予防接種の接種率及び副反応の発生事例等を把握し，地域における施策の進捗状況を評価するものとする。同会議は，各市町村における定期の予防接種について，第1期に接種した者の割合及び第2期に接種した者の割合がそれぞれ95％以上となるように定期接種率の向上策の提言を行い，都道府県は当該提言を踏まえ各市町村に対して働きかけるものとする。また，国は，国立感染症研究所において，同会議の活動内容及び役割等を示した手引きの作成を行うものとし，都道府県等は，必要に応じ，医師会等の関係団体と連携して，麻しんの診断等に関する助言を行うアドバイザー制度の整備を検討する。

　2　厚生労働省は，麻しん・風しん対策の会議が定期の予防接種の実施状況を評価するため，文部科学省に対し，学校が把握する幼児及び児童の定期の予防接種の接種率に関する情報を麻しん・風しん対策の会議に提供するよう協力を依頼するものとする。

4　関係機関との連携

　1　厚生労働省は，迅速に麻しんの定期の予防接種の接種率を把握するため，都道府県知事に対し，情報提供を依頼するものとする。また，学校保健安全法第20条に基づく学校の臨時休業の情報を随時把握するため，文部科学省に対し，情報提供を依頼するものとする。

　2　厚生労働省は，予防接種により副反応が生じた際に行われている報告体制を充実させ，重篤な副反応の事例は，速やかに国及び麻しん対策の会議等に報告される仕組みを構築するものとする。

5　普及啓発の充実：麻しん対策に関する普及啓発については，麻しんに関する正しい知識に加え，医療機関受診の際の検査及び積極的疫学調査への協力の必要性等を周知することが重要である。厚生労働省は，文部科学省及び報道機関等の関係機関との連携を強化し，国民に対し，麻しん及びその予防に関する適切な情報提供を行うよう努めるものとする。

454 （付録90）特定感染症予防指針

風しんに関する特定感染症予防指針（抄）
（平成26年3月28日　厚生労働省告示第122号）

改正　平成29年12月21日健発1221第1号　各都道府県知事宛（平成30年1月1日から適用）

　感染症の予防及び感染症の患者に対する医療に関する法律（平成10年法律第114号）第11条第1項及び予防接種法（昭和23年法律第68号）第4条第1項の規定に基づき，風しんに関する特定感染症予防指針を次のように策定したので，感染症の予防及び感染症の患者に対する医療に関する法律第11条第1項及び予防接種法第4条第4項の規定により告示し，平成26年4月1日から適用する。

　我が国の風しんの定期の予防接種は，昭和51年6月に予防接種法に基づく予防接種の対象疾病に風しんを位置付け，昭和52年8月から先天性風しん症候群の予防を主な目的として中学生女子を対象に行ったことに始まる。平成元年には，麻しんの定期の予防接種として，男女幼児の希望者に対して風しんを含有する麻しん・おたふくかぜ・風しん混合（MMR）ワクチンの使用が可能となったが，おたふくかぜ成分による無菌性髄膜炎の発生頻度等の問題から平成5年に当該ワクチンの使用が見合わせとなった。その後，先天性風しん症候群の予防に加え，風しんの発生の予防及びまん延の防止を目的に，平成7年4月に接種対象者が男女幼児へと変更されるとともに，時限措置として中学生男女も対象に接種が行われた。しかしながら，当該時限措置対象者の接種率が低かったことから，平成13年11月から平成15年9月にかけて経過措置として再度の接種の機会が設けられた。さらに，平成18年4月から，麻しん風しん混合（MR）ワクチンの使用を開始し，同年6月からは，麻しん対策の変更を踏まえ，それまでの1回の接種から2回の接種へと必要な接種回数を変更するとともに，平成20年4月から平成25年3月にかけて，中学1年生及び高校3年生相当の年齢の者を対象に2回目の接種の機会が設けられた。

　風しんの発生動向調査については，昭和57年から平成19年までは全国約2,400から3,000か所の小児科の医療機関からの定点報告であったが，風しんの報告数の減少に伴い，平成20年1月に全ての医師に診断した患者の報告を求める全数報告疾患に位置付けられた。

　こうした取組の結果，平成16年における推計約3万9,000人の患者の発生以降，患者報告数は着実に減少し，大規模な流行は見られていなかったところである。

　しかし，平成24年から，関東地方，関西地方等の都市部において，20代から40代の成人男性を中心に患者数が増加し，平成25年には1万4,000人を超える患者及び32人の先天性風しん症候群の児の出生が報告された。

　平成24年から平成25年にかけての風しんの流行は，かつての流行と異なり，患者の多くは主に定期の予防接種の機会がなかった成人男性又は定期の予防接種の接種率が低かった成人男女であり，患者報告はこれらの風しんに対する免疫を持たない者（以下「感受性者」という。）が多く生活する大都市を中心に見られた。患者の中心が生産年齢層及び子育て世代であることから，職場等での感染事例が相次ぎ，先天性風しん症候群が増加する等，社会的に与える影響が大きかった。また，風しん含有ワクチンの接種者数が急増したことで地域によってはワクチンの需給状況が不安定になったことや，風しん抗体価の検査に用いるガチョウ血球が不足し検査の実施が一時的に困難になったこと等，予防接種及び検査の実施に関しても混乱が生じた。

　本指針は，このような国内及び国際的な状況を踏まえ，風しんの発生の予防及びまん延の防止並びに先天性風しん症候群の発生の予防及び先天性風しん症候群の児への適切な医療等の提供等を目的に，国，地方公共団体，医療関係者，教育関係者，保育関係者，事業者等が連携して取り組むべき施策の方向性を示したものである。

風しんに関する特定感染症予防指針(抄)(付録91) 455

本指針については，風しんの発生動向，風しんの予防等に関する科学的知見，本指針の進捗状況に関する評価等を勘案して，少なくとも５年ごとに再検討を加え，必要があると認めるときは，これを変更していくものである。

第三　発生の予防及びまん延の防止

1　平成24年から平成25年にかけての流行の原因分析

流行の原因となった風しんウイルスの遺伝子型の解析結果によると，平成23年以前と平成24年以降では，遺伝子配列の系統が異なることから，渡航者等を通じ海外の流行地域から風しんウイルスが我が国に流入したことが流行のきっかけとなったと考えられる。平成25年に，20代から40代の年齢層の男性を中心に風しんが流行した主な原因は，国が実施する感染症流行予測調査の結果において，多くの世代では９割以上が抗体を保有しているものの，当該年齢層の男性における抗体保有率が８割程度となっており，当該年齢層に，幼少期に自然感染しておらず，かつ，風しんの定期の予防接種を受ける機会がなかった者や接種を受けていなかった者が一定程度いたためであると考えられる。また，多くの風しん患者が大都市を中心に報告されており，一定の感受性者が地域に蓄積することで感染の循環が生じたと考えられる。

2　基本的考え方

感染力が強い風しんの対策として最も有効なのは，その発生の予防である。また，感染者は発症前からウイルスを排出し，無症状や軽症の者も一定程度存在することから，発生の予防に最も有効な対策は，予防接種により感受性者が風しんへの免疫を獲得することである。そのためには，風しんの罹患歴(過去に検査診断で確定したものに限る。以下同じ。)又は予防接種歴(母子健康手帳や予防接種済証等の記録に基づくものに限る。以下同じ。)を確認できない者に対して，幅広く風しんの性質等を伝え，風しんの予防接種を早期に受けるよう働きかけることが必要である。一方で，風しんに未罹患と認識している者においても，一定の割合で風しんの免疫を保有していると考えられており，国民の８割から９割程度が既に抗体を保有している状況を踏まえると，必要があると認められる場合には積極的に抗体検査を実施することで，より効果的かつ効率的な予防接種の実施が期待される。

また，本指針の目標をより効果的かつ効率的に達成するには，特に平成25年の流行時に伝播が多く見られた職場等における感染及び予防対策や先天性風しん症候群の予防の観点から妊娠を希望する女性等に焦点を当てた予防対策が重要になると考えられる。

なお，風しん含有ワクチンの１回の接種による抗体の獲得率は約95パーセント，２回の接種による抗体の獲得率は約99パーセントとされていることから，妊娠を希望する女性等においては，２回の接種を完了することで，より確実な予防が可能となる。また，風しんに対する抗体を保有していない者は，少なくとも１回の接種を受ける必要があると考えられる。

3　予防接種法に基づく予防接種の一層の充実

1　国は，定期の予防接種を生後12月から生後24月に至るまでの間にある者及び小学校就学の始期に達する日の１年前の日から当該始期に達する日の前日までの間にある５歳以上７歳未満の者に対し行うものとし，それぞれの接種率が95パーセント以上となることを目標とする。また，少しでも早い免疫の獲得を図るとともに，複数回の接種勧奨を行う時間的な余裕を残すため，定期の予防接種の対象者となってからの初めの３月の間に，特に積極的な勧奨を行うものとする。

2　国は，定期の予防接種の実施主体である市町村(特別区を含む。以下同じ。)に対し，確実に予防接種が行われるよう，積極的に働きかけていく必要がある。具体的には，市町村に対し，母子保健法(昭和40年法律第141号)第12条第１項第一号に規定する健康診査及び学校保健安全法(昭和33年法律第56号)第11条に規定する健康診断(以下「就学時健診」という。)の機会を利用して，当該健康診査及び就学時健診の受診者の罹患歴及び予防接種歴を確認し，未罹患であり，かつ，年齢に応じて必要とされる風しんの定期の予防接種を受けていない者

付録

456 （付録92）特定感染症予防指針

に接種勧奨を行うよう依頼するものとする。また，定期の予防接種の受け忘れ等がないよう，定期の予防接種の対象者について，未接種の者を把握し，再度の接種勧奨を行うよう依頼するものとする。

　3　厚生労働省は，文部科学省に協力を求め，就学時健診の機会を利用し，定期の予防接種の対象者の罹患歴及び予防接種歴を確認し，未罹患であり，かつ，風しん含有ワクチンの予防接種を2回接種していない者に接種勧奨を行うものとする。また，当該接種勧奨後に，定期の予防接種を受けたかどうかの確認を行い，必要があれば，再度の接種勧奨を行うものとする。

　4　国は，右記以外にも，定期の予防接種を受けやすい環境作りを徹底しなくてはならない。そのため，日本医師会並びに日本小児科学会，日本小児科医会及び日本小児保健協会等に対し，定期の予防接種が円滑に行われるように，協力を求めるものとする。

4　予防接種法に基づかない予防接種の推奨

　1　妊娠を希望する女性は，将来，妊娠中に風しんに罹患する可能性がある。また，妊婦が抗体を保有しない場合，妊婦と接する機会が多いその家族等が風しんを発症すると，妊婦の感染等の問題を引き起こす可能性がある。このため，本指針の目標を達成するためには，妊娠を希望する女性及び抗体を保有しない妊婦の家族等のうち，罹患歴又は予防接種歴が明らかでない者に対し，風しんの抗体検査や予防接種の推奨を行う必要がある。

　2　昭和37年度から平成元年度に出生した男性及び昭和54年度から平成元年度に出生した女性は，幼少期に自然感染しておらず，かつ，風しんの定期の予防接種を受ける機会がなかった者や接種を受けていなかった者の割合が他の年齢層に比べて高いことから，風しんの罹患者と接することで感染する可能性が比較的高い。このため，本指針の目標を達成するためには，昭和37年度から平成元年度に出生した男性及び昭和54年度から平成元年度に出生した女性のうち，罹患歴又は予防接種歴が明らかでない者に対し，風しんの抗体検査や予防接種の推奨を行う必要がある。

　3　医療関係者，児童福祉施設等の職員，学校等（幼稚園，小学校，中学校，高等学校，中等教育学校，特別支援学校，大学，高等専門学校，専修学校及び各種学校をいう。以下同じ。）の職員等は，幼児，児童，体力の弱い者等の風しんに罹患すると重症化しやすい者や妊婦と接する機会が多いことから，本人が風しんを発症すると，集団感染や感染者の重症化，妊婦の感染等の問題を引き起こす可能性がある。このため，本指針の目標を達成するためには，医療関係者，児童福祉施設等の職員，学校等の職員等のうち，罹患歴又は予防接種歴が明らかでない者に対し，風しんの抗体検査や予防接種の推奨を行う必要がある。

　4　海外に渡航する者は，海外の風しん流行地域で罹患者と接する機会があることから，本人が風しんに感染すると，我が国に風しんウイルスを流入させる可能性がある。このため，本指針の目標を達成するためには，海外に渡航する者等のうち，罹患歴又は予防接種歴が明らかでない者に対し，風しんの抗体検査や予防接種の推奨を行う必要がある。

　5　厚生労働省は，先天性風しん症候群の発生の防止を目的として，日本医師会及び日本産科婦人科学会等に協力を求め，受診の機会等を利用して，妊娠を希望する女性及び抗体を保有しない妊婦の家族等の罹患歴及び予防接種歴を確認し，いずれも確認できない者に対して，風しんの抗体検査や予防接種の推奨を行うものとする。また，昭和62年度から平成元年度に出生した女性については，風しんに対する抗体を保有していない割合が他の年齢層に比べ特に高いことから，積極的に風しんの抗体検査や予防接種を推奨するものとする。さらに，妊娠中の妊婦健康診査において風しんの抗体検査の結果が陰性又は低抗体価と確認された者に対して，産じょく早期の風しんの予防接種を推奨するものとする。

　6　厚生労働省は，今後の大規模な流行を防止する観点から，関係省庁及び事業者団体に協力を求め，雇入れ時等の様々な機会を利用して，主として，業務により海外に渡航する者，昭和37年度から平成元年度に出生した男性の従業員及び昭和54年度から平成元年度に出生した女性の従業員等が罹患歴及び予防接種歴を確認するようにするとともに，いずれも確認で

風しんに関する特定感染症予防指針(抄)(付録93) 457

きない者に対して,風しんの抗体検査や予防接種を推奨するものとする。

　7　厚生労働省は,日本医師会等の関係団体に協力を求め,医療関係者の罹患歴及び予防接種歴を確認し,いずれも確認できない者に対して,風しんの抗体検査や予防接種を推奨するものとする。

　8　厚生労働省は,児童福祉施設等において行われる労働安全衛生法(昭和47年法律第57号)第66条に規定する健康診断の機会等を利用して,当該施設等の職員の罹患歴及び予防接種歴を確認し,いずれも確認できない者に対して,風しんの抗体検査や予防接種を推奨するものとする。

　9　厚生労働省は,文部科学省に協力を求め,母子保健法第12条第1項第二号に規定する健康診査並びに学校保健安全法第13条第1項に規定する児童生徒等の健康診断及び同法第15条第1項に規定する職員の健康診断等の機会を利用して,学校の児童生徒等や学校等の職員の罹患歴及び予防接種歴を確認し,いずれも確認できない者に対して,風しんの抗体検査や予防接種を推奨し,学校の管理者に対し,推奨を依頼するものとする。また,医療・福祉・教育に係る大学及び専修学校の学生及び生徒に対し,幼児,児童,体力の弱い者等の風しんに罹患すると重症化しやすい者や妊婦と接する機会が多いことを説明し,当該学生及び生徒の罹患歴及び予防接種歴を確認し,いずれも確認できない者に対して,風しんの抗体検査や予防接種を推奨するものとする。

5　その他必要な措置

　1　厚生労働省は,関係機関と連携し,疾病としての風しんの特性,予防接種の重要性並びに副反応を防止するために注意すべき事項及びワクチンを使用する予防接種という行為上避けられない副反応,特に妊娠中の接種による胎児への影響等の情報(以下「風しんに関する情報」という。)を整理し,国民に対する積極的な提供を行うものとする。また,情報提供に当たっては,リーフレット等の作成や報道機関と連携した広報等を積極的に行う必要がある。

　2　厚生労働省は,保育所等の児童福祉施設等や職業訓練施設等の管理者に対し,入所及び入学の機会を利用して,保育所等の児童福祉施設等において集団生活を行う者及び職業訓練施設等における訓練生の罹患歴及び予防接種歴を確認し,いずれも確認できない場合,風しんに関する情報の提供を行うよう依頼するものとする。

　3　厚生労働省は,文部科学省に協力を求め,学校の管理者に対し,母子保健法第12条第1項第二号に規定する健康診査並びに学校保健安全法第13条第1項に規定する児童生徒等の健康診断の機会を利用して,学校の児童生徒等の罹患歴及び予防接種歴を確認し,いずれも確認できない場合,風しんに関する情報の提供を行うよう依頼するものとする。

　4　厚生労働省は,日本医師会並びに日本小児科学会,日本小児科医会及び日本小児保健協会等の学会等に対し,初診の患者の罹患歴及び予防接種歴を確認し,いずれも確認できない場合,風しんに関する情報の提供を行うよう依頼するものとする。

　5　厚生労働省は,関係省庁及び事業者団体に協力を求め,事業者等に対し,風しんに関する情報の提供等を依頼するものとする。また,雇入れ時等の様々な機会を利用して,主として,業務により海外に渡航する者,昭和37年度から平成元年度に出生した男性の従業員等及び昭和54年度から平成元年度に出生した女性の従業員等の罹患歴及び予防接種歴のいずれも確認できない者に対する風しんの抗体検査や予防接種を受けやすい環境の整備及び風しんに罹患した際の適切な休業等の対応等の措置を依頼するものとする。また,国立感染症研究所において,関係団体と協力の上で,当該措置に関する職場における風しんの感染及び予防対策の手引きを作成し,必要となる具体的な対策について示すものとする。

　6　厚生労働省は,本省,国立感染症研究所及び検疫所のホームページ等を通じ,国内外の風しんの発生状況,海外で風しんを発症した場合の影響及び風しんに関する情報の提供を行うとともに,外務省に協力を求め,海外へ渡航する者に,これらの情報提供を行うよう依頼するものとする。また,国土交通省に協力を求め,旅行会社等に対し,海外へ渡航する者に,国内外の風しんの発生状況や風しんに関する情報の提供を行うよう依頼するとともに,

付録

文部科学省に協力を求め，学校で海外へ修学旅行等をする際に，これらの情報提供を行うよう依頼するものとする。

　7　厚生労働省は，定期の予防接種を積極的に勧奨するとともに，地方公共団体や日本医師会に対し，抗体検査や予防接種を実施できる医療機関に関する情報提供を行うよう協力を依頼するものとする。また，予防接種の際の接種事故や副反応を徹底して避けるため，地方公共団体や医療機関等に対し，安全対策を十分行うよう協力を依頼するものとする。

　8　国は，平成25年の風しん流行時に風しん含有ワクチンや検査キットの確保が困難となった事例に鑑み，定期の予防接種に必要となる風しん含有ワクチン及び試薬類の生産について，製造販売業者と引き続き連携を図るものとする。また，ワクチンの流通についても，日本医師会，卸売販売業者及び地方公共団体の間の連携を促進するものとする。なお，風しんの予防接種に用いるワクチンは，原則として，麻しん風しん混合(MR)ワクチンを用いるものとする。

第四　医療等の提供

1　基本的考え方

　先天性風しん症候群のような出生児が障害を有するおそれのある感染症については，妊婦への情報提供が特に重要である。このため，国は，風しんの患者を適切に診断できるよう，医師に必要な情報提供を行うとともに，国民にも当該疾病に感染した際の初期症状や早期にとるべき対応等について周知していくことが望ましい。

2　医療関係者に対する普及啓発

　国は，風しんの患者を医師が適切に診断できるよう，医師に対し，風しんの流行状況等について積極的に情報提供するものとし，特に流行が懸念される地域においては，日本医師会等の関係団体と連携し，医療関係者に対して注意喚起を行う必要がある。さらに，風しんが小児特有の疾患でなくなったことに鑑み，小児科医のみではなく，全ての医師が風しん患者を診断し，療養等の適切な対応を講じられるよう，積極的に普及啓発を行うことが重要である。

3　先天性風しん症候群の児への医療等の提供

　国は，日本医師会，日本産科婦人科学会，日本耳鼻咽喉科学会，日本眼科学会，日本小児科学会，日本小児科医会及び日本小児保健協会等の学会等に対し，先天性風しん症候群と診断された児の症状に応じ，適切な医療を受けることができるよう，専門医療機関の紹介等の対応を依頼するものとする。また，地方公共団体に対して，先天性風しん症候群と診断された児に対し必要に応じ行われるウイルス排出の有無の評価に基づき，その児に対する医療及び保育等が適切に行われるよう，必要な情報提供を行うものとする。さらに，先天性風しん症候群と診断された児が，症状に応じた支援制度を利用できるよう，積極的な情報提供及び制度のより適切な運用を依頼するものとする。

第六　国際的な連携

1　基本的考え方

　国は，世界保健機関をはじめ，その他の国際機関との連携を強化し，情報交換等を積極的に行うことにより，世界的な風しんの発生動向の把握，風しんの排除の達成国の施策の研究等に努め，我が国の風しん対策の充実を図っていくことが重要である。

2　国際機関で定める目標の達成

　世界保健機関においては，2の予防接種において，それぞれの接種率が95パーセント以上となることの達成を目標に掲げているほか，平成24年に開催された世界保健総会では，平成32年までに世界6地域のうち5地域において風しんの排除を達成することを目標に掲げ，各国に対策の実施を求めている。我が国も，本指針に基づき風しん対策の充実を図るとともに，我が国が所属する西太平洋地域において風しんの排除の達成が目標に掲げられた際には，その目標の達成に向けても取り組むものとする。また，これらの取組により，国内で感染し，海外で発症する患者の発生を予防することにも寄与する。

風しんに関する特定感染症予防指針(抄)（付録95）459

3 国際機関への協力

国際機関と協力し，風しんの流行国の風しん対策を推進することは，国際保健水準の向上に貢献するのみならず，海外で感染し，国内で発症する患者の発生を予防することにも寄与する。そのため，国は，世界保健機関等と連携しながら，国際的な風しん対策の取組に積極的に関与する必要がある。

第七 評価及び推進体制と普及啓発の充実

1 基本的考え方

本指針の目標を達成するためには，本指針に基づく施策が有効に機能しているかの確認を行う評価体制の確立が不可欠である。国は，定期の予防接種の実施主体である市町村と連携し，予防接種の実施状況についての情報収集を行い，その情報に基づき関係機関へ協力を要請し，当該施策の進捗状況によっては，本指針に定める施策の見直しも含めた積極的な対応を講じる必要がある。また，市町村は，予防接種台帳のデータ管理の在り方について，個人情報保護の観点を考慮しつつ，電子媒体での管理を積極的に検討する。

2 風しん対策推進会議の設置

国は，感染症の専門家，医療関係者，保護者，地方公共団体の担当者，ワクチン製造業者，学校関係者及び事業者団体の関係者からなる「風しん対策推進会議」を設置するものとする。同会議は，対策をより効果的かつ効率的に実施するため，「麻しん対策推進会議」と合同で開催し，毎年度，本指針に定める施策の実施状況に関する評価を行うとともに，その結果を公表し，必要に応じて当該施策の見直しについて提言を行うこととする。

3 都道府県における風しん対策の会議

1 都道府県は，感染症の専門家，医療関係者，保護者，市町村の担当者，学校関係者及び事業者団体の関係者等と協働して，風しん対策の会議を設置し，関係機関の協力を得ながら，定期的に風しんの発生動向，定期の予防接種の接種率及び副反応の発生事例等を把握し，地域における施策の進捗状況を評価するものとする。なお，同会議は麻しん対策の会議と合同で開催することも可能であるものとする。また，国は，国立感染症研究所において，同会議の活動内容や役割等を示した手引きの作成を行うものとする。

2 厚生労働省は，風しん対策の会議が予防接種の実施状況を評価するため，文部科学省に対し，学校が把握する幼児及び児童の予防接種の接種率に関する情報を風しん対策の会議に提供するよう協力を依頼するものとする。

4 関係機関との連携

1 厚生労働省は，迅速に風しんの定期の予防接種の接種率を把握するため，都道府県知事に対し，情報提供を依頼するものとする。また，学校保健安全法第20条に基づく学校の臨時休業の情報を随時把握するため，文部科学省に対し，情報提供を依頼するものとする。

2 厚生労働省は，予防接種により副反応が生じた際に行われている報告体制を充実させ，重篤な副反応の事例は，速やかに国及び風しん対策の会議等に報告される仕組みを構築するものとする。

5 普及啓発の充実

風しん対策に関する普及啓発については，風しん及び先天性風しん症候群に関する正しい知識に加え，医療機関受診の際の検査や積極的疫学調査への協力の必要性等を周知することが重要である。厚生労働省は，文部科学省や報道機関等の関係機関との連携を強化し，国民に対し，風しん及び先天性風しん症候群とその予防に関する適切な情報提供を行うよう努めるものとする。

付録

460 （付録96）特定感染症予防指針

結核に関する特定感染症予防指針（抄）
（平成19年3月30日　厚生労働省告示第72号）

改正　平成28年11月25日健発1125第2号　各都道府県知事宛（平成28年11月25日から適用）

　第一次の本指針は，結核予防法（昭和26年法律第96号）に基づき，平成16年に策定された。結核予防法が平成19年に感染症の予防及び感染症の患者に対する医療に関する法律（平成10年法律第114号。以下「法」という。）に統合され，平成23年に本指針が改正されて以来，5年余りが経過した。

　我が国における結核患者数は減少傾向にあり，人口10万人対り患率（以下「り患率」という。）は，平成27年には14.4となり，世界保健機関の定義するり患率10以下の低まん延国となることも視野に入ってきた。特に小児結核対策においては，ＢＣＧ接種の実施が著しい効果をもたらしている。しかしながら，平成27年の結核患者数は約1万8,000人となっており，依然として結核が我が国における最大の慢性感染症であることに変わりはない。

　また，り患の中心は高齢者であること，結核患者が都市部で多く生じていること，結核発症の危険性が高いとされる幾つかの特定の集団（以下「ハイリスクグループ」という。）が存在すること等が明らかとなっている。

　こうした状況を踏まえ，結核の予防及びまん延の防止，健康診断及び患者に対する良質かつ適切な医療の提供，結核に関する研究の推進，人材の育成並びに知識の普及啓発を総合的に推進し，国と地方公共団体及び地方公共団体相互の連携を図り，結核対策の再構築を図る必要がある。また，平成26年に世界保健機関は結核終息戦略を発表し，低まん延国はもとより，日本を含めた低まん延国に近づく国に対しても，根絶を目指した対策を進めるよう求めている。

　本指針はこのような認識の下に，予防のための総合的な施策を推進する必要がある結核について，国，地方公共団体，関係団体等が連携して取り組むべき課題に対し，取組の方向性を示すことを目的とする。低まん延国化に向けては，従前行ってきた総合的な取組を徹底していくことが極めて重要であり，その取組の中で，病原体サーベイランス体制の構築，患者中心の直接服薬確認療法（以下「ＤＯＴＳ」という。）の推進及び無症状病原体保有者のうち治療を要する者（以下「潜在性結核感染症の者」という。）に対する確実な治療等の取組を更に進めていく必要がある。

　本指針に示す取組を具体化するため，国及び地方公共団体は相互に連携して取り組むとともに，必要な財源を確保するよう努めるものとする。

　本指針については，本指針において掲げられた施策及びその目標値の達成状況，結核発生動向等状況の定期的な検証及び評価等を踏まえ，少なくとも五年ごとに再検討を加え，必要があると認めるときは，これを変更するものとする。

四　ＢＣＧ接種

1　予防接種は，感染源対策，感染経路対策及び感受性対策からなる感染症予防対策の中で，主として感受性対策を受け持つ重要なものである。我が国の乳児期における高いＢＣＧ接種率は，小児結核の減少に大きく寄与していると考えられるため，結核対策においても，ＢＣＧ接種に関する正しい知識の普及を進め，接種の意義について国民の理解を得るとともに，予防接種法（昭和23年法律第68号）に基づき，市町村においては，引き続き，適切に実施することが重要である。

2　市町村は，定期のＢＣＧ接種を行うに当たっては，地域の医師会や近隣の市町村等と十分な連携の下，乳児健康診断との同時実施，個別接種の推進，近隣の市町村の住民への接種の場所の提供その他対象者が接種を円滑に受けられるような環境の確保を地域の実情に即し

て行い，もってＢＣＧの接種対象年齢における接種率の目標値を95パーセント以上とする。

3　ＢＣＧを接種して数日後，被接種者が結核に感染している場合には，一過性の局所反応であるコッホ現象を来すことがある。コッホ現象が出現した際には，市町村にその旨を報告するように市町村等が周知するとともに，市町村から保健所に必要な情報提供をすることが望ましい。また，医療機関の受診を勧奨する等当該被接種者が必要な検査等を受けられるようにすることが適当である。被接種者が適切な対応を受けられるよう，コッホ現象が発現した際の適切な対応方法を医療従事者に周知するとともに，住民に対してもコッホ現象に関する正確な情報を提供する必要がある。

4　国においては，予防接種に用いるＢＣＧについて，円滑な供給が確保されるよう努めることが重要である。

第八

二　小児結核対策

　結核感染危険率の減少，定期のＢＣＧ接種の徹底及び潜在性結核感染症の治療の推進により，小児の結核患者数は著しく減少しているが，小児結核の診療経験を有する医師及び診療に対応できる医療機関が減少している。そのため，法第17条第1項及び第2項の規定に基づく健康診断の迅速な実施，潜在性結核感染症の治療の徹底，結核診断能力の向上，小児結核発生動向調査等の充実を図るほか，小児結核を診療できる医師の育成，小児結核に係る相談対応，重症患者への対応等，小児結核に係る診療体制の確保のための新たな取組が必要である。

付録

462 （付録98）特定感染症予防指針

インフルエンザに関する特定感染症予防指針（抄）
（平成11年12月21日厚生省告示第247号）

改正　平成27年3月31日厚生労働省告示第193号（平成27年4月1日から適用）

　感染症の予防及び感染症の患者に対する医療に関する法律（平成10年法律第114号）第11条第1項の規定に基づき，「インフルエンザに関する特定感染症予防指針」を次のように作成したので，同項の規定に基づき，公表する。

　インフルエンザは，人類が数千年前から経験してきた感染症であり，人類にとって最も身近な感染症の一つである。また，風邪症候群を構成する感染症の一つであることから，特に，我が国において，普通の風邪と混同されることが多い。しかしながら，罹患した場合の症状の重篤性や肺炎等の合併症の問題を考えた場合には，普通の風邪とは全く異なる転帰を迎えることがあるといった特性に加えて，A型インフルエンザについては，汎流行が数十年に一度発生し，我が国を含めた世界各国で甚大な健康被害と社会活動への影響を引き起こすという特徴を有している。このようなインフルエンザが与える個人及び社会全体への影響にかんがみると，行政関係者や医療関係者はもちろんのこと，個々の国民においてもその予防に取り組んでいくことが極めて重要である。

　また，平成6年に，予防接種法（昭和23年法律第68号）の対象からインフルエンザが除外されたことに伴い，国民の間でインフルエンザの危険性とインフルエンザワクチンの有効性を軽視する風潮が生まれ，インフルエンザワクチンの必要性を含めたインフルエンザの脅威と予防の重要性が，必ずしも国民の間で十分に認識されなくなった。このような状況の下，近年，特別養護老人ホーム等の高齢者が入所する施設においてインフルエンザの集団感染が発生し，入所者が死亡する事例が複数発生し，社会問題化した。これを契機に，高齢者のインフルエンザの発病や重症化を防止するため，平成13年に，予防接種法の一部が改正され，高齢者に係るインフルエンザを予防接種の対象疾病に加えるとともに，予防接種の対象疾病を類型化する等の措置が講じられた。これにより，インフルエンザの予防接種を希望する高齢者は，予防接種法に基づき，市町村が行う予防接種を自らの判断により受けることが可能になった。

　さらに，近年においては，乳幼児のインフルエンザの罹患中に発生する脳炎や脳症の問題等も指摘されている。

　本指針は，このような認識及び状況の下に，我が国最大の感染症であるインフルエンザについて，国，地方公共団体，医療関係者等が連携して取り組んでいくべき対策について，予防接種の推進等による発生の予防及びまん延の防止，良質かつ適切な医療の提供，正しい知識の普及等の観点から新たな取組の方向性を示すことを目的とする。また，本指針に基づいて，具体的かつ技術的なインフルエンザ対策要綱を作成し，それに基づいた総合的な対策を進めていくこととする。

　なお，本指針については，少なくとも5年ごとに再検討を加え，必要があると認めるときは，これを変更していくものである。

第二　発生の予防及びまん延の防止
2　予防接種の推進

　インフルエンザについては，予防接種が最も基本となる予防方法であり，個人の発病や重症化の防止の観点から，予防接種を推進していくべきである。このため，予防接種の実施者である市町村は，65歳以上の者をはじめとする予防接種法に基づく予防接種の対象者に対し，同法に基づく接種対象者である旨を周知するよう努めるとともに，接種対象者がかかりつけ医と相談しながら自らの判断で予防接種を受けるか否かを決定することができ

インフルエンザに関する特定感染症予防指針（抄）（付録99) 463

るよう，インフルエンザワクチンの効果，副反応等について正しい知識の普及に努めることが必要である。なお，接種を希望しない者が接種を受けることがないよう，市町村は徹底しなければならない。

　　また，国及び都道府県等は，予防接種法に基づく予防接種の対象者以外の一般国民に対しても，自らの判断で予防接種を受けるか否かを決定することができるよう，インフルエンザワクチンの効果，副反応等について正しい知識の普及に努めていくことが重要である。

5　一般向け情報提供体制及び相談機能の強化

　　国は，予防接種の意義，有効性，副反応等やインフルエンザの一般的な予防方法，流行状況等に関する国民の疑問に的確に答えていくため，関係団体と連携を図り，情報提供体制及び相談機能を強化していくべきである。

第三　医療の提供

4　施設における発生事例への対応の強化

　　高齢者等の高危険群に属する者が多く入所している施設において，インフルエンザの流行が発生した場合には，都道府県等は，当該施設等の協力を得ながら積極的疫学調査（感染症法第15条に規定する感染症の発生の状況，動向及び原因の調査をいう。以下同じ。）を実施し，感染拡大の経路及び感染拡大に寄与した因子の特定等を行うことにより，施設内感染の再発防止に役立てることが望ましい。また，国及び都道府県等は，積極的疫学調査のほか，施設からの求めに応じて適切な支援及び助言を行うことが求められる。

5　インフルエンザワクチン等の供給

　　国は，インフルエンザワクチン並びに必要な診断薬及び治療薬について，円滑な生産及び流通が図られるよう努めることが重要である。このため，特に，インフルエンザワクチンについて，毎年度の需要を検討するとともに，インフルエンザワクチンの製造販売業者等と連携しつつ，必要量が円滑に供給できるように努めることが重要である。また，予期せぬ需要の増大が生じた場合には，高危険群に属する者への円滑な接種に配慮しつつ，供給面についての対策を検討することが重要である。

第六　新型インフルエンザウイルスの感染拡大阻止へ向けた健康危機管理体制の強化

1　基本的考え方

　　海外における高病原性鳥インフルエンザウイルスの人への感染事例が発生していることから，新型インフルエンザウイルスの出現の危険性が高まっている。新型インフルエンザの汎流行に備え，通常のインフルエンザ対策の充実強化が新型インフルエンザ対策の充実強化につながるものと認識する必要がある。国は，このような認識の下に，新型インフルエンザウイルスの出現を想定した調査体制の確立，ワクチン供給体制の整備，医療提供体制の確保及び抗インフルエンザウイルス薬の備蓄又は確保の着実な実施とともに，発生状況等に応じた対応方針の決定並びに行動計画の策定及びその定期的な見直しを行う。

2　迅速な情報入手システムの確立

　　新型インフルエンザウイルスが出現した場合の健康危機管理体制を有効に機能させるためには，まず，新型インフルエンザウイルスの出現を迅速かつ的確に把握することが不可欠である。国は，国内の新型インフルエンザウイルスの監視体制を一層強化するとともに，新型インフルエンザウイルスの出現が予想される地域を視野に入れた国内外の情報収集体制の整備を図ることが重要である。

　　都道府県等は，毎年のインフルエンザの流行時には，流行株の確認のためにウイルス分離検査，ウイルス抗原検査その他の検査を行い，その結果から新型インフルエンザウイルスの出現が疑われる場合には，直ちに亜型の確認を行う。

3　インフルエンザワクチンの供給のための事前準備

　　新型インフルエンザが国内において発生した場合を想定して，出現が予測される新型イ

付録

464 （付録100）特定感染症予防指針

ンフルエンザウイルスに対応するワクチン株の準備並びに必要なワクチンの生産及び供給が安全かつ迅速に行われるための体制を整備することが重要である。

そのため，インフルエンザワクチンの製造業者は，新型インフルエンザを想定したワクチン開発を行うよう努める必要がある。

国は，ワクチンの製剤化，非臨床試験及び臨床試験について，開発の支援を行うとともに，医薬品，医療機器等の品質，有効性及び安全性の確保等に関する法律（昭和35年法律第145号）に基づく承認のための審査を迅速に行わせるよう配慮する。

4　抗インフルエンザウイルス薬の備蓄又は確保

新型インフルエンザの汎流行時に，抗インフルエンザウイルス薬の供給及び流通を的確に行うため，国及び都道府県等は，医薬品の備蓄又は確保に努める。

5　先進国による支援体制の強化

世界のいずれかの地域において，新型インフルエンザウイルスが出現し，又は流行した場合には，国は，世界保健機関等との連携の上，感染症に関する早期警戒と対策のためのネットワークである「グローバル感染症警報・対応ネットワーク」を速やかに活用し，情報を収集する。国立感染症研究所は，収集された情報等の分析及び当該地域における緊急的な疫学調査を行うとともに，国立研究開発法人国立国際医療研究 センター，大学等の研究機関と連携して，出現した新型インフルエンザウイルスの検出方法の開発，有効かつ安全なワクチンの開発等に関する技術的支援を行う。新型インフルエンザウイルスが出現し，又は流行する国に対して先進国が共同して支援する体制を確立することが重要である。

第七　関係機関との連携

1　基本的考え方

関係するすべての機関が，役割を分担し，協力しつつ，それぞれの立場からの取組を推進することが必要である。このため，厚生労働省，文部科学省，農林水産省等における普及啓発の推進，研究成果の情報交換，官民連携による施策の推進を図るほか，国及び都道府県等と医師会等の関係団体との連携を強化することによって，インフルエンザの発生動向の調査体制の充実，報道機関等を通じた積極的な広報活動の推進等を図ることが重要である。

2　保健所及び地方衛生研究所の機能強化

地域における感染症対策の中核としての保健所の役割を強化するとともに，感染予防対策を推進する上での所管地域の特性等の留意点を分析できるよう保健所の機能強化を図ることが重要である。また，都道府県等における病原体検査の中心的な役割を果たす地方衛生研究所の機能強化を図ることが重要である。

3　専門家会合の開催

予防接種に代表される発生の予防及びまん延の防止の方法は，科学的根拠に基づいたものであることが不可欠である。国は，インフルエンザの専門家から成る委員会を設置することにより，科学的知見を定期的に蓄積し，その結果をインフルエンザ対策に反映することが重要である。

4　本指針の進捗状況の評価及び展開

本指針を有効に機能させるためには，関係者が協力して本指針に掲げた施策に取り組むことが極めて重要である。このため，国は，流行期におけるインフルエンザの発生状況及び本指針に基づく取組の進捗状況を取りまとめ，次の流行期に備えておくべきである。

予防接種法改正および
予防接種実施関連通知

平成 31 年(令和元年)の改正について
平成 28 年の改正について
平成 26 年の改正について
平成 6 年の改正について
今後の予防接種の在り方について
昭和 51 年の改正について

466 (付録102) 予防接種法改正および予防接種実施関連通知

平成31年（令和元年）の改正について

予防接種法施行規則の一部を改正する省令の公布について
厚生労働省健康局長
（令和元年9月27日健発0927第2号　各都道府県知事宛）

　予防接種法施行規則の一部を改正する省令（令和元年厚生労働省令第53号）が本日，別紙の
とおり公布され，施行されました。改正省令の内容は下記のとおりですので，貴職におかれ
ましてはこれを十分御了知の上，貴管内市町村（保健所を設置する市及び特別区を含む）及び
関係機関等に周知をお願いいたします。

第一　改正の概要

1　水痘の定期の予防接種等を受けたことによるものと疑われる症状の報告の基準として，
　以下を追加すること（予防接種法施行規則第5条関係）。

症　状	期　間
無菌性髄膜炎（帯状疱疹を伴うものに限る。）	予防接種との関連性が高いと医師が認める期間

2　インフルエンザの定期の予防接種等を受けたことによるものと疑われる症状の報告の基
　準として，以下を追加すること（予防接種法施行規則第5条関係）。

症　状	期　間
急性汎発性発疹性膿疱	28日

3　その他所要の改正を行うこと。

第二　施行期日

　公布の日（令和元年9月27日）

予防接種法施行令の一部を改正する政令等の施行等について
厚生労働省健康局長
（平成31年3月20日健発0320第1号　各都道府県知事宛）

　予防接種法施行令の一部を改正する政令の施行等について予防接種法施行令の一部を改正
する政令（平成31年政令第48号）については，本日別紙1のとおり公布され，施行された。改
正の概要は下記のとおりである。

　また，これに伴い，別紙2のとおり「予防接種法第5条第1項の規定による予防接種の実
施について」（平成25年3月30日付け健発0330第2号厚生労働省健康局長通知）の別添「定期
接種実施要領」を改正する。

　貴職におかれては，これらについて貴管内市町村（保健所を設置する市及び特別区を除く。
以下同じ。）へ周知を図るとともに，その実施に遺漏なきを期されたい。なお，本通知は，地
方自治法（昭和22年法律第67号）第245条の4第1項に規定する技術的な助言である。

記

第一　予防接種法施行令の一部を改正する政令について

平成31年（令和元年）の改正について（付録103）467

1 改正の概要

肺炎球菌感染症（高齢者がかかるものに限る。）については，予防接種法施行令の一部を改正する政令（平成26年政令第247号）附則第2項及び第3項に基づき，平成26年10月から定期接種の対象疾病として追加され，65歳，70歳，75歳，80歳，85歳，90歳，95歳又は100歳になる日の属する年度の初日から当該年度の末日までの間にある者に対し，さらに平成26年度中においては，平成25年度末に100歳以上の者に対し，経過措置として定期の予防接種を実施している。

厚生科学審議会予防接種・ワクチン分科会における議論を踏まえ，予防接種法施行令の一部を改正し，平成31年4月1日から平成36年3月31日までの間の時限措置として，平成31年度から平成35年度までの間は，各当該年度に65歳，70歳，75歳，80歳，85歳，90歳，95歳，100歳になる日の属する年度の初日から当該年度の末日までの間にある者に対し，さらに平成31年度中においては，平成30年度末に100歳以上の者に対し，肺炎球菌感染症に係る定期接種を行うことを規定する。

2 施行期日

公布の日（平成31年3月20日）

第二 接種率向上のための取り組みについて

厚生科学審議会予防接種・ワクチン分科会における審議結果を踏まえ，引き続き定期接種の対象者を拡大すること等について周知啓発を行うとともに，予防接種を受けやすい環境の整備を行い，接種率向上に取り組むこと。周知啓発にあたっては，高齢者肺炎球菌感染症について，接種機会は1回のみであること，平成31年度から平成35年度までの5年間に1年間のみ定期接種の対象となること等，制度趣旨についても御理解いただけるよう留意すること。

予防接種法施行令の一部を改正する政令等の施行等について
厚生労働省健康局長
（平成31年2月1日健発0201第2号　各都道府県知事宛）

予防接種法施行令の一部を改正する政令（平成31年政令第20号）及び予防接種法施行規則及び予防接種実施規則の一部を改正する省令（平成31年厚生労働省令第9号）については，本日別紙1のとおり公布され，施行された。改正の概要は下記のとおりである。

また，これに伴い，別紙2のとおり「予防接種法第5条第1項の規定による予防接種の実施について」（平成25年3月30日付け健発0330第2号厚生労働省健康局長通知）の別添「定期接種実施要領」を改正する。

貴職におかれては，これらについて貴管内市町村（保健所を設置する市及び特別区を除く。以下同じ。）へ周知を図るとともに，その実施に遺漏なきを期されたい。

なお，第25回厚生科学審議会感染症部会（平成30年6月15日開催）及び第23回厚生科学審議会予防接種・ワクチン分科会予防接種基本方針部会（平成30年8月8日開催）において了承された，風しんに関する特定感染症予防指針（平成26年厚生労働省告示第122号）の一部改正については，風しんに係る状況に変化があったことを踏まえ，第29回厚生科学審議会予防接種・ワクチン分科会予防接種基本方針部会・第30回厚生科学審議会感染症部会（合同開催）（平成31年1月28日開催）において当分の間据え置くことが決定されたことを申し添える。

記

第一 予防接種法施行令の一部を改正する政令について
1 改正の概要

風しんに係る定期接種については，予防接種法施行令（昭和23年政令第197号）第1条の3

付録

第1項の規定により，幼少期にある者を対象に，予防接種を受ける機会を確保している。

昨年7月以降の風しんの発生状況等を踏まえ，厚生労働省として昨年12月に取りまとめた風しんの追加的対策に基づき，予防接種法施行令の一部を改正し，平成34年3月31日までの間に限り，風しんに係る公的接種を受ける機会がなかった昭和37年4月2日から昭和54年4月1日までの間に生まれた(現在39歳から56歳)男性を，風しんに係る定期の予防接種の対象者として追加することを規定する。

2 施行期日

公布の日(平成31年2月1日)

第二 予防接種法施行規則及び予防接種実施規則の一部を改正する省令について

1 改正の概要

上記政令改正により，平成34年3月31日までの間に限り，昭和37年4月2日から昭和54年4月1日までの間に生まれた男性を対象に，風しんに係る定期の予防接種を行うことに伴い，予防接種法施行規則(昭和23年厚生省令第36号)を改正し，追加的対策に係る予防接種を風しんの第5期予防接種とし，その対象者から除かれる者として，風しんに係る抗体検査を受けた結果，十分な量の風しんの抗体があることが判明し，予防接種を行う必要がないと認められる者を規定する。

また，予防接種実施規則(昭和33年厚生省令第27号)を改正し，風しんの第5期予防接種について，乾燥弱毒生風しんワクチン又は乾燥弱毒生麻しん風しん混合ワクチンを使用すること及び接種量を0.5ミリリットルとすることを規定する。

2 施行期日

公布の日(平成31年2月1日)

平成28年の改正について（付録105）469

平成28年の改正について

予防接種法施行令の一部を改正する政令及び予防接種法施行規則及び予防接種実施規則の一部を改正する省令の公布について
厚生労働省健康局長
（平成28年6月22日健発0622第1号　各都道府県知事宛）

予防接種法施行令の一部を改正する政令（平成28年政令第241号）及び予防接種法施行規則及び予防接種実施規則の一部を改正する省令（平成28年厚生労働省令第115号）が本日，それぞれ別紙のとおり公布され，本年10月1日から施行することとしている。これらの改正の概要等は下記のとおりであるので，貴職におかれては，貴管内市町村（保健所を設置する市及び特別区を含む。）及び関係機関等へ周知を図るとともに，その実施に遺漏なきを期されたい。なお，この通知においては，平成28年10月1日以後の予防接種法施行令（昭和23年政令第197号），予防接種法施行規則（昭和23年厚生省令第36号）及び予防接種実施規則（昭和33年厚生省令第27号）をそれぞれ「令」，「施行規則」及び「実施規則」と，予防接種法施行令の一部を改正する政令及び予防接種法施行規則及び予防接種実施規則の一部を改正する省令をそれぞれ「改正政令」及び「改正省令」と，それぞれ略称する。

記

第一　概要
1　対象疾病の追加
定期の予防接種の対象疾病について，B型肝炎をA類疾病に追加すること。（令第1条関係）
2　定期の予防接種の対象者
1歳に至るまでの間にある者（ただし，平成28年4月1日以後に生まれた者に限る）とすること。（令第1条の3関係）
3　予防接種の対象者から除かれる者
B型肝炎の定期の予防接種については，HBs抗原陽性の者の胎内又は産道においてB型肝炎ウイルスに感染したおそれのある者であって，抗HBs人免疫グロブリンの投与に併せて組換え沈降B型肝炎ワクチンの投与を受けたことのある者を対象者から除くこと。（施行規則第2条関係）
4　接種方法
B型肝炎の定期の予防接種は，組換え沈降B型肝炎ワクチンを27日以上の間隔をおいて2回皮下に注射した後，第1回目の注射から139日以上の間隔をおいて1回皮下に注射するものとし，接種量は，毎回0.25ミリリットルとすること。（実施規則第21条第1項関係）令第1条の3第2項に規定するところにより，B型肝炎の定期の予防接種を受けることができなかったと認められ，B型肝炎に係る予防接種法（昭和23年法律第68号）第5条第1項の政令で定める者とされた者については，次の表の左欄に掲げる対象者ごとに，それぞれ同表の右欄に掲げる方法で予防接種を行うものとすること。（実施規則第21条第2項関係）

対象者	方法
予防接種の開始時に1歳以上10歳未満である者	組換え沈降B型肝炎ワクチンを27日以上の間隔をおいて2回皮下に注射した後，第1回目の注射から139日以上の間隔をおいて1回皮下に注射するものとし，接種量は，毎回0.25ミリリットルとすること。ただし，第2回目以降の接種の開始時に10歳以上である者にあっては，筋肉内又は皮下に注射するものとし，第2回目以降の接種量は，0.5ミリリットルとする。

付録

470 （付録 106）予防接種法改正および予防接種実施関連通知

対象者	方法
予防接種の開始時に10歳以上である者	組換え沈降B型肝炎ワクチンを27日以上の間隔をおいて2回筋肉内又は皮下に注射した後，第1回目の注射から139日以上の間隔をおいて1回筋肉内又は皮下に注射するものとし，接種量は，毎回0.5ミリリットルとすること。

5　B型肝炎及びインフルエンザの予防接種を受けたことによるものと疑われる症状の報告の基準

　B型肝炎及びインフルエンザの予防接種を受けたことによるものと疑われる症状として医療機関等が厚生労働大臣に報告すべき症状は，対象疾病の区分ごとにそれぞれ次の表の中欄に掲げる症状であって，それぞれ接種から同表の右欄に掲げる期間内に確認されたものとすること。（インフルエンザにあっては，新たに追加されたものだけ記載。）（施行規則第5条関係）

対象疾病	症状	期間
B型肝炎	アナフィラキシー	4時間
	急性散在性脳脊髄炎	28日
	ギラン・バレ症候群	28日
	視神経炎	28日
	脊髄炎	28日
	多発性硬化症	28日
	末梢神経障害	28日
	その他医師が予防接種との関連性が高いと認める症状であって，入院治療を必要とするもの，死亡，身体の機能の障害に至るもの又は死亡若しくは身体の機能の障害に至るおそれのあるもの	予防接種との関連性が高いと医師が認める期間
インフルエンザ	視神経炎	28日
	脊髄炎	28日

6　障害児養育年金の額及び障害年金の額の変更請求

　障害児養育年金の額及び障害年金の額の変更に係る請求は，障害の程度が増進した場合に加えて，減退した場合も行うものとすること。

7　経過措置

①平成28年10月1日より前の接種の取扱い

　改正省令の施行前の注射であって，定期の予防接種のB型肝炎の注射に相当するものについては，当該注射を定期の予防接種のB型肝炎の注射と，当該注射を受けた者については，定期の予防接種のB型肝炎の注射を受けた者とみなして，以降の接種を行うこと。（改正省令附則第2項関係）

②対象者平成28年4月1日以後に生まれた者に限ること。（改正政令附則第2項関係）

第二　施行期日

　これらの改正は，平成28年10月1日から施行すること。

平成28年の改正について（付録107）471

予防接種実施規則の一部を改正する省令の施行について
厚生労働省健康局長
（平成28年3月31日健発0331第6号　各都道府県知事宛）

　予防接種実施規則の一部を改正する省令（平成28年厚生労働省令第62号）が本日、別紙のとおり公布され、本年4月1日から施行することとしている。これらの改正の概要等は下記のとおりであるので、貴職におかれては、貴管内市町村（保健所を設置する市及び特別区を含む。）及び関係機関等へ周知を図るとともに、その実施に遺漏なきを期されたい。
なお、この通知においては、予防接種法（昭和23年法律第68号）を「法」と、平成28年4月1日以後の予防接種実施規則（昭和33年厚生省令第27号）を「実施規則」と、それぞれ略称する。

記

第一　改正の概要
1　法に基づく予防接種に係る説明と同意
　被接種者が次のいずれかに該当する場合であって、それぞれ当該各号に定める者が長期間にわたり当該被接種者の保護者と連絡をとることができないことその他の事由により当該被接種者の保護者の同意の有無を確認することができないとき（保護者のあるときに限る。）は、当該被接種者の保護者に代わって、それぞれ当該各号に定める者が実施規則第5条の2第1項の同意をすることができること。（実施規則第5条の2第2項関係）
　(1)　児童福祉法（昭和22年法律第164号）第27条第1項第3号の規定により同法第6条の3第8項に規定する小規模住居型児童養育事業を行う者又は同法第6条の4第1項に規定する里親（以下「里親等」という。）に委託されている場合　当該里親等
　(2)　児童福祉法第7条第1項に規定する児童福祉施設（以下「児童福祉施設」という。）に入所している場合　当該児童福祉施設の長
　(3)　児童福祉法第33条第1項又は第2項の規定により児童相談所による一時保護が加えられている場合　当該児童相談所長
2　日本脳炎の予防接種に係る特例
　(1)　実施規則附則第4条に規定する日本脳炎の予防接種に係る特例の対象者について、「平成19年4月2日から平成21年10月1日までに生まれた者であって平成22年3月31日までに日本脳炎の第1期の予防接種を受けていない者」とすること。（実施規則附則第4条第1項及び第2項関係）
　(2)　実施規則附則第4条第1項又は第2項により、9歳以上13歳未満の者が日本脳炎の第1期の接種を受け終え、次に第2期の接種を受ける場合の接種間隔を6日以上とすること。（実施規則附則第4条第3項関係）
第二　施行期日
　これらの改正は、平成28年4月1日から施行すること。

付録

472 （付録108）予防接種法改正および予防接種実施関連通知

平成26年の改正について

予防接種法施行規則の一部を改正する省令の施行について
厚生労働省健康局長
（平成26年11月25日健発1125第5号　各都道府県知事宛）

　予防接種法施行規則の一部を改正する省令（平成26年厚生労働省令第129号。以下「改正省令」という。）については，本日，別紙のとおり公布され，本日から施行することとしている。これらの改正の概要等は下記のとおりであるので，貴職におかれては，貴管内市町村（保健所を設置する市及び特別区を含む。）及び関係機関等へ周知を図るとともに，その実施に遺漏なきを期されたい。なお，この通知においては，改正省令による改正後の予防接種法施行規則（昭和23年厚生省令第36号）を「施行規則」と略称する。

記

第一　概要

1　厚生労働大臣が独立行政法人医薬品医療機器総合機構（以下「機構」という。）に副反応報告に係る情報の整理を行わせる場合において，副反応報告をしようとする者が機構に報告すべき事項について規定すること。（施行規則第7条の2関係）

2　厚生労働大臣が機構に副反応報告に係る情報の整理を行わせる場合において，機構がワクチン製造販売業者に対し副反応報告に関する調査のため必要な協力を求めるとき，機構は，副反応報告に関する調査を行う際に必要な限度において，ワクチン製造販売業者に対し，副反応報告に係る情報（被接種者の氏名及び生年月日を除く。）を提供できることとすること。（施行規則第7条の3関係）

第二　施行期日

　改正省令は，平成26年11月25日から施行すること。

予防接種法施行令の一部を改正する政令並びに予防接種法施行規則及び
予防接種実施規則の一部を改正する省令の施行について
厚生労働省健康局長
（平成26年7月16日健発0716第24号　各都道府県知事宛）

　予防接種法施行令の一部を改正する政令（平成26年政令第247号）が今月2日に，予防接種法施行規則及び予防接種実施規則の一部を改正する省令（平成26年厚生労働省令第80号）が本日，それぞれ別紙のとおり公布され，本年10月1日から施行することとしている。これらの改正の概要等は下記のとおりであるので，貴職におかれては，貴管内市町村（保健所を設置する市及び特別区を含む。）及び関係機関等へ周知を図るとともに，その実施に遺漏なきを期されたい。

　なお，この通知においては，平成26年10月1日以後の予防接種法施行令（昭和23年政令第197号），予防接種法施行規則（昭和23年厚生省令第36号）及び予防接種実施規則（昭和33年厚生省令第27号）をそれぞれ「令」，「施行規則」及び「実施規則」と，予防接種法施行令の一部を改正する政令及び予防接種法施行規則及び予防接種実施規則の一部を改正する省令をそれぞれ「改正政令」及び「改正省令」と，それぞれ略称する。

平成26年の改正について（付録109）473

記

第一　概要
1　対象疾病の追加
定期の予防接種の対象疾病について，水痘をＡ類疾病に，高齢者の肺炎球菌感染症をＢ類疾病に，それぞれ追加すること。（令第１条及び第１条の２関係）
2　定期の予防接種の対象者
(1) 水痘

対象者は生後12月から生後36月に至るまでの間にある者とすること。（令第１条の３関係）
(2) 高齢者の肺炎球菌感染症

対象者は次のとおりとすること。（令第１条の３関係）

ア　65歳の者

イ　60歳以上65歳未満の者であって，心臓，腎臓又は呼吸器の機能に自己の身辺の日常生活活動が極度に制限される程度の障害を有する者及びヒト免疫不全ウイルスにより免疫の機能に日常生活がほとんど不可能な程度の障害を有する者（施行規則第２条の３関係）
3　予防接種の対象者から除かれる者
高齢者の肺炎球菌感染症に係る定期の予防接種については，法第５条第１項の規定による当該予防接種を受けたことのある者を定期の予防接種の対象者から除くこと。（施行規則第２条関係）
4　高齢者の肺炎球菌感染症の長期療養特例
高齢者の肺炎球菌感染症の定期の予防接種の対象者であった者であって，当該対象者であった間に，長期にわたり療養を必要とする疾病にかかったことその他の特別の事情があることにより当該定期の予防接種を受けることができなかったと認められるものについては，当該特別の事情がなくなった日から起算して１年を経過する日までの間，当該定期の予防接種の対象者とすること。（令第１条の３第２項関係）
5　接種方法
(1) 水痘の予防接種

水痘の定期の予防接種は，乾燥弱毒生水痘ワクチンを３月以上の間隔をおいて２回皮下に注射するものとし，接種量は，毎回0.5ミリリットルとすること。（実施規則第20条関係）
(2) 高齢者の肺炎球菌感染症の予防接種

高齢者の肺炎球菌感染症の定期の予防接種は，23価肺炎球菌莢膜ポリサッカライドワクチンを１回筋肉内又は皮下に注射するものとし，接種量は0.5ミリリットルとすること。（実施規則第22条関係）
6　水痘及び高齢者の肺炎球菌感染症の副反応報告基準
水痘及び高齢者の肺炎球菌感染症の予防接種を受けたことによるものと疑われる症状として医療機関等が厚生労働大臣に報告すべき症状は，対象疾病の区分ごとにそれぞれ次の表の中欄に掲げる症状であって，それぞれ接種から同表の右欄に掲げる期間内に確認されたものとすること。（施行規則第５条関係）

付録

474 （付録110）予防接種法改正および予防接種実施関連通知

対象疾病	症状	期間
水痘	アナフィラキシー	4時間
	血小板減少性紫斑病	28日
	その他医師が予防接種との関連性が高いと認める症状であって，入院治療を必要とするもの，死亡，身体の機能の障害に至るもの又は死亡若しくは身体の機能の障害に至るおそれのあるもの	予防接種との関連性が高いと医師が認める期間

対象疾病	症状	期間
高齢者の肺炎球菌感染症	アナフィラキシー	4時間
	ギラン・バレ症候群	28日
	血小板減少性紫斑病	28日
	蜂巣炎（これに類する症状であって，上腕から前腕に及ぶものを含む。）	7日
	その他医師が予防接種との関連性が高いと認める症状であって，入院治療を必要とするもの，死亡，身体の機能の障害に至るもの又は死亡若しくは身体の機能の障害に至るおそれのあるもの	予防接種との関連性が高いと医師が認める期間

7　経過措置

(1) 水痘

ア　平成26年10月1日より前の接種の取扱い

改正省令の施行前の注射であって，定期の予防接種の水痘の注射に相当するものについては，当該注射を定期の予防接種の水痘の注射と，当該注射を受けた者については，定期の予防接種の水痘の注射を受けた者とみなすこと。（改正省令附則第3項関係）

イ　対象者及び接種方法

平成26年度に限り，生後36月に至った日の翌日から生後60月に至るまでの間にある者について対象者とすること。（改正政令附則第2項関係）

当該対象者については，乾燥弱毒生水痘ワクチンを1回皮下に注射するものとし，接種量は，毎回0.5ミリリットルとすること。（改正省令附則第2項関係）

(2) 高齢者の肺炎球菌感染症

ア　改正政令の施行の日から平成27年3月31日までの間

平成26年3月31日において100歳以上の者及び同年4月1日から平成27年3月31日までの間に65歳，70歳，75歳，80歳，85歳，90歳，95歳又は100歳となる者を対象者とすること。（改正政令附則第2項関係）

イ　平成27年4月1日から平成31年3月31日までの間

65歳，70歳，75歳，80歳，85歳，90歳，95歳又は100歳となる日の属する年度の初日から当該年度の末日までの間にある者を対象者とすること。（改正政令附則第3項関係）

第二　施行期日

これらの改正は，平成26年10月1日から施行すること。

平成26年の改正について（付録111）475

予防接種実施規則の一部を改正する省令の施行等について
厚生労働省健康局長通知
（平成26年3月24日健発0324第11号　各都道府県知事宛）

　予防接種実施規則の一部を改正する省令（平成26年厚生労働省令第22号）が本日公布され，本年4月1日から施行されるところである。これにより，定期の予防接種について，接種間隔の上限の撤廃等が行われることとなり，その改正の概要等は下記のとおりである。また，上記省令の施行に併せて，「予防接種法第5条第1項の規定による予防接種の実施について」（平成25年3月30日付け健発0330第2号厚生労働省健康局長通知）の別添「定期接種実施要領」の一部を別紙のとおり改正し，本年4月1日から適用することとした。貴職におかれては，貴管内市町村（保健所を設置する市及び特別区を含む。）及び関係機関等へ周知を図るとともに，その実施に遺漏なきを期されたい。

記

1　改正の概要
　(1) 接種間隔の上限の撤廃

　　ジフテリア，破傷風，百日せき及び急性灰白髄炎の第一期の予防接種，日本脳炎の第一期の予防接種の初回接種，Hib感染症の予防接種並びにヒトパピローマウイルス感染症の予防接種について，接種間隔の上限を撤廃する。

　(2) 接種間隔の下限の明確化

　　日本脳炎の第一期の予防接種の追加接種について，初回接種終了後おおむね1年を経過した時期に1回実施するとされているところ，運用上の実態を踏まえるとともに，接種間隔の明確化の観点から，6月以上に変更する。

　(3) 過剰接種の防止等

　　小児の肺炎球菌感染症の予防接種について，初回接種開始時が生後2月から12月までの場合，初回接種を期限内に終了せずに追加接種を行うと免疫が不十分となる可能性があるため，当該期限について，生後12月ないし13月までを生後24月までに延長する。また，初回接種開始時が生後2月から7月までの場合，過剰接種を防止するため，初回接種の2回目の注射が生後12月を超えた場合には，3回目の注射は実施しないこととする。

　(4) 上記(1)～(3)までの改正に伴い，所要の措置を定める等の改正を行う。

2　施行期日
　平成26年4月1日

3　留意事項
　(1) 今回の改正により，省令上は接種間隔の上限の撤廃等がなされるが，定期接種実施要領には標準的な接種間隔として従来どおりの上限等を示しており，可能な限り標準的な接種間隔で接種を実施するよう，勧奨願いたいこと。

　(2) 今回の改正は，接種間隔の上限の撤廃に係るものであり，接種対象年齢に変更はないこと。

　(3) 今回の改正は，同一ワクチンの接種間隔に係るものであり，異なるワクチンの接種の間隔についての変更はないこと。

付録

476 （付録112）予防接種法改正および予防接種実施関連通知

平成6年の改正について

予防接種法及び結核予防法の一部を改正する法律等の施行について

厚生事務次官通知

（平成6年8月25日厚生省発健医第213号　各都道府県知事，政令市市長，特別区区長宛）

　予防接種法及び結核予防法の一部を改正する法律は，平成6年6月29日法律第51号をもって公布され，本年10月1日に施行されることとなっている。また，予防接種法施行令及び結核予防法施行令の一部を改正する政令が平成6年8月17日政令第266号をもって，予防接種法施行規則等の一部を改正する省令が平成6年8月17日厚生省令第51号をもってそれぞれ公布され，いずれも本年10月1日に施行される運びとなった。　　（後略）

記

第1　改正の趣旨
　最近における伝染病の発生状況，医学医術の進歩，生活環境の改善，予防接種に関する国民の意識の変化など予防接種を取り巻く環境が大きく変化してきており，こうした諸環境の中で，極めて稀ではあるが健康被害が発生する予防接種について高い接種率を維持していくためには，国民の理解を得られる制度としていくことが必要であること。今回の改正は，こうした状況を踏まえ，予防接種の対象疾病，実施方法等を改めるとともに，予防接種による健康被害について救済措置の充実を図るものである。

第2　予防接種法の改正の要点
1　**目　的**：予防接種健康被害救済制度が，予防接種法の目的である社会防衛を達成するための手段として不可欠のものとなったことに鑑み，予防接種法の目的に予防接種による健康被害の迅速な救済を図ることを追加したこと。

2　**対象疾病**：内外における疾病の発生の有無及びその状況，予防接種の有効性等を考慮して，予防接種法の対象疾病から，痘そう，コレラ，インフルエンザ及びワイル病を削除するとともに，新たに破傷風を加えたこと。

3　**定期の予防接種**：市町村長が行う定期の予防接種については，疾病の発生状況等に迅速に対応できるよう，その対象疾病及び対象者を政令で定めることとしたこと。

　　また，地域特性のある疾病に係る予防接種について，都道府県知事が，これを行う必要がないと認めて指定した区域内の市町村の長は，当該予防接種を行うことを要しないこととしたこと。

4　**予防接種を行ってはならない者**：予防接種による健康被害を防止するには，接種に当たり，医師が事前に十分予診を行い，予防接種を行ってはならない者を的確に識別，除外することが重要であること。このため，市町村長又は都道府県知事が定期の予防接種及び臨時の予防接種を行うに当たっては，当該予防接種を受けようとする者について健康状態を調べることとするとともに，当該予防接種を受けることが適当でない者に該当すると認めるときは，その者に対して当該予防接種を行ってはならないことを法律上明らかにしたこと。

5　**被接種者等の責務**：伝染病のまん延が減少する一方，国民の健康意識や予防接種に対する関心が高まる中で，国民に理解と協力を求め，自覚を促すことにより接種率を確保することが求められていることから，予防接種の対象者は当該予防接種を受けなければならないこととされていたのを受けるよう努めなければならないこととしたこと。また，16歳未満の予防接種の対象者等の保護者についても同様としたこと。

　　なお，今回の改正により予防接種制度の重要性は何ら変わるものではなく，安全な予防接種の実施体制の整備，被接種者等関係者に対する正しい知識の普及など予防接種を受けやすい条件の整備を図りつつ，十分な勧奨を行うことにより接種率の維持・向上に努めていくべきことについて遺憾なきを期されたいこと。

平成6年の改正について（付録113）477

6　**健康被害の救済措置**：予防接種による健康被害に係る救済給付額については，予防接種の接種率を確保するための条件整備の一環として，その大幅な引上げを行うとともに，障害年金について障害の程度に応じた介護加算を設けるなどその大幅な改善を行ったこと。

　　また，国は，障害児養育年金等の支給に係る者で居宅において介護を受けるものの医療，介護等に関し，その家庭からの相談に応ずる事業その他の保健福祉事業の推進を図るものとすること。

7　**有効かつ安全な予防接種の実施のための措置**：国は，予防接種に関する知識の普及，予防接種事業の従事者に対する研修の実施等予防接種による健康被害の発生を予防するために必要な措置を講ずるとともに，予防接種による健康被害の発生状況に関する調査その他予防接種の有効性及び安全性の向上を図るために必要な調査及び研究を行うものとすること。

第3　結核予防法の改正の要点

1　**定期の予防接種**：予防接種法と同様の趣旨から，結核に係る予防接種（以下「BCG」という。）について義務づけを努力義務にするとともに，BCGを行う必要があるか否かを判断するために行われるツベルクリン反応検査について，受診義務のかかる定期の健康診断からはずし，新たに定期の予防接種の項に位置づけることとしたこと。

2　**予防接種を行ってはならない者**：予防接種法と同様の趣旨から，事業者，学校及び施設の長並びに市町村長並びに都道府県知事が定期及び定期外の予防接種を行うに当たっては，当該予防接種を受けようとする者について健康状態を調べることとするとともに，当該予防接種を受けることが適当でない者に該当すると認めるときは，その者に対して当該予防接種を行ってはならないことを法律上明らかにしたこと。

3　**ツベルクリン反応検査及び予防接種を受ける責務**：予防接種と同様の趣旨から，定期の予防接種に係るツベルクリン反応検査の対象者及び定期外の健康診断において都道府県知事によりツベルクリン反応検査の対象者として指定された者は，ツベルクリン反応検査又は予防接種を受けるよう努めなければならないこととしたこと。

4　**予防接種による健康被害の救済措置**：予防接種法と同様の趣旨から，国は，障害児養育年金等の支給に係る者で居宅において介護を受けるものの医療，介護等に関し，その家庭からの相談に応ずる事業その他の保健福祉事業の推進を図るものとすること。

第4　その他　（略）

厚生省保健医療局長通知

（平成6年8月25日健医発第961号　各都道府県知事，政令市市長，特別区区長宛）

　予防接種法及び結核予防法の一部を改正する法律及び関係政省令の施行については，平成6年8月25日厚生省発健医第213号厚生事務次官通知によるほか，細部に関しては，下記の事項に留意の上適切に処理されたい。（後略）

記

第1　対象疾病

1　**痘そう等の削除**：痘そう，コレラ，インフルエンザ及びワイル病については，その疾病の流行状況，疾病の特質，予防接種の有効性，予防接種以外に有効な予防方法・治療方法が存在すること等により削除したものであること。

2　**破傷風の追加**：破傷風については，予防接種が極めて有効である一方，いったん発症すると症状が重篤であり，死亡率も高く，有効な治療方法が存在しないことから，これを予防することが特に重要であり，予防接種により個人の疾病予防をすることが社会全体の疾病予防にもつながることから対象疾病としたものであること（新予防接種法第2条第2項関係）。

第2　定期の予防接種

1　**定期の予防接種を行う疾病**：定期の予防接種の対象疾病として，政令でジフテリア，百日せき，急性灰白髄炎，麻しん，風しん，日本脳炎及び破傷風を定めたものであること。また，疾病の発生状況やワクチンの開発状況等に鑑み，国民に必要な免疫を速やかに付与することができるよう，政令改正により，迅速に対象疾病の追加ができるようにしたこと（新予防接種法第3条第1項関係，新予防接種法施行令第1条関係）。

付録

2 対象者

(1) 伝染病の発生が減少するなど予防接種制度創設時以降の諸環境の変化に伴い，国民の接種機会を増やし，接種率の確保を図ることがより重要になってきたことから，接種時期をより広くとる傾向が生じてきたという実態を踏まえ，「時期」から「対象者の年齢」で対象を捉えることとしたものであり，疾病，ワクチンの特性等を踏まえ，各疾病ごとに基礎免疫付与が必要となる予防接種対象者と追加免疫付与が必要となる予防接種対象者を整理したものであること（新予防接種法施行令第1条関係）。

(2) 経過措置として，平成7年3月31日までの間における定期の予防接種の対象疾病及びその定期は従来どおりとし，破傷風の定期についてはジフテリアの従来の定期と同じとしたこと。

　また，風しんの予防接種については，基礎免疫を付与する観点から乳幼児期に接種時期を早めたことに伴い，すでにこの時期を過ぎており，かつ，従来の風しんの定期の予防接種を受けていない者への免疫付与の観点から必要な経過措置を講じるため，昭和54年4月2日から昭和62年10月1日までの間に生まれた者（平成7年4月1日において生後90月を超えている16歳未満の者）のうち，従来の風しんの定期の予防接種を受けていない者に対する風しんの予防接種については12歳以上16歳未満の者を対象としたこと。

3 都道府県知事の区域指定

(1) 地域特性のある疾病に係る予防接種については市町村の長の実施義務を免除するため，都道府県知事が，政令で定める疾病についてその発生状況等を勘案して，当該都道府県の区域のうち当該疾病に係る予防接種を行う必要がないと認められる区域を指定できるようにし，この場合，その区域の全部が当該指定に係る区域に含まれる市町村の長は，当該指定に係る疾病について予防接種を行うことを要しないこととしたこと（新予防接種法第3条第2項関係）。なお，政令で定める疾病として日本脳炎を定めたこと（新予防接種法施行令第1条の2関係）。

(2) 都道府県知事は，区域指定に当たっては，各都道府県における疾病の発生状況のほか，各種サーベイランス，疫学調査等により得られる流行予測，発生が予想される疾病に対する抗体保有者の比率，疾病が発生した場合の重症度等を勘案して行うものであること。なお，各都道府県における疾病の発生状況，流行予測及び予防接種の実績を示して事前に本職あて協議すること。

第3 臨時の予防接種

(1) 旧法に基づく臨時の予防接種のうち「一般的な臨時の予防接種」については，従来対象となっていた3疾病のうちインフルエンザとワイル病が予防接種法の対象疾病からはずれ，日本脳炎が定期の予防接種として位置付けられることとなったことに伴い対象疾病が想定されないことから廃止し，旧法に基づく「緊急的な臨時の予防接種」を「臨時の予防接種」として扱うこととしたこと。

(2) 臨時の予防接種の対象疾病は，新予防接種法第2条第2項の疾病の中から厚生大臣が定める疾病であり，万一，予防接種制度が対象としていない疾病が我が国で流行し，緊急に予防接種を行う必要が生じた場合には，いったん新予防接種法第2条第2項第8号の規定に基づき当該疾病を政令で定めた上で更に新予防接種法第6条第1項の規定に基づき厚生大臣が定めるものであること。

第4 予防接種の実施

1 予防接種の対象者

(1) 定期の予防接種の対象者は，予防接種の対象疾病にかかっている者，かかったことのある者及び新予防接種法施行規則第2条に規定された者を除いた者であること（新予防接種法第3条第1項関係，新予防接種法施行令第1条関係）。

(2) 臨時の予防接種の対象者は，疾病の流行状況，流行予測等に基づき，新実施規則第6条の規定を考慮しつつ，年齢，地域等について適当妥当な範囲において定めること（新予防接種法第6条関係）。

(3) 予防接種の対象者として予定される者に対して，予防接種の種類，予防接種を受ける期日又は期間及び場所，予防接種を受けるに当たって注意すべき事項その他必要な事項について通知等により周知を図ること（新予防接種法施行規則第5条関係）。

2 予診の方法

(1) 新予防接種法第7条に規定する予診の方法は，問診，検温及び診察とすること（新実施規則第4

平成6年の改正について（付録115）479

条関係）。

(2) 予防接種の対象者が乳幼児の場合には，予防接種を行うに当たり，実施者はその保護者に対し，母子健康手帳の提示を求めなければならないこととしたこと（新実施規則第5条関係）

3 技術的事項：予防接種の実施に係る技術的事項については，新実施規則によられたいが，具体的には別途通知するものであること。

4 市町村長又は都道府県知事以外の者が行う予防接種：予防接種の対象者は，できる限り新予防接種法第3条及び第6条の規定により市町村長又は都道府県知事の実施する予防接種を受けるよう趣旨徹底を図られたいこと。

なお，個人的事情によりこれらの予防接種が受けられず，市町村長又は都道府県知事以外の者についてこれに相当する予防接種を受ける者もあるので，これらの者が円滑に予防接種を受けられるよう配慮するとともに，管下市町村等においてもその旨を留意するよう指導されたいこと。

例えば，特別の事情により，協力する旨を承諾した医師以外の者により予防接種を受けることを希望する者に対して，市町村長又は都道府県知事が当該医師あての依頼書を発行し，当該依頼書により予防接種を行った医師は市町村長又は都道府県知事にかわって当該業務を行ったものとする等の措置が考えられること。

第5 予防接種を行う医師

予防接種の実施に当たっては，昭和51年9月14日衛発第725号本職通知（平成17年3月31日をもって廃止：平成16年健発第1124002号）の「第5 予防接種を行う医師」の例により，十分に医師の協力を得て，予防接種を受ける者の便宜，接種率の確保等を考慮して広くその実施ができるよう体制の整備に努めるよう管下市町村長等を指導すること。

なお，市町村長又は都道府県知事の行う予防接種に協力する医師は，個別接種，集団接種のいずれの実施形態であるかにかかわらず，当該市町村長又は都道府県知事の補助者の立場で予防接種の業務を行うものであるので，当該予防接種により，万一健康被害が発生した場合においても，その当事者は当該市町村長又は都道府県知事であり，当該健康被害への対応はこれらの者においてなされるものであること。従って，健康被害について賠償責任が生じた場合であっても，その責任は市町村，都道府県又は国が負うものであり，当該医師は故意又は重大な過失がない限り，責任を問われるものではないこと。なお，第4の4に規定する例により行われた予防接種の場合においても，万一健康被害が発生したときの当事者は，当該市町村長又は都道府県知事であること。

第6 予防接種済証の交付 （略）

第7 結核予防法に基づく予防接種

1 定期の予防接種：定期の健康診断を行うべき者は，当該健康診断の対象者のうち定期の予防接種を受けた者であって政令で定めるものに対して，政令で定める定期において，定期の予防接種を行わなければならないものとし（新結核予防法第13条第3項関係），新結核予防法施行令で，それぞれ政令で定める者に応じた政令で定める定期として，7歳に達する日の属する年度（小学校1年時）に定期の健康診断を受け，かつ，定期の予防接種を受けた者については8歳に達する日の属する年度（小学校2年時）を，13歳に達する日の属する年度（中学校1年時）に定期の健康診断を受け，かつ，定期の予防接種受けた者については14歳に達する日の属する年度（中学校2年時）を定めたこと（新結核予防法施行令第2条の2関係）。なお，これらについては定期の健康診断の対象者から除外したこと（新結核予防法施行令第2条第1項関係）。また，経過措置として，平成6年4月1日から同年9月30日までの間に定期の健康診断として上記に係るものを受けた者については，新結核予防法施行令第2条の2の項は適用しないこととしたこと。

2 予防接種の対象者：定期及び定期外の予防接種の対象者は，新結核予防法第16条の規定により，予防接種を受けることが適当でない者として新結核予防法施行規則第9条の2に規定された者を除いた者であること。

3 ツベルクリン反応判読の基準：結核感染率が急減した現状を考慮すると，現在の疑陽性のうち特に14歳以下の者はほとんど結核未感染例と考えられることから，今後は疑陽性も陰性として取り扱い，BCGの対象とすべきであるとの公衆衛生審議会意見具申（平成6年8月10日「当面の結核対策について」）を踏まえて，平成7年4月1日から，発赤の長径9ミリメートル以下を陰性として扱うこととしたこと（新結核予防法施行規則第2条第2項関係）。

第8 予防接種健康被害救済制度 （略）

480 (付録116) 予防接種法改正および予防接種実施関連通知

今後の予防接種制度の在り方について
(平成5年公衆衛生審議会答申書 平成5年12月14日)

厚生大臣 大内 啓伍 殿

公衆衛生審議会会長 石丸 隆治

平成5年3月24日厚生省発健医第68号をもって諮問のあった件について，以下のとおり答申する。

1 はじめに

　我が国の予防接種制度は，昭和23年の予防接種法制定以後，疾病の発生及び蔓延を防止し，公衆衛生の向上及び増進に寄与することを目的として実施されてきた。

　これまで，予防接種は，天然痘の根絶をはじめ，ポリオの大流行の際の流行防止等，多くの疾病の流行防止に大きな成果を上げ，感染症による患者の発生や死亡者の大幅な減少をもたらす等，我が国の伝染病対策上，重要な地位を占めてきた。

　現在，我が国においては，公衆衛生や医療水準の向上等により感染症の発生が著しく減少する一方，国民の健康への関心が高まる中で，予防接種の効果のみならず予防接種の副反応の発生に関する情報を求める声の増大等，予防接種に対する社会的，医学的な認識や考え方に変化が生じている。しかし，予防接種は疾病の流行防止のために重要な手段であって，国民の健康の保持増進や公衆衛生の向上におけるその意義は，疾病の発生が減少した現在においても変わるものではない。

　21世紀の感染症対策においては，感染症情報の収集，流行監視等に基づく平常時の予防対策の充実，感染症発生時の迅速な対策等，これまでの感染症対策の基本的な考え方を維持しつつ，個人の意思の尊重と選択の拡大，国際化への対応等，新たな時代の変化に柔軟に対応した施策が講じられる必要がある。

　このような考え方を踏まえ，当審議会においては，我が国の予防接種制度の在り方に関する今後の基本的な考え方と当面講ずべき具体的な方策について，以下のとおりまとめた。

　政府においては，本答申の趣旨に沿って，今後，所要の措置を講ずるよう要請するものである。

　なお，結核(BCG)の取扱いについては，結核対策の一環として検討すべき問題であるが，その際，本答申の趣旨を十分尊重した検討がなされるべきである。

2 予防接種制度の基本的な考え方

(1) 理　念：現行の予防接種制度は，主として，社会における疾病の蔓延を防止するという社会防衛の側面を重視して構築されてきた。しかし，公衆衛生や生活水準の向上により，疾病予防の重要性に関する国民の認識が向上している今日，予防接種に対する国民の考え方は，各個人の疾病予防のために予防接種を行い，自らの健康の保持増進を図るという考え方へ変化している。また，社会防衛という考え方についても，感染症の蔓延していた予防接種法制定当時と比較して，その流行状況が急激に減少している現状においては，各個人に対する疾病予防対策を基本とし，その積み上げの結果として，社会全体の疾病予防を図るという考え方へ変化しつつある。

　このため，今後の予防接種制度については，予防接種を国民のすべてに対して実施することにより，国民全体の免疫水準を維持し，これにより全国的又は広域的な疾病の発生を予防するという面とともに，個人の疾病予防に極めて有効な予防接種を行うことにより，個人の健康の保持増進を図るという面を重視した制度とする必要がある。

(2) 国及び地方公共団体の関与と責任：予防接種は，国民の各自が免疫を獲得して，自らの健康を保持するための有効な手段である。しかし，予防接種は，重篤な疾病の罹患を未然に防止するという個人的な利益のみにととまらず，国民の免疫水準の向上を図ることにより，全国的又は広域的な疾病の発生を防止するという公共の利益にも資することになり，このような予防接種を積極的に推進することは，我が国の感染症対策上，極めて重要な意義を有するものである。このため，予防接種を行政施策として国の関与と責任の下に実施するとともに，地方公共団体においても地域住民の健康保持のため，その推進に努める必要がある。

　なお，このような予防接種制度を効果的，効率的に推進するため，広く国民に予防接種の機会を提供する等，その実施体制の確保を図る必要がある。

(3) 義務接種から勧奨接種へ：予防接種制度は，これまで，国民に対して接種を義務づけることに

より推進されてきたが，前述のとおり，予防接種を取り巻く環境が著しく変化する中で国民と予防接種の関係についても，個人の意思の尊重と選択の拡大等の時代の流れに沿ったものとしていく必要がある。

このため，今後の予防接種制度については，接種に際し，個人の意思を反映できる制度となるよう配慮することが必要である。

一方，このように国民と予防接種の関係が変化する中にあっても，感染症の発生及び蔓延の防止に果たす予防接種の重要性は依然として変わらないことから，国民は，疾病予防のために予防接種を受けるという認識を持ち，接種を受けるよう努める必要がある。また，国及び地方公共団体においても，国民が特に必要な予防接種を受けるよう，これまで以上に，その対象となる疾病の特性，予防接種の必要性及び有効性等について広報や啓発を行うなど十分な勧奨を行い，併せて実施体制の確保を図り，社会全体としての高い接種率を維持する必要がある。

(4) 予防接種健康被害救済制度の必要性：予防接種は，極めてまれにではあるが不可避的な重篤な副反応を生ぜしめる場合がある。しかし，予防接種制度においては，社会における感染症の発生及び蔓延を防止し，公衆衛生の維持向上を図るという公共目的のために，このような健康被害の危険性を内包した予防接種を実施していかなければならないという特殊性を有している。このため，今後，国民と予防接種の関係が変化した場合においても，予防接種による健康被害は，国が公共目的のために積極的に推進した結果として生じたものであることから，これに対する救済制度を行政施策として設ける必要がある。

また，健康被害救済制度を設けることによって，予防接種制度に対する国民の信頼が得られ，国民が自発的に接種を受けることを促進し，これにより高接種率が確保されることになり，また，接種を担当する医師の十分な協力が得やすくなる等，予防接種制度が円滑に推進されるものであることから，このような健康被害救済制度と予防接種制度とは不可分一体の関係にあると考えられる。このため，健康被害救済制度を予防接種制度の中に位置づけ，健康被害者の迅速な救済を図る必要がある。

3　具体的な内容

(1) 対象疾病の選定：今後の予防接種制度においては，伝染病の疾病の蔓延防止に資するものに加え，個人の疾病予防のために特に予防接種についてもその対象とする必要がある。また，対象疾病については，国内における流行状況，疾病の特質，WHO における予防接種拡大計画等の世界的な情勢，ワクチンの有効性及び安全性等を併せて考慮し，具体的には，ジフテリア，百日せき，急性灰白髄炎(ポリオ)，麻疹，風疹，破傷風，日本脳炎及び結核をその対象とすべきである。

現在，一般的な臨時接種の対象となっているインフルエンザについては，当審議会において，「インフルエンザ予防接種の当面のあり方について」(昭和62年8月6日)として，社会全体の流行を抑止することを判断できるほどの研究データは十分には存在しない旨の意見をすでに提出しており，また，流行するウイルスの型が捉えがたく，このためワクチンの構成成分の決定が困難であるという特殊性を有すること等にかんがみ，予防接種制度の対象から除外することが適当である。しかし，インフルエンザの予防接種には，個人の発病防止効果や重症化防止効果が認められていることから，今後，各個人が，かかりつけ医と相談しながら，接種を受けることが望ましい。

なお，対象疾病については，疾病の発生状況，ワクチンの開発進展等に対応し，今後定期的に再検討を加えるとともに，接種の時期についても，疾病の年齢別発生状況，ワクチンの持続効果等を勘案し，必要に応じて見直す等，柔軟な対応を講ずるべきである。

また，予期しない感染症の大流行，国内に常在しない感染症の国内侵入等に対して緊急に予防接種を行うことが必要な疾病についても，必要に応じ予防接種制度の対象とできるような配慮がなされるべきである。

(2) 実施体制の整備

ア　実施体制の確保：予防接種により国民全体の免疫水準を維持するためには，予防接種の接種機会を安定的に確保するとともに，国民に積極的に接種を勧奨し，社会全体として一定の接種率を確保する必要がある。このため，国が予防接種の実施方法等に関する原則を定め，都道府県知事の技術的支援の下に，住民に最も密接な立場にある市町村長が，その実施主体として予防接種を行うことが適当である。

また，臨時の予防接種については，対象範囲が広域的となるため，国の支援の下に，原則と

482 （付録118）予防接種法改正および予防接種実施関連通知

して都道府県知事を実施主体として実施されるべきである。この場合，国及び地方公共団体は，国民に対して十分に広報啓発を図るとともに，実施体制についても，迅速な対応が図られるよう配慮すべきである。

イ　個別接種の推進：予防接種を受ける者の身体の状況は，各人によって異なり，また，個人においても時間とともに変化をきたすことがある。このため，本人の個人的な体質等をよく理解したかかりつけ医が，普段の健康状態，当日の体調等を的確に把握した上で行う個別接種を基本とすべきである。

ウ　予診の徹底：予防接種による重篤な副反応の発生を可能な限り防止するためには，事前に医師が予診を十分行い，禁忌者を的確に識別，除外する必要がある。このため，予診は問診，視診に加え，全例に対し検温と診察を行うべきである。

また，予診の際には，本人の健康状態を最もよく把握している家族等の役割が極めて重要であり，このため，本人又は保護者が，接種当日の健康状態等に関する十分な情報を，あらかじめ接種医に提供するよう努めるべきである。

なお，やむを得ない理由により，集団接種を行う場合でも，医師一人当たりの対象人員を調節し，医師が予診に十分時間を割けるようにすべきである。

エ　禁忌事項の設定：予防接種における禁忌事項は，予防接種による重篤な副反応の発生を可能な限り防止するために，副反応発生の可能性の高い状態である者について，接種を見合わせるべきことを定めるものである。一方，現行制度上の禁忌規定には，一律に接種をしてはいけない者とともに医師の判断によって接種を行うことができる者が定められているが，後者に含まれる者の範囲が必ずしも明らかではなく，接種の判断について統一的な取扱いがなされているとはいえない。このため，今後は医師の判断によって接種を行うことができる者の範囲をできる限り具体的に示すとともに，さらに慎重を期するために，これらの者については，かかりつけ医や専門医において，保護者等に十分な説明をした上で接種を行うこととする等，その具体的な取扱いについて検討すべきである。

(3) 予防接種健康被害救済制度：国民に対する予防接種の義務づけを緩和した場合においても，予防接種健康被害救済のための給付は，国及び地方公共団体の施策として実施された予防接種による健康被害に対するものであることから，救済制度における給付内容及び給付水準については，健康被害の実態に応じ，社会的にみて妥当なものとなるよう配慮されるべきである。

なお，具体的には，以下の措置が講じられるべきである。

ア　給付水準の改善：予防接種健康被害制度における給付水準については，これまで他の行政救済制度との均衡を踏まえつつ設定され，その比較において必ずしも遜色のあるものではない。しかしながら，予防接種の健康被害は，行政目的のために，国及び地方公共団体が勧奨して予防接種を実施したことによるものであること，予防接種が高い公共の利益を実現するためには，高い接種率を確保する必要があり，国民が自発的に接種を受けるようその促進を図る必要があること等，予防接種健康被害救済制度は他の制度とは異なる特殊性を有することから，給付水準についても，その特殊性に見合った水準を設定し，所要の改善を行っていくべきである。

イ　家族の介護負担に着目した給付内容の設定：予防接種による健康被害は，多くの場合，脳炎，脳症に起因する精神発達障害，身体障害であり，親の高齢化に伴い介護負担も増大していることから，前途の特殊性にかんがみ，給付水準の設定に当たっては，家族の介護負担にも配慮することが必要である。

ウ　認定の在り方について

(ｱ) 因果関係の判定：予防接種の副反応の態様は，予防接種の種類によって多種多様であり，当該予防接種との因果関係について完全な医学的証明を求めることは事実上不可能な場合がある。このため，因果関係の判定に当たっては，当該予防接種が当該結果をもたらすことの医学上の高度な蓋然性を証明することによって足りるとする従来の基本的な考え方は今日でも妥当なものと考えられる。

しかし，因果関係を判定するに当たっての判断基準については，今後，科学的水準や医学的知見の向上に合わせて整理するとともに，認定のプロセスについても，社会的な理解が得られるよう努めるべきである。

(ｲ) 審査請求の在り方：現在，市町村長が予防接種健康被害救済給付をなす場合の因果関係の

認定と，その不支給処分に対して，都道府県知事に行政不服審査法に基づく審査請求がなされた場合の因果関係の認定は，いずれも厚生大臣が公衆衛生審議会の意見を聞いた上で行っている。このような形式による場合にも，審査請求の趣旨がより一層生かされるような方策について，引き続き検討すべきである。

(ウ) **障害等級の判断項目の整理**：予防接種健康被害の多くが，精神発達遅滞やてんかん等の障害を主とするものであるため，今後，このような健康被害の実態に即し，具体的な判断項目の整理を検討すべきである。

(4) 保健福祉事業：予防接種によって健康被害を受けた者は精神的障害と身体的障害の重複を伴う場合が多く，その面で介護の負担が重く，また，親の高齢化による負担や不安も増大してきている等の状況にかんがみ，今後，国及び地方公共団体において，関係機関との有機的連携と協力の下に健康被害者の現状に十分配慮した保健福祉施策が推進されるような体制の整備について検討すべきである。

(5) 啓発普及，情報収集：予防接種が今後とも高い接種率を確保していくためには，予防接種について国民の理解を得るとともに，予防接種による健康被害をできる限り防止していくことが極めて重要である。このため，予防接種の必要性，有効性，副反応及び接種に際して留意すべき事項等について，接種医や接種を受ける国民に対し周知徹底するともに，接種医に対して研修を実施すべきである。また，接種医が必要に応じ予防接種の専門医に相談できるよう，その体制の整備について検討すべきである。

また，国及び地方公共団体は，予防接種による副反応について，被害者からだけでなく，接種医や診察医からも情報を収集する体制を整備するとともに，収集された情報を解析し，適切な情報還元を行うための調査解析システムの構築を図るべきである。

(6) 研究開発等の推進：国は，予防接種による健康被害の発生の防止や予防接種の効果の向上のために，より安全で効果的なワクチンの研究開発，副反応の発生に関する基礎的，臨床的研究，感染症の流行予測精度の向上等について，さらに積極的に推進すべきである。

また，このような研究の推進や，個別接種に対応した小包装ワクチンの安定的な供給を確保する上で，ワクチン製造企業の果たす役割も極めて重要であり，今後の予防接種制度の方向性を踏まえ，国の協力も得ながら，ワクチン製造企業自ら積極的に取り組むことが望まれる。

(7) 費用負担：予防接種と国民との関係が変化した場合であっても，予防接種に対する市町村の役割は，これまでと変わらないものであることから，予防接種の実施に要する費用については，従来どおり，地方負担によることとし，臨時の予防接種については，都道府県知事が行う場合は都道府県が支弁し，国がその費用の一部を負担することとし，市町村長が行う場合は市町村が支弁し，国及び都道府県がその費用の一部を負担することとすべきである。

また，健康被害救済制度に係る費用については，従来どおり，国，都道府県及び市町村がそれぞれ応分の負担をすることが妥当である。

484 （付録120）予防接種法改正および予防接種実施関連通知

昭和51年の改正について

改正の趣旨等，厚生事務次官通知（昭和51年9月14日厚生省衛発第176号）は，平成16年12月17日健発第1217004号により，平成17年3月31日をもって廃止された。

予防接種の対象疾病及び健康被害に対する救済について
（昭和51年 伝染病予防調査会答申書 昭和51年3月22日）

厚生大臣　田中　正巳　殿

伝染病予防調査会長　豊川　行平

本調査会は昭和43年5月31日厚生省発衛第101号をもって厚生大臣から諮問のあった「今後の伝染病予防対策のあり方」について，昭和45年6月15日付で基本的な考え方につき中間答申を行ったところであるが，この内容をさらに具体的に検討し，かつ，その後の情勢の変化に即応したものとするため，引き続き鋭意審議を重ねてきた。

この結果，昨年12月17日には予防接種部会において，「予防接種の対象疾病等について」が別紙1のとおりとりまとめられ，また，本年3月11日には制度改正特別部会において「予防接種の今後のあり方及び予防接種による健康被害に対する救済について」が別紙2のとおりとりまとめられた。

本調査会においてこれらを検討したが，その内容が適切であると思われるので，答申するものである。

今後この答申の趣旨を充分に尊重し，制度化を進めることを期待する。

〈別紙1〉

昭和50年12月17日

伝染病予防調査会長　豊川　行平　殿

予防接種部会長　染谷　四郎

予防接種の対象疾病等について

当予防接種部会は，昭和45年6月15日付伝染病予防調査会が提出した中間答申の趣旨に基づき，標記の問題について慎重に検討を行ってきたところであるが，特に本年5月以降11回にわたって，予防接種に係わるすべての疾病について，その現況，現段階における予防接種の必要性及びその実施方法等を個別に見直してきた。

その結果，今後とも引き続き検討する必要を認めながらも，当面する問題点についての意見を下記のとおりとりまとめたので，報告する。

記

近年，わが国における各種伝染病の態様は，防疫対策の推進，医学の進歩，環境衛生の発展，衛生思想の向上等により，発生状況，症状経過等に著しい変化が見られており，これに対応して予防対策に大幅な変革が起こりつつあり，国民に対して広く行われてきた予防接種も現行の施策に再検討を加えることが強く要請されている。

そこで，本部会は内外における各種伝染病の流行状況及び将来の見とおし，血清疫学情報，ワクチンの開発，治療医学の水準，公衆衛生の現況等を種々検討した結果，今後における予防接種は次のように進めることが適当であると考える。

1．対象疾病について

現行予防接種の対象疾病について国内における流行状況，疾病の特質，防疫体制，海外における

流行状況，現行ワクチンの有効性及び安全性等を考慮して検討した結果は，別紙資料のとおりである。

これを要約すれば，痘そうについては，流行地域における根絶計画が最近目覚しい成果を挙げつつあることに伴って，わが国における種痘の実施を改める必要が生じてきたので，初回の種痘を新しい細胞培養痘そうワクチン（LC 16m 8株）を用いて生後36月から72月に至る期間に実施することとし，現行の第2期，第3期の種痘を廃止することとする。

また，ジフテリア，百日せき，急性灰白髄炎，ワイル病，インフルエンザ，日本脳炎及び破傷風については，なお，予防接種を行う必要があるが，その実施については一部を修正するとともに，地域の実情に応じて弾力的に実施できるよう配慮する。

一方，腸チフス，パラチフス，発疹チフス，コレラ，ペストについては，予防接種以外に，より有効な予防手段が可能と考えられるので，必要に応じ実施できる体制を残しつつ他の予防手段の向上に重点を置くものとする。

また，麻疹は小児にとって重篤な合併症の多い伝染病であり風疹は先天異常児の出生につながるおそれがあるので，いずれも実施方法等に配慮を加えた上で予防接種を実施する必要がある。

なお，疾病の発生状況，ワクチンの開発進展及び医療技術の進歩等に即応するため予防接種の対象疾病及びその実施について定期的に再検討をする必要がある。

2．サーベイランス体制について

予防接種を効果的に実施するためには，各種伝染病の発生状況，免疫保有状況，予防接種の効果及び副反応等に関する情報を収集，処理，還元する機能をもつサーベイランス（疾病流行監視）体制を整備強化する必要がある。

現在，伝染病の発生状況等に関する情報は，国，地方公共団体が収集し，また，血清に関する情報は国立予防衛生研究所（血清情報管理室）が収集管理しているが，これらの情報は行政上の予防接種計画に十分には活用されていないのが現状である。今後は予防接種に関連する情報資源を有効に利用するため系統的に収集，処理，還元する機構を整備する等国及び地方公共団体におけるサーベイランス体制の充実をはかり正確な情報に基づいた効率的な予防接種計画を樹てることに努めるべきである。

3．地域特性について

予防接種を全国一律に画一的に実施することは地域の実情に照らして必らずしも適切であるとはいえない。

したがって，サーベイランスによって得られた情報を基盤として地域の特性を十分に尊重した予防接種計画が樹立されるべきであり，計画立案にあたっては，医療機関，学校等からの情報及び届出患者，血清疫学，細菌学等に係わる検査情報のほか地域の諸条件を十分に勘案した上で予防接種が円滑に実施できるような体制を確立すべきである。

4．事故防止について

予防接種の実施にあたっては，極めて低い頻度ではあるが異常な副反応が発生することがある。これらの事故発生を極力防止するため，次のような対策を講じるべきである。

(1) 効果と安全性の高いワクチンの開発研究をさらに推進する。

(2) 安全な実施方法の確立のために，実施の細部にわたって一層きめ細かな検討をはかる。

(3) 予防接種の実施にあたる関係者の教育訓練を十分に行う。

(4) 被接種者又はその保護者に対し，予防接種の実施前後における被接種者の健康管理等予防接種に関する知識の普及に努める。

(5) 予防接種による副反応の調査，事故例の発見，治療，原因の究明及び事故の再発防止のための体制を地域ごとに整備する。

5．禁忌について

予防接種に使用するワクチンは種類も多岐にわたり，かつ，その反応も一様でないため，すべての予防接種に共通する禁忌項目を選択することは容易ではない。また，集団接種の際に禁忌とされた場合にあっても特別な注意を払えば個別接種として可能な場合がある。したがって，禁忌の規定はなるべく基本的なものにとどめ，実際に接種する医師の判断を優先させることが妥当である。

486 （付録122）予防接種法改正および予防接種実施関連通知

〈別紙2〉　　　　　　　　　　　　　　　　　　　　　　　　　　　　昭和51年3月11日

伝染病予防調査会長　豊川　行平　殿

制度改正特別部会長　牛丸　義留

予防接種の今後のあり方及び予防接種による健康被害に対する救済について

　当制度改正特別部会は，標記の問題について昭和45年6月15日の伝染病予防調査会の中間答申の趣旨に基づき，昭和50年3月以降16回にわたって慎重に審議を行ってきたところ，同年12月17日の予防接種部会の意見をふまえて，このほど次のとおり意見をまとめたので，報告する。

第1　予防接種の今後のあり方について

1　基本方針

　予防接種は，伝染病予防対策の重要な要素であり，その制度の改善をはかることはもとより緊要ではあるが，ワクチンの改良開発をはじめ，サーベイランス（疾病流行監視）体制の充実，検疫・防疫体制の強化，環境衛生の向上等他の伝染病予防対策とともに総合的に実施されることが必要であるので，これらの点に配慮しつつ，以下に述べるところにより予防接種制度を改正すべきである。

2　対象疾病

　予防接種は，伝染のおそれがある特定の疾病に対する免疫源を個々人に与えることにより集団の免疫水準を維持し，もって当該疾病の発生及びまん延を防止することを目的として実施されてきたが，今後においては，従来の伝染病の集団的まん延防止という考え方を一歩進めて，予防接種が極めて有効な予防手段であり，かつ他に満足すべき予防方法がなく，いったん罹患した場合に致命率が高いか，重い後遺症を残すおそれが少なくない症病等国民の健康の保持増進にとって予防接種が積極的な意義を有するものについても対象疾病として取り入れることとすべきである。具体的な対象疾病の種類は，昭和50年12月17日伝染病予防調査会予防接種部会から提出された報告において予防接種を行うこととされている疾病とし，これらを法律上明記するほか，通常その発生等が予想されない伝染病のまん延するおそれが生じた場合等不測の事態が生じた場合において厚生大臣が必要と認めた疾病を対象疾病として指定することができるよう法律上の措置を講じることが適当である。なお，対象疾病については，定期的に検討を行うべきである。

3　実施方法

　予防接種は，従来定期の予防接種と臨時の予防接種とに分けて実施されてきたが，これをより実態に即したものとするため，国民の免疫を一定の水準に維持することを目的として平常時に行う予防接種と，平常時における国民の免疫水準のみでは伝染病のまん延の防止が困難であり，かつ，当該疾病のまん延により公衆衛生上著しい支障を生じることが予測される緊急時に行う予防接種に分けて実施するように改めるべきである。

　また，予防接種の実施は市町村長が行うこととし，緊急に必要な場合は都道府県知事が代わってこれを行うことができることとするのが適当である。

　なお，現行の予防接種法では，予防接種の対象疾病及びその接種年齢を法定事項として具体的に規定しているが，近年における医学薬学等科学技術の進歩，公衆衛生の向上，生活環境施設の整備改善等に伴い，疾病の流行の様相も極めて流動的になってきており，また今日ではワクチンの開発及び改良も日進月歩の状況にあるので，今後の予防接種の実施については，これらの情勢の変化に敏速に対応できるように法律構成を再検討し，接種年齢等実施方法に関する具体的な内容は政令以下に委任する等の方策を講じるべきである。

4　予防接種を行う医師

　予防接種は，市町村，保健所等の公的機関の医師が行うほかは，予防接種の業務に関し協力する旨の申出のあった医師が行うよう制度の体系づけを行う必要がある。

　なお，予防接種の推進をはかるためには，医師の十分な協力を得ることができるような条件を整備する必要があり，医師がその責任への配慮等から，予防接種の実施に協力する意欲を失うことにならないよう十分配慮する必要がある。

5　予防接種の義務づけ

予防接種は，医療関係者及び行政当局の適切な健康教育を通じ国民の自発的意志に基づいて実施されることが望ましい姿であり，これを国民に義務づける場合にも罰則をもってのぞむことはできる限り避けるべきである。しかしながら，疾病のまん延を防止するため短期間に免疫水準を確保する必要のある緊急時の予防接種については，罰則をもって義務づけることもやむを得ないと考えられる。

6　予防接種に要する費用

予防接種の実施に要する費用については，従来の経緯にかんがみ，平常時の予防接種は地方負担によることとし，緊急時の予防接種は市町村が支弁し，都道府県及び国がその費用の一部を負担することとするのが適当である。

なお，予防接種は伝染病の発生及びまん延を防止するという公共の福祉のために実施するものであり，その所要経費の一部は公費で負担すべきであるが，同時に予防接種には被接種者の受益の要素もかなりあるので，一定の範囲で実費を徴収することができることとすべきである。しかしながら，緊急時の予防接種については所要経費の全額を公費で負担することが適当である。

第2　予防接種による健康被害に対する救済について

1　必要性と性格

予防接種を受けた者のうちには，実施に当たり医師等の関係者に過失がない場合においても極めてまれにではあるが不可避的に重篤な副反応がみられ，そのため医療を要し，障害を残し，ときには死亡する場合がある。これら予防接種に伴う無過失の健康被害に対しては，現在のところ現行実定法上救済される途がなく，また，たとえ接種者側に過失が予想される場合であっても司法的救済を得るための手続に相当の日時と経費が費やされるのが普通である。

昭和45年の閣議了解による救済措置は，このような予防接種による健康被害を受けた者の簡易迅速な救済をはかるため当面の措置として設けられたものであるが，法に基づく予防接種は公共目的の達成のため行われるものであり，この結果健康被害を生ずるに至った被害者に対しては，国家補償的精神に基づき救済を行い社会的公正をはかることが必要と考えられる。したがって，国は法的措置による恒久的救済制度を設けるべきである。

2　対象とする予防接種及び健康被害

この制度において救済の対象とする予防接種は，法に基づいて実施したすべての予防接種とすべきである。

また，対象とする健康被害の範囲は，予防接種による異常な副反応に起因する疾病により被接種者が現に医療を要し，又は後遺症として一定の障害を有し，あるいは死亡した場合とすべきである。

3　因果関係

この制度において救済の対象とするに当たっては，因果関係の立証を必要とすることはもちろんであるが，予防接種の副反応の態様は予防接種の種類によって多種多様であり，当該予防接種との因果関係について完全な医学的証明を求めることは事実上不可能な場合があるので，因果関係の判定は，特定の事実が特定の結果を予測し得る蓋然性を証明することによって足りることとするのもやむを得ないと考える。

4　救済の実施

(1) 救済の実施主体は，当該健康被害の原因となった予防接種の実施主体と同一にすることが適当である。

(2) 救済のための給付(以下「給付」という。)を受けようとする者は，当該給付を行う実施主体によって，当該給付の要件に該当することについて認定を受けることとすべきである。また，実施主体は認定を行うに当たって，あらかじめ厚生大臣に協議することとし，厚生大臣は専門家，学識経験者等による医学的立場からの見解を十分徴したうえ意見を述べることとするのが適当である。

(3) 認定は必要に応じ有期認定とし，当該期間を経過した時点で認定の更新を行うこととするのが適当である。

(4) 給付に関する処分に不服のある者は，処分を行った実施主体に異議申立てができることとし，その結果についてなお不服があるときは，厚生大臣に審査請求をすることができることとすべ

きである。

5 給付の種類及び内容

給付の種類及び内容は次のとおりとし，養育手当，障害年金等の給付水準を定めるに当たっては，被害者の生活能力の減退等本事案に関する特殊な要素を勘案するとともに，他の公的な補償制度の給付水準との均衡等を考慮し，社会的にみて妥当な額とすべきである。

(1) 医療費

予防接種の異常な副反応に起因する疾病にかかっている者に対し，当該疾病に係る医療費の負担が生じないよう措置する。

ただし，障害年金の支給について認定を受けた時以後は措置の対象としない。

(2) 療養手当

医療費の支給を受けている者に対し，入院，通院等医療に伴い必要な諸雑費にあてるために支給する。

(3) 養育手当

予防接種の異常な副反応に起因する疾病により一定の障害を有する者の養育者に対し，その障害を有する者が18歳に達するまでの間，障害の程度に応じて，月を単位として支給する。

(4) 障害年金

予防接種の異常な副反応に起因する疾病により一定の障害を有する18歳以上の者に対し，障害の程度に応じて，月を単位として支給する。

(5) 遺族一時金

予防接種の異常な副反応に起因する疾病により死亡した者の遺族に対して支給する。

ただし，その死亡者が障害年金を受けていた場合には減額して支給する。

(6) 葬祭料

予防接種の異常な副反応に起因する疾病により死亡した者の葬祭を行う者に対して支給する。

6 福祉事業

国及び地方公共団体は，健康被害を受けた者の福祉を増進するため，補装具の支給及び修理を行う等必要な福祉に関する事業について全般的な社会保障の施策のなかで十分配慮する必要がある。また，健康被害の影響は教育，就職等広い範囲に及ぶので，就学，技能修得，職業指導等について関係行政機関との有機的連けい及び協力等に十分配慮して積極的にこれを行うべきである。

7 費用負担

予防接種による健康被害に対する救済に要する費用については，国，都道府県及び市長村がそれぞれ応分の負担をすることとするのが適当である。

8 経過措置

本法による給付は，本法施行以後に実施した予防接種の異常な副反応に起因する健康被害について行うことを原則とするが，本法施行前に実施した予防接種に係わる健康被害を受けた者であって，本法施行の際現に昭和45年閣議了解に基づく措置の対象となっているものについては，新たに本法による認定を受けた者に対し養育手当又は減額した障害年金を支給する等の措置を講じ，本法による給付を行うこととすることが適当である。

9 健康被害の防止対策

国及び地方公共団体は，予防接種による健康被害に対する直接的な救済にとどまらず，その防止のため，迅速かつ適切な医療措置，事故の本態の究明，事故防止技術の研究開発，予診等実施時における運用の改善等についての対策を積極的に推進すべきである。

感染症法
感染症法施行令
感染症法施行規則

490（付録126）感染症法

感染症の予防及び感染症の患者に対する医療に関する法律
（平成10年10月2日　法律第114号）

〔沿革〕平成11年7月16日法律第87号，12月22日第160号，15年10月16日第145号，
16年6月23日第133号，12月1日第150号，18年12月8日第106号，20年5
月2日第30号，6月18日第73号，23年6月3日第61号，6月22日第70号，
72号，6月24日第74号，8月30日第105号，12月14日第122号，25年11月
27日第84号，12月13日第103号，26年6月13日第69号，11月21日第115号，
令和元年6月14日第37号

　人類は，これまで，疾病，とりわけ感染症により，多大の苦難を経験してきた。ペスト，痘
そう，コレラ等の感染症の流行は，時には文明を存亡の危機に追いやり，感染症を根絶する
ことは，正に人類の悲願と言えるものである。

　医学医療の進歩や衛生水準の著しい向上により，多くの感染症が克服されてきたが，新た
な感染症の出現や既知の感染症の再興により，また，国際交流の進展等に伴い，感染症は，新
たな形で，今なお人類に脅威を与えている。

　一方，我が国においては，過去にハンセン病，後天性免疫不全症候群等の感染症の患者等
に対するいわれのない差別や偏見が存在したという事実を重く受け止め，これを教訓として
今後に生かすことが必要である。

　このような感染症をめぐる状況の変化や感染症の患者等が置かれてきた状況を踏まえ，感
染症の患者等の人権を尊重しつつ，これらの者に対する良質かつ適切な医療の提供を確保し，
感染症に迅速かつ適確に対応することが求められている。

　ここに，このような視点に立って，これまでの感染症の予防に関する施策を抜本的に見直
し，感染症の予防及び感染症の患者に対する医療に関する総合的な施策の推進を図るため，
この法律を制定する。

第1章　総　則
（目的）

第 1 条　この法律は，感染症の予防及び感染症の患者に対する医療に関し必要な措置を定
めることにより，感染症の発生を予防し，及びそのまん延の防止を図り，もって公衆衛生
の向上及び増進を図ることを目的とする。
（基本理念）

第 2 条　感染症の発生の予防及びそのまん延の防止を目的として国及び地方公共団体が講
ずる施策は，これらを目的とする施策に関する国際的動向を踏まえつつ，保健医療を取り
巻く環境の変化，国際交流の進展等に即応し，新感染症その他の感染症に迅速かつ適確に
対応することができるよう，感染症の患者等が置かれている状況を深く認識し，これらの
者の人権を尊重しつつ，総合的かつ計画的に推進されることを基本理念とする。
（国及び地方公共団体の責務）

第 3 条　国及び地方公共団体は，教育活動，広報活動等を通じた感染症に関する正しい知
識の普及，感染症に関する情報の収集，整理，分析及び提供，感染症に関する研究の推進，
病原体等の検査能力の向上並びに感染症の予防に係る人材の養成及び資質の向上を図ると
ともに，社会福祉等の関連施策との有機的な連携に配慮しつつ感染症の患者が良質かつ適
切な医療を受けられるように必要な措置を講ずるよう努めなければならない。この場合に
おいて，国及び地方公共団体は，感染症の患者等の人権を尊重しなければならない。

2　国及び地方公共団体は，地域の特性に配慮しつつ，感染症の予防に関する施策が総合的
かつ迅速に実施されるよう，相互に連携を図らなければならない。

3　国は，感染症及び病原体等に関する情報の収集及び研究並びに感染症に係る医療のため

感染症の予防及び感染症の患者に対する医療に関する法律（付録127）491

の医薬品の研究開発の推進，病原体等の検査の実施等を図るための体制を整備し，国際的な連携を確保するよう努めるとともに，地方公共団体に対し前2項の責務が十分に果たされるように必要な技術的及び財政的援助を与えることに努めなければならない。
（国民の責務）
第 4 条 国民は，感染症に関する正しい知識を持ち，その予防に必要な注意を払うよう努めるとともに，感染症の患者等の人権が損なわれることがないようにしなければならない。
（医師等の責務）
第 5 条 医師その他の医療関係者は，感染症の予防に関し国及び地方公共団体が講ずる施策に協力し，その予防に寄与するよう努めるとともに，感染症の患者等が置かれている状況を深く認識し，良質かつ適切な医療を行うとともに，当該医療について適切な説明を行い，当該患者等の理解を得るよう努めなければならない。
2 病院，診療所，病原体等の検査を行っている機関，老人福祉施設等の施設の開設者及び管理者は，当該施設において感染症が発生し，又はまん延しないように必要な措置を講ずるよう努めなければならない。
第 5 条の2（獣医師等の責務）　　（略）
（定義）
第 6 条 この法律において「感染症」とは，一類感染症，二類感染症，三類感染症，四類感染症，五類感染症，新型インフルエンザ等感染症，指定感染症及び新感染症をいう。
2 この法律において「一類感染症」とは，次に掲げる感染性の疾病をいう。
　　一　エボラ出血熱
　　二　クリミア・コンゴ出血熱
　　三　痘そう
　　四　南米出血熱
　　五　ペスト
　　六　マールブルグ病
　　七　ラッサ熱
3 この法律において「二類感染症」とは，次に掲げる感染性の疾病をいう。
　　一　急性灰白髄炎
　　二　結核
　　三　ジフテリア
　　四　重症急性呼吸器症候群(病原体がコロナウイルス属SARSコロナウイルスであるものに限る。)
　　五　中東呼吸器症候群(病原体がベータコロナウイルス属ＭＥＲＳコロナウイルスであるものに限る。)
　　六　鳥インフルエンザ(病原体がインフルエンザウイルスＡ属インフルエンザＡウイルスであってその血清亜型が新型インフルエンザ等感染症の病原体に変異するおそれが高いものの血清亜型として政令で定めるものであるものに限る。第五項第七号において「特定鳥インフルエンザ」という。)
4 この法律において「三類感染症」とは，次に掲げる感染性の疾病をいう。
　　一　コレラ
　　二　細菌性赤痢
　　三　腸管出血性大腸菌感染症
　　四　腸チフス
　　五　パラチフス
5 この法律において「四類感染症」とは，次に掲げる感染性の疾病をいう。
　　一　E型肝炎
　　二　A型肝炎

付録

492 （付録 128）感染症法

　　三　黄熱
　　四　Q熱
　　五　狂犬病
　　六　炭疽
　　七　鳥インフルエンザ［特定鳥インフルエンザを除く。］
　　八　ボツリヌス症
　　九　マラリア
　　十　野兎病
　　十一　前各号に掲げるもののほか，既に知られている感染性の疾病であって，動物又はその死体，飲食物，衣類，寝具その他の物件を介して人に感染し，前各号に掲げるものと同程度に国民の健康に影響を与えるおそれがあるものとして政令で定めるもの
6　この法律において「五類感染症」とは，次に掲げる感染性の疾病をいう。
　　一　インフルエンザ(鳥インフルエンザ及び新型インフルエンザ等感染症を除く。)
　　二　ウイルス性肝炎(E型肝炎及びA型肝炎を除く。)
　　三　クリプトスポリジウム症
　　四　後天性免疫不全症候群
　　五　性器クラミジア感染症
　　六　梅毒
　　七　麻しん
　　八　メチシリン耐性黄色ブドウ球菌感染症
　　九　前各号に掲げるもののほか，既に知られている感染性の疾病(四類感染症を除く。)であって，前各号に掲げるものと同程度に国民の健康に影響を与えるおそれがあるものとして厚生労働省令で定めるもの
7　この法律において「新型インフルエンザ等感染症」とは，次に掲げる感染性の疾病をいう。
　　一　新型インフルエンザ(新たに人から人に伝染する能力を有することとなったウイルスを病原体とするインフルエンザであって，一般に国民が当該感染症に対する免疫を獲得していないことから，当該感染症の全国的かつ急速なまん延により国民の生命及び健康に重大な影響を与えるおそれがあると認められるものをいう。)
　　二　再興型インフルエンザ(かつて世界的規模で流行したインフルエンザであってその後流行することなく長期間が経過しているものとして厚生労働大臣が定めるものが再興したものであって，一般に現在の国民の大部分が当該感染症に対する免疫を獲得していないことから，当該感染症の全国的かつ急速なまん延により国民の生命及び健康に重大な影響を与えるおそれがあると認められるものをいう。)
8　この法律において「指定感染症」とは，既に知られている感染性の疾病(一類感染症，二類感染症，三類感染症及び新型インフルエンザ等感染症を除く。)であって，第3章から第7章までの規定の全部又は一部を準用しなければ，当該疾病のまん延により国民の生命及び健康に重大な影響を与えるおそれがあるものとして政令で定めるものをいう。
9　この法律において「新感染症」とは，人から人に伝染すると認められる疾病であって，既に知られている感染性の疾病とその病状又は治療の結果が明らかに異なるもので，当該疾病にかかった場合の病状の程度が重篤であり，かつ，当該疾病のまん延により国民の生命及び健康に重大な影響を与えるおそれがあると認められるものをいう。
10　この法律において「疑似症患者」とは，感染症の疑似症を呈している者をいう。
11　この法律において「無症状病原体保有者」とは，感染症の病原体を保有している者であって当該感染症の症状を呈していないものをいう。
12　この法律において「感染症指定医療機関」とは，特定感染症指定医療機関，第一種感染症指定医療機関，第二種感染症指定医療機関及び結核指定医療機関をいう。

感染症の予防及び感染症の患者に対する医療に関する法律（付録 129）493

13　この法律において「特定感染症指定医療機関」とは，新感染症の所見がある者又は一類感染症，二類感染症若しくは新型インフルエンザ等感染症の患者の入院を担当させる医療機関として厚生労働大臣が指定した病院をいう。

14　この法律において「第一種感染症指定医療機関」とは，一類感染症，二類感染症又は新型インフルエンザ等感染症の患者の入院を担当させる医療機関として都道府県知事が指定した病院をいう。

15　この法律において「第二種感染症指定医療機関」とは，二類感染症又は新型インフルエンザ等感染症の患者の入院を担当させる医療機関として都道府県知事が指定した病院をいう。

16　この法律において「結核指定医療機関」とは，結核患者に対する適正な医療を担当させる医療機関として都道府県知事が指定した病院若しくは診療所（これらに準ずるものとして政令で定めるものを含む。）又は薬局をいう。

17　この法律において「病原体等」とは，感染症の病原体及び毒素をいう。

18　この法律において「毒素」とは，感染症の病原体によって産生される物質であって，人の生体内に入った場合に人を発病させ，又は死亡させるもの〔人工的に合成された物質で，その構造式がいずれかの毒素の構造式と同一であるもの（以下「人工合成毒素」という。）を含む。〕をいう。

19　この法律において「特定病原体等」とは，一種病原体等，二種病原体等，三種病原体等及び四種病原体等をいう。

20　この法律において「一種病原体等」とは，次に掲げる病原体等（医薬品，医療機器等の品質，有効性及び安全性の確保等に関する法律（昭和35年法律第145号）第14条第1項，第23条の2の五第1項若しくは第23条の25第1項の規定による承認又は同法第23条の2の23第1項の規定による認証を受けた医薬品又は再生医療等製品に含有されるものその他これに準ずる病原体等（以下「医薬品等」という。）であって，人を発病させるおそれがほとんどないものとして厚生労働大臣が指定するものを除く。〕をいう。

　　一　アレナウイルス属ガナリトウイルス，サビアウイルス，フニンウイルス，マチュポウイルス及びラッサウイルス

　　二　エボラウイルス属アイボリーコーストエボラウイルス，ザイールウイルス，スーダンエボラウイルス及びレストンエボラウイルス

　　三　オルソポックスウイルス属バリオラウイルス（別名痘そうウイルス）

　　四　ナイロウイルス属クリミア・コンゴヘモラジックフィーバーウイルス（別名クリミア・コンゴ出血熱ウイルス）

　　五　マールブルグウイルス属レイクビクトリアマールブルグウイルス

　　六　前各号に掲げるもののほか，前各号に掲げるものと同程度に病原性を有し，国民の生命及び健康に極めて重大な影響を与えるおそれがある病原体等として政令で定めるもの

21　この法律において「二種病原体等」とは，次に掲げる病原体等（医薬品等であって，人を発病させるおそれがほとんどないものとして厚生労働大臣が指定するものを除く。）をいう。

　　一　エルシニア属ペスティス（別名ペスト菌）

　　二　クロストリジウム属ボツリヌム（別名ボツリヌス菌）

　　三　コロナウイルス属SARSコロナウイルス

　　四　バシラス属アントラシス（別名炭疽菌）

　　五　フランシセラ属ツラレンシス種（別名野兎病菌）亜種ツラレンシス及びホルアークティカ

　　六　ボツリヌス毒素（人工合成毒素であって，その構造式がボツリヌス毒素の構造式と同一であるものを含む。）

　　七　前各号に掲げるもののほか，前各号に掲げるものと同程度に病原性を有し，国民の生命及び健康に重大な影響を与えるおそれがある病原体等として政令で定めるもの

付録

494 （付録130）感染症法

22 この法律において「三種病原体等」とは，次に掲げる病原体等（医薬品等であって，人を発病させるおそれがほとんどないものとして厚生労働大臣が指定するものを除く。）をいう。
　　一　コクシエラ属バーネッティイ
　　二　マイコバクテリウム属ツベルクローシス（別名結核菌）（イソニコチン酸ヒドラジド，リファンピシンその他結核の治療に使用される薬剤として政令で定めるものに対し耐性を有するものに限る。）
　　三　リッサウイルス属レイビーズウイルス（別名狂犬病ウイルス）
　　四　前3号に掲げるもののほか，前3号に掲げるものと同程度に病原性を有し，国民の生命及び健康に影響を与えるおそれがある病原体等として政令で定めるもの
23 この法律において「四種病原体等」とは，次に掲げる病原体等（医薬品等であって，人を発病させるおそれがほとんどないものとして厚生労働大臣が指定するものを除く。）をいう。
　　一　インフルエンザウイルスA属インフルエンザAウイルス〔血清亜型が政令で定めるものであるもの（新型インフルエンザ等感染症の病原体を除く。）又は新型インフルエンザ等感染症の病原体に限る。〕
　　二　エシェリヒア属コリー（別名大腸菌）（腸管出血性大腸菌に限る。）
　　三　エンテロウイルス属ポリオウイルス
　　四　クリプトスポリジウム属パルバム（遺伝子型が1型又は2型であるものに限る。）
　　五　サルモネラ属エンテリカ（血清亜型がタイフィ又はパラタイフィAであるものに限る。）
　　六　志賀毒素（人工合成毒素であって，その構造式が志賀毒素の構造式と同一であるものを含む。）
　　七　シゲラ属（別名赤痢菌）ソンネイ，デイゼンテリエ，フレキシネリー及びボイデイ
　　八　ビブリオ属コレラ（別名コレラ菌）（血清型がO 1またはO 139であるものに限る。）
　　九　フラビウイルス属イエローフィーバーウイルス（別名黄熱ウイルス）
　　十　マイコバクテリウム属ツベルクローシス（前項第2号に掲げる病原体を除く。）
　　十一　前各号に掲げるもののほか，前各号に掲げるものと同程度に病原性を有し，国民の健康に影響を与えるおそれがある病原体等として政令で定めるもの
24 厚生労働大臣は，第3項第六号の政令の制定又は改廃の立案をしようとするときは，あらかじめ，厚生科学審議会の意見を聴かなければならない。
（指定感染症に対するこの法律の準用）
第 7 条　指定感染症については，1年以内の政令で定める期間に限り，政令で定めるところにより次条，第3章から第7章まで，第10章，第12章及び第13章の規定の全部又は一部を準用する。
2　前項の政令で定められた期間は，当該政令で定められた疾病について同項の政令により準用することとされた規定を当該期間の経過後なお準用することが特に必要であると認められる場合は，1年以内の政令で定める期間に限り延長することができる。
3　厚生労働大臣は，前2項の政令の制定又は改廃の立案をしようとするときは，あらかじめ，厚生科学審議会の意見を聴かなければならない。
（疑似症患者及び無症状病原体保有者に対するこの法律の適用）
第 8 条　一類感染症の疑似症患者又は二類感染症のうち政令で定めるものの疑似症患者については，それぞれ一類感染症の患者又は二類感染症の患者とみなして，この法律の規定を適用する。
2　新型インフルエンザ等感染症の疑似症患者であって当該感染症にかかっていると疑うに足りる正当な理由のあるものについては，新型インフルエンザ等感染症の患者とみなして，この法律の規定を適用する。
3　一類感染症の無症状病原体保有者又は新型インフルエンザ等感染症の無症状病原体保有

者については，それぞれ一類感染症の患者又は新型インフルエンザ等感染症の患者とみなして，この法律の規定を適用する。

第2章　基本指針等

（基本指針）

第 9 条　厚生労働大臣は，感染症の予防の総合的な推進を図るための基本的な指針（以下「基本指針」という。）を定めなければならない。

2　基本指針は，次に掲げる事項について定めるものとする。

　一　感染症の予防の推進の基本的な方向

　二　感染症の発生の予防のための施策に関する事項

　三　感染症のまん延の防止のための施策に関する事項

　四　感染症に係る医療を提供する体制の確保に関する事項

　五　感染症及び病原体等に関する調査及び研究に関する事項

　六　感染症に係る医療のための医薬品の研究開発の推進に関する事項

　七　病原体等の検査の実施体制及び検査能力の向上に関する事項

　八　感染症の予防に関する人材の養成に関する事項

　九　感染症に関する啓発及び知識の普及並びに感染症の患者等の人権の尊重に関する事項

　十　特定病原体等を適正に取り扱う体制の確保に関する事項

　十一　緊急時における感染症の発生の予防及びまん延の防止並びに医療の提供のための施策（国と地方公共団体及び地方公共団体相互間の連絡体制の確保を含む。）に関する事項

　十二　その他感染症の予防の推進に関する重要事項

3　厚生労働大臣は，感染症の予防に関する施策の効果に関する評価を踏まえ，少なくとも5年ごとに基本指針に再検討を加え，必要があると認めるときは，これを変更するものとする。

4　厚生労働大臣は，基本指針を定め，又はこれを変更しようとするときは，あらかじめ，関係行政機関の長に協議するとともに，厚生科学審議会の意見を聴かなければならない。

5　厚生労働大臣は，基本指針を定め，又はこれを変更したときは，遅滞なく，これを公表しなければならない。

（予防計画）

第 10 条　都道府県は，基本指針に即して，感染症の予防のための施策の実施に関する計画（以下この条において「予防計画」という。）を定めなければならない。

2　予防計画は，次に掲げる事項について定めるものとする。

　一　地域の実情に即した感染症の発生の予防及びまん延の防止のための施策に関する事項

　二　地域における感染症に係る医療を提供する体制の確保に関する事項

　三　緊急時における感染症の発生の予防及びまん延の防止並びに医療の提供のための施策（国との連携及び地方公共団体相互間の連絡体制の確保を含む。）に関する事項

3　予防計画においては，前項各号に掲げる事項のほか，感染症に関する研究の推進，人材の養成及び知識の普及について定めるよう努めるものとする。

4　都道府県は，基本指針が変更された場合には，予防計画に再検討を加え，必要があると認めるときは，これを変更するものとする。都道府県が予防計画の実施状況に関する調査，分析及び評価を行い，必要があると認めるときも，同様とする。

5　都道府県は，予防計画を定め，又はこれを変更しようとするときは，あらかじめ，市町村及び診療に関する学識経験者の団体の意見を聴かなければならない。

6　都道府県は，予防計画を定め，又はこれを変更したときは，遅滞なく，これを厚生労働

496 （付録132）感染症法

大臣に提出しなければならない。

（特定感染症予防指針）

第11条 厚生労働大臣は，感染症のうち，特に総合的に予防のための施策を推進する必要があるものとして厚生労働省令で定めるものについて，当該感染症に係る原因の究明，発生の予防及びまん延の防止，医療の提供，研究開発の推進，国際的な連携その他当該感染症に応じた予防の総合的な推進を図るための指針（次項において「特定感染症予防指針」という。）を作成し，公表するものとする。

2 厚生労働大臣は，特定感染症予防指針を作成し，又はこれを変更しようとするときは，あらかじめ，厚生科学審議会の意見を聴かなければならない。

第3章　感染症に関する情報の収集及び公表

（医師の届出）

第12条 医師は，次に掲げる者を診断したときは，厚生労働省令で定める場合を除き，第一号に掲げる者については直ちにその者の氏名，年齢，性別その他厚生労働省令で定める事項を，第二号に掲げる者については7日以内にその者の年齢，性別その他厚生労働省令で定める事項を最寄りの保健所長を経由して都道府県知事に届け出なければならない。

　　一　一類感染症の患者，二類感染症，三類感染症又は四類感染症の患者又は無症状病原体保有者，厚生労働省令で定める五類感染症又は新型インフルエンザ等感染症の患者及び新感染症にかかっていると疑われる者

　　二　厚生労働省令で定める五類感染症の患者（厚生労働省令で定める五類感染症の無症状病原体保有者を含む。）

2 前項の規定による届出を受けた都道府県知事は，同項第1号に掲げる者に係るものについては直ちに，同項第2号に掲げる者に係るものについては厚生労働省令で定める期間内に当該届出の内容を厚生労働大臣に報告しなければならない。

3 都道府県知事は，その管轄する区域外に居住する者について第1項の規定による届出を受けたときは，当該届出の内容を，その者の居住地を管轄する都道府県知事に通報しなければならない。

4 厚生労働省令で定める慢性の感染症の患者を治療する医師は，毎年度，厚生労働省令で定めるところにより，その患者の年齢，性別その他厚生労働省令で定める事項を最寄りの保健所長を経由して都道府県知事に届け出なければならない。

5 第2項及び第3項の規定は，前項の規定による届出について準用する。この場合において，第2項中「同項第1号に掲げる者に係るものについては直ちに，同項第2号に掲げる者に係るものについては厚生労働省令で定める期間内」とあるのは，「厚生労働省令で定める期間内」と読み替えるものとする。

6 第1項から第3項までの規定は，医師が第1項各号に規定する感染症により死亡した者（当該感染症により死亡したと疑われる者を含む。）の死体を検案した場合について準用する。

（獣医師の届出）

第13条 獣医師は，一類感染症，二類感染症，三類感染症，四類感染症又は新型インフルエンザ等感染症のうちエボラ出血熱，マールブルグ病その他の政令で定める感染症ごとに当該感染症を人に感染させるおそれが高いものとして政令で定めるサルその他の動物について，当該動物が当該感染症にかかり，又はかかっている疑いがあると診断したときは，直ちに，当該動物の所有者（所有者以外の者が管理する場合においては，その者。以下この条において同じ。）の氏名その他厚生労働省令で定める事項を最寄りの保健所長を経由して都道府県知事に届け出なければならない。ただし，当該動物が実験のために当該感染症に感染させられている場合は，この限りでない。

2 前項の政令で定める動物の所有者は，獣医師の診断を受けない場合において，当該動物

感染症の予防及び感染症の患者に対する医療に関する法律（付録133）497

が同項の政令で定める感染症にかかり，又はかかっている疑いがあると認めたときは，同項の規定による届出を行わなければならない。ただし，当該動物が実験のために当該感染症に感染させられている場合は，この限りでない。

3　前2項の規定による届出を受けた都道府県知事は，直ちに，当該届出の内容を厚生労働大臣に報告しなければならない。

4　都道府県知事は，その管轄する区域外において飼育されていた動物について第1項又は第2項の規定による届出を受けたときは，当該届出の内容を，当該動物が飼育されていた場所を管轄する都道府県知事に通報しなければならない。

5　第1項及び前2項の規定は獣医師が第1項の政令で定める動物の死体について当該動物が同項の政令で定める感染症にかかり，又はかかっていた疑いがあると検案した場合について，前3項の規定は所有者が第1項の政令で定める動物の死体について当該動物が同項の政令で定める感染症にかかり，又はかかっていた疑いがあると認めた場合について準用する。

（感染症の発生の状況及び動向の把握）

第14条　都道府県知事は，厚生労働省令で定めるところにより，開設者の同意を得て，五類感染症のうち厚生労働省令で定めるもの又は二類感染症，三類感染症，四類感染症若しくは五類感染症の疑似症のうち厚生労働省令で定めるものの発生の状況の届出を担当させる病院又は診療所を指定する。

2　前項の規定による指定を受けた病院又は診療所（以下この条において「指定届出機関」という。）の管理者は，当該指定届出機関の医師が前項の厚生労働省令で定める五類感染症の患者（厚生労働省令で定める五類感染症の無症状病原体保有者を含む。以下この項において同じ。）若しくは前項の二類感染症，三類感染症，四類感染症若しくは五類感染症の疑似症のうち厚生労働省令で定めるものの患者を診断し，又は同項の厚生労働省令で定める五類感染症により死亡した者の死体を検案したときは，厚生労働省令で定めるところにより，当該患者又は当該死亡した者の年齢，性別その他厚生労働省令で定める事項を当該指定届出機関の所在地を管轄する都道府県知事に届け出なければならない。

3　前項の規定による届出を受けた都道府県知事は，厚生労働省令で定めるところにより，当該届出の内容を厚生労働大臣に報告しなければならない。

4　指定届出機関は，30日以上の予告期間を設けて，その指定を辞退することができる。

5　都道府県知事は，指定届出機関の管理者が第2項の規定に違反したとき，又は指定届出機関が同項の規定による届出を担当するについて不適当であると認められるに至ったときは，その指定を取り消すことができる。

6　指定提出機関は，30日以上の予告期間を設けて，第1項の規定による指定を辞退することができる。

7　都道府県知事は，指定提出機関の管理者が第2項の規定に違反したとき，又は指定提出機関が同項の規定による提出を担当するについて不適当であると認められるに至ったときは，第1項の規定による指定を取り消すことができる。

（感染症の発生の状況，動向及び原因の調査）

第15条　都道府県知事は，感染症の発生を予防し，又は感染症の発生の状況，動向及び原因を明らかにするため必要があると認めるときは，当該職員に一類感染症，二類感染症，三類感染症，四類感染症，五類感染症若しくは新型インフルエンザ等感染症の患者，疑似症患者若しくは無症状病原体保有者，新感染症の所見がある者又は感染症を人に感染させるおそれがある動物若しくはその死体の所有者若しくは管理者その他の関係者に質問させ，又は必要な調査をさせることができる。

2　厚生労働大臣は，感染症の発生を予防し，又はそのまん延を防止するため緊急の必要があると認めるときは，当該職員に一類感染症，二類感染症，三類感染症，四類感染症，五類感染症若しくは新型インフルエンザ等感染症の患者，疑似症患者若しくは無症状病原体

498 （付録 134）感染症法

保有者，新感染症の所見がある者又は感染症を人に感染させるおそれがある動物若しくは
その死体の所有者若しくは管理者その他の関係者に質問させ，又は必要な調査をさせるこ
とができる。

3　都道府県知事は，必要があると認めるときは，第1項の規定による必要な調査として当
該職員に次の各号に掲げる者に対し当該各号に定める検体若しくは感染症の病原体を提出
し，若しくは当該職員による当該検体の採取に応じるべきことを求めさせ，又は第一号か
ら第三号までに掲げる者の保護者（親権を行う者又は後見人をいう。以下同じ。）に対し当
該各号に定める検体を提出し，若しくは当該各号に掲げる者に当該職員による当該検体の
採取に応じさせるべきことを求めさせることができる。

　　　一　一類感染症，二類感染症若しくは新型インフルエンザ等感染症の患者，疑似症患者
　　　　若しくは無症状病原体保有者又は当該感染症にかかっていると疑うに足りる正当な理
　　　　由のある者　当該者の検体

　　　二　三類感染症，四類感染症若しくは五類感染症の患者，疑似症患者若しくは無症状病
　　　　原体保有者又は当該感染症にかかっていると疑うに足りる正当な理由のある者　当該
　　　　者の検体

　　　三　新感染症の所見がある者又は新感染症にかかっていると疑うに足りる正当な理由の
　　　　ある者　当該者の検体

　　　四　一類感染症，二類感染症若しくは新型インフルエンザ等感染症を人に感染させるお
　　　　それがある動物又はその死体の所有者又は管理者　当該動物又はその死体の検体

　　　五　三類感染症，四類感染症若しくは五類感染症を人に感染させるおそれがある動物又
　　　　はその死体の所有者又は管理者　当該動物又はその死体の検体

　　　六　新感染症を人に感染させるおそれがある動物又はその死体の所有者又は管理者　当
　　　　該動物又はその死体の検体

　　　七　第一号に定める検体又は当該検体から分離された同号に規定する感染症の病原体を
　　　　所持している者　当該検体又は当該感染症の病原体

　　　八　第二号に定める検体又は当該検体から分離された同号に規定する感染症の病原体を
　　　　所持している者　当該検体又は当該感染症の病原体

　　　九　第三号に定める検体又は当該検体から分離された新感染症の病原体を所持している
　　　　者　当該検体又は当該感染症の病原体

　　　十　第四号に定める検体又は当該検体から分離された同号に規定する感染症の病原体を
　　　　所持している者　当該検体又は当該感染症の病原体

　　　十一　第五号に定める検体又は当該検体から分離された同号に規定する感染症の病原体
　　　　を所持している者　当該検体又は当該感染症の病原体

　　　十二　第六号に定める検体又は当該検体から分離された新感染症の病原体を所持してい
　　　　る者　当該検体又は当該感染症の病原体

4　都道府県知事は，厚生労働省令で定めるところにより，前項の規定により提出を受けた
検体若しくは感染症の病原体又は当該職員が採取した検体について検査を実施しなければ
ならない。

5　第3項の規定は，第2項の規定による必要な調査について準用する。

6　一類感染症，二類感染症，三類感染症，四類感染症，五類感染症若しくは新型インフル
エンザ等感染症の患者，疑似症患者若しくは無症状病原体保有者，新感染症の所見がある
者又は感染症を人に感染させるおそれがある動物若しくはその死体の所有者若しくは管理
者その他の関係者は，第1項又は第2項の規定による質問又は必要な調査に協力するよう
努めなければならない。

7　第1項及び第2項の職員は，その身分を示す証明書を携帯し，かつ，関係者の請求があ
るときは，これを提示しなければならない。

8　都道府県知事は，厚生労働省令で定めるところにより，第1項の規定により実施された

質問又は必要な調査の結果を厚生労働大臣に報告しなければならない。

9〜12　（略）

第15条の2，3　（検疫所長との連携）　（略）

（情報の公表）

第16条　厚生労働大臣及び都道府県知事は，第12条から前条までの規定により収集した感染症に関する情報について分析を行い，感染症の発生の状況，動向及び原因に関する情報並びに当該感染症の予防及び治療に必要な情報を新聞，放送，インターネットその他適切な方法により積極的に公表しなければならない。

2　前項の情報を公表するに当たっては，個人情報の保護に留意しなければならない。

第16条の2　（協力の要請）　（略）

第4章　就業制限その他の措置

（検体の採取等）

第16条の3　都道府県知事は，一類感染症，二類感染症又は新型インフルエンザ等感染症のまん延を防止するため必要があると認めるときは，第15条第3項第一号に掲げる者に対し同号に定める検体を提出し，若しくは当該職員による当該検体の採取に応じるべきことを勧告し，又はその保護者に対し当該検体を提出し，若しくは同号に掲げる者に当該職員による当該検体の採取に応じさせるべきことを勧告することができる。ただし，都道府県知事がその行おうとする勧告に係る当該検体（その行おうとする勧告に係る当該検体から分離された同号に規定する感染症の病原体を含む。以下この項において同じ。）を所持している者からその行おうとする勧告に係る当該検体を入手することができると認められる場合においては，この限りでない。

2　厚生労働大臣は，一類感染症，二類感染症又は新型インフルエンザ等感染症のまん延を防止するため緊急の必要があると認めるときは，第15条第3項第一号に掲げる者に対し同号に定める検体を提出し，若しくは当該職員による当該検体の採取に応じるべきことを勧告し，又はその保護者に対し当該検体を提出し，若しくは同号に掲げる者に当該職員による当該検体の採取に応じさせるべきことを勧告することができる。ただし，厚生労働大臣がその行おうとする勧告に係る当該検体（その行おうとする勧告に係る当該検体から分離された同号に規定する感染症の病原体を含む。以下この項において同じ。）を所持している者からその行おうとする勧告に係る当該検体を入手することができると認められる場合においては，この限りでない。

3　都道府県知事は，第1項の規定による勧告を受けた者が当該勧告に従わないときは，当該職員に当該勧告に係る第15条第3項第一号に掲げる者から検査のため必要な最小限度において，同号に定める検体を採取させることができる。

4　厚生労働大臣は，第2項の規定による勧告を受けた者が当該勧告に従わないときは，当該職員に当該勧告に係る第15条第3項第一号に掲げる者から検査のため必要な最小限度において，同号に定める検体を採取させることができる。

5　都道府県知事は，第1項の規定による検体の提出若しくは採取の勧告をし，又は第3項の規定による検体の採取の措置を実施する場合には，同時に，当該勧告を受け，又は当該措置を実施される者に対し，当該勧告をし，又は当該措置を実施する理由その他の厚生労働省令で定める事項を書面により通知しなければならない。ただし，当該事項を書面により通知しないで検体の提出若しくは採取の勧告をし，又は検体の採取の措置を実施すべき差し迫った必要がある場合は，この限りでない。

6　都道府県知事は，前項ただし書の場合においては，当該検体の提出若しくは採取の勧告又は検体の採取の措置の後相当の期間内に，当該勧告を受け，又は当該措置を実施された者に対し，同項の理由その他の厚生労働省令で定める事項を記載した書面を交付しなければならない。

500 （付録136）感染症法

7 都道府県知事は，厚生労働省令で定めるところにより，第1項の規定により提出を受け，若しくは当該職員が採取した検体又は第3項の規定により当該職員に採取させた検体について検査を実施しなければならない。

8 都道府県知事は，厚生労働省令で定めるところにより，前項の検査の結果その他厚生労働省令で定める事項を厚生労働大臣に報告しなければならない。

9 厚生労働大臣は，自ら検査を実施する必要があると認めるときは，都道府県知事に対し，第1項の規定により提出を受け，若しくは当該職員が採取した検体又は第3項の規定により当該職員に採取させた検体の一部の提出を求めることができる。

10 都道府県知事は，第1項の規定により検体の提出若しくは採取の勧告をし，第3項の規定により当該職員に検体の採取の措置を実施させ，又は第7項の規定により検体の検査を実施するため特に必要があると認めるときは，他の都道府県知事又は厚生労働大臣に対し，感染症試験研究等機関の職員の派遣その他の必要な協力を求めることができる。

11 第5項及び第6項の規定は，厚生労働大臣が第2項の規定により検体の提出若しくは採取の勧告をし，又は第四項の規定により当該職員に検体の採取の措置を実施させる場合について準用する。

（健康診断）

第17条 都道府県知事は，一類感染症，二類感染症，三類感染症又は新型インフルエンザ等感染症のまん延を防止するため必要があると認めるときは，当該感染症にかかっていると疑うに足りる正当な理由のある者に対し当該感染症にかかっているかどうかに関する医師の健康診断を受け，又はその保護者に対し当該感染症にかかっていると疑うに足りる正当な理由のある者に健康診断を受けさせるべきことを勧告することができる。

2 都道府県知事は，前項の規定による勧告を受けた者が当該勧告に従わないときは，当該勧告に係る感染症にかかっていると疑うに足りる正当な理由のある者について，当該職員に健康診断を行わせることができる。

第18条 1～6 （就業制限） （略）

（入 院）

第19条 都道府県知事は，一類感染症のまん延を防止するため必要があると認めるときは，当該感染症の患者に対し特定感染症指定医療機関若しくは第一種感染症指定医療機関に入院し，又はその保護者に対し当該患者を入院させるべきことを勧告することができる。ただし，緊急その他やむを得ない理由があるときは，特定感染症指定医療機関若しくは第一種感染症指定医療機関以外の病院若しくは診療所であって当該都道府県知事が適当と認めるものに入院し，又は当該患者を入院させるべきことを勧告することができる。

2 都道府県知事は，前項の規定による勧告をする場合には，当該勧告に係る患者又はその保護者に対し適切な説明を行い，その理解を得るよう努めなければならない。

3 都道府県知事は，第1項の規定による勧告を受けた者が当該勧告に従わないときは，当該勧告に係る患者を特定感染症指定医療機関又は第一種感染症指定医療機関（同項ただし書の規定による勧告に従わないときは，特定感染症指定医療機関若しくは第一種感染症指定医療機関以外の病院又は診療所であって当該都道府県知事が適当と認めるもの）に入院させることができる。

4 第1項及び前項の規定に係る入院の期間は，72時間を超えてはならない。

5 都道府県知事は，緊急その他やむを得ない理由があるときは，第1項又は第3項の規定により入院している患者を，当該患者が入院している病院又は診療所以外の病院又は診療所であって当該都道府県知事が適当と認めるものに入院させることができる。

6 第1項又は第3項の規定に係る入院の期間と前項の規定に係る入院の期間とを合算した期間は，72時間を超えてはならない。

7 都道府県知事は，第1項の規定による勧告又は第3項の規定による入院の措置をしたときは，遅滞なく，当該患者が入院している病院又は診療所の所在地を管轄する保健所につ

いて置かれた第24条第1項に規定する協議会に報告しなければならない。

第20条 都道府県知事は，一類感染症のまん延を防止するため必要があると認めるときは，当該感染症の患者であって前条の規定により入院しているものに対し10日以内の期間を定めて特定感染症指定医療機関若しくは第一種感染症指定医療機関に入院し，又はその保護者に対し当該入院に係る患者を入院させるべきことを勧告することができる。ただし，緊急その他やむを得ない理由があるときは，10日以内の期間を定めて，特定感染症指定医療機関若しくは第一種感染症指定医療機関以外の病院若しくは診療所であって当該都道府県知事が適当と認めるものに入院し，又は当該患者を入院させるべきことを勧告することができる。

2 都道府県知事は，前項の規定による勧告を受けた者が当該勧告に従わないときは，10日以内の期間を定めて，当該勧告に係る患者を特定感染症指定医療機関又は第一種感染症指定医療機関（同項ただし書の規定による勧告に従わないときは，特定感染症指定医療機関若しくは第一種感染症指定医療機関以外の病院又は診療所であって当該都道府県知事が適当と認めるもの）に入院させることができる。

3 都道府県知事は，緊急その他やむを得ない理由があるときは，前2項の規定により入院している患者を，前2項の規定により入院したときから起算して10日以内の期間を定めて，当該患者が入院している病院又は診療所以外の病院又は診療所であって当該都道府県知事が適当と認めるものに入院させることができる。

4 都道府県知事は，前3項の規定に係る入院の期間の経過後，当該入院に係る患者について入院を継続する必要があると認めるときは，10日以内の期間を定めて，入院の期間を延長することができる。当該延長に係る入院の期間の経過後，これを更に延長しようとするときも，同様とする。

5 都道府県知事は，第1項の規定による勧告又は前項の規定による入院の期間を延長しようとするときは，あらかじめ，当該患者が入院している病院又は診療所の所在地を管轄する保健所について置かれた第24条第1項に規定する協議会の意見を聴かなければならない。

6 都道府県知事は，第1項の規定による勧告をしようとする場合には，当該患者又はその保護者に，適切な説明を行い，その理解を得るよう努めるとともに，都道府県知事が指定する職員に対して意見を述べる機会を与えなければならない。この場合においては，当該患者又はその保護者に対し，あらかじめ，意見を述べるべき日時，場所及びその勧告の原因となる事実を通知しなければならない。

7〜8 （略）

（移　送）

第21条 都道府県知事は，厚生労働省令で定めるところにより，前2条の規定により入院する患者を，当該入院に係る病院又は診療所に移送しなければならない。

第22条 （退　院）　（略）

第22条の2 （最小限度の措置）　（略）

第23条 （書面による通知）　（略）

（感染症の診査に関する協議会）

第24条 各保健所に感染症の診査に関する協議会（以下この条において「協議会」という。）を置く。

2 前項の規定にかかわらず，2以上の保健所を設置する都道府県において，特に必要があると認めるときは，2以上の保健所について1の協議会を置くことができる。

3 協議会は，次に掲げる事務をつかさどる。

　一　都道府県知事の諮問に応じ，第18条第1項の規定による通知，第20条第1項（第26条において準用する場合を含む。）の規定による勧告及び第20条第4項（第26条において準用する場合を含む。）の規定による入院の期間の延長並びに第37条の2第1項の規定による申請に基づく費用の負担に関し必要な事項を審議すること。

502　(付録138) 感染症法

　　二　第18条第6項及び第19条第7項(第26条において準用する場合を含む。)の規定による報告に関し，意見を述べること。
4　協議会は，委員3人以上で組織する。
5　委員は，感染症指定医療機関の医師，感染症の患者の医療に関し学識経験を有する者(感染症指定医療機関の医師を除く。)，法律に関し学識経験を有する者並びに医療及び法律以外の学識経験を有する者のうちから，都道府県知事が任命する。ただし，その過半数は，医師のうちから任命しなければならない。
6　　(略)
第24条の2 (都道府県知事に対する苦情の申出)　　(略)
第25条 (審査請求の特例)　　(略)
第26条 (準　用)　　(略)
第26条の2 (結核患者に係る入院に関する特例)　　(略)
　　第5章　消毒その他の措置
第27条〜第36条　　(略)

　　第6章　医　　療
(入院患者の医療)
第37条　都道府県は，都道府県知事が第19条若しくは第20条(これらの規定を第26条において準用する場合を含む。)又は第46条の規定により入院の勧告又は入院の措置を実施した場合において，当該入院に係る患者(新感染症の所見がある者を含む。以下この条において同じ。)又はその保護者から申請があったときは，当該患者が感染症指定医療機関において受ける次に掲げる医療に要する費用を負担する。
　　一　診察
　　二　薬剤又は治療材料の支給
　　三　医学的処置，手術及びその他の治療
　　四　病院への入院及びその療養に伴う世話その他の看護
2〜3　　(略)
(結核患者の医療)
第37条の2　都道府県は，結核の適正な医療を普及するため，その区域内に居住する結核患者又はその保護者から申請があったときは，当該結核患者が結核指定医療機関において厚生労働省令で定める医療を受けるために必要な費用の100分の95に相当する額を負担することができる。
2　前項の申請は，当該結核患者の居住地を管轄する保健所長を経由して都道府県知事に対してしなければならない。
3　都道府県知事は，前項の申請に対して決定をするには，当該保健所について置かれた第24条第1項に規定する協議会の意見を聴かなければならない。
4　第1項の申請があってから6月を経過したときには，当該申請に基づく費用の負担は，打ち切られるものとする。
(感染症指定医療機関)
第38条　特定感染症指定医療機関の指定は，その開設者の同意を得て，当該病院の所在地を管轄する都道府県知事と協議した上，厚生労働大臣が行うものとする。
2　第一種感染症指定医療機関，第二種感染症指定医療機関及び結核指定医療機関の指定は，厚生労働大臣の定める基準に適合する病院〔結核指定医療機関にあっては，病院若しくは診所(第6条第16項の政令で定めるものを含む。)又は薬局〕について，その開設者の同意を得て，都道府県知事が行うものとする。
3　感染症指定医療機関は，厚生労働大臣の定めるところにより，前2条の規定により都道府県が費用を負担する感染症の患者及び新感染症の所見がある者の医療を担当しなければ

感染症の予防及び感染症の患者に対する医療に関する法律（付録139）503

ならない。
4　特定感染症指定医療機関は，第37条第1項各号に掲げる医療のうち新感染症の所見がある者並びに一類感染症，二類感染症及び新型インフルエンザ等感染症の患者に係る医療について，厚生労働大臣が行う指導に従わなければならない。
5　第一種感染症指定医療機関は，第37条第1項各号に掲げる医療のうち一類感染症，二類感染症及び新型インフルエンザ等感染症の患者に係る医療について，厚生労働省令で定めるところにより都道府県知事が行う指導に従わなければならない。
6　第二種感染症指定医療機関は，第37条第1項各号に掲げる医療のうち二類感染症及び新型インフルエンザ等感染症の患者に係る医療について，厚生労働省令で定めるところにより都道府県知事が行う指導に従わなければならない。
7　結核指定医療機関は，前条第1項に規定する医療について，厚生労働省令で定めるところにより都道府県知事が行う指導に従わなければならない。
8～9　（略）
第39条　（他の法律による医療に関する給付との調整）　（略）
第40条　（診療報酬の請求，審査及び支払）　（略）
第41条　（診療報酬の基準）　（略）
第42条　（緊急時等の医療に係る特例）　（略）
第43条　（報告の請求及び検査）　（略）
第44条　（厚生労働省令への委任）　（略）

第7章　新型インフルエンザ等感染症
（新型インフルエンザ等感染症の発生及び実施する措置等に関する情報の公表）
第44条の2　厚生労働大臣は，新型インフルエンザ等感染症が発生したと認めたときは，速やかに，その旨及び発生した地域を公表するとともに，当該感染症について，第16条の規定による情報の公表を行うほか，病原体であるウイルスの血清亜型及び検査方法，症状，診断及び治療並びに感染の防止の方法，この法律の規定により実施する措置その他の当該感染症の発生の予防又はそのまん延の防止に必要な情報を新聞，放送，インターネットその他適切な方法により逐次公表しなければならない。
2　前項の情報を公表するに当たっては，個人情報の保護に留意しなければならない。
3　厚生労働大臣は，第1項の規定により情報を公表した感染症について，国民の大部分が当該感染症に対する免疫を獲得したこと等により新型インフルエンザ等感染症と認められなくなったときは，速やかに，その旨を公表しなければならない。
（感染を防止するための協力）
第44条の3　都道府県知事は，新型インフルエンザ等感染症のまん延を防止するため必要があると認めるときは，厚生労働省令で定めるところにより，当該感染症にかかっていると疑うに足りる正当な理由のあるものに対し，当該感染症の潜伏期間を考慮して定めた期間内において，当該者の体温その他の健康状態について報告を求めることができる。
2　都道府県知事は，新型インフルエンザ等感染症のまん延を防止するため必要があると認めるときは，厚生労働省令で定めるところにより，前項の規定により報告を求めた者に対し，同項の規定により定めた期間内において，当該者の居宅又はこれに相当する場所から外出しないことその他の当該感染症の感染の防止に必要な協力を求めることができる。
3　前2項の規定により報告又は協力を求められた者は，これに応ずるよう努めなければならない。
4　都道府県知事は，第2項の規定により協力を求めるときは，必要に応じ，食事の提供，日用品の支給その他日常生活を営むために必要なサービスの提供又は物品の支給（次項において，「食事の提供等」という。）に努めなければならない。
5　都道府県知事は，前項の規定により，必要な食事の提供等を行った場合は，当該食事の

504（付録140）感染症法

提供等を受けた者又はその保護者から，当該食事の提供等に要した実費を徴収することができる。

第 44 条の 4　(建物に係る措置等の規定の適用)　　(略)
第 44 条の 5　(新型インフルエンザ等感染症に係る経過の報告)　　(略)

第8章　新感染症
(新感染症の発生及び実施する措置等に関する情報の公表)

第 44 条の 6　厚生労働大臣は，新感染症が発生したと認めたときは，速やかに，その旨及び発生した地域を公表するとともに，当該新感染症について，第16条の規定による情報の公表を行うほか，病原体の検査方法，症状，診断及び治療並びに感染の防止の方法，この法律の規定により実施する措置その他の当該新感染症の発生の予防又はそのまん延の防止に必要な情報を新聞，放送，インターネットその他適切な方法により逐次公表しなければならない。

2　前項の情報を公表するに当たっては，個人情報の保護に留意しなければならない。

第 44 条の 7　都道府県知事は，新感染症のまん延を防止するため必要があると認めるときは，第15条第3項第三号に掲げる者に対し同号に定める検体を提出し，若しくは当該職員による当該検体の採取に応じるべきことを勧告し，又はその保護者に対し当該検体を提出し，若しくは同号に掲げる者に当該職員による当該検体の採取に応じさせるべきことを勧告することができる。ただし，都道府県知事がその行おうとする勧告に係る当該検体(その行おうとする勧告に係る当該検体から分離された新感染症の病原体を含む。以下この項において同じ。)を所持している者からその行おうとする勧告に係る当該検体を入手することができると認められる場合においては，この限りでない。

2　厚生労働大臣は，新感染症のまん延を防止するため緊急の必要があると認めるときは，第15条第3項第三号に掲げる者に対し同号に定める検体を提出し，若しくは当該職員による当該検体の採取に応じるべきことを勧告し，又はその保護者に対し当該検体を提出し，若しくは同号に掲げる者に当該職員による当該検体の採取に応じさせるべきことを勧告することができる。ただし，厚生労働大臣がその行おうとする勧告に係る当該検体(その行おうとする勧告に係る当該検体から分離された新感染症の病原体を含む。以下この項において同じ。)を所持している者からその行おうとする勧告に係る当該検体を入手することができると認められる場合においては，この限りでない。

3　都道府県知事は，第1項の規定による勧告を受けた者が当該勧告に従わないときは，当該職員に当該勧告に係る第15条第3項第三号に掲げる者から検査のため必要な最小限度において，同号に定める検体を採取させることができる。

4　厚生労働大臣は，第2項の規定による勧告を受けた者が当該勧告に従わないときは，当該職員に当該勧告に係る第15条第3項第三号に掲げる者から検査のため必要な最小限度において，同号に定める検体を採取させることができる。

5　都道府県知事は，厚生労働省令で定めるところにより，第1項の規定により提出を受け，若しくは当該職員が採取した検体又は第3項の規定により当該職員に採取させた検体について検査を実施しなければならない。

6　都道府県知事は，厚生労働省令で定めるところにより，前項の検査の結果その他厚生労働省令で定める事項を厚生労働大臣に報告しなければならない。

7　厚生労働大臣は，自ら検査を実施する必要があると認めるときは，都道府県知事に対し，第1項の規定により提出を受け，若しくは当該職員が採取した検体又は第3項の規定により当該職員に採取させた検体の一部の提出を求めることができる。

8　都道府県知事は，第1項の規定により検体の提出若しくは採取の勧告をし，第3項の規定により当該職員に検体の採取の措置を実施させ，又は第5項の規定により検体の検査を実施するため特に必要があると認めるときは，他の都道府県知事又は厚生労働大臣に対し，

感染症の予防及び感染症の患者に対する医療に関する法律（付録141）505

感染症試験研究等機関の職員の派遣その他の必要な協力を求めることができる。

9　第16条の3第5項及び第6項の規定は，都道府県知事が第1項の規定により検体の提出若しくは採取の勧告をし，又は第3項の規定により当該職員に検体の採取の措置を実施させる場合について準用する。

10　第16条の3第5項及び第6項の規定は，厚生労働大臣が第2項の規定により検体の提出若しくは採取の勧告をし，又は第4項の規定により当該職員に検体の採取の措置を実施させる場合について準用する。

（新感染症に係る健康診断）

第45条　都道府県知事は，新感染症のまん延を防止するため必要があると認めるときは，当該新感染症にかかっていると疑うに足りる正当な理由のある者に対し当該新感染症にかかっているかどうかに関する医師の健康診断を受け，又はその保護者に対し当該新感染症にかかっていると疑うに足りる正当な理由のある者に健康診断を受けさせるべきことを勧告することができる。

2　都道府県知事は，前項の規定による勧告を受けた者が当該勧告に従わないときは，当該勧告に係る新感染症にかかっていると疑うに足りる正当な理由のある者について，当該職員に健康診断を行わせることができる。

3　　（略）

（新感染症の所見がある者の入院）

第46条　都道府県知事は，新感染症のまん延を防止するため必要があると認めるときは，新感染症の所見がある者に対し10日以内の期間を定めて特定感染症指定医療機関に入院し，又はその保護者に対し当該新感染症の所見がある者を入院させるべきことを勧告することができる。ただし，緊急その他やむを得ない理由があるときは，特定感染症指定医療機関以外の病院であって当該都道府県知事が適当と認めるものに入院し，又は当該新感染症の所見がある者を入院させるべきことを勧告することができる。

2　都道府県知事は，前項の規定による勧告を受けた者が当該勧告に従わないときは，10日以内の期間を定めて，当該勧告に係る新感染症の所見がある者を特定感染症指定医療機関（同項ただし書の規定による勧告に従わないときは，特定感染症指定医療機関以外の病院であって当該都道府県知事が適当と認めるもの）に入院させることができる。

3　都道府県知事は，緊急その他やむを得ない理由があるときは，前2項の規定により入院している新感染症の所見がある者を，前2項の規定により入院したときから起算して10日以内の期間を定めて，当該新感染症の所見がある者が入院している病院以外の病院であって当該都道府県知事が適当と認めるものに入院させることができる。

4　都道府県知事は，前3項の規定に係る入院の期間の経過後，当該入院に係る新感染症の所見がある者について入院を継続する必要があると認めるときは，10日以内の期間を定めて入院の期間を延長することができる。当該延長に係る入院の期間の経過後，これを更に延長しようとするときも，同様とする。

5～7　　（略）

（新感染症の所見がある者の移送）

第47条　都道府県知事は，前条の規定により入院する新感染症の所見がある者を当該入院に係る病院に移送しなければならない。

第48条　（新感染症の所見がある者の退院，最小限度の措置）　　（略）

第49条　（新感染症の所見がある者の入院に係る書面による通知，都道府県知事に対する苦情の申出）　　（略）

第50条　（新感染症に係る消毒その他の措置）　　（略）

第51条　（厚生労働大臣の技術的指導及び助言，厚生労働大臣の指示）　　（略）

第52条　（新感染症に係る経過の報告）　　（略）

第53条　（新感染症の政令による指定）　　（略）

付録

506 （付録142）感染症法

第9章　結　核

(定期の健康診断)

第 53 条の2　労働安全衛生法(昭和47年法律第57号)第2条第3号に規定する事業者(以下この章及び第12章において「事業者」という。)，学校(専修学校及び各種学校を含み，修業年限が1年未満のものを除く。以下同じ。)の長又は矯正施設その他の施設で政令で定めるもの(以下この章及び第12章において「施設」という。)の長は，それぞれ当該事業者の行う事業において業務に従事する者，当該学校の学生，生徒若しくは児童又は当該施設に収容されている者(小学校就学の始期に達しない者を除く。)であって政令で定めるものに対して，政令で定める定期において，期日又は期間を指定して，結核に係る定期の健康診断を行われなければならない。

2　保健所長は，事業者(国，都道府県，保健所を設置する市及び特別区を除く。)又は学校若しくは施設(国，都道府県，保健所を設置する市又は特別区の設置する学校又は施設を除く。)の長に対し，前項の規定による定期の健康診断の期日又は期間の指定に関して指示することができる。

3　市町村長は，その管轄する区域内に居住する者(小学校就学の始期に達しないものを除く。)のうち，第1項の健康診断の対象者以外の者であって政令で定めるものに対して，政令で定める定期において，保健所長(特別区及び保健所を設置する市にあっては，都道府県知事)の指示を受け期日又は期間を指定して，結核に係る定期の健康診断を行わなければならない。

4　第1項の健康診断の対象者に対して労働安全衛生法，学校保健安全法(昭和33年法律第56号)その他の法律又はこれらに基づく命令若しくは規則の規定によって健康診断が行われた場合において，その健康診断が第53条の9の技術的基準に適合するものであるときは，当該対象者に対してそれぞれ事業者又は学校若しくは施設の長が，同項の規定による定期の健康診断を行ったものとみなす。

5　第1項及び第3項の規定による健康診断の回数は，政令で定める。

(受診義務)

第 53 条の3　前条第1項又は第3項の健康診断の対象者は，それぞれ指定された期日又は期間内に，事業者，学校若しくは施設の長または市町村長の行う健康診断を受けなければならない。

2　前項の規定により健康診断を受けるべき者が16歳未満のもの又は成年被後見人であるときは，その保護者において，その者に健康診断を受けさせるために必要な措置を講じなければならない。

第 53 条の4　(他で受けた健康診断)　　(略)

第 53 条の5　(定期の健康診断を受けなかった者)　　(略)

第 53 条の6　(定期の健康診断に関する記録)　　(略)

(通報又は報告)

第 53 条の7　健康診断実施者は，定期の健康診断を行ったときは，その健康診断(第53条の4又は第53条の5の規定による診断書その他の文書の提出を受けた健康診断を含む。)につき，受診者の数その他厚生労働省令で定める事項を当該健康診断を行った場所を管轄する保健所長(その場所が保健所を設置する市又は特別区の区域内であるときは，保健所長及び市長又は区長)を経由して，都道府県知事に通報又は報告しなければならない。

2　前項の規定は，他の法律又はこれに基づく命令若しくは規則の規定による健康診断実施者が，第53条の2第4項の規定により同条第1項の規定による健康診断とみなされる健康診断を行った場合について準用する。

第 53 条の8　(他の行政機関との協議)　　(略)

第 53 条の9　(厚生労働省への委任)　　(略)

感染症の予防及び感染症の患者に対する医療に関する法律（付録143）507

（結核患者の届出の通知）

第53条の10 都道府県知事は，第12条第1項の規定による結核患者に係る届出を受けた場合において，当該届出がその者の居住地を管轄する保健所長以外の保健所長を経由して行われたときは，直ちに当該届出の内容をその者の居住地を管轄する保健所長に通知しなければならない。

（病院管理者の届出）

第53条の11 病院の管理者は，結核患者が入院したとき，又は入院している結核患者が退院したときは，7日以内に，当該患者について厚生労働省令で定める事項を，最寄りの保健所長に届け出なければならない。

2 保健所長は，その管轄する区域内に居住する者以外の者について前項の届出を受けたときは，その届出の内容を，当該患者の居住地を管轄する保健所長に通報しなければならない。

（結核登録票）

第53条の12 保健所長は，結核登録票を備え，これに，その管轄する区域内に居住する結核患者及び厚生労働省令で定める結核回復者に関する事項を記録しなければならない。

2 前項の記録は，第12条第1項の規定による届出又は第53条の10の規定による通知があった者について行うものとする。

3 結核登録票に記載すべき事項，その移管及び保存期間その他登録票に関し必要な事項は，厚生労働省令で定める。

（精密検査）

第53条の13 保健所長は，結核登録票に登録されている者に対して，結核の予防又は医療上必要があると認めるときは，エックス線検査その他厚生労働省令で定める方法による精密検査を行うものとする。

（家庭訪問指導）

第53条の14 保健所長は，結核登録票に登録されている者について，結核の予防又は医療上の必要があると認めるときは，保健師又はその他の職員をして，その者の家庭を訪問させ，処方された薬剤を確実に服用することその他必要な指導を行わせるものとする。

2 保健所長は，結核登録票に登録されている者について，結核の予防又は医療を効果的に実施するため必要があると認めるときは，病院，診療所，薬局その他厚生労働省令で定めるものに対し，厚生労働大臣が定めるところにより，処方された薬剤を確実に服用する指導その他必要な指導の実施を依頼することができる。

（医師の指示）

第53条の15 医師は，結核患者を診療したときは，本人又はその保護者若しくは現にその患者を看護する者に対して，処方した薬剤を確実に服用することその他厚生労働省令で定める患者の治療に必要な事項及び消毒その他厚生労働省令で定める感染の防止に必要な事項を指示しなければならない。

第10章 感染症の病原体を媒介するおそれのある動物の輸入に関する措置

（輸入禁止）

第54条 何人も，感染症を人に感染させるおそれが高いものとして政令で定めるもの（以下「指定動物」という。）であって次に掲げるものを輸入してはならない。ただし，第1号の厚生労働省令，農林水産省令で定める地域から輸入しなければならない特別の理由がある場合において，厚生労働大臣及び農林水産大臣の許可を受けたときは，この限りでない。

　一 感染症の発生の状況その他の事情を考慮して指定動物ごとに厚生労働省令，農林水産省令で定める地域から発送されたもの

　二 前号の厚生労働省令，農林水産省令で定める地域を経由したもの

付録

508（付録144）感染症法

（輸入検疫）

第 55 条 指定動物を輸入しようとする者（以下「輸入者」という。）は，輸出国における検査の結果，指定動物ごとに政令で定める感染症にかかっていない旨又はかかっている疑いがない旨その他厚生労働省令，農林水産省令で定める事項を記載した輸出国の政府機関により発行された証明書又はその写しを添付しなければならない。

2〜6 （略）

第 56 条 （検査に基づく措置） （略）

第 56 条の2 （輸入届出） （略）

第11章　特定病原体等

第 56 条の3〜第 56 条の38 （略）

第12章　費用負担

第 57 条〜第 63 条 （略）

第13章　雑則

第 63 条の2〜第 66 条 （略）

第14章　罰則

第 67 条〜第 81 条 （略）

　　附　則（平成10年10月2日法律第114条）　抄

（施行期日）

第 1 条 この法律は，平成11年4月1日から施行する。ただし，次の各号に掲げる規定は，当該各号に定める日から施行する。（以下略）

（検　討）

第 2 条 この法律の規定については，この法律の施行後5年を目途として，感染症の流行の状況，医学医療の進歩の推移，国際交流の進展，感染症に関する知識の普及の状況その他この法律の施行の状況等を勘案しつつ検討するものとし，必要があると認められるときは，所要の措置を講ずるものとする。

2 第6条に規定する感染症の範囲及びその類型については，少なくとも5年ごとに，医学医療の進歩の推移，国際交流の進展等を勘案しつつ検討するものとし，必要があると認められるときは，所要の措置を講ずるものとする。

（伝染病予防法等の廃止）

第 3 条 次に掲げる法律は，廃止する。

　　一　伝染病予防法（明治30年法律第36号）

　　二　性病予防法（昭和23年法律第167号）

　　三　後天性免疫不全症候群の予防に関する法律（平成元年法律第2号）

　　附　則（平成15年10月16日法律145号）　抄

（施行期日）

第 1 条 この法律は，公布の日から起算して20日を経過した日から施行する。ただし，第1条中感染症の予防及び感染症の患者に対する医療に関する法律第56条の次に1条を加える改正規定及び同法第69条に1号を加える改正規定は，公布の日から起算して2年を超えない範囲内において政令で定める日から施行する。

感染症の予防及び感染症の患者に対する医療に関する法律（付録145）509

　　附　則（平成18年12月8日法律第106号）　　抄
（施行期日）
第 1 条　この法律は，公布の日から起算して6月を超えない範囲内において政令で定める
　　日から施行する。（以下略）
第 8 条　（病原体等に関する経過措置）　　（略）
（検討）
第 12 条　政府は，この法律の施行後5年を経過した場合において，この法律の施行の状況
　　を勘案し，必要があると認めるときは，この法律の規定について検討を加え，その結果に
　　基づいて必要な措置を講ずるものとする。

　　附　則（平成20年5月2日法律第30号）　　抄
（施行期日）
第 1 条　この法律は，公布の日から起算して10日を経過した日から施行する。
第 2 条　政府は，この法律の施行後5年を経過した場合において，この法律の規定による
　　改正後の規定の施行の状況について検討を加え，必要があると認めるときは，その結果に
　　基づいて必要な措置を講ずるものとする。
（研究の促進等）
第 3 条　国は，新型インフルエンザ等感染症（第1条の規定による改正後の感染症の予防
　　及び感染症の患者に対する医療に関する法律第6条第7項に規定する新型インフルエンザ
　　等感染症をいう。次項において同じ。）に係るワクチン等の医薬品の研究開発を促進する
　　ために必要な措置を講ずるとともに，これらの医薬品の早期の薬事法（昭和35年法律第百45
　　号）の規定による製造販売の承認に資するよう必要な措置を講ずるものとする。
2　国は，新型インフルエンザ等感染症の発生及びまん延に備え，抗インフルエンザ薬及び
　　プレパンデミックワクチンの必要な量の備蓄に努めるものとする。

　　附　則（平成23年6月3日法律第61号）　　抄
（施行期日）
第 1 条　この法律は，公布の日から起算して1年を超えない範囲内において政令で定める
　　日（以下「施行日」という。）から施行する。

　　附　則（平成23年6月22日法律第70号）　　抄
（施行期日）
第 1 条　この法律は，平成24年4月1日から施行する。ただし，次条の規定は公布の日か
　　ら，附則第17条の規定は地域の自主性及び自立性を高めるための改革の推進を図るための
　　関係法律の整備に関する法律（平成23年法律第105号）の公布の日又はこの法律の公布の日
　　のいずれか遅い日から施行する。

　　附　則（平成23年6月22日法律第72号）　　抄
（施行期日）
第 1 条　この法律は，平成24年4月1日から施行する。ただし，次の各号に掲げる規定は，
　　当該各号に定める日から施行する。
　　　一　第2条（老人福祉法目次の改正規定，同法第4章の2を削る改正規定，同法第4章の
　　　　3を第4章の2とする改正規定及び同法第40条第一号の改正規定（「第28条の12第1項
　　　　若しくは」を削る部分に限る。）に限る。），第4条，第6条及び第7条の規定並びに附
　　　　則第9条，第11条，第15条，第22条，第41条，第47条（東日本大震災に対処するための
　　　　特別の財政援助及び助成に関する法律（平成23年法律第40号）附則第1条ただし書の改
　　　　正規定及び同条各号を削る改正規定並びに同法附則第14条の改正規定に限る。）及び第

510 (付録146) 感染症法

50条から第52条までの規定　公布の日

　　附　則（平成23年6月24日法律第74号）　抄
（施行期日）
第 1 条　この法律は，公布の日から起算して20日を経過した日から施行する。

　　附　則（平成23年8月30日法律第105号）　抄
（施行期日）
第 1 条　この法律は，公布の日から施行する。（以下略）
（感染症の予防及び感染症の患者に対する医療に関する法律の一部改正に伴う経過措置）
第 31 条　第51条の規定（感染症の予防及び感染症の患者に対する医療に関する法律第64条
の改正規定に限る。以下この条において同じ。）の施行前に第51条の規定による改正前の感
染症の予防及び感染症の患者に対する医療に関する法律（以下この条において「旧感染症
法」という。）の規定によりされた指定等の処分その他の行為（以下この項において「処分等
の行為」という。）又は第51条の規定の施行の際現に旧感染症法の規定によりされている指
定の申請及び辞退の届出（以下この項において「申請等の行為」という。）で，第51条の規定
の施行の日においてこれらの行為に係る行政事務を行うべき者が異なることとなるものは，
同日以後における第51条の規定による改正後の感染症の予防及び感染症の患者に対する医
療に関する法律（以下この条において「新感染症法」という。）の適用については，新感染症
法の相当規定によりされた処分等の行為又は申請等の行為とみなす。
2　第51条の規定の施行前に旧感染症法の規定により地方公共団体の機関に対し報告をしな
ければならない事項で，第51条の規定の施行の日前にその報告がされていないものについ
ては，これを，新感染症法の相当規定により地方公共団体の相当の機関に対して報告をし
なければならない事項についてその報告がされていないものとみなして，新感染症法の規
定を適用する。
（罰則に関する経過措置）
第 81 条　この法律（附則第1条各号に掲げる規定にあっては，当該規定。以下この条におい
て同じ。）の施行前にした行為及びこの附則の規定によりなお従前の例によることとされる
場合におけるこの法律の施行後にした行為に対する罰則の適用については，なお従前の例
による。
（政令への委任）
第 82 条　この附則に規定するもののほか，この法律の施行に関し必要な経過措置（罰則に
関する経過措置を含む。）は，政令で定める。

　　附　則（平成23年12月14日法律第122号）　抄
（施行期日）
第 1 条　この法律は，公布の日から起算して2月を超えない範囲内において政令で定める
日から施行する。ただし，次の各号に掲げる規定は，当該各号に定める日から施行する。
　　一　附則第6条，第8条，第9条及び第13条の規定　公布の日

　　附　則（平成25年11月27日法律第84号）　抄
（施行期日）
第 1 条　この法律は，公布の日から起算して1年を超えない範囲内において政令で定める
日から施行する。ただし，附則第64条，第66条及び第102条の規定は，公布の日から施行す
る。
（処分等の効力）
第100条　この法律の施行前に改正前のそれぞれの法律（これに基づく命令を含む。以下こ

感染症の予防及び感染症の患者に対する医療に関する法律（付録147）511

の条において同じ。）の規定によってした処分，手続その他の行為であって，改正後のそれぞれの法律の規定に相当の規定があるものは，この附則に別段の定めがあるものを除き，改正後のそれぞれの法律の相当の規定によってしたものとみなす。

（罰則に関する経過措置）

第101条 この法律の施行前にした行為及びこの法律の規定によりなお従前の例によることとされる場合におけるこの法律の施行後にした行為に対する罰則の適用については，なお従前の例による。

（政令への委任）

第102条 この附則に規定するもののほか，この法律の施行に伴い必要な経過措置（罰則に関する経過措置を含む。）は，政令で定める。

　　附　則（平成25年12月13日法律第103号）　抄

（施行期日）

第　1　条 この法律は，公布の日から起算して6月を超えない範囲内において政令で定める日から施行する。

　　附　則（平成26年6月13日法律第69号）　抄

（施行期日）

第　1　条 この法律は，行政不服審査法（平成26年法律第68号）の施行の日から施行する。

（経過措置の原則）

第　5　条 行政庁の処分その他の行為又は不作為についての不服申立てであってこの法律の施行前にされた行政庁の処分その他の行為又はこの法律の施行前にされた申請に係る行政庁の不作為に係るものについては，この附則に特別の定めがある場合を除き，なお従前の例による。

（訴訟に関する経過措置）

第　6　条 この法律による改正前の法律の規定により不服申立てに対する行政庁の裁決，決定その他の行為を経た後でなければ訴えを提起できないこととされる事項であって，当該不服申立てを提起しないでこの法律の施行前にこれを提起すべき期間を経過したもの（当該不服申立てが他の不服申立てに対する行政庁の裁決，決定その他の行為を経た後でなければ提起できないとされる場合にあっては，当該他の不服申立てを提起しないでこの法律の施行前にこれを提起すべき期間を経過したものを含む。）の訴えの提起については，なお従前の例による。

2　この法律の規定による改正前の法律の規定（前条の規定によりなお従前の例によることとされる場合を含む。）により異議申立てが提起された処分その他の行為であって，この法律の規定による改正後の法律の規定により審査請求に対する裁決を経た後でなければ取消しの訴えを提起することができないこととされるものの取消しの訴えの提起については，なお従前の例による。

3　不服申立てに対する行政庁の裁決，決定その他の行為の取消しの訴えであって，この法律の施行前に提起されたものについては，なお従前の例による。

（罰則に関する経過措置）

第　9　条 この法律の施行前にした行為並びに附則第5条及び前2条の規定によりなお従前の例によることとされる場合におけるこの法律の施行後にした行為に対する罰則の適用については，なお従前の例による。

（その他の経過措置の政令への委任）

第10条 附則第5条から前条までに定めるもののほか，この法律の施行に関し必要な経過措置（罰則に関する経過措置を含む。）は，政令で定める。

付録

512 (付録148) 感染症法

附　則　（平成26年11月21日法律第115号）　抄
（施行期日）
第 1 条　この法律は，平成28年 4 月 1 日から施行する。ただし，次の各号に掲げる規定は，当該各号に定める日から施行する。
　　一　第 6 条の見出しの改正規定，同条に 1 項を加える改正規定並びに第13条第 1 項及び第 2 項にただし書を加える改正規定並びに附則第 4 条及び第 5 条の規定　公布の日
　　二　第 6 条の改正規定（同条第22項第二号の改正規定及び同条に 1 項を加える改正規定を除く。）　公布の日から起算して 2 月を経過した日
　　三　第 6 条第22項第二号，第12条第 1 項第一号及び第53条の14（見出しを含む。）の改正規定，同条に 1 項を加える改正規定並びに附則第 3 条の規定　公布の日から起算して 6 月を経過した日
（検討）
第 2 条　政府は，この法律の施行後 5 年を経過した場合において，この法律の規定による改正後の規定の施行の状況について検討を加え，必要があると認めるときは，その結果に基づいて必要な措置を講ずるものとする。
（医師の届出に関する経過措置）
第 3 条　この法律による改正後の第12条第 1 項第一号の規定は，附則第 1 条第三号に掲げる規定の施行の日以後に同項第一号に掲げる者を診断した医師について適用し，同日前にこの法律による改正前の第12条第 1 項第一号に掲げる者を診断した医師については，なお従前の例による。
（罰則に関する経過措置）
第 4 条　この法律（附則第 1 条各号に掲げる規定にあっては，当該規定）の施行前にした行為及び前条の規定によりなお従前の例によることとされる場合における同条の規定の施行後にした行為に対する罰則の適用については，なお従前の例による。
（政令への委任）
第 5 条　この附則に規定するもののほか，この法律の施行に伴い必要な経過措置（罰則に関する経過措置を含む。）は，政令で定める。

附　則　（令和元年 6 月14日法律第37号）　抄
（施行期日）
第 1 条　この法律は，公布の日から起算して 3 月を経過した日から施行する。ただし，次の各号に掲げる規定は，当該各号に定める日から施行する。
　　一　第40条，第59条，第61条，第75条（児童福祉法第34条の20の改正規定に限る。），第85条，第102条，第107条（民間あっせん機関による養子縁組のあっせんに係る児童の保護等に関する法律第26条の改正規定に限る。），第111条，第143条，第149条，第152条，第154条（不動産の鑑定評価に関する法律第25条第 6 号の改正規定に限る。）及び第168条並びに次条並びに附則第 3 条及び第 6 条の規定　公布の日
（行政庁の行為等に関する経過措置）
第 2 条　この法律（前条各号に掲げる規定にあっては，当該規定。以下この条及び次条において同じ。）の施行の日前に，この法律による改正前の法律又はこれに基づく命令の規定（欠格条項その他の権利の制限に係る措置を定めるものに限る。）に基づき行われた行政庁の処分その他の行為及び当該規定により生じた失職の効力については，なお従前の例による。
（罰則に関する経過措置）
第 3 条　この法律の施行前にした行為に対する罰則の適用については，なお従前の例による。

感染症の予防及び感染症の患者に対する医療に関する法律（付録149）513

（検討）
第 7 条 政府は，会社法（平成17年法律第86号）及び一般社団法人及び一般財団法人に関する法律（平成18年法律第48号）における法人の役員の資格を成年被後見人又は被保佐人であることを理由に制限する旨の規定について，この法律の公布後1年以内を目途として検討を加え，その結果に基づき，当該規定の削除その他の必要な法制上の措置を講ずるものとする。

（大幅な改正のない附則は省略した。沿革を参照されたい）

514 （付録150）感染症法

感染症の予防及び感染症の患者に対する医療に関する法律施行令
（平成10年12月28日　政令第420号）

〔沿革〕平成12年6月7日政令第309号，15年2月5日第35号，10月22日第459号，16年7月9日第231号，19年3月9日第44号，20年5月2日第175号，23年1月14日第5号，25年2月22日第38号，4月26日第130号，26年7月16日第257号，27年1月9日第1号，3月31日第138号，11月26日第392号，28年2月5日第41号，30年3月22日第55号，**令和元年6月14日第27号**

（特定鳥インフルエンザの病原体の血清亜型）

第 1 条　感染症の予防及び感染症の患者に対する医療に関する法律(以下「法」という。)第6条第3項第6号の政令で定める血清亜型は，次に掲げるものとする。
　一　H5N1　　　　　　　　　二　H7N9

（四類感染症）

第 1 条の2　法第六条第五項第十一号の政令で定める感染性の疾病は，次に掲げるものとする。

一　ウエストナイル熱	二　エキノコックス症	三　オウム病
四　オムスク出血熱	五　回帰熱	六　キャサヌル森林病
七　コクシジオイデス症	八　サル痘	九　ジカウイルス感染症

　十　重症熱性血小板減少症候群(病原体がフレボウイルス属ＳＦＴＳウイルスであるものに限る。)

十一　腎症候性出血熱	十二　西部ウマ脳炎	十三　ダニ媒介脳炎
十四　チクングニア熱	十五　つつが虫病	十六　デング熱
十七　東部ウマ脳炎	十八　ニパウイルス感染症	十九　日本紅斑熱
二十　日本脳炎	二十一　ハンタウイルス肺症候群	二十二　Ｂウイルス病
二十三　鼻疽	二十四　ブルセラ症	二十五　ベネズエラウマ脳炎
二十六　ヘンドラウイルス感染症	二十七　発しんチフス	二十八　ライム病
二十九　リッサウイルス感染症	三十　リフトバレー熱	三十一　類鼻疽
三十二　レジオネラ症	三十三　レプトスピラ症	三十四　ロッキー山紅斑熱

（一種病原体等）

第 1 条の3　法第6条第20項第六号の政令で定める病原体等は，次に掲げるものとする。
　一　アレナウイルス属チャパレウイルス
　二　エボラウイルス属ブンディブギョエボラウイルス

（三種病原体等の結核菌が耐性を有する薬剤）

第 1 条の4　法第6条第22項第二号の政令で定める薬剤は，第一号に掲げる薬剤及び第二号に掲げる薬剤とする。
　　一　オフロキサシン，ガチフロキサシン，シプロフロキサシン，スパルフロキサシン，モキシフロキサシン又はレボフロキサシン
　　二　アミカシン，カナマイシン又はカプレオマイシン

（三種病原体等）

第 2 条　法第6条第22項第四号の政令で定める病原体等は，次に掲げるものとする。
　　一　アルファウイルス属イースタンエクインエンセファリティスウイルス(別名東部ウマ脳炎ウイルス)，ウエスタンエクインエンセファリティスウイルス(別名西部ウマ脳炎ウイルス)及びベネズエラエクインエンセファリティスウイルス(別名ベネズエラウマ脳炎ウイルス)
　　二　オルソポックスウイルス属モンキーポックスウイルス(別名サル痘ウイルス)
　　三　コクシジオイデス属イミチス
　　四　シンプレックスウイルス属Ｂウイルス
　　五　バークホルデリア属シュードマレイ(別名類鼻疽菌)及びマレイ(別名鼻疽菌)

感染症の予防及び感染症の患者に対する医療に関する法律施行令（付録151）515

六　ハンタウイルス属アンデスウイルス，シンノンブレウイルス，ソウルウイルス，ドブラバー
　　ベルグレドウイルス，ニューヨークウイルス，バヨウウイルス，ハンタンウイルス，プーマラ
　　ウイルス，ブラッククリークカナルウイルス及びラグナネグラウイルス

七　フラビウイルス属オムスクヘモラジックフィーバーウイルス（別名オムスク出血熱ウイルス），
　　キャサヌルフォレストディジーズウイルス（別名キャサヌル森林病ウイルス）及びティックボー
　　ンエンセファリティスウイルス（別名ダニ媒介脳炎ウイルス）

八　ブルセラ属アボルタス（別名ウシ流産菌），カニス（別名イヌ流産菌），スイス（別名ブタ流産
　　菌）及びメリテンシス（別名マルタ熱菌）

九　フレボウイルス属ＳＦＴＳウイルス及びリフトバレーフィーバーウイルス（別名リフトバレ
　　ー熱ウイルス）

十　ベータコロナウイルス属ＭＥＲＳコロナウイルス

十一　ヘニパウイルス属ニパウイルス及びヘンドラウイルス

十二　リケッチア属ジャポニカ（別名日本紅斑熱リケッチア），ロワゼキイ（別名発しんチフスリ
　　ケッチア）及びリケッチイ（別名ロッキー山紅斑熱リケッチア）

（四種病原体等であるインフルエンザウイルスＡ属インフルエンザＡウイルスの血清亜型）

第２条の2　法第6条第23項第一号の政令で定める血清亜型は，次に掲げるものとする。
　　一　Ｈ２Ｎ２　　　二　Ｈ５Ｎ１　　　三　Ｈ７Ｎ７　　　四　Ｈ７Ｎ９

（四種病原体等）

第３条　法第6条第23項第十一号の政令で定める病原体等は，次に掲げるものとする。
　　一　クラミドフィラ属シッタシ（別名オウム病クラミジア）
　　二　フラビウイルス属ウエストナイルウイルス，ジャパニーズエンセファリティスウイルス（別
　　　名日本脳炎ウイルス）及びデングウイルス

（疑似症患者を患者とみなす感染症）

第４条　法第8条第1項の政令で定める二類感染症は，次に掲げるものとする。
　　一　結核
　　二　重症急性呼吸器症候群（病原体がベータコロナウイルス属ＳＡＲＳコロナウイルスであるも
　　　のに限る。）
　　三　中東呼吸器症候群（病原体がベータコロナウイルス属ＭＥＲＳコロナウイルスであるものに
　　　限る。）
　　四　鳥インフルエンザ（病原体がインフルエンザウイルスＡ属インフルエンザＡウイルスであっ
　　　てその血清亜型がＨ５Ｎ１又はＨ７Ｎ９であるものに限る。次条第九号において「鳥インフル
　　　エンザ（Ｈ５Ｎ１・Ｈ７Ｎ９）」という。）

（獣医師の届出）

第５条　法第13条第1項の政令で定める感染症は，次の各号に掲げる感染症とし，同項に
　　規定する政令で定める動物は，それぞれ当該各号に定める動物とする。
　　一　エボラ出血熱　サル
　　二　マールブルグ病　サル
　　三　ペスト　プレーリードッグ
　　四　重症急性呼吸器症候群（病原体がコロナウイルス属ＳＡＲＳコロナウイルスであるものに限
　　　る。）　イタチアナグマ，タヌキ及びハクビシン
　　五　細菌性赤痢　サル
　　六　ウエストナイル熱　鳥類に属する動物
　　七　エキノコックス症　犬
　　八　結核　サル
　　九　鳥インフルエンザ（Ｈ５Ｎ１・Ｈ７Ｎ９）　鳥類に属する動物
　　十　新型インフルエンザ等感染症　鳥類に属する動物
　　十一　中東呼吸器症候群（病原体がベータコロナウイルス属ＭＥＲＳコロナウイルスであるもの

付録

516 (付録152) 感染症法

に限る。) ヒトコブラクダ

(審議会等で政令で定めるもの)

第6条 法第25条第6項(法第26条において準用する場合を含む。)の審議会等で政令で定めるものは,疾病・障害認定審査会とする。

第7条 (技術的読替え) (略)

第8条 (建物に係る措置の基準) (略)

第9条 (交通の制限又は遮断の基準) (略)

第10条 (医療に関する審査機関) (略)

第11条 (施設) (略)

(定期の健康診断の対象者,定期及び回数)

第12条 法第53条の2第1項の規定により定期の健康診断を受けるべき者は,次の各号に掲げる者とし,同項の政令で定める定期は,それぞれ当該各号に定めるものとする。

一 学校(専修学校及び各種学校を含み,幼稚園を除く。),病院,診療所,助産所,介護老人保健施設,介護医療院又は前条第二号に掲げる施設において業務に従事する者 毎年度

二 大学,高等学校,高等専門学校,専修学校又は各種学校(修業年限が1年未満のものを除く。)の学生又は生徒 入学した年度

三 前条第一号に掲げる施設に収容されている者 20歳に達する日の属する年度以降において毎年度

四 前条第二号に掲げる施設に入所している者 65歳に達する日の属する年度以降において毎年度

2 法第53条の2第3項の規定により定期の健康診断を受けるべき者は,次の各号に掲げる者とし,同項の政令で定める定期は,それぞれ当該各号に定めるものとする。

一 法第53条の2第1項の健康診断の対象者以外の者(市町村が定期の健康診断の必要がないと認める者及び次号に掲げる者を除く。) 65歳に達する日の属する年度以降において毎年度

二 市町村がその管轄する区域内における結核の発生の状況,定期の健康診断による結核患者の発見率その他の事情を勘案して特に定期の健康診断の必要があると認める者 市町村が定める定期

3 法第53条の2第1項及び第3項の規定による定期の健康診断の回数は,次のとおりとする。

一 第1項各号及び前項第一号の定期の健康診断にあっては,それぞれの定期において1回

二 前項第二号の定期の健康診断にあっては,市町村が定める定期において市町村が定める回数

(指定動物)

第13条 法第54条の政令で定める動物は,イタチアナグマ,コウモリ,サル,タヌキ,ハクビシン,プレーリードッグ及びヤワゲネズミとする。

(輸入検疫の対象となる感染症)

第14条 法第55条第1項の指定動物ごとに政令で定める感染症は,サルについて,エボラ出血熱及びマールブルグ病とする。

(特定一種病原体等)

第15条 法第56条の3第1項第一号に規定する政令で定める一種病原体等は,次に掲げるものとする。

一 アレナウイルス属ガナリトウイルス,サビアウイルス,チャパレウイルス,フニンウイルス,マチュポウイルス及びラッサウイルス

二 エボラウイルス属アイボリーコーストエボラウイルス,ザイールウイルス,スーダンエボラウイルス,ブンディブギョエボラウイルス及びレストンエボラウイルス

三 ナイロウイルス属クリミア・コンゴヘモラジックフィーバーウイルス(別名クリミア・コンゴ出血熱ウイルス)

四 マールブルグウイルス属レイクビクトリアマールブルグウイルス

感染症の予防及び感染症の患者に対する医療に関する法律施行令 (付録 153) 517

第 16 条〜第 30 条　　（略）

　　附　則 （平成10年12月28日政令第420号）　抄
　この政令は，平成11年４月１日から施行する。ただし，第７条及び第８条の規定は，法の
一部の施行の日（平成12年１月１日）から施行する。

　　附　則 （平成15年10月22日政令第459号）　抄
（施行期日）
第 1 条　この政令は，感染症の予防及び感染症の患者に対する医療に関する法律及び検疫
法の一部を改正する法律（平成15年法律第145号）の施行の日（平成15年11月５日）から施行
する。

　　附　則 （平成19年３月９日政令第44号）　抄
（施行期日）
第 1 条　この政令は，感染症の予防及び感染症の患者に対する医療に関する法律等の一部
を改正する法律の施行の日（平成19年６月１日）から施行する。（以下略）
（罰則に関する経過措置）
第 4 条　附則第１条ただし書に規定する規定の施行前にした行為に対する罰則の適用につ
いては，なお従前の例による。

　　附　則 （平成20年５月２日政令第175号）　抄
（施行期日）
第 1 条　この政令は，感染症の予防及び感染症の患者に対する医療に関する法律及び検疫
法の一部を改正する法律の施行の日から施行する。
（インフルエンザ（H５N１）を指定感染症として定める等の政令の廃止に伴う経過措置）
第 2 条　この政令の施行の日（以下「施行日」という。）前に行われた措置に係るインフルエ
ンザ（H５N１）を指定感染症として定める等の政令第２条第１項において準用する感染症
の予防及び感染症の患者に対する医療に関する法律第58条（第五号から第九号まで，第十
一号，第十三号及び第十四号を除く。）の規定により支弁する費用又は同項において準用す
る同法第61条第２項若しくは第３項の規定により負担する負担金については，なお従前の
例による。
（罰則に関する経過措置）
第 4 条　施行日前にした行為に対する罰則の適用については，なお従前の例による。

　　附　則 （平成23年１月14日政令第５号）
　この政令は，平成23年２月１日から施行する。ただし，第１条中感染症の予防及び感染症
の患者に対する医療に関する法律施行令第１条の次に１条を加える改正規定及び同令第15条
の改正規定は，公布の日から起算して十日を経過した日から施行する。

　　附　則 （平成27年１月９日政令第１号）　抄
（施行期日）
第 1 条　この政令は，平成28年４月１日から施行する。ただし，次の各号に掲げる規定は，
当該各号に定める日から施行する。
　　一　第１条の規定及び第２条の規定（次号に掲げる改正規定を除く。）並びに次条から附
　　　則第５条までの規定　感染症の予防及び感染症の患者に対する医療に関する法律の一
　　　部を改正する法律（次号において「改正法」という。）附則第１条第二号に掲げる規定の
　　　施行の日

518（付録154）感染症法

　　二　第2条中感染症の予防及び感染症の患者に対する医療に関する法律施行令第2条の
　　　前に1条を加える改正規定　改正法附則第1条第三号に掲げる規定の施行の日
（鳥インフルエンザ（H7N9）を指定感染症として定める等の政令の廃止に伴う経過措置）
第2条　前条第一号に掲げる規定の施行の日前に行われた措置に係る鳥インフルエンザ
（H7N9）を指定感染症として定める等の政令第二条第一項において準用する感染症の予
防及び感染症の患者に対する医療に関する法律第58条（第五号から第九号まで，第十一号，
第十三号及び第十四号を除く。）の規定により支弁する費用又は同項において準用する同法
第61条第2項若しくは第3項の規定により負担する負担金については，なお従前の例によ
る。
（中東呼吸器症候群を指定感染症として定める等の政令の廃止に伴う経過措置）
第3条　附則第1条第一号に掲げる規定の施行の日前に行われた措置に係る中東呼吸器症
候群を指定感染症として定める等の政令第3条において準用する感染症の予防及び感染症
の患者に対する医療に関する法律第57条（第四号から第六号までを除く。）若しくは第58条
（第八号，第九号，第十一号，第十三号及び第十四号を除く。）の規定により支弁する費用，
同令第3条において準用する同法第59条若しくは第61条第2項若しくは第3項の規定によ
り負担する負担金又は同令第3条において準用する同法第63条の規定により徴収すること
ができる実費については，なお従前の例による。
（罰則に関する経過措置）
第4条　附則第1条第一号に掲げる規定の施行の日前にした行為に対する罰則の適用につ
いては，なお従前の例による。

　　　附　則（平成27年11月26日政令第392号）　抄
（施行期日）
第1条　この政令は，行政不服審査法の施行の日（平成28年4月1日）から施行する。
（経過措置の原則）
第2条　行政庁の処分その他の行為又は不作為についての不服申立てであってこの政令の
施行前にされた行政庁の処分その他の行為又はこの政令の施行前にされた申請に係る行政
庁の不作為に係るものについては，この附則に特別の定めがある場合を除き，なお従前の
例による。

　　　附　則（平成28年2月5日政令第41号）
この政令は，公布の日から起算して10日を経過した日から施行する。

　　　附　則（平成30年3月22日政令第55号）　抄
（施行期日）
第1条　この政令は，平成30年4月1日から施行する。

　　　附　則（令和元年6月14日政令第27号）　抄
（施行期日）
第1条　この政令は，成年被後見人等の権利の制限に係る措置の適正化等を図るための関
係法律の整備に関する法律（第2号において「整備法」という。）の施行の日から施行する。
（施行の日＝令和元年9月14日）

　　　　　　　　　　　　　　　　　　　　　　　（大幅な改正のない附則は省略した。沿革を参照されたい）

感染症の予防及び感染症の患者に対する医療に関する法律施行規則（付録155）519

感染症の予防及び感染症の患者に対する医療に関する法律施行規則
（平成10年12月28日　厚生省令第99号）

〔沿革〕平成12年10月20日省令第127号，13年3月30日第80号，14年10月29日第
140号，15年10月30日第167号，16年9月15日第128号，17年7月27日第
124号，19年3月23日第26号，3月27日第31号，5月2日第82号，12月25
日第152号，12月28日第159号，20年5月2日第106号，12月26日第183号，
21年7月22日第133号，8月25日第136号，22年1月28日第10号，23年1
月14日第6号，5月19日第61号，7月29日第97号，12月21日第150号，12
月28日第157号，24年3月13日第30号，6月29日第97号，25年3月7日第
23号，9月30日第114号，26年3月28日第28号，7月30日第87号，9月9日
第103号，27年1月21日第8号，3月31日第57号，4月28日第96号，5月12日
第101号，9月28日第147号，9月29日第150号，28年3月16日第33号，3月17
日第34号，3月30日第49号，11月25日第169号，29年12月15日第131号，30
年2月16日第15号，3月14日第22号，3月22日第28号，31年2月14日第
13号，令和元年6月28日第20号，**9月13日第46号**

第1章　五類感染症

（五類感染症）

第 1 条　感染症の予防及び感染症の患者に対する医療に関する法律（平成10年法律第114号。
以下「法」という。）第6条第6項第九号に規定する厚生労働省令で定める感染性の疾病は，
次に掲げるものとする。

一　アメーバ赤痢　　二　RSウイルス感染症　　三　咽頭結膜熱　　四　A群溶血性レンサ球
菌咽頭炎　　五　カルバペネム耐性腸内細菌科細菌感染症　　六　感染性胃腸炎　　七　急性弛
緩性麻痺（急性灰白髄炎を除く。）　　八　急性出血性結膜炎　　九　急性脳炎（ウエストナイル脳
炎，西部ウマ脳炎，ダニ媒介脳炎，東部ウマ脳炎，日本脳炎，ベネズエラウマ脳炎及びリフトバ
レー熱を除く。）　　十　クラミジア肺炎（オウム病を除く。）　　十一　クロイツフェルト・ヤコ
ブ病　　十二　劇症型溶血性レンサ球菌感染症　　十三　細菌性髄膜炎（第十五号から第十七号
までに該当するものを除く。以下同じ。）　　十四　ジアルジア症　　十五　侵襲性インフルエン
ザ菌感染症　　十六　侵襲性髄膜炎菌感染症　　十七　侵襲性肺炎球菌感染症　　十八　水痘
十九　性器ヘルペスウイルス感染症　　二十　尖圭コンジローマ　　二十一　先天性風しん症候
群　　二十二　手足口病　　二十三　伝染性紅斑　　二十四　突発性発しん　　二十五　播種性
クリプトコックス症　　二十六　破傷風　　二十七　バンコマイシン耐性黄色ブドウ球菌感染症
二十八　バンコマイシン耐性腸球菌感染症　　二十九　百日咳　　三十　風しん　　三十一　ペ
ニシリン耐性肺炎球菌感染症　　三十二　ヘルパンギーナ　　三十三　マイコプラズマ肺炎
三十四　無菌性髄膜炎　　三十五　薬剤耐性アシネトバクター感染症　　三十六　薬剤耐性緑膿
菌感染症　　三十七　流行性角結膜炎　　三十八　流行性耳下腺炎　　三十九　淋菌感染症

第2章　特定感染症予防指針

（特定感染症予防指針を作成する感染症）

第 2 条　法第11条第1項に規定する厚生労働省令で定める感染症は，次に掲げるものとす
る。

一　インフルエンザ　　二　ウエストナイル熱　　三　黄熱　　四　結核　　五　後天性免疫不
全症候群　　六　ジカウイルス感染症　　七　性器クラミジア感染症　　八　性器ヘルペスウイ
ルス感染症　　九　西部ウマ脳炎　　十　尖圭コンジローマ　　十一　チクングニア熱　　十二
デング熱　　十三　東部ウマ脳炎　　十四　日本脳炎　　十五　梅毒
十六　風しん　　十七　ベネズエラウマ脳炎　　十八　麻しん　　十九　マラリア　　二十　野
兎病　　二十一　リフトバレー熱　　二十二　淋菌感染症

付録

520 （付録156）感染症法

第3章　感染症に関する情報の収集及び公表

（医師の届出）

第 3 条　法第12条第1項に規定する厚生労働省令で定める場合は，次のとおりとする。

一　診断した患者及び当該感染症について同項による届出が既になされていることを知っている場合

二　診断した結核の無症状病原体保有者について結核医療を必要としないと認められる場合

第 4 条　法第12条第1項第一号に掲げる者（新感染症（法第53条第1項の規定により一類感染症とみなされるものを除く。次項において同じ。）にかかっていると疑われる者を除く。）について，同項の規定により医師が届け出なければならない事項は，次のとおりとする。

一　当該者の職業及び住所

二　当該者が成年に達していない場合にあっては，その保護者（親権を行う者又は後見人をいう。以下同じ。）の氏名及び住所（保護者が法人であるときは，その名称及び主たる事務所の所在地）

三　感染症の名称及び当該者の症状

四　診断方法

五　当該者の所在地

六　初診年月日及び診断年月日

七　病原体に感染したと推定される年月日（感染症の患者にあっては，発病したと推定される年月日を含む。）

八　病原体に感染した原因，感染経路，病原体に感染した地域（以下「感染原因等」という。）又はこれらとして推定されるもの

九　診断した医師の住所（病院又は診療所で診療に従事している医師にあっては，当該病院又は診療所の名称及び所在地）及び氏名

十　その他感染症のまん延の防止及び当該者の医療のために必要と認める事項

2　新感染症にかかっていると疑われる者について，法第12条第1項の規定により医師が届け出なければならない事項は，前項第一号，第二号及び第四号から第十号までに掲げる事項のほか，新感染症と疑われる所見とする。

3　法第12条第1項第一号に規定する厚生労働省令で定める五類感染症は，次に掲げるものとする。

一　侵襲性髄膜炎菌感染症　　二　風しん　　三　麻しん

4　法第12条第1項第二号に規定する厚生労働省令で定める五類感染症（法第12条第1項の規定により，当該感染症の患者について届け出なければならないものに限る。）は，次に掲げるものとする。

一　アメーバ赤痢　　二　ウイルス性肝炎（E型肝炎及びA型肝炎を除く。）　　三　カルバペネム耐性腸内細菌科細菌感染症　　四　急性弛緩性麻痺（急性灰白髄炎を除く。）（患者が十五歳未満のものに限る。）　　五　急性脳炎（ウエストナイル脳炎，西部ウマ脳炎，ダニ媒介脳炎，東部ウマ脳炎，日本脳炎，ベネズエラウマ脳炎及びリフトバレー熱を除く。）　　六　クリプトスポリジウム症　　七　クロイツフェルト・ヤコブ病　　八　劇症型溶血性レンサ球菌感染症　　九　後天性免疫不全症候群　　十　ジアルジア症　　十一　侵襲性インフルエンザ菌感染症　　十二　侵襲性肺炎球菌感染症　　十三　水痘（患者が入院を要すると認められるものに限る。）　　十四　先天性風しん症候群　　十五　梅毒　　十六　播種性クリプトコックス症　　十七　破傷風　　十八　バンコマイシン耐性黄色ブドウ球菌感染症　　十九　バンコマイシン耐性腸球菌感染症　　二十　百日咳　　二十一　薬剤耐性アシネトバクター感染症

5　法第12条第1項第二号に規定する厚生労働省令で定める五類感染症（法第12条第1項の規定により，当該感染症の無症状病原体保有者について届け出なければならないものに限

感染症の予防及び感染症の患者に対する医療に関する法律施行規則（付録157）521

る。）は，次に掲げるものとする。
　　一　後天性免疫不全症候群
　　二　梅毒
6　法第12条第1項第二号に掲げる者について，同項の規定により医師が届け出なければならない事項は，第1項第三号，第四号及び第六号から第九号までに掲げる事項並びに厚生労働大臣が定める五類感染症に係るものにあっては，感染症のまん延の防止及び当該者の医療のために必要な事項として当該五類感染症ごとに厚生労働大臣が定めるものとする。
7　法第12条第2項に規定する厚生労働省令で定める期間は，同条第1項に規定する届出を受けた後7日とする。
8　前各項の規定は，法第12条第6項において同条第1項及び第2項の規定を準用する場合について準用する。この場合において，第1項第六号中「初診年月日及び診断年月日」とあるのは「検案年月日及び死亡年月日」と，同項第九号中「診断した」とあるのは「検案した」と読み替えるものとする。

第 5 条　（獣医師の届出）　　（略）
（指定届出機関の指定の基準）
第 6 条　法第14条第1項に規定する厚生労働省令で定める五類感染症は，次の表の各項の上欄に掲げるものとし，同項に規定する五類感染症の発生の状況の届出を担当させる指定届出機関の指定は，地域における感染症に係る医療を提供する体制，保健所の設置の状況，人口等の社会的条件，地理的条件等の自然的条件その他の地域の実情を勘案して同欄に掲げる五類感染症の区分（以下この条並びに次条第1項及び第3項において「五類感染症指定区分」という。）に応じ，原則として当該各項の下欄に定める病院又は診療所のうち当該五類感染症指定区分の感染症に係る指定届出機関として適当と認めるものについて行うものとする。

1	RSウイルス感染症，咽頭結膜熱，A群溶血性レンサ球菌咽頭炎，感染性胃腸炎（病原体がロタウイルスであるものを除く。），水痘，手足口病，伝染性紅斑，突発性発しん，百日咳，ヘルパンギーナ及び流行性耳下腺炎	診療科名中に小児科を含む病院又は診療所
2	インフルエンザ（鳥インフルエンザ及び新型インフルエンザ等感染症を除く。）	診療科名中に内科又は小児科を含む病院又は診療所
3	急性出血性結膜炎及び流行性角結膜炎	診療科名中に眼科を含む病院又は診療所
4	性器クラミジア感染症，性器ヘルペスウイルス感染症，尖圭コンジローマ及び淋菌感染症	診療科名中に産婦人科若しくは産科若しくは婦人科，医療法施行令（昭和23年政令第326号）第3条の2第1項第1号ハ及びニ（2）の規定により性感染症と組み合わせた名称を診療科名とする診療科又は泌尿器科若しくは皮膚科を含む病院又は診療所
5	クラミジア肺炎（オウム病を除く。），細菌性髄膜炎，ペニシリン耐性肺炎球菌感染症，マイコプラズマ肺炎，無菌性髄膜炎，メチシリン耐性黄色ブドウ球菌感染症及び薬剤耐性緑膿菌感染症	患者を300人以上収容する施設を有する病院であって，その診療科名中に内科及び外科を含むもの
6	感染性胃腸炎（病原体がロタウイルスであるものに限る。）	診療科名中に小児科を含む病院若しくは診療所又は患者を300人以上収容する施設を有する病院であって，その診療科名中に内科及び外科を含むもの

付録

522 （付録 158）感染症法

2 法第14条第１項に規定する厚生労働省令で定める疑似症（以下「疑似症」という。）は，発熱，呼吸器症状，発しん，消化器症状又は神経症状その他感染症を疑わせるような症状のうち，医師が一般に認められている医学的知見に基づき，集中治療その他これに準ずるものが必要であり，かつ，直ちに特定の感染症と診断することができないと判断したものとし，同項に規定する疑似症の発生の状況の届出を担当させる指定届出機関の指定は，集中治療その他これに準ずるものを提供することができる病院又は診療所のうち疑似症に係る指定届出機関として適当と認めるものについて行うものとする。

（感染症の発生の状況及び動向の把握）

第 7 条 法第14条第２項の届出は，当該指定届出機関に係る五類感染症指定区分の感染症の患者又はこれらにより死亡した者については診断し，又は検案した日の属する週の翌週（診断し，又は検案した日が日曜日の場合にあっては，当該診断し，又は検案した日の属する週）の月曜日（前条第１項の表の４の項の上欄に掲げる五類感染症，ペニシリン耐性肺炎球菌感染症，メチシリン耐性黄色ブドウ球菌感染症又は薬剤耐性緑膿菌感染症に係るものにあっては，診断した日の属する月の翌月の初日）に，当該指定届出機関に係る疑似症の患者については直ちに行うものとする。ただし，次に掲げる場合は，当該届出をすることを要しない。

　一　当該指定届出機関（患者を300人以上収容する施設を有する病院であって，その診療科名中に内科及び外科を含むもののうち，都道府県知事が指定するものに限る。）に係る前条第１項の表の２の項の上欄に掲げる五類感染症の患者に係るものにあっては，当該患者が入院を要しないと認められる場合

　二　当該指定届出機関に係る疑似症の患者に係るものにあっては，当該疑似症が二類感染症，三類感染症，四類感染症又は五類感染症の患者の症状であることが明らかな場合

2 法第14条第２項に規定する厚生労働省令で定める事項は，前条第１項の表の２の項の上欄に掲げる五類感染症に係るものについて前項第一号の指定届出機関が届け出る場合にあっては診断した患者に係る集中治療室及び人工呼吸器の使用の有無並びに脳波検査その他急性脳症の発症の有無を判断するために必要な検査の実施に関する事項とし，前条第１項の表の５の項の上欄に掲げる五類感染症に係るものにあっては原因となった病原体の名称及びその識別のために行った検査の方法とする。

3 法第14条第３項に規定する報告は，五類感染症指定区分の感染症の患者又はこれらにより死亡した者に係るものについては同条第２項に規定する届出を受けた後７日以内に，疑似症の患者に係るものについては直ちに行うものとする。

（指定提出機関の指定の基準）

第 七 条の2 法第14条の２第１項に規定する厚生労働省令で定める五類感染症は，インフルエンザ（鳥インフルエンザ及び新型インフルエンザ等感染症を除く。）とし，同項に規定する五類感染症の患者の検体又は当該感染症の病原体の提出を担当させる指定提出機関の指定は，地域における感染症に係る医療を提供する体制，保健所の設置の状況，人口等の社会的条件，地理的条件等の自然的条件その他の地域の実情を勘案して，原則として診療科名中に内科若しくは小児科を含む病院若しくは診療所又は衛生検査所のうち当該五類感染症に係る指定提出機関として適当と認めるものについて行うものとする。

第 7 条の3　（五類感染症の患者の検体等の検査）　（略）

第 7 条の4　（法第64条第１項において読み替えて適用する法第14条の２第２項の提出）　（略）

（感染症の発生の状況，動向及び原因の調査）

第 8 条 都道府県知事は，次に掲げる場合に，法第15条第１項の規定を実施するものとする。

　一　一類感染症，二類感染症，三類感染症，四類感染症若しくは新型インフルエンザ等感染症の患者が発生し，又は発生した疑いがある場合

感染症の予防及び感染症の患者に対する医療に関する法律施行規則（付録159）523

　二　五類感染症の発生の状況に異状が認められる場合
　三　国内で発生していない感染症であって国外でまん延しているものが発生するおそれ
　　がある場合
　四　動物が人に感染させるおそれがある感染症が発生し，又は発生するおそれがある場
　　合
　五　その他都道府県知事が必要と認める場合
2～5　（略）
第8条の2～第9条　（略）
第9条の2～第9条の5（検疫所長との連携）　（略）

　　　第4章　就業制限その他の措置
第10条～第13条　（略）

　　　第5章　消毒その他の措置
第13条の2～第19条　（略）

　　　第6章　医　療
第20条（入院患者の医療に係る費用負担の申請）　（略）
（医療の種類）
第20条の2　法第37条の2第1項に規定する厚生労働省で定める医療は，結核性疾患に対
して行う次の各号に掲げる医療（第一号から第四号までに掲げる医療にあっては，厚生労
働大臣の定める基準によって行う医療に限る。）とする。
　一　化学療法
　二　外科的療法
　三　骨関節結核の装具療法
　四　前3号に掲げる医療に必要なエックス線検査及び結核菌検査
　五　第二号及び第三号に掲げる医療に必要な処置その他の治療
　六　第二号及び第三号に掲げる医療に必要な病院又は診療所への収容（食事の給与及び
　　寝具設備を除く。）
第20条の3（結核患者の医療に係る費用負担の申請）　（略）
第21条～第23条の2　（略）

　　　第7章　新型インフルエンザ等感染症
（健康状態についての報告）
第23条の3　都道府県知事は，法第44条の3第1項の規定により報告を求める場合には，
その名あて人又はその保護者に対し，求める報告の内容，報告を求める期間及びこれらの
理由を書面により通知しなければならない。ただし，当該事項を書面により通知しないで
健康状態について報告を求めるべき差し迫った必要がある場合は，この限りでない。
2　都道府県知事は，前項ただし書の場合においては，できる限り速やかに，同項の書面を
交付しなければならない。
（感染の防止に必要な協力）
第23条の4　都道府県知事は，法第44条の3第2項の規定により協力を求める場合には，
その名あて人又はその保護者に対し，求める協力の内容，協力を求める期間及びこれらの
理由を書面により通知しなければならない。ただし，当該事項を書面により通知しないで
感染の防止に必要な協力を求めるべき差し迫った必要がある場合は，この限りでない。
2　都道府県知事は，前項ただし書の場合においては，できる限り速やかに，同項の書面を
交付しなければならない。

付録

524 （付録160）感染症法

（経過の報告）

第 23 条の 5　法第44条の 5 第 1 項(同条第 2 項において準用する場合を含む。)に規定する報告は，厚生労働大臣の求めに応じて行うものとする。

第8章　新感染症

（新感染症に係る検査及び報告）

第 23 条の 6　第10条の 2 第 1 項の規定は，法第44条の 7 第 5 項の検査について準用する。

2　第10条の 2 第 2 項及び第 3 項の規定は，法第44条の 7 第 6 項の報告について準用する。

（新感染症に係る検体の採取を行う場合の通知事項）

第 23 条の 7　第10条の規定は，法第44条の 7 第 9 項及び第10項において法第16条の 3 第 5 項及び第 6 項の規定を準用する場合について準用する。

第 24 条　（新感染症に係る検体の採取等）　（略）

第 25 条　（新感染症の所見がある者の入院に係る書面による通知）　（略）

第 26 条　（新感染症に係る消毒その他の措置；健康状態についての報告；感染の防止に必要な協力）　（略）

第 27 条　（新感染症に係る通報事項）　（略）

第9章　結　核

（健康診断の方法）

第 27 条の 2　法第 9 章の規定によって行うべき健康診断の方法は，喀痰検査，胸部エックス線検査，聴診，打診その他必要な検査とする。

2　前項の規定は，法第17条第 1 項及び第 2 項の規定によって行うべき結核にかかっているかどうかに関する医師の健康診断について準用する。

（診断書等の記載事項）

第 27 条の 3　法第53条の 4 及び法第53条の 5 に規定する診断書その他の文書の記載事項は，次のとおりとする。

　　一　受診者の住所，氏名，生年月日及び性別

　　二　検査の結果及び所見

　　三　結核患者であるときは，病名

　　四　実施の年月日

　　五　診断書の場合には，診断した医師の住所(病院又は診療所で診療に従事している医師については，当該病院又は診療所の名称及び所在地)及び氏名

（健康診断に関する記録）

第 27 条の 4　定期の健康診断に関する記録は，前条第一号から第四号までに掲げる事項を記録し，事業者又は学校若しくは施設の長が行った健康診断については，受診者が当該事業者の行う事業，学校又は施設を離れたときから，その他の健康診断については，健康診断を行ったときから 5 年間保存しなければならない。

2　前項の規定は，法第17条第 1 項及び第 2 項の規定によって行うべき結核にかかっているかどうかに関する医師の健康診断について準用する。この場合において，前項中「事業者又は学校若しくは施設の長が行った健康診断については，受診者が当該事業者の行う事業，学校又は施設を離れたときから，その他の健康診断については，健康診断」とあるのは，「健康診断」と読み替えるものとする。

（健康診断の通報又は報告）

第 27 条の 5　定期の健康診断の実施者(以下次項において「健康診断実施者」という。)は，法第53条の 2 の規定によって行った定期の健康診断及び法第53条の 4 の規定によって診断書その他の文書の提出を受けた健康診断について，次に掲げる事項を，一月ごとに取りまとめ，翌月の10日までに，法第53条の 7 第 1 項(同条第 2 項において準用する場合を含む。次項において同じ。)の規定に従い，通報又は報告しなければならない。

感染症の予防及び感染症の患者に対する医療に関する法律施行規則（付録161）525

　　一　事業者の行う事業，学校若しくは施設の所在地及び名称又は市町村若しくは都道府
　　　県の名称
　　二　実施の年月
　　三　方法別の受診者数
　　四　発見された結核患者及び結核発病のおそれがあると診断された者の数
2　健康診断実施者は，法第53条の5の規定によって診断書その他の文書の提出を受けた健
　康診断について，前項各号に掲げる事項を一月ごとに取りまとめ，翌月の10日までに，法
　第53条の7第1項の規定に従い，通報又は報告しなければならない。
3　第1項の規定は，保健所を設置する市又は特別区の市長又は区長が法第17条第1項及び
　第2項の規定によって行った結核にかかっているかどうかに関する医師の健康診断につい
　て準用する。
（病院管理者の届出事項）
第27条の6　病院の管理者は，結核患者が入院したときは，法第53条の11第1項の規定に
　より，次に掲げる事項を文書で届け出なければならない。
　　一　結核患者の住所，氏名並びに結核患者が成年に達していない場合にあっては，その
　　　保護者の氏名及び住所（保護者が法人であるときは，その名称及び主たる事務所の所
　　　在地）
　　二　病名
　　三　入院の年月日
　　四　病院の名称及び所在地
2　病院の管理者は，結核患者が退院したときは，法第53条の11第1項の規定により，次に
　掲げる事項を文書で届け出なければならない。
　　一　結核患者の氏名，年齢，性別並びに第4条第1項第一号及び第二号に掲げる事項
　　二　病名
　　三　退院時の病状及び菌排泄の有無
　　四　退院の年月日
　　五　病院の名称及び所在地
（結核回復者の範囲）
第27条の7　法第53条の12第1項に規定する厚生労働省令で定める結核回復者は，結核医
　療を必要としないと認められてから2年以内の者（経過観察を必要としないと認められる
　者を除く。）その他結核再発のおそれが著しいと認められる者とする。
（結核登録票の記録事項等）
第27条の8　法第53条の12第3項に規定する結核登録票に記録すべき事項は，次のとおり
　とする。
　　一　登録年月日及び登録番号
　　二　結核患者又は結核回復者の住所，氏名，生年月日，性別，職業並びに結核患者が成
　　　年に達していない場合にあっては，その保護者の氏名及び住所（保護者が法人である
　　　ときは，その名称及び主たる事務所の所在地）
　　三　届け出た医師の住所（病院又は診療所で診療に従事する医師については，当該病院
　　　又は診療所の名称及び所在地）及び氏名
　　四　結核患者については，その病名，病状，抗酸菌培養検査及び薬剤感受性検査の結果
　　　並びに現に医療を受けていることの有無
　　五　結核患者又は結核回復者に対して保健所がとった措置の概要
　　六　前各号に掲げるもののほか，生活環境その他結核患者又は結核回復者の指導上必要
　　　と認める事項
2　保健所長は，結核登録票に登録されている者がその管轄区域外に居住地を移したときは，
　直ちに，その者の新居住地を管轄する保健所長にその旨を通報し，かつ，その者に係る結

付録

526 （付録 162）感染症法

核登録票を送付しなければならない。

3 結核登録票に登録されている者について登録を必要としなくなったときは，保健所長は，その必要としなくなった日から２年間，なおその者に係る結核登録票を保存しなければならない。

（精密検査の方法）

第 27 条の 9 法第53条の13に規定する厚生労働省令で定める精密検査の方法は，結核菌検査，聴診，打診その他必要な検査とする。

第 27 条の 10 （指導の実施の依頼先） （略）

（医師の指示事項）

第 27 条の 11 法第53条の15に規定する厚生労働省令で定める感染の防止に必要な事項は，次のとおりとする。

- 一 結核を感染させるおそれがある患者の居室の換気に注意をすること。
- 二 結核を感染させるおそれがある患者のつば及びたんは，布片又は紙片に取って捨てる等他者に結核を感染させないように処理すること。
- 三 結核を感染させるおそれがある患者は，せき又はくしゃみをするときは，布片又は紙片で口鼻を覆い，人と話をするときは，マスクを掛けること。

第10章　輸入届出

第 28 条～第 31 条 （略）

第11章　特定病原体等 （略）

第12章　雑 則 （略）

附 則（平成10年12月28日省令第99号） 抄

（施行期日）

第 1 条 この省令は，平成11年４月１日から施行する。

第 2 条 （伝染病予防法施行規則等の廃止） （略）

附 則（平成19年12月28日厚生労働省令第159号 第２条，４条，６条） 抄

（施行期日）

第 1 条 この省令は，平成20年１月１日から施行する。ただし，第２条に１号を加える改正規定は，公布の日から施行する。

（経過措置）

第 2 条 平成20年１月１日前に風しん若しくは麻しんの患者を診断し，又は風しん若しくは麻しんにより死亡した者の死体を検案したときに指定届出機関（感染症の予防及び感染症の患者に対する医療に関する法律第14条第１項に規定する指定届出機関をいう。以下同じ。）の管理者が行う届出及び当該届出を受けた当該指定届出機関の所在地を管轄する都道府県知事（保健所を設置する市又は特別区にあっては，市長又は区長）が行う報告については，この省令による改正前の感染症の予防及び感染症の患者に対する医療に関する法律施行規則第６条の規定は，なおその効力を有する。

附 則（平成20年５月２日厚生労働省令第106号）

（施行期日）

第 1 条 この省令は，感染症の予防及び感染症の患者に対する医療に関する法律及び検疫法の一部を改正する法律の施行の日から施行する。

感染症の予防及び感染症の患者に対する医療に関する法律施行規則（付録163）527

（様式に関する経過措置）

第 2 条 この省令の施行の際現にあるこの省令による改正前の様式（次項において「旧様式」という。）により使用されている書類は，この省令による改正後の様式によるものとみなす。

2 この省令の施行の際現にある旧様式による用紙については，当分の間，これを取り繕って使用することができる。

　　附　則（平成20年12月26日厚生労働省令第183号）

（施行期日）

第 1 条 この省令は，平成21年 2 月 1 日から施行する。

（経過措置）

第 2 条 この省令の施行の日前に行われたこの省令による改正前の感染症の予防及び感染症の患者に対する医療に関する法律施行規則第20条の 2 第 4 号の結核性疾患に対して行う医療については，なお従前の例による。

　　附　則（平成23年 7 月29日厚生労働省令第97号）

（施行期日）

第 1 条 この省令は，平成23年 9 月 5 日から施行する。ただし，附則第 3 条の規定は，公布の日から施行する。

（経過措置）

第 2 条 この省令の施行の日（以下「施行日」という。）前に診断した患者に係る感染症の予防及び感染症の患者に対する医療に関する法律（平成10年法律第114号）第14条第 2 項の届出については，なお従前の例による。

第 3 条 都道府県知事は，施行日前においても，この省令による改正後の感染症の予防及び感染症の患者に対する医療に関する法律施行規則（平成10年厚生省令第99号）第 7 条第 1 項第一号の規定による指定をすることができる。

　　附　則（平成25年 3 月 7 日厚生労働省令第23号）

（施行期日）

第 1 条 この省令は，平成25年 4 月 1 日から施行する。

（経過措置）

第 2 条 この省令の施行の日（以下「施行日」という。）前に髄膜炎菌性髄膜炎と診断された患者に係る感染症の予防及び感染症の患者に対する医療に関する法律（平成10年法律第114号。以下「法」という。）第12条第 1 項第二号の届出については，なお従前の例による。

2 施行日前に細菌性髄膜炎と診断された患者に係る法第14条第 2 項の届出については，なお従前の例による。

　　附　則（平成26年 9 月 9 日厚生労働省令第103号）

（施行期日）

1 この省令は，公布の日から起算して10日を経過した日から施行する。

（経過措置）

2 この省令の施行の日前に薬剤耐性アシネトバクター感染症と診断された患者に係る感染症の予防及び感染症の患者に対する医療に関する法律第14条第 2 項の届出については，なお従前の例による。

　　附　則（平成27年 1 月21日厚生労働省令第 8 号）

この省令は，感染症の予防及び感染症の患者に対する医療に関する法律の一部を改正する法

528 （付録164）感染症法

律（平成26年法律第115号）附則第1条第2号に掲げる規定の施行の日から施行する。

　　附　則（平成27年5月12日厚生労働省令第101号）
　（施行期日）
1　この省令は，感染症の予防及び感染症の患者に対する医療に関する法律の一部を改正する法律（平成26年法律第115号）附則第1条第3号に掲げる規定の施行の日から施行する。
　（医師の届出に関する経過措置）
2　この省令の施行前に侵襲性髄膜炎菌感染症又は麻しんと診断された患者に係る感染症の予防及び感染症の患者に対する医療に関する法律（平成10年法律第114号）第12条第1項第2号の届出については，なお従前の例による。
　（罰則に関する経過措置）
3　この省令の施行前にした行為及び前項の規定によりなお従前の例によることとされる場合におけるこの省令の施行後にした行為に対する罰則の適用については，なお従前の例による。

　　附　則（平成27年9月28日厚生労働省令第147号）
この省令は，平成28年4月1日から施行する。ただし，別表第二の改正規定は，公布の日から施行する。

　　附　則（平成27年9月29日厚生労働省令第150号）　抄
　（施行期日）
第 1 条　この省令は，行政手続における特定の個人を識別するための番号の利用等に関する法律（以下「番号利用法」という。）の施行の日（平成27年10月5日）から施行する。ただし，次の各号に掲げる規定は，当該各号に定める日から施行する。
　　一　第6条，第8条から第10条まで，第12条，第13条，第15条，第17条，第19条から第29条まで及び第31条から第38条までの規定　番号利用法附則第1条第4号に掲げる規定の施行の日（平成28年1月1日）

第 14 条（感染症の予防及び感染症の患者に対する医療に関する法律施行規則の一部改正に伴う経過措置）　　　（略）

　　附　則（平成28年3月16日厚生労働省令第33号）
この省令は，平成28年4月1日から施行する。

　　附　則（平成28年3月17日厚生労働省令第34号）
　（施行期日）
1　この省令は，平成28年8月1日から施行する。
　（経過措置）
2　この省令の施行前に輸出国の政府機関により発行された鳥類に属する動物（指定検疫物を除く。）に係る感染症の予防及び感染症の患者に対する医療に関する法律施行規則第30条第1項に規定する衛生証明書の記載事項については，なお従前の例による。

　　附　則（平28年3月30日厚生労働省令第49号）
この省令は，公布の日から施行する。

　　附　則（平成28年11月25日厚生労働省令第169号）
この省令は，公布の日から施行する。

感染症の予防及び感染症の患者に対する医療に関する法律施行規則（付録165）529

 附　則（平成29年12月15日厚生労働省令第131号）
この省令は，平成30年１月１日から施行する。

 附　則（平成30年２月16日厚生労働省令第15号）
この省令は，平成31年４月１日から施行する。

 附　則（平成30年３月14日厚生労働省令第22号）
この省令は，平成30年５月１日から施行する。

 附　則（平成30年３月22日厚生労働省令第28号）　抄
（施行期日）
1　この省令は，平成30年４月１日から施行する。

 附　則（平成31年２月14日厚生労働省令第13号）
この省令は，平成31年４月１日から施行する。

 附　則（令和元年６月28日厚生労働省令第20号）　抄
（施行期日）
第１条　この省令は，不正競争防止法等の一部を改正する法律の施行の日（令和元年７月１日）から施行する。
（様式に関する経過措置）
第２条　この省令の施行の際現にあるこの省令による改正前の様式（次項において「旧様式」という。）により使用されている書類は，この省令による改正後の様式によるものとみなす。
2　この省令の施行の際現にある旧様式による用紙については，当分の間，これを取り繕って使用することができる。

 附　則（令和元年９月13日厚生労働省令第46号）　抄
（施行期日）
第１条　この省令は，成年被後見人等の権利の制限に係る措置の適正化等を図るための関係法律の整備に関する法律（令和元年法律第37号）の施行の日（令和元年９月14日）から施行する。

（大幅な改正のない附則は省略した。沿革を参照されたい）

付
録

予防接種法による救済制度

532 （付録168）予防接種法による救済制度

A類（一類）疾病に係る救済制度について

予防接種法及び結核予防法の一部を改正する
法律の一部等の施行について
厚生省公衆衛生局長通知（昭和52年3月7日衛発第186号　各都道府県知事宛）

〔沿革〕昭和57年10月1日衛発第811号，58年7月4日衛発第525号，61
年4月1日健医発第461号，平成元年10月31日健医発第1366号，
6年8月25日健医発第961号

　標記については，本日厚生事務次官から依命通知（昭和52年3月7日衛発第46号）されたところである。（以下略）

　なお，既に昭和51年9月14日衛発第725号本職通知「予防接種法及び結核予防法の一部を改正する法律等の施行について」（平成16年12月17日健発1217004号により，平成17年3月31日をもって廃止）により通知したように，市町村長又は都道府県知事の行う予防接種に協力する医師は集団接種の場合はもとより個別接種の場合も，当該市町村長又は都道府県知事の補助者の立場で予防接種の業務を行うものであるので，当該予防接種により万一健康被害が発生した場合においても，その当事者は当該市町村長又は都道府県知事であり，当該健康被害への対応は，これらの者においてなされるものである。従って，健康被害について賠償責任が生じた場合であっても，その責任は市町村，都道府県又は国が負うものであり，当該医師は故意又は重大な過失がない限り，責任を問われるものではないという趣旨をこの機会に改めて徹底願いたい。（以下略）

第1　医療費の支給
1　**支給額：**医療費の支給額は，予防接種を受けたことによる疾病（認定疾病が原因となって併発した疾病も含む）について令第4条第1項ただし書に定める法令の規定により医療に関する給付を受け，又は受けることができた場合には，当該医療に要した費用の額から当該医療に関する給付の額を控除した額とされる（後略）。
2　**支給手続**
(1) 医療費の支給を受けようとする者は，**別紙1**に定める医療費・医療手当請求書に次の書類を添えて，請求者の予防接種時の居住地を管轄する市町村長（特別区長を含む。以下同じ。）に提出するものとすること（規則第10条）。
　ア　受けた予防接種の種類及びその年月日を証する書類
　イ　疾病の発病年月日及びその症状を証する医師の作成した書面又は診療録の写し
　ウ　医療機関又は薬局（以下「医療機関」という。）で作成された別紙**2-(1)**に定める受診証明書。ただし，厚生大臣への認定進達については，別紙**2-(2)**に定める受診証明書。
(2) 市町村長は，請求に係る疾病と予防接種との因果関係について厚生大臣の認定を受けるため，請求書と請求書の添付書類の写し並びに予防接種健康被害調査委員会（**第10参照**）の調査報告を添え，都道府県知事を経由して厚生大臣に認定進達を行うものとすること（法第16条）。
(3) 厚生大臣は，公衆衛生審議会の意見を聴いて請求に係る疾病のうち予防接種と因果関係にあると認められる疾病があるときは，当該疾病名を，予防接種と因果関係にあると認められる疾病がないときは，その旨を，都道府県知事を経由して市町村長に通知するものであること（法第16条）。
(4) 市町村長は，支給を決定したときは，請求者にその旨を書面で通知するとともに，厚生大臣によって認定された疾病名を予防接種被害者健康手帳に記入するものとすること。

A類(一類)疾病に係る救済制度について（付録169）533

　　不支給を決定したときは，請求者にその旨及びその理由を書面で通知するものとすること。この場合，行政不服審査法に基づき不服申立てできる旨教示するものとすること（規則第11条の13）。
　(5) 支給決定後認定を受けた疾病について医療が継続して行われているときは，(1)に掲げる添付書類のうちア及びイは添付する必要がなく，また，(2)及び(3)の手続は必要でないこと。

第2　医療手当の支給
1　支給要件
同一日に医療機関で2回以上の医療を受けた場合であっても，医療手当の支給要件としての日数は，1日として計算するものであること（令第5条）。

2　支給手続
　(1) 医療手当の支給を受けようとする者は，**別紙1**に定める医療費・医療手当請求書に医療費の請求の場合と同一の書類を添えて，請求者の予防接種時の居住地を管轄する市町村長に提出するものとすること（規則第11条）。
　　なお，医療手当と同一月分の医療費が併せて請求されている場合は，医療手当についての書類の添付は，省略して差し支えないこと（規則第11条の14）。
　(2) (1)に掲げる外，医療手当の支給手続については，**第1の2**に定める医療費の支給手続に準ずるものとすること。
　(3) 同一月に関して医療費と医療手当の請求があるときは，同時に請求を行うよう請求者に対して指導されたいこと。

第3　障害児養育年金の支給
1　支給要件等
　(1) 障害児養育年金は，障害児を養育する者(以下「養育者」という。)に対して支給されるものであるが，養育者であるか否かについては，障害児を監護しているか否か，障害児と同居しているか否か，障害児の生計を維持しているか否か等を考慮して，社会通念上障害児を養育していると認めることができ，その者に支給することが障害児の救済という趣旨に適合すると考えられる者であることが必要であること。この場合において「監護」とは，障害児の生活について通常必要とされる監督，保護を行っていると社会通念上考えられる主観的意思と客観的事実が認められることをいうものであること（法第12条第2号）。
　(2) 障害児養育年金の額は，令第6条第2項に規定するところであるが，障害児について，予防接種を受けたことによる障害に関し，特別児童扶養手当等の支給に関する法律の規定により特別児童扶養手当又は福祉手当が支給されるときは，同項に規定する額から支給される特別児童扶養手当又は福祉手当の額を控除して得た額とすること（令第6条第3項）。

2　支給手続
　(1) 障害児養育年金の支給を受けようとする者は，**別紙3**に定める障害児養育年金請求書に次の書類を添えて，請求者の予防接種時の居住地を管轄する市町村長に提出するものとすること（規則第11条の2）。
　　ア　受けた予防接種の種類及びその年月日を証する書類
　　イ　障害児の障害の状態に関する医師の診断書。なお，障害の状態に関する医師の診断書の様式例を**別紙9**に示したので参考とされたいこと。
　　ウ　障害児が**令別表第1**に定める障害の状態に該当するに至った年月日及び予防接種を受けたことにより障害の状態となったことを証明することができる医師の作成した書面又は診療録の写し
　　エ　障害児の属する世帯の全員の住民票の写し
　　オ　障害児を養育することを明らかにすることができる書類
　(2) 厚生大臣は，市町村長に対して因果関係の認否，等級及び障害の状態に至った年月日を通知すること。

付録

534 （付録170）予防接種法による救済制度

- (3) 市町村長が支給決定をしたときは，予防接種被害者健康手帳に編綴された障害児養育年金証書に所要の記載を行うものとすること。
- (4) (1)から(3)のほか，**第1の2**の(2)から(4)までに定める医療費の支給手続に準ずるものとすること。
- **3 支給期間等**：障害児養育年金の支給期間は，支給すべき事由が生じた日の属する月の翌月から支給すべき事由が消滅した日の属する月までであり，その支払は，毎年1月，4月，7月及び10月の4期に行うこと（令第8条）。
- **4 額の変更**
  - (1) 障害児の障害の状態に変更があったため，新たに**令別表第1**に定める他の等級に該当することとなった場合においては，新たに該当するに至った等級に応ずる額を支給することとされているが，その前提としては，額の変更の請求，現況の届出及び障害の状態の変更届出があり得ること（令第9条，規則第11条の3，規則第11条の7第3号）。
  - (2) 障害児養育年金の支給を受けている者が，その養育する障害児の障害の程度が増進した場合において，その受けている障害児養育年金の額の変更を請求しようとするときは，**別紙4**に定める年金額変更請求書に次の書類を添えて当該市町村長に提出するものとすること（規則第11条の3）。
    - ア　障害児の障害の状態に関する医師の診断書
    - イ　障害児が**令別表第1**に定める他の等級に該当するに至った年月日を証明することができる医師の作成した書面又は診療録の写し
  - (3) (2)のほか，額の変更のための手続については，**第3の2**の(2)から(4)までに定める障害児養育年金の支給手続に準ずるものとすること。

第4　障害年金の支給
- **1 支給額**：障害年金の額は，令第7条第2項に規定するところであるが，障害年金を受ける者について，予防接種を受けたことによる障害に関し，特別児童扶養手当若しくは福祉手当又は国民年金法の規定による障害福祉年金が支給されるときは，同項に規定する額から支給される特別児童扶養手当若しくは福祉手当又は障害福祉年金の額を控除して得た額とすること（令第7条第3項）。
- **2 支給手続**
  - (1) 障害年金の支給を受けようとする者は，**別紙5**に定める障害年金請求書に次の書類を添えて，請求者の予防接種時の居住地を管轄する市町村長に提出するものとすること（規則第11条の4）。
    - ア　受けた予防接種の種類及びその年月日を証する書類
    - イ　障害者の障害の状態に関する医師の診断書
    - ウ　障害者が**令別表第2**に定める障害の状態に該当するに至った年月日及び予防接種を受けたことにより障害の状態となったことを証明することができる医師の作成した書面又は診療録の写し
  - (2) (1)のほか，**第3の2**の(2)から(4)までに定める障害児養育年金の支給手続に準ずるものとすること。
- **3 支給期間，額の変更等**：障害年金の支給期間，額の変更等については，第3の3及び4に準ずるものとすること（令第8条，令第9条，規則第11条の5，規則第11条の7第3号）。

第5　死亡一時金の支給
- **1 支給要件等**
  - (1) 死亡一時金は，予防接種を受けたことにより死亡した者の令第11条第1項に定める遺族に対して支給されるものであるが，この遺族のうち，配偶者以外のものについて要求されている「生計を同じくしていた」とは，死亡した者と，その遺族との間に生活の一体性があったことをいうものであり，必ずしも同居を必要とするものではないこと（法第17条第4号，令第11条第1項）。

A類(一類)疾病に係る救済制度について(付録171) 535

(2) 死亡一時金の請求があった場合は，当該請求者が令第11条第3項の規定により遺族の範囲から除外されている者でないこと及び当該請求者より先順位の死亡一時金を受けることができる遺族がいないことを確認されたいこと(令第11条第2項及び第3項)。

2 支給手続

(1) 死亡一時金の支給を受けようとする者は，**別紙6**に定める死亡一時金請求書に次の書類を添えて，死亡した者の予防接種時の居住地を管轄する市町村長に提出するものとすること(規則第11条の9)。

　ア　受けた予防接種の種類及びその年月日を証する書類

　イ　死亡した者に係る死亡診断書その他死亡を証する書類

　ウ　予防接種を受けたことにより死亡したことを証明することができる医師の作成した書面

　エ　請求者と死亡した者との身分関係を明らかにすることができる戸籍の謄本又は抄本

　オ　請求者が死亡した者と内縁関係にあった場合は，その事実に関する当事者(内縁関係にあった夫及び妻)双方の父母，その他尊属，媒酌人若しくは，民生委員等の証明書又は内縁関係にあったと認められる通信書その他の書面

　カ　請求者が死亡した者の配偶者以外の場合は，死亡した者の死亡の当時その者と生計を同じくしていたことを明らかにすることができる住民票等の書類

(2) (1)のほか，死亡一時金の支給手続は，**第1の2**の(2)から(4)までに定める医療費の支給手続に準ずるものとすること。

第6 葬祭料の支給

1 支給要件等

葬祭料は，予防接種を受けたことにより死亡した者の葬祭を行う者に対して支給されるものであるが，この「葬祭を行う者」とは，現実に葬祭を行う者をいい，葬祭を二人以上の者が行うときは，そのうちの主として葬祭を行う者であること。また，「葬祭を行う者」は，死亡した者の遺族に限定されないが，死亡した者に遺族がいるにもかかわらず，遺族以外の者から葬祭料が請求されたときは，当該請求者が「葬祭を行う者」であることを確認する等その支給の適正を期されたいこと(法第17条第5号，規則第11条の10)。

2 支給手続

(1) 葬祭料の支給を受けようとする者は，**別紙7**に定める葬祭料請求書に次の書類を添えて，死亡した者の予防接種時の居住地を管轄する市町村長に提出するものとすること(規則第11条の10)。

　ア　**第5の2**の(1)のアからエに掲げる書類。ただし，同時に死亡一時金の請求がなされている場合には，葬祭料についての書類の添付は省略して差し支えないこと。

　イ　請求者が死亡した者について葬祭を行う者であることを明らかにすることができる埋葬許可証の写し等の書類

(2) (1)のほか，葬祭料の支給手続については，**第1の2**の(2)から(4)までに定める医療費の支給手続に準ずるものとすること。

第7 未支給の給付の支給

1 支給要件等

(1) 未支給の給付は，給付を受けることができる者が死亡した場合において，その死亡した者(以下「支給前死亡者」という。)に支給すべき給付でまだその者に支給していなかったものがあるときに，その者の配偶者，子，父母，孫，祖父母又は兄弟姉妹でその者の死亡の当時その者と生計を同じくしていたものに対して支給されるものであるが，「生計を同じくしていた」の意義は**第5の1**の(1)と同様であること(令第13条，規則第11条の23)。

(2) 未支給の給付は，支給前死亡者が給付の請求を行わないで死亡した場合にも支給されるものであること(規則第11条の11第3項)。

付録

536 （付録172）予防接種法による救済制度

2 支給手続

(1) 未支給の給付を受けようとする者は，**別紙8**に定める未支給給付請求書に次の書類を添えて，支給前死亡者が当該給付を請求する場合に提出すべきであった市町村長に提出するものとすること（規則第11条の11第1項及び第2項）。

ア 支給前死亡に係る死亡診断書その他死亡を証する書類

イ 請求者と支給前死亡者との身分関係を明らかにすることができる戸籍の謄本又は抄本

ウ 請求者が支給前死亡者と内縁関係にあった場合は，**第5の2の**(1)のオと同様の書類

エ 請求者が死亡した者の配偶者以外の場合は，**第5の2の**(1)のカと同様の書類

オ 支給前死亡者が死亡前に給付の請求を行っていた場合において提出すべきでありながらまだ提出していなかった書類があるときは，当該書類

(2) (1)の場合で，支給前死亡者が，給付の請求を行わないで死亡したときは，未支給の給付を受けようとする者は，受けようとする未支給の給付の種類に応じた医療費・医療手当・請求書等の請求書及びそれに添付すべき書類等を，(1)の請求書及び書類に併せて市町村長に提出するものとすること（規則第11条の11第3項）。

(3) 請求書を受理した市町村長が未支給の給付の支給に関する決定を行うに当たっては，先ず，支給前死亡者に該当給付を支給すべきであったか否かを決定する必要があるため，当該給付の種類に応じて**第1から第6**までに定める支給手続のうち，当該給付の支給に関する決定に必要な手続を経るものとし，この結果，当該給付の支給が決定されていることが前提となっていること（令第13条第1項）。

(4) 市町村長は，支給を決定したときは，請求者にその旨を書面で通知するものとすること。不支給を決定したときは，その旨及びその理由を請求者に書面で通知するものとすること。この場合，行政不服審査法に基づき，不服申立てできる旨教示するものとすること（規則第11条の13）。

第8 給付に関するその他の事項

1 診断及び報告：市町村長は，年金たる給付の支給に関し特に必要があると認めるときは，年金たる給付を受けている者（以下「年金受給者」という。）に対して，医師の診断を受けるべきこと若しくはその養育する障害児について医師の診断を受けさせるべきことを命じ，又は必要な報告を求めることができるものであること。年金受給者が，正当な理由がなくしてこの命令に従わず，又は報告をしないときは，市町村長は，年金たる給付の支給を一時差し止めることができるものであること（令第10条）。

2 現況の届出（注：平成9年2月28日健医感発第22号で規則第11条6削除，廃止）

3 氏名又は住所の変更等の届出：年金受給者は，氏名又は住所を変更した場合などには速やかに，当該年金たる給付を行う市町村長にその旨を記載した届書及び予防接種被害者健康手帳を提出しなければならないものであるが，次のアからオの場合には，それぞれに掲げる事項を届書に記載するとともに，所要の書類を添えなければならないものであること（規則第11条の7）。

ア 氏名を変更した場合は，変更前及び変更後の氏名並びに戸籍の抄本

イ 住所を変更した場合は，変更前及び変更後の住所地並びに変更の年月日並びに住民票の写し

ウ 障害児養育年金又は障害年金の支給要件に該当しなくなった場合はその年月日及び理由

エ 特別児童扶養手当若しくは福祉手当又は障害福祉年金の支給を受けることとなった場合又は支給を受けている特別児童扶養手当若しくは福祉手当又は障害福祉年金の額の改定があった場合は，改定された年月日及び改定後の等級並びに支給額

オ 障害児が令第6条第2項ただし書に規定する施設に収容されることとなった場合又は収容されることがなくなった場合は，その施設名及び事由の生じた年月日

4 年金受給者の死亡の届出：年金受給者が死亡したときは，戸籍法の規定による死亡の届

出義務者は，速やかに，その死亡した者の氏名及び死亡した年月日を記載した届書にその死亡の事実を証する書類を添えて，当該年金たる給付を行っていた市町村長に提出しなければならないものであること（規則第11条の８）。

第９　従前の予防接種による健康被害の救済に関する措置

予防接種法及び結核予防法の一部を改正する法律の給付関係規定の施行期日（昭和52年２月25日）前に行われた予防接種による健康被害を受けた者に対する措置については以下に定めるもののほか，第１から第８までと同様であること（一部改正法附則第３条第１項，一部改正政令附則第２条）。

以下，医療費及び医療手当等の支給額および支給手続については略

5　通知の廃止：昭和45年９月28日衛発第678号本職通知「予防接種事故に対する措置の取扱いについて」は廃止する。

第10　予防接種健康被害調査委員会

1　設　置：市町村長は，予防接種による健康被害の適正かつ円滑な処理に資するため，予防接種健康被害調査委員会（以下「委員会」という。）を設けるものとすること。

2　任　務：委員会は，市町村長からの指示により主として予防接種による健康被害発生に際し当該事例について医学的な見地からの調査を行うものとすること。具体的には，当該事例の疾病の状況及び診療内容に関する資料収集，必要と考えられる場合の特殊検査又は剖検の実施についての助言等を行うものとすること。なお，下図（略）は，委員会の任務等の概要を示したものであること。

3　組　織：委員会は，市町村長，地区医師会の代表者，保健所長，専門医師等をもって構成されるものであること。なお，専門医師等については，貴職において専門医師集団を編成し，その中から適任者を管下市町村長に推薦されるよう配意願いたいこと。

4　経　費　（略）

第11　予防接種被害者健康手帳

1　交　付：予防接種を受けた者が疾病にかかり，又は障害の状態となった場合において，当該疾病又は障害が当該予防接種を受けたことによるものであると厚生大臣が認定したときは，市町村長は，厚生大臣から送付された予防接種被害者健康手帳を認定を受けた者に交付するものとすること。

2　内　容：予防接種被害者健康手帳は，厚生大臣によって認定された疾病名が記載されるとともに，障害児養育年金又は障害年金の証書が編綴されるものであること。

第12　その他

1　海外渡航時の予防接種　（略）　　**2　個別接種**　（略）

付録

538 （付録174）予防接種法による救済制度

別紙1

医 療 費 ・ 医 療 手 当 請 求 書

① 個人番号												

② ふりがな 氏　名		男 女	③ 生年月日	年　　　月　　　日
④ 現　住　所		⑤世帯主 氏　名		続柄

受けた 予防接種	⑥ 種　類		⑦実施 年月日	
	⑧ 実施者		⑨実施場所	
	⑩ 居住地			

⑪ 医療保険等の 種類	健保，国保，その他（　　）	⑫被保険者 本人（組合 員本人） 被扶養者の別	本人　　被扶養者

⑬ 医療を受けた医 療機関の名称及 び所在地	

⑭ 医療を受けた 日数		月分	月分	月分	月分
	入院外 診療実日数	日	日	日	日
	入院日数	日	日	日	日

⑮ 看護移送等に ついてはその内容	

⑯ 患者負担額	予 防 接 種 医 療 費		
			円
	内　　　　訳		
	特殊医 療費分	円	医療保険 等自己負 担額分	円

⑰ 医療手当請求額	

　上記のとおり，予防接種を受けたことによる疾病について医療費・医療手当
の支給を受けたく，必要書類を添えて請求します。

　　　令和　　　年　　　月　　　日

　　　　　　　　　　　請求者氏名

市　町　村　長　殿

⑱ 同意欄	私は，個人番号を通じて自身の税情報を提供することに同意します。 　本人署名＿＿＿＿＿＿＿＿＿＿＿＿＿＿＿＿＿＿＿＿　印 （※自署できない者は代筆者が署名し，代筆者氏名及び医療を受けた者との続柄を記載）

（日本工業規格A列4番）

A類(一類)疾病に係る救済制度について（付録175）539

（別紙1の注意）

1　①の欄は，予防接種を受けたことによる疾病について医療を受けた者の個人番号を記入してください。

2　②～④の欄は，予防接種を受けたことによる疾病について医療を受けた者の氏名，性別，生年月日及び現住所を記入して下さい。

3　⑤の欄は，1の医療を受けた者の属する世帯の世帯主の氏名及び続柄を記入して下さい。

4　⑥～⑩の欄は，健康被害の原因となった予防接種について次のように記入して下さい。

（1）「⑥種類」は，ジフテリア等の対象疾病の種類及び定期，定期外又は臨時の別を「ジフテリア，定期（第1期第1回）」，「○○○，臨時」というように記入して下さい。

（2）「⑦実施年月日」は，当該予防接種を受けた年月日を記入して下さい。

（3）「⑧実施者」は，実施に当たった市区町村長（受けた当時の居住地の市区町村長になります）等の名称を記入して下さい。市区町村長等以外で受けたときは，（　）の中にその医療機関の名称を記入して下さい。

（4）「⑨実施場所」は，当該予防接種を受けた場所を具体的に記入して下さい。

（5）「⑩居住地」は，当該予防接種を受けた当時の居住地を記入して下さい。

5　⑪及び⑫の欄は1に記入した者又はその者を扶養する者の加入している医療保険等について，次により記入して下さい。

（1）⑪の欄は，健康保険，国民健康保険，その他の該当するものを「○」でかこみ，その他に該当する時は，（　）に種類を記入して下さい。

（2）⑫の欄は，②に記入した者が被保険者又は組合員本人であるか，被扶養者であるかの別を「○」でかこんで下さい。

6　⑬の欄は，請求に係る疾病について医療を受けた医療機関の名称及び所在地を記入して下さい。

7　⑭の欄は，医療手当の請求に係る医療を受けた日数を1カ月ごとに入院実日数又は入院外診療実日数別に記入して下さい。

8　⑮の欄は，看護，移送を行ったときは，その状況及び医療保険で当該給付を受けたか否かの別を記入して下さい。

9　⑯の予防接種医療費の欄は，医療機関に支払った額を記入し，その内訳として特殊医療費分（免疫学的諸検査であって医療保険対象外）及び医療保険等の自己負担相当額を記入して下さい。

10　⑰の欄は，医療手当の請求額を記入して下さい。

11　医療手当のみの請求の場合は，⑪，⑫，⑮及び⑯の欄の記載は不要です。

12　⑱個人番号を利用して市町村長から患者又はその保護者の地方税関係情報の提供を受ける場合は，事前に必ず当該患者又はその保護者から同意書をとるようにしてください。

付録

540 (付録176) 予防接種法による救済制度

別紙2-(1)　　　　受　診　証　明　書

① 氏　　　名			男 女	② 生年月日	年	月	日
③ 現　住　所							
④予防接種を受けたことによる疾病の名称							
⑤ 医療を受けた日数		月分	月分	月分	月分	月分	月分
	入院外診療実日数	日	日	日	日	日	日
	入院日数	日	日	日	日	日	日
⑥ 患者負担額	予　防　接　種　医　療　費						
							円
	内　　　　訳						
	特殊医療費分			円	医療保険等自己負担額分		円

　上記のとおり，予防接種を受けたことによる疾病について医療を行ったことを証明します。

　　　　令和　　年　　月　　日

　　　　　　　医療機関の名称
　　　　　　　所　在　地
　　　　　　　開設者の氏名　　　　　　　　　　　　㊞

(日本工業規格A列4番)

(注　意)
1　予防接種被害者健康手帳により認定疾病名を確認のうえ記入して下さい。
　　なお，認定疾病が原因となって併発した疾病についても証明して下さい。
2　①～③の欄は，予防接種を受けたことによる疾病(認定疾病が原因となって併発した疾病を含む。以下同じ。)について医療を受けた者の氏名，性別，生年月日及び現住所を記入して下さい。
3　④の欄は，予防接種を受けたことによる疾病名を記入して下さい。
4　⑤の欄は，予防接種を受けたことによる疾病について医療を受けた日数を1カ月ごとに入院実日数及び入院外診療実日数別に記入して下さい。
5　⑥の予防接種医療費の欄は，医療機関に支払った額を記入し，その内訳として特殊医療費分(免疫学的諸検査であって医療保険対象外)及び医療保険等の自己負担相当額を記入して下さい。

A類(一類)疾病に係る救済制度について (付録177) 541

別紙2-(2) 受 診 証 明 書 [予防接種健康 被害認定申請書]

① 氏　　名					男 女	② 生年月日	年		月		日
③ 現 住 所											
④ 疾　病　名											

⑤ 医療を受けた日数		月分	月分	月分	月分	月分	月分
	入院外診療実日数	日	日	日	日	日	日
	入院日数	日	日	日	日	日	日

⑥	医　　療　　費		
患者負担額	内　　　　　訳		
	特殊医療費分	円	医療保険等自己負担額分　円

　　上記のとおり，医療を行ったことを証明します。

　　　　令和　　年　　月　　日

　　　　　　　　医療機関の名称
　　　　　　　　所　在　地
　　　　　　　　開設者の氏名　　　　　　　　印

(日本工業規格A列4番)

(注　意)
1　この受診証明書は，厚生労働大臣への予防接種被害認定申請手続のためのものです。
2　①〜③の欄は，医療を受けた者の氏名，性別，生年月日及び現住所を記入して下さい。
3　④の欄は，疾病名を記入して下さい。
4　⑤の欄は，疾病について医療を受けた日数を1カ月ごとに入院実日数及び入院外診療実日数別に記入して下さい。
5　⑥の医療費の欄は，医療機関に支払った額を記入し，その内訳として特殊医療費分(免疫学的諸検査であって医療保険対象外)及び医療保険等の自己負担相当額を記入して下さい。

付録

542（付録178）予防接種法による救済制度

別紙3

障 害 児 養 育 年 金 請 求 書

① 個人番号		② 障害児の個人番号				

③ ふりがな 氏　名		男女	④ 生年月日	年　月　日	⑤障害児との関係

⑥ 現　住　所	

⑦ ふりがな 障害児氏名		男女	⑧ 生年月日	年　　月　　日

⑨ 障害児の現住所	

受けた予防接種	⑩ 種　類		⑪ 実施年月日	
	⑫ 実施者		⑬ 実施場所	
	⑭ 居住地			

⑮ 当該疾病につき初めて診療を受けた年月日	年　月　日	⑯ 初めて診療を受けた医療機関の名称及び所在地	

⑰ 経過及び障害の状況	

⑱ 障害該当年月日	年　　月　　日

⑲ 施設収容の有無及び施設名	有・無　期間　年　月から　月まで　施設名

⑳ 特別児童扶養手当又は障害児福祉手当の受給の有無	特別児童扶養手当　有（ 年　月から / 月額　円　級 ）・無
	障害児福祉手当　有（ 年　月から / 月額　円　級 ）・無

　上記のとおり，予防接種を受けたことによる障害について，障害児養育年金の支給を受けたく必要書類を添えて請求します。

　　　　令和　年　月　日　　　請求者氏名
　市町村長殿

㉑ 同意欄	私は，個人番号を通じて自身の税情報を提供することに同意します。
	申請者署名＿＿＿＿＿＿＿＿＿＿＿＿＿＿＿＿＿＿＿＿印
	本人署名＿＿＿＿＿＿＿＿＿＿＿＿＿＿＿＿＿＿＿＿印
	（※自署できない者は代筆者が署名し，代筆者氏名及び医療を受けた者との続柄を記載）

（日本工業規格A列4番）

A類(一類)疾病に係る救済制度について (付録179) 543

(注　意)
1　①の欄は，請求者の個人番号を，②の欄には，障害児の個人番号を記入してください。
2　③～④及び⑥の欄は，請求者の氏名，性別，生年月日及び現住所を記入して下さい。
3　⑤の欄は，請求者と障害児との関係を記入して下さい。
4　⑦～⑨の欄は，障害児の氏名，性別，生年月日及び現住所を記入して下さい。
5　⑩～⑭の欄は，障害の原因となった予防接種について次のように記入して下さい。
　(1)「⑩種類」は，ジフテリア等の対象疾病の種類及び定期，定期外又は臨時の別を「ジフテリア，定期(第1期第1回)」，「○○○，臨時」というように記入して下さい。
　(2)「⑪実施年月日」は，当該予防接種を受けた年月日を記入して下さい。
　(3)「⑫実施者」は，実施に当たった市区町村長(受けた当時の居住地の市区町村長になります)等の名称を記入して下さい。市区町村長以外で受けたときは，(　)の中にその医療機関の名称を記入して下さい。
　(4)「⑬実施場所」は，当該予防接種を受けた場所を具体的に記入して下さい。
　(5)「⑭居住地」は，当該予防接種を受けた当時の居住地を記入して下さい。
6　⑮及び⑯の欄は，障害の原因となった疾病につき，初めて医師の診療を受けた年月日並びにその医療機関の名称及び所在地を記入して下さい。
7　⑰の欄は，障害の状態となるまでの経過及び障害の現況を具体的に記入して下さい。
8　⑱の欄は，障害の状態となった年月日を記入して下さい。
9　⑲の欄は，重症心身障害児施設等の施設に入所している場合には「有」を，施設に入所していない場合には「無」を「○」でかこんで下さい。また，入所している場合には，その期間及び施設名を記入して下さい。
10　⑳の欄は，特別児童扶養手当等の支給に関する法律の規定による特別児童扶養手当又は障害児福祉手当の受給の有無を記入して下さい。
　　また，支給を受けている場合は，その額，等級及び支給を受けた期間を記入して下さい。
11　㉑個人番号を利用して市町村長から患者又はその保護者の地方税関係情報の提供を受ける場合は，事前に必ず当該患者又はその保護者から同意書をとるようにしてください。

付

録

544 （付録180）予防接種法による救済制度

別紙4　　　　　　　　　年　金　額　変　更　請　求　書

① 個人番号								② 障害児の 個人番号							

③　　ふりがな 　　氏　　名		男 女	④ 生年月日	年　　　　月　　　　日

⑤　現　住　所	

⑥　　ふりがな 　障害児氏名		男 女	⑦ 生年月日	年　　　　月　　　　日

⑧　障害児の現住所	

⑨ 　現に支給を受 　けている年金	（種　　　類）障害児養育年金　　障害年金 （等　　　級）　　　　級 （年金証書番号）

⑩　他の等級への 　　該当年月日	年　　　　月　　　　日

⑪ 障害の程度が増 進するに至った 経過及び障害の 現況	

上記のとおり年金の額を変更されたく，必要書類を添えて請求します。

　　　令和　　年　　月　　日　　　請求者氏名

　市　町　村　長　殿

⑫ 同意欄	私は，個人番号を通じて自身の税情報を提供することに同意します。 　申請者署名＿＿＿＿＿＿＿＿＿＿＿＿＿＿＿＿＿＿＿＿＿＿＿印 　本人署名＿＿＿＿＿＿＿＿＿＿＿＿＿＿＿＿＿＿＿＿＿＿＿印 （※自署できない者は代筆者が署名し，代筆者氏名及び医療を受けた者との続柄を記載）

（日本工業規格A列4番）

（注　意）

1　①の欄は，請求者の個人番号を，②の欄には，障害児の個人番号を記入してください。

2　③～⑤の欄は，請求者の氏名，性別，生年月日及び現住所を記入して下さい。

3　②，⑥～⑧の欄は，障害児養育年金の受給者のみ記入して下さい。

4　⑨の欄は，現に支給を受けている障害児養育年金又は障害年金について，障害等級及び
　年金証書番号を記入して下さい。

5　⑩の欄は，他の障害等級への該当年月日を記入して下さい。

6　⑪の欄は，障害の程度が増進するに至った経過及び障害の現況を具体的に記入して下さ
　い。

7　⑫個人番号を利用して市町村長から患者又はその保護者の地方税関係情報の提供を受け
　る場合は，事前に必ず当該患者又はその保護者から同意書をとるようにしてください。

A類(一類)疾病に係る救済制度について（付録181）545

別紙5　　　　障　害　年　金　請　求　書

① 個人番号												

② ふりがな 氏　　名		男 女	③ 生年月日	年　　　月　　　日

④ 現　住　所		⑤ 世帯主 氏　名		続柄

受けた 予防接種	⑥種　類		⑦ 実　施 年月日	
	⑧実施者		⑨ 実施場所	
	⑩居住地			

⑪ 当該疾病につき 初めて診療を受 けた年月日	年　　　月　　　日	⑫初めて診療を 受けた医療機 関の名称及び 所在地	

⑬ 経過及び障害の 現況	

⑭障害該当年月日	年　　　月　　　日

⑮ 施設収容の有無 及び施設名	有 ・ 無	期　間　年　　　月から　　　年　　　月まで 施設名

⑯ 特別児童扶養手当，障害児福祉手当，特別障害者手当，福祉手当又は障害基礎年金の受給の有無

特別児童扶養手当	有	(年　月から 級 月額　　　　　円)	無
障害児福祉手当	有	(年　月から 級 月額　　　　　円)	
特別障害者手当	有		無
福　祉　手　当	有		

障害基礎年金	有	(年　月から 級 月額　　　　円 年金証書の記号番号 □□□□ □□ □□□□□ □□)	無

⑰ 後遺症一時金の 受給の有無	有	(受給年月日　年　　月　　日 等　級　　　　　級 受　給　額　　　　円)	無

上記のとおり，予防接種を受けたことによる障害について，障害年金の支給を受けたく，必要書類を添えて請求します。

令和　　年　　月　　日　　請求者氏名

市　町　村　長　殿

⑱ 同意欄	私は，個人番号を通じて自身の税情報を提供することに同意します。 本人署名＿＿＿＿＿＿＿＿＿＿＿＿＿＿＿＿＿＿印 （※自署できない者は代筆者が署名し，代筆者氏名及び医療を受けた者との続柄を記載）

（日本工業規格A列4番）

546 （付録 182）予防接種法による救済制度

（別紙 5 の注意）
1　①の欄は，請求者の個人番号を記入してください。
2　②～④の欄は，請求者の氏名，性別，生年月日及び現住所を記入して下さい。
3　⑤の欄は，②に記入した者の属する世帯主の氏名及び続柄を記入して下さい。
4　⑥～⑩の欄は，障害の原因となった予防接種について次のように記入して下さい。
　(1)「⑥種類」は，ジフテリア等の対象疾病の種類及び定期，定期外又は臨時の別を「ジフテリア，
　　定期（第 1 期第 1 回）」，「○○○，臨時」というように記入して下さい。
　(2)「⑦実施年月日」は，当該予防接種を受けた年月日を記入して下さい。
　(3)「⑧実施者」は，実施に当たった市区町村長（受けた当時の居住地の市区町村長になります）等の
　　名称を記入して下さい。市区町村長以外で受けたときは，（　）の中にその医療機関の名称を記入
　　して下さい。
　(4)「⑨実施場所」は，当該予防接種を受けた場所を具体的に記入して下さい。
　(5)「⑩居住地」は，当該予防接種を受けた当時の居住地を記入して下さい。
5　⑪及び⑫の欄は，障害の原因となった疾病につき，初めて医師の診療を受けた年月日並びにその
　医療機関の名称及び所在地を記入して下さい。
6　⑬の欄は，障害の状態となるまでの経過及び障害の現況を具体的に記入して下さい。
7　⑭の欄は，障害の状態となった年月日を記入して下さい。
8　⑮の欄は，重症心身障害児施設等の施設に入所している場合は「有」を，施設に入所していない
　場合には「無」を「○」でかこんで下さい。また，入所している場合には，その期間及び施設名を
　記入して下さい。
9　⑯の欄は，特別児童扶養手当等の支給に関する法律の規定による特別児童扶養手当(20歳未満)，
　障害児福祉手当(20歳未満)，特別障害者手当(20歳以上)，福祉手当(20歳以上)又は国民年金法の規
　定による障害基礎年金(20歳以上)の受給の有無について記入して下さい。
　　また，これらの支給を受けている場合は，その額，等級及び支給を受けた期間を，障害基礎年金
　の支給を受けているときはその年金証書の記号番号を記入して下さい。
10　⑰の欄は，後遺症一時金の受給の有無を記入して下さい。
　　また，支給を受けたことがある場合は，受給年月日，等級及び受給額を記入して下さい。
11　⑱個人番号を利用して市町村長から患者又はその保護者の地方税関係情報の提供を受ける場合は，
　事前に必ず当該患者又はその保護者から同意書をとるようにしてください。

A類(一類)疾病に係る救済制度について（付録183）547

別紙6

死 亡 一 時 金 請 求 書

① 個人番号							② 死亡者の個人番号						
③ ふりがな 氏　名						男 女	④ 生年月日		年		月		日
⑤ 現 住 所													
⑥ ふりがな 死亡者氏名						男 女	⑦ 生年月日		年		月		日

受けた 予防接種	⑧種　類		⑨ 実施年月日	年　　　月　　　日
	⑩実施者		⑪ 実施場所	
	⑫居住地			

⑬当該疾病につき初めて診療を受けた年月日	年　　　月　　　日	⑭初めて診療を受けた医療機関の名称及び所在地	
⑮　経　過			
⑯　死亡年月日	年　　　月　　　日	⑰死亡の当時診療を受けていた医療機関の名称及び所在地	

⑱ 遺族の状況	氏　　名	生年月日	続柄	現 住 所	備 考
		・ ・			
		・ ・			
		・ ・			
		・ ・			

⑲遺族の状況について参考となる事項	
⑳障害年金受給の有無	有 （　　年　　月から　　年　　月まで）・無
㉑後遺症一時金の受給の有無	有（受給年月日　　年　　月　　日 　　等　級　　　　　　　　　級　）・無 　　受　給　額　　　　　　　円

　上記のとおり，予防接種を受けたことによる死亡について，死亡一時金の支給を受けたく，必要書類を添えて請求します。

　　　　令和　　年　　月　　日　　　請求者氏名
　市 町 村 長 殿

㉒ 同意欄	私は，個人番号を通じて自身の税情報を提供することに同意します。 　本人署名＿＿＿＿＿＿＿＿＿＿＿＿＿＿＿＿＿＿＿＿＿＿＿印

（日本工業規格A列4番）

548 （付録184）予防接種法による救済制度

（別紙6の注意）
1 ①の欄は，請求者の個人番号を，②の欄には，死亡した者の個人番号を記入してください。
2 ③～⑤の欄は，請求者の氏名，性別，生年月日及び現住所を記入して下さい。
3 ⑥及び⑦の欄は，予防接種を受けたことにより死亡した者の氏名，性別及び生年月日を記入して下さい。
4 ⑧～⑫の欄は，死亡の原因となった予防接種について次のように記入して下さい。
　(1)「⑧種類」は，ジフテリア等の対象疾病の種類及び定期，定期外又は臨時の別を「ジフテリア，定期（第1期第1回）」，「〇〇〇，臨時」というように記入して下さい。
　(2)「⑨実施年月日」は，当該予防接種を受けた年月日を記入して下さい。
　(3)「⑩実施者」は，実施に当たった市区町村長（受けた当時の居住地の市区町村長になります）等の名称を記入して下さい。市区町村長以外で受けたときは，（　）の中にその医療機関の名称を記入して下さい。
　(4)「⑪実施場所」は，当該予防接種を受けた場所を具体的に記入して下さい。
　(5)「⑫居住地」は，当該予防接種を受けた当時の居住地を記入して下さい。
5 ⑬及び⑭の欄は，死亡の原因となった疾病につき、初めて医師の診療を受けた年月日並びにその医療機関の名称及び所在地を記入して下さい。
6 ⑮の欄は，死亡に至る経過を具体的に記入して下さい。
7 ⑯及び⑰の欄は，死亡の年月日並びに死亡の際診療を受けていた医療機関の名称及び所在地を記入して下さい。
8 ⑱の欄は，死亡者の遺族の状況を記入して下さい。
9 ⑲の欄は，遺族について参考となる事項があれば記入して下さい。
10 ⑳の欄は，死亡した者の障害年金の受給の有無について記入して下さい。また，支給を受けていた場合は，その支給を受けた期間を記入して下さい。
11 ㉑の欄は，後遺症一時金の受給の有無を記入して下さい。また，支給を受けたことがある場合は，受給年月日，等級及び受給額を記入して下さい。
12 ㉒個人番号を利用して市町村長から患者又はその保護者の地方税関係情報の提供を受ける場合は，事前に必ず当該患者又はその保護者から同意書をとるようにしてください。
13 支給を受けるべき者が2人以上あるときは連名で請求するようにして下さい。

A類(一類)疾病に係る救済制度について（付録185）549

別紙7

葬 祭 料 請 求 書

① 個人番号											② 死亡者の個人番号											

③	ふりがな 氏　名		男女	④	生年月日	年　　　月　　　日
⑤	現　住　所			⑥死亡した者との関係		
⑦	ふりがな 死亡者氏名		男女	⑧	生年月日	年　　　月　　　日

受けた予防接種	⑨種　類		⑩	実　施年月日	年　　　月　　　日
	⑪実施者		⑫	実施場所	
	⑬居住地				

⑭当該疾病につき初めて診療を受けた年月日		⑮初めて診療を受けた医療機関の名称及び所在地	
⑯　経　　過			
⑰　死亡年月日	年　　　月　　　日	⑱死亡の当時診療を受けていた医療機関の名称及び所在地	
⑲申請者が葬祭を行う年月日又は行った年月日	年　　　月　　　日		

　上記のとおり，予防接種を受けたことによる死亡について，葬祭料の支給を受けたく，必要書類を添えて請求します。

　　　　　　令和　　年　　月　　日　　　　請求者氏名
　市 町 村 長 殿

⑳ 同意欄	私は，個人番号を通じて自身の税情報を提供することに同意します。 本人署名＿＿＿＿＿＿＿＿＿＿＿＿＿＿＿＿＿＿＿＿＿＿＿＿　　印

(日本工業規格A列4番)

（注　意）
1　①の欄は，請求者の個人番号を，②の欄には，死亡した者の個人番号を記入してください。
2　③～⑤の欄は，請求者の氏名，性別，生年月日及び現住所を記入して下さい。
3　⑥の欄は，請求者と死亡者との関係を記入して下さい。
4　⑦及び⑧の欄は，予防接種を受けたことにより死亡した者の氏名，性別及び生年月日を記入して下さい。
5　⑨～⑬の欄は，死亡の原因となった予防接種について次のように記入して下さい。
　(1)「⑨種類」は，ジフテリア等の対象疾病の種類及び定期，定期外又は臨時の別を「ジフテリア，定期(第1期第1回)」，「〇〇〇，臨時」というように記入して下さい。
　(2)「⑩実施年月日」は，当該予防接種を受けた年月日を記入して下さい。
　(3)「⑪実施者」は，実施に当たった市区町村長(受けた当時の居住地の市区町村長になります)等の名称を記入して下さい。市区町村長以外で受けたときは，（　）の中にその医療機関の名称を記入して下さい。

550 (付録 186) 予防接種法による救済制度

  (4)「⑫実施場所」は，当該予防接種を受けた場所を具体的に記入して下さい。
  (5)「⑬居住地」は，当該予防接種を受けた当時の居住地を記入して下さい。
6 ⑭及び⑮の欄は，死亡の原因となった疾病につき，初めて医師の診療を受けた年月日並びに
  その医療機関の名称及び所在地を記入して下さい。
7 ⑯の欄は，死亡に至る経過を具体的に記入して下さい。
8 ⑰及び⑱の欄は，死亡の年月日並びに死亡の際診療を受けていた医療機関の名称及び所在地
  を記入して下さい。
9 ⑲の欄は，葬祭を行う年月日，又は行った年月日を記入して下さい。
10 ⑳個人番号を利用して市町村長から患者又はその保護者の地方税関係情報の提供を受ける場
  合は，事前に必ず当該患者又はその保護者から同意書をとるようにしてください。

別紙8   未 支 給 給 付 請 求 書

① 個人番号									② 死亡者 の個人番号									
③ ふりがな 氏 名			男 女	④ 生年月日		年		月		日								
⑤ 現 住 所																		
⑥支給前死亡者 との身分関係																		
支給前 死亡者	⑦ ふりがな 氏 名		男 女	⑧ 生年月日		年		月		日								
	⑨ 死亡時 の住所																	
	⑩ 死 亡 年月日		年		月		日											
⑪未支給の給付の 種類及びその額																		

  上記のとおり，予防接種による健康被害に関する給付のうちの未支給分の支給を
受けたく，必要書類を添えて請求します。
    令和 年 月 日   請求者氏名
  市 町 村 長 殿

⑫ 同意欄	私は，個人番号を通じて自身の税情報を提供することに同意します。 本人署名＿＿＿＿＿＿＿＿＿＿＿＿＿＿＿＿＿＿＿＿＿＿印

                  （日本工業規格A列4番）

（注　意）
1 ①の欄は，請求者の個人番号を，②の欄には，死亡した者の個人番号を記入してください。
2 ③～⑤の欄は，請求者の氏名，性別，生年月日及び現住所を記入して下さい。
3 ⑥の欄は，死亡者と請求者との関係を記入して下さい。
4 ⑦～⑩欄は，死亡者の氏名，性別，年月日，死亡時の住所，及び死亡年月日を記入して下
  さい。
5 ⑪の欄は，未支給の給付の種類及びその額を記入して下さい。
6 ⑫個人番号を利用して市町村長から患者又はその保護者の地方税関係情報の提供を受け
  る場合は，事前に必ず当該患者又はその保護者から同意書をとるようにしてください。

A類(一類)疾病に係る救済制度について（付録187）551

別紙9

診　断　書

氏　　　名		生年月日	年　月　日生	男・女
就　学　状　況	不就学　　　　在学（学校名，学年）			卒業
就労状況 就労場所	1なし　2授産施設　3小規模作業所　4あり(具体的に)　5その他 （　　　）（　　　）			
就労能力	1障害のために 就労できない	2障害のために就労に 高度の制限を受けて いる	3障害のために就労に 制限を受けている	4就労にほとんど 制限を受けない

注　Ⅰ，Ⅱ及びⅢが同一医師により診断される場合は共通する項目については重複して記入する必要はありません。

Ⅰ　精神神経障害の程度

診　断　名			
精神の症状又は 状態像	（易怒，興奮，拒絶，衝動，多動，寡動， 自閉，過敏，睡眠障害，その他　）	てんかん発作（けいれん発作） なし あり（　回/年　月　週　日） 　　・強直〜間代性 　　・欠神性 　型　・精神運動性 　　・その他（　　　）	
身 体 所 見 （神経学的検査 所見を含む）			
知能障害の状態	判定（正常，境界線，軽度，中度，重度，最重度）テスト方式（　　　）テスト不能 知能指数又は発達指数（IQ・DQ　　　　　）　　　　精神年齢（MA）		
日常生活状況	日常生活能力	日常生活能力の判定　（該当するものを選んで，どれか一つを○で囲むこと） 喫　　　　食　（ひとりでできる　　介助があればできる　　できない） 食事の用意後片付け　（ひとりでできる　　介助があればできる　　できない） 用便（月経）の始末　（ひとりでできる　　介助があればできる　　できない） 入浴・洗面・着衣　（ひとりでできる　　介助があればできる　　できない） 簡 単 な 買 物　（ひとりでできる　　介助があればできる　　できない） 家 族 と の 話　（通じる　　　　　　少しは通じる　　　　通じない） 家族以外の者との話　（通じる　　　　　　少しは通じる　　　　通じない） 刃物・火事の危険　（わかる　　　　　　少しはわかる　　　　わからない） 火 気 の 使 用　（ひとりでできる　　介助があればできる　　できない） 戸外での危険（交通事 故等）から身を守る　（守れる　　　　　　不十分ながら守れる　守れない） 乗り物を利用した外出　（ひとりでできる　　介助があればできる　　できない） 電 話 の 応 待　（できる　　　　　　少しはできる　　　　できない） そ　　の　　他	
	日常生活の 介助指導の 必要度	1極めて手数のかかる介助を必要とする　　2比較的簡単な介助と生活指導を必要 　　　　　　　　　　　　　　　　　　　　　　とする 3生活指導を必要とする　　　　　　　　4生活指導の必要がない	
現在行っている治療			
症状のよくなる見込			
そ の 他 特 記 す べ き 事 項			

上記のとおり診断しました。
　　　　年　　　　月　　　　日　　　　　居住地又は勤務先
　　　　　　　　　　　　　　　　　　　　医 師 氏 名　　　　　　　㊞

＊患者の身体状況について，本人又は親権者の申立書等があれば添付のこと。

付録

552（付録188）予防接種法による救済制度

Ⅱ 運動障害の程度

診　断　名				
関節運動範囲	関節名又は部位	運動の種類方向	自動的可能度	他動的可能度
歩行（平　地）	可　能（　　　　km）　　つたい歩き可能　　不　能			
起　立　位	可　能　　　　　　　　不　能			
座　　　位	正座　横座　あぐら　脚をなげ出して座る　うずくまる　不能			
下　肢　長	右　　　cm　　　　　　　　左　　　cm			
握　　　力	右　　　kg　　　　　　　　左　　　kg			
運　動　麻　痺	右　　上肢　　　右　　下肢 左　　　　　　　左 弛緩性　痙性　不随性　強　剛　しんせん　失　調			
その他の運動 障　　　　害	（巧遅性，スピード等）			
日常生活状況	日常生活能力の判定，（該当するものを選んで，どれか一つを○で囲むこと） 　食　　　事　（ひとりでできる　　介助があればできる　　できない） 　用便の始末　（ひとりでできる　　介助があればできる　　できない） 　入浴・洗面　（ひとりでできる　　介助があればできる　　できない） 　着　　　衣　（ひとりでできる　　介助があればできる　　できない） 　そ　の　他			
現在行っている 治　　　　療				
症状のよくなる 見　　　　込				
その他特記すべ き　事　項				

上記のとおり診断しました。
　　　　　年　　　月　　　日　　　　　居住地又は勤務地
　　　　　　　　　　　　　　　　　　　医　師　氏　名　　　　　㊞

Ⅲ その他の障害の程度（視力，聴力，咀嚼言語機能障害等）

診　断　名	
障害固定又は 障害確定（推定）	年　　　月　　　日
障害の状態及び 検　査　所　見	
日常生活状況	
現在行っている 治　　　　療	
症状のよくなる 見　　込　み	
そ　の　他　特　記 す　べ　き　事　項	

上記のとおり診断しました。
　　　　　年　　　月　　　日　　　　　居住地又は勤務先
　　　　　　　　　　　　　　　　　　　医　師　氏　名　　　　　㊞

B類（二類）疾病に係る救済制度について（付録189）553

B類（二類）疾病に係る救済制度について

予防接種法の一部を改正する法律等の施行について
厚生労働省健康局長通知
（平成13年11月7日健発第1058号　各都道府県知事・政令市市長・特別区区長宛）

改正　平成17年6月16日健発第0616002号

（前略）　これらの施行の細部に関しては，下記の事項に留意の上，実施主体である市町村長において，定期の予防接種の適切な実施に努められるとともに，健康被害発生時の各種給付等の事務に遺漏なきを期されたく，貴職よりよろしく周知願いたい。　（後略）

第1（対象疾病）および**第2**（定期の予防接種）（略）
第3（インフルエンザ予防接種実施要領）　削除（健発0616002号）

第4　二種疾病の定期の予防接種に係る予防接種健康被害救済制度
1　考え方
　　二類疾病（インフルエンザ）の定期の予防接種については，①個人予防目的に比重を置いていること，②被接種者等に予防接種を受けるよう努める義務が課されておらず，被接種者の自由な判断に基づいて接種を受けるものであり，一般の医療と同様の性格を有することから，健康被害に係る救済給付の水準については，医療品副作用被害救済・研究振興調査機構法と同程度としたこと。（法第13条第2項）

2　医療費の支給
(1) 支給要件：予防接種を受けたことによる疾病が病院又は診療所への入院治療を要する程度である場合に行われる当該疾病の治療に必要な程度の医療をいうこと。この場合において，疾病が入院治療を要する程度である場合とは，入院治療が行われる場合に必ずしも限定されるものではなく，これと同程度の疾病の状態にあると認められる場合であれば，諸事情からやむを得ず自宅療養を行っている場合等を含むこと。（施行令第19条関係）

(2) 支給手続
　①　医療費の支給を受けようとする者は，**別紙1**に定める医療費・医療手当請求書に次の書類を添えて，請求者の予防接種時の居住地を管轄する市町村長（特別区長を含む。以下同じ）に提出するものとすること。（施行規則第11条の11関係）
　　ア　当該予防接種を受けた年月日を証する書類
　　イ　**第2の1の(1)の②**に掲げる対象者の場合，その障害の状態を証する書類又は医師の作成した書面
　　ウ　疾病の発病年月日及びその症状を証する医師の作成した書面又は診療録の写し
　　エ　医療機関又は薬局で作成された**別紙2 (1)**に定める受診証明書。ただし，厚生労働大臣への認定進達には，**別紙2 (2)**に定める受診証明書
　②　市町村長は，請求に係る疾病と予防接種との因果関係について厚生労働大臣の認定を受けるため，請求書と請求書の添付書類の写し並びに予防接種健康被害調査委員会の調査報告を添え，都道府県知事を経由して厚生労働大臣に認定進達を行うものとすること。（法第11条関係）
　③　厚生労働大臣は，疾病・障害認定審査会の意見を聴いて請求に係る疾病のうち予防接種と因果関係にあると認められる疾病があるときは，当該疾病名を，予防接種と因果関係にあると認められる疾病がないときは，その旨を，都道府県知事を経由して市町村長に通知するものであること。（法第11条）
　④　市町村長は，支給を決定したときは，請求者にその旨を書面で通知するとともに，厚生労働大臣によって認定された疾病名を予防接種被害者健康手帳に記入するものとすること。
　　　不支給を決定したときは，請求者にその旨及びその理由を書面で通知するものとすること。

付録

554 (付録 190) 予防接種法による救済制度

この場合，行政不服審査法に基づき不服申立できる旨教示するものとすること。(施行規則第11条の25関係)

⑤　支給決定認定を受けた疾病について医療が継続して行われているときは，①に掲げる添付書類のうちア，イ及びウは添付する必要がなく，また，②及び③の手順は必要でないこと。

(3) 請求の期限：医療費の支給の請求は，当該医療費の支給の対象となる費用の支払いが行われた時から２年を経過したときは，することができないとしたこと。(施行令第19条)

3　医療手当の支給

(1) 支給要件：医療手当の支給の対象となる医療とは，２(1)に定めるものと同様であること。(施行令第20条関係)

(2) 支給手続

①　医療手当の支給を受けようとする者は，**別紙１**に定める医療費・医療手当請求書に医療費の請求の場合と同一の書類を添えて，請求書の予防接種時の居住地を管轄する市町村長に提出するものとすること。(施行規則第11条の11関係)

　　なお，医療手当と同一月分の医療費が併せて請求されている場合は，医療手当についての書類の添付は，省略して差し支えないこと。

②　①に掲げる外，医療手当の支給手続については，１(2)に定める医療費の支給手続に準ずるものとすること。

③　同一月に医療費と医療手当の請求があるときは，同時に請求を行うよう請求者に対して指導されたいこと。

(3) 請求の期限：医療手当の支給の請求は，当該医療手当の支給の対象となる医療が行われた時から２年を経過したときは，することができないとしたこと。(施行令第20条)

4　障害年金の支給

(1) 支給額：障害年金の額は，施行令第21条第２項に規定するところによることとし，障害年金を受ける者について，予防接種を受けたことによる障害に関し，福祉手当又は国民年金法の規定による障害福祉年金が支給されているときであっても，同項に規定する額から支給される福祉手当又は障害福祉年金の額を控除しないこと。

(2) 支給手続

①　障害年金の支給を受けようとする者は，**別紙３**に定める障害年金請求書に次の書類を添えて，請求者の予防接種時の居住地を管轄する市町村長に提出するものとすること。(施行規則第11条の12関係)

ア　当該予防接種を受けた年月日を証する書類

イ　**第2の1の(1)の②**に掲げる対象者の場合，その障害を証する書類又は医師の作成した書面

ウ　障害者の障害の状態に関する医師の診断書

　　なお，障害の状態に関する医師の診断書の様式例を**別紙10**に示したので参考とされたいこと。

エ　障害者が施行**令別表２**(付録29頁)に定める障害の状態に該当するに至った年月日及び予防接種を受けたことにより障害の状態になったことを証明することができる医師の作成した書面又は診療録の写し

②　厚生労働大臣は，市町村長に対して因果関係の認否，等級及び障害の状態に至った年月日を通知すること。

③　市町村長が支給決定をしたときは，予防接種被害者健康手帳に編綴された障害年金証書に所要の記載を行うものとすること。

④　①から③のほか，２(2)に定める医療費の支給手続に準じるものとすること。

(3) 支給期間等：障害年金の支給期間は，支給すべき事由が生じた日の属する月の翌月から支給すべき事由が消滅した日の属する月までであり，その支払は，毎年１月，４月，７月及び10月の４期に行うこと。(施行令第25条)

(4) 額の変更

①　障害の状態に変更があったため，新たに新予防接種法施行**令別表２**に定める他の等級に該当することとなった場合においては，新たに該当するに至った等級に応ずる額を支給することとされているが，その前提としては，額の変更の請求及び障害の状態の変更の届出があり得ること。(施行令第22条，施行規則第11条の14，施行規則第11条の15第３号)

B類(二類)疾病に係る救済制度について（付録 191）555

② 障害年金の支給を受けている者が，その障害の程度が増進した場合において，その受けている障害年金の額の変更を請求しようとするときは，**別紙4**に定める年金額変更請求書に次の書類を添えて当該市町村長に提出するものとすること。（施行規則第11条の14）

ア 障害の状態に関する医師の診断書

イ 障害者が**令別表第2**に定める他の等級に該当するに至った年月日を証明することができる医師の作成した書面又は診療録の写し

③ ②のほか，額の変更のための手続については，3の(2)の②から④までに定める障害年金の支給手続に準ずるものとすること。

5 遺族年金の支給

(1) 支給要件

① 遺族年金は，一家の生計維持者が予防接種を受けたことにより死亡した場合に，その者の遺族の生活の建て直し等を目的として行われる給付であること。

② 施行令第24条第1項に規定する生計維持要件についての取扱は，次のとおりとすること。

ア 予防接種を受けたことにより死亡した者の経済的役割からみて生計維持に該当するか否か，個々の事例について慎重に判断されたいこと

イ 死亡者の収入によって日常の消費生活活動の全部又は一部を営んでおり，死亡者の収入がなければ通常の生活水準を維持することが困難となるような関係が常態である者については，死亡者によって生計を維持しているものと解して差し支えないこと

ウ 生計維持要件を認めるに当たっての死亡した者の収入については，必ずしも死亡した者本人の資産又は所得である必要はなく，その者が家計を別にする他の者から仕送りを受け，又は公的社会保障給付を受けている場合，更に，本制度の救済給付を受けている場合には，それをその者の収入として取り扱って差し支えないこと

③ 予防接種を受けたことにより死亡した者の死亡の当時胎児であった子の取扱は，次のとおりとすること。

ア 当該胎児であった子が出生したときは，その子は将来に向かって死亡者の死亡の当時その者によって生計を維持していた子とみなされるので，その子については，生計を維持していたことの確認は要しないこと

イ 当該胎児であった子の出生により遺族の順位等に変更が生じるが，これは将来に向かってのみ効果を生ずるものであるので，既に支給した遺族年金を返還させる等の問題は生じないこと

ウ 当該胎児であった子が出生し，遺族年金の請求があった場合において，他の子が遺族年金の支給を受けていたときは，遺族年金の額を改定することとなり，後順位の遺族が遺族年金の支給を受けていたときは，その請求があった日の属する月の翌月から遺族年金はその子に支給することとなるものであること

(2) 支給手続

① 遺族年金の支給を受けようとする者は，**別紙5**に定める遺族年金・遺族一時金請求書に次の書類を添えて，請求者の予防接種時の居住地を管轄する市町村長に提出するものとすること。（施行規則第11条の16関係）

ア 当該予防接種を受けた年月日を証する書類

イ **第2**の1の(1)の②に掲げる対象者の場合，その障害を証する書類又は医師の作成した書面

ウ 死亡した者に係る死亡診断書その他死亡を証する書類

エ 予防接種を受けたことにより死亡したことを証明することができる医師の作成した書面

オ 請求者と死亡した者との身分関係を明らかにすることができる戸籍の謄本又は抄本

カ 請求者が死亡した者と内縁関係にあった場合は，その事実に関する当事者(内縁関係にあった夫又は妻)，双方の父母，その他尊属，媒酌人若しくは，民生委員等の証明書又は内縁関係にあったと認められる通信書その他の書面

キ 請求者が死亡した者の死亡の当時その者によって生計を維持していたことを証明することができる住民票の写し及び所得税源泉徴収証明書等の収入の状況を示す書類

ク アからカのほか，2(2)に定める医療費の支給手続に準じるもの

② 施行規則第11条の17又は第11条の18の規定に基づき遺族年金の支給を請求しようとする場合

556 （付録192）予防接種法による救済制度

の請求書は，それぞれ**別紙6**（遺族年金請求書(胎児用)）又は**別紙7**（遺族年金請求書(後順位者用)）によること。

(3) 支給額及び額の改定

① 遺族年金の額は，遺族年金を受けることができる同順位の遺族が1人であるときはその者に全額を，2人以上であるときは各人にその人数で除して得た額をそれぞれ支給する。この場合において，同順位の遺族であって遺族年金の支給を請求しない者があるときは，その者は遺族年金を受けることができる同順位の遺族とはならないので，その者を除いた同順位の遺族の数で除して得た額が支給額となること。（施行令第24条第6項）

② 遺族年金の支給を請求していなかった同順位の遺族がその支給を請求したときは，その者の請求の日の属する月の翌月から遺族年金を受けることができる遺族の数が増加することとなるので，①に定めるところにより各人に支給する額を改定すること。（施行令第24条第7項）

なお，予防接種を受けたことにより死亡した者の死亡の当時胎児であった子が出生し，遺族年金の支給を請求した場合において，既に他の子が遺族年金の支給の決定を受けていたときも同様の取扱となること。（施行令第24条第2項）

③ 遺族年金の支給を受けていた者が死亡した場合においては，遺族年金を受けることができる遺族の数が減少するため，(1)に定めるところにより各人に支給する額を改定すること。

(4) 支給期間：
遺族年金の支給は，10年間を限度として行うものであるが，この趣旨は実質の支給期間を10年間とするものである。したがって，遺族年金の支給を受けていた遺族が死亡した場合において，同順位者がなくて後順位者があるときの当該後順位者の請求に基づき支給される遺族年金の支給期間は，10年から死亡した先順位の遺族に対して当該遺族年金が支給された期間を控除して得た期間となる。(1)①ウに定めるところにより，先順位の胎児が出生した場合において，後順位の遺族に対して既に支給した遺族年金があるときの取扱も同様となること。（施行令第24条第4項）

(5) 請求の期限：
遺族年金の請求の期限は，予防接種を受けたことにより死亡した者が当該予防接種を受けたことによる疾病又は障害について，医療費，医療手当又は障害年金の支給があった場合には，その死亡の時から2年，それ以外の場合には，その死亡の時から5年としたこと。（施行令第24条第9項）

6 遺族一時金の支給

(1) 支給要件

① 遺族一時金は，一家の生計維持者以外の者が予防接種を受けたことにより死亡した場合に，その遺族に対する見舞金等を目的として行われる給付であるので，遺族一時金の請求があった場合には，胎児の有無も含めて，遺族年金を受けることができる遺族がいないことを確認されたいこと。（施行令第26条関係）

② 施行令第26条第1項に定める遺族のうち，配偶者以外の者について要求されている「生計を同じくしていた」とは，死亡した者と，その遺族との間に生活の一体性があったことをいうものであり，必ずしも同居を必要とするものではないこと。

③ 遺族一時金の請求があった場合は，当該請求者が施行令第27条により準用された第17条第3項の規定により遺族の範囲から除外されている者でないこと及び胎児の有無も含め当該請求者より先順位の遺族一時金を受けることができる遺族がいないことを確認されたいこと。

(2) 支給手続

① 遺族一時金の支給を受けようとする者は，**別紙5**に定める遺族年金・遺族一時金請求書に次の書類を添えて，死亡した者の予防接種時の居住地を管轄する市町村長に提出するものとすること。（施行規則第11条の21）

ア　4の(2)の①のアからカに掲げる書類

イ　請求者が死亡した者の配偶者以外の場合は，死亡した者の死亡の当時その者と生計を同じくしていたことを明らかにすることができる住民票等の書類

ウ　ア及びイのほか，2(2)に定める医療費の支給手続に準じるもの

② 施行規則第11条の22の規定に基づき遺族一時金の支給を請求しようとする場合の請求書は，別紙8（遺族一時金請求書(差額一時金用)）によること。

(3) 請求の期限：
新施行令第26条第3項第1号の規定に基づく遺族一時金の請求の期限は，予防接

種を受けたことにより死亡した者が当該予防接種を受けたことによる疾病又は障害について，医療費，医療手当又は障害年金の支給があった場合には，その死亡の時から2年，それ以外の場合には，その死亡の時から5年としたこと。(第26条第5項関係)

新施行令第26条第3項第2号の規定に基づく遺族一時金の請求の期限は，遺族年金を受けていた者が死亡した時から2年としたこと。(第26条第4項)

7 葬祭料の支給

(1) **支給要件**：葬祭料は，予防接種を受けたことにより死亡した者の葬祭を行う者に対して支給されるものであるが，この「葬祭を行う者」とは，現実に葬祭を行う者をいい，葬祭を2人以上の者が行うときは，そのうちの主として葬祭を行う者であること。また，「葬祭を行う者」は，死亡した者の遺族に限定されないが，死亡した者に遺族がいるにもかかわらず，遺族以外の者から葬祭料が請求されたときは，当該請求者が，「葬祭を行う者」であることを確認する等その支給の適正を期されたいこと。(施行令第28条関係)

(2) **支給手続**：葬祭料の支給を受けようとする者は，別紙9に定める葬祭料請求書に次の書類を添えて，死亡した者の予防接種時の居住地を管轄する市町村長に提出するものとすること。(施行規則第11条の22関係)

　ア　5の(2)の①のア及びイに掲げる書類。ただし，同時に遺族年金又は遺族一時金の請求がなされている場合には，葬祭料についての資料の添付は省略して差し支えないこと。

　イ　請求者が死亡した者について葬祭を行う者であることを明らかにすることができる埋葬許可証の写し等の書類

　ウ　ア及びイのほか，2(2)に定める医療費の支給に準ずるもの

8 給付に関するその他の事項

(1) **診断及び報告**：市町村長は，障害年金の支給に関し特に必要があると認めるときは，給付を受けている者(以下「障害年金受給者」という。)に対して，医師の診断を受けるべきことを命じ，又は必要な報告を求めることができるものであること。障害年金受給者が，正当な理由がなくてこの命令に従わず，又は報告をしないときは，市町村長は，障害年金の給付を一時差し止めることができるものであること。(施行令第23条関係)

(2) **氏名又は住所等の変更の届出**：障害年金受給者及び遺族年金の受給者は，氏名又は住所を変更した場合などには速やかに，当該年金たる給付を行う市町村長にその旨を記載した届書及び予防接種被害者健康手帳を提出しなければならないものであるが，次の場合には，それぞれ掲げる事項を届書に記載するとともに，所要の書類を添えなければならないものであること。(施行規則第11条の7，第11条の14，第11条の18)

　ア　氏名を変更した場合は，変更前及び変更後の氏名並びに戸籍の抄本

　イ　住所を変更した場合は，変更前及び変更後の住所地並びに変更の年月日並びに住民票の写し

　ウ　障害年金の支給要件に該当しなくなった場合はその年月日及び理由

(3) **年金受給者の死亡の届出**：年金受給者が死亡したときは，戸籍法の規定による死亡の届出義務者は，速やかに，その死亡した者の氏名及び死亡した年月日を記載した届書にその死亡の事実を証する書類を添えて，当該年金たる給付を行っていた市町村長に提出しなければならないものであること。(施行規則第11の19関係)

第5　予防接種被害者健康手帳

1 交付

予防接種を受けた者が疾病にかかり，又は障害の状態となった場合において，当該疾病又は障害が当該予防接種を受けたことによるものであると厚生労働大臣が認定したときは，市町村長は，厚生労働大臣が作成し送付する予防接種被害者健康手帳を認定を受けた者に交付するものとすること。

2 内容

予防接種被害者健康手帳は，厚生労働大臣によって認定された疾病名が記載されるとともに，障害年金又は遺族年金の証書が編綴されるものであること。

第6　インフルエンザの定期の予防接種に係る意思確認　(略)

第7　実費の徴収　(略)

第8　予防接種済証の交付　(略)

付録

558 （付録 194）予防接種法による救済制度

別紙1　医療費・医療手当請求書　A類（一類）疾病に同じ（付録174頁）
別紙2-(1)　受診証明書　A類（一類）疾病に同じ（付録176頁）
別紙2-(2)　受診証明書　A類（一類）疾病に同じ（予防接種健康被害認定申請書）（付録177頁）

別紙3　　　　障 害 年 金 請 求 書

① 個人番号												

② ふりがな 氏　名	．．．．．．．．．．．．．．．．．．．．．．．．．．．．．．　男 女	③ 生年月日	年　　　月　　　日
④ 現 住 所		⑤ 世帯主氏名	続柄

受けた予防接種	⑥種類		⑦ 実施年月日	
	⑧実施者		⑨ 実施場所	
	⑩居住地			

⑪ 当該疾病につき初めて診療を受けた年月日	年　　　月　　　日	⑫初めて診療を受けた医療機関の名称及び所在地	
⑬ 経過及び障害の現況			
⑭障害該当年月日	年　　　月　　　日		
⑮ 施設収容の有無及び施設名	有・無　　期　間　　年　　月から　　年　　月まで 　　　　　施設名		

上記のとおり，予防接種を受けたことによる障害について，障害年金の支給を受けたく，必要書類を添えて請求します。

令和　　年　　月　　日　　　　請求者氏名

市 町 村 長 殿

⑯ 同意欄	私は，個人番号を通じて自身の税情報を提供することに同意します。 本人署名　　　　　　　　　　　　　　　　　　　　印 （※自署できない者は代筆者が署名し，代筆者氏名及び医療を受けた者との続柄を記載）

（日本工業規格A列4番）

（注　意）
1　①の欄は，請求者の個人番号を記入してください。
2　②～④の欄は，請求者の氏名，性別，生年月日及び現住所を記入して下さい。
3　⑤の欄は，②に記入した者の属する世帯主の氏名及び続柄を記入して下さい。
4　⑥～⑩の欄は，障害の原因となった予防接種について次のように記入して下さい。
　(1)　「⑥種類」は，インフルエンザ，肺炎球菌感染症等の対象疾病の種類を記入してください。
　(2)　「⑦実施年月日」は，当該予防接種を受けた年月日を記入して下さい。
　(3)　「⑧実施者」は，実施に当たった市区町村長（受けた当時の居住地の市区町村長になります）等の名称を記入して下さい。市区町村長以外で受けたときは，（　）の中にその医療機関の名称を記入して下さい。
　(4)　「⑨実施場所」は，当該予防接種を受けた場所を具体的に記入して下さい。
　(5)　「⑩居住地」は，当該予防接種を受けた当時の居住地を記入して下さい。

B類(二類)疾病に係る救済制度について（付録195）559

5　⑪及び⑫の欄は，障害の原因となった疾病につき、初めて医師の診療を受けた年月日並びにその医療機関の名称及び所在地を記入して下さい。

6　⑬の欄は，障害の状態となるまでの経過及び障害の現況を具体的に記入して下さい。

7　⑭の欄は，障害の状態となった年月日を記入して下さい。

8　⑮の欄は，重症心身障害者施設等の施設に入所している場合は「有」を，施設に入所していない場合には「無」を「○」でかこんで下さい。また，入所している場合には，その期間及び施設名を記入して下さい。

9　⑯個人番号を利用して市町村長から患者又はその保護者の地方税関係情報の提供を受ける場合は，事前に必ず当該患者又はその保護者から同意書をとるようにしてください。

別紙4　　　　　　年 金 額 変 更 請 求 書

① 個人番号												

② ふりがな 氏　名		男 女	③ 生年月日	年　　　月　　　日

④ 現 住 所	

⑤現に支給を受けている障害年金	（等　　　級）　　　　　　　　　　　　級 （年金証書番号）

⑥ 他の等級への該当年月日	年　　　　月　　　　日

⑦ 障害の程度が増進するに至った経過及び障害の現況	

上記のとおり，年金の額を変更されたく，必要書類を添えて請求します。

　　　令和　　年　　月　　日　　　　請求者氏名
　　市 町 村 長 殿

⑧ 同意欄	私は，個人番号を通じて自身の税情報を提供することに同意します。 本人署名＿＿＿＿＿＿＿＿＿＿＿＿＿＿＿＿＿＿＿＿＿印 （※自署できない者は代筆者が署名し，代筆者氏名及び医療を受けた者との続柄を記載）

（日本工業規格A列4番）

（注　意）

1　①の欄は，請求者の個人番号を記入してください。

2　②～④の欄は，請求者の氏名，性別，生年月日及び現住所を記入して下さい。

3　⑤の欄は，現に支給を受けている障害年金について，障害等級及び年金証書番号を記入して下さい。

4　⑥の欄は，他の障害等級への該当年月日を記入して下さい。

5　⑦の欄は，障害の程度が増進するに至った経過及び障害の現況を具体的に記入して下さい。

6　⑧個人番号を利用して市町村長から患者又はその保護者の地方税関係情報の提供を受ける場合は，事前に必ず当該患者又はその保護者から同意書をとるようにしてください。

560 （付録196）予防接種法による救済制度

別紙5

遺 族 年 金 請求書
遺 族 一 時 金

① 個人番号								② 死亡者の個人番号								
③ ふりがな 氏 名	‥‥‥‥‥‥‥‥‥‥‥‥‥‥					男女	④ 生年月日		年		月		日			
⑤ 現 住 所																
⑥ 死亡者との身分関係																
⑦ ふりがな 死亡者氏名	‥‥‥‥‥‥‥‥‥‥‥‥‥‥					男女	⑧ 生年月日		年		月		日			

受けた予防接種	⑨種類	インフルエンザ		⑩ 実施年月日	年　　　月　　　日
	⑪実施者			⑫ 実施場所	
	⑬居住地				

⑭当該疾病につき初めて診療を受けた年月日	年　　　月　　　日	⑮初めて診療を受けた医療機関の名称及び所在地	
⑯　　経　　過			
⑰　　死亡年月日	年　　　月　　　日	⑱死亡の当時診療を受けていた医療機関の名称及び所在地	

⑲施設収容の有無及び施設名	有・無	期間　　年　　　月から　　　　　年　　　月まで 施設名		

⑳	氏　　　名	生年月日	⑦の死亡者との身分関係	現　住　所
遺族の状況		・　・		
		・　・		
		・　・		
		・　・		

㉑ 死亡者と請求者との生計維持関係	1　同居　　　　　　　2　同居していない	死亡者が請求者の生活費を	1　全額負担　　2　一部負担 3　負担なし
	その他参考となる事項：		

㉒障害年金受給の有無	有 （　　　年　　　月から　　　年　　　月まで）　・　無

上記のとおり，予防接種を受けたことによる死亡について，遺族年金・遺族一時金の支給を受けたく，必要書類を添えて請求します。

令和　　年　　　月　　　日　　　　請求者氏名

市 町 村 長 殿

㉓ 同意欄	私は，個人番号を通じて自身の税情報を提供することに同意します。
	本人署名＿＿＿＿＿＿＿＿＿＿＿＿＿＿＿＿＿＿＿＿印

（日本工業規格A列4番）

（別紙5の注意）

1　①の欄は，請求者の個人番号を，②の欄には，死亡した者の個人番号を記入してください。

2　③〜⑤の欄は，請求者の氏名，性別，生年月日及び現住所を記入して下さい。

3　⑥の欄には，夫，妻などの死亡者との具体的関係を記入して下さい。

4　⑦及び⑧の欄は，予防接種を受けたことにより死亡した者の氏名，性別及び生年月日を記入して下さい。

5　⑨〜⑫の欄は，死亡の原因となった予防接種について次のように記入して下さい。

　(1)「⑨種類」は，インフルエンザ，肺炎球菌感染症等の対象疾病の種類を記入してください。

　(2)「⑩実施年月日」は，当該予防接種を受けた年月日を記入して下さい。

　(3)「⑪実施者」は，実施に当たった市区町村長(受けた当時の居住地の市区町村長になります)等の名称を記入して下さい。市区町村長以外で受けたときは，（　）の中にその医療機関の名称を記入して下さい。

　(4)「⑫実施場所」は，当該予防接種を受けた場所を具体的に記入して下さい。

　(5)「⑬居住地」は，当該予防接種を受けた当時の居住地を記入して下さい。

6　⑭及び⑮の欄は，死亡の原因となった疾病につき，初めて医師の診療を受けた年月日並びにその医療機関の名称及び所在地を記入して下さい。

7　⑯の欄は，死亡に至る経過を具体的に記入して下さい。

8　⑰及び⑱の欄は，死亡の年月日並びに死亡の際診療を受けていた医療機関の名称及び所在地を記入して下さい。

9　⑲の欄は，重症心身障害者施設等の施設に入所している場合には，「有」を，施設に入所していない場合には「無」を「○」でかこんで下さい。また，入所している場合には，その期間及び施設名を記入して下さい。

10　⑳の欄は，死亡者の遺族の状況を記入して下さい。

11　㉑の欄は，死亡者と請求者との同居の有無について該当するものを「○」でかこみ，同居の場合には，さらに（　）内の該当するものを「○」でかこんで下さい。また，その他参考となる事項があれば記入して下さい。

12　㉒の欄は，死亡した者の障害年金の受給の有無について記入して下さい。また，支給を受けていた場合は，その支給を受けていた期間を記入して下さい。

13　㉓個人番号を利用して市町村長から患者又はその保護者の地方税関係情報の提供を受ける場合は，事前に必ず当該患者又はその保護者から同意書をとるようにしてください。

14　支給を受けるべき者が2人以上あるときは連名で請求するようにして下さい。

562（付録198）予防接種法による救済制度

別紙6　　　　遺　族　年　金　請　求　書　（胎児用）

① 個人番号									② 死亡者の個人番号								
③　ふりがな　氏　　　名	…………………						男女	④ 生年月日			年		月		日		
⑤　現　住　所																	
⑥　死亡者との身分関係																	
⑦　ふりがな　死亡者氏名	…………………						男女	⑧ 生年月日			年		月		日		
⑨ 死亡者が死亡の当時有していた住所								⑩ 死亡年月日			年		月		日		

⑪	氏　　　名	生年月日	⑤の死亡者との身分関係	現　住　所	年金証書番号
既に遺族年金の支給の決定を受けている遺族		・　・			
		・　・			
		・　・			
		・　・			

　上記のとおり，予防接種を受けたことによる死亡について遺族年金の支給を受けたく，必要書類を添えて請求します。

　　　　令和　　年　　月　　日　　　　請求者氏名

市　町　村　長　殿

⑫ 同意欄	私は，個人番号を通じて自身の税情報を提供することに同意します。
	本人署名＿＿＿＿＿＿＿＿＿＿＿＿＿＿＿＿＿＿＿＿＿＿印
	本人署名＿＿＿＿＿＿＿＿＿＿＿＿＿＿＿＿＿＿＿＿＿＿印
	本人署名＿＿＿＿＿＿＿＿＿＿＿＿＿＿＿＿＿＿＿＿＿＿印
	本人署名＿＿＿＿＿＿＿＿＿＿＿＿＿＿＿＿＿＿＿＿＿＿印
	本人署名＿＿＿＿＿＿＿＿＿＿＿＿＿＿＿＿＿＿＿＿＿＿印

（日本工業規格A列4番）

（注　意）

1　①の欄は，請求者の個人番号を，②の欄には，死亡した者の個人番号を記入してください。

2　③〜⑤の欄は，請求者の氏名，性別，生年月日及び現住所を記入して下さい。

3　⑥の欄は，長男，次男などの死亡者との具体的関係を記入して下さい。

4　⑦及び⑧の欄は，予防接種を受けたことにより死亡した者の氏名，性別及び生年月日を記入して下さい。

5　⑨及び⑩の欄は，死亡者が死亡の当時有していた住所，死亡年月日を記入して下さい。

6　⑪の欄は，死亡者について，既に遺族年金の支給を受けている遺族について記入して下さい。

7　⑫個人番号を利用して市町村長から患者又はその保護者の地方税関係情報の提供を受ける場合は，事前に必ず当該患者又はその保護者から同意書をとるようにしてください。

B類(二類)疾病に係る救済制度について（付録199）563

別紙7　　　　遺 族 年 金 請 求 書（後順位者用）

① 個人番号									② 死亡者の個人番号										

③ ふりがな 　氏　　名		男 女	④ 生年月日	年　　　　月　　　　日

⑤　現　住　所	

⑥ 死亡者との 　身分関係	

⑦ ふりがな 死亡者氏名		男 女	⑧ 生年月日	年　　　　月　　　　日

⑨ 死亡者が死亡の当 時有していた住所		⑩ 死亡年月日	年　　　　月　　　　日

⑪ 遺族の状況	氏　　　名	生年月日	⑤の死亡者と の身分関係	現　　住　　所
		・　・		
		・　・		
		・　・		
		・　・		

⑫ 遺族年金を受け ることができた 先順位者の状況	氏　　　名	生年月日	死亡年月日	死亡の当時有 していた住所	年金証書 番　　号
		・　・	・　・		
		・　・	・　・		
		・　・	・　・		
		・　・	・　・		

⑬ 死亡者と請求者 との生計維持関係	1　同居 2　同居していない	死亡者が請求 者の生活費を	1　全額負担　　2　一部負担 3　負担なし
	その他参考となる事項：		

　上記のとおり，予防接種を受けたことによる死亡について遺族年金の支給を受けたく，必要書類を添えて請求します。

　　　　　　　令和　　　年　　　月　　　日　　　　請求者氏名
　　市 町 村 長 殿

⑭ 同意欄	私は，個人番号を通じて自身の税情報を提供することに同意します。 　本人署名＿＿＿＿＿＿＿＿＿＿＿＿＿＿＿＿＿＿＿＿＿印

（日本工業規格A列4番）

（注　意）
1　①の欄は，請求者の個人番号を，②の欄には，死亡した者の個人番号を記入してください。
2　③～⑤の欄は，請求者の氏名，性別，生年月日及び現住所を記入して下さい。
3　⑥の欄は，長男，次男などの死亡者との具体的関係を記入して下さい。
4　⑦及び⑧の欄は，予防接種を受けたことにより死亡した者の氏名，性別及び生年月日を記入して下さい。
5　⑨及び⑩の欄は，死亡者が死亡の当時有していた住所，死亡年月日を記入して下さい。

564（付録200）予防接種法による救済制度

6 ⑪の欄は，請求者以外の遺族年金を受けることができる遺族について記入して下さい。

7 ⑫の欄は，⑦の死亡者の死亡に関して遺族年金の支給を受けることができた先順位の遺族について記入して下さい。

8 ⑬の欄は，死亡者と請求者との同居の有無について，該当するものを「○」でかこみ，同居の場合には，さらに（　）内の該当するものを「○」でかこんで下さい。

　また，その他参考となる事項があれば記入して下さい。

9 ⑭個人番号を利用して市町村長から患者又はその保護者の地方税関係情報の提供を受ける場合は，事前に必ず当該患者又はその保護者から同意書をとるようにしてください。

別紙8　　　遺 族 一 時 金 請 求 書 （差額一時金用）

① 個人番号				② 死亡者の個人番号			
③　ふりがな　　氏　　名	男女	④ 生年月日	年　　　月　　　日
⑤　現　住　所			
⑥　死亡者との　　身分関係			
⑦　ふりがな　　死亡者氏名	男女	⑧ 生年月日	年　　　月　　　日
⑨ 死亡者が死亡の当時有していた住所		⑩ 死亡年月日	年　　　月　　　日

⑪　　　　　　　遺族の状況	氏　　　名	生年月日	⑤の死亡者との身分関係	現　住　所
		・・		
		・・		
		・・		
		・・		

⑫　　遺族年金を受けていた者の状況	氏　　　名	生年月日	死亡年月日	死亡の当時有していた住所	年金証書番　　号
		・・	・・		
		・・	・・		
		・・	・・		

⑬　死亡者と請求者との生計維持関係	1　同居　　　　　2　同居していない	死亡者が請求者の生活費を（ 1　全額負担　　2　一部負担　　3　負担なし ）
	その他参考となる事項：	

　上記のとおり，予防接種を受けたことによる死亡について遺族一時金の支給を受けたく，必要書類を添えて請求します。

　　　令和　　年　　月　　日　　　　請求者氏名

　市 町 村 長 殿

⑭　同意欄	私は，個人番号を通じて自身の税情報を提供することに同意します。　本人署名＿＿＿＿＿＿＿＿＿＿＿＿＿＿＿＿＿＿＿＿　印

（日本工業規格A列4番）

（注　意）

別紙7の注意（付録199頁）と同じ。

B類(二類)疾病に係る救済制度について (付録201) 565

別紙9

葬 祭 料 請 求 書

① 個人番号		② 死亡者の個人番号				
③ ふりがな 氏　名	男 女	④ 生年月日	年　　月　　日			
⑤ 現 住 所		⑥死亡した者との関係				
⑦ ふりがな 死亡者氏名	男 女	⑧ 生年月日	年　　月　　日			

受けた予防接種	⑨種類		⑩ 実施年月日	年　　月　　日
	⑪実施者		⑫ 実施場所	
	⑬居住地			

⑭当該疾病につき初めて診療を受けた年月日		⑮初めて診療を受けた医療機関の名称及び所在地	
⑯ 経 過			
⑰ 死亡年月日	年　　月　　日	⑱死亡の当時診療を受けていた医療機関の名称及び所在地	
⑲申請者が葬祭を行う年月日又は行った年月日	年　　月　　日		

　上記のとおり，予防接種を受けたことによる死亡について，葬祭料の支給を受けたく，必要書類を添えて請求します。

　　　令和　　年　　月　　日　　　請求者氏名
　市 町 村 長 殿

⑳ 同意欄	私は，個人番号を通じて自身の税情報を提供することに同意します。 　本人署名 ＿＿＿＿＿＿＿＿＿＿＿＿＿＿＿＿＿＿＿＿　印

(日本工業規格A列4番)

(注　意)
1～4 (①～⑧)は，A類(一類)疾病の別紙7の注意(付録185頁)1～4と同じ。
5 (1)「⑨種類」は，インフルエンザ，肺炎球菌感染症等の対象疾病の種類を記入して下さい。
5 (2)～10(⑩～⑳)は，同上5 (2)～10(⑩～⑳)と同じ。

別紙10

診 断 書

氏　　　名		生年月日	年　月　日生	男・女

就労状況	就労場所	1なし　2授産施設　3小規模作業所　4あり(具体的に)　5その他 （　　　　　）　（　　　　　）
	就労能力	1障害のために就労できない　2障害のために就労に高度の制限を受けている　3障害のために就労に制限を受けている　4 就労にほとんど制限を受けない

注　Ⅰ，Ⅱ及びⅢが同一医師により診断される場合は共通する項目については重複して記入する必要はありません。

Ⅰ　精神神経障害の程度　A類(一類)疾病に同じ(付録187頁)，**Ⅱ　運動障害の程度**　A類(一類)疾病に同じ(付録188頁)，**Ⅲ　その他の障害の程度(視力，聴力，咀嚼言語機能障害等)**　A類(一類)疾病に同じ(付録188頁)

予防接種関連統計

予防接種法による健康被害救済金額の推移
予防接種実施率の推移
感染症発生動向調査定点把握感染症報告数
感染症発生動向調査全数把握感染症報告数・死亡数
伝染病（法定・指定）患者数および死者数の推移
伝染病（届出）患者数および死者数の推移

予防接種法による健康被害救済金額の推移

〈A類（一類）疾病〉

（単位：円）

	（年　次） （政　令） （適用月日）	昭和59年 第1号 昭59. 6. 1	昭和60年 第188号 昭60. 6. 1	昭和61年 第173号 昭61. 4. 1	昭和62年 第190号 昭62. 4. 1	昭和63年 第157号 昭63. 4. 1	平成元年 第340号 平元. 4. 1	平成2年 第340号 平2. 4. 1	平成3年 第60号 平3. 4. 1	平成4年 第120号 平4. 4. 1
医療費		自己負担額	自己負担額	自己負担額	自己負担額	自己負担額	自己負担額	自己負担額	自己負担額	自己負担額
医療手当 （月　額）	入院1カ月のうち 8日以上	27 600	28 500	29 200	29 400	29 500	30 400	31 050	31 930	32 930
	8日未満	25 600	26 500	27 200	27 400	27 500	28 400	29 050	29 930	30 930
	通院1カ月のうち 3日以上	27 600	28 500	29 200	29 400	29 500	30 400	31 050	31 930	32 930
	3日未満	25 600	26 500	27 200	27 400	27 500	28 400	29 050	29 930	30 930
	同一月に入院と 通院があるとき	27 600	28 500	29 200	29 400	29 500	30 400	31 050	31 930	32 930
障害児養育 年　金*1 （0〜17歳）	在宅の者（年額） 1　級	1 143 600	1 185 600	1 215 600	1 225 200	1 231 200	1 269 600	1 299 000	1 338 400	1 382 800
	2　級	675 600	699 600	717 600	723 600	726 000	750 000	767 000	790 200	816 500
	施設入所の者 1　級	553 200	573 600	588 000	591 600	595 200	613 200	627 500	646 600	668 000
	2　級	368 400	381 600	391 200	394 800	396 000	409 200	418 300	431 000	445 300
障害年金*2 （18歳以上）	障害年金（年額）1級	2 365 200	2 445 600	2 511 600	2 527 200	2 529 600	2 686 800	2 748 600	2 831 900	2 925 900
	〃　2級	1 545 600	1 598 400	1 641 600	1 651 200	1 652 400	1 754 400	1 794 800	1 849 100	1 910 500
	〃　3級	1 160 400	1 200 000	1 232 400	1 239 600	1 240 800	1 317 600	1 347 900	1 388 800	1 434 900
在宅障害者 介護加算	1　級（年額） 2　級									
死亡一時金	障害年金の受給 者は減額区分を 設けて減額する	12 000 000	17 000 000	17 000 000	17 000 000	17 700 000	18 800 000	19 200 000	19 800 000	20 500 000
葬祭料		105 000	113 000	113 000	119 000	119 000	127 000	130 000	130 000	140 000

	（年　次） （政　令） （適用月日）	平成16年 第150号 平16. 4. 1	平成18年 第108号 平18. 4. 1	平成22年 第102号 平22. 4. 1	平成23年 第78号 平23. 4. 1	平成24年 第92号 平24. 4. 1	平成25年 第288号 平25.10. 1	平成26年 第114号 平26. 4. 1	平成27年 第208号 平28. 4. 1	平成28年 第172号 平28. 4. 1
医療費		自己負担額	自己負担額	自己負担額	自己負担額	自己負担額	自己負担額	自己負担額	自己負担額	自己負担額
医療手当 （月　額）	入院1カ月のうち 8日以上	35 900	35 800	35 800	35 700	35 600	35 300	35 200	36 000	36 300
	8日未満	33 900	33 800	33 800	33 700	33 600	33 300	33 200	34 000	34 300
	通院1カ月のうち 3日以上	35 900	35 800	35 800	35 700	35 600	35 300	35 200	36 000	36 300
	3日未満	33 900	33 800	33 800	33 700	33 600	33 300	33 200	34 000	34 300
	同一月に入院と 通院があるとき	35 900	35 800	35 800	35 700	35 600	35 300	35 200	36 000	36 300
障害児養育 年　金*1 （0〜17歳）	在宅の者（年額） 1　級	1 536 000	1 531 200	1 531 200	1 524 000	1 520 400	1 509 600	1 503 600	1 539 600	1 550 400
	2　級	1 228 800	1 225 200	1 225 200	1 220 400	1 215 600	1 207 200	1 203 600	1 231 200	1 242 000
	施設入所の者 1　級									
	2　級				1級，2級とも在宅者と同額					
障害年金*2 （18歳以上）	障害年金（年額）1級	4 911 800	4 897 200	4 897 200	4 876 800	4 860 000	4 825 200	4 810 800	4 924 800	4 962 000
	〃　2級	3 928 800	3 915 600	3 915 600	3 901 200	3 888 000	3 860 400	3 849 600	3 939 600	3 969 000
	〃　3級	2 946 000	2 937 600	2 937 600	2 926 800	2 916 000	2 896 800	2 886 000	2 954 400	2 976 000
在宅障害者 介護加算	1　級（年額）	839 600	836 600	837 700	836 200	834 200	834 200	834 200	836 500	839 500
	2　級	559 800	557 800	558 500	557 400	556 200	556 200	556 200	557 700	559 700
死亡一時金	障害年金の受給 者は減額区分を 設けて減額する	43 000 000	42 800 000	42 800 000	42 700 000	42 500 000	42 200 000	42 100 000	43 100 000	43 400 000
葬祭料		193 000	199 000	201 000	201 000	201 000	201 000	206 000	206 000	206 000

＊1　特別児童扶養手当または福祉手当の受給者は，その額が控除される。

＊2　特別児童扶養手当，福祉手当または障害福祉年金の受給者は，その額が控除される。

平成5年 第132号 平5.4.1	平成6年 第168号 平6.4.1	平成6年 第266号 平6.10.1	平成7年 第84号 平7.4.1	平成8年 第137号 平8.4.1	平成9年 第84号 平9.4.1	平成10年 第136号 平10.4.1	平成11年 第57号 平11.4.1	平成12年 第107号 平12.4.1	平成14年 第147号 平14.4.1	平成15年 第146号 平15.4.1
自己負担額	自己負担額	自己負担額	自己負担額	自己負担額	自己負担額	自己負担額	自己負担額	自己負担額	自己負担額	自己負担額
33 440	33 860	35 300	35 530	35 530	35 530	36 130	36 330	36 330	36 330	36 030
31 440	31 860	33 300	33 530	33 530	33 530	34 130	34 330	34 330	34 330	34 030
33 440	33 860	35 300	35 530	35 530	35 530	36 130	36 330	36 330	36 330	36 030
31 440	31 860	33 300	33 530	33 530	33 530	34 130	34 330	34 330	34 330	34 030
33 440	33 860	35 300	35 530	35 530	35 530	36 130	36 330	36 330	36 330	36 030
1 405 700	1 424 900	（＊3） 1 507 700	1 518 000	1 518 000	1 518 000	1 544 400	1 555 200	1 555 200	1 555 200	1 539 600
830 000	841 200	1 205 300	1 214 400	1 214 400	1 214 400	1 236 000	1 244 400	1 244 400	1 244 400	1 233 600
679 100	688 300	1 級，2 級とも在宅者と同額								
452 800	458 900									
2 974 300	3 014 600	4 819 000	4 854 000	4 854 000	4 854 000	4 941 600	4 972 800	4 972 800	4 972 800	4 927 200
1 942 100	1 968 400	3 855 600	3 883 200	3 883 200	3 883 200	3 952 800	3 976 800	3 976 800	3 976 800	3 942 000
1 458 600	1 478 300	2 892 200	2 911 200	2 911 200	2 911 200	2 965 200	2 983 200	2 983 200	2 983 200	2 956 800
		824 400	833 400	840 600	847 800	856 800	864 000	866 400	866 400	848 800
		549 600	555 600	560 400	565 200	571 200	576 000	577 600	577 600	565 800
20 820 000	21 100 000	42 100 000	42 500 000	42 500 000	42 500 000	43 200 000	43 500 000	43 500 000	43 500 000	43 100 000
142 000	149 000	149 000	149 000	166 000	171 000	175 000	176 000	179 000	189 000	189 000

平成29年 第92号 平29.4.1	平成30年 第106号 平30.4.1	平成31年 第114号 平31.4.1	令和元年 第116号 令元.10.1
自己負担額	自己負担額	自己負担額	自己負担額
36 300	36 400	36 800	36 800
34 300	34 400	34 800	34 800
36 300	36 400	36 800	36 800
34 300	34 400	34 800	34 800
36 300	36 400	36 800	36 800
1 549 200	1 557 600	1 572 000	1 572 000
1 239 600	1 246 800	1 258 800	1 258 800
4 954 800	4 981 200	5 032 800	5 032 800
3 966 000	3 985 200	4 026 000	4 026 000
2 974 800	2 989 200	3 019 200	3 019 200
841 000	842 300	843 600	843 600
560 600	561 500	562 400	562 400
43 400 000	43 600 000	44 000 000	44 000 000
206 000	206 000	206 000	209 000

〈B類（二類）疾病〉

	（年　次） （政　令） （適用月日）	平成25年 第288号 平25.10.1	平成26年 第114号 平26.4.1	平成27年 第208号 平27.4.1	平成28年 第172号 平28.4.1
医療費 医療手当 （月　額）		一類疾病に係る医療費及び医療手当の額に準ずる。ただし，その程度の医療とは，病院又は診療所への入院を要すると認められる程度の医療とする。			
障害年金 （年　額）	1　級	2 680 800	2 672 400	2 736 000	2 756 400
	2　級	2 144 400	2 138 400	2 188 800	2 205 600
遺族年金（年額）		2 344 800	2 337 600	2 392 800	2 410 800
遺族一時金		7 034 400	7 012 800	7 178 400	7 232 400
葬　祭　料		A類疾病に係る葬祭料の額と同じ。			

	（年　次） （政　令） （適用月日）	平成29年 第92号 平29.4.1	平成30年 第106号 平30.4.1	平成31年 第114号 平31.4.1	令和元年 第116号 令元.10.1
医療費 医療手当 （月　額）		一類疾病に係る医療費及び医療手当の額に準ずる。ただし，その程度の医療とは，病院又は診療所への入院を要すると認められる程度の医療とする。			
障害年金 （年　額）	1　級	2 752 800	2 767 200	2 796 000	2 796 000
	2　級	2 203 200	2 214 000	2 236 800	2 236 800
遺族年金（年額）		2 408 400	2 420 400	2 444 400	2 444 400
遺族一時金		7 225 200	7 261 200	7 333 200	7 333 200
葬　祭　料		A類疾病に係る葬祭料の額と同じ。			

＊3　平成6年の予防接種制度の改正により，平成6年10月分から障害児養育年金額の区分は単に1・2級となり，障害年金及び障害児養育年金受給者のうち在宅の1・2級の健康被害者については，介護加算の措置が講じられている。

(注)　平成13年，17年は前年に同じ。平成19〜21年は変更なし。

付録

570　（付録206）予防接種関連統計

1994年予防接種法改正後

年次別 / 接種別区分		1995 （平成7年）			1996 （平成8年）			1997 （平成9年度）			1998 （平成10年度）		
		対象人口	実施人員	実施率	対象人口	実施人員	実施率	対象人口	実施人員	実施率	対象人口	実施人員	実施率
		千人	人	%	千人	人	%	千人	人	%	千人	人	%
ジフテリア	1期初回1回	1 168	1 360 268	116.5	1 192	1 277 108	107.1	1 197	1 243 321	103.9	1 205	1 215 808	100.9
	〃　2回	1 168	1 284 881	110.0	1 192	1 262 691	105.9	1 197	1 221 873	102.1	1 205	1 190 342	98.8
	〃　3回	1 168	1 186 596	101.6	1 192	1 218 938	102.3	1 197	1 165 252	97.3	1 205	1 137 524	94.4
	1期追加	1 168	956 967	81.9	1 192	1 091 295	91.6	1 197	1 182 622	98.8	1 205	1 101 836	91.4
	2期	1 533	1 128 291	73.6	1 492	1 033 061	69.2	1 441	1 010 706	70.1	1 381	978 479	70.9
百日咳	1期初回1回	1 168	1 331 990	114.0	1 192	1 265 642	106.2	1 197	1 239 439	103.5	1 205	1 212 702	100.6
	〃　2回	1 168	1 259 742	107.9	1 192	1 251 854	105.0	1 197	1 217 702	101.7	1 205	1 187 193	98.5
	〃　3回	1 168	1 166 510	99.9	1 192	1 212 232	101.7	1 197	1 164 455	97.3	1 205	1 137 257	94.4
	1期追加	1 168	930 863	79.7	1 192	1 078 897	90.5	1 197	1 176 496	98.3	1 205	1 097 183	91.1
破傷風	1期初回1回	1 168	1 361 545	116.6	1 192	1 277 992	107.2	1 197	1 243 365	103.9	1 205	1 215 843	100.9
	〃　2回	1 168	1 285 857	110.1	1 192	1 263 653	106.0	1 197	1 221 922	102.1	1 205	1 190 360	98.8
	〃　3回	1 168	1 187 723	101.7	1 192	1 219 322	102.3	1 197	1 165 253	97.3	1 205	1 137 524	94.4
	1期追加	1 168	958 618	82.1	1 192	1 091 909	91.6	1 197	1 182 656	98.8	1 205	1 101 841	91.4
	2期	1 533	1 118 551	73.0	1 492	1 031 153	69.1	1 441	1 011 563	70.2	1 381	978 757	70.9
ポリオ	第1回	1 170	1 188 371	101.6	1 190	1 186 649	99.7	1 195	1 185 268	99.2	1 203	1 191 379	99.0
	第2回	1 170	1 138 044	97.3	1 190	1 172 334	98.5	1 195	1 161 360	97.2	1 203	1 160 218	96.4
麻疹		1 178	1 096 008	93.0	1 185	1 112 511	93.9	1 188	1 116 218	94.0	1 195	1 096 243	91.7
風疹	定期分	1 180	1 157 420	98.1	1 192	1 357 944	113.9	1 186	1 360 866	114.7	1 191	1 242 865	104.4
	経過措置分	1 489	789 975	53.1	1 447	682 308	47.2	1 432	723 529	50.5	1 414	791 128	55.9
日本脳炎	1期初回1回	1 106	956 663	86.5	1 116	973 083	87.2	1 130	986 631	87.5	1 133	983 850	86.8
	〃　2回	1 106	886 773	80.2	1 116	926 998	83.1	1 130	937 358	83.0	1 133	939 079	82.9
	1期追加	1 198	682 994	57.0	1 139	759 342	66.7	1 115	809 506	72.6	1 147	786 159	68.5
	2期	1 299	605 247	46.6	1 270	731 412	57.6	1 232	840 028	68.2	1 215	827 176	68.1
	3期	1 456	290 555	20.0	1 424	434 408	30.5	1 419	629 458	44.4	1 426	660 120	46.3

（注）　1．1994（平成6）年の予防接種法改正において，対象疾病及び接種対象者の変更が行われたため，1995（平成7）年より
　　　　本表に改めた。
　　　2．実施人員（2001年のインフルエンザ，2008年の麻疹・風疹以外）は，1996年までは保健所運営報告，1997年以降は地
　　　　域保健事業報告の「定期の予防接種被接種者数」により計上した。この調査方法の変更のため，1997年の数値からは
　　　　年度で計算されている。
　　　3．2001年のインフルエンザの実施人員は，「予防接種法に基づくインフルエンザ予防接種の接種対象者数及び被接種者
　　　　数調査結果について」（平成14年9月12日事務連絡）により計上した。
　　　4．2008年の麻疹風疹の実施人員は，「麻疹風疹の第1期・第2期・第3期・第4期の予防接種の接種率調査について（平
　　　　成21年6月26日事務連絡）」により計上した。

予防接種実施率の推移

1999 (平成11年度)			2000 (平成12年度)			2001 (平成13年度)			2002 (平成14年度)			2003 (平成15年度)		
対象人口	実施人員	実施率	対象人口	実施人員	実施率	対象人口	実施人員	実施率	対象人口	実施人員	実施率	対象人口	実施人員	実施率
千人	人	%	千人	人	%	千人	人	%	千人	人	%	千人	人	%
1 192	1 243 182	104.3	1 170	1 189 225	101.5	1 175	1 199 619	102.1	1 168	1 180 218	101.0	1 138	1 177 702	103.4
1 192	1 226 749	102.9	1 170	1 168 635	99.9	1 175	1 179 197	100.4	1 168	1 165 978	99.8	1 138	1 171 593	102.9
1 192	1 176 142	98.7	1 170	1 115 145	95.3	1 175	1 134 220	96.5	1 168	1 131 515	96.8	1 138	1 137 980	100.0
1 192	1 117 631	93.8	1 170	1 087 807	93.0	1 175	1 063 572	90.5	1 168	1 066 373	91.2	1 138	1 109 143	97.4
1 352	961 857	71.1	1 314	906 209	68.9	1 263	846 222	67.0	1 241	851 620	68.6	1 212	855 628	70.6
1 192	1 239 809	104.0	1 170	1 186 705	101.4	1 175	1 195 484	101.9	1 168	1 178 260	100.8	1 138	1 175 287	103.2
1 192	1 223 564	102.6	1 170	1 166 372	99.7	1 175	1 176 190	100.1	1 168	1 163 977	99.6	1 138	1 169 537	102.7
1 192	1 175 924	98.7	1 170	1 116 105	95.4	1 175	1 133 698	86.5	1 168	1 131 324	96.8	1 138	1 137 444	99.9
1 192	1 111 857	93.3	1 170	1 085 300	92.7	1 175	1 059 775	90.2	1 168	1 063 642	91.0	1 138	1 105 184	97.1
1 192	1 243 210	104.3	1 170	1 189 283	101.6	1 175	1 199 153	102.1	1 168	1 180 133	101.0	1 138	1 177 275	103.4
1 192	1 226 767	102.9	1 170	1 168 700	99.9	1 175	1 178 700	100.3	1 168	1 165 883	99.8	1 138	1 171 133	102.9
1 192	1 176 151	98.7	1 170	1 115 145	95.3	1 175	1 133 728	96.5	1 168	1 131 413	96.8	1 138	1 137 430	99.9
1 192	1 117 631	93.8	1 170	1 087 835	93.0	1 175	1 063 161	90.5	1 168	1 066 311	91.2	1 138	1 108 665	97.4
1 352	961 782	71.1	1 314	911 397	69.3	1 263	847 505	67.1	1 241	853 179	68.7	1 212	854 544	70.5
1 194	1 190 077	99.7	1 169	1 064 480	91.0	1 173	1 192 845	101.7	1 169	1 159 752	99.2	1 143	1 135 484	99.3
1 194	1 167 854	97.8	1 169	948 581	81.1	1 173	1 200 654	102.3	1 169	1 136 170	97.2	1 143	1 113 237	97.4
1 200	1 157 908	96.5	1 166	1 137 868	97.6	1 168	1 221 130	104.5	1 171	1 191 968	101.8	1 161	1 188 872	102.4
1 196	1 242 313	103.9	1 179	1 089 993	92.4	1 169	1 135 860	97.2	1 169	1 126 907	96.4	1 165	1 168 877	100.3
1 417	786 195	55.5	1 391	633 742	45.6	974	376 209	38.6	804	118 320	14.7	795	199 219	25.0
1 132	1 047 874	92.6	1 189	1 009 821	84.6	1 195	1 025 353	85.8	1 123	1 032 625	91.9	1 167	1 080 531	92.6
1 132	1 005 367	88.8	1 189	965 139	81.2	1 195	979 026	81.9	1 123	995 724	88.6	1 167	1 045 151	89.6
1 128	825 951	73.2	1 185	826 665	69.8	1 192	823 739	69.1	1 150	846 990	73.6	1 171	882 317	75.3
1 170	807 317	69.0	1 211	786 380	65.0	1 192	775 557	64.0	1 160	790 230	69.3	1 209	817 522	67.6
1 371	673 793	49.1	1 378	665 386	48.3	1 353	645 450	47.7	1 258	645 877	51.3	1 264	650 600	51.5
	インフルエンザ		22 953	6 426 625	28.0	24 130	8 535 994	35.4	25 001	10 862 299	43.4			

5. 対象人口（インフルエンザ以外）は，標準的な接種年齢期間の総人口を総務庁統計局推計人口（各年10月1日現在）から求め，これを12カ月相当人口に推計した（直近の数値は速報値）。

6. インフルエンザの対象人口は，「65歳以上の者」については総務省統計局推計人口（各年10月1日現在）から求め，「60歳以上65歳未満の者であって，心臓，じん臓若しくは呼吸器の機能又はヒト免疫不全ウイルスによる免疫の機能に障害を有する者として厚生労働省令で定める者」については，2001年については「予防接種法に基づくインフルエンザ予防接種の接種対象者数及び被接種者数調査結果について」（平成14年9月12日事務連絡）により，2002年については保健所運営報告・地域保健事業報告の「定期の予防接種対象者数」により求め全体を計上した。

7. 日本脳炎の対象人口で，北海道〔1995～2002（平成7～14）年〕と青森県〔1995～1997（平成7～9）年〕の対象人口については，予防接種法第3条第2項により予防接種を実施しなくてもよい地域に指定されているので除外した。

1994年予防接種法改正後

接種別区分		2004 (平成16年度) 対象人口	実施人員	実施率	2005 (平成17年度) 対象人口	実施人員	実施率	2006 (平成18年度) 対象人口	実施人員	実施率	2007 (平成19年度) 対象人口	実施人員	実施率
		人	人	%	人	人	%	人	人	%	人	人	%
DPT-IPV	1回	–	–	–	–	–	–	–	–	–	–	–	–
	2回	–	–	–	–	–	–	–	–	–	–	–	–
	3回	–	–	–	–	–	–	–	–	–	–	–	–
	追加	–	–	–	–	–	–	–	–	–	–	–	–
不活化ポリオ	1回	–	–	–	–	–	–	–	–	–	–	–	–
	2回	–	–	–	–	–	–	–	–	–	–	–	–
	3回	–	–	–	–	–	–	–	–	–	–	–	–
	追加	–	–	–	–	–	–	–	–	–	–	–	–
DPT	1期初回1回	1 119 250	1 055 397	94.3	1 065 429	1 087 325	102.1	1 076 500	1 091 985	101.4	1 089 750	1 124 060	103.1
	〃 2回	1 119 250	1 050 154	93.8	1 065 429	1 071 651	100.6	1 076 500	1 085 041	100.8	1 089 750	1 120 843	102.9
	〃 3回	1 119 250	1 022 666	91.4	1 065 429	1 046 383	98.2	1 076 500	1 058 435	98.3	1 089 750	1 115 715	102.4
	1期追加	1 119 250	1 007 007	90.0	1 065 429	976 625	91.7	1 076 500	986 621	91.7	1 089 750	1 023 902	94.0
	2期	1 211 000	774 207	63.9	1 187 516	737 483	62.1	1 209 000	783 059	64.8	1 207 000	797 924	66.1
ポリオ	第1回	1 120 000	1 057 121	94.4	1 070 606	1 023 976	95.6	1 072 000	1 039 217	96.9	1 087 200	1 043 463	96.0
	第2回	1 120 000	1 060 154	94.7	1 070 606	1 019 543	95.2	1 072 000	1 015 163	94.7	1 087 200	1 020 080	93.8
麻疹	1期	1 123 000	1 051 743	93.7	1 091 316	1 066 942	97.8	1 054 000	1 026 446	97.4	1 077 000	1 079 139	100.2
	2期	–	–	–	–	–	–	1 184 000	922 422	77.9	1 164 000	1 038 649	89.2
	3期	–	–	–	–	–	–	–	–	–	–	–	–
	4期	–	–	–	–	–	–	–	–	–	–	–	–
風疹	1期	1 141 000	1 119 849	98.1	1 103 483	1 585 128	143.6	1 054 000	1 062 792	100.8	1 077 000	1 080 320	100.3
	2期	–	–	–	–	–	–	1 184 000	935 985	79.1	1 164 000	1 043 032	89.6
	3期	–	–	–	–	–	–	–	–	–	–	–	–
	4期	–	–	–	–	–	–	–	–	–	–	–	–
	経過措置分	–	–	–	–	–	–	–	–	–	–	–	–
日本脳炎	1期初回1回	1 169 000	969 925	83.0	1 149 450	254 483	22.1	1 119 000	45 158	4.0	1 093 000	149 918	13.7
	〃 2回	1 169 000	948 069	81.1	1 149 450	192 371	16.7	1 119 000	40 684	3.6	1 093 000	145 227	13.3
	1期追加	1 166 000	825 225	70.8	1 164 872	181 774	15.6	1 153 000	38 495	3.3	1 118 000	77 233	6.9
	2期	1 204 000	789 387	65.6	1 183 562	187 081	15.8	1 193 000	17 084	1.4	1 196 000	46 434	3.9
	3期	1 240 000	599 864	48.4	1 207 942	134 351	11.1	–	–	–	–	–	–
結核		–	–		–	–		–	–		–	–	
インフルエンザ		25 245 277	12 005 921	47.6	26 474 654	12 932 115	48.8	27 065 794	13 064 354	48.3	28 059 377	14 809 144	52.8

(注)　1～7．付録206～207頁参照。

8．対象人口は各年度に新規に予防接種対象者に該当した人口であることに対し，実施人員は各年度における接種対象者全体の中の予防接種を受けた人員であるため，実施率は100％を超える場合がある。

9．平成16年からは，ジフテリア，百日咳および破傷風のデータをDPTとした。

10．平成18年からは，日本脳炎の第3期は廃止するとともに，麻疹風疹について従来の接種（1期とする）に加えて，2期を追加。

予防接種実施率の推移

2008 (平成20年度)			2009 (平成21年度)			2010 (平成22年度)			2011 (平成23年度)			2012 (平成24年度)		
対象人口	実施人員	実施率	対象人口	実施人員	実施率	対象人口	実施人員	実施率	対象人口	実施人員	実施率	対象人口	実施人員	実施率
人	人	%	人	人	%	人	人	%	人	人	%	人	人	%
-	-	-	-	-	-	-	-	-	-	-	-	1 049 750	362 640	34.5
-	-	-	-	-	-	-	-	-	-	-	-	1 049 750	261 941	25.0
-	-	-	-	-	-	-	-	-	-	-	-	1 049 750	171 566	16.3
-	-	-	-	-	-	-	-	-	-	-	-	1 049 750	8 597	0.8
-	-	-	-	-	-	-	-	-	-	-	-	1 049 750	947 996	90.3
-	-	-	-	-	-	-	-	-	-	-	-	1 049 750	1 183 850	112.8
-	-	-	-	-	-	-	-	-	-	-	-	1 049 750	1 059 419	100.9
-	-	-	-	-	-	-	-	-	-	-	-	1 049 750	27 934	2.7
1 081 500	1 137 541	105.2	1 081 500	1 108 364	102.5	1 048 000	1 101 600	105.1	1 062 250	1 102 528	103.8	1 049 750	723 996	69.0
1 081 500	1 129 399	104.4	1 081 500	1 106 420	102.3	1 048 000	1 088 666	103.9	1 062 250	1 091 512	102.8	1 049 750	817 615	77.9
1 081 500	1 127 047	104.2	1 081 500	1 101 601	101.9	1 048 000	1 076 646	102.7	1 062 250	1 084 417	102.1	1 049 750	908 640	86.6
1 081 500	1 084 304	100.3	1 081 500	1 071 111	99.0	1 048 000	1 114 388	106.3	1 062 250	1 081 751	101.8	1 049 750	1 159 722	110.5
1 188 000	893 773	75.2	1 188 000	890 542	75.0	1 198 000	927 895	77.5	1 179 000	940 878	79.8	1 177 000	888 797	75.5
1 083 600	1 072 094	98.9	1 083 600	1 040 278	96.0	1 048 000	1 034 840	98.7	1 058 800	856 285	80.9	1 053 200	328 855	31.2
1 083 600	1 056 754	97.5	1 083 600	979 090	90.4	1 048 000	1 040 352	99.3	1 058 800	883 344	83.4	1 053 200	435 762	41.4
1 099 696	1 036 782	94.3	1 091 349	1 021 119	93.6	1 091 098	1 044 028	95.7	1 080 996	1 030 351	95.3	1 076 242	1 049 560	97.5
1 155 479	1 061 278	91.8	1 121 024	1 034 611	92.3	1 110 535	1 023 941	92.2	1 076 327	999 024	92.8	1 096 271	1 026 720	93.7
1 192 612	1 015 341	85.1	1 194 878	1 026 892	85.9	1 200 301	1 047 356	87.3	1 207 874	1 064 727	88.1	1 190 773	1 057 237	88.8
1 224 084	946 593	77.3	1 213 204	933 891	77.0	1 214 161	957 506	78.9	1 201 664	978 440	81.4	1 235 125	1 027 607	83.2
1 099 696	1 037 067	94.3	1 091 349	1 021 070	93.6	1 091 098	1 043 979	95.7	1 080 996	1 030 313	95.3	1 076 242	1 049 522	97.5
1 155 479	1 061 554	91.9	1 121 024	1 034 581	92.3	1 110 535	1 110 691	100.0	1 076 327	999 025	92.8	1 096 271	1 026 910	93.7
1 192 612	1 015 864	85.2	1 194 878	1 027 291	86.0	1 200 301	1 047 835	87.3	1 207 874	1 065 253	88.2	1 190 773	1 057 846	88.8
1 224 084	946 257	77.3	1 213 204	935 210	77.1	1 214 161	958 721	79.0	1 201 664	979 571	81.5	1 235 125	1 028 680	83.3
-	-	-	-	-	-	-	-	-	-	-	-	-	-	-
1 072 000	232 264	21.7	1 072 000	656 048	61.2	1 072 000	1 839 617	171.6	1 074 000	1 819 494	169.4	1 045 000	1 512 980	144.8
1 072 000	228 404	21.3	1 072 000	585 010	54.6	1 072 000	1 735 455	161.9	1 074 000	1 812 909	168.8	1 045 000	1 464 093	140.1
1 050 000	123 470	11.8	1 050 000	167 511	16.0	1 064 000	516 035	48.5	1 070 000	1 578 960	147.6	1 073 000	1 629 179	151.8
1 180 000	82 493	7.0	1 111 000	118 202	10.6	1 166 000	276 609	23.7	1 150 000	569 190	49.5	1 118 000	511 236	45.7
-	-	-	-	-	-	-	-	-	-	-	-	-	-	-
1 078 000	1 067 437	99.0	1 078 000	1 011 720	93.9	1 048 000	991 011	94.6	1 062 250	986 844	92.9	1 044 000	969 941	92.9
29 413 280	15 761 015	53.6	29 007 000	14 365 384	49.5	29 484 000	15 638 292	53.0	29 750 000	15 394 138	51.7	31 470 440	15 605 372	49.6

11. 平成20年からは，麻疹風疹について3期，4期を追加。

1994年予防接種法改正後

接種別区分		2013（平成25年度）対象人口	実施人員	実施率	2014（平成26年度）対象人口	実施人員	実施率	2015（平成27年度）対象人口	実施人員	実施率	2016（平成28年度）対象人口	実施人員	実施率
		人	人	%	人	人	%	人	人	%	人	人	%
DPT-IPV	1回	1 042 000	1 039 952	99.8	1 025 250	1 016 862	99.2	964 250	1 011 542	104.9	990 750	990 279	100.0
	2回	1 042 000	1 028 810	98.7	1 025 250	1 016 018	99.1	964 250	1 014 067	105.2	990 750	985 642	100.5
	3回	1 042 000	1 001 889	96.2	1 025 250	1 016 195	99.1	964 250	1 019 899	105.8	990 750	1 000 372	101.0
	追加	1 042 000	122 582	11.8	1 041 417	887 490	85.2	989 000	989 131	100.0	965 833	1 030 515	106.7
不活化ポリオ	1回	1 042 000	120 736	11.6	1 025 250	23 830	2.3	964 250	6 546	0.7	990 750	3 398	0.3
	2回	1 042 000	253 806	24.4	1 025 250	58 598	5.7	964 250	19 826	2.1	990 750	10 068	1.0
	3回	1 042 000	346 019	33.2	1 025 250	77 086	7.5	964 250	29 627	3.1	990 750	16 427	1.7
	追加	1 042 000	719 147	69.0	1 041 417	474 501	45.6	989 000	103 418	10.5	965 833	52 618	5.4
DPT	1期初回1回	1 042 000	37 632	103.8	1 025 250	4 274	0.4	964 250	517	0.1	990 750	33	0.0
	〃 2回	1 042 000	61 426	102.8	1 025 250	7 466	0.7	964 250	704	0.1	990 750	45	0.0
	〃 3回	1 042 000	98 296	102.1	1 025 250	13 440	1.3	964 250	1 256	0.1	990 750	94	0.0
	1期追加	1 042 000	949 855	101.8	1 041 417	223 219	21.4	989 000	8 795	0.9	965 833	480	0.0
	2期（平成27年度よりDT）	1 166 000	801 335	79.8	1 119 000	835 189	74.6	1 103 000	794 328	72.0	1 066 000	819 481	76.9
麻疹	1期	1 051 564	1 004 628	95.3	1 047 926	1 010 310	96.4	1 023 796	985 396	96.2	1 024 492	995 588	97.2
	2期	1 102 300	1 024 832	92.8	1 093 665	1 020 141	93.3	1 077 895	1 001 697	92.9	1 077 690	1 003 610	93.1
風疹	1期	1 051 564	1 004 606	95.3	1 047 926	1 010 269	96.4	1 023 796	985 387	96.2	1 024 492	994 690	97.1
	2期	1 102 300	1 024 829	92.8	1 093 665	1 020 082	93.3	1 077 895	1 001 683	92.9	1 077 690	1 003 693	93.1
日本脳炎	1期初回1回	1 044 000	1 218 153	169.4	1 067 000	1 176 000	110.2	1 017 000	1 058 934	104.1	1 012 000	1 281 160	126.6
	〃 2回	1 044 000	1 197 305	168.8	1 067 000	1 136 779	106.5	1 017 000	1 041 164	102.4	1 012 000	1 231 550	121.7
	1期追加	1 044 000	1 368 587	147.6	1 043 000	1 204 320	115.5	1 044 000	1 026 416	98.3		1 023 443	100.6
	2期	1 099 000	508 364	49.5	1 059 000	593 463	56.0	1 063 000	642 397	60.4	1 072 000	901 490	84.1
結核		1 042 000	877 419	92.9	1 020 000	996 844	97.7	961 000	1 003 475	104.4	1 001 000	988 723	98.8
インフルエンザ		32 577 396	16 205 813	51.7	33 036 200	16 730 347	50.6	33 901 300	17 239 503	50.9	34 642 000	17 386 306	50.2
Hib感染症	1回	1 042 000	1 185 464	113.8	1 020 000	1 044 911	102.4	961 000	1 017 920	105.9	1 001 000	987 725	98.7
	2回	1 042 000	1 068 326	102.5	1 020 000	1 007 976	98.8	961 000	1 008 902	105.0	1 001 000	982 730	98.2
	3回	1 042 000	1 096 108	105.2	1 020 000	1 048 523	102.8	961 000	1 021 053	106.2	1 001 000	997 243	99.6
	追加	1 042 000	1 117 300	107.2	1 039 250	1 005 727	96.8	972 917	973 293	100.0	963 417	996 327	103.4
小児用肺炎球菌	1回	1 042 000	1 204 325	115.6	1 020 000	1 052 880	103.2	961 000	1 020 898	106.2	1 001 000	989 680	98.9
	2回	1 042 000	1 090 029	104.6	1 020 000	1 018 263	99.8	961 000	1 012 724	105.4	1 001 000	986 225	98.5
	3回	1 042 000	1 077 653	103.4	1 020 000	1 045 979	102.5	961 000	1 023 026	106.5	1 001 000	999 937	99.9
	追加	1 042 000	944 341	90.6	1 039 250	973 348	93.7	972 917	979 333	100.7	963 417	995 444	103.3
ヒトパピローマウイルス感染症	1回	573 000	98 656	17.2	569 000	3 895	0.7	564 000	2 711	0.5	548 000	1 834	0.3
	2回	573 000	66 568	11.6	569 000	4 172	0.7	564 000	2 669	0.5	548 000	1 805	0.3
	3回	573 000	87 233	15.2	569 000	6 238	1.1	564 000	2 805	0.5	548 000	1 782	0.3
水痘	1回	–	–	–	1 041 250	1 553 027	149.2	983 000	1 040 930	105.9	963 500	1 010 521	104.9
	2回	–	–	–	1 041 250	481 990	46.3	992 000	1 060 742	106.9	967 000	881 478	91.2
高齢者用肺炎球菌		–	–	–	7 507 300	2 871 593	38.3	7 308 600	2 446 852	33.5	7 362 100	2 784 050	37.8
B型肝炎	1回	–	–	–	–	–	–	–	–	–	–	–	–
	2回	–	–	–	–	–	–	–	–	–	–	–	–
	3回	–	–	–	–	–	–	–	–	–	–	–	–

予防接種関連統計（付録 211）575

予防接種実施率の推移

2017 （平成29年度）		
対象人口	実施人員	実施率
人	人	%
972 250	948 837	97.6
972 250	953 196	98.0
972 250	956 112	98.3
983 333	992 774	101.0
972 250	1 511	0.2
972 250	4 922	0.5
972 250	8 877	0.9
983 333	32 340	3.3
972 250	226	0.0
972 250	222	0.0
972 250	237	0.0
983 333	259	0.0
1 065 000	817 049	76.7
1 004 331	964 303	96.0
1 062 290	992 129	93.4
1 004 331	964 309	96.0
1 062 290	992 113	93.4
975 000	1 189 427	122.0
975 000	1 165 309	119.5
1 012 000	1 127 723	111.4
1 080 000	1 002 090	92.8
963 000	968 684	100.6
35 204 000	17 252 379	49.0
963 000	952 871	98.9
963 000	944 660	98.1
963 000	941 032	97.7
996 917	965 782	96.9
963 000	953 524	99.0
963 000	947 133	98.4
963 000	943 719	98.0
996 917	963 194	96.6
540 000	3 347	0.6
540 000	2 666	0.5
540 000	1 847	0.3
990 000	973 758	98.4
980 000	879 514	89.7
8 082 100	2 665 468	33.0
963 000	944 509	98.1
963 000	938 825	97.5
963 000	960 948	99.8

付録

576 （付録212）予防接種関連統計

1994年予防接種法改正前

（定　期　分）

区分 施行回数 ＼ 年次別	1967	1968	1969	1970	1971	1972	1973	1974	1975	1976	1977	1978
	%	%	%	%	%	%	%	%	%	%	%	%
痘瘡												
第1期	60.6	70.5	64.4	43.9	50.3	61.2	70.9	82.5	64.3	5.5	—	—
第2期	64.6	64.0	64.7	52.9	62.5	75.4	58.3	73.4	66.9	4.8	—	—
第3期	65.8	65.8	63.9	50.9	65.3	65.7	65.7	72.9	65.7	7.6	—	—
ジフテリア												
第1期1回	63.7	69.5	67.3	58.9	63.2	73.3	77.4	81.2	26.8	20.5	63.7	85.5
2回	54.6	59.5	57.6	49.7	52.5	60.7	65.1	70.2	20.2	17.9	54.2	76.7
3回	45.2	50.5	47.7	40.0	41.1	48.4	52.0	58.9	16.2	12.5	39.7	60.3
第2期	47.8	46.7	44.2	40.2	40.2	38.6	49.4	55.0	26.6	34.8	26.0	40.2
第3期	55.8	55.3	56.2	50.3	53.0	65.4	53.6	60.4	58.0	23.5	66.2	79.3
第4期	60.8	61.3	56.4	50.3	57.2	59.6	60.6	57.1	68.4	33.7	—	—
百日咳												
第1期1回	63.5	69.0	66.8	58.5	62.2	72.6	69.0	78.9	22.1	13.6	41.7	64.4
2回	54.3	59.1	57.2	49.3	51.6	60.1	64.8	68.2	16.0	10.7	35.2	57.2
3回	44.6	49.6	47.4	39.7	40.7	47.8	51.9	57.1	12.9	7.9	28.4	47.9
第2期	46.0	45.4	42.4	38.8	39.1	36.8	48.0	52.4	21.1	26.2	13.2	27.6
ポリオ												
第1回	76.0	86.4	77.5	73.1	78.5	80.0	88.2	87.8	77.7	73.5	89.9	84.1
第2回	52.7	78.0	71.4	64.7	64.2	69.4	77.7	81.0	72.1	66.3	84.0	79.1
風疹	—	—	—	—	—	—	—	—	—	—	27.3	72.4
麻疹	—	—	—	—	—	—	—	—	—	—	—	72.6

実施率：定期接種対象の総人口を人口問題研究所の推計人口〔1990年以降は総務庁統計局推計人口（各年10月1日現在）〕から
　　求め，保健所運営報告による被接種者数を実施人員として算定。
・痘瘡（種痘）の定期接種は，1976年に中止。
・風疹は中学生女子のみの実施率。定期接種（生後12カ月以上90カ月未満）は1995年から実施。
・麻疹の定期接種は，1978年10月から開始。

（一般的臨時分）

区　分	%	%
インフルエンザ （2回接種完了者）	49.5	56.9
日本脳炎	42.5	47.3

予防接種関連統計 (付録 213) 577

予防接種実施率の推移

区分 施行回数	1979	1980	1981	1982	1983	1984	1985	1986	1987	1988	1989 対象人数	1989 実施率
	%	%	%	%	%	%	%	%	%	%	千人	%
ジフテリア												
第1期1回	82.6	81.4	98.4	97.2	99.1	98.1	93.3	98.4	97.2	95.3	1 312	97.8
2回	73.6	73.2	90.2	92.2	91.9	92.6	89.7	94.0	92.8	90.9	1 312	93.2
3回	61.2	63.4	79.2	83.3	83.8	84.1	81.4	86.3	86.5	84.9	1 312	86.7
第2期	61.1	61.5	71.0	76.3	82.4	79.1	77.6	84.2	84.1	85.3	1 358	83.2
第3期	60.6	76.4	78.3	78.6	81.2	86.0	81.6	82.7	86.8	80.4	1 751	80.1
第4期	–	–	–	–	–	–	–	–	–	–		–
百日咳												
第1期1回	70.5	75.5	92.5	95.8	96.4	95.8	91.2	96.4	94.6	93.3	1 312	96.1
2回	62.6	68.1	84.8	87.3	89.5	90.4	87.9	92.1	90.7	89.3	1 312	91.8
3回	53.9	60.2	75.2	81.2	81.9	82.3	79.8	85.1	84.8	83.4	1 312	85.4
第2期	44.9	51.2	64.1	71.2	78.6	76.1	74.2	77.8	80.9	82.9	1 358	80.5
ポリオ												
第1回	83.2	84.3	98.7	98.4	100	98.4	94.3	96.0	92.8	92.7	1 312	94.8
第2回	76.8	80.2	95.2	95.0	95.1	94.9	92.3	93.7	90.2	90.9	1 312	92.5
風　疹	63.7	65.1	64.8	72.2	74.0	72.6	70.1	72.1	70.6	68.2	942	69.6
麻　疹	59.1	54.2	63.7	65.5	69.5	72.9	65.8	7.4	77.3	75.3	1 358	76.5

(一般的臨時分)

区　分	%	%	%	%	%	%	%	%	%	%	千人	%
インフルエンザ (2回接種完了者)	67.9	55.5	63.0	64.3	63.5	65.3	61.7	61.0	43.9	32.0	21 303	25.0
日本脳炎	57.9	49.3	53.7	57.4	54.0	53.0	55.6	53.5	53.4	55.2	9 285	47.1

付録

1994年予防接種法改正前　予防接種実施率の推移(続き)

年次別 区分 施行回数	1990		1991		1992		1993			1994		
	対象人数	実施率	対象人数	実施率	対象人数	実施率	対象人数	実施人員	実施率	対象人数	実施人員	実施率
	千人	%	千人	%	千人	%	千人	人	%	千人	人	%
ジフテリア												
第1期1回	1 259	100.0	1 212	100.0	1 212	97.9	1 217	1 135 832	93.3	1 193	1 135 166	95.2
2回	1 259	94.9	1 212	98.6	1 212	94.3	1 217	1 094 447	89.9	1 193	1 087 642	91.2
3回	1 259	87.3	1 212	92.8	1 212	89.0	1 217	1 039 291	85.4	1 193	1 018 569	85.4
第2期	1 309	79.9	1 261	95.4	1 210	91.7	1 210	1 028 514	85.0	1 216	976 766	80.3
第3期	1 705	79.6	1 640	81.3	1 600	80.7	1 531	1 259 688	82.3	1 513	1 207 174	79.8
第4期	–	–	–	–	–	–	–	–	–	–	–	–
百日咳												
第1期1回	1 259	98.2	1 212	99.8	1 212	95.8	1 217	1 116 517	91.7	1 193	1 120 604	93.9
2回	1 259	93.0	1 212	96.6	1 212	92.5	1 217	1 075 462	88.4	1 193	1 073 499	90.0
3回	1 259	85.8	1 212	91.5	1 212	87.2	1 217	1 027 926	84.5	1 193	1 011 493	84.5
第2期	1 309	77.6	1 261	82.7	1 210	88.5	1 210	995 425	82.3	1 216	942 721	77.5
ポリオ												
第1回	1 259	95.6	1 212	96.3	1 212	97.6	1 217	1 138 926	93.6	1 193	1 135 318	95.2
第2回	1 259	92.4	1 212	93.5	1 212	94.4	1 217	1 108 147	91.1	1 193	1 083 963	90.9
風　疹	897	68.8	862	69.0	829	70.6	804	540 343	67.2	775	517 651	66.8
麻　疹	1 309	65.5	1 261	71.4	1 210	69.2	1 210	817 261	67.5	1 216	906 065	74.5

（一般的臨時分）

区　分	千人	%	千人	%	千人	%	千人	千人	%	千人	千人	%
インフルエンザ （2回接種完了者）	21 477	21.9	20 848	19.9	21 707	17.8	18 254	3 758	20.6	18 254	3 758	20.6
日本脳炎	8 408	49.6	8 584	46.7	8 998	43.5	7 272	4 806	66.1	7 281	4 764	65.4

予防接種関連統計（付録 215）579

感染症発生動向調査定点把握感染症報告数（2018年10月27日現在）

（予防接種対象疾病のみ掲載）

年次	疾病	麻 疹[注]	風 疹[注]	流行性耳下腺炎	百日咳[注]	水 痘	インフルエンザ[注]	成人麻疹[注]
1999	平成 11	5,875 (2.04)	2,972 (1.03)	69,070 (24.02)	2,653 (0.92)	162,424 (56.50)	65,471 (15.32)	83 (0.18)
2000	12	22,552 (7.57)	3,123 (1.05)	132,877 (44.62)	3,804 (1.28)	275,036 (92.36)	769,964 (167.93)	426 (0.93)
2001	13	33,812 (11.20)	2,561 (0.85)	254,711 (84.37)	1,760 (0.58)	271,409 (89.90)	305,441 (65.70)	931 (1.98)
2002	14	12,473 (4.11)	2,971 (0.98)	180,827 (59.56)	1,458 (0.48)	263,308 (86.73)	747,010 (159.01)	440 (0.93)
2003	15	8,285 (2.72)	2,795 (0.92)	84,734 (27.86)	1,544 (0.51)	250,561 (82.39)	1,162,290 (247.14)	462 (0.98)
2004	16	1,547 (0.51)	4,239 (1.40)	127,592 (42.26)	2,189 (0.73)	245,941 (81.46)	770,063 (165.50)	59 (0.12)
2005	17	537 (0.18)	895 (0.29)	187,837 (61.28)	1,358 (0.44)	242,296 (79.05)	1,563,662 (330.65)	7 (0.01)
2006	18	516 (0.17)	509 (0.17)	200,614 (66.56)	1,504 (0.50)	265,453 (88.07)	900,181 (201.07)	39 (0.09)
2007	19	3,133 (1.04)	463 (0.15)	67,803 (22.51)	2,932 (0.97)	245,880 (81.63)	1,212,042 (259.04)	975 (2.12)
2008	20	− (−)	− (−)	65,361 (21.66)	6,753 (2.24)	224,835 (74.52)	621,447 (131.89)	− (−)
2009	21	− (−)	− (−)	104,568 (34.60)	5,208 (1.72)	202,732 (67.09)	3,068,082 (643.34)	− (−)
2010	22	− (−)	− (−)	179,669 (59.34)	5,388 (1.78)	234,603 (77.48)	268,932 (56.37)	− (−)
2011	23	− (−)	− (−)	137,110 (43.76)	4,395 (1.40)	238,645 (76.17)	1,363,793 (278.55)	− (−)
2012	24	− (−)	− (−)	71,547 (22.76)	4,087 (1.30)	195,713 (62.27)	1,676,374 (341.14)	− (−)
2013	25	− (−)	− (−)	41,016 (13.05)	1,662 (0.53)	175,030 (55.71)	1,166,322 (237.20)	− (−)
2014	26	− (−)	− (−)	46,342 (14.74)	2,066 (0.66)	157,666 (50.15)	1,743,826 (354.44)	− (−)
2015	27	− (−)	− (−)	81,046 (25.76)	2,675 (0.85)	77,614 (24.67)	1,169,041 (237.42)	− (−)
2016	28	− (−)	− (−)	158996 (50.38)	3,011 (0.95)	65,383 (20.72)	1,751,970 (354.58)	− (−)
2017	29	− (−)	− (−)	77884 (24.67)	1,661 (0.53)	60,162 (19.06)	1,614,999 (326.66)	− (−)

（　）内は病院定点当たり　　1999年の報告数は4月から12月までの数値。2005年と2006年の報告数は概数
注・麻疹は1999年4月から成人麻疹を除く報告数。なお，麻疹と風疹は2008年1月1日から，百日咳は2018年1月1日から全
　　数把握になった。
　・インフルエンザは鳥インフルエンザおよび新型インフルエンザ等感染症を除く。

付録

感染症発生動向調査全数把握

年次	疾病 平成	二類感染症 急性灰白髄炎 報告数	死亡数	結核 報告数	死亡数	ジフテリア 報告数	死亡数	鳥インフルエンザ(H5N1) 報告数	死亡数	鳥インフルエンザ(H7N9) 報告数	死亡数	三類 コレラ 報告数	死亡数
1999	11	0	0	–	–	1	0	–	–	–	–	39	0
2000	12	0	0	–	–	0	1	–	–	–	–	58	0
2001	13	0	0	–	–	0	0	–	–	–	–	50	0
2002	14	0	0	–	–	0	0	–	–	–	–	51	0
2003	15	0	0	–	–	0	0	–	–	–	–	24	0
2004	16	0	0	–	–	0	0	–	–	–	–	86	0
2005	17	0	0	–	–	0	0	–	–	–	–	56	0
2006	18	0	0	–	–	0	0	–	–	–	–	45	0
2007	19	1	0	21 946	2 194	0	0	–	–	–	–	13	0
2008	20	2	0	28 467	2 220	0	0	0	0	–	–	45	0
2009	21	0	0	27 002	2 159	0	0	0	0	–	–	16	0
2010	22	2	0	26 906	2 129	0	0	0	0	–	–	11	0
2011	23	1	0	31 483	2 166	0	0	0	0	–	–	12	0
2012	24	0	0	29 317	2 110	0	0	0	0	–	–	3	0
2013	25	1	0	27 052	2 087	0	0	0	0	–	–	4	0
2014	26	0	0	26 629	2 100	0	0	0	0	–	–	5	0
2015	27	0	0	24 520	1 956	0	0	0	0	0	0	7	0
2016	28	0	0	24 669	1 892	0	0	0	0	0	0	9	1
2017	29	0	0	23 427	2 306	0	0	0	0	0	0	7	0

年次	疾病 平成	四類 エキノコックス症 報告数	死亡数	黄熱 報告数	死亡数	オウム病 報告数	死亡数	回帰熱 報告数	死亡数	Q熱 報告数	死亡数	狂犬病 報告数	死亡数
1999	11	7	4	0	0	23	0	–	–	12	0	0	0
2000	12	22	2	0	0	18	1	–	–	24	0	0	0
2001	13	15	3	0	0	35	0	–	–	42	0	0	0
2002	14	10	1	0	0	54	1	–	–	47	0	0	0
2003	15	21	3	0	0	44	1	–	–	9	0	0	0
2004	16	26	2	0	0	40	1	–	–	7	0	0	0
2005	17	20	0	0	0	34	0	–	–	8	0	0	0
2006	18	20	1	0	0	22	0	–	–	2	0	2	2
2007	19	25	3	0	0	29	0	–	–	7	0	0	0
2008	20	24	5	0	0	9	1	–	–	3	0	0	0
2009	21	27	4	0	0	21	1	–	–	2	0	0	0
2010	22	19	3	0	0	11	0	–	–	1	0	0	0
2011	23	20	4	0	0	12	0	–	–	1	0	0	0
2012	24	17	4	0	0	8	0	1	0	1	0	0	0
2013	25	21	2	0	0	6	0	1	0	6	0	0	0
2014	26	28	0	0	0	8	0	1	0	1	0	0	0
2015	27	27	0	0	0	5	0	4	0	0	0	0	0
2016	28	27	0	0	0	6	0	7	0	0	0	0	0
2017	29	29	2	0	0	13	0	8	0	0	0	0	0

注
・死亡数は統計情報部「人口動態統計」による。
・1999年の報告数は4月から12月までの数値。

一類感染症(エボラ出血熱, クリミア・コンゴ出血熱, 痘瘡, 南米出血熱, ペスト, マールブルグ病, ラッサ熱)：2017年10月28日現在報告がないので本表には掲載していない。

予防接種関連統計（付録217）581

感染症報告数・死亡数（2018年10月27日現在）

（太字はわが国にワクチンがある疾病）

感染症								四類感染症					
細菌性赤痢		腸管出血性大腸菌感染症		腸チフス		パラチフス		E型肝炎		**A型肝炎**		ウエストナイル熱（ウエストナイル脳炎を含む）	
報告数	死亡数	報告数	死亡数	報告数	死亡数	報告数	死亡数	報告数	死亡数	報告数	死亡数	報告数	死亡数
620	0	3 117	1	72	0	30	0	–	–	–	–	–	–
843	0	3 642	7	86	0	20	0	–	–	–	–	–	–
844	0	4 435	5	65	0	22	0	–	–	–	–	–	–
699	0	3 183	7	62	0	35	0	–	–	–	–	0	0
473	0	2 999	3	63	0	44	0	31	1	12	6	0	0
604	0	3 175	4	71	0	91	0	41	2	139	5	0	0
553	0	3 589	7	50	0	20	0	43	0	170	12	1	0
490	0	3 924	6	72	0	26	0	71	2	320	5	0	0
452	0	4 617	4	47	0	22	0	56	0	157	5	0	0
320	0	4 321	5	57	0	27	0	44	0	169	7	0	0
181	1	3 889	4	29	0	27	0	56	1	115	8	0	0
235	0	4 134	6	32	0	21	0	66	1	347	5	0	0
300	0	3 940	13	21	0	23	0	61	0	176	5	0	0
214	0	3 768	8	36	0	24	0	121	2	157	3	0	0
143	0	4 044	10	65	0	50	0	127	1	128	5	0	0
158	0	4 151	1	53	0	16	0	154	3	433	5	0	0
156	0	3 573	7	37	0	32	0	213	0	243	8	0	0
121	0	3 647	12	52	0	20	0	356	1	272	5	0	0
141	0	3 904	14	37	0	14	0	305	4	285	4	0	0

感染症													
コクシジオイデス症		ジカウイルス感染症		重症熱性血小板減少症候群[1]		腎症候性出血熱		ダニ媒介脳炎		炭疽		チクングニア熱	
報告数	死亡数	報告数	死亡数	報告数	死亡数	報告数	死亡数	報告数	死亡数	報告数	死亡数	報告数	死亡数
0	0	–	–	–	–	0	1	–	–	0	0	–	–
1	0	–	–	–	–	0	0	–	–	0	0	–	–
2	0	–	–	–	–	0	1	–	–	0	0	–	–
3	0	–	–	–	–	0	0	–	–	0	0	–	–
1	0	–	–	–	–	0	0	–	–	0	0	–	–
5	0	–	–	–	–	0	0	–	–	0	0	–	–
5	0	–	–	–	–	0	0	–	–	0	0	–	–
2	0	–	–	–	–	0	0	–	–	0	0	–	–
3	0	–	–	–	–	0	0	–	–	0	1	–	–
3	0	–	–	–	–	0	0	–	–	0	0	–	–
2	1	–	–	–	–	0	0	–	–	0	0	–	–
2	0	–	–	–	–	0	0	–	–	0	0	10	0
1	0	–	–	–	–	0	0	–	–	0	0	10	0
2	0	–	–	–	–	0	0	–	–	0	0	14	0
4	0	–	–	48	8	0	0	–	–	0	0	14	0
2	0	–	–	61	13	0	0	–	–	0	0	16	0
3	0	–	–	60	11	0	0	–	–	0	0	17	0
3	0	12	0	60	8	0	0	1	1	0	0	14	0
4	0	5	0	90	19	0	0	2	1	0	0	5	0

1）重症熱性血小板減少症候群（病原体がフレボウイルス属SFTSウイルスであるものに限る）

二類から四類感染症：二類感染症のうち重症急性呼吸器症候群，中東呼吸器症候群，四類感染症のうちオムスク出血熱，キャサヌル森林病，サル痘，西部ウマ脳炎，東部ウマ脳炎，ニパウイルス感染症，ハンタウイルス肺症候群，Bウイルス病，鼻疽，ベネズエラウマ脳炎，ヘンドラウイルス感染症，発疹チフス，リッサウイルス感染症，リフトバレー熱，ロッキー山紅斑熱は，2018年10月27日現在報告がないので本表には掲載していない。
- 2002年11月1日より，ウエストナイル熱が四類感染症に新たに規定された。
  2003年11月5日より，E型肝炎，A型肝炎，サル痘，ニパウイルス感染症，ボツリヌス症，野兎病，リッサウイルス感染症，レプトスピラ症が四類感染症に新たに規定された。
- 乳児ボツリヌス症は2003年11月5日からボツリヌス症に含まれた。
- 2007年4月1日より，結核が2003年11月5日バンコマイシン耐性黄色ブドウ球菌感染症。
- 重症急性呼吸器症候群（病原体がベータコロナウイルス属SARSコロナウイルスであるものに限る）は，2007年4月1日より一類感染症から二類感染症に変更された。
- 2008年5月12日より，インフルエンザ(H5N1)は，指定感染症から二類感染症の鳥インフルエンザ(H5N1)に変更された。
- 2011年2月1日よりチクングニア熱，2013年3月4日より重症熱性血小板減少症候群が四類感染症に新たに規定された。
- 2015年11月21日より，中東呼吸器症候群（病原体がベータコロナウイルス属SARSコロナウイルスであるものに限る）および鳥インフルエンザ(H7N9)は，指定感染症から二類感染症に変更された。

付録

感染症発生動向調査全数把握

年次	平成	つつが虫病 報告数	死亡数	デング熱 報告数	死亡数	鳥インフルエンザ(鳥インフルエンザ(H5N1及びH7N9)を除く) 報告数	死亡数	日本紅斑熱 報告数	死亡数	日本脳炎 報告数	死亡数	ブルセラ症 報告数	死亡数
													四類
1999	11	556	2	9	0	–	–	39	0	5	0	0	0
2000	12	791	1	18	0	–	–	38	0	7	1	0	0
2001	13	491	0	50	0	–	–	40	0	5	0	0	0
2002	14	338	3	52	0	–	–	36	1	8	1	1	0
2003	15	402	0	32	0	–	–	52	0	1	0	0	0
2004	16	313	0	49	0	–	–	66	2	5	0	0	0
2005	17	345	0	74	1	–	–	62	0	7	0	2	0
2006	18	417	1	58	0	–	–	49	1	7	1	5	0
2007	19	382	2	89	0	0	0	98	0	10	0	1	0
2008	20	442	0	104	0	0	0	135	0	3	0	4	0
2009	21	465	1	93	0	0	0	132	0	3	0	2	0
2010	22	407	3	244	0	0	0	132	1	4	0	2	0
2011	23	462	3	113	0	0	0	190	1	9	0	2	0
2012	24	436	3	221	0	0	0	171	2	2	0	2	0
2013	25	344	1	249	0	0	0	175	1	9	2	2	0
2014	26	320	1	341	0	0	0	241	0	2	0	10	0
2015	27	423	2	293	0	0	0	215	4	2	1	5	0
2016	28	505	2	342	0	0	0	277	2	11	1	2	0
2017	29	447	2	245	0	0	0	337	4	3	0	2	0

年次	平成	レプトスピラ症 報告数	死亡数	アメーバ赤痢* 報告数	死亡数	ウイルス性肝炎(E型肝炎及びA型肝炎を除く) 報告数	死亡数	カルバペネム耐性腸内細菌科細菌感染症 報告数	死亡数	急性脳炎2) 報告数	死亡数	クリプトスポリジウム症* 報告数	死亡数
		四類感染症											五類
1999	11	–	–	276	6	1 519	3 951	–	–	0.28	168	4	0
2000	12	–	–	378	6	988	3 961	–	–	0.32	166	3	0
2001	13	–	–	429	5	929	4 226	–	–	0.29	155	11	0
2002	14	–	–	465	4	932	4 314	–	–	0.23	126	109	0
2003	15	1	0	520	2	636	4 443	–	–	12	126	8	0
2004	16	18	0	610	4	293	4 485	–	–	167	100	92	0
2005	17	17	1	698	4	277	4 596	–	–	188	125	12	0
2006	18	24	0	752	8	280	373	–	–	167	85	18	0
2007	19	34	1	801	6	237	387	–	–	228	114	6	0
2008	20	43	0	872	4	239	371	–	–	192	102	10	0
2009	21	16	1	786	7	223	341	–	–	526	103	17	0
2010	22	22	1	843	4	221	336	–	–	242	105	16	0
2011	23	32	0	814	4	250	351	–	–	258	103	8	0
2012	24	30	1	932	3	236	304	–	–	371	111	6	0
2013	25	29	0	1 047	6	286	310	–	–	369	99	25	0
2014	26	48	1	1 134	3	226	240	314	–	459	82	98	0
2015	27	33	1	1 109	5	255	248	1673	1	511	92	15	0
2016	28	76	0	1 151	4	280	212	1573	0	763	96	14	0
2017	29	46	0	1 089	5	294	254	1660	0	702	104	19	0

2）急性脳炎（ウエストナイル脳炎，西部ウマ脳炎，ダニ媒介脳炎，東部ウマ脳炎，日本脳炎，ベネズエラウマ脳炎及びリフトバレー熱を除く）

五類感染症：
・2003年11月5日より，急性脳炎は，定点把握対象疾患から全数把握対象疾患となった。
・ウイルス性肝炎(E型肝炎およびA型肝炎を除く)は，2003年11月5日前はE型肝炎およびA型肝炎を含む。
・2003年11月5日より，バンコマイシン耐性黄色ブドウ球菌感染症が四類感染症に新たに規定された。
・2008年1月1日より，風疹は定点把握対象疾患から全数把握対象疾患となった。
・2008年1月1日より，麻疹は定点把握対象疾患の麻疹及び成人麻疹から全数把握対象疾患となった。
・2013年4月1日より，侵襲性インフルエンザ菌感染症，侵襲性髄膜炎菌感染症，侵襲性肺炎球菌感染症が五類感染症に新たに規定され，髄膜炎菌性髄膜炎が削除された。
・髄膜炎菌性髄膜炎は2013年3月31日までの報告であり，2013年4月1日以降は侵襲性髄膜炎菌感染症に変更された。
・2014年9月19日より，カルバペネム耐性腸内細菌科細菌感染症，水痘，播種性クリプトコックス症が五類感染症に新たに規定された。
・2014年9月19日より，薬剤耐性アシネトバクター感染症は，定点把握対象疾患から全数把握対象疾患となった。

予防接種関連統計（付録219）583

感染症報告数・死亡数（続き）

感染症													
ボツリヌス症		乳児ボツリヌス症		マラリア		野兎病		ライム病		類鼻疽		レジオネラ症	
報告数	死亡数	報告数	死亡数	報告数	死亡数	報告数	死亡数	報告数	死亡数	報告数	死亡数	報告数	死亡数
-	-	1	0	112	6	-	-	14	0	-	-	56	11
-	-	0	0	154	1	-	-	12	0	-	-	154	12
-	-	0	0	109	0	-	-	15	0	-	-	86	13
-	-	0	0	83	1	-	-	15	0	-	-	167	15
0	0	0	0	78	1	-	-	5	0	-	-	146	14
0	0	-	-	75	1	-	-	5	0	-	-	161	8
3	0	-	-	67	1	-	-	8	0	-	-	281	21
2	0	-	-	62	1	-	-	13	0	-	-	518	31
3	0	-	-	52	0	0	0	11	1	-	-	668	31
2	0	-	-	56	1	5	0	5	0	-	-	893	46
0	0	-	-	56	1	0	0	10	0	-	-	717	58
1	0	-	-	74	0	0	0	11	0	5	0	751	43
6	0	-	-	78	2	0	0	9	0	3	0	818	56
3	1	-	-	72	0	0	0	12	0	0	0	899	58
0	0	-	-	47	0	0	0	20	0	4	0	1 124	64
1	0	-	-	60	0	1	0	17	0	0	0	1 248	65
1	0	-	-	40	1	2	0	9	0	1	0	1 592	59
5	0	-	-	54	2	0	0	8	0	0	0	1 602	67
4	1	-	-	61	2	0	0	19	0	1	0	1 733	53

感染症													
クロイツフェルト・ヤコブ病*		劇症型溶血性レンサ球菌感染症*		後天性免疫不全症候群*		ジアルジア症*		髄膜炎菌性髄膜炎*		侵襲性インフルエンザ菌感染症		侵襲性髄膜炎菌感染症	
報告数	死亡数	報告数	死亡数	報告数	死亡数	報告数	死亡数	報告数	死亡数	報告数	死亡数	報告数	死亡数
92	115	21	2	588	45	42	0	10	0	-	-	-	-
108	113	44	10	794	50	98	0	15	0	-	-	-	-
133	123	46	7	947	37	137	0	8	0	-	-	-	-
147	134	92	16	916	54	113	0	9	0	-	-	-	-
118	142	52	10	970	61	103	0	18	0	-	-	-	-
176	165	52	7	1 162	49	94	0	21	0	-	-	-	-
153	155	60	8	1 203	69	86	0	10	0	-	-	-	-
178	173	104	18	1 348	60	86	0	14	0	-	-	-	-
158	167	93	15	1 493	65	53	0	17	0	-	-	-	-
152	203	104	13	1 567	54	73	0	10	0	-	-	-	-
143	166	103	8	1 446	61	70	0	10	0	-	-	-	-
172	218	122	14	1 553	61	77	0	7	1	-	-	-	-
138	219	197	17	1 535	53	65	0	12	0	-	-	-	-
185	241	242	23	1 438	50	72	0	15	0	-	-	-	-
203	252	203	20	1 586	45	82	0	2	0	108	1	23	2
177	245	268	12	1 538	45	68	0	-	-	200	0	37	0
192	263	415	30	1 431	56	81	0	-	-	252	3	34	0
175	259	494	29	1 443	66	71	0	-	-	312	2	43	2
200	292	587	28	1 395	38	60	0	-	-	372	3	25	1

＊2003年11月前は四類感染症に分類されていた。

注　重症急性呼吸器症候群，痘瘡，E型肝炎，A型肝炎，高病原性鳥インフルエンザ，サル痘，ニパウイルス感染症，ボツリヌス症，野兎病，リッサウイルス感染症およびレプトスピラ症は2003年11月から調査対象になった。2007年6月〔一類感染症に南米出血熱，二類感染症に結核が追加，重症急性呼吸器症候群は一類から二類に変更，コレラ，細菌性赤痢，腸チフス，パラチフスは二類から三類に変更，その他〕，2008年1月〔麻疹と風疹が全数届出へ〕，同年5月〔高病原性鳥インフルエンザは，鳥インフルエンザ(H5N1)が二類感染症，鳥インフルエンザ〔鳥インフルエンザ(H5N1及びH7N9)を除く〕が四類感染症となった〕に変更されている。

付録

感染症発生動向調査全数把握感染症報告数・死亡数(続き)

年次	平成	侵襲性肺炎球菌感染症		水痘(入院例に限る)		先天性風疹症候群*		梅毒*		播種性クリプトコックス症		破傷風*	
		報告数	死亡数	報告数	死亡数	報告数	死亡数	報告数	死亡数	報告数	死亡数	報告数	死亡数
1999	11	–	–	–	–	0	1	742	21	–	–	66	10
2000	12	–	–	–	–	1	0	761	12	–	–	91	10
2001	13	–	–	–	–	1	0	585	21	–	–	80	12
2002	14	–	–	–	–	1	1	575	10	–	–	106	9
2003	15	–	–	–	–	1	0	509	10	–	–	73	7
2004	16	–	–	–	–	10	0	536	14	–	–	101	9
2005	17	–	–	–	–	2	1	543	17	–	–	115	7
2006	18	–	–	–	–	0	0	637	16	–	–	117	5
2007	19	–	–	–	–	0	0	718	15	–	–	89	7
2008	20	–	–	–	–	0	0	831	16	–	–	123	10
2009	21	–	–	–	–	2	0	691	16	–	–	113	9
2010	22	–	–	–	–	0	0	621	11	–	–	106	14
2011	23	–	–	–	–	1	0	827	9	–	–	118	7
2012	24	–	–	–	–	4	0	875	9	–	–	118	8
2013	25	1001	30	–	–	32	2	1 228	6	–	–	128	5
2014	26	1825	35	143	5	9	1	1 661	18	37	21	126	9
2015	27	2403	58	318	10	0	0	2 690	9	120	25	120	9
2016	28	2735	47	318	3	0	0	4 575	9	137	33	129	8
2017	29	3205	70	312	7	0	0	5 826	19	137	46	125	8

年次	平成	バンコマイシン耐性黄色ブドウ球菌感染症		バンコマイシン耐性腸球菌感染症*		風疹		麻疹		薬剤耐性アシネトバクター感染症	
		報告数	死亡数	報告数	死亡数	報告数	死亡数	報告数	死亡数	報告数	死亡数
1999	11	–	–	23		–	0	–	29	–	–
2000	12	–	–	36		–	0	–	18	–	–
2001	13	–	–	40		–	1	–	21	–	–
2002	14	–	–	44		–	1	–	10	–	–
2003	15	0	–	59		–	1	–	6	–	–
2004	16	0	–	58		–	0	–	3	–	–
2005	17	0	–	69		–	0	–	3	–	–
2006	18	0	0	83	1	–	0	–	0	–	–
2007	19	0	0	84	0	–	0	–	2	–	–
2008	20	0	1	80	0	294	0	11 013	1	–	–
2009	21	0	0	116	1	147	0	732	2	–	–
2010	22	0	0	120	1	87	1	447	0	–	–
2011	23	0	0	73	1	378	0	439	1	–	–
2012	24	0	0	91	0	2 386	0	283	0	–	–
2013	25	0	0	55	0	14 344	1	229	2	–	–
2014	26	0	0	56	0	319	0	462	1	15	1
2015	27	0	0	66	0	163	0	35	0	38	0
2016	28	0	0	61	0	126	1	165	0	33	0
2017	29	0	0	83	0	91	0	186	0	28	0

予防接種関連統計（付録221）585

伝染病（法定・指定＊）　患者数および死者数の推移

（単位：人）

年次	昭和	コレラ 患者	コレラ 死者	赤痢 患者	赤痢 死者	腸チフス 患者	腸チフス 死者	パラチフス 患者	パラチフス 死者	痘瘡 患者	痘瘡 死者	発疹チフス 患者	発疹チフス 死者	猩紅熱 患者	猩紅熱 死者
46	21	1 245	560	88 213	13 409	44 658	5 446	9 154	466	17 954	3 029	32 366	3 351	2 208	100
47	22	0	0	39 219	9 573	17 809	2 926	4 728	316	386	85	1 106	135	2 635	71
48	23	0	0	14 665	5 157	9 489	1 433	2 917	170	29	3	475	47	2 982	42
49	24	0	0	23 961	7 765	6 391	936	2 189	116	124	14	111	18	4 602	58
50	25	0	0	49 780	11 968	4 883	630	1 711	80	5	2	928	68	5 149	33
51	26	0	0	93 039	14 814	3 878	351	1 302	49	86	12	3	2	5 096	34
52	27	0	0	111 709	13 584	2 898	189	835	32	2	0	16	0	6 168	48
53	28	0	0	108 009	10 851	2 521	157	1 098	16	6	0	0	0	12 619	56
54	29	0	0	98 810	9 341	2 567	124	760	24	2	0	0	1	19 861	87
55	30	0	0	80 654	6 042	1 939	105	590	13	1	0	0	0	13 486	62
56	31	0	0	84 437	7 042	2 123	80	509	19	0	0	0	0	12 172	63
57	32	0	0	74 780	8 042	2 113	76	344	7	0	0	1	0	14 499	44
58	33	0	0	81 577	9 042	1 901	54	1 149	8	0	0	0	0	13 734	31
59	34	0	0	85 695	10 042	1 546	37	411	8	0	0	0	0	9 882	38
60	35	0	0	92 971	11 042	1 572	39	319	6	0	0	0	0	8 786	22
61	36	0	0	91 538	12 042	1 061	34	213	9	0	0	0	0	6 251	32
62	37	0	0	73 999	13 042	910	14	203	10	0	0	0	0	8 382	18
63	38	1	0	69 813	14 042	995	16	148	3	0	0	0	0	16 034	20
64	39	2	1	52 420	15 042	890	20	148	3	0	0	0	0	12 907	19
65	40	0	0	48 621	16 042	789	9	71	1	0	0	0	0	10 735	14
66	41	0	0	65 131	17 042	893	13	119	6	0	0	0	0	8 827	15
67	42	0	0	30 097	18 042	511	10	138	2	0	0	0	0	6 933	8
68	43	0	0	17 792	19 042	390	3	102	1	0	0	0	0	6 237	3
69	44	0	0	12 954	20 042	417	9	81	2	0	0	0	0	6 143	6
70	45	0	0	9 996	21 042	211	3	50	0	0	0	0	0	7 774	3
71	46	0	0	5 833	22 042	276	3	53	1	0	0	0	0	9 597	6
72	47	0	0	7 104	23 042	304	1	55	0	0	0	0	0	9 531	1
73	48	0	0	3 758	24 042	258	3	48	0	0	0	0	0	9 416	1
74	49	0	0	1 719	25 042	283	3	49	2	1	0	0	0	8 242	0
75	50	0	0	1 498	26 042	524	1	81	1	0	0	0	0	7 518	2
76	51	0	0	727	27 042	372	3	74	2	0	0	0	0	5 314	1
77	52	29	1	737	28 042	346	4	77	0	0	0	0	0	3 933	0
78	53	34	1	1 037	29 042	385	1	123	1	0	0	0	0	3 733	0
79	54	11	0	1 313	30 042	391	2	135	0	0	0	0	0	4 437	0
80	55	22	0	951	31 042	294	0	123	2	0	0	0	0	2 804	0
81	56	19	0	1 021	32 042	292	3	185	0	0	0	0	0	1 586	1
82	57	15	0	1 260	33 042	247	2	201	0	0	0	0	0	908	1
83	58	35	0	1 658	34 042	288	0	167	0	0	0	0	0	749	0
84	59	55	0	997	35 042	196	1	142	0	0	0	0	0	640	0
85	60	34	0	1 128	36 042	211	0	141	0	0	0	0	0	368	0
86	61	26	0	1 303	37 042	184	0	37	0	0	0	0	0	319	0
87	62	34	0	1 275	38 042	145	0	27	0	0	0	0	0	222	0
88	63	33	0	1 046	39 042	111	0	32	0	0	0	0	0	185	0
89	元	95	0	924	40 042	105	0	65	0	0	0	0	0	96	0
90	2	73	0	920	41 042	120	2	26	0	0	0	0	0	29	0
91	3	90	0	1 120	42 042	106	1	25	0	0	0	0	0	22	0
92	4	48	0	1 124	43 042	71	0	29	0	0	0	0	0	31	0
93	5	92	0	1 120	44 042	129	0	46	0	0	0	0	0	23	0
94	6	90	0	1 042	45 042	71	1	49	0	0	0	0	0	6	0
95	7	306	1	1 062	46 042	64	0	75	0	0	0	0	0	5	0
96	8	40	0	1 218	47 042	81	0	32	0	0	0	0	0	4	0
97	9	89	0	1 301	48 042	79	0	37	0	0	0	0	0	3	0
98	10	61	0	1 749	49 042	61	0	54	0	0	0	0	0	0	0

（注）・ペストについては，患者・死者ともになし。
　　・1972（昭和47）年から沖縄県分含む。
　　・太字は予防接種対象疾病
　　・パラチフスについては，1985（昭和60）年11月より「パラチフスA」のみを対象とした。
　　・コレラについては，1988（昭和63）年10月1日より「CT（＋）」のみを対象とした。

＊　感染症法の施行（1999年4月）により，法定・指定・届出伝染病は一類〜四類感染症，2003年からは一類〜五類感染症に分類され，感染症発生動向調査事業により全数把握と定点把握として集計されている（本文61〜62頁参照）。全数把握による感染症報告数・死亡数は付録216頁に，定点把握による予防接種対象疾病の報告数は付録215頁に掲載した。

付録

伝染病（法定・指定*）　患者数および死者数の推移（続き）

年次	昭和	ジフテリア 患者	死者	流行性脳髄膜炎 患者	死者	日本脳炎 患者	死者	急性灰白髄炎（ポリオ） 患者	死者	ラッサ熱 患者	死者	腸管出血性大腸菌感染症 患者	死者	計 患者	死者
46	21	49 864	3 825	1 436	455	201	99	0	0			…	…	247 300	30 740
47	22	28 307	3 390	3 373	1 187	263	228	275	12				…	98 101	18 920
48	23	16 377	1 903	2 052	650	4 757	2 620	993	755				…	54 733	12 800
49	24	14 555	1 635	1 446	492	1 284	1 177	3 127	1 074				…	57 790	13 285
50	25	12 621	1 182	1 193	367	5 196	2 430	3 212	775					84 678	17 535
51	26	10 749	895	1 111	302	2 188	956	4 233	570					121 685	17 985
52	27	8 381	639	912	227	3 545	1 437	2 317	508					136 783	16 665
53	28	9 589	773	856	196	1 729	720	2 286	441					138 716	13 210
54	29	10 490	795	676	155	1 758	732	1 921	442					136 845	11 701
55	30	15 557	913	630	161	3 699	1 373	1 314	314					117 870	8 983
56	31	18 395	980	610	147	4 538	1 600	1 498	290					124 281	8 344
57	32	15 423	887	760	155	1 793	744	1 713	255					111 431	5 931
58	33	15 641	619	638	135	3 900	1 349	2 610	243					121 150	6 155
59	34	17 936	706	573	124	1 979	723	2 917	201					120 939	4 294
60	35	14 921	497	526	112	1 607	650	5 606	317					127 308	3 691
61	36	9 790	286	504	96	2 053	825	2 436	169					113 846	3 091
62	37	7 451	206	390	73	1 363	568	289	66					92 987	2 064
63	38	4 866	76	320	79	1 205	566	131	48					93 513	1 564
64	39	2 774	42	249	59	2 683	1 365	84	24					72 157	2 004
65	40	2 159	39	214	50	844	222	76	28					63 509	633
66	41	1 520	22	144	33	2 017	783	33	17					78 684	1 154
67	42	1 207	17	117	34	771	209	26	16					39 800	445
68	43	807	20	122	18	367	219	20	13					25 837	359
69	44	616	3	93	28	147	66	16	12					20 467	188
70	45	596	6	72	18	109	45	8	11					18 816	137
71	46	433	8	49	6	106	45	6	8					16 353	109
72	47	319	5	58	6	22	10	7	1					17 400	46
73	48	250	8	42	10	70	27	6	4					13 849	69
74	49	173	1	27	13	6	2	4	2					10 504	32
75	50	139	5	33	10	27	6	4	3					9 824	34
76	51	145	2	33	11	13	9	0	0					6 678	34
77	52	122	2	42	13	5	0	0	0					5 291	31
78	53	69	0	28	6	88	21	0	0					5 497	34
79	54	104	1	25	2	86	26	0	0					6 502	36
80	55	66	1	24	3	40	15	2	0	0	0			4 326	22
81	56	47	0	25	2	23	5	2	0	0	0			3 200	12
82	57	30	0	18	2	21	4	1	0	0	0			2 701	13
83	58	20	0	15	2	32	8	0	0	0	0			2 964	13
84	59	15	0	25	4	27	5	0	0	0	0			2 097	13
85	60	10	0	27	1	39	8	1	0	0	0			1 959	15
86	61	9	0	22	1	26	3	0	0	0	0			1 926	8
87	62	7	1	21	1	37	7	2	0	1	0			1 771	12
88	63	9	0	9	1	32	4	0	0	0	0			1 457	8
89	元	4	0	10	0	27	4	0	0	0	0			1 326	8
90	2	5	0	12	2	54	8	0	0	0	0			1 239	17
91	3	2	0	10	0	13	4	0	0	0	0			1 388	8
92	4	4	0	11	1	2	0	0	0	0	0			1 320	4
93	5	5	1	7	0	4	1	3	0	0	0			1 429	5
94	6	1	0	6	0	4	0	0	0	0	0			1 270	2
95	7	0	0	2	0	2	0	1	0	0	0			1 519	7
96	8	1	0	4	0	4	0	0	0	0	0	1 287	3	2 671	9
97	9	1	0	3	0	4	0	0	0	0	0	1 941	2	3 460	7
98	10	3	0	6	1	2	0	0	0	0	0	2 077	5	4 013	8

（資料）・1946(昭和21)年は患者数，死者数とも厚生省「衛生統計」により，1947(昭和22)年以降の患者数は厚生省「伝染病統計」，死者数は厚生省「人口動態統計」による。
　　　　・患者数は真症のみで，死者数は疑似・保菌も含む。
　　　　・「…」は計数不明
　　　　・ラッサ熱は，1980(昭和55)年からの統計

予防接種関連統計（付録223）587

伝染病（届出） 患者数および死者数の推移

年次	疾病 昭和	インフルエンザ 患者	死者	狂犬病 患者	死者	炭疽 患者	死者	伝染性下痢症 患者	死者	百日咳 患者	死者	麻疹 患者	死者
46	21	...	...	...	...	...	...	...	...	...	...	...	...
47	22	16 898	1 903	22	16	13	2	...	...	152 072	17 001	181 303	20 939
48	23	2 848	515	46	40	4	0	697	...	53 508	4 746	55 234	5 598
49	24	2 927	524	74	79	11	0	769	...	126 110	9 105	164 646	12 389
50	25	39 324	1 250	57	63	2	0	91	...	122 796	8 426	56 236	3 745
51	26	5 958	747	13	13	2	0	1 520	...	78 612	3 905	181 866	9 036
52	27	1 634	298	5	6	0	0	147	...	56 868	2 425	57 502	3 063
53	28	89 942	2 659	3	3	3	1	59	...	45 262	1 400	127 723	5 880
54	29	4 444	300	1	1	3	1	109	...	67 028	1 830	71 605	3 309
55	30	18 639	539	0	0	6	1	81	...	14 134	401	60 271	2 258
56	31	24 991	543	1	1	1	0	424	...	18 524	332	68 153	2 361
57	32	983 105	7 735	0	0	0	0	37	...	20 112	340	65 886	2 772
58	33	32 944	1 973	0	0	3	3	45	2	29 948	478	29 351	974
59	34	19 401	1 001	0	0	5	3	131	2	9 742	178	75 417	1 882
60	35	142 892	4 012	0	0	3	0	226	2	3 890	65	48 395	1 346
61	36	111 830	1 593	0	0	2	0	47	0	5 225	46	39 192	976
62	37	474 723	7 014	0	0	2	0	58	0	11 552	117	63 809	1 112
63	38	774	226	0	0	1	0	2	1	4 132	61	38 141	779
64	39	110 204	609	0	0	1	0	1	0	1 167	11	52 494	847
65	40	409 391	5 024	0	0	22	0	3	0	2 362	22	37 789	598
66	41	41 437	383	0	0	1	0	2	1	3 136	15	52 991	671
67	42	55 321	365	0	0	4	0	10	0	820	7	21 157	210
68	43	139 961	2 003	0	0	1	0	13	0	460	6	43 060	563
69	44	122 806	1 918	0	0	3	0	6	0	1 078	4	22 179	321
70	45	173 371	3 707	1	0	2	1	20	0	655	5	31 248	556
71	46	39 474	631	0	0	1	1	0	1	206	4	22 153	315
72	47	58 294	856	0	0	3	1	0	1	269	2	27 096	378
73	48	201 034	1 053	0	0	3	2	0	0	364	4	22 418	367
74	49	22 203	1 151	0	0	0	0	0	0	393	0	24 002	417
75	50	36 250	1 391	0	0	0	0	1	1	1 084	5	15 217	232
76	51	321 601	2 654	0	0	0	0	5	0	2 508	20	31 647	268
77	52	198 427	682	0	0	0	0	7	0	5 420	20	18 061	138
78	53	119 812	707	0	0	0	0	4	0	9 626	32	34 305	181
79	54	12 524	136	0	0	0	0	0	0	13 105	41	18 866	80
80	55	66 744	718	0	0	0	0	24	0	5 033	18	13 219	50
81	56	19 910	193	0	0	0	0	3	0	3 368	12	21 471	52
82	57	72 188	802	0	0	1	0	3	0	2 832	1	6 716	24
83	58	26 143	751	0	0	0	0	58	0	2 459	12	7 281	47
84	59	17 882	191	0	0	1	0	16	0	1 114	5	12 268	90
85	60	63 572	523	0	0	0	0	0	0	938	7	2 810	36
86	61	14 296	280	0	0	0	0	0	0	1 037	5	6 323	68
87	62	5 759	121	0	0	0	0	3	0	909	9	5 872	96
88	63	17 859	192	0	0	0	0	0	0	499	5	3 109	78
89	元	11 508	121	0	0	0	0	0	0	229	1	1 753	34
90	2	25 021	448	0	0	0	0	0	0	583	4	3 259	53
91	3	5 868	100	0	0	0	0	0	0	536	2	5 452	39
92	4	6 053	177	0	0	2	0	0	0	391	1	2 250	14
93	5	16 655	519	0	0	1	0	1	0	131	2	2 002	14
94	6	2 404	65	0	0	2	1	1	0	145	3	1 766	11
95	7	22 393	1 244	0	0	0	0	0	0	226	5	931	7
96	8	8 774	166	0	0	0	0	10	0	183	5	1 640	15
97	9	8 816	815	0	0	0	0	140	0	42	2	899	18
98	10	14 778	528	0	0	0	0	0	0	43	0	761	25

（注）・黄熱については，患者・死者ともになしのため，本表では省略した。
・1972（昭和47）年から沖縄県を含む。

付録

588　（付録 224）予防接種関連統計

伝染病（届出）　患者数および死者数の推移（続き）

年次	昭和	破傷風 患者	破傷風 死者	マラリア 患者	マラリア 死者	つつが虫病 患者	つつが虫病 死者	フィラリア病 患者	フィラリア病 死者	回帰熱 患者	回帰熱 死者	計 患者	計 死者
46	21	…	…	28 210	…	…	…	…	…	…	…	28 210	…
47	22	1 625	2 221	11 825	456	…	19	…	50	…	10	363 758	42 617
48	23	1 979	2 138	4 953	224	…	15	…	43	…	1	119 269	13 320
49	24	2 168	1 958	3 716	120	…	4	…	67	…	2	300 421	24 248
50	25	1 915	1 558	1 016	73	116	5	106	59	…	0	221 659	15 179
51	26	1 725	1 439	480	38	100	1	71	64	…	0	270 347	15 243
52	27	1 438	1 353	262	38	97	0	40	55	…	1	117 993	7 239
53	28	1 243	1 168	168	33	104	2	55	61	…	0	264 562	11 207
54	29	1 044	1 020	337	19	74	0	187	64	…	0	144 832	6 544
55	30	960	887	66	20	43	0	61	54	…	0	94 261	4 160
56	31	998	869	47	12	38	0	98	57	0	0	113 275	4 175
57	32	945	755	33	14	41	0	61	53	0	0	1 070 220	11 669
58	33	853	648	28	13	35	1	122	46	0	0	93 329	4 138
59	34	853	633	16	10	40	0	39	50	0	0	105 644	3 759
60	35	820	605	16	10	63	0	59	44	0	0	196 364	6 084
61	36	760	588	22	6	109	0	80	38	0	0	157 267	3 247
62	37	707	498	18	5	72	0	1 536	31	0	0	552 477	8 777
63	38	667	485	16	7	39	0	126	32	0	0	43 898	1 591
64	39	641	448	10	5	19	0	639	25	0	0	165 176	1 945
65	40	542	384	6	3	8	0	118	33	0	0	450 241	6 064
66	41	453	318	15	4	13	0	14	28	0	0	98 062	1 420
67	42	410	300	12	3	6	0	19	15	0	0	77 759	900
68	43	338	249	19	6	5	0	13	13	0	0	183 870	2 840
69	44	320	231	16	1	3	0	61	10	0	0	146 472	2 485
70	45	243	160	17	4	6	0	12	14	0	0	205 575	4 447
71	46	217	152	13	7	9	0	6	17	0	0	62 079	1 128
72	47	183	138	23	5	10	0	3	10	0	0	85 881	1 391
73	48	175	123	42	6	7	0	47	8	0	0	224 091	2 013
74	49	155	105	33	1	10	0	19	7	0	0	46 815	1 681
75	50	103	85	30	1	12	0	24	8	0	0	52 721	1 723
76	51	90	82	24	2	31	0	8	8	0	0	355 914	3 034
77	52	72	79	37	3	39	1	5	8	0	0	222 068	931
78	53	74	63	23	4	61	0	1	11	0	0	163 906	998
79	54	59	51	29	1	94	1	3	3	0	0	44 680	313
80	55	50	45	55	6	212	1	2	3	0	0	85 339	841
81	56	41	50	41	3	388	2	4	4	0	0	45 223	316
82	57	36	26	49	4	508	0	1	5	0	0	82 334	862
83	58	56	44	54	2	672	1	1	1	0	0	36 724	858
84	59	42	31	69	1	957	3	1	2	0	0	32 350	323
85	60	43	28	56	2	885	3	1	3	0	0	68 305	602
86	61	62	22	54	1	763	5	1	1	0	0	22 535	382
87	62	50	19	45	1	804	0	1	1	0	0	13 443	247
88	63	53	17	55	1	608	3	1	1	0	0	22 184	297
89	元	42	11	57	2	754	0	2	0	0	0	14 345	169
90	2	47	26	55	1	941	3	0	2	0	0	29 906	537
91	3	34	20	58	1	937	1	0	0	0	0	12 886	163
92	4	47	17	51	0	704	4	0	0	0	0	9 498	213
93	5	33	14	58	0	712	4	1	1	0	0	19 594	554
94	6	44	11	74	3	652	4	0	0	0	0	5 088	99
95	7	45	13	66	0	529	3	1	1	0	0	24 191	1 273
96	8	44	16	51	0	423	1	1	1	0	0	11 126	204
97	9	47	16	69	1	487	4	1	1	0	0	10 501	857
98	10	47	9	79	4	538	2	1	1	0	0	16 247	569

（資料）・1946（昭和21）年は患者数，死者数とも厚生省「衛生統計」により，1947（昭和22）年以降の患者数は厚生省「伝染病統計」，死者数は厚生省「人口動態統計」による。
　　　・患者数は真症のみで，死者数は疑似・保菌も含む。
　　　・「…」は計数不明

索　引

【あ】

亜急性硬化性全脳炎　*219*
明らかな発熱　*48*
悪性腫瘍　*50*
アクトヒブ　*130*
アジュバント　*80, 90*
　候補物質　*92*
　作用機序　*92*
アナフィラキシー　*48, 55*
アルミニウムアジュバント　*80, 93*
アレルギー　*55*
安全基準　*44*
安定剤　*89*

【い】

イエローカード　*328*
一次性ワクチン効果不全対策　*59*
一類感染症　*61*
イモバックス　*124*
医薬品医療機器総合機構　*22, 70*
医薬品，医療機器等の品質，有効性及び安全性
の確保等に関する法律　*13, 37, 70*
医薬品医療機器等法　*13, 37, 70*
医薬品副作用被害救済制度　*5*
医療関係者に求められる予防接種　*56*
医療関係者のためのワクチンガイドライン　*57*
飲食物感染　*351*
インターフェロン　*82, 86*
インターフェロン-γ産生能　*109*
咽頭ジフテリア　*160*
インフォームドコンセント　*17*
インフラマゾーム　*85*
インフルエンザ　*59, 203*
　高リスク患者　*206*
　症状　*205*
　診断　*205*

（インフルエンザ）
　治療　*205*
　発生状況　*206*
　命名法　*203*
　予後　*206*
　流行史　*203*
インフルエンザHAワクチン
　　　　　　　　　114, 115, 122, 137
インフルエンザウイルス　*203*
　構造　*204*
インフルエンザ菌b型感染症　*250*
インフルエンザ菌b型結合型ワクチン
　　　　　　　　　　　　19, 250
　接種不適当者　*257*
　接種方法　*258*
　接種要注意者　*257*
　注意　*258*
　副反応　*255*
　米国　*249*
　免疫効果　*252*
インフルエンザ定点　*62*
インフルエンザ様疾患発生報告　*77*
インフルエンザワクチン　*203*
　英文予防接種証明書　*355*
　海外　*215*
　具体的接種方法　*215*
　経鼻生ワクチン　*216*
　高齢者用の高容量ワクチン　*216*
　国内　*207*
　細胞培養ワクチン　*216*
　接種不適当者　*213*
　接種方法　*214*
　接種要注意者　*213*
　注意　*215*
　定期接種の対象　*214*
　貼るワクチン　*217*
　皮内ワクチン　*217*
　副反応　*212*

（インフルエンザワクチン）
　免疫効果　*211*
　レコンビナントワクチン　*216*

【う・え】

ウイルス様粒子　*277*
英文予防接種証明書　*356*
エイムゲン　*128*
エスケープミュータント　*296*
炎症性サイトカイン　*84*
炎症性肉芽腫　*100*
エンセバック　*128*

【お】

応急治療措置　*44*
黄熱　*61, 326*
　疫学　*326*
　感染経路　*326*
　関連法規　*327*
　発生状況　*328*
黄熱ウイルス　*326*
黄熱生ワクチン　*117*
黄熱ワクチン　*326*
　英文予防接種証明書　*353*
　授乳婦　*331*
　推奨される国/地域　*327*
　接種施設　*330, 354*
　接種不適当者　*332*
　接種方法　*333*
　接種要注意者　*333*
　注意　*333*
　副反応　*331*
　免疫効果　*331*
黄熱ワクチン関連神経障害　*331*
黄熱ワクチン関連臓器障害　*332*
おたふくかぜ　*299*
　発生状況　*300*
おたふくかぜワクチン　*299*
　海外　*302*
　接種不適当者　*305*
　接種方法　*306*
　接種要注意者　*305*
　注意　*306*

（おたふくかぜワクチン）
　副反応　*303*
　免疫効果　*302*

【か】

ガーダシル　*132*
海外渡航　*348*
　A型肝炎ワクチン　*316*
　ウェブサイト　*350*
　黄熱ワクチン　*328*
　狂犬病ワクチン　*321*
　髄膜炎菌ワクチン　*336*
　先進国　*352*
　途上国　*352*
外国人への予防接種　*41*
獲得免疫　*84*
カスパーゼ　*83*
課長通知　*34*
学校感染症情報　*76*
カルメット・ゲラン菌　*182*
眼科定点　*62*
感受性調査　*64*
勧奨接種　*39, 42*
感染症週報　*60*
感染症発生状況　*10*
感染症発生動向調査　*60*
　患者情報　*63*
　対象感染症　*61*
　病原体情報　*67*
感染症法　*18, 27, 60*
感染症流行状況　*350*
感染症流行予測調査　*62*
感染症流行予測調査事業　*62, 197*
感染性胃腸炎　*62*
乾燥BCGワクチン　*129*
乾燥ガスえそウマ抗毒素　*152*
乾燥細胞培養日本脳炎ワクチン
　　　　　　　　　112, 128, 136
肝臓疾患　*49*
乾燥ジフテリアウマ抗毒素　*152*
乾燥弱毒生おたふくかぜワクチン
　　　　　　　　　116, 122, 134
乾燥弱毒生水痘ワクチン　*128, 137*
乾燥弱毒生風疹ワクチン　*115, 122, 134*

索　引　591

乾燥弱毒生麻疹風疹ワクチン　115, 120
乾燥弱毒生麻疹ワクチン　114, 120, 134
乾燥組織培養不活化A型肝炎ワクチン
　　　　　　　　　　　　　　116, 128
乾燥組織培養不活化狂犬病ワクチン
　　　　　　　　　　　117, 130, 137
乾燥はぶウマ抗毒素　151
乾燥ヘモフィルスb型ワクチン　113, 130
乾燥ボツリヌスウマ抗毒素　153
乾燥まむしウマ抗毒素　151
ガンマグロブリン製剤　47

【き】

基幹定点　62
企業報告　71
疑似症患者　61
疑似症定点　62
既接種者　42
季節性インフルエンザワクチン
　株の選定　207
　製造株　209
　製造方法　207
基礎疾患　51
北里柴三郎　12, 80
救急処置物品　44
救急搬送措置　44
急性B型肝炎　291
急性灰白髄炎　61, 163
急性散在性脳脊髄炎　17, 196
急性弛緩性麻痺　24, 61
牛痘　9
牛痘ウイルス　11
狂犬病　11, 61, 320
　関連法規　321
　発生状況　321
狂犬病ウイルス　320
狂犬病ワクチン　80, 117, 130, 137, 320
　海外渡航者　321
　国内と海外　325
　接種不適当者　323
　接種方法　324
　接種要注意者　323
　注意　324
　曝露後免疫　324, 325

（狂犬病ワクチン）
　曝露前免疫　324
　副反応　323
　免疫効果　323
恐水症　320
強制接種　13
局長通知　34
ギラン・バレー症候群　76
緊急事態宣言　35
筋注用人免疫グロブリン製剤　138
　ウイルス除去法　144
　原料　144
　半減期　144
筋肉注射　99

【く】

クアトロバック　124
空気感染　351
クォンティフェロンTBゴールド　191
組換え沈降2価ヒトパピローマウイルス様粒子
　ワクチン　114, 132, 278
組換え沈降B型肝炎ワクチン　130
組換え沈降4価ヒトパピローマウイルス様粒子
　ワクチン　114, 132, 278
クロストリジウム・ディフィシルワクチン　111

【け】

経過観察措置　44
経口弱毒生ヒトロタウイルスワクチン
　　　　　　　　　　　　　　116, 132
経口生ポリオワクチン　166
鶏卵由来成分　55
けいれん　46, 52
血清抗体測定法　108
血液疾患　49
結核　61, 179
　発生状況　179
　罹患率　180
結核予防法　18
結核入国前スクリーニング　180
結合型ワクチン　81, 262
結合蛋白　90
血清療法　80

592 索　引

ケロイド　49
検疫所　354
健康診断　42

【こ】

抗HBs人免疫グロブリン　141, 291, 298
抗Rh（D）免疫グロブリン　143
抗RSVヒト化モノクローナル抗体　150
抗原蛋白分散剤　89
抗原提示細胞　85
膠原病　51
厚生労働省健康局結核感染症課　62
酵素免疫測定法　108
抗体　80, 138
抗体医薬製剤　149
抗体産生のメカニズム　82
抗体測定法　107
好中球　82
抗毒素　80
抗毒素製剤　150
　製造元・販売元　155
高度免疫人免疫グロブリン製剤　141, 147
抗破傷風人免疫グロブリン　141
5価経口弱毒生ロタウイルスワクチン
　　　　　　　　　　117, 132, 308
コガタアカイエカ　192
国際保健規則　328
国立感染症研究所感染症疫学センター　60
5種混合ワクチン　111
戸籍・住民票に記載がない児童　41
コッホ現象　185
コッホ現象事例報告書　185
コプリック斑　218
五類感染症　61
コレラワクチン　360
混注　99

【さ】

サーバリックス　132, 277
サイトカイン　82
再発性呼吸器乳頭腫　276
細胞傷害性T細胞　109
細胞性免疫能　109

細胞培養感染量　120
細胞変性効果　97
サル痘ウイルス　341
三類感染症　61

【し】

ジアゼパム　53
ジェービックV　128
ジカウイルスワクチン　111
子宮頸癌　275
　発生状況　276
思春期・成人用百日咳ワクチン　175
自然免疫　85
自然免疫応答の受容体　84
ジフテリア　61, 160
　発生状況　161
　報告数　161
ジフテリア菌　12
ジフテリア毒素　160
ジフテリア破傷風混合トキソイド
　　　　　　　112, 126, 135, 166
　接種方法　174
　対象者　173
　注意　174
　副反応　172
事務次官通知　34
弱毒生ワクチン　104
弱毒ワクチン　12
周産期感染　351
重症心身障害児　50
集団接種　43
種痘　2, 13, 80, 342
種痘禍事件　14
種痘法　13
受動免疫　80
主反応　103
主要組織適合遺伝子複合体　86, 109
静注用人免疫グロブリン製剤　140
　ウイルス除去法　144
　原料　144
　適用　144
　半減期　144
小児科定点　62
小児化膿性髄膜炎　252

小児期侵襲性インフルエンザ菌感染症　*251*
新規ワクチン　*110, 111*
シングリックス　*128, 287*
人口動態統計　*77*
侵襲性インフルエンザ菌感染症　*61, 255*
侵襲性髄膜炎菌感染症　*61, 334*
侵襲性肺炎球菌感染症　*61, 261*
　罹患率　*263*
侵襲性ヒブ感染症　*252*
心臓血管系疾患　*49*
腎臓疾患　*50*
人痘接種法　*9*
蕁麻疹　*47*
新臨時接種　*35*

【す】

水痘　*61, 62, 282*
　発生状況　*283*
水痘抗原　*129*
水痘・帯状疱疹ワクチン　*282*
水痘ワクチン　*115, 116, 128, 282*
　接種不適当者　*289*
　接種方法　*289*
　注意　*290*
　副反応　*288*
　免疫効果　*287*
髄膜炎菌　*334*
髄膜炎菌性髄膜炎　*334*
　関連法規　*335*
　発生状況　*335*
　報告数　*336*
髄膜炎菌ワクチン　*117, 132, 334*
　英文予防接種証明書　*356*
　エクリズマブ　*336*
　海外　*339*
　海外渡航者　*336*
　接種不適当者　*339*
　接種方法　*339*
　接種要注意者　*339*
　注意　*339*
　副反応　*338*
　免疫効果　*338*
髄膜炎ベルト　*337*
スクエアキッズ　*124*

スプリットワクチン　*106*

【せ・そ】

成人用d　*115, 126*
成人用沈降ジフテリアトキソイド
　　　　　　　　　　　115, 126, 136
精製ツベルクリン　*128*
セービン型　*14*
生物学的製剤基準　*96*
生物学的製剤検定規則　*13*
生物由来製品感染等被害救済制度　*5*
世界ワクチン接種行動計画　*32*
赤血球凝集抑制反応　*107*
赤血球凝集抑制法　*194*
接種会場　*43*
接種部位　*99*
接種用具の整備　*44*
接触感染　*351*
ゼラチン　*56, 89, 134*
ゼラチンアレルギー　*88, 106*
ゼラチン粒子凝集法　*226*
線維状赤血球凝集素　*165*
腺癌　*275*
善感　*346*
尖圭コンジローマ　*62, 275*
潜在性結核感染症　*186*
全数把握　*61*
先天性風疹症候群　*2, 61, 232, 282*
　届出基準　*234*
　臨床像　*233*
先天性免疫不全　*47, 54*

ソーク型　*14*
損傷関連分子パターン　*83*

【た】

体温　*45*
帯状疱疹　*282*
　発生状況　*283*
帯状疱疹後神経痛　*282*
帯状疱疹ワクチン　*116, 128, 286*
　接種方法　*290*
　接種要注意者　*289*

（帯状疱疹ワクチン）
　　注意　*290*
　　副反応　*288*
　　免疫効果　*287*
代替指標　*107*
多刺法　*345*
多糖体ワクチン　*262*
ダニ媒介脳炎ワクチン　*361*
卵アレルギー　*105*
単価経口弱毒生ヒトロタウイルスワクチン
　　　　　　　　　　　　　　　　　308
炭疽菌　*12*
単独不活化ポリオワクチン　*166*
　　接種方法　*177*
　　注意　*177*
　　副反応　*172*
蛋白結合型ワクチン　*261*

【ち・つ】

チメロサール　*90, 134*
注射用蒸留水　*97*
中空ウイルス粒子　*90*
中和抗体測定法　*108*
腸チフス・パラチフス混合ワクチン　*14*
腸チフスワクチン　*111, 359*
沈降B型肝炎ワクチン　*130, 136*
沈降DT　*112, 126, 135, 166*
沈降T　*115, 126, 135, 166*
沈降7価肺炎球菌結合型ワクチン　*260*
沈降13価肺炎球菌結合型ワクチン
　　　　　　　　　　　　113, 130, 260
　　接種方法　*272*
沈降インフルエンザワクチン　*124*
沈降ジフテリア破傷風混合トキソイド
　　　　　　　　　　112, 126, 135, 166
　　接種方法　*174*
　　注意　*174*
　　副反応　*172*
沈降精製百日咳ジフテリア破傷風混合ワクチン
　　　　　　　　　　　　126, 135, 165
　　抗原組成と抗原量　*170*
　　免疫効果　*168*
沈降精製百日咳ジフテリア破傷風不活化ポリオ
混合ワクチン　*112, 124, 165*

（混合ワクチン）
　　局所反応率・発熱率　*171*
　　接種方法　*172*
　　単独接種　*172*
　　注意　*173*
　　同時接種　*172*
　　副反応　*170*
　　免疫効果　*170*
沈降破傷風トキソイド　*115, 126, 135, 166*
　　外傷時の接種　*174*
　　接種方法　*174*
　　副反応　*172*
　　免疫効果　*169*

通知　*41*
ツベルクリン反応　*185, 357*

【て】

定期接種対象疾病　*35*
定期予防接種健康被害発生時対策　*3*
定期予防接種実施者数調査　*69*
定期予防接種のスケジュール　*35*
低出生体重児　*51*
定点報告疾患報告様式　*63*
テタガムP　*148*
テタノブリン　*148*
テトラビック　*124*
添加物　*88*
てんかん　*53*
天然痘　*2, 13, 341*
天然痘ウイルス　*341*
天然痘根絶宣言　*14*
天然痘ワクチン　*2, 13*

【と】

凍結乾燥　*89*
凍結乾燥ワクチン　*97*
同時接種　*39, 98*
痘瘡　*2, 13, 341*
　　感染経路　*341*
　　関連法規　*342*
　　発生状況　*342*
　　歴史　*342*

索　引　595

痘瘡ウイルス　341
痘瘡ワクチン　341
　接種不適当者　344
　接種方法　345
　接種要注意者　344
　注意　345
　副反応　343
　免疫効果　343
動物媒介感染　351
トキソイド　89
トラベラーズワクチン　316, 355
鳥インフルエンザ　204

【な・に】

ナチュラルキラー細胞　82, 86
生ワクチン　81
二次性ワクチン効果不全対策　59
23価莢膜多糖体ワクチン　260
　接種方法　272
23価肺炎球菌多糖体ワクチン　114, 130
日本脳炎　61, 192
　抗体保有状況　199
　発生状況　193
　ブタの―　195
　報告数　193
日本脳炎ウイルス　192
日本脳炎ワクチン　19, 192
　国内承認製剤　358
　接種不適当者　201
　接種方法　201
　接種要注意者　201
　注意　202
　副反応　198
　免疫効果　197
乳児重症ミオクロニーてんかん　53
ニューモバックス　130
乳由来成分　56
乳幼児突然死症候群　98
二類感染症　61
二類疾病　17
任意接種　37
妊娠　48

【ね・の】

熱性けいれん　52

ノイラミニダーゼ　203
　阻害薬　205
脳炎型狂犬病　320
野口英世　326
ノロウイルスワクチン　111

【は】

肺炎　267
肺炎球菌　260
肺炎球菌感染症　260
　発生状況　260
肺炎球菌ワクチン　19, 260
　接種不適当者　271
　接種方法　272
　接種要注意者　271
　注意　273
　副反応　269
　免疫効果　261
　65歳以上の対象者　273
曝露後免疫　80, 117
曝露前免疫　117
はしか　→　麻疹
破傷風　61, 161
　患者数　161
　抗体保有状況　162
　発生状況　161
　報告数　161
破傷風菌　12
破傷風トキソイド　115, 126, 135, 166
　外傷時の接種　174
　国内承認製剤　357
　接種方法　174
　副反応　172
　免疫効果　169
破傷風予防指針　176
パターン認識受容体　82
発育障害　49
発育歴　46
鼻ジフテリア　160
パンデミックインフルエンザ　204

パンデミックワクチン　211

【ひ】

ビームゲン　130
皮下注射　99
皮下注用人免疫グロブリン製剤　141
　ウイルス除去法　147
　原料　147
　適用　147
ひきつけ　46
ヒト化モノクローナル抗体　149
人血清アルブミン　134
ヒトサイトメガロウイルスワクチン　111
ヒトパピローマウイルス　275
　関連疾患　276
ヒトパピローマウイルスワクチン
　　　　　　2, 19, 114, 132, 275
　種類　278
　成分　279
　積極的接種勧奨の中止　281
　接種部位　281
　接種不適当者　279
　接種方法　280
　接種要注意者　280
　注意　280
　副反応　279
　免疫効果　277
ヒト・マウスキメラ抗体　149
人免疫グロブリン製剤　138
　製造元・販売元　155
　適用　141
　副反応　143
　用法・用量　142
ヒトロタウイルスワクチン　20
皮内注射　102
ヒブ感染症　250
皮膚デルマトーム　282
ヒブワクチン　19, 250
飛沫感染　351
百日咳　61, 158
　診断週別報告数　159
　接種回数別年齢分布　160
　届出基準　158
　年齢群の割合　159

（百日咳）
　発生状況　158
百日咳ジフテリア混合ワクチン　14
百日咳ジフテリア破傷風混合ワクチン
　　　　　　12, 126, 135, 165
　抗原組成と抗原量　170
　免疫効果　168
百日咳ジフテリア破傷風不活化ポリオ混合ワク
チン　112, 124, 165
　局所反応率・発熱率　171
　接種方法　172
　単独接種　172
　注意　173
　同時接種　172
　副反応　170
　免疫効果　170
百日咳毒素　165
百日咳ワクチン　15
病原体関連分子パターン　83
病原微生物検出情報　60

【ふ】

風疹　61, 232
　患者届出基準　234
　抗体保有状況　240
風疹ウイルス　232
風疹第5期定期接種　115, 242, 246
風疹ワクチン　232
　実施率　237
　接種不適当者　244
　接種方法　244
　接種要注意者　244
　注意　245
　定期予防接種制度と年齢　239
　副反応　242
　免疫効果　238
ブースター反応　101
フォーカス形成単位　120
不活化剤　90
不活化ポリオワクチン　20, 112, 124
不活化ワクチン　80, 105
副腎皮質刺激ホルモン療法　54
副反応　81, 105
副反応報告　23

索　引　597

プラック形成単位　120
プレドニゾロン　50
プレパンデミックワクチン　208
プレベナー　130
フローサイトメトリー　109

【へ】

米国疾病予防管理センター　34
ペニシリン耐性肺炎球菌感染症　62
ヘブスブリン　147
ヘプタバックス　130, 296
ヘマグルチニン　107, 203
編入学児　355
扁平上皮癌　275

【ほ】

防腐剤　90, 134
保護者の同伴　42
母子感染　47, 351
母子健康手帳　42
母子保健法　42
保存剤　89
補体結合法　107
ポリオ　61, 158
　発生状況　163
ポリオ根絶計画　25, 163
ポリオワクチン　112, 124
　英文予防接種証明書　353
　国内承認製剤　358
ポリメラーゼ阻害薬　205
ポリリボシルリビトールリン酸　250

【ま】

マクロファージ　82
麻疹　61, 218
　検査診断　223
　抗体保有状況　227
　死亡数　219
　報告数　221
　流行　220
　臨床症状　218
麻疹ウイルス　218

麻疹おたふくかぜ風疹混合ワクチン
　　　　　　　　　　225, 236, 301
麻疹および風疹対策の会議　45
麻疹排除　16
麻疹風疹混合ワクチン　246, 301
　国内承認製剤　359
　接種不適当者　248
　接種方法　248
　接種要注意者　248
　注意　249
　副反応　246
　免疫効果　246
麻疹ワクチン　225
　接種不適当者　230
　接種方法　230
　接種要注意者　230
　注意　231
　副反応　228
　免疫効果　226
麻痺型狂犬病　320
マラリアワクチン　362

【み・む・め・も】

水ぼうそう　→　水痘
未接種者　42
三日ばしか　→　風疹

無菌性髄膜炎　299
無菌体ワクチン　165
無細胞百日咳ワクチン　15, 166
無症状病原体保有者　61
ムンプス　299
ムンプスウイルス　299
ムンプス難聴　306

メッセンジャーRNA阻害薬　206
メナクトラ　132
免疫応答　84, 102
免疫グロブリン　138
　構造　140
免疫グロブリン大量静注療法　141
免疫原性　103, 277
免疫能　103
免疫反応　11

モノクローナル抗体　149

【や・ゆ】

薬事法　13, 37, 70
薬機法　13, 37, 70

有害事象　105
輸血　47
ユニバーサルワクチン　98

【よ】

予診　47
予診票　45
予防接種
　記録　44
　経過　30
　システム　40
　実施計画　43
　実施主体　40
　実施状況　11
　実施の報告　45
　従事者　44
　スケジュール　海外　353
　接種間隔　38
　対象者の解釈　37
　対象者の確認　43
　歴史　10, 26
予防接種関連法令　34
予防接種基本計画　23
予防接種健康被害救済制度　4, 14
　給付額　4
　給付区分別認定者数　8
　仕組み　5
　接種年次別認定者数　6
予防接種健康被害調査委員会　5
予防接種後健康状況調査　69, 170
予防接種後健康状況調査集計報告書　256, 271
予防接種後副反応疑い報告　70
　集計, 分析　71
予防接種後副反応疑い報告書　72
予防接種後副反応疑い報告書作成アプリ　76
予防接種事故　14
予防接種実施規則　34

予防接種実施状況調査　68
予防接種証明書　328
予防接種済証　44
予防接種対象疾患　16
予防接種台帳　41
予防接種と子どもの健康　17
予防接種副反応分析事業　77
予防接種不適当者　48
予防接種法　13, 34
　接種年齢　37
予防接種法施行規則　34
予防接種法施行令　34
予防接種要注意者　48
4価髄膜炎菌ワクチン　132
4価デング熱ワクチン　111
4種混合ワクチン　21
四類感染症　61

【ら・り・れ・ろ】

ラテックス過敏症　47
ラビピュール　323

リアソータント　208
リアソートメント　208
リウマチ　51
リポ多糖　87
留学生　355
流行性耳下腺炎　62, 299
臨時接種　35
リンパ球幼若化反応　109

レチノイン酸誘導遺伝子-I　83, 86

ロタウイルス　307
ロタウイルス感染症　307
　発生状況　307
ロタウイルスワクチン　307
　接種不適当者　312
　接種方法　312
　接種要注意者　312
　注意　313
　副反応　311
　免疫効果　310
ロタシールド　311

索　引　599

ロタテック　*132, 309*
ロタリックス　*132, 309*
ロット番号　*47*

【わ】

ワイル病秋やみ混合ワクチン　*30*
ワクシニアウイルス　*11*
ワクチン　*9, 43, 88*
　安定性　*95*
　開発　*110*
　期限切れ　*97*
　製造元・販売元　*154*
　成分　*89*
　接種間隔　*101*
　接種部位　*101*
　投与ルート　*101*
　副反応の出現頻度　*106*
　保存　*97*
　保存条件　*96*
　有効期間　*96*
ワクチン関連麻痺　*166*
ワクチンギャップ　*21, 339, 350*
ワクチン適用除外証明書　*330*
ワクチンで予防できる疾患　*349*

【A】

ACTH療法　*54*
ADEM　*17, 196*
AFP　*24*
aPワクチン　*15, 166*
A型肝炎　*61, 314*
　感染経路　*314*
　関連法規　*314*
　抗体保有率　*315*
　注意すべき国/地域　*317*
　発生状況　*315*
A型肝炎ウイルス　*314*
A型肝炎ワクチン　*116, 128, 314*
　海外　*319*
　海外渡航者　*316*
　接種不適当者　*318*
　接種方法　*318*
　接種要注意者　*318*
　注意　*318*
　副反応　*318*
　免疫効果　*318*
A類疾病　*35*

【B】

BCG　*12, 46, 115, 179*
　接種方法　*188*
　接種後の経過　*190*
　接種不適当者　*188*
　接種要注意者　*188*
　注意　*190*
　副反応　*182*
　免疫効果　*182*
BCR　*81*
B型肝炎　*291*
　感染後の経過　*292*
　キャリア率　*293*
　劇症　*294*
　発生状況　*293*
B型肝炎ウイルス　*292*
　遺伝子型A　*293*
　de novo　*293*
B型肝炎母子感染防止事業　*295*
B型肝炎ワクチン　*2, 47, 115, 116, 130, 291*

（B型肝炎ワクチン）
国内　*297*
国内承認製剤　*357*
接種不適当者　*297*
接種方法　*298*
接種要注意者　*297*
注意　*298*
副反応　*297*
免疫効果　*296*
B群レンサ球菌　*252*
B細胞受容体　*81*
B類疾病　*16, 35*

【C・D・E・F・G】

$CCID_{50}$　*120*
CDC　*34*
CF　*107*
cIPV　*166*
*Corynebacterium ulcerance*感染症　*161*
CPE　*97*
CRS　*2, 232*
CTL　*109*

DAMP　*83*
DPT　*165*
DPT-IPV　*21, 112, 124, 165*
DPTワクチン　*12*
DTaPワクチン　*15, 126, 135, 175*
DTwPワクチン　*162*
DTワクチン　*14*

EIA　*108*

Fab　*138*
Fc　*138*
FFU　*120*
FHA　*165*

GBS　*252*
GVAP　*32*

【H】

HA　*107, 203*

HAV　*314*
HBIG　*141, 291, 298*
HBV　*2, 291*
HI　*107*
HIV　*50*
HI抗体　*203*
HI法　*194*
HPV　*2, 275*
HPVワクチン　*19*
9価　*111, 277*

【I・J・K・L】

IFN　*82, 86*
IgM capture EIA法　*108*
IGRA　*182, 191*
IHR　*328*
IMD　*334*
indirect EIA法　*108*
interferon-γ release assay　*182*
IPD　*260*

Jenner, Edward　*9*

KL法　*225*
Koch, Robert　*12*

LC16m8株　*14*
LPS　*87*
LTBI　*186*

【M・N】

MHC　*82, 86, 109*
MMRワクチン　*225, 236, 301*
monophosphoryl lipid A　*83, 87*
MPL　*83, 87*
MRワクチン　*246, 301*
Mycobacterium bovis　*12*

NA　*203*
National Epidemiological Surveillance of
Infectious Diseasesシステム　*60*
Neisseria meningitidis　*334*
NESID　*60, 197*

NESVPD *197*
NICU *51*
NK細胞 *82, 86*
NLRP *83, 86*
NOD受容体 *83, 86*
non-Hib *253*
NT *108*
NTHi *253*

【O・P・Q】

oil-in-waterアジュバント *93*
OPV *166*

PAMP *83*
Pasteur, Louis *11*
PA抗体 *227*
PA法 *226*
PCV *261*
PCV7 *260*
PCV13 *260*
PCV15 *111*
PFU *97, 108, 120*
PHN *282*
PMDA *22, 70*
PPSV23 *260*
PRP *250*
PT *165*
PVF *59*

QFT-3G *191*

【R・S・T】

RIG-I *83, 86*
RV1 *308*
RV5 *308*

SBA-BR抗体価 *338*
secretory component *102*
SIDS *98*
sIPV *165*
SSPE *219*
STD定点 *62*
Streptococcus pneumoniae *260*
SVF *59*

T-SPOT.TB *191*
TCID$_{50}$ *97, 108*
Tdap *175*
TIG *141*
TLR *83, 86*
Toll様受容体 *83, 86*
TORCH症候群 *283*
T細胞 *85*
T細胞受容体 *82*

【V・W】

vaccine *9*
vaccinia virus *11*
VAPP *81, 166*
Vero細胞由来ワクチン *18*
VLP *90, 277*
von Behring, Emil *12*
VPD *349*
VZV *282*
WHOが進めている予防接種戦略 *32*

【Y】

YEL-AND *331*
YEL-AVD *332*

予防接種の手びき＜2020-21年度版＞

1975年 7 月15日	第一版発行	2003年10月10日	第九版発行
1977年 5 月10日	改訂増補第二版発行	2005年 8 月15日	第十版発行
1980年 2 月10日	第三版発行	2006年 8 月15日	第11版発行
1983年 6 月20日	第四版発行	2008年11月10日	第12版発行
1986年11月15日	第五版発行	2011年10月10日	第13版発行
1987年 6 月30日	改訂第五版発行	2014年 8 月10日	第14版発行
1992年 6 月20日	第六版発行	2018年 6 月10日	2018-19年度版発行
1995年 4 月20日	第七版発行	2020年 3 月10日	2020-21年度版発行
2000年 5 月20日	第八版発行		

編 著 者　　岡部信彦／岡田賢司／齋藤昭彦／多屋馨子

　　　　　　　中野貴司／中山哲夫／細矢光亮

発 行 者　　菅 原 律 子

発 行 所　　株式会社　近代出版
　　　　　　　〒150-0002　東京都渋谷区渋谷 2 - 10 - 9 (210野村ビル)
　　　　　　　電 話 03 (3499) 5191　FAX 03 (3499) 5204
　　　　　　　http://www.kindai-s.co.jp
　　　　　　　e-mail　mail@kindai-s.co.jp

印刷・製本　　研友社印刷㈱

ISBN978-4-87402-261-0　　　　　　　　　　　　2020年　Printed in Japan

乱丁・落丁本がございましたら，小社までお送りください。送料は小社負担でお取り替えいたします。
本書の内容に関するお問い合わせは，小社宛 FAX または e-mail でお願いします。

JCOPY 〈(社)出版者著作権管理機構委託出版物〉
本書の無断複写は著作権法上での例外を除き禁じられています。複写される場合は，そのつど事前に，
(社)出版者著作権管理機構(電話 03-3513-6969，FAX 03-3513-6979，e-mail：info@jcopy.or.jp)の許諾を
得てください。

臨床と微生物

隔月刊　奇数月25日発行（増刊号年1回）

本体2,100円＋税　増刊号本体3,800円＋税

■編集委員　（※主幹）

牛島廣治※	日本大学医学部病態病理学系微生物学
大楠清文	東京医科大学微生物学
小栗豊子	東京医療保健大学大学院
神谷　茂	杏林大学医学部感染症学
舘田一博	東邦大学医学部微生物・感染症学
多屋馨子	国立感染症研究所感染症疫学センター

　本誌は、臨床微生物および感染症の最新トピックスを第一線の研究者がわかりやすく解説する専門誌として1974年に創刊され、感染症・微生物研究者、実地医家、保健所・衛生研究所関係者、臨床検査技師、看護師といった幅広い皆さまのご支持をいただいております。

　インフルエンザ、多剤耐性菌、食中毒をはじめとする感染症の猛威に対処するため、最新の情報満載の本誌をぜひご購読ください。

※各巻の特集については、小社のホームページをご覧ください。

 近代出版

〒150-0002　東京都渋谷区渋谷2-10-9
TEL 03-3499-5191　FAX 03-3499-5204
http://www.kindai-s.co.jp